CW00351193

16

1..

T]

Meddwl
y
Gynghanedd

R. M. Jones

Cyhoeddiadau Barddas
2005

Argraffiad Cyntaf: 2005

ISBN 1 900437 78 3

*Y mae Cyhoeddiadau Barddas yn gweithio gyda chefnogaeth
ariannol Cyngor Celfyddydau Cymru, a chyhoeddwyd
y gyfrol hon gyda chymorth y Cyngor.*

Cyhoeddwyd gan Gyhoeddiadau Barddas
Argraffwyd yng Nghymru gan Wasg Dinefwr, Llandybïe

I
Aelodau Cymdeithas Cerdd Dafod,
Strwythurwyr mwyaf eithafol Ewrob,
mewn gwrogaeth

Byrfoddau

B *Bwletin y Bwrdd Gwybodau Celtaidd*
BU *Barddoniaeth yr Uchelwyr,* D. J. Bowen, Caerdydd, 1957
CA *Canu Aneirin,* Ifor Williams, Caerdydd, 1938
CBT *Cyfres Beirdd y Tywysogion,* gol. R. Geraint Gruffydd, Caerdydd, 1991-1996
CD *Cerdd Dafod,* John Morris-Jones, Rhydychen, 1925
DGG *Cywyddau Dafydd ap Gwilym a'i Gyfoeswyr,* Ifor Williams a T. Roberts, Caerdydd, 1935
GDG *Gwaith Dafydd ap Gwilym,* Thomas Parry, Caerdydd, 1952
GDN *The Poetical Works of Dafydd Nanmor,* T. Roberts ac Ifor Williams, Cardiff, 1923
GIF *Gwaith Iorwerth Fynglwyd,* Howell Ll. Jones ac E. I. Rowlands. Caerdydd, 1975
GIG *Gwaith Iolo Goch,* D. R. Johnston, Caerdydd, 1988
GLM *Gwaith Lewys Môn,* Eurys I. Rowlands, Caerdydd, 1975
GP *Gramadegau'r Penceirddiaid,* G. J. Williams ac E. J. Jones, Caerdydd, 1934
IGE2 *Iolo Goch ac Eraill,* Henry Lewis et al., Caerdydd, 1937
MG *Mawl a'i Gyfeillion,* R. M. Jones, Barddas, 2000
OBWV *Oxford Book of Welsh Verse,* Thomas Parry, Oxford, 1962
OPGO *L'Oeuvre Poétique de Gutun Owain,* E. Bachellery, Paris, 1950
P *Peniarth*
SB *Seiliau Beirniadaeth,* R. M. Jones, pedair cyfrol, Aberystwyth, 1984-88
SC *Studia Celtica*
SCL *System in Child Language,* R. M. Jones, Caerdydd, 1970
TLl *Tafod y Llenor,* R. M. Jones, Caerdydd, 1974

Cynnwys

Rhagair

Derbyniais nifer o gymwynasau wrth baratoi'r gyfrol hon. Soniaf eto am y rhai a gyfrannodd yn uniongyrchol i dwf syniadol fy theori ymhellach ymlaen, yn y Rhagymadrodd. Ond ar hyd y daith, a fu'n bur estynedig, cefais gynhorthwy ymarferol gan nifer o gyfeillion, – Lyn Lewis Dafis, R. Geraint Gruffydd, Andrew Hawke, Huw Walters, a J. E. Caerwyn Williams. Bu dau gyfaill mor garedig â darllen y gyfrol hon ar ei hyd gan estyn eu hawgrymiadau gwerthfawr, sef Peredur Lynch, ein prif awdurdod academaidd ar Gerdd Dafod, ac Alan Llwyd, ein prif ymarferwr yn y maes.

Eto fi, bid siŵr, biau'r namau. Ond heb y gefnogaeth a dderbyniais, ni fyddai'r gyfrol erioed wedi'i chwpla.

RHAGYMADRODD

Rhagymadrodd

(i) MEDDWL! PA FEDDWL?

Dathlu mawredd y Gynghanedd yw pwrpas y gyfrol hon.

'Dwi ddim yn hoffi'r hen strwythuraeth 'na,' meddai un o brifeirdd mwyaf medrus Cymdeithas Cerdd Dafod wrthyf.

'Wel,' meddwn innau yn fy ffordd gymedrol arferol, 'Strwythurwyr mwyaf ffenedig Ewrob yw tanysgrifwyr *Barddas*. Os ydyn nhw'n pleidio'r Gynghanedd, yna y mae a wnelon nhw â'r theori a'r ymarfer mwyaf amlwg strwythurol sydd yn llenyddiaeth y gorllewin.'

'Dwi ddim yn deall peth fel 'na,' meddai yntau.

'Pwy all ddeall y cwbl?' meddwn innau yn ostyngeiddrwydd i gyd. 'Ond felly y mae hi. Does dim dewis ganddyn nhw. Os ydyn nhw'n mynnu derbyn y Gynghanedd, maen nhw at eu clustiau mewn strwythuraeth isymwybodol, yn fwy na neb arall mewn llenyddiaeth cyn belled ag y gwn i. Gwiw yw trafod y broblem hon. Dyma brif wreiddioldeb llenyddiaeth Gymraeg. Mae'n darparu dirgelwch go ddiddorol inni er ein gwaethaf. Un y mae'n werth meddwl amdano. Dyma wir gyfrinach Beirdd Ynys *Prydain*. Ynys yw ar gyfer y rhai sy'n *prydu*. Neu o'i chyfieithu – Gwlad Llun.'

Mewn strwythurau y bydd cynganeddwr yn meddwl. Mi wnaiff hynny yn fwy felly na'r bobl a fydd yn defnyddio iaith bob dydd o fewn caethiwed gramadeg. Bodoli drwy strwythurau yw ei nerth. Ac iddo fe neu iddi hi, pan fo wedi dod yn weddol aeddfed, strwythurau isymwybodol fydd y cynganeddion bob amser. Yr isymwybod yn unig fydd yn gwneud y gwaith adeileddol dyfnaf drosto. Yn hynny o beth, y mae'n gwneud, efallai'n ddiarwybod, rywbeth sy'n dreiddgar o feirniadol yn erbyn chwalfa'r amseroedd.

Yr hyn a geisiwn yn y fan yma yw archwilio natur ac arwyddocâd y strwythurau anweledig hyn. Er enghraifft, yn y gyfundrefn ryfeddol o feiau gwaharddedig, byddwn yn ymholi nid yn unig pam y maent yn bod. Erbyn y diwedd byddwn wedi ceisio olrhain y broblem ryfedd sut y daethpwyd erioed i *ddarganfod* (gan isymwybod y traddodiad barddol cyffredin) y beiau gwaharddedig hyn sydd bron fel petaent eisoes wedi bodoli cyn i neb sylwi arnynt.

13

Llwyddodd rhai prifeirdd yn y gorffennol, rhai o'n beirniaid cynharaf, i ddadansoddi'r beiau cytseiniol a llafariadol a gorddai eisoes yn yr isymwybod. Enwent hwy, a'u hesbonio. Ond nid enwent bob bai. Dim ond dwy wedd ar gynhwysion sain mewn Cynghanedd a sillaf oedd cytsain a llafariad; sef y gweddau a ddadlennwyd ganddynt hwy. Anwybyddent, braidd, y drydedd wedd, a'r bwysicaf, yr un lywodraethol, sef acen. Roedd beiau acen yn bod fel petaent yn gyfrinachol. Ni nododd y gramadegwyr nac enwi na rhestru odid yr un o'r beiau *acen* gwahardd-edig heblaw Crych a Llyfn. Ac eto, i lawr ym mannau tawel yr isymwybod, lle y mae Cerdd Dafod wrthi'n ymffurfio'n anfwriadol seiniol, credu neu beidio, yr oedd yna rai beiau acen dienw, y tu ôl i fygydau, yr un mor barchus wrthi'n gwneud eu gwaith glanhaol, yr un mor barchedig gydnabyddedig â beiau mwy arwynebol ac ymwthiol llafariad a chytsain. Ond heb eu hadnabod, a heb ddweud pam yr oeddent yn bod, beiau cudd oeddent. Da cofio nad 'gwneud' rheolau a wnâi rhai beirdd i feirdd eraill ufuddhau iddyn nhw. Ond eu dadlennu nhw, fel deddfau natur: datguddio y daioni a'r drygioni cêl. Ac os mynnwn barchu a mawrygu'r isymwybod barddol Cymraeg, a'i ddadlennu yn ei holl harddwch, ni wiw gwahardd archwilio'r diffygion nac atal ceisio sylweddoli beth a barodd i feirdd parchus gyfrif y beiau acennol yn werth eu cydnabod gan ufuddhau i'r fframwaith a'u diffiniai, a hynny heb adnabyddiaeth briodol o'r hyn yr oeddynt yn ei wneud. Roedd y rhain hefyd yn yr isymwybod yn niweidiol i'r strwythuraeth gydlynol ac yn haeddu dweud y drefn wrthynt yn llythrennol.

Beth a wnâi strwythur isymwybodol dirgel fel hyn? Hynny yw, pa egwyddor, pa droad chwaeth, pa safon sain a luniai'r strwythurau hyn? Beth a luniai'r cywirdeb acennol manwl? Efallai, erbyn cyrraedd y beiau acennol yn y gyfrol hon y byddwn wedi llwyddo i esbonio pa fath o allu a adeiladodd y strwythuraeth gyfrinachol hon oll, pa wth a oedd y tu ôl i'r isymwybod gweithgar, beth oedd patrwm ymddygiad yr hiraeth anymwybodol am drefn. A beth yn hollol a wnaeth gamp fwyaf ein llenyddiaeth.

Meddwl yn dawel bach a wna'r Gynghanedd. Meddwl mewn gwirionedd yw'r Gynghanedd ei hun. Meddwl y mae am drefn. Meddwl hefyd drwy drefn. A meddwl a wna am dderbyn ac am wrthod; am batrymu bywyd; am berthynas pob dim i'w gilydd. Am wahaniaeth o fewn cytundeb.

Sylweddola ei bod yn cyflwyno hyfrydwch drwy'i gorffori ynddi'i hun. Nid digon yw ebychu'n deimladol heb ffurf. Nid penrhyddid yw mynegiant yr awen byth. Rhaid cyd-drefnu a chyd-bwyso gwerthoedd o fewn patrwm ysbrydol hardd sydd eisoes yn bod, a'i gnawdoli.

Dathla'r anweledig yn weledig.

Meddwl y mae'r Gynghanedd yn ddiarwybod am feddwl ei hun. Meddylia beth yw'r modd o feddwl. Meddwl ffurf meddwl. Yn isymwybodol datgela'r Gair sy'n drefn. Gweithia yn ddifyfyrdod i gyfeiriad penodol. Mawl ydyw i fframwaith sylweddoliad sy'n amddiffynfa iddo'i hun, ac yn ymosodiad ar anhrefn. Gwir fod athronwyr yn ceisio darganfod ystyr. Ond *corffori* ystyr yn drefn sain a wna Cynghanedd mewn fframwaith geiriol sy'n drefn ac yn sylwedd ynddo'i hun. Ni edy'r Gynghanedd yr anweledig yn haniaeth: fe'i try'n gorfforol. A threfn o fath arbennig yw'r ystyr.

Rhoddedig yw ei holl ragdybiau. Cyntefig isymwybodol ydynt yn y bôn. Dysg wahaniaethu rhwng rhai egwyddorion sy'n adeiladu ei hunaniaeth ddynol . . . megis rheidrwydd y cyferbyniad rhwng absenoldeb a phresenoldeb, rhwng tawelwch a sŵn . . . megis rheidrwydd dibynnu tri ar ddau a dau ar un. Hynny yw, cwlwm elfennaidd deuol neu driol y gellir ei ddiogelu yng nghefn yr isymwybod yn ddelweddol, heb feddwl amdano. Rheidrwydd y llawer o fewn yr un. Rheidrwydd achos i effaith. A rheidrwydd i berthynas ystyrlon darddu mewn Absoliwt. Ond trefn i gyd. Dyna'r math o fyfyrdodau rhyfedd y mae'n gorfod mynd drwyddynt.

Ffordd o fyw yw sy'n fframwaith cadarn i'n diogelu rhag difaterwch digwlwm. Cwlwm tyn yw o berseinedd. Os myfyriwn am y gadwyn ryfeddol hon fe'n rhyddha ni i wybodaeth y moséig sydd mewn iaith.

Oherwydd bod y Gynghanedd ei hun yn gyfundrefn o gyfundrefnau mor llawn a datblygedig aeddfed, ac oherwydd ei hamlochredd rhyfeddol sy'n cynnwys mydr ac odl, cytseinedd patrymol a cheseilio, proest a'r mesurau, cymeriad a chywreindeb chwaethus y beiau gwaharddedig, a'r hyn a elwir yn 'oddefiadau', ac oherwydd ei bod yn uned seiniol unigryw a chydlynol gynhwysfawr, y mae iddi le allweddol wrth fyfyrio am Feirniadaeth Gyfansawdd. Mae'n bwnc sy'n haeddu myfyrdod oedolion yn ogystal ag ymarfer gan blant.

Wrth ei defnyddio i fyfyrio am natur Trefn, daeth y Gynghanedd yn arf pwerus wyneb yn wyneb ag Ôl-foderniaeth, a'i hymgais i esbonio Trefn heb achos i'r effaith, a heb Absoliwt i berthynas yr undod ar gyfer rhannau mewn sefyllfa orfodol gyfundrefnus. Diddorol odiaeth yw bod modd olrhain mewn pedair enghraifft nodedig o fewn prydyddiaeth Gymraeg y ffordd yr adeiladwyd strwythurau sefydlog Cerdd Dafod.

Gellid yn gyntaf olrhain yn union o fewn y traddodiad hanesyddol sut yr adeiladwyd cyfundrefnau Tafod allan o ddefnydd mewn Mynegiant. Hynny yw, olrhain camre'r anweledig drwy sylwi ar y gweledig. Datblygwyd yn weledig gychwynnol *arferiadau* ffurfiol mewn Mynegiant. Hynny yw, ailadroddwyd rhai patrymau syml a 'chaeth' yn rhydd ddewisol, hynny yw yn wirfoddol achlysurol o frawddeg i frawddeg ac o gerdd i gerdd ac o sain i sain. (Trafodais gymhelliad Ailadrodd droeon: SCL 58-74; TLI 100-106; SB 324-5). Gellid er enghraifft mewn Gogynghanedd ddiweddar gan y Gogynfeirdd, yn gwbl wirfoddol, gael effeithiau ar hyd undod y llinell, er mai mewn rhannau o'r llinell (dechrau, canol neu ddiwedd) yn unig yr oedd disgwyl hynny yn gynnar. Yr oedd y lleiafswm angenrheidiol yn reit elfennol. Ond goddefid mwy o gywreinder na'r lleiafswm fel petai, er enghraifft gellid cael cyd-drawiad rhwng cytseinedd yn yr aceniad, er nad oedd hynny'n orfodol. Gellid hefyd gyddrawiad annibynnol ar acen. Yna, amlhawyd y defnydd gweddol reolaidd o'r cywreinder hwnnw o gytseinio o fewn aceniad. Lleihaodd yr eithriadau. Ac wedyn o'r diwedd, cafwyd gan yr arferiadau hyn, yn isymwybodol o bosibl, y cam tyngedfennol drosodd i reoleidd-dra cadarn yr undod ym mhob rhan o'r llinell, bob llafariad, cytsain ac acen o dan lywodraeth. O'r gwirfoddol i'r gorfodol, sef y gwirfoddol orfodol. Dyma gyfundrefn mewn Tafod bellach, cyfundrefn newydd a gymerwyd yn ganiataol. Fe'i caniatéid i ddechrau – yn ysgafn oddefgar felly; yna, aeth yn ganiataol. Yna, fe'i corfforwyd fel petai yn y Gramadeg isymwybodol drwy'r llam o'r rhan i'r cyfan.

Yr un modd, yn ail, yn y gyfundrefn o Feiau Gwaharddedig. Dechreuwyd hoffi rhai arferiadau yn fwy na'i gilydd. Sylwyd bod gor-wneud rhai cyfatebiaethau (odl neu broest er enghraifft) yn effaith amhersain i'r glust. A'r un modd, teimlid bod rhy ychydig o ambell effaith (er enghraifft, hepgor ambell gytsain) yr un mor annerbyniol i'r glust sensitif. Aethpwyd i osgoi rhai cyfuniadau, yn achlysurol, bron yn ffasiynol, ac yna'n fwy cyson. Wedyn, aeth hyn o osgoad hefyd yn gymharol ddi-eithriad nes troi'n waharddiad pendant. Canfuwyd bod y pechodau bach unigol, o fath neilltuol, yn wedd ar y Pechod mawr cyffredinol.

Yn drydydd, ym myd y mesurau gellid sylwi fel y newidiodd y Cywydd Deuair Hirion (ac yn ei sgil yr Englyn Unodl Union) ar un adeg o fod yn fesur triol (hynny yw, tair acen mewn llinell neu uwch-corfan) i ganiatáu tair *neu* bedair (2 x 2) acen mewn llinell. Canfuwyd y berthynas rhwng dwy elfen mewn un cyfan a'r 'tri yn un'. Yn ôl pob tebyg, ar y 'dechrau', ceid cwlwm o fesurau a garfanai acenion yn ddeuol (mesurau awdl fel arfer) a chwlwm arall a garfanai acenion yn driol (mesurau cywydd ac englyn). Daeth y cwbl yn un yn eu gwrogaeth i'r Gynghanedd. Neilltuid y ddau neu dri chwlwm hyn o ran swyddogaeth am gyfnod: yr awdlau i'r pencerdd a'i fawl swyddogol, a'r englynion (a'r cywyddau maes o law) i'r bardd teulu a diddanwch mwy storïol neu ysgafn. Roedd ganddynt fiwsig gwahanol. Felly, efallai gyda symudiad yn y sefyllfa gymdeithasol, yn arbennig gyda'r newid o Dywysogion i Uchelwyr, ac yn swyddogaeth y Cywydd tuag at foliant urddasol, mabwysiadodd y Cywydd y posibilrwydd i gynnwys o fewn strwythur y Gynghanedd y patrwm deuol yn ogystal â'r triol. Sylwer: ymddengys na ddigwyddodd fel arall, hynny yw, ni lithrodd y mesurau deuol i fabwysiadu goddefiad y triol. Dewisodd yr isymwybod ei ymffurfiad penodol ei hun. Dewisodd am ryw reswm, a ystyriwn maes o law, y cyferbyniadau anochel deuol a thriol.

Oherwydd y symudiad acennol hwn y datblygodd y bai (nas adnabuwyd ac na sylwyd arno ond siwrnai a siawns gan ein beirniaid – fe sylwyd arno gan Jâms Niclas er enghraifft), sef bai cael tair acen yn 'ail linell' gysodol yr Englyn Unodl Union. Mae'r rheswm yn ddyfnach nag y gellid ei ddisgwyl.

Yn bedwerydd, ar lefel y datblygiad a gafwyd rhwng mydr y canu Cymraeg rhydd cynharaf (sydd yn debyg o ran rhai egwyddorion acennol i'r Gynghanedd) a'r canu rhydd diweddar (a elwir yn gyfacen ac sy'n debyg i'r mydrau Saesneg yng nghyfnod y Dadeni), nid annhebyg oedd yr hyn a ddigwyddai i'r Gynghanedd. Cafwyd cyfnod o drawsnewid. Dyma'r diacroni ar waith – y Gynghanedd mewn amser, y newid sydd bob amser yn esgor ar sefydlogrwydd. Yn gyntaf oll cafwyd patrwm acennu mwy rhydd na'r amyneilio diweddar corfannog twt. Nid dym-di-dym-di-dym. Na: patrwm acennu mwy dirgel y Gynghanedd ydoedd. Caniatéid elfen ddiacen a oedd yn gallu ymestyn o un i ddwy sillaf pe dymunid. Ond sylwer: *goddefid* hefyd beidio â chael dwy sillaf ddiacen ynghyd ag acen drom, roedd un yn ddigon derbyniol. Yna, oherwydd bod 'un' yn dderbyniol i'r glust (ac efallai oherwydd pwysau tonau Seisnig), aeth un sillaf drom ac un sillaf ysgafn yn gyfuniad ac yn batrwm mwy poblogaidd ac aml a disgwyliedig. Troes sillafau diacen deuol yn llai cyffredin. A sefydlwyd math o fframwaith strwythurol iambig x/ neu drochaig /x i fod yn ganolog i'r canu rhydd hwnnw. A derbyniwyd Cerdd Dafod Lloegr.

Roedd yna broses ar waith, a rhesymau gwahanol am y broses honno.

Hyn oll y gallwn ei olrhain yn hanesyddol. Hynny yw, mae yna adeiladu i'w weld ar waith. Corfforid Tafod drwy arferiadau Mynegiant, yr anwel-edig gan y gweledig.

Dowch inni gymryd y Canu Rhydd Cymraeg cynnar:

Oed ein harglwydd yn gynta	3 churiad	- x - x x - x	7 sill
y sydd y flwyddyn nesa	3	x - x - x - x	7 sill
mil a chwechant hefyd wyth	4 (2 x 2)	- x - x ¦ - x -	7 sill
a hyn yn esmwyth a fedra	3	x - x - x x - x	8 sill

Er bod presenoldeb nifer y curiadau trwm yn benodol, ceir rhyddid i gyplysu dwy sillaf ddiacen, neu i gyferbynnu'r curiad trwm ac un sillaf ddiacen, gydag odl fewnol yn dilyn odl acennog y drydedd linell. Ni waherddid y gyfacen.

Yn ddiweddarach, ond weithiau yn ystod trawsnewid o fewn yr un gerdd, gellid cael patrwm fel hyn:

Ac yno'n ddiymatal	3 churiad	x - x - x - x	7 sill
hi goda storm oedd anial:	3	x - x - x - x	7 sill
hi dafla'i long o gefn y môr	4 (2x2)	x - x - ¦ x - x -	8 sill
tu mewn i harbwr Cornwal	3	x - x - x - x	7 sill

Y cyntaf o'r ddau batrwm hyn a luniodd y Meddwl Cyffredin ar gyfer y Gynghanedd. Yr ail oedd yr un 'cyfacen' a gafwyd yn Saesneg, a thrwy fenthyciad, (drwy donau o bosib) mewn Canu Rhydd Cymraeg. Cyn-rychiolydd ydyw'r diacroni hwn o'r math o ddatblygiad a all ddigwydd o hyd yn hanes Cerdd Dafod. Un ffurf yn troi'n ffurf arall, bron yn ddisylw. Llwyddai i droi oherwydd bod patrwm yr ail Fydr yn gynwysedig ganiataol yn y Mydr cyntaf. Nid un dyn yn ei gornel a ddyfeisiodd y Gynghanedd na'i mydrau, ond y Meddwl Cyffredin ar lawr llys.

Dechreuwyd drwy lunio perthynas elfennol iawn rhwng sillafau, ond arweiniwyd ymlaen at greu o hynny gyfundrefn ddethol a chwaethus a chywrain a oedd yn llawer dyfnach nag acrobateg seiniol glyfar, fel y cawn weld. Cyfundrefn oedd a draethai'n huawdl am amrywiaeth gwar-eiddiol undod persain. Digwyddai hyn, nid mewn arddangosfa unigol-yddol na sioe hunan-ymchwyddgar, eithr mewn cymdeithas gelfyddydol gytûn o hyfrydwch ieithyddol. Creadigaeth gyfun dreiddgar gymunedol oedd i ddathlu syberwyd. Roedd yn llai dihangar ac yn fwy datblygedig na'r hyn a fynegai Baudelaire (a Matisse) yn ddiweddarach:

Là, tout n'est qu'ordre et beauté,
Luxe, calme et volupté.   *[L'invitation au Voyage]*

(Yno, nid oes ond trefn a harddwch, moethusrwydd, tangnefedd, a nwydusrwydd.)
Eto, roedd yn rhannu'r un dyhead i greu gwlad ddychmygol.

(ii) YMGYRCH O BLAID Y GYNGHANEDD

Codwyd ymgyrch yn saithdegau'r ugeinfed ganrif o blaid adfywio'r Gynghanedd. Gwedd oedd hyn ar y deffroad cenedlaethol.
Cymreig oedd o ran hanfod. Doedd yr egwyddorion strwythurol a chwiliai Einion Offeiriad a Gruffydd Robert, Iolo Morganwg a John Morris-Jones ym maes Cerdd Dafod ddim yn rhan o'r meddylfryd addysgol Saesneg. Cafwyd cyfle i ailchwilio ac i ailbarchu un o orchestion mawr yr isymwybod Cymreig ac un o'r trysorau celfyddydol cenedlaethol. Aethai materion felly o fewn y gyfundrefn addysg yn bur ddieithr. Wedi'r cyfan, mewn amgylchfyd beirniadol sy'n gogwyddo at y trefedigaethol, ni byddai neb yn disgwyl dim beirniadol o bwys i ddod o le fel Cymru. Ac eto, yma, sylweddolwyd o'r newydd yn y saithdegau gyfraniad y Gynghanedd i ryddid y meddwl beirniadol Cymraeg. Sylweddolwyd mai gwaseidd-dra a fu'n ein gogwyddo oddi wrth ryfeddol gyfoeth ein traddodiad ein hunan yn rhy fynych. Yn wir, cafwyd enghraifft ddiweddar o'r gogwydd hwnnw yn yr ymateb Cymraeg i Ôl-foderniaeth. Nid oedd pawb yn barod i orwedd ar lawr er mwyn i'r credinwyr Ôl-fodernaidd gerdded drostynt. Dechreuai holl feddylfryd argyfwng yr iaith a'i llên ymhlith y cynganeddwyr wyro oddi wrth y lluosaidd a'r sgeptig a'r coeg a ddisgwylid gan gydymffurfwyr ufudd tuag at unplygrwydd brwydr ac adfywio; ond profai ffasiynrwydd yr Ôl-strwythurol yn ormod i rywrai, yn arbennig mewn rhyddiaith.
Oni chlyw-wyd drwy Loegr am ddatblygiadau seciwlar adfywiedig yn Ffrainc tuag at fawrygu diffyg undod, chwalfa, gwahaniad, sgeptigrwydd ac ansicrwydd? Disgwylid drylliadaeth a nihilistiaeth yn sylfaen i ddiwylliant. Clyw-wyd fel y cafwyd pwyslais unochrog gan Ffurfiolwyr Rwsia ynghynt ar wyro, dieithrio, estroneiddio, troi, ac yn y blaen. Rhuthrwyd i ddynwared y dogmâu hyn gan rai beirniaid o Gymry. Ond yn y traddodiad Cymraeg, ac yn ddiamheuol gywir hefyd, hanner stori yw'r gwahanu pwysig hwnnw o raid. Golwg anaeddfed a hanner-pob ydyw ar

19

ei ben ei hun. Rhaid i'r meddwl a'r deall a chelfyddyd a llenyddiaeth a bywyd oll, mewn gwirionedd, gyfuno tebygrwydd ynghyd â chyferbynnu, uniondeb ynghyd â gwyro, amrywiaeth ynghyd ag undod, gwahanu ynghyd â thynnu at ei gilydd. Dyna'r unig ffordd y gall y deall weithredu mewn modd dynol. Mae'n gymaint rhan o anian iaith a llên ag ydyw disgyrchiant o'r ddaear. Sylweddolwyd bod yna drefn ym mhobman. Gwae'r rhamantwyr a'r ôl-foderniaid. Sylweddolwyd hyn oll yn isymwybodol yng Ngherdd Dafod y Cymry. Doedd dim gwir ddewis o fewn fframwaith meddwl aeddfed na deall gweithredol cyfansawdd. Doedd dim gair na brawddeg na cherdd na nofel heb hynny, sef heb WAHUNIAETH. A'r Traddodiad Cymraeg a ddadlennodd hynny i ni yn unplygrwydd cyd-wahân Mawl. Gwaetha'r modd, gyda thwf canoli syniadol, nid mor rhydd nac mor Gymreig yw Cymreictod fel arfer i fyfyrio am nerth unol ein harwahanrwydd.

Aeth y Traddodiad yn ddieithrbeth i ni ein hunan, i raddau, sef y Traddodiad Cymraeg goruwch-ganoloesol a luniodd Gerdd Dafod. Y peth hwnnw a ddarparai nerth i ni mewn beirniadaeth. Ond yr un pryd ag y tyfai Ôl-feirniadaeth chwâl yn y saithdegau mewn gwledydd eraill, cafwyd ymhlith rhywrai adfywiad cynganeddol yng Nghymru: sef ein Hôl-foderniaeth gywrain ninnau. Nid unrhyw unigolyn eithriadol alluog, ond y meddwl cyffredin, anhysbys, cytûn mewn amser, yn isymwybodol oesol drwy'n hiaith gyfoethog ein hunan, dyna pwy a luniodd y Gynghanedd. A hwnnw hefyd a'i bywhaodd. Ond pe baech yn edrych ar rai o'n beirniaid lleiaf profiadol heddiw – llawer ohonynt yn ddeallol alluog iawn – fe'u meddiannwyd hwy bod ag un gan feirniadaeth gymdeithasegol a ffasiynrwydd ymagweddol ôl-fodernaidd y pŵerau bloc. Mae yna sôn eu bod yn 'radicalaidd'. Dim o'r fath beth. Gwreiddyn yw priod ystyr 'radical'. Pe baent yn radicalaidd, byddent wedi'u gwreiddio yng ngwreiddioldeb syfrdanol Cerdd Dafod, a'u gwreiddiau yno'n codi ceinciau meddyliol Cymraeg hunanlywodraethol a fyddai'n iachus ddieithr i ddarllenwyr estron, yn lle bod eisiau cydymffurfio o hyd â dulliau meddwl y grym imperialaidd.

Eisiau hunanlywodraeth feirniadol sy arnom yn y wlad hon.

Yr wyf yn siŵr bod yna gannoedd lawer ohonom sy'n gwbl ymwybodol o ryfeddod hollol syfrdanol ambell rediad cynganeddol fel –

A gwyliai yno'n y golau, ennyd,
Fröydd hud ei ddigymar freuddwydion . . .
A than y dail, yn y syrthni dulas,

20

O'r mud rigolau tremiai dirgelwch
Esmwyth, hudolus, a maith dawelwch. (T. Gwynn Jones)

neu

Y BIODEN

Er bod lliw'r cyfnos drosti, – oni cheir
Trwch o eira arni?
Ar ddadmer mae'i hanner hi
A'r rhelyw heb feirioli. (Alan Llwyd)

neu

MARW MERCH FUD

Hunodd heb ddweud ei henw, a hunodd
Heb unwaith ein galw
Hefo'i llais, ond ar fy llw
Llefarodd â'i holl farw. (Gerallt Lloyd Owen)

Y tu ôl i'r llinellau syfrdanol hyn ceir cyfrinach fawr. Ond ni wna'r tro inni gadw'r gyfrinach honno rhag y miloedd o blant sy'n tyfu yn yr ysgolion yng Nghymru beth bynnag eu hiaith gyntaf. Dyma odidowg-rwydd cyhoeddus na wiw ei gelu.

Carwn innau weld llawer mwy o drafod dwys ynghylch y mater hwn yn gyntaf, gan archwilio o'r newydd lawnder yr egwyddorion y tu ôl i'r Gynghanedd: ei hathrawiaeth; nid yn unig y glec; ond sut y mae'r holl amrywiaeth o fewn twf y Gynghanedd wedi gogwyddo at undod, a beth yw'r berthynas rhwng adeiladwaith y llinell ac adeiladwaith y pennill, y berthynas rhwng y mân elfennau a'r rhai mawr mewn mydr a chytsein-edd. Prin fu'r ystyriaeth ynghylch natur yr acen yn yr isymwybod. Mae angen dechrau meddwl o'r newydd am hyn. Mae yna egwyddorion dirgel a chyrhaeddbell yn y cwbl sy'n arwyddocaol i gelfyddyd i gyd. Cyn cyflwyno'r materion hyn i blant mewn modd elfennol a graddio'r cyf-lwyniad yn syml, mae angen trafod. Cyn y cynadledda mae angen myfyrio a bod yn barod. Dod yno wedi'n harfogi. Cyn dathlu a mwyn-hau mae angen mwy o ddeall cyfoes. A does dim amgyffred go iawn heb droi a throsi, anghytuno a chytuno.

Peth braf yw cymdeithas i hogi haearn. Tybed onid buddiol mewn
cynhadledd reolaidd fyddai cyfuno cyd-drafod a thalyrna yn ôl rhaglen
neu bolisi penodol? A ellid trafod y Gynghanedd mewn addysg – a
dyfeisio posau a chwaraeon? Onid priodol fyddai ymdriniaeth a dathlu
blynyddol o waith Dafydd ap Gwilym er enghraifft? Nid traethodau
academaidd am y lle sydd i ffeministiaeth yn ei gywyddau dyweder na
chefndir economaidd Farcsaidd y bardd, na chwaith ei ragfarnau
cyfalafol wrth foli Ifor Hael, na phwy oedd ei fam, nac ai ym Mro Gynin
uchaf ynteu ym Mro Gynin isaf y'i ganwyd; ond gorchest ei waith, pen-
droni uwchben ei gerddi unigol a dadlennu nerth eu ffrwythlondeb,
archwilio twf ei grefft o fewn holl rychwant bywyd. Ond heb frysio i
mewn i bethau felly, mae mawr angen yn gyntaf iacháu'r clwyfusrwydd,
yr amddifadrwydd, a'r esgeulustod meddwl a fu wrth fyfyrio ar arbenig-
rwydd a natur wreiddiol y Gynghanedd.

Meistrolwyd celfyddyd orwych y Gynghanedd i raddau gan ugeiniau
onid gan gannoedd o'n beirdd cyfoes. Does bosib, ar ôl cyflawni'r
anoddbeth hwnnw, na ellir pensynnu a phendroni ymhellach ac yn
ddyfnach am ganghennau'r Gynghanedd yn ddadansoddiadol ysgog-
iadol. Drwy hynny heddiw y datblygir o'r newydd gelfyddyd a beirniad-
aeth wir Gymraeg a bythol newydd. Tybiaf bellach os ydym yn mynd i
gael beirniadaeth Gymraeg a meddwl Cymraeg am gelfyddyd, rhaid inni
wneud hynny'n annibynnol, heb anghofio'n gwreiddiau Celtaidd ac
Ewropeaidd. Ond ai drwy gymryd pleidleisiau ynghylch a yw *b+b* yn
gwneud *p* neu beidio y cyflawnir y myfyrdod orau? Ai drwy bwyllgora,
ynteu drwy ddarganfod? Ai drwy bleidio llenyddiaeth sy'n gyfan gwbl
neilltuedig i blant? Y gorchfygiad eithaf.

Sôn yr wyf yn awr am yr angen i gyflenwi holl rychwant y diddordeb
mewn Cerdd Dafod Gymraeg. Hynny yw, does dim dwywaith y gellir
dechrau – fel y dechreuwyd mor wych gynt gan David Thomas – yn yr
Ysgol Gynradd. Yn wir, credaf nid yn unig mai dyna'r union le i ddech-
rau llunio'r cynganeddion yn ymarferol, ond wedi dechrau meddwl yn
drefnus am yr hanfodion mwyaf elfennaidd, ac ymlaen yn ôl camre
cyfundrefnus olynol, y mae angen i'r myfyrwyr dwysaf a hynaf hwythau
efrydu'r gwaith hefyd. Ceir trafodaethau penigamp yn ddiweddar gan
bobl fel Peredur Lynch, Alan Llwyd, Myrddin ap Dafydd, Donald Evans
ac eraill. Rhychwant cyfan yw llenyddiaeth i bob oed, o'r ysgafnaf i'r
fwyaf difrif. Ac nid yw 'beirniadaeth' ond yn rhan o'r gwaith o lenydda
ac yn wedd ofalus ar ddarllen llenyddiaeth.

Wrth geisio trafod Theori ac Ymarfer y Gynghanedd yr wyf am gamu'n
fras o'r Ysgol Gynradd hyd at lefel aeddfed yr ymddiddorwyr mwyaf

meddylgar a fyddai'n ymchwilio o ddifri yn y maes. Ond nid gosod y naill yn erbyn y llall a wnaf. Y mae'r naill yn arwain at y llall. Cydberthyn y maent. Yr holl rychwant yw hawl y meddwl aeddfed. Gobeithio'r wyf y delir i roi sylw i'r Ysgol Gynradd wrth addysgu'r Gynghanedd, a hefyd i'r symleiddiol ysgafn wrth geisio bod yn gynhwysfawr mewn llenyddiaeth yn gyffredinol, gan amgylchu gan bwyll holl rychwant diddordebau llenyddol ein pobl, a hynny heb esgeuluso y myfyrdod mwyaf dwys.

Y mae yna drefn yn y deall sydd yn adeileddol drwy'r Gynghanedd, fel y mae yna drefn resymegol ac anochel yn nhwf iaith y plentyn lleiaf. Eir o gam i gam mewn olyniaeth ystyrlon y mae eisiau'i hefrydu oherwydd bod trefn y camre'n dweud wrthym rywbeth am y camre elfennol dechreuol sy'n adeiladu'r diwedd. Ac am y twf cywrain drwyddi draw.

Dw'i ddim yn bwriadu yn hyn o gyfrol geisio llunio cwrs ar gyfer cyflwyno'r Gynghanedd yn yr Ysgol Gynradd nac Uwchradd, felly. Gwnaethpwyd hynny'n gampus gan David Thomas eisoes yn *Y Cynganeddion Cymreig,* a chan eraill wedyn. Ysgrifennu ar gyfer oedolion yr wyf i yn y fan yma, bron pawb ohonynt yn medru llunio tipyn neu lawer o Gynghanedd eisoes. Credaf i, ac nid yn dawel bach, y dylai cyfrol David Thomas, neu un o'r amryw gyfrolau tebyg wedyn, gael eu defnyddio'n wythnosol mewn ysgolion cynradd Cymraeg. A rhywbeth cyfatebol mewn ysgolion uwchradd Cymraeg, a hyd yn oed yn nosbarthiadau uchaf ysgolion Eingl-Gymreig. Ceir deunydd yng ngwaith amheuthun Mererid Hopwood, ac erthygl Jane Aaron 'Echoing the (M)other Tongue: Cynghanedd and the English Language Poet.' Dylai pob ysgol uwchradd yng Nghymru fod yn aelod o Gymdeithas Cerdd Dafod. Ond erys mwy na hynny.

Nid yw'r gyfrol hon yn ceisio disgrifio'r Gynghanedd chwaith fel y gwnaethpwyd mor feistraidd gan J. Morris-Jones, *Cerdd Dafod,* ac wedyn gan eraill.

Mae rhywbeth hollol wahanol gennyf i mewn golwg. Carwn innau fyfyrio beth sydd gan y dasg hon o gynganeddu i'w ddweud wrthym ni oedolion am adeiladwaith Cerdd Dafod fel grym a ffactor o fewn beirniadaeth lenyddol gyfoes ac o fewn ein meddwl cyfoes. Sut y mae'n gymorth i amgyffred bywyd?

Wrth geisio gwneud ychydig bach o hynny ar gyfer oedolion, yr wyf i – yn sgil ac o dan gysgod myfyrdod fy rhagflaenwyr – am geisio dadlennu'r hyn sy'n Gymreig yn y Gynghanedd, ac o'r herwydd mewn beirniadaeth lenyddol Gymraeg. Credaf fod cyfundrefn Cerdd Dafod yn fodd i'r Cymry adeiladu eu dull eu hunain o feddwl am lenyddiaeth

23

yn gyffredinol. Eisoes o fewn y meddwl traddodiadol cynganeddol dat-
blygwyd egwyddorion sy'n fydeang eu harwyddocâd. A gobeithir, wrth
ymlwybro'n dawel drwy rai gweddau amrywiol ar Gerdd Dafod, y deuir i
sylweddoli nid yn unig ei hegwyddorion hi, ond hefyd rai o bennaf
egwyddorion pob llenyddiaeth.

Cymerwn er enghraifft yr egwyddor Ffurfiolaidd o 'ddieithrhau' sydd
wedi cael sylw ers tro ymhell y tu hwnt i ffiniau Cymru. Carwn ddych-
welyd yng ngoleuni'r esboniad neu'r damcaniaethu yn y gyfrol hon
ynghylch y Gynghanedd at egwyddor a drafodais yn *Tafod y Llenor.*
Soniais yn y fan yna am ddyfais y rhoddwyd cryn sylw iddo gynt gan y
Ffurfiolwyr Rwsiaidd a Siecaidd. Y mae a wnelo hyn yn awr â'r dieithrhau
a brofwn ni oll yn y Gynghanedd. Paham y mae'r odrwydd goruwch-
reolaidd hwn yn dieithrio naturioldeb rhyddieithol mewn modd mor
radicalaidd? Pam y mae'r anghyffredinedd yn bod er bod y rheoleidd-
dra yn ymddangos mor daclus naturiol? A yw'n fwy na rhyw wyro
arwynebol sy'n tynnu sylw ato'i hunan? Dywedid gynt gan y Ffurfiolwyr
fod yna fath o anffurfio'n digwydd sy'n creu ffrithiant a thyndra ac
felly'n egnïo ymateb. Roedd yn blaendiro ffurf. Felly yr estynnid profiad
ac yr estynnid ystyr. Roedd profiad yn cael ei fywiogi oherwydd y newydd-
deb. Gwyro ydoedd oddi wrth y norm. Ond y mae'r Gynghanedd yn
ddyfnach na hynny.

Y pwyslais yr wyf am ei flaendiro a'i flaenoleuo yn awr yw'r ymadrodd
'oddi wrth y *norm*'. Mae yna '*gyfarwydd*' eisoes yn rhwym o fod yn isym-
wybod yr '*anarferoli*'. Dywedais ynghynt, 'Y mae'r ymwybod o ddieithrhau
yn dibynnu ar ymwybod sylfaenol o norm.' Ac eto: 'Dibynna llenydd-
iaeth ar y gwrthdrawiad rhwng y normal hwn (y rhediad diderfyn
'rhyddieithol' iaith) a'r abnormal (yr uned derfynedig neu'r ddel-
wedd adffurfiedig)'. Y canlyniad hwnnw fu fy nghasgliad ers tro. Carwn
ymhelaethu ar hynny.

Ymhellach ymlaen, y term a ddefnyddiais ar gyfer y ffenomen hon
oedd 'gwahuno'. Rhaid cael tebygu ynghyd â'r annhebygu. Dibynna
llenyddiaeth, fel y deall dynol ei hun, ar iaith, nid yn unig ar y gwrth-
daro sydd ynddi, eithr ar y cyd-daro hefyd. Yn wir, yn achos y Gyng-
hanedd, y cyd-daro, fe ymddengys, sydd ar y blaen. Y tebygu yn wir yw'r
hyn sy'n ddieithr. Ond nid felly: dibynna'r Gynghanedd ar y ddeuol-
iaeth, y cyffelyb ynghyd â'r anghyffelybu. Nid adnabyddir y da bellach
heb negyddu'r drwg. Dyna'r ffordd y mae'r deall hefyd yn gweithio bob
amser. Nid oes ystyr heb fod y meddwl yn cydweithio mewn dwy ffordd
drefnol yr un pryd – yn ceisio gwahaniaeth, ac yn ceisio tebygrwydd.

Mae ffurfiant y meddwl ei hun ynghlwm, yn wir yn gaeth, wrth y dull hwnnw o batrymu. Oherwydd ei ffurfiant sefydlog felly, nid yw'n cael gorffwystra seicolegol nes iddo ymaflyd yn y ddeuoliaeth gyfun ym myd celfyddyd. Hiraetha'r meddwl celfyddydol yn reddfol amdani. Dyma sy'n gyrru'r Gynghanedd yn ei blaen yn isymwybodol. Ofer y gwahanu heb yr uno.

Oes: mewn Cynghanedd fe geir *cyd*-daro, tynnu cytseiniaid *at ei gilydd* o fewn harmoni ymdebygol. Dyma un peth sy'n ddieithr. Eto, o dan y cytseiniaid unol hynny, wrthi yn ddisylw, y mae'r llafariaid yn canu'n *wahanol.* Pe ceisiem y naill egwyddor heb y llall, nid gwahuno a geid, nid celfyddyd ac nid y Gynghanedd mohoni chwaith. Y mae 'dieithrhau' ar ei ben ei hun, yn ddyfais annigonol. Ar ei ben ei hun ni lunia gyfundrefn. Rhaid wrth gyfuniad o ddau gyfeiriad.

Y tyndra hwn sy'n trydanu. Allan o'r weithred feddyliol ryfeddol o gynganeddu, daw cynnyrch ymbelydrol megis:

CRIST

Rhag dy lais arswydais i; – eiriolaist
Yn greulon dros fryntni
Fy mod: rhoi gras i'm codi,
Ond arswyd oedd dy ras Di.

Fel y gwelir, y mae hyn yn fwy o lawer na chlyfrwch fel y cawn arddangos ymhellach ymlaen.

Nid anghytuno â 'dieithrhau' a wnaf felly, yn hollol, nid ei ddisodli. Fy nod yw ei gwblhau. Ac yn y bennod glo i *Seiliau Beirniadaeth* dyna'n gymwys yw'r casgliad y deuthum iddo. Er mai 'Traddodiad' oedd teitl y bennod, nid oedd dim llai, yn sylfaen i'r bennod, na phrif egwyddor pob deall a meddwl a llefaru. Fe'i trafodid yn ôl y deuoliaethau – 1. Y cynefin a'r dieithr, 2. Rhy ac eisiau, 3. Caeth a rhydd, 4. Amrywiaeth ac undod. Dyma rai yn unig o'r deuoliaethau sy'n creu pob ffurf lenyddol.

Buwyd yn rhy hir efallai ac yn rhy barod i dderbyn y pwyslais estron ar un ochr yn unig, sef ar wahanu: boed gan Sclofsci ar 'ddieithrhau', neu Derrida ar 'différance'. Drwg gennyf fy mod i'n gorfod anghydffurfio â'r dylanwad estron hwn mewn modd mor ddirmygedig frodorol. Ond y mae Cymreictod y Gynghanedd, a'r orfodaeth dra amlwg yn y tradd-odiad Cymraeg, yn ein hatgoffa, yn ein cyfeirio, yn wir yn ein gwthio er ein gwaethaf ac ar ein pennau tuag at 'wahuno' (gwahanu + uno) a

25

'cy–nghanedd'. Nid yr unochredd chwâl ac ymddatodol sy'n cael ei ddatguddio mewn Cerdd Dafod, – ni wna hynny mo'r tro, ond y rheidrwydd i gofleidio deuoliaeth fythol. Dyna, yn fy marn i, yr ateb Cymraeg, ac ateb Cerdd Dafod ei hun, i'r Ôl-foderniaeth ffasiynol. Gwelwn wrth efrydu'r Gynghanedd fel y mae gwahanu (deuol a thriol) yn dod yn gyfaredd mewn undod.

Go brin bod y beirdd wedi dechrau ar lwybr tua'r Gynghanedd drwy geisio bod yn orchestol yn unig. Dechreuwyd mewn mydryddiaeth 'anacademaidd' drwy ddarganfod bod trefn seiniol o ailadrodd a oedd yn 'dda i'r glust', yn felyster. Ac aethpwyd ymlaen o'r fan yna drwy ddwysáu. Ychwanegwyd ailadrodd at ailadrodd er mwyn cadw'r 'hwyl' yn loyw. A thrwchuso. Ac yna, drwy gynilo'r gormodedd hwnnw mewn cyfuniad o ailadrodd â chyferbyniad diailadrodd cynnil cafwyd patrwm cadarnach a phrofiad seiniol a fodlonai'r glust yn rheitiach. Melyster mewn trefn: rhan o'r melyster oedd y drefn.

Nid chwiw'r Oesoedd Canol oedd hyn, o'i chyferbynnu â'n chwiw ni sy'n amhenodolrwydd a chwalfa. Gwedd ydoedd ar seiliau meddyliol.

Nid herio 'anhawster' a wneid ar y pryd yn ôl pob tebyg, ond herio fflatrwydd union rhyddiaith. Ar hyd y trywydd hwnnw y daethpwyd o hyd i orchest amrywiol. Nid mewn ymwybod â'r anodd y ceid y swyn. Yn wir, mewn symlder y ceid y gwreiddyn eithaf. Ymwybod a wneid â sŵn mewn perthynas yn mynd mor gyfarwydd nes ymsefydlu yn yr isymwybod. Gwnaethpwyd, o 'ryddiaith' a fu'n anniddorol, gadwyn a rwymai'r synhwyrau'n ddiddorol.

Heddiw, gallwn ddal i brofi'r Gynghanedd o hyd mewn rhyfeddod oherwydd y gamp orffenedig honno. Darllen gan Dudur Aled, 'modrwy'r llyn am odre'r llys', neu gan T. Gwynn Jones 'Troes gemliw wawl tros Gamlan', ac os ydym yn fyw safwn yn syn. Dyma'r nod. Mae yna gryn lam o'r 'dechrau' i'r 'diwedd' hwn. Ar y 'dechrau', cafwyd ailadrodd cytsain, ailadrodd 'peth'. Gweithrediad greddfol elfennaidd ydoedd bron; gweithrediad lled ymwybodol o bosib. Ar y 'diwedd', cafwyd ailadrodd patrwm; cyd-drefn gyson; datblygiad go isymwybodol ond deallol strwythurol. A harddwch.

Ceisio ystyried y llam yma, a wnaethpwyd rhwng y 'dechrau' a'r 'diwedd', dyna yw diben y gyfrol hon.

Erbyn y diwedd, gwyddom fel y ceir beirdd sy'n medru siarad mewn Cynghanedd. Gallant lunio englyn ar ganol sgwrs. Cofiaf fy ngwraig ar fy mhen-blwydd ym 1958, ar ôl sylwi bod ychydig o flew bach yn ymddangos ar fy ngên ar ddiwrnod anghofus, wedi rhoi anrheg o ellyn *trydan* newydd i mi ymuno â'r ugeinfed ganrif yn allanol o leiaf. Sylwodd Waldo ar hyn; ac ar ganol y sgwrs, meddai ef:

> *Mae'n arf i un fu'n farfog – ar ben blwydd*
> *'N erbyn blew yn finiog.*
> *Eillia hwn ei wep heb hog –*
> *Gan ei wraig yn anrhegog.*

Does dim llawer o farddoniaeth yn y fan yna efallai, ond mae yna dipyn o hwyl; ac yn y bôn, rhyfeddod yw.

Awgrymodd ambell un fod yna gysylltiad wedi bod rhwng tyfiant y Gynghanedd yn y Gymraeg, a bodolaeth hwylus treigladau. Tybid bod yr amrywiaeth megis C/G/CH/NGH ar ddechrau'r gair, ynghyd ag amrywebau pwysleisiol cystrawen y frawddeg, yn darparu ystwythder amryddawn fel y gall y sawl sy'n troi'r iaith (a hithau hefyd yn medru'i throi'i hun) ysgogi dewisiadau ffrwythlon. Hwylusai hyn y glec. Dichon fod hynny'n gywir. Ond nid dyna'r prif bwynt.

I mi, cyffesaf, rhan ganolog o harddwch cydlynol eang a rhyfeddol meddwl y Gymraeg heddiw yw bodolaeth y treigladau. Nid esgus i amrywebu. Hwy sy'n dolennu rhediad brawddegol ynghyd. Hwy sy'n tanlinellu'r cysylltiad rhiniol ac adeileddol yn olyniaeth y geiriau. Pwysleisiant gwlwm mewn modd na all iaith ddidreiglad. Llyfnhânt berthynas. Dyna beth o galon cyfrinach y Gymraeg. Ac o fewn y gyfrinach honno yr ymffurfiodd y Gynghanedd hithau megis ail ufudd-dod. Dwy ochr i'r un geiniog, yr ochr ieithyddol a'r ochr brydyddol, dyna yw treiglo a chynganeddu. Ac yn wir, daw'r ddwy ochr hyn yn un mewn Ceseilio (b+b = p), fel y ceisiwyd ei ddangos yn fy mhennod 'Ceseilio' yn *Seiliau Beirniadaeth II.*

Nid pwyllgor a benderfynodd nac a benderfyna dreigladau, ac nid pwyllgor a ddyfeisiodd geseilio na goddefiadau. Nid pleidlais. Nid academydd yn ei astudfa. Darganfyddiadau anfwriadus oeddent oll gan yr iaith ei hun. Nid eistedd i ddeddfu a wnâi'r beirdd yn gyntaf oll, ond clywed yn eu meddwl cyffredin. Datgelu a·wneid ddeddfau, nid llunio rheolau a wnâi beirdd (yn eu swyddogaeth fel beirdd nac fel beirniaid). Gwaith gwleidyddol fuasai rheolau. Darganfyddiad fu deddfau. Ac yn yr achos hwn, darganfyddid treigladau a chynganeddion a goddefiadau hwythau ynghudd yn yr un fwynfa. Magwyd cyfundrefn yn yr isymwybod.

Carwn nodi'n gryno y gwahaniaeth rhwng fy ngolwg i ar 'ddeddfwriaeth' Cerdd Dafod, a hynny yn ôl fy null gwahanol o synied am yr

Eisteddfodau (Caerwys a Chaerfyrddin) ac am Ramadegau'r Penceirdd-iaid. Nid wyf yn synied am na'r Eisteddfodau na'r Gramadegau yn gyntaf fel cyrff deddfu neu orchymyn. I'm bryd i, dadansoddi a disgrifio oedd eu swyddogaeth gyntaf. Cyn belled ag y ceid 'deddfu', ymgais oedd i gytuno neu i dderbyn arweiniad y beirdd profiadol ynglŷn â'r hyn a oedd eisoes yn wir am y traddodiad.

Iaith ryfeddol yw hon. Trysor cudd di-ben-draw. Ac ni raid i ni fodloni ar gael y trysor ond o fewn mwynfeydd yn unig, eithr caffer mwynfeydd o fewn y trysor. Ein braint yw eu harchwilio.

(iii) GALWAD AR DDISGYNYDDION YR INCAS

Fy ngobaith yn y gyfrol hon yw y bydd yn gyntaf yn dadlennu peth o natur a mawredd cywrain Cerdd Dafod y Cymry; yn ail, y bydd yn gymorth i sylweddoli y grym a'r datblygiad isymwybodol a deallol a'i lluniodd; ac yn drydydd y bydd yn fodd i beri i ddarllenwyr meddylgar ein llenyddiaeth fwynhau'n ddyfnach y greadigaeth unigryw hon yn ein treftadaeth genedlaethol. Nid yw'r gyfrol bid siŵr yn ceisio disodli *Cerdd Dafod* J. Morris-Jones o gwbl, er bod amryw ddiwygiadau'n cael eu hawgrymu. Disgrifiad manwl a gorchestol oedd honno. Nid yw'r gyfrol hon ond yn awgrym tra phetrus o esboniad braidd yn theoretig ynghyd â rhai pwysleisiau gwahanol. Un arall o'r 'adolygiadau hwyr' fel petai.

Ar ôl J. Morris-Jones, cafwyd nifer o feirniaid a ategodd ac a ddat-blygodd waith y brenin, er ar raddfa lai, megis Thomas Parry, Euros Bowen, Waldo Williams ac Alan Llwyd. Yr wyf yn ddyledus i bob un o'r rheini.

Ond y mae yna un presenoldeb dieithr yn y gyfrol hon sy'n orth-rechol. Mae yn fythol bresennol mewn manylion hyd yn oed. Pe bawn yn defnyddio troednodiadau i gyfeirio at ddyledion mân, byddai ef yma ym mron pob brawddeg. Ac yn y syniadau mwy cyffredinol hefyd a geir yn f'ymdriniaeth, er nad ef biau'r cwbl, byddwn i ddim wedi gallu symud hebddo. Gustave Guillaume yw'r presenoldeb rhithiol hwnnw.

Ac eto, mae'n bur bosib (er nad yn debyg) y buasai ef yn anghytuno â'r gyfrol hon o'i brig i'w bôn. Ieithydd pur oedd ef. Nid ieithydd cymwysedig, ond ieithydd (ar yr 'ymylon') a ddehonglai natur iaith yn well yn fy marn i nag a wnâi neb arall yn yr ugeinfed ganrif, a hynny mewn meysydd nas trafodai byth, ond a ddaeth yn bwysig i mi, megis beirniadaeth lenyddol a didacteg iaith. Yr wyf i wedi cymhwyso ynghynt rai o'i syniadau i'r dehongliad o adeiladwaith iaith plant, er na thrafododd yntau erioed mo'r maes hwnnw ychwaith: *System in Child Language.* Cymhwysais ef hefyd i ddidacteg iaith mewn cyfrol a gyhoeddwyd ar Wefan Cyd, *Dysgu Cyfansawdd,* 2003 (www.aber.ac.uk/cyd), maes arall nad oedd yn bwysig i Guillaume ond maes sy'n dyngedfennol bwysig i ddyfodol Cymru. Ac yma yr wyf yn awr yn cymhwyso ei feddylfryd drachefn at yr astudiaeth o un wedd lenyddol eang, sy'n gwbl amddifad o ystyr a deunydd, ac sy'n ffurf bur. Mae'n burach hyd yn oed na'r ffonem. Dyw hyd yn oed y ffonem gonfensiynol, elfen (neu wedd) mewn sain sy'n rhoi dyledus barch i ystyr, fel y cawn weld, ddim yn cael y lle y dylid ei roi iddi yn y gyfundrefn a gyflwynir mewn Cerdd Dafod – a hynny oherwydd ceseilio. Y mae ceseilio (fel treigladau) fel y gwelsom yn peri i'r Gymraeg ail feddwl y diffiniad o ffonem. Mae'n sglefrio dan ein dwylo. Byddaf o bryd i'w gilydd, felly, yn mentro pellhau ychydig oddi wrth Guillaume, mewn rhai meysydd tra thraddodiadol. Nid seiniau ystyrlon (sef y ffonemau traddodiadol) sy'n gwneud y Gynghanedd, fel y prawf ceseilio, ond cydlyniadau seiniol yn y glust. Yn fy nghyfrolau ar iaith plant ac ar Ddysgu Cyfansawdd, megis yn y gyfrol hon ar y Gynghanedd, yr wyf hyd yn oed yn mentro estyn ychydig ar syniadaeth Gustave Guillaume am gyfundrefn sydd mor ganolog i iaith â'r Frawddeg ac ynghylch y Trothwy rhwng Tafod a Mynegiant. Gallwn gyfeirio at fân fentrau 'anuniongred' eraill, ymestyniadau ar yr un weledigaeth, efallai. Ond wedi cyfaddef fy nghrwydradau, Gustave Guillaume a ddarparodd i mi gartref ieithyddol a chartref ym maes theori lenyddol (Ffurf). Efô (drwy'i lyfrau) a dau gyfaill glew o Brifysgol Laval, Québec (yn uniongyrchol), sef Roch Valin a Walter Hirtle, a'm cynorthwyodd ar fy nghamre petrus wrth efrydu seico-fecaneg iaith. Nid oes mesur ar fy nyled iddynt.

Y disgrifiad o'r Cynganeddion ac o'r Mesurau fel y'i ceir yn *Cerdd Dafod* Rhannau IV a V, dyna'r gwrthrych sydd gennyf yn bennaf mewn golwg yn yr astudiaeth hon. Ai beirniadaeth lenyddol yw peth felly? Ynteu rhywbeth arall? Ai dim ond dadansoddiad technegol o batrymau geiriol neu seiniol y gellir eu defnyddio mewn llenyddiaeth sydd yn y fan yma, sef gwaith digon pell oddi wrth y myfyrdod disgrifiol a goddrychol braf efallai o natur a chynnwys ac ansawdd darn o lenyddiaeth? Ac onid ymwneud ag egwyddorion *cyffredinol* y mae J. Morris-Jones yn hytrach na thrafod unrhyw weithiau llenyddol *penodol?* Onid theori, yn hytrach na beirniadaeth, felly, sy ganddo yntau, ac onid ffenomenâu pur wahanol i'w gilydd yw theori a beirniadaeth?

Yr wyf am fentro dweud mai gwedd ar feirniadaeth lenyddol yw 'Cerdd Dafod', neu os dymunir 'Tafod y Llenor' (sef yr estyniad o 'Gerdd Dafod' i gynnwys hefyd feysydd Ffigurau a Throadau Ymadrodd a theori llenddulliau – *genres*). A charwn nodi dau reswm am hawlio'r fath safle iddi.

1. Ceisiaf ddangos, wrth drafod y Beiau Gwaharddedig er enghraifft, fod y beirdd wrth ymdroi gyda'r traddodiad wedi barnu bod rhai patrymau seiniol yn dderbyniol a rhai yn annerbyniol, yn 'well neu'n waeth', bod rhai beirdd yn mynd i ormodedd wrth ffurfio cyfatebiaeth a rhai yn gwneud rhy ychydig. Dyma ymateb *beirniadol* pendant ddigon. Tardda mewn chwaeth ddatblygedig a barn aeddfed, a gwedd yw ar lunio safon. Peth felly oedd rhethreg i gyd, ar ryw olwg. Ond nid yn yr ymwybod y tarddodd.

2. Heblaw hynny, credaf fod 'Cerdd Dafod' (a 'Thafod y Llenor') yn fyfyrdod ynghylch y broses o lenydda ei hun. Mae'r hyn sy'n digwydd i'r *egwyddor* o Gynghanedd Groes Gytbwys Ddiacen dweder wrth droi'n llinell gron fyw yn debyg iawn i'r egwyddor o Odl wrth gael ei defnyddio mewn cwpled unigol. Teithia o'r egwyddor i'r enghraifft. Mae hyn yn gyffelyb wedyn i'r berthynas ddeuol rhwng Gramadeg iaith a ffurfio brawddeg. Y mae'r cwbl o'r broses lenyddol yn lletach na'r canlyniad noeth mewn print, ac wrth drafod y modd y mae llenyddiaeth yn ei chyfanrwydd yn gweithio, deellir yn well natur ffurfiau llenyddol unigol.

Hynny yw, wrth adnabod a disgrifio a gwerthfawrogi gallu potensial ac effaith derfynol Cywydd fe fydd deall y Gynghanedd a'r mesurau i feirniaid yn fonws. Nid wyf yn gwadu hawl y sawl na ŵyr ddim am bethau felly i ymateb yn gynnes effro ac yn synhwyrus bleserus i'r fath brofiad, heb feddwl amdano. Ond cymorth i wybod pam a sut yw gwybodaeth am Gerdd Dafod ei hun. Llawforwyn i'r myfyriol yw.

Yn y Gymraeg mae'n bosib bod gennym y gyfundrefn brydyddol fwyaf cywrain, fwyaf datblygedig, fwyaf soffistigedig ar wyneb y ddaear. Bûm yn ddiweddar yn chwythu drwy gyfrolau ar brydyddeg (*prosody*) ryngwladol, ac yn chwilio'n hamddenol drwy ambell arolwg cydwladol adnabyddus fel Gwyddoniadur nodedig Princeton. Ond ni allwn ganfod yn unman ddim mor rhyfeddol na dim mor ddwfn ei greadigrwydd â'r peth godidog hwn – Cerdd Dafod y Cymry. Ac eto, dichon na rydd y Cymry'r sylw dyledus iddi. Yn wir, dywed Princeton wrthym yn ddiamwys yn arg. 1993 t.265 mai'r gynghanedd yw'r gyfundrefn fwyaf soffistigedig drwy'r byd: 'the most sophisticated system of sound-patterning practised in any poetry in the world.'

Hwyl yw. Mae'n gymhlethdod lluniaidd. Mae'n seiniol ysgytiol. Mae'n fanylfin. Mae'n iawn ar gyfer chwarae ac ar gyfer ffurfio cyfuniadau synhwyrus plethog difrif. Mae'n ddyfnder diblymio plethog hyd yn oed. Ac eto, fe'i gadewir yn aml – yn feddyliol – fel pe na bai'n fwy na thegan hyfryd yn y golwg, neu bôs, yn unig.

Creu clec y byddwn wrth ymhel â hi, yn rhy fynych, heb ddim arall. Clec i 'werin' dybiedig ddifeddwl yw'r agwedd nawddogol hon.

Ond y mae ei helaethrwydd seiniol yn fwy o lawer na'r un o'r pethau yna a enwyd uchod. Mae'n adeiladwaith deallol isymwybodol o'r radd flaenaf. Ac nid yw isymwybod y bobl yn barod i fod mor arwynebol ag y myn rhai. Ymddengys i mi fod y Cymry rhwng y drydedd ganrif ar ddeg a'r bedwaredd ganrif ar ddeg wedi gwneud llam cwantwm. Aeth cyseinedd cytseiniaid a llafariaid yr iaith o Fynegiant (drwy ystyr) i Dafod, o gyflythreniad i Gynghanedd, o gyffyrddiad i adeiladwaith, o'r rhan i'r cyfan, gan esgor ar orchestwaith celfyddydol anghyffredin a chrwn.

O'r tair gwedd ar theori llenyddiaeth – Deunydd, Cymhelliad, Ffurf, – adeiladwyd yn isymwybodol yn y Gymraeg *theori gyflawn o Ffurf* na wn i am ei thebyg yn unman. Yr oedd yn cuddio ynddi'i hun bensaernïaeth ryfeddol, dyluniad llym a llawn, lle'r oedd pob dim yn ffitio i'w gilydd, yn ddirgel – hynny yw, o'r golwg. Ac eto, mor arwynebol fuom oll wrth synfyfyrio uwchben y ffenomen anferth hon. Er pan wnaeth J. Morris-Jones ei waith gorchestol *Cerdd Dafod* 1925, mor ychydig o fyfyrdod pellach a gafwyd ynghylch egwyddorion a champ yr amrywiol o fewn yr undod a gafwyd yn yr eglwys gadeiriol hon o gyfundrefn. Cyn *Cerdd Dafod* hefyd, mor ychydig! Ac eto, po fwyaf yr efrydir ei thwf a'i chydberthynas a natur ei deddfau a'r rhesymau drostynt, mwyaf y mae'n mynd â gwynt rhywun. Gellid meddwl y buasai cyflwyniad dwys iddi yn gwbl gynhenid orfodol a chanolog yng nghhwricwlwm addysg y wlad hon; nid yn unig ym mhob ysgol gynradd ac uwchradd Gymraeg, ond ym mhob ysgol uwchradd Eingl-Gymreig yn ein gwlad hefyd. Ond ni chawsom odid ddim byd ar y raddfa yna. Gellid disgwyl y buasai ysgol-heigion yn gyson yn myfyrio'n ddwys dros flynyddoedd uwchben yr egwyddorion creiddiol a'r modd y maent yn perthyn i strwythur iaith a meddwl, gan fentro ymhellach na disgrifio noeth. Ond, odid ddim.

Mae hi arnom, i'm bryd i, yn union fel y bu ar yr Incas diweddaraf yn America wrth basio olion y gwareiddiad godidog a fu gan eu teidiau, neu bobl ôl-wareiddiedig Timbyctŵ yn Affrica, yn derbyn gan y gorffennol ddiwylliant aruchel a datblygedig, mawredd deallol ac urddas, ac yna'n gadael i'r cwbl oll fynd i'r gwellt mewn cornel. Os ymwelwch â Thim-

31

byctŵ, fe welwch gabanau wedi'u hadeiladu o lwch, yn adfeilio dan yr elfennau, ac yna ar silffoedd yn y waliau pridd y tu mewn gannoedd o lawysgrifau aruchel o werthfawr o'r Oesoedd Canol. A'r cwbl yn cael ei esgeuluso o safbwynt parch astudiaeth fyw fodern.

Wrth syllu ar y brodorion tlodaidd yn cerdded o'r tu arall heibio i'r trysorau hyn, byddaf yn synied fy mod i'n gyfarwydd â'r seicoleg honno yn nes adref.

Dyma genedl, ar Ddydd Gŵyl Ddewi 2004, wrth bleidleisio dros y cant uchaf ymhlith arwyr Cymry, a gyfrifodd Tom Jones yn uwch na Dewi Sant, Gareth Edwards yn uwch na Williams Pantycelyn, Mike Peters yn uwch na Hywel Dda, Catherine Zeta Jones yn uwch na Kate Roberts, J. P. R. Williams yn uwch na Dafydd ap Gwilym, Cayo Evans yn uwch na Howell Harris, Tommy Cooper yn uwch na Llywelyn ab Iorwerth.

Faint o'n pobl ni sydd wedi ceisio myfyrio ynghylch hanfodion y Gynghanedd? Faint yn wir, sydd wedi ystyried yn ddwys yr egwyddor ganolog 'Gwahuniaeth', sef ateb ôl-ôl-fodernaidd y Gynghanedd, ateb brodorol Cymreig, i 'différance' Derrida, a'i ddogma arwynebol unochrog. Yn lle cloddio yn nhrysordy mawrhydig Cerdd Dafod, er mwyn cael ateb i chwalfa'r oes, mor chwannog fuom i sgythru ar ôl y chwiw ddiweddaraf y clywir bod y Saeson bellach yn ei harddel, mewn amgylchfyd cymdeithasol llai argyfyngus. Pobl y papurau newydd ydym.

Cyfundrefn o gyfundrefnau yw'r Gynghanedd megis y byd ei hun. Mae'r Gynghanedd Groes ynddi ei hun yn gyfundrefn. Cyfundrefn hefyd yw'r Draws, felly y Sain, a'r Lusg. Cyfundrefn o gyfundrefnau o fewn cyfundrefn y Gynghanedd yw'r Beiau Gwaharddedig. Cyfundrefn yw ceseilio a goddefiadau. Cyfundrefn yw llinell: cyfundrefn yw pennill. Ac mae'r cwbl hwn oll (a mwy) yn undod, yn undod rhyfeddol mewn modd mosëig arbennig. Y mae'r rhain oll wedi'u sylfaenu ar ddeddfau meddwl ac iaith, yn wir ar ddeddfau'r greadigaeth ei hun, i lawr i graidd 'Gwahuniaeth' a 'Rhy ac Eisiau' a'r 'Rhan mewn Cyfan'.

Fe ddefnyddir neu fe fynegir y gyfundrefn gyfan hon yn anochel mewn geiriau, ond fe'i seilir ar egwyddorion cyn-eiriol. Egwyddorion cyffredinol o bwys mawr. Wrth astudio'r Gynghanedd, mi astudiwn y byd.

Meddai fy meistr, Gustave Guillaume, 'Yn fy nysgeidiaeth i, deall hyd at y radd eithaf yw ystyr theoreiddio.' Dengys theori y berthynas sy'n bod rhwng nifer helaeth o ffeithiau arbennig a nifer fach o ffeithiau llywodraethol cyffredinol. Y tu mewn i linell o Gynghanedd ceir patrwm: y patrwm hwnnw yw'r theori. O fewn y seiniau sy'n taro'r glust fe geir ffurf sy'n taro'r meddwl ac mae yna adeiladwaith sefydlog y tu ôl i'r ffenomenau synhwyrus dros dro.

Tuag at Fynegiant bob amser yr eir mewn prydyddiaeth, yn ôl arfer yr iaith ar sail y gramadeg sydd ynddi, ond ni chaiff ddod allan o'r fframwaith nes iddi fynd drwy'r broses o ymgorffori o fewn fframwaith o berthnasoedd. Symudir drwy Gyfundrefn o gyfundrefnau er mwyn esgor ar un llinell o gynghanedd mewn Mynegiant. Ac wrth lunio un llinell, a mabwysiadu'r cyfundrefnau sydd o'i mewn, yr ydys yr un pryd yn ymwneud yn gyferbyniol ac yn gydweithredol â'r holl gydadeiladwaith yn y cyfan o Gynghanedd. Pryd y ceir Cynghanedd gan fardd? Pan fo'n cydberthyn. Pryd y ceir Cerdd Dafod ganddo? Pan gydlynir mewn ufudd-dod.

Ufudd-dod synhwyrus i batrwm cyflawn o feddwl yw craidd ei gamp.

A ydym yn barod i ymgodymu â hyn? A ydym yn barod fel oedolion i efrydu craidd y ffenomen aruthrol hon gan gyd-chwilio'i phatrymau? A hynny oll, er mwyn gweld ychydig efallai beth yw'r Gynghanedd gudd o'r tu mewn i ragdybiau bodolaeth ei hun.

Pam lai?

Does dim ond un ateb. Os methir, tybed onid yw oherwydd nad yw hi ddim yn rhan o amgyffrediad y math o feddwl sy'n dreth ar feirniaid Cymraeg y dyddiau hyn? Dadfeiliodd y Gymru Gymraeg. Edrycher mor hwyrfrydig ydynt, heblaw protestio, i wneud rhywbeth uniongyrchol helpfawr i groesawu dysgwyr i'r iaith. Mae'r protestwyr yn chwenychu breintiau a chanlyniadau heb wneud y gwaith blaenorol adeiladol angenrheidiol. Gwthiant y cyfrifoldeb ar rywrai eraill. Felly yr esgeulusir y meddwl cynhaliol am Gerdd Dafod gan chwenychu canlyniadau'r Gynghanedd yn unig. Mae'r Gymru Gymraeg yn rhy ddi-seiliau.

Heddiw, pryd y mae 'theori' llenyddiaeth yn cael y fath sylw, a sylw digon dylanwadol a haeddiannol ym Mhrifysgolion y Gorllewin, pam na chanfuwyd yng Nghymru fod yma eisoes yn y Gymraeg theori frodorol gwbl wreiddiol ac ysgytwol o ddadlennol yn barod bron, ar blât, ac yn gweiddi am ei datblygu? Rhedodd ein beirniaid ar ôl Ffeministiaeth, Marcsaeth, Ôl-foderniaeth ac Ôl-strwythuraeth, a'r holl aethau estron ymylol os pwysig a pharchus eraill. Rhedodd patrymau'n beirniadaeth lenyddol a'n hefrydiau oll, nid yn ôl twf ac athrylith ac egni ein traddodiad canolog ein hun, ond yn ôl traddodiad y Gororau. Ac yma, yn y Gymraeg yr eisteddwn mewn fforest o arwyneboldeb (llenyddiaeth boblogaidd, show-biz, y meddwl diog, y rhagfarn Seisnig drefedigaethol) sy'n tyfu o'n cwmpas ym mhob man, a sudda hanfod cywreinrwydd *meddwl* y Gynghanedd i falchder anwybyddiaeth.

Dyma felly'r cwestiynau y carwn i – er mor annigonol – eu hwynebu yn y drafodaeth hon. Pam y mae'r patrymau seiniol rhyfedd hyn yn bod? Sut maen nhw wedi dod i'r fath gyflwr? Beth yw'r berthynas sydd rhwng y patrymau gwahanol â'i gilydd? Beth sy'n ffurfio undod y gyfundrefn fawr hon i gyd? Pa gyneddfau neu ddyfeisiau yn y meddwl dynol sy'n gyfrifol am ddilyn y bensaernïaeth hon? Ac a oes a wnelo hyn â rhywbeth dwfn iawn yn y natur ddynol? A yw'n dweud rhywbeth sylfaenol am ddeddfau bywyd ac am y rheidrwydd yn y natur ddynol i adeiladu a gwarchod ffenomen aruthrol a chyfareddol o fawr?

Efallai, wrth geisio ateb y fath gwestiynau haerllug, y gallaf gyfiawnhau un o gasgliadau bach triol a wnaeth Cato Hen (efallai), pwy bynnag oedd (neu yw) hwnnw, ond a gollwyd ysywaeth ar un o silffoedd llychlyd Trefflemin: 'Tair ffenomen fwyaf anferth prydyddiaeth y Cymry – Dafydd ap Gwilym, Williams Pantycelyn, a gogonedd y Gynghanedd.' Yn SB II, 242 dyfynnais o'r llythyr pwysicaf a sgrifennodd J. Morris-Jones erioed (at O. M. Edwards), ac ychwanegais wedyn baragraff, sy'n ceisio esbonio pam. Gadawaf i'r darllenydd chwilio amdano. Mae'n sôn am y modd y mae cerddoriaeth ac arlunio a'r Gynghanedd, ill tri, wedi datblygu yn ôl deddfau cudd naturiol yn y natur ddynol ac yn y greadigaeth. Gresyn na ddatblygwyd ymhellach y darganfyddiad syfrdanol hwnnw.

Math o gyfieithu yw llenydda, o un iaith i iaith sydd o fewn iaith. Yn y Gymraeg defnyddir y gair trosiad ar gyfer cyfieithiad ac ar gyfer metaffor. Ac nid drwg o beth yw'r cyd-ddigwyddiad.

Ond beth yw nodweddion yr ail iaith hon – y Gynghanedd – a ddysgwn ni'r Cymry wedi inni ymaflyd yn ein hiaith frodorol? Beth yw ei gramadeg i'r dysgwr? Delwedd yw o fywyd. Mae iddi derfynau – dechrau, canol a diwedd. Gwyrad o fewn cysondeb yw. Mae ganddi ffurf am ben ffurf. Ac mae iaith yn cael o'r herwydd ei bywiogi, ei miniogi a'i theimladu drwy wyro unedig felly. Fel iaith gyntaf, mae'r ail iaith hon wedi'i chreu gan draddodiad. Fe'i dysgir drwy gyferbyniad ac ailadrodd. Ac yn y Gynghanedd ryfeddol sy'n ganlyniad, canfyddwn gydsyniad pensaernïol cytbwys sy'n cyfuno'r holl elfennau adeileddol yn gampwaith seiniol wreiddiol. Ceisiais innau'n ddiweddar esbonio camre angenrheidiol cwrs dysgu ail iaith yn y gyfrol a grybwyllais ynghynt, *Dysgu Cyfansawdd*. Ceisiais ailalw didachteg iaith yng Nghymru'n ôl at strwythur. Ni sylwyd ar fy nghynghorion. Ond felly y sylweddolwn mor debyg i adnabod y gwaith o adeiladu iaith yw'r Gynghanedd ei hun. Galwn ein pobl yn ôl i ystyried breintiau strwythur.

(iv) ATHRAWIAETH Y GYNGHANEDD

A oes gan 'Gymdeithas Cerdd Dafod' athrawiaeth? Beth yw credo'r
Gynghanedd yn ei bryd hi? Beth oedd gogwydd isymwybodol y meddwl
Cymraeg wrth iddo fynd ati i lunio rhywbeth mor ffurfiol gywrain â
chyfundrefn Cerdd Dafod? Dyma bwnc y bûm yn ceisio'i drafod yn
dawel bach mewn sawl cyfrol bellach, megis *Mawl a'i Gyfeillion, Mawl a
Gelynion ei Elynion*, a *Beirniadaeth Gyfansawdd*. Yn sicr, nid sôn yr wyf am
neb yn awgrymu athrawiaeth i Gerdd Dafod. Ond credaf y gellid
datgelu yr athrawiaeth sydd eisoes ynghudd, ond yn bendant ddigon,
o'i mewn.

Yn ddiymwybod wrth geisio ymateb i werth a diben llenyddiaeth, un
o hen gwestiynau mawr beirniadaeth lenyddol, ynghylch unrhyw
gyfansoddiad penodol, yw – beth yw'r berthynas yn y gwaith hwn rhwng
ei Ddeunydd a'i Ffurf? Neu sut y mae siâp a phatrwm neu adeiladwaith
ac arddull y gwaith hwn a hwn yn gweddu i'w gynnwys ac i'w agwedd at
fywyd? Ar yr olwg gyntaf, wrth gymhwyso'r cwestiwn dyrys hwn i fyd y
Cynganeddion a chyfundrefnwaith Cerdd Dafod, mae'r ateb yn bur
syml. Does dim perthynas amlwg o gwbl. Beth bynnag yw'r testun, mae'r
Gynghanedd yn dal ati, yn pydru ymlaen, fel pe bai'n annibynnol ar
ystyr hyd yn oed, ac yn fwy na'r un ohonom. Mae yna ddyfal barhad, o
linell i linell. Amherthnasol yw'r pwnc. Gall fod yn ddigrif. Gall fod yn
ddifrif. Ffeithiau naturiol sŵn yw gwreiddyn y Gynghanedd. Math o
fodolaeth hunanlywodraethol yw o fewn y cylch hwnnw. Mae'n dŷ i fyw
ynddo, boed i chwerthin neu i alaru. Ond tŷ trefnus yw, sy'n sicr o fod
yn dramgwydd yn y byd ôl-fodern sydd ohoni. Ac yn yr egwyddor o
drefn ceir cyfarfod.

Ambell waith mae'r cyflythreniad mewn llinell o Gynghanedd yn
gallu rhoi argraff o onomatopoeia. Ond achlysurol yw hynny. Gall
weddu ar y pryd i gyfleu cydbwysedd, o bosib, os dyna sydd yn y golwg
(neu beidio) o ran ystyr. Eithr nid sôn yr ŷm ni yma am gyffyrddiadau o
Gynghanedd mewn cerdd 'rydd'. Y drefn sylfaenol ddiddianc o fewn y
gyfundrefn yw'r cwestiwn sydd gerbron yn awr. Y wlad gyfan o ran pwnc
sydd o fewn y ffiniau hyn. Digon teg yw'r defnydd lleol ac achlysurol (i
bwrpas) o'r Gynghanedd fel effaith ar y pryd neu fel ffigur ymadrodd
mewn cerdd 'rydd': cyfetyb i'r defnydd achlysurol o drosiad. Digon teg
yw sôn – fel y buwyd ers tro yn ei awgrymu – am fynegiant mewn math o
'iaith' arbennig a chudd sefydlog o fewn amgylchfyd penodol. Ond mae
sgrifennu o fewn *sefydliad* y Gynghanedd yn golygu llawer mwy, ac yn

golygu mabwysiadu neu ymgrymu i fod yn aelod o gymdeithas seiniol gyfyngedig. *Élite* seinyddol sefydliadol yw yn yr amgylchfyd hwnnw. Ai dyna'r cwbl? Nage. Mae englyna neu gywydda yn sibrwd hefyd yn blwmp ac yn blaen: 'Yr wyf o blaid trefn. Yr wyf hyd yn oed yn credu mewn ffurf benodedig. Trefn ei hun wyf. Efallai fod chwiw ôl-fodernaidd saith-degau'r ganrif ddiwethaf wedi aildwymo'r hen ffasiwn oesol ac arwyn-ebol o ddamweinioldeb. Ond yr wyf i,' medd y cynganeddwr, 'yn cydnabod sylfaen fwy cynhwysfawr a sicr ddiddamwain. Dichon mai anhrefn a chwalfa yw'r hyn sydd ar y fwydlen oesol i'r sawl sydd am fod *à la mode* eleni. Ond nid dyna fy neiet sylfaenol i.'

Nid mewn tŷ arbennig yn unig yr ŷm ni chwaith. Ond mewn gwlad arbennig. Gwlad llun. Ac yn y wlad honno mae yna gyfundrefn gyf-reithiol a ffordd o fyw. Cyfraith gelfyddydol Hywel sydd yno, ar ryw olwg. Beth bynnag fo'r pwnc dan sylw, pa mor dywyll bynnag y bo, beth bynnag fo fy hwyl ar y pryd a mympwyon y foment, yma yn y wlad hon yr wyf yn aros. Aros a chwyldroi. Englyn wyf efallai: ynglŷn wyf yn sicr, cwlwm, patrwm. Derbyniais ragdybiau anochel o werth, trefn a diben gan draddodiad y wlad (o bethau'r byd), credwch neu beidio. Oes, mae gennyf athrawiaeth. Yr wyf yn wneuthurwr neu'n wrandawr yng ngwlad y cyd-daro. Gall stormydd syniadol a chwiwus chwythu'n ormesol uwch fy mhen. Gall thema fynd a dod. Yma, – er mor gysurus y geill ymddangos i'w ddweud, – y mae'n wir ei wala: fe geir harmoni goruwch pob pwnc achlysurol, harmoni sydd ar gael yn dra-gywydd.

Mae'r Gynghanedd yn athrawiaeth sefydlog, felly, oherwydd ei bod yn 'safbwynt' sy'n bodoli beth bynnag fo'r pwnc. Ffordd o fyw yw. Dywed fod trefn yn plethu i mewn ac allan ym mhob rhyw sefyllfa. Felly, nid oes a wnelom yn hyn o beth â'r ffurf ar y pryd na'r deunydd ar y pryd chwaith. Amgylchu y rheina yn ddiwahân a wna Cerdd Dafod, megis bodolaeth iaith fel ffenomen; megis deddfau gwyddoniaeth. Nid cyfrannu at undod gwaith unigol ar y pryd a wna yn uniongyrchol. Nid cyfrannu a wna, drwy ailadrodd, at gysylltiadau geiriol lleoledig. Hon yn hytrach yw'r gerddorfa sy'n canu pob tôn. Os dymunir dweud hyn yn negyddol, gellir hawlio bod yna ysgariad egwyddorol rhwng sŵn a synnwyr fan yma. Ac eto, beth bynnag fo gwendid y synnwyr, erys amddi-ffynfa gadarn a chaer ddiysgog y berthynas. Yn hynny o beth, y mae'r sŵn yn gwneud synnwyr.

Dechreusom drwy sôn am *dŷ* arbennig, yna am *wlad* arbennig. O'r gorau, man a man yw mynd un cam ymhellach: yr ŷm ni mewn *byd* arbennig. Mae'n wir, wrth gwrs, fod y Gynghanedd wedi datblygu mewn iaith benodol ddiarffordd. Meithrinwyd hi gan feddwl yr iaith Gymraeg wamal hon. Perthyn i draddodiad Mawl treigladol ein tipyn gwlad ni. Ac wrth gwrs, mae amrywioldeb cystrawennol y treigladau ynghyd â phatrymau'r acenion (pwys a thraw) yn caniatáu i brydyddion dyfeisgar gymhwyso'r iaith i'r Gynghanedd. Go brin y buasai'r Gynghanedd yn gartrefol mewn unman arall. Tyfiant brodorol yw. Mynegiant unigryw ei Chymreictod yw. Ond mae ei hegwyddorion mwyaf creiddiol yn rhyngwladol.

Tybed a ellir dweud yn gyfrifol, felly, hyd yn oed yn drosiadol, mai 'byd' yw, fel y mae llenyddiaeth hithau ei hun yn gallu creu math o fyd? Mae'n ymddangos weithiau yn fyd go anghyraeddadwy i genhedloedd eraill.

Bu Alan Llwyd, yn anad neb, ond mewn olyniaeth barchus, yn olrhain y modd y gellir ac y gwnaethpwyd trawsblannu'r Gynghanedd i'r Saesneg. Bu'n pendroni'n ffrwythlon hefyd am arbrofion yn y Gymraeg. Cafwyd myfyrdodau Euros yntau. A J. Morris-Jones yntau o'i flaen. Gwelir hyn yn helaeth dros y Clawdd yng ngwaith Hopkins a Barnes ac Auden a hyd yn oed yng ngwaith Eingl-Gymro fel Dylan Thomas (diolch i Hopkins). Ac yma, yng Nghymru, cafwyd ymdriniaeth werthfawr gan Jane Aaron. Pa mor gyffredinol yw arwyddocâd y Gynghanedd?

Mae Hopkins yn ddiddorol inni wrth fyfyrio am natur y Gynghanedd, am ei fod yn enghraifft o fardd mawr iawn a ddysgodd ychydig ar y Gymraeg, ac a ymgydnabu ychydig â'r Gynghanedd, er na chanfu ef mai byd oedd. Achlysurol, braidd gyffwrdd, oedd hi iddo ef. Mynegiant achlysurol ydoedd yn unig. Nodweddion prydyddol arddulliol. Ni thyfodd erioed iddo yn gyfundrefn. Bodlonodd ef ar ei chael yn 'effaith' achlysurol.

Cydlyniad yw cyfundrefn mewn gwirionedd lle y mae popeth yn dal wrth ei gilydd. Un o brif weddau neu briodoleddau sain mewn prydyddiaeth Saesneg i Hopkins, onid y brif un, oedd rhythm/mydr. Roedd ei hydeimledd ynghylch cyhyrau mydr yn rhyfeddol. Ond ni ddeallodd ef erioed fydr y Gynghanedd, am nas canfu yn ei chydlyniad. Ni welodd ei pherthynas â'r llinell gyfan o fewn cyd-destun cytseiniaid a llafariaid. Rhannau yn unig oedd y llinell iddo, i raddau o leiaf, gwahaniad, heb uniad, a heb gydlyniad y pecyn cyflawn.

Heb y cyfan ni ddeellir mo'r rhan.

Lle nad oes cyfundrefn, nid oes anocheledd.

Nid mater o anghymeradwyaeth yw hyn, wrth gwrs. Sôn yr wyf am y gwahaniaeth rhwng arwyddocâd a natur yr harddwch a geir mewn

Cerdd Dafod, a natur yr harddwch (godidog, yn fy marn i) a geir yn effeithiau mynegiant Hopkins yn ei brydyddiaeth Saesneg.

Wrth geisio ystyried beth yw'r Gynghanedd, mae'n werthfawr ac yn wir yn angenrheidiol inni drafod beth sydd heb fod yn Gynghanedd. Cawn fanylu ar hyn yn arbennig wrth drafod Beiau Gwaharddedig. Ond gall fod yn fuddiol am ryw ychydig sylwi ar ymgais lipa gan Hopkins i lunio prydyddiaeth Gymraeg:

> *Y mae'n llewyn yma'n llon*
> *A ffrydan llawer ffynon,*
> *Gweddill gwyn gadwyd i ni*
> *Gan Feuno a Gwenfrewi.*
> *Wlaw neu wlith, ni chei wlâd braidd*
> *Tan rôd sydd fal hon iraidd.*
> *Gwan ddwfr a ddwg, nis dwg dyn,*
> *Dyst ffyddlon am ein dyffryn;*
> *Hen ddaiar ddengys â'i gwedd*
> *Ran drag'wyddawl o rinwedd;*
> *Ni ddiffyg ond naws ddyniol,*
> *Dyn sydd yn unig yn ôl.*
> *Dâd, o dy law di ela*
> *Fardd a lîf â'r hardd brîf dda;*
> *Tydi a ddygi trwy ffydd*
> *Croyw feddygiaeth, maeth crefydd;*
> *A gwela Gwalia'r awr hon*
> *Gwîr saint, glân îr gwyryfon.*

Dwy linell 'gywir' neu gyflawn sydd, y seithfed a'r ddegfed. Mae'r bumed, y ddeuddegfed, a'r drydedd ar ddeg, a'r llinell olaf ond un (a'r olaf mewn gwirionedd) yn Gynghanedd bengoll. Ni chyflawnwyd yr undod. A diddorol sylwi yn ei *Note-books* t.247 ei fod yn dyfynnu'n ganmoliaethus enghraifft o brydyddiaeth Islandeg sydd i mi yn ymddangos fel pe bai'n 'Ogynghanedd' bengoll i gyd. Ond gyda llaw, nid hollol lythrennol 'bengoll' yw'r un gynghanedd yn y Gymraeg, hyd yn oed yr un a elwir yn bengoll, mwy nag mewn Islandeg, oherwydd presenoldeb prifodl yn y trydydd cymal.

Hanfod mwyaf y Gynghanedd yw undod. Wrth sylwi ar y gwallau Cynghanedd yn y llinellau hyn, ynghyd â'r elfen bengoll, yr hyn sydd ar ŵyr yn bennaf yw'r cyfanrwydd, neu gyflawnder y cytseinio yn ei berth-

ynas ag uned y llinell. Heblaw hynny, ni ddeallodd Hopkins bwysig-
rwydd yr elfen ddyrchafedig annerbyniol ym mhrifodl y llinell gyntaf
na'r gwrthuni o broest i'r odl yn yr ail, y drydedd, a'r wythfed linell. Yn
fyr, nid ymdeimlodd â'r we unol mewn Cynghanedd. Ni lwyddodd i fod
yn gaeedig ac yn rhydd o'i mewn hi.
    Anifail hollol wahanol yw'r Gynghanedd i'r hyn a ganfu ef.
    Carwn dynnu sylw hefyd at fardd Saesneg arall sy'n gwneud rhai ym-
drechion 'anwybodus' dymunol, sef W. R. Rogers. Sylwn ar ei gerdd
'Europa and the Bull', cerdd a roddodd y teitl i un o'i gyfrolau.
    Clywch y rhediad hwn o chwarae seiniol ac o synwyrusrwydd baróc:

'On all sides,
2 The tall cliffs rose like sighs, and far below,
Grotesticled and still, like long-ago-ness,
4 The cold sea wrinkled languidly and
Wrangled roundly in its orchid coils
6 Still through all these eel-and-alley-ways of water
The waketall bull wove on to where the lost wave
8 Wept and slept away to land.

    Yn llinellau 1-2 ceir cyfateb y draws fantach bengoll heb acenion
cynhaliol. Felly 2-3, a thrachefn tua diwedd 3. Awn ychydig yn dynnach
ac yn llacach rhwng 4-5. Yn 6 daw'r Lusg, ynghyd â'r Draws. Ceir cyfres
drawstiog 'wake', 'wove', 'where' ynghyd â'r proest 'wave' yn 7, gan
orffen yn 8 yn fuddugoliaethus â Sain.
    Yn niwedd y gerdd, clywn:

O, as grass amasses grass,
May sleep after sleep, loved over by leaves,
Engross those two, house them and hush them
In arms of amaranth,
And may the nodding moth of myth
In every mouth take breath and wing now,
And dance these words out in honour of that wedding.

    Dyma brydydd yn bwrw'i brentisiaeth fel petai, ond heb fyw o fewn
Cyfundrefn. O safbwynt y Gynghanedd, Gogynfardd cynnar dymunol
yw, os caf awgrymu, heb ddymuno sarhau na Rogers na'r Gogynfeirdd
cynnar. Ni ŵyr batrymau aeddfed ddatblygedig eto, ac yn sicr dyw e

ddim yn gysurus ynddynt. Does dim cymdeithas o'u hamgylch. Ni pherthynant i'r ddaear oll. Ni chafwyd y weledigaeth. Chwiw gyflythrennol yw o hyd. Ac eto, y mae'r chwarae geiriol yn dechrau magu math o wreiddiau a lled ymgartrefu.

Gwell yw Hopkins a Barnes yn hyn o beth. Gwyddant fwy. Ymdeimlant â fframwaith ystyrlon y gwreiddiol.

Ond go brin y tyf y Gynghanedd yn wlad Seisnig iddynt byth. Nid byd felly yw. Yn gymdeithasol, y mae'r cyd-destun yn anaddas. Yr oedd dechrau Cerdd Dafod a meithrin amgylchfyd a chyfundrefn 'wleidyddol' iddi wedi dibynnu yn y gwraidd ar gyfundrefn nawdd i'w chychwyn ac ar urdd o feirdd i greu fframwaith sylfaenol iddi mewn cyfnod arall. Dibynnai ar ddelfryd o fawl ac ar awyrgylch o gyfraith. Cafodd blethwaith cytûn isymwybodol cydnabyddedig yn y gymdeithas farddol Gymraeg: adeiladwyd cenedl o iaith gynganeddol. Ond ni chaiff gyfle tebyg mwyach yn Saesneg yn y cyfnod hanesyddol priodol. Ni chafodd na thraddodiad nac amgylchfyd cymdeithasol ysgogol ac ymffurfiol. Doedd a does dim ymrwymiad gan y Saesneg i'r math hwnnw o wlad sy'n gelfyddydol anweledig yn ei hanfod. Rhyddid tybiedig a rhamantaidd, democrataidd newyddiadurol bellach, dyna'r unbennaeth yno. Mewn harmoni cymdeithasol yn rhyngwladol mae yna gwlwm anweledig sy'n bwysig, onid yn weddol angenrheidiol rhwng sgrifennu a llwyddiant i gyd-fyw a chyd-ddeall; mae yna harmoni rhwng traddodiad y bardd a thraddodiad y bobl. Ond yn y Gymraeg cafodd wreiddiau mewn pryd i fagu cyd-destun seiniol cyfatebol. Trwythwyd cyfanrwydd yr iaith a'r bobl, hyd at y seiniau, mewn cyd-batrwm. Ac y mae i hynny arwyddocâd byd-eang.

Yn ieithyddol hefyd, y mae'r iaith Saesneg, debygaf i (megis Ffrangeg) yn anaddas o ran aceniad ac ystwythder cystrawennol.

Pe gofynnid i mi pam nad yw'n bosibl datblygu'r Gynghanedd *fel cyfundrefn* mewn Saesneg nac mewn Ffrangeg, er bod Hopkins ac eraill wedi dangos y peth fel techneg achlysurol yn Saesneg, a'r diweddar Roy Lewis wedi astudio'r ffenomen yn Ffrangeg, fe ddwedwn hyn. Yr wyf yn tybied bod yr acen draw ar y sillaf olaf yn Gymraeg yn gwneud y sillaf olaf gennym ni yn gliriach nag yn Saesneg, a bod yr acen bwys ar y goben yn y Gymraeg o'i chyferbynnu â thraw ar yr olaf ond heb acen bwys yn Ffrangeg yn gyfrifol am y gwahaniaeth yn yr iaith honno. Y goben a'r sillaf olaf yw'r drws i mewn i'r Gynghanedd; ac y mae eu hynganiad yn y Gymraeg ynghyd â llif arbennig y llafar (a dystir gan y treigladau) yn gyd-destun priodol i'r gyfundrefn sydd gennym ni.

Yn ei ysgrif 'Sound in Poetry' yn *Princeton Encyclopedia of Poetry and Poetics*, gol. A. Preminger, y mae David I. Masson yn trafod gwahanol effeithiau rheolaidd a ddatblygwyd gan brydyddiaeth Saesneg, yn arbennig cyn y cyfnod Rhamantaidd. Ni chrybwyllaf ac ni ddyfynnaf yma ond y rhai sy'n berthnasol i'r Gynghanedd. Adlewyrchant ymdrech balfalus tuag at strwythur, ond rhyw foddi bythol yn ymyl y lan:

"*Rubricating Emphasis:* . . . in England richest in Tudor verse. In 'The *turtle* to her make hath *tolde* her *tale/Sommer* i*s come*, for euery *spray* now *springes;/* . . . The *buck* in *brake* has winter *cote* he flings; . . ./The adder all her *sloughe* away she *slinges* . . ./ Wi*nter* is *worne*, thas *was* the flowers bale.' (Surrey) striking echoes rubricate each image (besides cross links such as *make – brake* . . .).

Tagging: punctuation of syntax or thought by sounds . . . Common before the romantics. In 'The baiting-place of wit, the balme of woe' (Sidney) the analogous nouns in the two parallel phrases are respectively labeled with *b –* and *w –*; in 'The pallor of girls' brows shall be their pall'. (Wilfred Owen) the metaphor is *primarily* underlined by $p – l/p – l$.

Correlation: indirect support of argument by related echoes . . . Notice the relevance of the repeated sound-groupings in 'Then fare*well*, *world* . . . Eternal *Love*, *m*aintains thy *life* in *me*' (Sidney) . . ."

Maent o hyd yn cyrchu at y nod, heb sicrwydd ble y maent yn mynd, heb gysondeb nac egwyddorion sefydlog. Enghraifft dda yw hyn – yn enwedig o'i hystyried yn gymharol – o Fynegiant na throes yn Dafod. Hynny yw, yn Saesneg does dim math o gyfundrefn gydlynol na strwythur datblygedig. Nid byd cytûn yw.

Dibynnai bodolaeth y Gynghanedd yn y Gymraeg ar fath arbennig o ostyngeiddrwydd ac o ddarganfyddiad. Yn y Gymraeg fe allai y Gynghanedd o fewn cyfundrefn Cerdd Dafod ymostwng i egwyddor yr uned fechan glywedog o fewn undod mawr cosmig. Mae cyfanrwydd neu *gestalt* yr uned yn dwyn y cyfan i'r un gorlan seiniol: yn undod deuol neu driol. Fe fyn bellach Gynghanedd, fesul llinell, gan fod yn fyr ei gwynt, a tharo'n blyciog; ond yn yr effaith leoledig honno, rhodd yw'r

41

Gynghanedd (sef y weledigaeth egwyddorol sydd ynddi) gan y cyfan i'r rhan. Dysg gyffredinol yw.

Da yw cofio, wrth sylwi yn y fan yma ar yr ymdeimlad o gyfan, y daw hynny o berthyn i undod y gyfundrefn oll. Gall fod tuedd mewn llinellau o Gynghanedd (yn enwedig mewn *vers libre*), gan fod Cynghanedd ei hun yn gweithio yn ôl uned y llinell, i fod yn ynysedig. Cyfres o unedau gwahân yw hi wrth gwrs yn hanfodol. Ond yn yr hen fesurau fe'u hunir â'i gilydd drwy unffurfiaeth mydr ac odl. Ac mae yna unedau eraill, dyfnach. Perthynant oll i ymbarél y gyfundrefn. A gwelir hynny'n amlycach wrth ganfod yr arfer ddiweddar o gynganeddu'n achlysurol mewn cerddi rhydd – sy'n fwy gwir wasgaredig. Yng Ngherdd Dafod ei hun, caer yw'r sefydliad. Ceir ynddi ddiogelwch undod, ac ymwahaniad ffrwythlon. A chyfrannodd y mesurau cynganeddol, beth bynnag a ddywed Euros, i'r ymdeimlad hwnnw. Un peth a ddysg *vers libre* cynganeddol i ni, os oes eisiau ei ddysgu, a hynny yw, na raid i'r gerdd gynganeddol wrth fesurau Cerdd Dafod. Estyniad yw'r mesurau i'r llinell. Ond po fwyaf y syllir ar berthynas y llinell ynysedig a Chynghanedd, mwyaf y sylweddolir mantais rhyw fath o fesurau i'r llinellau hynny gydfodoli. Mae ar y llinell hiraeth am fod yn bennill.

Y mesurau a ddaeth yn gyntaf. Nythu o'u mewn hwy a wnaeth y Gynghanedd. Cyflyrwyd y Gynghanedd gan y mesurau. Nid yw'r mesurau yn dibynnu o gwbl ar y Gynghanedd, ond fel y mae popeth mewn iaith a llenyddiaeth yn dibynnu ar ei gilydd. Nid yw'r Gynghanedd yn dibynnu ar y mesurau chwaith ac eithrio yn yr un ffordd; ond y mae'n dibynnu'n amlwg ar fydr traddodiadol Cerdd Dafod.

Wrth gwrs, ni ellir cymharu'r mesurau yn unplyg â'r Gynghanedd er gwaethaf y cysylltiad pwysig rhyngddynt. Ac o'r diwedd, yn yr ugeinfed ganrif, dechreuwyd o'r newydd arbrofi gyda'r mesurau. Yr oedd yn hen bryd. Ynghyd ag arbrofi gyda mesurau, anodd gennyf beidio â dod i'r casgliad fod y sawl, sydd am lynu'n ddisyflyd wrth y 24 yn unig (a rhai ohonynt yn fesurau pur annefnyddiol), heb feddwl yn ofalus iawn am natur ddatblygol llenyddiaeth a barddoniaeth draddodiadol, am hanes a dull datblygu'r mesurau, nac am y posibiliadau.

Er mai Gwyndaf a T. Gwynn Jones oedd arloeswyr *vers libre* cynganeddol, diau mai Euros Bowen oedd y pencampwr yn yr ugeinfed ganrif. Efô yn anad neb a fu'n ddiwyd yn dyfeisio ffurfiau llinellol newydd yn baragraffau, ac amryw enghreifftiau awgrymus a ffrwythlon patrymog yn ei waith. Efô a fyfyriai fwyaf am y dasg honno. Ac eto, efallai mai yng ngwaith ei 'ddisgyblion', Alan Llwyd, Gwynne Williams, Donald Evans, a

Dewi Stephen Jones y gwelir yr enghreifftiau gorau yn y datblygiad hwn. Tynnodd Dr Lynch fy sylw at ddyfeisgarwch Saunders Lewis yn ystumio'r gyhydedd hir a'r toddaid yn ail bennill 'Y Dilyw 1939', a'i awgrym yn Rhagair *Buchedd Garmon:* 'Er mwyn ystwythder a chymhlethdod cymerais dri mesur yn sylfeini neu'n 'batrymau', ac yna 'eu hestyn, eu crychu a'u hystumio,' sef mesur y Toddaid, mesurau'r awdlau hanesyddol a briodolir i Daliesin, a'r mesur diodl.

Ystyriaf mai dau brif fath o ddyfeisio sy'n haeddu sylw bellach. Yn gyntaf y math sy'n aros o fewn amodau teyrnas Cynghanedd ei hun megis yn gyntaf drwy uno dau neu hyd yn oed dri math o Gynghanedd megis croes a sain, neu draws a'r lusg. Cofier bod hyn yn hen duedd.

Y mae'n amlwg fod y rhain yn trwchuso yr effeithiau seiniol, ac eto'n aros yn gadarn o fewn gofynion traddodiadol y Gynghanedd.

Wedyn gellid enwi enghreifftiau o bentyrru patrymau cynganeddol lle mae olyniadau o gytseiniad, yn lle cael eu hadrodd unwaith, yn cael eu hailadrodd dyweder, saith neu wyth o weithiau, neu'n cael eu hestyn y tu hwnt i fframwaith yr acenion.

Yr ail fath o arbrofi yw'r hyn y gellir ei alw'n ymarfer all-gynganeddol. Yn yr achosion hyn, er bod y bardd fel pe bai yn cadw trefn gynganeddol o ran cytseiniaid, y mae yn ddihidans braidd ynglŷn â phatrymau cynganeddion *yn fydryddol* o fewn natur y traddodiad. Er enghraifft 'y gŵr sydd ar y llawr yn gorwedd'. Yn yr achos hwn cyfatebir prif acenion *gŵr* a *gorwedd* yn burion. Ond yn draddodiadol caniatéir un rhagacen cyn diwedd yr ail gymal. Ac yn yr achos hwn y mae yna ddwy brif acen neu ragacen yn sefyll ym mwlch y traws. Hynny yw, yr ydym wedi treisio trefn isymwybodol a thraddodiadol y dull o gyfateb mydryddol sydd mewn Cynghanedd. Yr ydym wedi difrïo un o'r egwyddorion mawr a ddarganfu Syr John ynghylch y rhan yn dod o dan reolaeth y cyfan – sef y rhagacen.

Mae'r enghraifft arall yn y dosbarth hwn yn gyffelyb. Dyna'r lle y mae Euros Bowen yn ceisio ymorchestu trwy lunio llinell a all gynnwys dyweder trideg o sillafau. Mewn llinell fel hyn, gall gael y cytseiniaid i gyd yr un fath y ddwy ochr cyn y llafariad olaf. Gall y prif acenion hefyd gyfateb yn dwt yn eu lle, yr orffwysfa a'r gair olaf oll; ond nid yw'r glust naturiol yn medru dilyn drwy ddirnad ac amgyffred y rhediad cytseiniaid cydlynol a ddefnyddia'r bardd. Gêm yw hon, ymorchestu. Stribedu. Chwarae mewn Mynegiant yw. Heb Dafod isymwybodol sicr. Anwybodaeth yw ynghylch cyfrinach undod. Anwybyddiaeth ynghylch un o'r Beiau Gwaharddedig nas nodwyd neu nas geiriwyd ar y pryd. Mae'r bardd yn ceisio camp ac yn cyflawni rhemp, gan nad Cynghanedd mohoni'n fydryddol.

Ac yn hyn oll, drwy negyddu a chadarnhau, y mae'r Gynghanedd Gymraeg, nid yn unig yn ymffurfio ac yn cyfrannu i gynhysgaeth lenyddol y byd, eithr hefyd yn tarddu o ddeddfau cyffredinol yn y byd hwnnw ynghylch iaith a llenyddiaeth.

(v) DIFFINIO THEORI

Esboniad cyffredinol yw theori sy'n egluro perthynas ffeithiau arbennig â'i gilydd. Mewn gwirionedd, theori yw'r Gynghanedd ei hun, megis Tafod iaith.

Yn ôl Gustave Guillaume, 'I mi, y mae theori yn dodi, – yn lle'r gweld nad yw ond yn gweithio'n ôl sylwadaeth uniongyrchol, – y gweld uwch, sydd yn ôl trefn deall . . . Yr eithafbwynt mewn deall yw theori dda . . . I'm bodloni i, rhaid i theori fodloni'r amodau ffurfiol canlynol: rhaid iddi wynebu'r ffeithiau o safbwynt gwrthwynebol, wrth gwrs, ond rhaid iddi hi ei hun gael ei seilio nid ar ffaith ond ar ryw reidrwydd absoliwt.' Gweithia'n gwbl groes, felly, i Ôl-foderniaeth boblogaidd. Mae yna fath o anocheledd mewn theori foddhaol sy'n cracio'r ffeithiau gwrthwynebol.

Meddai Newton, 'Mae theori yn golygu gwneud sylwadau, a thynnu casgliadau cyffredinol ohonynt drwy anwytho . . . Os na ddigwydd eithriadau yn sgil y ffenomenau gellir datgan y casgliad yn gyffredinol.' Ac meddai Einstein yn ei dro, 'Nod pob gwyddor yw cwmpasu'r nifer fwyaf o ffeithiau empiraidd drwy ddidwytho rhesymegol o'r nifer leiaf o ddamcaniaethau neu acsiomau.'

Gyda theori'r Gynghanedd, byddir yn gofyn felly, 'Beth yw natur hanfodol y Gynghanedd? Beth yw'r egwyddorion sylfaenol sydd y tu ôl iddi? Beth yw adeiladwaith cyferbyniol ei strwythurau? Sut y lluniwyd y fath egwyddorion?'

Mae theoreiddio'r Gynghanedd, fel theoreiddio popeth arall, yn dechrau bob amser gyda'r darganfyddiad dadansoddol o fydysawd sy'n meddu ar gyfrinachau nad ydynt yn eglur ar yr wyneb, ac nas sylweddolir byth chwaith drwy sylwadaeth uniongyrchol syml. Nid gwneud theori Cerdd Dafod yw'n gwaith yn y gyfrol hon er hynny, ond dadlennu'r theori sydd eisoes ynddi. Wrth ei harchwilio y mae hi'n datgan fwyfwy ei threfniadaeth.

A gaf ymhellach ddyfynnu diffiniad arall gan Gustave Guillaume, *Principes de linguistique théorique,* 1973.

'Nid yw theori namyn adnabyddiaeth o'r berthynas ddarostyngol sy'n bodoli rhwng nifer uchel o ffeithiau arbennig a nifer fach – y lleiaf y gellir eu cyrraedd o fewn undod – o ffeithiau cyffredinol teyrnasol.' Dyma yn union yw Cerdd Dafod hefyd.

Mae'n tarddu mewn trefn benodol gyffelyb. Ymatebwn i'r adleisiau ar y dechrau heb adnabod eu cyd-batrymau. Nid yw hynny ar y dechrau namyn adnabyddiaeth o'r berthynas ddarostyngol leiaf sy'n bodoli rhwng nifer uchel o ffeithiau arbennig – ynghylch llafariaid, cytseiniaid, ac acenion. Ganwyd, fel petaent eisoes yn yr iaith gynganeddol, nifer fach – y lleiaf y gellir eu cyrraedd o fewn undod – o adeileddau y gellir eu dosbarthu a'u cysylltu yn ôl trefniant sefydlog cyffredinol.

Hynny yw, ynddi ei hun, yn ei hadeiladwaith cudd yn y meddwl, y mae Cerdd Dafod yn fath o theori gyflawn eisoes, ac yn ffordd i ddosbarthu ffonoleg iaith. Mae'r iaith wedi'i theoreiddio'i hun. Nid yn yr hyn a gyfansoddir nac a ddwedir y ceir y cyflwyniad o'r theori, ond yn nyfnder y meddwl adeileddol.

Felly, nid ystyr y geiriau yw'r hyn sy'n arwyddocaol i theori Cynghanedd. Ond ystyr y ffurfiau. Theori seiniol bur yw hon. Cymerir y synnwyr yn ganiataol bid siŵr am mai mewn iaith y'i ceir. Ond nid ffurf ystyrol (yn ôl dealltwriaeth arferol) sy'n ei gwneud, eithr ffurf seiniol, a chanddi gysylltiad yn y dyfnder – fel y cawn weld – â'i phwrpas ystyrlon. Ceir ystyr ym mherthynas ei seiniau. Cyflwynir ei hathrawiaeth yn anuniongyrchol drwy gyfundrefn seiniol o fewn y Gynghanedd.

Gellir edrych ar adeiladwaith diriaethol y Gynghanedd a'i adnabod rywfodd yn synhwyrus, heb ei ddeall ond yn arwynebol ffurfiol. Ond theori yw'r offeryn a ddefnyddir i ddatrys ac i ddatgan y ddealltwriaeth drefnus lawn o'i gydseiniau. Drwy theoreiddio'i seiniau'i hun y llwyddodd Cerdd Dafod i'w chreu'i hun, ac i ddarparu ar ei chyfer ei hun gyfundrefn Tafod. Ni chredaf ei bod yn fanwl gywir hawlio mai iaith am ben iaith yw Cerdd Dafod. Trosiad yw hynny. Nid 'iaith' go iawn mohoni, ond Ffurf Iaith: ac nid am ben iaith y'i ceir, eithr o fewn iaith, yn benodol yn y wedd ffonolegol.

Ynys gyflawn bellach yw'r Gynghanedd; cyfundrefn o gyfundrefnau gyflawn yng nghanol môr Tafod Llenyddiaeth ei hun, sydd hefyd ynddi ei hunan yn gyfundrefn o gyfundrefnau. Ond cysgod yw ffurf Tafod Cynghanedd o Dafod Llenyddiaeth benbwygilydd. Mae cyfundrefn Cynghanedd yn od, meddwn, yn unigryw, yn rhy gaeth i gynrychioli ffurf llenyddiaeth. Ond unigryw a rhyfedd yw pob cyfundrefn fawr

45

mewn llenyddiaeth, boed yn 'llenddull' neu'n 'drosiad'. Y mae'r blaen-
diro ffurf sy'n digwydd yn ddiarwybod mewn llenyddiaeth fel arfer yn
un o'r nodweddion y gellir treiddio iddi yn well ac yn fwy penodol
mewn Cynghanedd nag mewn unrhyw ffurfiau eraill ond odid.

O sylwi ar ei chyflawnder ffiniedig yn brydyddol, cyfundrefn gyfan-
sawdd ddofn iawn yw. Dyma, ymddengys i mi, gampwaith yr Oesoedd
Canol yn Ewrob ym maes ffurf brydyddol. Ac erys o hyd yn rym syl-
weddol yng Nghymru. Mae'n rym tra pherthnasol ar hyn o bryd, oherwydd
yr adfeiliad Ôl-fodernaidd.

A oedd yna reswm seicolegol gymdeithasol ar un cyfnod hanesyddol
a fu'n achlysur i sefydlu'r Gynghanedd? Tybed ai hyn, y drefn obsesif
hon, y trylwyredd ffurfiol gydweol hwn oedd ateb isymwybodol y beirdd
i gwymp Llywelyn ap Gruffudd? Pan ganodd Gruffudd ab yr Ynad Coch
ei Farwnad ryfeddol ar ôl Llywelyn, oni welai – yn wir, poni welai – mai
chwalfa gymdeithasol oedd hanfod yr hyn a ddigwyddai? Onid oedd y
ddaear oll yn ymddatod, ac yn sicr gyfundrefn fawrhydig Beirdd y
Tywysogion? Cafwyd sythwelediad o ymrannu – *différance* heb Gyng-
hanedd; a gwaeddai'r isymwybod am gydlyniad. Nid byd oedd byd heb
gydlyniad. Ergyd anferth yn wyneb dadadeiladu nihilaidd gymdeithasol
yr Oesoedd Canol Seisnig – sydd gyda ni o hyd, yn wyneb gwahanu, yn
wyneb relatifrwydd a lluosedd ymddatodol y pryd, – oedd ceisio eithaf-
iaeth ieithyddol o gyd-adeiladu a chyd-dynnu diogel clòs. Yr oedd y
canol wedi mynd. O'n hamgylch ym mryd y beirdd yr oedd y rhannu'n
disodli'r cyfan yn eu hymwybod. Oni allai eu hisymwybod ddyfeisio
trefn lenyddol na welodd Ewrob o'r blaen mo'i thebyg? Fe'i cawsant.

Fe'i ceir o hyd i'r un perwyl. Yr ydym ninnau heddiw yn dal i weiddi
am hynny – ac am yr un rheswm.

Eithr ochr yn ochr â'r hiraeth am drefn a'r ymwybod ag angenrheid-
rwydd parhad, dôi'r bedwaredd ganrif ar ddeg hefyd â newydd-deb
Dafydd ap Gwilym a chwyldro'r cywydd: undod ac amrywiaeth. Hynny
yw, y ddwy ochr hyn sy'n wir greadigol, yn ogystal, fel y'm hatgoffwyd
gan Dr Lynch, ag adlewyrchu paradocsau gwleidyddol y ganrif honno.

Mor weddus yn niwedd yr ugeinfed ganrif, ar yr union adeg pan
ymosododd mudiad imperialaidd Ôl-foderniaeth o barthau'r Dwyrain
ar yr absoliwt ac ar drefn lenyddol, oedd bod llais yn codi o blaid
celfyddyd aeddfed. Mor weddus oedd ailsefydlu ymwybod o werthoedd
a phwrpas ac o'r undod a geid mewn traddodiad (nid traddodiadaeth).
Mor weddus oedd bod Cymdeithas farddol wedi ymffurfio gyda'r union
bwrpas o fawrygu'r Gynghanedd, a bod y gymdeithas honno wedi

cyhoeddi casgliad o gerddi, *Llywelyn y Beirdd*, a ail-godai o flaen llygaid y genedl anrhydedd y drefn a gollasid.

Mae'n gwbl amhosibl wrth gwrs brofi damcaniaeth o'r fath na'i gwrthbrofi. Ond ymddengys i mi yn arwyddocaol dros ben fod digwyddiad mor gatastroffig a thrawmatig yn ymwybod y genedl â chwymp y dyhead gwleidyddol cenedlaethol wedi cael ei ateb mor fuan yn isymwybod y beirdd gan drefn hunanlywodraethol mewn ffurf lenyddol gyfun mor gadarn.

Ymgais ymddangosiadol seciwlar oedd i adfer safonau'r ffydd. Trefn y gwirionedd yn lle'r chwalfa ddiystyr. Fel y mae Tafod y tu ôl i Fynegiant iaith yn anweledig y tu ôl i'r gweledig, felly y mae Cerdd Dafod y tu ôl i Gerdd Fynegiant. Y sicrwydd sydd y tu ôl i'r ansicrwydd, y sefydlog y tu ôl i'r ansefydlog. Ymgnawdoliad o'r gair oedd y syniad a ddaeth yn Gynghanedd. Heb y Gynghanedd yr oedd perygl i'r strwythur droi'n addurn: gyda'r Gynghanedd, gallai deddf droi yn llinell. Caed deddflinell o linell-ddeddf. Dim ond y tu mewn i ddeddfau y ceid pwrpas. Sefydlwyd yr isymwybod barddol hwn ar berthynas. Yr oedd y ddeuoliaeth gynhwysfawr hon megis cysgod o drefn anochel y greadigaeth ei hun. Y cyfan a rôi werth i'r rhan. A chyda'r Gynghanedd yn anochel fe geid y traddodiad Mawl. Onid anrhydeddu'r Gymraeg a mawrygu iaith fel y cyfryw a wnâi seremonïaeth cynganeddu? Dyma gyfrwng a anwyd i foli iaith yn anuniongyrchol, gan mai Mawl mawrhydig oedd ei wneuthuriad ei hun, hyd yn oed pan na sylweddolid i bwy na pham y'i molid. Dangosai anrhydedd yr iaith.

Beth, felly, sy'n newydd ynglŷn â'r gyfrol hon?

Gellid enwi ambell bwynt.

Esboniad sylfaenol newydd yw'r disgrifiad ynddi o'r modd yr adeiladwyd Cerdd Dafod yn hanesyddol, yn ddeddfau allan o'r arferiadau achlysurol sy'n ymsefydlu mewn Mynegiant.

Mae'r disgrifiad o'r mathau o gyfundrefnau sydd i'w cael mewn Cerdd Dafod – eu seilio ar sythwelediadau cyferbyniol cynieithyddol, a'u cynnal yn undodau deuol neu driol, a'u perthynas gydlynol drwy echel Tafod-Cymhelliad-Mynegiant, – hefyd yn ddadansoddiad newydd.

Ceisir olrhain o fewn Gogynghanedd y Gogynfeirdd y gwreiddiau a oedd i'r Gynghanedd mewn modd manylach nag o'r blaen, gan ddangos cyfundrefn gyfan mewn Tafod yn troi'n sylfaen i gymhwysiad newydd o fewn Tafod: yr Ogynghanedd yn Gynghanedd. Dechreuodd y Gogynfeirdd geisio gwlad Cynghanedd, heb wybod i ble'r oeddent yn mynd. Digon iddynt hwy oedd mân ddarganfyddiadau a wnaent ar y ffordd. Yr oedd Gogynghanfro yn wlad ar y ffordd i'r Wlad honno. Ond rhaid ei barnu a'i disgrifio yn ôl ei thelerau'i hun. Yn wir, bwriad un bennod benodol fydd arddangos, drwy gymorth odlau generig a chytseinio generig a threigladol, fod y cwlwm o ffurfiau a ddefnyddid gan y Gogynfeirdd eisoes yn gyfundrefn gyflawn o gyfundrefnau cyflawn; ond yr un pryd heb yn wybod iddynt hwy yn llwyfan lawnsio i'r dyfodol. Ar wastad priodol eu hamser eu hun yr oedd crynder eu gwead cydlynol eisoes yn dipyn o orchest. Yr oedd mor ddiwnïad bob dim, fel Cyfundrefn o gyfundrefnau, er nad mor gywrain, â'r Gynghanedd ei hun.

Mae'r drafodaeth ar Feiau Gwaharddedig (sef yr elfennau sy'n diffinio ac yn ffinio'r Gynghanedd), wedi cael ei phatrymu ar egwyddorion cyffredinol penodol ac felly'n gymharol wahanol i'r hyn a gafwyd yn y maes, o'r blaen. Pwysleisir y wedd isymwybodol. O'r herwydd, cyflwynir rhai Beiau Gwaharddedig 'newydd' wrth eu henwau'u hunain nas cynhwyswyd erioed ymhlith y beiau swyddogol a gofrestrwyd felly yng Ngramadegau'r Pencerddiaid nac yn *Cerdd Dafod*, J. Morris-Jones. Yr oeddent yno eisoes. Ufuddheid iddynt. Eithr nis cydnabuwyd, er bod a wnelent â chalon cyfundrefn y Gynghanedd.

Golwg newydd hefyd yw'r drafodaeth ar Geseilio sy'n dangos sut y didolir tair cyfundrefn Tafod oddi wrth y methiant mewn cyfuniadau seiniol eraill i ddyrchafu rhai cyfundrefnau mewn Mynegiant i statws Tafod. Newydd hefyd yw'r cyflwyniad cyfundrefnus o oddefiadau.

Mae'r dosbarthiad cynnil o'r Mesurau hefyd yn newydd, gan fod dull *Cerdd Dafod* o garfanu'n chwechau ac yn wythau wedi profi'n anfoddhaol am resymau seico-fecanaidd, hynny yw yn ôl dull yr isymwybod o ymateb i grwpiau deuol neu driol mewn sythwelediad. Sylfaenir hefyd egwyddor yr uwch-corfan.

Oherwydd hunaniaethu egwyddorion mwy elfennaidd, newydd yw'r dadansoddidad seiniol, megis y drafodaeth ar acen draw, ar arwyddocâd y presenoldeb generig (Odl, Cymeriad, Cynghanedd) mewn hanes, trefniant acenion y Cywydd Deuair Fyrion, a manion cyffelyb.

Cyflwynir rhai egwyddorion sy'n treiddgar weithio wrth ymwneud â'r Gynghanedd, megis *gwahuniaeth*, ac olrhain cydberthynas rhwng y cyffredinol llydan a'r arbennig cyfyng, fel yr arddangosant fethodoleg wrth archwilio un Gyfundrefn fawr o gyfundrefnau mewn celfyddyd a all gael ei mabwysiadu ar gyfer archwilio adeiladwaith ffurfiol pob celfyddyd. Olrheinir y gwahuniaeth felly rhwng arbrofi ymwybodol ac arbrofi isymwybodol. Yn anad dim, felly, newydd yw'r dull o gyfundrefnu.

Ac yn olaf am y tro, mae'r ymdriniaeth â Chymhelliad ffurfiol Cerdd Dafod a'i gysylltiad â'r Traddodiad Mawl cynganeddol hefyd yn newydd.

(vi) DIFFINIAD O GYNGHANEDD

Mecanwaith yw Cynghanedd gyffredinol (gydag C fawr), yn y meddwl, ar gyfer cynhyrchu llinellau cywir o gynghanedd unigol, a'r rhain yn cyrchu'r cyffredinol ym meddwl rhywun arall hefyd, sef ar ffurf canlyniadau. Yma yr ymgartrefa yr hyn a elwir bellach yn batrwm o ffonemau (cytseiniaid a llafariaid), o fewn fframwaith o acenion.

Priodol yw ceisio ystyried y ffenomen hon yn ei man eithaf a symlaf, gan ystyried beth yw ffonem. Nid sain yw yn unig. Cychwynnwn gyda'r A Bi Ec. Dyna'r lle y dechreuai Gramadegau'r Penceirddiaid. 'Yr Wyddor', meddwn ni. Sylwer nid *un* o'r gwyddorau, nid rhyw *un* o'r rhannau o wyddoniaeth. Ond *yr* Wyddor yw'r teitl pwysleisiedig ar yr A Bi Ec gyflawn, sef dechreuad y gwyddorau oll. Dyma'r lle y mae'r method gwyddonol yn cael sylfaen, nid yn y sylwadaeth gan ramadegwyr yn unig fel y cyfryw, ond cyn hynny, eisoes yn nadansoddiad seiniau'r iaith ei hun a ddysgir gan y plentyn, a hynny cyn darganfod, drwy'i defnyddio, ei bod yn sylfaen wahunol i bob gwyddor arall. Mae'n sefydlu'r fethodoleg wyddonol: ar sail tystiolaeth benodol, gwna gasgliadau cyffredinol y gellir eu profi.

Dadansoddodd, drwy'r method gwyddonol yn y meddwl, jwngwl y llefaredd o'i ddeutu, yn isymwybodol, drwy sythwelediad; yr amryfal enghreifftiau o D dyweder. Ceir sawl *d* fach wahanol yn ôl amgylchfydoedd seiniol gwahanol. Allffonau y galwn y rheini. Eto, er pob gwahaniaeth mân, boed rhwng llafariaid, neu ar ddechrau gair, ynteu ar ddiwedd gair, yn y Gymraeg y maent yn gwneud un *D* fawr gyffredinol. *Sylwyd* ar fath o ailadrodd rheolaidd, er gwaethaf y mân newid mewn sain, yn ôl amgylchfyd seiniol y gair yn ei berthynas â geiriau eraill. Daethpwyd felly i *gasgliad cyffredinol* ynglŷn â'r cyferbyniad rhwng D a T, er bod D mewn rhai amgylchiadau yn hynod debyg i T: 'ei thad hi' er enghraifft. Cafwyd bod y cyferbyniadau hynny'n cael eu hailadrodd; a'r gwahanol fathau o D ei hun yn cyd-uno'n un sŵn canfyddedig gwahaniaethol. Sefydlwyd gwahuniaeth cydnabyddedig. Fe'i cafwyd yn gyson, ond yn undod o ran arwyddocâd ystyrlon, mewn gwahanol amgylchiadau. A chydnabod felly fod 'un' ohonynt yn unol gywir fel y dywedwn – mae'n 'wir' ddefnyddiol neu arbrofol fel petai.

Ymgais yw'r Wyddor i ddadansoddi'r hyn a ystyriwn bellach yn 'ffonemau'. Nid holl gytseiniaid a llafariaid yr iaith, ond y cyferbyniadau effeithiol sy'n gwahaniaethu ystyr. Beth yw'r arbenigrwydd gwahanol ynglŷn â hynny? gofynnwn.

Mewn iaith arall, Affricanaidd dyweder, gallai gwahanol fath o D fod yn arwyddocaol ystyrlon; ond nid yn y Gymraeg. Gellid cael rhyw iaith arall efallai lle nad yw'r gwahaniaeth rhwng t a d yn gwneud dim gwahaniaeth o gwbl rhwng ystyron geiriau. Yn wir, er inni honni (yn rhesymol gobeithio) fod ceseilio cynganeddol yn ymyrryd â'r cysyniad o 'ffonem', a'i throi'n sain arall, diddorol fydd sylwi mai *ffonemau* yw priod gynnyrch y cysylltu hwnnw hefyd, hyd yn oed ar ôl cyfuno d + h i wneud t yn y glust. Ffonemau nid allffonau yw cynnyrch ceseilio.

Felly hefyd y mae ansawdd y *t* yn 'hurt' a'r *t* yn 'tân' yn wahanol o ryw ychydig, ond nid ymyrra'r amrywio ar ystyr. Gelwir yr unigolion *t* yn ffonau neu'n allffonau (allophones), ond gelwir y gymdeithas gytûn o *t* (y *T* fawr) yn ffonem. Y ffonem yw'r dadansoddiad gwyddonol.

Dosbarth o seiniau neu o allffonau o'r fath yw ffonem. Gellir amrywio ffonem o ran safle neu bwyslais yn llif y llafar. Allffonau yw amrywiadau arbennig felly; ond dibwys o safbwynt effeithiolrwydd ystyrlon yw'r gwahaniaethau hyn. Y tebygrwydd cyffredinol sy'n corlannu. Y mae'r meddwl yn dadansoddi sŵn yn ddosbarthol yn yr Wyddor. Mae hi'n ymgais gynnar i ddadansoddi'r adnoddau llafar seiniol arwyddocaol ar gyfer llefaru.

Dyna sefydlu'r method gwyddonol: mynd o amlder seiniau hyd at undod yr egwyddor (neu'r wyddor), yr undod sydd y tu ôl i'r amrywiaeth; drwy wahuno (gwahanu + uno).

Dadansoddiad sefydlog o wedd ar realiti yw'r ffonem – sef y sain yn y meddwl, yn ôl fel y mae'r meddwl yn trafod 'lleisio/dileisio' drwy enau; e.e. d, t.; neu'n trafod 'gyddfol/trwynol' e.e. m, n, ng drwy enau a thrwyn; neu'r ddeuoliaeth llafariaid a chytseiniaid yn ôl rhwystr y tafod ar y dannedd neu ar y taflod. Ac yn y blaen. Hynny yw, dysg y plentyn ddadansoddi sŵn yn wahaniaethol gyffredinol yn ystod y broses o ddysgu iaith. Dyna'r allwedd i iaith, sef yr allwedd i'r deall amlochrog a dwfn. Dyna'r cychwyn hefyd ar y method gwyddonol yn ei fywyd. Dethol yn gynnil o'r allffonau y ffonemau effeithiol cyferbyniol elfennaidd, a hynny yn isymwybodol. Dosberthir yn ôl gwahaniaethau ac yn ôl tebygrwydd. Gwahuno. Dyma'r Wyddor ar gyfer gwyddoniaeth i gyd. Rhag dychrynu'n ffrindiau ôl-fodernaidd, sibrydwn yn dawel nad oes gan yr un ohonynt yr un dewis ynglŷn â dysgu'r method gwyddonol fel hyn, gyda sicrwydd a phenodolrwydd a phendantrwydd hynod anghysurus. Ac felly y datganai Einion Offeiriad ei ddarganfyddiad yntau yn draddodiadol yn ei golofn gyntaf yn y Llyfr Coch, gan siglo'i fol:

'Saith bogail sydd, nid amgen, *a, e, i, o, u, w, y*. Y llythrennau eraill oll sydd gytseiniaid, canys cytseinio â'r bogeiliaid a wnânt. [Hynny yw, *cyd*-seinio a wnânt: ni allant seinio ar eu pennau'u hunain. Dyna ystyr cytsain. Mae eisiau bogail arni.] . . . Nid llythyren (yw) *h* oherwydd mydr, namyn arwydd ochenaid, ac eisoes [eto], rhaid yw wrthi mewn Cymraeg, ac ni ellir bod hebddi . . . Canys o'r llythrennau y gweir y sillafau. Wrth hynny, rhaid yw gwybod beth yw sillaf, a pha ffurf y *gwahaner* y sillafau . . . Sillaf yw *cynulleidfa* lliaws o lythrennau ynghyd, cyd [er] boed sillaf neu air o un llythyren weithiau.' [Fi biau'r italeiddio]

Ac yn y blaen yr â Einion gan gyffredinoli'n hapus ynghylch ei ddadansoddiad arwyddocaol o seiniau'r iaith, yna ynghylch gwneuthuriad y gair (yn arbennig fel rhan ymadrodd), ac ati.

Yma, felly, dechreua'r cwrs Cynghanedd; 'Gwrando a chlywed' yw enw'r wers. Ac fel cymaint o reidiau a geir gan Einion Offeiriad, gwers orfodol yw hon i'r sawl sydd am siarad iaith Cynghanedd. Gwers ynghylch 'rhaid': pwnc hynod ogleisiol yn yr unfed ganrif ar hugain. Dyna ran o feddwl y Gynghanedd. Disgrifiad ymwybodol yw sy'n dilyn dysgu isymwybodol sythwelediadol gan y baban ar ddadansoddi seiniau.

Yn fras, gellir hawlio mai 'ffonemau' yw'r bogeiliau a'r cytseiniaid hyn oll y mae Einion Offeiriad yn eu bodio yn ei wyddor. Dosbarth o ffonau neu allffonau yw pob un ffonem: 'all' yw pob ynganiad unigol oherwydd eu bod yn eu tro mewn safle ar*all* yn y geg, er nad yn y meddwl, sy'n ynganu.

Weithiau, bydd ieithyddion, wrth ddiffinio *ffonem*, yn cyfeirio at arwyddocâd 'ystyr' a 'gwahaniaeth ystyr' fel un o brif nodweddion diffiniol ffonem. Ond fel y gwelsom eisoes, nid dyna yw unig briodoledd ffonem yn Gymraeg. Gwelir yn arbennig wrth ymdroi gyda'r ffenomen isymwybodol 'ceseilio' – megis d + d = t, neu d + h = t – nad esgor ar gytsain i wahaniaethu ystyr a wna'r amgylchiadau yn y mannau yna, ac nad yw canlyniad y cyfosod cytseiniol yn arwain at allffon. Ffonemau 'confensiynol' crwn cyfan a geir yn y diwedd o ran dealltwriaeth o'r sŵn unol.

Beth yr wyf yn ei feddwl wrth sôn am Geseilio fel ffenomen isymwybodol? Y beirdd yn anfwriadol a'i cyfundrefnodd. Ar lafar y cyfansoddent. Gwrandawent nid ar eiriau mewn ysgrifen lle y mae'r geiriau'n cael eu gwahanu'n ddestlus. Gwrandawent yn hytrach ar lif y llafar. A'r seiniau yn y llif a gydlynent. Y rheini a ddôi'n effeithiol yn y glust.

Yna dôi'r theoriwyr neu'r beirniaid ar eu hôl a dweud wrthynt beth a

51

wnaethent yn ddiarwybod. Yr arswyd! Y tu ôl i'r seiniau synhwyrus, canfyddent batrymau meddyliol anweledig rheolaidd. Roedd y beirdd wedi cymysgu'r cynhwysion ym mhadell y meddwl, ac wedi coginio teisennau newydd gorffenedig.

Rhyngoch chi a fi, y mae ystyr arferol y gair 'ffonem' yn rhyngwladol yn newid ychydig bach oherwydd ceseilio. Ac nid oes a wnelo'r ffonem newydd ddim oll ag ystyr. Ni ddylai cyfundrefnu cyfunol gynhyrchu ffonemau effeithiol sefydlog newydd heb ymadael ag ystyr, a lledu dosbarth seiniol i gwmpasu dosbarth cyferbyniol. Dyma'r math o ffaith annifyr sy'n profi bod gan Gerdd Dafod beth annibyniaeth ar Dafod. Mae hi bron yn iaith arall.

Darganfyddiad ym maes gwahuniaeth sŵn yw Cynghanedd i gyd. Gwyriad trefnedig yw ar olyniaeth arferol seiniau'r iaith . . . megis Odl, megis Mydr hefyd. Mae'r ddwy gymhariaeth yn werthfawr. Y mae a wnelo'r gwahuniad ym mhob un o'r rhain â thair elfen arwyddocaol: sef llafariad, cytsain ac acen. Chwaer llafariad yw'r acen. Mewn mydr nid oes ond acenion yn gwahuniaethu, hynny yw yn cyferbynnu ac yn ail-adrodd, a gallant ymbatrymu yn ddeuoedd ac yn drioedd. Mae odl a chytseinedd yn gallu pwysleisio a chanolbwyntio'r acenion hyn bid siŵr, ond dyw hynny ddim yn angenrheidiol yn ffurfiant sylfaenol mydr. Ond yng nghyfundrefn y cyfundrefnau sy'n llunio'r Gynghanedd, y mae'r tair elfen yn sylfaenol ac yn cydblethu'n gyferbyniol.

Rhyw fath o ddathliad trefnus o ffurf seiniol yw'r Gynghanedd. Yr ydym oll yn gyfarwydd â'r syniad mai'r hyn a rydd gamp ar lenyddiaeth neu ar jôc yw nid yn gymaint yr 'hyn a ddywedir' ond y 'ffordd y'i dywedir'. Bid a fo am gymhlethdod y ddadl honno, does dim dwywaith nad yw'r ffordd y cydseinir geiriau yn gyfuniadau yn ffactor eithaf penderfynol mewn Cynghanedd. Tyfodd math o obsesiwn ymhlith prydyddion Cymraeg i ddwyn eu ffurfiau seiniol i gwlwm o berseinedd gorchestol.

Am y tro, carwn awgrymu mai'r cydgyfarfyddiad arbennig rhwng ffonem(au) neu'n hytrach y 'sain gynganeddol' mewn llif (sef cytsain, llafariad, deusain) â llinell, nid amgen y briodas gyflawn rhwng y rhannau a'r cyfan, o dan drefniant acen, dyna sy'n dwyn yr effaith i gwlwm mor obsesiynol. Yn y ddrama hon, y prif actorion yw:

A. (1) *Yr acen: prif drefnydd neu gyfeilydd y cydgyfarfyddiad, dyna yw bòs y byd llinellol;*

(2) *Y llinell ei hun: y cyfanwaith cynganeddol sy'n ffinio ac yn uno.*

(Mae'r llinell mewn Cynghanedd yn cyfateb i'r frawddeg mewn iaith, fel y mae'r ffonem neu'r sain gynganeddol yn cyfateb i'r gair);

(3) *Y 'ffonem' (a) llafariad, deusain, – yr elfen orfodol mewn gair;*
(b) *cytsain: [Nodir 'ffonem' rhwng dyfynodau am y tro oherwydd ffenomen astrusol 'ceseilio']. Dyma'r offer cynganeddol neu'r sain gynganeddol mewn llif.*

Eu prif weithredoedd yw:
B. (1) *Yr ailadrodd cytseiniol: olyniaeth o gytseiniaid drwy ailadrodd y patrwm o fewn amrywiaeth llafarog: (ceir cyferbynnu yn yr odl);*
(2) *Yr ailadrodd llafarog: odl obennol a diweddol: (ceir cyferbynnu cyn yr odl).*

Eu prif amgylchfyd yw:
C. (1) *Y corfannau a'r uwch-corfannau sy'n cydsefyll yn acennol ddeuol.*
(2) *Y corfannau a'r uwch-corfannau sy'n cydsefyll yn acennol driol.*

Dyma'r tair gwedd elfennog ar Gynghanedd.
Pan dducpwyd y tair hyn at ei gilydd, fe gafwyd llawnder y Gynghanedd.

Cyfundrefn o gyfundrefnau yw'r Gynghanedd. Dyna honiad a ailadroddwn ni dro ar ôl tro, mae'n beryg. Uchafbwynt y gyfrol, tua'i diwedd, fydd dweud beth yw ei ystyr. Ond yr wyf am ddychmygu'r cyfundrefnau unigol elfennaidd (deuol neu driol) yn ymffurfio yn briodol yn gyntaf, ac yna'n ymgyplysu i grwpio neu i ymgyfannu bron ar ffurf hierarci o fewn y cyfan. Felly y gwna'r iaith ei hun.

Ymddengys fod yna gnewyllyn seiniol pwysig wedi ymffurfio yn y Gymraeg:

(a) fod y cytseiniaid yn cael eu taro'n gliriach bendantach nag yn Saesneg mewn rhai safleoedd,
(b) fod yr acen bwys mewn gair lluosillafog yn disgyn yn gymharol reolaidd ar y goben,
(c) ynghyd â'r acen draw ar y sillaf olaf.

O'r herwydd, ymffurfia'r rhan honno o'r gair, – y goben a'r sillaf olaf, – rhan a odlai hefyd yn sillaf olaf llinell, yn gnewyllyn trefnol 'rheolaidd' o gryno, yn y fath fodd fel y gallai batrymu llif y llinell. Yr

oedd yn ddigon cryf, rheolaidd, ac eglur ac mewn safle mor arbennig i
fod yn llywodraethol pan ychwanegid gorffwysfa naturiol yn llif yr anadl.
Oherwydd y gwth ychwanegol i ailadrodd, i geisio undod, i adleisio
patrwm, sy'n wedd ar gynneddf 'gwahuno', ymffurfiai cnewyllyn cyf-
atebol yn yr orffwysfa.

Nid digon yw dweud mai llafariad, cytsain ac acen sy'n gwneud sillaf.

1. *Rheidrwydd* yw cael llafariad mewn sillaf. Gellir gair heb gyt-
   sain. Ond ar y llafariad y mae'r acen yn gorfod disgyn, nid ar y
   gytsain. Y llafariad yw'r goron. Hi yw canolbwynt disgyrchiant
   sain.
2. Mae'r cytseiniaid yn gweini ar y llafariaid wrth eu ffinio hwy
   neu eu gwahanu o ran trefn. Safant y naill ochr neu'r llall i
   lafariad. Pwysant arni. Nid ydynt yn bodoli heb lafariad.
3. Mae a wnelo'r acen â hyd a thrymder (traw a phwys) sillaf.
   Mae'r nifer o wahanol acenion arwyddocaol sy'n bosibl yn
   gynnil. O ran amrywiaeth neu amlder, yr acen sy'n brinnaf,
   llafariad sy'n nesaf, a'r gytsain yw'r fwyaf amryfal. Yr acen sy'n
   diffinio trefn cytseiniaid i'w dodi yn eu lle mewn llinell o
   Gynghanedd. Ond mae'r acen hefyd yn gweini ar y llafariaid
   ac yn diffinio'u harwyddocâd: mae'n pwyso arnynt ac yn eu
   lleddfu hwy. Pan roddwyd i'r acen statws a swyddogaeth drefnol,
   ganwyd y Gynghanedd.

Yn yr adran bresennol, ceisir dosbarthu'n driol y dosbarthiadau i'r
gyfundrefn sydd ar waith, ac sy'n disgwyl bob un yn ei thro mewn amser
gweithredu i ymuno'n gydweddol. Bydd is-gyfundrefnau yn cydadeiladu
bob amser ar berwyl obsesiynol y cyfanwaith.

Mae pob cam yn y broses yn ymgeisio i ddod o hyd i ateb cyfun i
broblem seiniol.

Yng ngweddau A B C uchod, yr oedd A yn gosod problem gyngan-
eddus. Ceisiwyd ei hateb yn B ac C drwy gyfuno cyfundrefn gyferbyniol
y ffonem â grwpio acennog y corfannau. Dyna ffordd yr isymwybod i
ddatrys y broblem.

Un ffordd o gyfleu rhin ac athrylith y Gynghanedd yn y Gymraeg yw
drwy ei chymharu a'i chyferbynnu â'r cyflythreniad yn Saesneg. At ei
gilydd, i'r Sais chwaethus, y mae cyflythreniad braidd yn amhoblogaidd.
Pan â dros ben llestri, mae'n ddigrif. Disgwylia ef gryn gynildeb ynglŷn
ag ef. Ymddengys yn foeth maldodus. Dyma un o'r rhesymau a fab-
wysiada pan fo'n ceisio isbrisio Dylan Thomas. Mae Hopkins yntau yn

ecsentrig ac yn cael ei gyfrif yn ddylanwad drwg, er cymaint o athrylith unigolyddol yw. Rhywbeth syml a chyntefig yw ailadrodd sain fel hyn i'r Sais, ac y mae gorwneud y ddyfais hon yn fwlgar, er y gall fod yn effeithiol ambell dro go eithriadol. Ac mae'r rheswm am y fath safbwynt â hyn yn syml ddigon, os yn anymwybodol. Yn Saesneg nid yw cyflythreniad namyn pentwr o'r un llythyren heb batrwm, addurn: nid 'gramadeg' mohono. Nid oes iddo fodolaeth aeddfed yn nyfnder Bod.

Mae pwyslais, natur a gwerth y Gynghanedd yn y Gymraeg sut bynnag yn bur wahanol. Paham? Am nad ailadrodd llythyren yw prif hanfod y drefn. Patrwm soffistigedig yw echel Cerdd Dafod. Pwyntio acenion mewn ymwybod o drefn wahuniaethol a wna. Hyn a rydd iddi awdurdod. Nid y cytseiniaid ailadroddol, ond y dathliad o fydr yw sylfaen y patrymu hwn, a'r curiadau'n tynhau ac yn pwysleisio'r emosiwn o fewn gwrth-derfynau rhy ac eisiau. Dawnsia'r llafariaid a'r cytseiniaid o gylch yr acenion. Ac mae'r ddawns hon yn gyfoethog.

Mae cyfundrefn gyflawn Cerdd Dafod yn ffenomen ffurfiol od onid bwriadus amhosibl ac anfeddyliadwy i rywun nas medd, efallai am mai cyfundrefn brydyddol gyflawn yw. Cant y cant. Cyfundrefn anymwybodol yw sy'n peri myfyrio'n ymwybodol ynghylch hanfodion llenyddiaeth i gyd. Gall ei bod yn peri i ni'r Cymry ymholi. A ellid meddwl o bosib – yn lle dynwared y Saeson – y gellid ymestyn yn Gymreigaidd a dyfeisio neu ddarganfod o amgylch cyfundrefn lenyddol gywrain a soffistigedig fel Cerdd Dafod oesol y Gymraeg, ein beirniadaeth lenyddol ein hun? Nid ymwneud â Cherdd Dafod y bydd yn unig, eithr â'n syniadau mwy cyffredinol am lenyddiaeth.

Cawn weld.

Mae yna bellter mawr rhwng natur y Gynghanedd, yn ôl fel yr wyf i'n ei deall, a'r ffurf a ddisgrifiwyd drwy ymateb negyddol iddi gan un beirniad: 'unimpressed by its regulations, its competitive nature, its sonic possibilities, its amazing history. Poetic rules . . . are there to be broken. Or simply ignored. It's the psychological universe they (h.y. y beirniaid gwrthwynebus goruchel) tend to explore, the impact of love, relationships and death on our world. Because after all, what is this *Cynghanedd* but another Welsh sacred cow, a linguistic Lego, a trainspotterish enthusiasm for men in clubs, pubs and competitions?'

Mae hyn yn bur bell oddi wrth strwythur esthetig y meddwl. Pan ddarganfuwyd neu pan luniwyd y Gynghanedd, nid eisteddodd yr un bardd yn ei gornel, na'r un pwyllgor chwaith ar ei bedestl i benderfynu 'O! fe gawn ni hyn a hyn o fathau o Gynghanedd – Croes, Traws, Sain, Llusg; ynghyd ag is-ddosbarthiadau o fathau gwahanol. A chyfrifwn y

materion canlynol yn feiau gwaharddedig. A dyna geseilio wedyn, dyna
gywreindeb difyr a thrawiadol. Pleidleisiwn.' A phan ddaeth y beirniad
yn ei bwysigrwydd wedyn maes o law, nid eisteddodd yntau chwaith ar ei
stôl sigledig i'w disgrifio a'i dadansoddi a dweud, 'Wel! sylwn ar yr
enghreifftiau; mae pob llinell yn wahanol. Felly cyfrifwn fod pob un yn
"fath" ar ei ben ei hun. Gwnawn restr.' Ni ddwedodd chwaith: 'Tybed a
awn ati i wneud rheolau anwel i gaethiwo beirdd afradlon?'

Bu'n rhaid iddo ddysgu mwy na 'Poetic rules . . . are there to be
broken.' Rhan o'i addysg oedd 'Erys Disgyrchiant.' Tafod oedd ganddo,
cyn Mynegiant.

Yn isymwybodol y ffurfiwyd neu y darganfuwyd y Gynghanedd yn gyd-
fathau gwahanol cydlynol, cyferbyniol, cyfundrefnol. A'r her i'w beirn-
iaid oedd ei darganfod drwy *grynhoi yn ôl y nifer leiaf o ddeddfau cynhenid
neu o 'reolau' ar gyfer y nifer fwyaf o ddulliau o ffurfio llinellau unigol*. Yn
theori Cerdd Dafod yr oedd a wnelom â ffeithiau o ddau fath. Y tu ôl i'r
ffeithiau i'w hesbonio yn y golwg fe geid y ffeithiau esboniol. Y tu ôl i'r
bardd y beirniad. Y tu ôl i'r ymddygiad empiraidd ceid y theori. Ceisid
casgliad cyffredinol isymwybodol ar sail amlder o enghreifftiau, heb
eithriad o bosib. Ceisid egwyddorion y tu ôl i'r arbrofion. Teithid yn
feddyliol yn wrthwyneb i gyfeiriad y cynhyrchu – oddi wrth y canlyn-
iadau tuag at yr achosion. Dylai theori o'r fath felly gynnwys elfen o
anocheledd wrth geisio esbonio pam.

Mae yna ddau symudiad meddyliol wrth lunio'r Gynghanedd:

——————————— >	——————————— >
1. arbenigol	2. cyffredinol
(dod o hyd i eiriau penodol)	(dod o hyd i batrwm llydan)

Mae'r olyniaeth hon yn adlewyrchu patrwm arferol adeiladwaith
deall – sef dechrau mewn argraff gyffredinol, yna penodoli, ac yna
cyffredinoli o'r newydd yn fwy strwythuredig.

Ymhlith y gwahanol werthoedd sydd mewn barddoniaeth, un o'r rhai
odiaf i'r glust ramantaidd 'rydd', 'oddefgar', arwynebol yw cywirdeb
cynganeddol. Ond y mae a wnelo â threfn o fewn trefn o fewn trefn, yn
wir ag osgo gwareiddio. Ceir gwerthoedd eraill heblaw'r cywirdeb mewn
barddoniaeth – megis eglurder, moesoldeb y chwaethus, neu ynteu'r
diffyg a brofir gan yr arwynebol neu'r sawl sy'n ceisio'i ddangos ei hun.
Yn ogystal ag anturiaeth Rhyddid! Ond dathlu trefn, a chydnabod bod
cyfundrefn arbennig yn rhoi boddhad esthetig cynganeddol dyna a wna

cywirdeb. Trefn yw un o hanfodion angenrheidiol a dirgel y meddwl dynol. Er bod ambell ymgais wedi'i gwneud i newid cyfundrefn y cynganeddion, neu'r cynganeddion unigol, neu i'w hestyn, ychydig o'r rhain sydd wedi apelio ddigon i gael eu cymathu'n isymwybodol o'r newydd ar ôl y bymthegfed ganrif.

Ceisio ystyried yr wyf yn yr adran hon beth sy'n digwydd yn y meddwl wrth lunio Cynghanedd. Fy nod, wrth gwrs, fel bob amser, yw peidio â bod yn ddadleuol. Nid wyf yn ceisio codi cwestiynau lle y mae'r atebion yn ansicr. Anelu'r wyf o hyd yn hytrach at ddisgrifio yn hyfryd eciwmenaidd sefyllfa y mae pawb yn gorfod cytuno â hi.

Dechreuaf drwy ddweud bod a wnelom â dau gyflwr angenrheidiol – sef CERDD FYNEGIANT, dyweder cwpled o Gynghanedd unigol:

Hyd fy oes fy nhynged fu
dweud fy lein a diflannu.

a CHERDD DAFOD, sef y gyfundrefn o 'reolau' neu ddeddfau cyffredinol sy'n bodoli ymlaen llaw yn y meddwl er mwyn dweud y fath beth, ac sy'n cyflyru neu'n amodi'r fath Gerdd Fynegiant. Dyna ddau gyflwr parhaol ac arloesol. Y mae eu nodweddion yn hollol wahanol i'w gilydd. Gellir nodi Mynegiant ar bapur fel y bydd yn aros yn gynnyrch, yn ffaith felly. Enghraifft yw. Penodol, achlysurol, cyfyngedig. Effaith derfynol. Wedyn gellir disgrifio mewn cyfrol fel *Cerdd Dafod* John Morris-Jones yr adeiladwaith deinamig sy'n gallu cynhyrchu nid yn unig y cwpled arbennig hwn, ond miliynau diderfyn o gwpledi cyffelyb. Potensial o adeiladwaith yw Tafod i fathu'r effeithiau clo. Fy nod i yw gogwyddo at yr esboniad, lle y gogwyddai J. Morris-Jones at y disgrifiad.

Gan eu bod yn ddau gyflwr mor wahanol i'w gilydd, rhaid ystyried bod yna broses o droi'r naill i'r llall: y proses cynhyrchu. Y TROTHWY, y wahanfa lle y ceir y cymhelliad deinamig, sy'n rhoi'r troi ar waith. Ceir hyn hefyd wrth ystyried y ddau gyflwr cyfredol mewn iaith – ar y naill law y potensial sefydlog yn y pen ymlaen llaw, ac yna ar y llall y cyflwr yn y Mynegiant cyfyngedig achlysurol yn y golwg. Rhaid cael deinameg neu echel (er byrred) rhyngddynt yn y Trothwy. Dylwn nodi bod yna fwy yn y Trothwy hwn na Chymhelliad yn unig, er mai dyna sy'n bwysig. Fe geir ffurfiau hefyd ar gerdded a geirfa fel egwyddor, wrth groesi o Dafod i Fynegiant.

Gadewch i mi roi enghraifft ieithyddol seml, ymddangosiadol amherthnasol. O ran cymhariaeth. Mewn Tafod iaith ceir y ffurfiau elfennol 'unigol' a 'lluosog' mewn undod cyferbyniol. 'Rhif' ym maes gramadeg sy dan sylw. Dyna gyferbyniad sythwelediadol cyffredinol. Ond yn y Trothwy cyn cyrraedd Mynegiant y mae'r iaith eisoes yn darparu gwahanol ddulliau deuol a thriol o gorffori'r profiad o'r llawer:

Newid y Terfyniad
   (i) ychwanegu terfyniad
   (ii) colli terfyniad
   (iii) cyfnewid (h.y. colli ac ychwanegu) terfyniad
Newid y Canol
   (iv) newid llafariad yng nghanol y gair.

Hynny yw, rhwng yr angen elfennaidd i luosogi, rhwng cyfundrefn seml ac elfennaidd unigol/lluosog mewn Tafod, a'r Mynegiant terfynol wedyn, yn y Trothwy rhwng y ddau gyflwr, darperir dewis o fewn cyfundrefn o ffurfiau i'r siaradwr weithredu. Ceir math o system Mynegiant yn y Trothwy. Nid Tafod pur yw hyn. Cyfundrefn fwy arwynebol mewn Mynegiant yw. Mewn Tafod, y cyferbyniad sylfaenol a geir; un a llawer. Ffurf o ddelweddu yn yr isymwybod.

Ceir systemau *cyffredinol* cynieithyddol mewn Tafod Iaith sy'n cyferbynnu un a llawer, bach a mawr, absennol a phresennol, dibynnol a chynhaliol, sŵn a distawrwydd. Dyna rai o'r systemau anieithyddol egwyddorol cyntefig sy'n cyferbynnu Tafod a Mynegiant fel ffenomenau.

Ond *ar y llwybr* rhwng Tafod a Mynegiant ceir systemau mwy *arbennig* yn ymlynu wrth y cyferbyniadau hyn: megis terfyniadau penodol yn nadansoddiad y berfau. (Cymerwn enghraifft. Mewn Tafod, yn fwy sylfaenol, fframwaith o dympau a moddau, personau a rhif a geir: e.e. 3ydd person unigol y ferf yn y gorffennol – sef Tafod ar gyfer troi'n Fynegiant – ond yn y Mynegiant – 'Gwnaeth', 'gwelodd'). Gwahanol derfyniadau mewn Mynegiant: mewn Tafod, yr un tymp, yr un ffurf ar dymp meddyliol. A llawer o ddatblygiadau cyffelyb. Felly, yn y Gynghanedd, symudir o Dafod i Fynegiant strwythuredig drwy Drothwy sy'n eu gwahanu – Trothwy trefn, trothwy dosrannu soniaredd, trothwy dathlu a darganfod y mathau gwahanol o gyferbynnu seiniol elfennaidd. Yn y fan yna, ceir ymwybod o Werth, apêl at Drefn, a Phwrpas, geirfa fel *egwyddor* (h.y nid yn ei holl fanylion) a hefyd symudiad tuag at systemateiddio. Ceir hefyd ffurf seiniol yn unigol sydd eisoes yn rhan gyntaf y Trothwy yn gyffredinol. Dyma'r gyfundrefn a gafwyd eisoes mewn Tafod, yn dechrau ymffurfio'n ddiriaethol.

Y gwir yw, yn natblygiad neu dwf trothwy Cerdd Dafod yn y meddwl, megis yn natblygiad iaith plentyn, fod y cydadeiladwaith yn casglu cyfundrefn at gyfundrefn. Mae'r goradeiladwaith amrywiol o gydstrwythurau'n gallu bod yn gyfoethog iawn erbyn y pwynt hwn.

Gwahanol o ran naws a dyfnder yw strwythurau Tafod. Yr wyf newydd ddweud bod Cerdd Dafod yn gyfun-drefn. Ond a ellir didoli'n glir drwy ddynodi beth sy'n cael ei drefnu felly? Sylwasom eisoes ar yr elfennau moelaf: a ellir estyn ychydig ar y rheini bellach?

A. *Dyma'r elfennau mydryddol:*

(1) y sillaf: llafariad, cytsain (gan gynnwys cytsain sero), acen (sef acen bwys ac acen draw – ar 'draw' gw. SB 71-73, TLl 76-81, 82n.) ;

(2) y llinell (fe'i rhennir yn ddwy neu'n dair rhan guriadol; neu'n hierarci o gyfuniadau felly);

(3) o fewn y llinellau trefnir y sillafau'n unedau curiadol (fe'u hadeiledir drwy gyfuno un curiad trwm â churiad(au) ysgafn hyd at ddwy sillaf ddiacen.) Gelwir y rhain yn gorfannau neu'n fwy priodol yn uwch-corfannau (gan y gallant gynnwys mwy nag un acen drom ym mhob uwch-corfan).

Cyn ystyried cytseinedd ac odl, dylid ystyried mydr gan mai 'pwyntio' mydr a wna cytseinedd ac odl.

Ymddengys fod yr egwyddor o fydr a geid yn y Gymraeg mewn Cynghanedd yn gwbl wahanol i'r patrwm rheolaidd a geir mewn corfannu cyfacen Saesneg, megis:

$$- x / - x / - x / - x / - x$$
neu $\quad$ x x $-/$ x x $-/$ x x $-$

Hynny yw, ymddengys Saesneg yn rhes seml. Beth sy'n nodweddu'r Gymraeg?

UN: Y llinell gyfan ganolog, yr uwch-corfan neu'r cyfuniad o uwchcorfannau nid y corfan yw'r uned Gymreig yn fynych.

DAU: Fe'i rhennir yn gyntaf fesul dwy ran gyferbyniol. Gellir ymestyn i dair.

Mae pob un o'r ddwy ran yn meddu ar sillaf acennog. [Yr egwyddor gyneddfol gyferbyniol ynghylch acen yw sŵn a distawrwydd]

Mae un o'r ddwy sillaf acennog hyn yn y gair diwethaf, [sydd hefyd fel arfer yn air odlog.]

Ceisir sillaf acennog yn rhan gyntaf y llinell i gydbwyso'r acen olaf.

Cyferbynnir y sillafau acennog hyn â sillafau di-acen.

59

TRI: Maes o law, ni chaniatéir mwy na chlwstwr o ddwy sillaf ddi-acen yn olynol i gyfeilio i'r sillaf acennog. Dyna'r gestalt a gyrhaeddwyd yn gyflawnus yn y gwth ffurfiol.

Heblaw rhannu'r llinell yn ddwy, gellir ei rhannu'n driol, hynny yw gellir cael tair (neu bedair: 2 x 2) prif acen yn llinell y cywydd dyweder. Os yw'r llinell yn driol, ystyrir bod rhagacen yn ail hanner y llinell fel y bo'r drioliaeth yn tyfu o ddeuoliaeth fel hyn: –/– –, gan awgrymu mai rhan olaf y llinell sy'n llywodraethu [sef y rhan odlog].

cf. estyn y llinell gyfan (y dull llorweddol): o'r rhan i'r cyfan.

a'r llinell gynganeddol (y dull fertigol): o'r cyfan i'r rhan.

Gellir estyn y llinell mewn dwy ffordd: –

1. Mae'r llinell gyfacen yn ymestyn drwy amlhau'r rhestr o gorfannau deuol a thriol.

2. Mae'r llinell o Gynghanedd ar y llaw arall yn estyn egwyddor ddeuol a thriol y llinell, drwy amlhau sillafau diacen o bosib; neu drwy amlhau uwch-corfannau yn ôl y patrwm. A chymryd bod pob clwm lle y cynhwysir mwy nag un acen hefyd yn uned (fe'i gelwir yn uwch-corfan), fe'i hestynnir fel hyn ym mesurau Cerdd Dafod yn ddeuoedd ac yn drioedd o brif acenion:

–/–   –/–/–
– –/– –   –/–/– // –/–/–
– –/– –/– –
– –/– – // – –/– –

B. *Dyma'r elfennau cytseiniol:* presenoldeb/absenoldeb cytseiniol o fewn y rhaniadau deuol a thriol a gesglir neu a bwyntir gan yr acen ac a ollyngir gan yr acen:

Deuol presennol: Cynghanedd groes
Deuol absennol: Cynghanedd lusg
Triol presennol/absennol/presennol: Cynghanedd draws
Triol absennol/presennol/presennol: Cynghanedd sain.

C. *Dyma'r elfennau llafariadol:* yn fewnol/yn derfynol, yn ôl tebyg-rwydd ac annhebygrwydd (neu gytundeb ac anghytundeb); yn syml (hir/byr) neu'n gyfan (deuseiniaid).

Y rhain yw'r elfennau sy'n adeiladu llinell. Wrth groesi'r trothwy rhwng Cerdd Dafod ar y ffordd i Gerdd Fynegiant y mae un rhan o linell (ddeuol neu driol) yn cyflyru neu'n gosod amodau ar gyfer rhan arall o linell.

Felly, yn y TROTHWY ceir ysgogiad emosiynol neu syniadol i roi'r proses o gynhyrchu'r elfennau hyn ar waith, a hefyd darperir dewis o blith yr elfennau mydryddol hyn a ddynodwyd: y CYMHELLIAD.

Pryd bynnag y mentrir yngan neu ddewis sillaf, fe wneir hynny o fewn adeiladwaith deinamig o amodau. Ar unwaith, cyn gynted ag y dechreuir y sill y mae'r amodau hyn ar waith, nid y cwbl yr un pryd wrth gwrs, ac eto y cwbl *ar gael* yn un pryd, y naill elfen yn cyferbynnu â'r llall.

Hynny yw, nid fesul tamaid y mae'r cynganeddwr yn gweithio gan adeiladu'n 'achlysurol' wrth fynd yn ei flaen. Y mae'n cyfansoddi o fewn *cyfan*soddiad. Llif yw. Cyn yngan sill, y mae'r adlais eisoes wedi cyrraedd mewn potensial o ben arall y dyffryn.

Ceisir sôn yma am y ffordd y trefnwyd y rhannau gan y cyfan.

Mydr mewn llif seiniol.

Mae dwy o unedau Cerdd Dafod yn gyfarwydd ac yn 'gonfensiynol'. Sef y *llinell*. Dyma'r uned fydryddol echelog fawr, ac y mae'n cyfateb mewn prydyddiaeth i uned y frawddeg mewn rhyddiaith. A'r *sillaf* yw'r uned guriadol leiaf.

Nid ymddengys fod y *corfan* yn rhyw arwyddocaol iawn mewn Cerdd Dafod Gymraeg ar wahân efallai i'r Cywydd Deuair Fyrion. Ac o'r herwydd, anodd yw ei ddiffinio. Math o uned amorffaidd yw. Yr agosaf y down gyda J. Morris-Jones i'w adnabod yw'r geiriau enwog ynghylch peidio â chael mwy na dwy sillaf ddiacen, neu wan, gyda'i gilydd yn unman, ac yn y blaen. Nid diffiniad o gorfan yw hyn o bell ffordd: ni sonnir er enghraifft fod yn rhaid cael un sillaf acennog, ac un yn unig, o'i fewn. Ond dyry inni un o gyfrinachau mawr yr uwch-corfannu Cymraeg cynganeddol. Yn y Gymraeg, mae yna ffordd bellach o ystyried y corfan, sef drwy astudio'r Cywydd Deuair Fyrion, a chymryd bod dau gorfan ym mhob llinell o gwmpas gorffwysfa. Cynrychiola'r ffordd o gynnull a threfnu sillafau acennog a diacen, yn ystwyth yn ôl natur aflonydd Cerdd Fynegiant. Ond bydd yn rhaid dychwelyd at y cwestiwn hwn drachefn.

Nid y corfan yw'r uned arwyddocaol yn rhaniadau'r llinell arferol, eithr yr hyn a elwais yn *uwch-corfan*. Nid wynebodd Syr John, ein pen-campwr oll, yr uned arbennig hon yn blwmp ac yn blaen er iddo ddawnsio o'i chwmpas, ac yn ôl pob tebyg, ar oleddf iddo ddweud popeth y mae eisiau'i wybod amdano. Fe'i ffinnir gan orffwysfa neu gan ddechrau neu ddiwedd llinell. Mi all gynnwys unedau o un, dwy, neu dair prif acen. O'r uned fydryddol hon yr adeiledir llinellau Cerdd Dafod, ac eithrio yn achos y Cywydd Deuair Fyrion (deunydd crai mesurau Cymru).

Dyma'r porth (isymwybodol) i mewn i Gynghanedd; ac ar gychwyn ei ymdriniaeth ar ACENIAD, CD 262-290, sef yr adran fwyaf athrylithgar yn y gyfrol orchestol honno, dywed Syr John yn blwmp ac yn blaen: 'Ni chaiff neb flas ar y Gynghanedd heb ddysgu adnabod cyfateb-iaeth y ddwy brif acen yn yr orffwysfa a'r brifodl.' Adeiledir y cytseinedd a'r odlau mewnol yn unswydd er mwyn tanlinellu hyn gan gynorthwyo'r gwrandawr i gael hyd i'r orffwysfa sy'n blismon ar drefniant y llinell.

Ceir dau fath o uwch-corfannau wedi'u seilio ar ddeunydd crai corfan a ddatblygir drwy ailadrodd a chyferbynnu.

(1) Y deunydd crai cyn-uwch-corfannol yw un curiad (yr unig fesur corfannol brodorol Cymraeg) yn ateb un: e.e. Cywydd Deuair Fyrion –

Bráich/tir Brýchan
Briw'r iéirll/bwrw rán

(2) Y mesurau dau guriad sy'n tarddu'n ffurfiol o hyn: e.e. cymerer y Cywydd Deuair Fyrion, a'i ddyblu neu'i dreblu: e.e. Cyhydedd Naw Ban –

Wrth hýnny, Duw frý,/frénin pob iáith,
Wrth ddýnion gwýlon/y bó gólaith
Rhupunt – Yn énw Dómni/máu ei fóli/máwr ei fólawd

(3) Y rhai tri churiad, yn sengl neu wedi'i ddyblu'n estynnol –

e.e. Cywydd Deuair Hirion – Y céiliog sérchog ei són

Awdl gywydd – O gwrthódi líw éwyn/wás difélyn gudýnnau

Dyna linell sy'n cynnwys yn wreiddiol gorfan (un acen) ac uwch-corfan (rhagacen + prif acen): y Cywydd. Ond uned yw'r triawd acennol a ddaeth yn uwch-corfan triol i'w gorffori mewn llinellau hwy Awdl-gywydd.

Yn y llinell y mae'r corfannau a'r uwch-corfannau yn cael eu cwlwm. Sylwer ar y chwe egwyddor hyn ynglŷn â Mydr y Llinell: trefn yr undod. 1. O'r holl gyfundrefnau sy'n ffurfio'r Gyfundrefn o gyfundrefnau a gafwyd erbyn aeddfedrwydd cynganeddol y bymthegfed ganrif, *mydr y llinell yw'r un ganolog*. Dyma'r un lywodraethol. Mydr y llinell yw'r sylfaen i drefnu'r adeiladwaith cyflawn arni, boed yn gyseinedd neu'n odl, neu'n gyfuniad o gyseinedd ac odl.

2. Ac yn y llinell, mae yna ganolbwynt disgyrchiant, sef y brif acen a leolir yn niwedd y llinell. Fe ddynodir honno gan y brifodl fel arfer. Gan fod y llinell, gan amlaf er nad bob amser, yn dynodi hefyd ffiniau a ffrâm y patrwm odl a chyflythrennu unedol, y mae'r sillaf acennog olaf hefyd yn cyflawni swydd lywodraethol yn y patrwm hwnnw. *Mae'n symbol felly o undod y llinell.*

3. Rhaid i linell gynnwys mwy nag un brif acen er mwyn cydbwyso a chyferbynnu. A cheir corfannau neu uwch-corfannau yn ôl cyfanswm o ddwy neu dair. Hynny yw, ceir dau batrwm cnewyllyn i linell o ran acen: fe all o ran cyfanswm fod yn ddeuol yn ôl dull Cywydd Deuair Fyrion, neu'n driol yn ôl dull Cywydd Deuair Hirion. *Mae'r ddau neu dri yn symbol (neu'n gynrychiolydd) o'r amrywiaeth disgybledig a geir o fewn undod isymwybodol y llinell.* Felly, mewn llinell gyfan o ran acen fe geir un brif acen, ac yna fel arfer (o ran lleiafswm) un neu ddwy sillaf ddiacen neu is-acen ar y naill ochr i'r orffwysfa, a phatrwm cyffelyb ar y llall. Cyfunir yn ôl y cnewyllyn batrymau sy'n dod yn gynddelwaidd i'r holl fesurau yn ôl dosbarthiad deuol neu driol:

llinell ddwy acen:	Dewr híl fil fúr dídarf Dúdur	Cywydd (mesur) byr
llinell dair acen:	O Dád yn déulu dédwydd	Cywydd (mesur) hir

4. Sylwer ar batrwm yr acenion a'r sillafau diacen mewnol. Nid yw'n llunio patrwm corfannol rheolaidd twt o ailadrodd fel yr iambig: x –, x –. Dyma egwyddor fwy ystwyth, yn hytrach, a ffurfir nid o'r sillaf hyd at yr uned fwy, ond o'r uned fwy tuag at y sillaf. Oherwydd y cyfeiriad trefniadol hwn, bu'n rhaid estyn yr egwyddor batrymu y tu hwnt i'r corfan ailadroddol. Cafwyd egwyddor a gysylltai'r acenion nid â chorfan twt ond â rhediad lletach. *Ceir afreoleidd-dra o fewn rheoleidd-dra.*

5. Adeiledir neu estynnir y lleiafswm o linell acennog drwy ddyblu neu dreblu. Drwy ddefnyddio'r uwch-corfan yn hytrach na'r corfan fel yr uned fydryddol arwyddocaol, yr hyn a wnaed eto oedd glynu wrth y dull o gyplysu, yn ddeuoedd neu'n drioedd. Sylwer mai ymateb isymwybodol yn y meddwl yw'r holl ddadansoddiadau hyn. *Cynildeb yw'r tynhau.*

6. *Nid yw llinell unigol yn ddigonol heb gydymaith.* Nid da yw bod llinell ei hun. Disgwylia llinell fod yn weithredol o fewn patrwm deuol neu driol o linellau. Felly, rhan yw llinell bob amser o fewn uned bellach y pennill. A chyrhaeddir *y pennill drwy gyplysu llinellau yn unedau mwy o ddwy linell, neu dair llinell,* neu drwy ddyblu neu dreblu'r unedau mwy hynny ymhellach.

Dyma egwyddor dreiddgar a gafwyd felly yn lle'r dull iambig o feddwl: CD 269. 'Ni ddylai fod mwy na dwy sillaf ddiacen, neu wan, gyda'i gilydd yn unman, oddieithr yn unig lle bo un o fewn gorffwysfa neu raniad llinell, a dwy ar ei hôl.' Wrth ymestyn y tu hwnt i'r corfan twt ailadroddol yn y dull hwn, felly, – sydd yn caniatáu cyfuniadau o un brif acen ynghyd ag un neu ddwy sillaf ddiacen er nad ar ffurf corfan cyfacen – yr hyn a geid gyda mwy nag un acen drom oedd cysyniad neu uned fydryddol wahanol, sef yr uwch-corfan. Dyma uned fwy gweddus i'r drefn fwy llinellol mewn Cynghanedd. Ni cheir mwy na dwy sillaf acennog olynol yn nesaf at ei gilydd er hynny.

Hynny yw, hyd yn oed mewn llinell fel eiddo Siôn Cent 'Llawn, llawn, lláwn, llàwn llawénydd', y mae Tafod yn arwain Mynegiant i lefaru yn ôl yr acenion angenrheidiol. Yr hyn a wna Tafod yw darparu fframwaith ar gyfer Mynegiant.

Dyfynnais (ac nid am y tro cyntaf na'r olaf) waharddiad gwelediga-ethus John Morris-Jones ynghylch ymatal rhag cynnwys mwy na dwy sillaf ddiacen gyda'i gilydd. Mae hyn yn digwydd oherwydd ei fod yn dibynnu ar sythwelediad ar y pryd yn yr isymwybod; ac ar gyfer hynny, ni ellir cynnal ond dau bwynt cyferbyniol, neu ar y mwyaf dri. Wedyn, â uned gyferbyniol yn rhy ymwybodol. Yr unig lwybr pellach yw cyfer-bynnu deuol â deuol, triol â thriol. Pe gofynnid i mi a oes yna unrhyw egwyddor arall a ddarganfu Syr John sydd ar yr un lefel weledigaethus, fe ddadleuwn mai gwiw fyddai ystyried ei drafodaeth ar y rhagacen. Mae'r ddau bwynt hyn yn ddarganfyddiadau sy'n agor drysau mawr ar gyfer y sawl sydd am fyfyrio uwchben natur undod y Gynghanedd. Adlewyrchant beth o athrylith Syr John. Nid ei drefnusrwydd, na'r ffaith iddo weithio fel blac, na'i wybodaeth na'i ddeallusrwydd, ond am iddo weld pethau mawr y'i cyfrifaf yn athrylith.

Carwn dynnu sylw at un nodwedd ecsentrig arall yng nghyfundrefn-waith Cerd Dafod. Fe'i gwelir yn y dyfyniad o'r Cywydd Deuair Fyrion uchod: 'Braich/tir Brychan'. Fe'i gwelir drachefn yn y Draws Fantach: 'Drud/yr adwaenwn dy dro'. Mae'r enghreifftiau hyn yn milwrio'n gyfan gwbl yn erbyn rhoi unrhyw goel ar fodolaeth y 'corfan' confensiynol o gwbl mewn Cerdd Dafod. Anodd derbyn corfan fel uned gyflawn gynganeddol sy'n cynnwys cyferbyniad, heb fod o leiaf un sillaf ddiacen o'i blaen nac ar ei hôl rywle yn y llinell yn cyfateb i'r sillaf acennog. Ond beth a wnawn ynglŷn â phroblem yr uwch-corfan sydd i fod i lywodraethu llinell fantach y Cywydd Deuair Hirion? Beth y mae 'Braich' a 'Drud' yn ei wneud heb sillaf ddiacen? Ymddengys i mi fod tri phosibilrwydd:

1. Rhaid gollwng unrhyw syniad o reidrwydd gwreiddiol i gyfer-bynnu acenion o fewn pob corfan neu uwch-corfan mewn Cerdd Dafod. Yr wyf mor hwyrfrydig i fynd i'r cyfeiriad yna nes fy mod wedi awgrymu o'r blaen, y dylem ailfeddwl ein ffordd o ddarllen *llinellau* o Gynghanedd.

2. Y llinell, nid y corfan na'r uwch-corfan yw'r uned gyferbyniol. Fel y mae J. Morris-Jones yn barod i ddarllen rhagacenion fel pe gallent syrthio ar eiriau neu ar eirynnau 'dibwys' fel 'y, ei, a' (sef ar yr hyn a eilw CD yn ogwyddeiriau), felly hefyd y mae'n ymddangos yn fwyfwy posibl, er mai darllen o gwmpas gorffwysfeydd defodol a wnawn wrth ddarllen y Gynghanedd, nad dyna yn y bôn yw'r brif egwyddor. Darllen llinellau cyfain a wnawn wrth ymateb i'r acenion a'r cytseinedd. Darllen a wnawn yn y fath fodd fel y gallwn gario'r cyferbyniad acen/ diacen yn isymwybodol i gyflawni'i swyddogaeth y tu hwnt i ffiniau naturiol gorffwysfa. Hynny yw, y llinell gyflawn yw'r uned gyferbyniol a 'deimlwn'. Cyneuir ymwybod o lefaru o fewn amgylchfyd lle y mae cyferbyniad cryf/gwan ar waith. Untro mentrais ar ddamcaniaeth garlamus debyg i hon wrth drafod mydryddiaeth y Cynfeirdd. Ac ni synnais ddim at yr amharodrwydd i'w derbyn. Nid f'ystyfnigrwydd sy'n peri i mi ailgodi'r syniad yn betrus ddigon mewn cyd-destun newydd, ond fy niymadferthedd.

3. Posibilrwydd arall yw bod caniatáu sillaf acennog ddigyfeiriad i lenwi corfan neu uwch-corfan dechreuol y llinell, gan fod math o gyferbyniad eisoes yn digwydd rhwng saib a gair yn y fan yna.

Sylwer felly, does a wnelo cyhydedd na sillafiaeth o ran hanfod ddim oll â chynghanedd fel y cyfryw. Y mae a wnelo mydr neu guriadau â phopeth. Perthyn cyhydedd i fesurau ac i ddimensiwn Mynegiant yn

hytrach nag i'r Gynghanedd. O fewn hyd y llinell, ac yn benderfyniadol yn ffurfiad terfynol cyhydedd, dechreuwyd ymdeimlo ag unedau 2 a 3. Estyniad arferiadol ar yr ymdeimlad 'cyntefig' hwn oedd cyhydedd.
Ond y llinell yw priod gartref y Gynghanedd. Yn wir, credaf mai wrth ddarganfod cyfanrwydd y *llinell*, ac o fewn y llinell y patrwm deuol/triol, yn anad dim y cafwyd y Gynghanedd, ac felly y llwyddodd i ddod yn gyfundrefn. Cymerer:

Da yw'r un sy'n rhoddi dawn
Da drwy roddi dawn yw dyn
Da wrth roi'i ddoniau yw dyn

Mae'n amlwg fod y ddwy linell gyntaf ymhell o fod yn gynganeddol. Ond yn sydyn, gyda'r newid bach lleiaf y mae'r drydedd linell yn y fan yma, – cyfansoddiad digon llipa, – yn llwyddo i ymwthio o fewn ffiniau'r Gynghanedd. Mae yna dynhau. Ceir fframwaith i linell gyfan, a llif atebol o dan gynildeb acennog. Yr acen a ddaeth i'w gorsedd. A dawns yn llif y llafar.
Dychwelaf yn awr am ychydig o eiliadau at y cyferbyniad a wneuthum gynnau rhwng mydr cyfacen y corfan Saesneg a'r mydr uwch-corfannog amrywiol-unol yn y Gymraeg. Corfforwyd trefn reolaidd *sillafau diacen* mewn Cerdd Dafod Saesneg. Ymataliwyd rhag trefn olynol *sillafau diacen* mewn Cerdd Dafod Gymraeg. Dichon fod ceidwadaeth hyn o ystwythder yn y Gymraeg, ynghyd â deddf John Morris-Jones ynghylch peidio â chyplysu mwy na dwy o sillafau gwan, yn rhan o'r rheswm cymhleth am fethiant Saesneg a llwyddiant y Gymraeg i ddatblygu'r Gynghanedd.

*   *   *

Dichon mai Ôl-foderniaeth y saithdegau sydd yn isymwybodol wedi dod yn ôl â Cherdd Dafod i ganol beirniadaeth lenyddol, a'i diffinio'n llawnach fel grym cyfoes. Ateb adfywiol yr oes yw Cerdd Dafod i anhrefn. Yn isymwybodol yr un pryd ag y cododd Ôl-foderniaeth i ddechrau'i dangos ei hun, fe fynnodd y Gynghanedd hithau gael sylw newydd. Oherwydd treiddgarwch chwalfa mewn diwylliant, wedi'i gwreiddio mewn diwinyddiaeth, yr oedd angen mewnol beirdd yn gweiddi am drefn prydferthwch.
Cawsom gynt (yn Eden): 'Gwnaethpwyd rheolau er mwyn eu torri.' Fe'n haddysgwyd bellach! Ysfa fwyaf dyn am iechyd yw'r ysfa am drefn.

Cyn y saithdegau, hyd yn oed gydag anhrefn ddogmatig rhai o'r Modernwyr, parhau a wnâi'r ymdeimlad anesmwyth, o du beirniaid unigolyddol ynghylch trefn y Gynghanedd. Peth ar wahân oedd, hynafol braidd o oes y ceffyl a chert efallai; a thechnegol. Yr un pryd tyfai theori ar wahân i feirniadaeth go iawn. A dechreuodd theori holi rhai cwestiynau metaffusegol megis – a oes pwrpas i lenyddiaeth? a oes y fath beth â gwerthoedd llenyddol? beth yw ffurf? Creiriau canoloesol oedd y rheini hefyd.

At ei gilydd, tueddai'r materion hyn ar y pryd yn y 70au i fod yn bynciau athronyddol, sych. Ond cyn gynted byth ag y daeth rhai dogmâu nihilaidd a dadadeiladol i ffasiwn a'r beirniaid mwyaf confensiynol yn coelio nad oedd diben na threfn na gwerthoedd go iawn i lenyddiaeth, a bod pob dim yn relatifaidd, heb absoliwt, a bod yn rhaid bod yn goeg, yna fe ddaeth yn amlwg naill ai bod yn rhaid eu hateb neu ildio a chytuno, neu ynteu – o fod yn 'onest' – dewi a bodloni ar dwpdra. Wrth ateb yn fwy plwmp, rhaid oedd cael hefyd seiliau i'r fath ateb, a chyswllt rhwng y seiliau hynny a beirniadaeth ymarferol ei hun. Dechreuwyd ystyried rhai materion a oedd yn angenrheidiol er mwyn i lenyddiaeth fodoli o gwbl, a cheisio penodoli perthynas y rheini â llenyddiaeth. Dyna yn fy nghornel a geisiais innau yn dawel bach yn *Beirniadaeth Gyfansawdd*. Ond dyma hefyd gyfle i Gerdd Dafod ymbincio. Heb eu disgwyl gan neb cyn y saithdegau, yn sydyn blodeuodd y cynganeddwyr. Darganfuwyd rheidrwydd Gwahuno.

Rhagdybiau diystyr y saithdegau, felly, a orfododd feirdd cain i fywiogi Cerdd Dafod a beirniaid y mileniwm newydd i fyfyrio am seiliau dyfnaf beirniadaeth. Mae'r Gerdd Dafod hynafol a chaeth a aethai yn bwnc anffasiynol, wrth feddwl am seiliau tybiedig ramantaidd llên, byth ar ôl John Morris-Jones, bellach wedi dod yn ei hôl i ganol y darlun. A'r hyn sy'n fuddiol i feirniaid sy'n dibynnu ar ddulliau meddwl dros y clawdd, – Cymreig yw. Y canoloeswyr hyn oedd gwir chwyldroadwyr Ôl-foderniaeth.

Ble dechreuwn ni bellach wrth grybwyll y gwrth-ddweud cyfoes hwn? Pam lai na chyda Gwahaniaethu ac Ailadrodd, sef hanfod pob deall? Trefn sefydlog fytholegol bodolaeth ddeinamig llenyddiaeth.

Neu fel y myn Cerdd Dafod ar ganol y wledd: os tuedda'n 'bogeiliaid' i wichian amrywiaeth, tuedda'r cytseiniaid i gydseinio unrhywiaeth. Clustfeiniwn arnynt yn astud felly.

Er nad da gan Ramantwyr cydffurfiol glywed hyn, does dim dewis hyd yn oed i lencyn yn hyn o gyfwng, os yw ef eisiau deall, siarad, sgrifennu, cynganeddu, beth bynnag: *rhaid* iddo ganfod gwahaniaethau *a* chanfod y tebygrwydd. *Rhaid* iddo anwesu cyferbyniad trefnus wrth anwesu undod. Dyna'r lle *gorfodol* y dechreuwn mwyach. O leiaf, un o'r lleoedd. Yn sicr, nid mewn chwalfa.

A dyma galon Cerdd Dafod. Sylwer: egwyddor yw. Nid enghraifft ddiriaethol hanesyddol o lenyddiaeth fel sydd i fod ers dyddiau'r Rhamantwyr. Ond deddf gyffredinol ar waith yn real. Neu'n waeth byth, dimensiwn anweledig real. A defnyddio hen air bach annwyl Einion Offeiriad – rhaid.

Yr ydym yn dod yn y fan yma at yr ail dramgwydd. Ac y mae hyn yn waeth na gorchymyn a gorfodaeth y cyfuniad Cyferbyniad ac Ailadrodd. Wele ni wedi sibrwd gair am ddimensiwn arall sy'n cynddeiriogi llawer. Awgrym fel petai o fyd *anweledig* sy'n fytholegol sefydlog. Nid rheoliadau bach achlysurol, ond deddfau mawr.

Dyma fygythiad go frawychus o du'r etholedigion felly. Yr union awgrym sy'n codi gwrychyn pawb call a rhamantus ar y ddaear faterol, allanol, gnawdol, gydymffurfiol boblogeiddiol hon. Yr ŷm fel pe baem yn ymwneud o hyd â'r gweddill ysbrydol. Ac os honnwn nad oes gennym *ni* yn bersonol brofiad gwrthrychol o'r anweladwy, yna, dyw e ddim yn *bod* does bosib. Onid aeth allan gyda'r capeli o barchus goffadwriaeth?

Y gwir yw, wrth gwrs, nad oes dim dianc rhag yr anweledig hwn. Fe ellir ei wadu a cheisio dianc rhagddo, ond yno y mae, mewn natur y tu allan i ni, mewn natur y tu mewn i ni, mewn meddwl, ac ym mhob brawddeg a ddwedwn – y drefn, y deddfau sy'n llywodraethu – ac yn rhyddhau – bywyd. Gorau po fwyaf y gwyddom amdanynt.

Defnyddir am y Gynghanedd y term 'canu caeth', a chaeth yw wrth yr anwel. Caeth ydyw fel y mae gramadeg yn 'caethiwo' iaith, gan wneud iaith yn bosibl ac yn rhydd. Gramadeg seiniau synhwyrus yw, gan wneud soniarusrwydd yn drefn egwyddorol ystwyth. Er nad oes golli ystyr, ei hegwyddor hi yn anad unpeth sy'n cynnal ystyr.

Y drydedd ddeddf sy'n sylfaen i'r Gynghanedd, gan ddilyn y ddwy a grybwyllwyd eisoes [sef (1) y rheidrwydd i gyfuno cyferbyniad ac ailadrodd, a (2) cyd-fodolaeth yr anweledig a'r gweledig, neu Dafod a Mynegiant fel y byddaf yn galw'r ffenomen], trydedd ddeddf sy'n ymgysylltu hefyd â'r ddwy arall, – *bod y cyferbynnu/ailadrodd hwn yn cael ei drefnu'n ddeuoedd ac yn drioedd.*

Sôn yr wyf am gyferbynnu sythwelediadol angenrheidiol. Hynny yw, fe'i gwneir yn isymwybodol braidd, yn sydyn anfwriadus bron, yng nghefn y meddwl difyfyrdod, ar ffurf clymau deuol a thriol. Felly y gellir cyferbynnu presennol ac absennol heb bendroni am y peth. Yn y fath gyferbynnu sydyn difyfyr, 'dau' a 'thri' yw yn wastad oherwydd mai dyna baramedrau sythwelediad. Gellir eu dal yn yr isymwybod heb ddechrau 'cyfrif' yn ymwybodol. Ymateb 'greddfol' sydd yno ar lefel ddelweddol yn hytrach nag ar lefel syniadol.

Wedyn, fe symudwn gan bwyll at y bedwaredd egwyddor. Undodau. Dyma'r cwlwm i'r gyfres fach gychwynnol hon o egwyddorion neu ffurfiau sylfaenol i lenyddiaeth ac i'r Gynghanedd. Sôn y buom gynnau yn y drydedd, am grŵp, am ddau neu dri phwynt cyferbyniol a oedd yn cael eu cyplysu *yn ôl yr un egwyddor*. Grŵp y gellid ymateb iddo'n uned heb fynd yn ymwybodol. Hynny yw, mewn gramadeg, ceir yr egwyddor o Rif dyweder, (llong, llongau), sef yr un a'r llawer, ceir egwyddor driol o gymhariaeth gynyddol mewn ansoddeiriau (mawr, mwy, mwyaf); tri sffêr-amser berfol – gorffennol, presennol, dyfodol; ac yn y blaen. Ond cydadeiladwaith ydynt – nid pentwr. Y mae pob uned yn diffinio'i gilydd. Unedau bob tro. Cyplysir y cyferbyniad rhyngddynt yn ôl yr un math o ansawdd cymhariaeth, yr un nodwedd gydiol. Hyn sy'n creu amrywiaeth o fewn undod, rhannau mewn uned. Hyn yw system neu gyfundrefn organaidd i'r cwbl, yr egwyddor sy'n gyffredin.

Dyma goron ein hymresymiad hyd yn hyn. Mae'n begwn llywodraethol, ac yn absoliwt. Bydd yn glo hefyd i'r gyfrol.

Dyna'r pedair egwyddor seiliol ac adeileddol i'r Gynghanedd. Egwyddorion cyn-ieithyddol ydynt, yr egwyddorion sy'n caniatáu i iaith weithio; ac ar y sylfaen yna mae'r Gynghanedd yn bodoli.

Carwn symud ymlaen yn awr at ddefnyddiau'r Gynghanedd ei hun fel y cyfryw, yn unigolyddol wahanol. Fe'i rhannaf yn ddau fath: sef y Gynghanedd gytseiniol a'r Gynghanedd lafarog, er hynny ar sail yr egwyddor gyferbyniol sythwelediadol gynieithyddol 'atal sŵn/gollwng sŵn', 'tawelwch/sain', 'agored/caeedig.' Acen yw'r tir cyffredin yn ôl y sythwelediad isymwybodol: –

Cytseiniol: atal; caeedig; rhwystr cychwynnol.
Llafarog: gollwng; agored; rhyddid diderfyn.

Er mwyn mynd yn ôl at hanfod y Gynghanedd gytseiniol, credaf fod angen dechrau gydag enghraifft benodol leiafsymiol, a cheisio canfod ynddi y nodweddion lleiafsymiol sy'n caniatáu iddi fod yn Gynghanedd o gwbl. Enghraifft o Gynghanedd 'gytseiniol leiafsymiol' yw'r Gynghanedd Draws Fantach, ddywedwn i: Y dyn yng nghanol y dail. Neu'n gytseiniol sero: Wy sy yng nghanol ei we.

Cytseiniol: 1. Sylwer: y llinell yw'r uned; o fewn y llinell y mae'r Gynghanedd sy'n gytseinedd ac yn odl [llafariad + cytsain (sero efallai)]. Mae'r ddiweddeb i'r llinell (yr odl) yn rhan od o'r cytseinio hyd yn oed wrth gyferbynnu. Mae'n dilyn deddf gwahaniaethu mewn undod.

2. Y gytsain sydd dan drefn yr acen, ac yn forwyn iddi; yr acen (ar lafariad) sy'n llywodraethu, gan ddiffinio'r patrwm. Lleolir y gytsain yn unol â gofynion yr acen. Y gytsain (gan gynnwys y gytsain sero) sy'n gweini ar y llafariad, felly.

3. Patrymir y cytseiniaid yn ôl *dwy* neu *dair* acen lywodraethol/neu'n *ddeuoedd* a *thrioedd.* Gwahaniaeth llafariad + tebygrwydd cytsain = gwahuniaeth Cynghanedd. Cytsain felly sy'n gweini i'r undod. Mae'n dilyn deddf tebygu mewn uniad.

Un gyfundrefn gynganeddol y mae angen ei dilyn ymhellach gan ysgolheigion nag yr ymddengys ar hyn o bryd, yw'r 'goddefiadau'. Ond un enghraifft, ymhlith llaweroedd yw hynny. Dichon fod 'goddefiadau' yn mynd i ddibynnu, yn fwy na'r un gyfundrefn arall, ar yr ail-olygu o waith beirdd megis Dafydd ap Gwilym ac yn unol â'r ystyriaethau newydd ynghylch golygu, y traddodiad llafar, ansawdd testunau a meini prawf 'diwygio'. Ond symbol yw hynny o her esboniol eang.

Yn ystod y blynyddoedd presennol, yn sgil gwaith arloesol rhyfeddol diweddar llu o ysgolheigion yn y Ganolfan Uwchefrydiau, yn y Llyfrgell, ac yn y Brifysgol, ac ar seiliau a osododd Caerwyn Williams a Geraint Gruffydd, pobl fel Daniel Huws, Peredur Lynch, Dafydd Johnston, Ann Parry Owen, Dylan Foster Evans, R. Iestyn Daniel, Rhiannon Ifans, Cynfael Lake, Bleddyn Huws, Huw Meirion Edwards, Nerys Ann Jones, Paul Bryant-Quinn ac eraill lawer, arwyr oll, dechreuwn ystyried o'r newydd y copïau cynharaf sy'n cofnodi'r canu caeth. Dichon, er na bydd yn rhaid diwygio'n ffyrnig lawer o'r casgliadau a wnaeth J. Morris-Jones yn sgil y diwygio rhyfeddol hwn mewn darllen llawysgrifau (o leiaf, ar wahân i'r goddefiadau efallai), yn sicr bydd gennym olwg go newydd ar gywirdeb testun. Yn wir, eisoes y mae dadansoddiadau newydd y ddau bencampwr Peredur Lynch a Rhian Andrews, ac eraill yn datgelu i ni gasgliadau ar waith sy'n nes at y 'gwreiddiol' gan fynd yn ôl at y Cynfeirdd. Dechreuwyd adeiladu ar waith glew Thomas Parry, D. J. Bowen, Rhian Andrews, Graham Isaac, Jenny Rowland, Marged

Haycock a Patrick Donovan, Eurys Rolant, Gruffydd Aled Williams, John Koch, ac Enid Roberts. Ac y mae'n amlwg (dyweder wrth ddych-welyd at symbol y 'goddefiadau') fod a wnelom â chytseiniaid yn ôl dosbarth eglur o rai gwreiddgoll a chanolgoll (perfeddgoll). Pethau fel y goddefiadau yn fynych sy'n dadlennu cyfrinachau cyffredinol o'r fath.

Sylwer: pan fyddwn yn ymwneud â materion ystadegol, megis y nifer o gynganeddion sain a chroes o gyswllt sy'n cael eu harfer, ymwneud yr ŷm â Mynegiant. Hynny yw, ffasiwn yw, nid cyfundrefn. Gall fod yn dra diddorol yn esthetig neu'n hanesyddol. Ond nid oes a wnelo â Thafod nes cyrraedd 100% o ran delfryd. Eto, oherwydd y gyfundrefn o 'oddef-iadau' y gellir caniatáu fod ambell gyfundrefn yn 'gyson' 100%.

Llafarog: 1. *O fewn* y llinell y ceir y llafariaid arwyddocaol i Gyng-hanedd Lusg a Sain, gadarnhaol – nid ar y diwedd. Cyn i Gynghanedd aeddfed ymsefydlu, gallai unrhyw sillaf odli (proestio, neu ledodli, h.y. odli'n enerig) ag un-rhyw sillaf arall.

  2. Datblygid sillafau drwy drefn dan yr acen, a'u lleoli yn ôl pen neu oben, acen draw (sain), ac acen bwys ynghyd ag acen draw (llusg).

      [Enghraifft lafarog bur – llusg. Enghraifft lafarog bontiol – sain].

  3. Datblygid y cam o gyflythreniad neu gytseinedd i gelf-yddyd Cynghanedd gan lafariaid acennog: ailadrodd di-drefn > ailadrodd yn ôl trefn olynol atseiniol.

  4. Datblygid y gair unsill i'r gair lluosill – o gwmpas yr acen: twf patrwm yr acen ar lafariaid.

Ac y mae'r cwbl hwn ar waith yn ddeinamig: fe'i hailadroddwyd nes i'r ddeinameg droi'n sefydliad. Eir o Dafod i Fynegiant yn agored, ac felly'r cwbl ar lif.

Ni wn i ba raddau, os o gwbl, y cafodd Gustave Guillaume ddylanwad ar bobl fel Derrida. Yn wahanol i Saussure gosododd Guillaume ei bwyslais nid ar y wedd syncronaidd ar iaith, sef y cyflwr 'llonydd' ar ryw bwynt yn ei hanes, ond ar y wedd ddiacronaidd, sef y symudiad neu'r datblygiad amseryddol cyson mewn iaith: yn enwedig y datblygiad mewn Tafod. Y llif. Mewn gwirionedd, credai Guillaume mai diacroni yn y meddwl oedd popeth, a hyd yn oed deinameg llunio brawddeg; yn ogystal wrth gwrs â datblygiad cyson a diymatal yr iaith a oedd wrthi'n

71

newid yn hanesyddol bob eiliad, a'r symudiad angenrheidiol o Dafod i
Fynegiant. Sefydlogrwydd o lif. Yn y pwyslais hwn yr oedd Guillaume yn
rhagflaenu Derrida. Ond deinameg oedd hyn a arweiniai at undod.

(Guillaume hefyd am wn i biau'r defnydd o'r term 'discours' yn lle
'parole' Saussure, sef 'disgwrs' enwog yr Ôl-fodernwyr Cymraeg.)

Rhaid i mi felly atodi delwedd ffurfiol, sydd i'm bryd i yn cyfleu'r
Gynghanedd i'r dim: sef trefn mewn llif. Dyma i'm bryd i a gyfleir gan
yr amrywiaeth o gytseiniaid sy'n mynnu ffurfio patrwm cynyddol ar hyd
llinell, lle nad ailadroddir cytsain yn forthwyliog yn yr unlle, ond lle y
myn *gestalt* y llinell ein cario o ddechrau hyd ddiwedd.

Mae'r disgrifiad 'llif y llafar' yn cael ei droi'n fwy na disgrifiad
cyffredinol ambell waith, ac yn ymgyfyngu i fod yn oddefiad neu'n
arbenigol wrth dderbyn rhai llinellau, gan Lewys Glyn Cothi dyweder, y
tynnodd Dr Cynfael Lake sylw atynt:

> Llyn o'r gwinllannau i'r gwŷr
> O fewn y dynghedfen deg
> Y maes grymusa o Gred
> Lewys ar Elfael y sydd
> A'm bod i'm bywyd i ŵr.

Cododd Dafydd Johnston linell gyffelyb gan Lywelyn Goch ap Meurig
Hen: sef

> 'Nac anfonheddig ynfyd.'

Tynnodd Eurys I. Rowlands (Ll.C. IV) yntau ein sylw at y ffaith fod yr
Orffwysfa yn cael ei lleoli 'rhwng elfen gair cyfansawdd llac,' nes peidio
â 'gorffwys' ryw lawer.

Os caf gyferbynnu-grynhoi rhagdybiau Ôl-fodernwyr â Cherdd Dafod
. . . Y mae un o ddisgyblion Derrida, sef Philippe Lacoue-Labarthe, yn
pallu cydnabod trefn fel ffenomen naturiol na normatif. Gwêl Jacques
Attali wb-wb neu drwst yn rhagflaenu cerddoriaeth: caos yw'r norm.
Cred Pickstock sut bynnag, os nad oes ffurf a threfn gosmig, yna fe ym-
ddengys trefn gymdeithasol fel pe bai'n drais ffurfiol. Dyna'r olygwedd
ddogmatig arferol bellach.

Ond ymddengys fod Cerdd Dafod yn gweithio'n grwn o'r cyfeiriad
arall; a dyna a fabwysiadaf innau. Nid anodd yw i efrydydd Cerdd Dafod
gydnabod fod yna ddeddfau eisoes yn y greadigaeth y tu ôl i'r chwalfa

real a dychmygol a genfydd yn y golwg. Mewn cemeg a ffiseg, botaneg a mathemateg mae yna drefn eisoes i'w darganfod, sut bynnag yr esbonnir ei bodolaeth a'i hymddangosiad. Ac felly, i'r theorïwr cynganeddol, cyn i Gynghanedd gael ei darganfod gan y beirdd, yr oedd yna eisoes drefn yn yr iaith, trefn a sefydlwyd ar drefn gynieithyddol a meddyliol. Drwy drefn yr iaith a seiliwyd ar drefn y deall, fel y cyferbyniad mewn undod rhwng sain a sain, y darganfyddid odl a mydr a chyflythrennedd mewn patrymau. Ni ellid meddwl heb y drefn gymharol wahunol honno. Felly, dywed hyd yn oed Pickstock, 'in music we *hear* this impossible reconciliation [flux plus order]. To believe the evidence of our ears is therefore to deny nihilism.' Hoffaf y disgrifiad hwnnw ar gyfer y Gynghanedd – 'llif ynghyd â threfn', neu 'lif mewn trefn'. Mae'n egluro amryw o'r isgyfundrefnau megis Ceseilio. Mae'n egluro peth ar yr amrywiaeth mewn undod sydd ym mhob gwaith celfyddydol; ac y mae'n tanlinellu un o brif egwyddorion athrawiaeth neu feddwl y Gynghanedd. Mae'n wedd hefyd ar Foesoldeb. Dyma'r rhyddid sydd mewn caethiwed.

Mae yna fath beth â gwreiddiau Cymreig i theori lenyddol. Neu'n hytrach, mae yna theori lenyddol sy'n Gymreig. Mae Cerdd Dafod, yn ei chyfoeth a'i *chywreinrwydd* ei hun yn wreiddiau i theori felly. ('Cywreinrwydd' yn yr ystyr Gymreig a feddyliaf, nid fel 'chwilfrydedd' fel y'i defnyddir ysywaeth drwy edrych ar un o ystyron anghywir y Geiriadur Saesneg-Cymraeg ar gyfer 'curiosity', megis 'Curiosity Shop'.)

Yn niwedd yr ugeinfed ganrif bu cywion theoretig y Cymry yn chwilota'n ormodol yng ngeiriadur eu meistri Saesneg am y posibilrwydd o feithrin theori, yn hytrach nag yn twrio ym mhrofiad eu cenedl eu hunain. Ped efrydid theori'r Gynghanedd gellid agor llwybrau sadiach i berthynas Tafod a Mynegiant. Ond yr hyn a apeliai at waseidd-dra a threfedigaethrwydd y Cymry dynwaredol oedd ffasiyngarwch Ôl-foderniaeth, Ffeminyddiaeth, Ôl-strwythuraeth, Dadadeiladu, Marcsaeth, a'r holl unochredd anorffen yna, er parchused y bo.

Credaf fod modd treulio gweddill y ganrif hon yng Nghymru mewn modd mwy brodorol a hynod ffrwythlon wrth ddadlennu fwyfwy unigrywiaeth y darganfyddiadau a wnaeth y penceirddiaid Cymraeg rhwng Einion Offeiriad a John Morris-Jones megis ym meddwl dwys ac angerddol a rhyngwladol ein cenedlaetholwyr metaffusegol rhwng Gildas a Saunders Lewis, heblaw'r Cristnogion dychrynus bondigrybwyll. Gwaith rhyddhau ac ymadfer.

Yno, yn aeddfedrwydd a llawnder y myfyrdod ym Mawl y Cymry ceid allweddau gwreiddiol a rhyfeddol i holl theori aeddfed Cymhelliad.

Megis hefyd y seicoleg unigryw (o'i chymharu ag eiddo'r pŵerau mawr) yn ein sefyllfa o drefedigaethrwydd, a'n perthynas gydwladol yn hyn o brofiad goludog tlawd.

Gweld y gwir yw cydnabod ein trefedigaethrwydd. Wrth led deithio ac aros heb golli gwreiddiau mewn ambell drefedigaeth arall, dramor (ond am fwy na phythefnos efallai), megis Iwerddon a Québec a Gambia, gwelir yn gyffredin y modd y ceir y brodorion yn sgythru ar ôl dulliau meddwl eu goruchafwyr a oedd mor lluddedig o ragweladwy, yn hytrach na llawn sylweddoli holl botensial eu hadnoddau cynhenid eu hunain. Ac i ymwelydd estron o'r tu allan, ni wna syllu'n syn ar efelychiaeth y fath ymagweddu taeog namyn tristáu rhywun a chodi adleisiau. Yr un modd, os caf ddweud, yn ein llenyddiaeth gartref yn gyffredinol. Ddim cymaint ym maes barddoniaeth efallai ag ym myd y ddrama a storïaeth. Ac eto, hyd yn oed ym myd y gerdd hefyd, mae'n rhyfeddol anhygoel i mi tra bo barddoniaeth Saesneg yn mynd drwy gyfnod israddol, heb odid ddim i'w ddweud, ac megis ar goll, yn cloffi ar ôl America, heb weledigaeth am yr amrywiaeth sydd mewn undod ac er gwaethaf breintiau diwylliant dirfodol peryglus hen y Gymraeg, rhedeg a wneir ar ôl plu ffasiynol o'r fath. Esgeulusir breintiau israddoldeb hunaniaeth, y gwerthoedd a'r drefn a'r diben sy'n anochel. Hyd yn oed yn achos y rhai sy'n weddol hyddysg yn y cyd-destun rhyngwladol, daliant i ddod o hyd i'w cymheiriaid ym mlinder Lloegr. Nid beirniadu dilyn Lloegr yr wyf, ond beirniadu ei ddilyn yn anfeirniadol, a'i ddilyn hi pan geir gwell gartref o ran addasrwydd. Mae yna gân gwbl Gymraeg i'w chael, sut bynnag, yn y Gynghanedd a'r tu allan i'r Gynghanedd ie ym Mynytho ac ym Merthyr, ac nid yw'n gân leol yn unig: mae'n rhan o Fosnia ac o Affganistân, a threfn yr oesoedd.

Mor drwchus, gwaetha'r modd, yw sbectol rhagdybiau'r Cymry weithiau fel na allant hyd yn oed amgyffred min eu cyflwr, heb sôn am eu cyfle, yn nes adref.

I.

EGWYDDORION Y GYNGHANEDD

I.

Egwyddorion y Gynghanedd

(i) Y CYFANRWYDD

Fan yna y mae ef, isymwybod y baban, ar ei gefn yn y crud. A beth y mae ef yn ei wneud? Cyn ei drafferthu gan Ryw ryw lawer iawn, na chwaith gan atal nwydau seico-ddadansoddol o fath Freud, y mae'r isymwybod hwnnw yn ysu am oroesi. Ac eisoes mae yna gynneddf ynddo am oroesi'n effeithiol drwy ddod o hyd i drefn. Bydd yr ysfa angenrheidiol hon yn aros gydag ef ar hyd ei oes. Ac ynghyd â hi fe fydd yna ddawn neu gynneddf i'w gweithredu, sef gwahuno (canfod annhebygrwydd ynghyd â chanfod tebygrwydd). Un wedd arbenigol ar yr ysfa honno fydd yr ymgais i roi trefn ar sain. Ac aeddfedu o'r ymgais yna yw stori'r Gynghanedd.

Wrth feddwl am Gynghanedd, fe fyddwn yn ceisio ystyried y berthynas rhwng seiniau. Byddwn yn ceisio gweld sut y mae rhai seiniau yn ymuno â'i gilydd. Nid ymuno drwy bentyrru pethau ar ei gilydd rywsut rywsut. Fe welwn eu bod yn dod at ei gilydd yn undod oherwydd patrwm cyflawn. Arolygwn y goedwig felly cyn closio at y coed unigol. Rhestr lac yw cyflythreniad; ond 'Cyfundrefn gyfansawdd o gyfundrefnau' yw'r Gynghanedd. Ac y mae'r gair cyntaf yn yr ymadrodd hwnnw rhwng dyfynodau yn tanlinellu'r undod yn eu patrwm. Nid rhes o reolau mohoni y gellir eu hadio a galw'r cyfanswm yn Gynghanedd. Cyfanwaith cydlynol yw lle y mae pob rhan yn cydblethu drwy'i gilydd o ran potensial ac yn ymdreiddio o'r galon i lunio perthnasoedd sy'n effeithio ar ei gilydd.

Gobeithiaf ddangos maes o law hefyd yn sgil y gosodiadau hyn, fod yn y fan yma hedyn theori Gymreig a gwreiddiol ddiriaethol, theori ddiwnïad, sy'n ateb cyflawn a phŵerus i chwiwiau dogmatig chwalfa Ôl-foderniaeth. Yn y Gynghanedd y cawn ein sylfaen i feithrin hen theori aeddfed i lenyddiaeth i gyd, bellach yn yr unfed ganrif ar hugain, ac yn ateb i ffolineb diwedd yr ugeinfed ganrif. Mae theori yn golygu cyffredinoli. Cais weld beth sy'n ymailadrodd mewn nifer o elfennau, a beth yw'r cysylltiad rhwng newydd-debau.

Y mae a wnelo â'r ysfa gynhenid aruthr i 'gyfannu'. Ac yn hynny o beth, y mae'n cyfateb i'r gwth a esgorodd ar Theori Linynnau (String Theory) mewn Ffiseg.

Tra oedd yr isymwybod neu'r ymwybod yn ymwneud â chyflythreniad yn unig, ymwneud yr oedd â chyfres neu restr o rannau o fewn llinell. Pan gyfeiriai'r meddwl at gyfan, a'r isymwybod yn ogystal â'r ymwybod wedi'u meddiannu gan yr awydd am gyfanrwydd, yna yr oedd celfyddyd yn aeddfedu. Symudai tuag at gyfundrefn Cerdd Dafod, a allai esgor bellach ar gyfundrefn gydlynol mewn Mynegiant 'rhydd'. Trowyd rhannau cyflythreniad yn gyfanwaith llinell drwy Gynghanedd.

Ond wrth gwrs, nid fel yna'n union y digwyddodd pethau yn hanesyddol. Nid yn hollol. Ar y daith, o egwyddor restrol cyflythrennu tuag at egwyddor gyfannol Cynghanedd y llinell, cafwyd gorsaf bontiol. Cafwyd, fel y cawn weld ymhellach ymlaen, orsaf yr Ogynghanedd.

Beth bynnag am hynny, mae'r datblygiad sylfaenol yn sefyll yn weddol amlwg inni. Heblaw bod y llinell brydyddol yn ysu am droi, yn fewnol o fod yn gyfres o rannau i fod yn uned ac yn undod, fe gaed datblygiad cyfredol i'r cyfan newydd hwnnw yn allanol, gan y llinell ei hun tuag at uned arall. Sef troi o'r draethgan i'r pennill. O'r rhestr i'r gyfundrefn drachefn yn allanol megis yn fewnol. A gweithiai'r newid hwnnw yn ôl yr un ysfa gyfannol. Rhestrid llinellau'n olynol gan y beirdd yn draethgan i ddechrau. Doedd dim ots faint. Ac nid oedd ymwybod o gyfanrwydd pennill ar y pryd gan nad oedd trefn na maint heblaw ailadrodd rhestrol yn gyfrwng cydlynu. Ond o gyplysu llinellau mewn dwy ffordd gyferbyniol, ac o gynilo'r naill a'r llall o'r ddwy ffordd yn ddeuol neu'n driol unedol, fe gaed ymdeimlad o gyfannu newydd eto. A'r ddwy ffordd oedd (a) *ailadrodd* yn gwlwm o ddwy neu dair llinell; neu (b) *gyferbynnu* yn gwlwm o ddwy neu dair uned.

Roedd y llinell yn dechrau rhoi yn ogystal â derbyn, a dod o'r herwydd yn sefydliad newydd.

Felly, drwy gyfanrwydd y llinell ac yna gyfanrwydd y pennill, bodlonwyd, yn y Gynghanedd yn gyntaf ac yn y brif odl ddiweddol yn ail, yr ysfa i gyfundrefnu drwy droi'r rhan yn undod newydd. Cafodd celfyddyd sŵn fodlonrwydd cyfannol.

Wedyn, sut bynnag, tyfodd yr hiraeth drachefn ar y cyfuniad o'r pennill â'r pennill am fod yn gerdd gyfan. Daw'r pennill (a fu'n gyfan a wnaethpwyd o rannau – sef y llinellau) yn rhan ei hun yn y gerdd. Gellir patrymu penillion yn Awdl bellach drwy atrefniad penilliol fel y gwneir wrth adeiladu'n gyferbyniol gadwyn o Englynion ynghyd â 'chyfres o fesurau awdl' i lunio'r Awdl Glasurol. Ond gyda chyfanwaith y gerdd, wrth gyrraedd math o begwn, awn i mewn i gyfanwaith arall eto byth – sef egwyddor y llenddull. A chyfyd hynny ystyriaeth gyfanweithiol o fath arall, gan edrych yn bennaf o gyfanwaith i gyfanwaith. Gan bob un yn ei dro fe gaed bod hiraeth am fod yn gyfun fwyfwy yn cael ei adnewyddu pan gyrhaeddid y cyfun hwnnw. Troid y cyfun yn rhan er mwyn cyrraedd cyfan arall. Gallwn hefyd yn awr edrych yn ôl oddi wrth y cyfan tuag at drefn y rhannau.

Mae'r math o gyfanrwydd y sonnir amdano, wrth gyfeirio at Gerdd Dafod, yn bur wahanol i'r math o gyfanrwydd a geir mewn cyfundrefn lenddulliol unigol, megis cyfundrefn y ddrama; neu gyfundrefn y gair, y trosiad neu'r Groes o Gyswllt. Cyfundrefn gyfansawdd o gyfundrefnau 'ynysig' bron, ond gwlad gyfan fel petai, hunanlywodraethol ar ryw olwg yw Cerdd Dafod yn ei chyflawnder, o leiaf ym myd Ffurf Seiniol. Mae'n cwmpasu llu o gyfundrefnau seiniol eraill, bob un yn perthyn i'w gilydd mewn gwirionedd. Cydlynant. Ond nid yw hi ei hun yn cael ei chwmpasu'n uniongyrchol gan yr un gyfundrefn *seiniol* arall, heblaw Deunydd-Ffurf a llenyddiaeth oll sy'n sylfaen iddi ond yn rhan ohoni. Mae'n debyg iawn mewn sain i Dafod cyflawn mewn iaith, sy'n sefydliad cydlynol cyflawn ar gyfer esgor ar ddarnau o Fynegiant. Iaith yw ei chymdoges lywodraethol. Fe'i galwaf felly yn Gyfundrefn holl lywodraethol gwmpasol yn ei byd ei hun (o'i chyferbynnu â'i chynhwysion megis y Gynghanedd Lusg, Proest i'r Odl, neu Geseilio) gan nad oes yr un gyfundrefn lenyddol arall sy'n ei chyflyru neu'n ei hamodi o'i chwmpas heblaw'r un darddiol a nodais.

Nid catalog o ffeithiau yw'r Gynghanedd. Nid rhestr o reolau. Ond cwlwm cyd-blethog. O dan ei llywodraeth ganolog hi y mae'r morynion a'r gweision cyfeillgar yn cyd-ddawnsio. Plyg bob 'arbennig' yn y fan hon ei ben i'r 'cyffredinol'. A gwaith y theorïwr yw adnabod a hunaniaethu'r sofraniaeth.

Undod cydlynol, yn wir, yw prif briodoledd cyflyrol Cerdd Dafod, megis Tafod iaith. Sefydliad cyflawn o fath deinamig yn y meddwl yw. Darpara'r modd i gynganeddu'n ddihysbyddol. Y cydlynu hwn yw'r ddeddf ddiffiniol i'w chydnabod yn Dafod. Cyfan o fath yw Cerdd Dafod ei hun, felly, y mae pob rhan ohoni hefyd ynddi'i hun yn gyfan. Felly, y mae Cynghanedd Groes yn gyfan, y mae Cynghanedd Lusg yn gyfan, y mae'r Beiau Gwaharddedig hwythau yn gyfundrefn gyfan, ac y mae pob un bai unigol o fewn systemwaith o feiau hefyd yn gyfan. Cyfanwaith o gyfannau yw. Cyn bod yn ddefnyddiadwy drwy Dafod, rhaid i arferion mewn Mynegiant eu sefydlu eu hun yn nyfnder y meddwl. O fewn y systemwaith hwnnw y mae i bob elfen ei *safle*. Yn y gydberthynas, y mae i bob rhan ei swyddogaeth a'i chyswllt priodol. Nid ychwanegiadau atodol yw tyfiannau newydd cyfundrefn, ond datblygiad organaidd cydlynol o fewn y Gyfundrefn lywodraethol gynhwysfawr.

Pan droes Cerdd Fynegiant, felly, yn Gerdd Dafod, troes addurn yn strwythur, a rhan yn gyfan.

Yr hyn a wna Cerdd Dafod, sef y cynllun sy'n llywio'r seiniau oll, yw egluro patrwm cyflawn eu perseinedd. Dywed beth sy'n gweithio, a pham. Dywed ymhle y saif pob cyfundrefn fewnol yn ei pherthynas â phob cyfundrefn arall. Nid yw'n rhoi gwybodaeth uniongyrchol am y meddwl nac am y ffordd y mae'r meddwl yn gweithio o ddydd i ddydd. Rhydd wybodaeth anuniongyrchol yn hytrach am y modd sydd gan y meddwl o'i drefnu'i hun o dan amodau perseinedd, i danlinellu can-fyddiad cyflawn o'r hyn a wna. Ond y mae adeiladu Cerdd Dafod yn fwy na charegu arferion Mynegiant. Mae gan Dafod ei nodweddion a'i weithrediadau priod ei hun sydd a wnelont â dull y meddwl o gyd-drefnu, o'i ddiffinio'i hun, ac o gydlynu. Mae'r meddwl yn eu cadw ynddo'i hun ac wrthi'n trin ac yn trafod Tafod yn isymwybodol gan ei meddu'n gyfanwaith cymen.

Beth a feddyliwn wrth ddefnyddio'r term 'cydlynu'? Dyma'r hyn a wna iaith er mwyn byw. Nid rhes yw iaith, ond cydlyniad.

Wrth ddarllen llinell o gynghanedd gwyddom eisoes rywbeth am ail hanner y llinell drwy ddarllen yr hanner cyntaf. Tyn Awstin sylw at y ffaith, pan ganwn alaw, y gwyddom eisoes rywbeth nid yn unig am y nodau a gawsom eisoes, eithr am y nodau sydd i ddod. Cysylltir yr ysbryd nid yn unig â'r hyn a fu ond â'r hyn a fydd.

Felly, ar ryw olwg, gyda holl adeiladwaith cyfundrefn gyflawn fel Cerdd Dafod. Dibynna pob rhan ohoni ar ei gilydd mewn olyniaeth feddyliol sy'n cynnwys diben.

Y mae'r Gynghanedd ar y naill law yn syncroni. Hynny yw, ar unrhyw eiliad tybiedig mewn hanes fe geir ynddi gyfanrwydd yr un pryd. Ar y foment honno bodola o'i mewn gydadeiladwaith o gyfundrefnau sy'n cydbwyso ac yn cydweithio â'i gilydd. Y mae'r Gynghanedd hefyd yn ddiacroni. Mae'r holl gyfundrefn ar hyd y blynyddoedd a'r canrifoedd yn llinyn datblygol. Fel yr iaith, y mae'r Gynghanedd yn un o'r ffactorau 'eciwmenaidd' sy'n peri bod y bedwaredd ganrif ar ddeg a'r ddeunawfed ganrif a'r unfed ar hugain yn cyfathrachu â'i gilydd. Yn hynny o beth y mae'n rhan o'n ffurfiad fel cenedl. Ond y mae yna hefyd ddiacroni wrth i Dafod esgor ar Fynegiant, wrth i'r gyfundrefn fynd drwy'r broses (sydyn iawn o bosibl) o ffurfio'r 'enghraifft' unigol.

Mae yna 'hanes' gan y weithred unigol o gynganeddu, fel sydd i adeiladu gwead y Gynghanedd mewn hanes.

Heblaw rhyw fath o undod a roddir i lenyddiaeth Gymraeg gan ymyrraeth ffrwythlon (ac anffrwythlon) Lloegr, a gwledydd eraill, y mae gennym hefyd 'Y Traddodiad'. Dyma'r myth – nad yw'n gyfan gwbl gyfeiliornus – fod gennym linyn arian. Ar hyd y llinyn hwnnw y gwea'r Gynghanedd. Rhydd hyn hefyd undod nad yw'n gyfan gwbl ddychmygol ac y gellir ei ddiffinio'n wrthrychol enghreifftiol. Dyma ddau undod, felly. Ond y tu mewn iddynt y mae gennym amrywiaeth. A'r amrywiaeth hwnnw a rydd lawer o'r difyrrwch a'r diddordeb i'r gweddill, a bywyd i'r undod. Yr eithriadau. Yr afradlonedd. Y gwahaniaeth.

Peth arall sydd bob amser yn bresennol yw 'amhurdeb', y llygredd sy'n ffrwythloni. Mae'r Gynghanedd yn cymryd gafael yn yr amhurdeb gwahanu ac yn ei wneud yn elfen ddiddorol unol.

Ond gwylier. Oherwydd yr amrywiaeth, rhuthra'r Ôl-fodernwyr yn eu blaen tan weiddi 'Chwalfa' yn fuddugoliaethus. Ond mi sobrant cyn bo hir, canys gwahuniaeth yw yn eu dannedd. Eu peryg – er enghraifft, wrth wadu Gwerth – yw troi llenyddiaeth a bywyd oll yn ddiwerth, fel y gwelir eu beirniaid wrth ruthro i negyddu ac i wadu'r absoliwt gan fethu â deall yr hyn yr anghytunant ag ef.

Mae'r broses gyfoethog hon o symud yn feddyliol o gyfan i ran – ac yna o ran ynghyd â rhan i wneud cyfan newydd, ac yna drachefn o'r cyfan newydd i ran ysol bellach, ac felly ymlaen – mae hyn oll yn feddyliol allweddol. Dyma un o gyfrinachau mawr celfyddyd a'r ddealltwriaeth ddynol. Fe'n gyrrir gan yr ysfa i gyfannu. Ac wedi cyfannu, cyfannu ymhellach.

Gadewch inni ddechrau o'r newydd ar y rhedegfa 'weddau', tan gofio o hyd fod yna ysfa i ganfod perthynas. Rhaid yw i'r ysbryd dynol ganfod rhyw gyswllt; ac wedi sicrhau undod drwy gyswllt, y mae'r ddealltwriaeth o'r newydd yn chwilio drwy uned newydd am berthynas bellach. Am undod pellach.

Beth yw'r hierarci?

Dechreuwn yn y dôn (neu'r acen); wedyn, yn y llafariad (y rhan agored) yn yr 'a' efallai, o gysur neu o anghysur yn y crud; fe'i cyferbynnir â'r gytsain (y rhan gaeedig). Dyna ffin i'r sillaf: nid yw'n cynnwys, yn ddiffiniol, yr un sillaf arall. Daw'n uned neu'n undod. Yr un pryd y mae'r sillaf yn arwydd. Gweithredir sŵn i gynrychioli arwyddedig neu ystyr. Hynny yw, sŵn yw sy'n cynrychioli synnwyr. Mae'n undod newydd o rannau – sŵn ynghyd â synnwyr; yr arwyddiant. Y gair bach cyfan.

Drwy aceniad gellid cyferbynnu sillaf â sillaf i wneud gair mwy dyweder, neu gorfan mydryddol sy'n cynnwys cryf a gwan.

Oherwydd cyferbynnu corfan â chorfan ceir llinell gyferbyniol ac undod y Cywydd Deuair Fyrion. Cyferbynnir corfan dechreuol â chorfan diweddol, un sy'n ddi-bwys ac un sy'n bwysleisiol mewn odl ac acen draw. Mae'r isymwybod yn gallu trafod cyferbyniad deuol neu driol, ac felly ceir corfannau o wahanol fathau. Corfannau y gellir eu cyferbynnu (gwahanu) a'u cysylltu (uno). Wele'r gwahuno.

Gellir cyferbynnu corfan ag uwch-corfan. Yn yr ail y mae'r uned newydd yn corffori mwy nag un acen gref. Hyd at dair, gan mai dyna'r trafodadwy isymwybodol. Cawn y Cywydd Deuair Hirion.

Cyrhaeddwyd felly ar ein taith, oddi wrth yr elfen leiaf yn undod sain tuag at yr uned fwyaf, yr orsaf lle y ceir amrywiadau unol bosibl i gydadeiladu llinellau sylfaenol Cerdd Dafod, fel y bydd gair a gair mewn iaith yn ymestyn yn frawddeg. Daw'r llinell ei hun yn *rhan* bellach. (Felly y bydd cyfundrefn o fewn cyfundrefn: try'r cyfan yn rhan newydd) A gosodwn linell ynghyd â llinell i wneud cwpled Cywydd, y *cyfan*. Neu linell ynghyd â llinell ynghyd â llinell arall (yr eithaf o dair cyplysol) er mwyn gwneud Englyn Milwr, y *cyfan*.

Cawsom bellach y pennill. Y cam nesaf yw cyplysu pennill â phennill (ar drefn ddeuol i wneud wythawd mewn soned, neu rediad o fesurau awdl), neu'n hytrach gadwyno pennill yn null gosteg o Englynion (ar drefn driol, neu chwechawd mewn soned). Y mesurau Awdl yn sylfaenol ddeuol, a'r mesurau Englyn yn sylfaenol driol.

Cyplyswn yn gyferbyniol ymhellach yr osteg ynghyd â'r rhediad o fesur Awdl; a chawn y Gerdd. Yr Awdl Glasurol. Un math o eithafbwynt cyfannol. Y llenyddwaith cyflawn.

Dyna'r hierarci ffurfiol. Y rhedegfa 'weddau'.

Ond y mae i'r hierarci hwn ganghennau.

Dyma inni gyfansoddiad cyflawn mesurol. Ond un *math* yw hon. 'Llenfath' y gellir ei gyferbynnu o fewn dosbarth sy'n undod o rannau, oherwydd bod modd gwneud y gwaith hwn i gyd o ddelweddu neu o ddadansoddi profiad o dri chyfeiriad mewn gofod. Sef tri pherson y rhagenw, tair golwg safleol yn y byd. Dyma ni wedi wynebu profiad yn yr Awdl drwy'r dull telynegol, llenfath o Delyneg, y goddrych sylfaenol safbwyntiol o berson cyntaf. Ond ceir safolwg arall yr ail berson. Llenfath y Ddrama. Neu'n llai personol byth, safolwg y trydydd person – fel pe bai'n absennol i'r profiad ar y pryd mewn gofod. Llenfath y Stori. Dyna ni'n gosod yr Awdl o fewn fframwaith cyfundrefn y Llenfath. Dyna felly ddosbarth triol, y llenfath ynghyd â llenfath ynghyd â llenfath. Dosbarthiad neu gyfundrefn gyflawn mewn gofod.

Ond y mae i bob llenfath unigol ei hunaniaeth nid yn unig mewn gofod (llenfath), eithr hefyd mewn amser (llenfodd). Er enghraifft, gellid cyferbynnu'r profiad cynyddol neu bositif neu *esgynnol* o amser ynghyd â'r profiad lleihaol neu negyddol neu *ddisgynnol* o amser. Ac felly y cyferbynnir yn ddeuol o fewn amser (yn hytrach nag yn driol fel mewn gofod) – y Gomedi a'r Drasiedi, neu'r Mawl a'r Dychan. Sef y llenfoddau. Dosbarthiad neu gyfundrefn gyfan arall.

Mae'r llenfathau i gyd yn cynnwys llenfoddau, a'r llenfoddau i gyd yn cynnwys llenfathau. Gofod mewn Amser. Ynghyd fe'u dosbarthwn yn llenddulliau. Cyfan arall. Hwy yw'r cyfanweithiau llenyddol. Amser mewn Gofod. Mae llenddulliau yn cynnwys holl gelfyddyd llenyddiaeth (y parhad a'r gwrthbarhad; y tebygrwydd a'r annhebygrwydd; o'r hen i'r newydd.) Y llenddulliau yw'r cyfanweithiau mawr. Gyda'i gilydd, ffurf-iant gelfyddyd llên a thraddodiad.

Ond ceir celfyddydau eraill, wrth gwrs. Mewn gofod, ceir arlunio a'r celfyddydau gweledol. Mewn amser, ceir cerddoriaeth a'r celfyddydau clywedol. Saif llenyddiaeth i gyd o fewn cyfundrefnu pellach y celfydd-ydau hyn. Y mae a wnelont oll ag amodau gwahuno – amrywiaeth o fewn undod. Un o'r celfyddydau 'clywedol' yw llenyddiaeth, onid *Y* gelfyddyd glyweledol; ond mae'n cynnwys hefyd ddelweddau gweledol yn llygad y meddwl, a delweddau seiniol yng nghlust y meddwl. Dyma holl gyfundrefn gyflawn y celfyddydau yn eu cyferbyniad unol, yn fras.

Gellir wedyn gyferbynnu'r *Celfyddydau* hyn oll gyda'i gilydd yn uned, lle y mae'r Tafod yn ceisio terfyn mewn Mynegiant (gyda'r llif), â'r *Gwyddorau*, lle y mae Mynegiant yn ceisio terfyn mewn Tafod (yn erbyn y llif). O'r anweledig i'r gweledig mewn Celfyddydau, ac o'r gweledig i'r anweledig mewn Gwyddorau.

Ac felly ymlaen i holl feddwl dyn, holl adeiladwaith hierarci bod. Ac ymhellach i'r ymwybod o Absoliwt.

[Nodyn: pan soniaf am ymestyn o'r ffonem i'r sill, o'r sill i'r corfan, o'r corfan i'r llinell, o'r pennill i'r gerdd, o'r llenddull i'r celfyddydau, ac yn y blaen, nid disgrifio olyniaeth amseryddol gronolegol mewn hanes yr wyf, ond un gronolegol mewn ffurf. Diau fod llenddull erioed yn un o'r camre cyntaf oll yn amseryddol.]

(ii) GWAHUNIAETH

Nid cyfan yn unig yw'r Gynghanedd. Sylfaenir y Gynghanedd hefyd ar yr egwyddor ddeuol gelfyddydol: Cyferbyniad/Ailadrodd. Felly, yn 'teg edrych tuag adref': ailadroddir 't g/dr x' ar y naill ochr a'r llall i'r orffwysfa [tebygrwydd], hyd at ddechrau'r sillaf olaf yn y brifodl, ac yna cyferbynnir yn y naill ran a'r llall 'ch' ac 'f' [gwahaniaeth]. Maent wedi cyrraedd adref yn gytûn mewn gwahuniaeth.

Ailadroddir yn y cynganeddion gwahanol dair elfen gyferbyniol: *llafariad* mewn Llusg, *cytsain* mewn Croes a Thraws, (a'r naill a'r llall yn Sain), a'r *curiad* neu'r acen olaf yng ngair olaf pob llinell sydd gyda chymorth yr orffwysfa yn trefnu'r llinell yn uned: sef Odl, Cytseinedd, Mydr. Mae'r Odl yn cynrychioli'r elfen seiniol agored, y Cytseinedd yn cynrychioli'r rhwystr caeedig, a'r Mydr yn cynrychioli'r rheolaeth neu'r cwlwm ar y drefn, yr elfen foddol unol. Ailadroddir mewn estyniad amser yn ôl cyfres derfynedig o orsafoedd cytseiniol. Mae pob uned fydryddol yn cynnwys amrywiaeth un sillaf acennog ynghyd ag un neu ddwy sillaf ddiacen. Ceisir math o gytundeb rhwng patrwm y cytseiniaid, ond ceisir math o anghytundeb rhwng patrwm y llafariaid. Unrhywiaeth cytseiniaid: amrywiaeth llafariaid. Pan rennir llinell gynganeddol yn ddwy neu'n dair rhan, er cydnabod y llinell yn uned, y mae i bob rhan ei chymeriad unigolyddol cyferbyniol ei hun.

Oherwydd egwyddor 'gwahuniaeth', y mae pob cyfundrefn mewn Tafod yn cynnwys o leiaf dwy elfen. Perthynas yw. Nid yw *un* ar ei phen ei hun byth yn gwneud cyfundrefn. Gall y ddwy gyferbynnu: gallant ymdebygu neu ailadrodd. Gwahanu + uniaeth = Gwahuniaeth.

Bydd y cyfarwydd yn adnabod y teitl i'r adran hon fel parodi.

Un o gysyniadau mawr Ôl-foderniaeth yw'r un portmanteau hwnnw a grynhoir yn nherm Derrida: 'différance'. Cymysgiad o ddau air o leiaf. Dyma sut y diffinnir y term hudol hwnnw gan Jerry Hunter a Richard Wyn Jones mewn ysgrif yn *Taliesin* 92:

> *Bathwyd y gair hwn [sef 'différance'] er mwyn cymhwyso y cysyniad o 'wahaniaeth' gyda'r cysyniad o 'ohiriad'. Cyfeiria 'gwahaniaeth' at y lluosogedd ystyr sydd yn cael ei wadu gan ddarlleniad pendant, hynny yw, darlleniad sydd yn penodi un ystyr i destun ar sail grym y fetaffiseg. Cyfeiria 'gohiriad', ar y llaw arall, at rybudd Derrida i ymwrthod â'r deisyfiad i feistroli testun drwy bennu ystyr.*

84

Hynny yw, ceir yma ragdyb, hyd yn oed dogma, ynghylch diffyg sic-
rwydd a phendantrwydd, a'r cwbl meddir yn tarddu o'r 'gwahan-
iaethau' a'r gohirio terfynol. Y mae a wnelo'r ddwy elfen a gynhwysir o
fewn y gair 'différance' â'r amrywiaeth a amddifedir o gyfwerthedd yr
undod, y cyferbynnu heb yr ailadrodd. Roedd y pwyslais hwn yn un o'r
dogmâu diymholiad a ymsefydlodd yn sgil nihiliaeth ddiymholiad y
bedwaredd ganrif ar bymtheg, ac yn rhyfedd iawn, er nad arno ef roedd
y bai i gyd, yn sgil Saussure. Erbyn hyn caiff hwnnw groeso gan Ôl-
fodernwyr.

'Beth yw'r ots?' gofynnir gan ambell ddarllenydd. 'Sut y mae hynny'n
dyngedfennol i gelfyddyd ac i'r Gynghanedd? Pam y dylid holi'r rhag-
dybiau?'

Hoffwn yn y bennod hon gyfeirio at amgenach cysyniad sy'n gywirach
disgrifiad o'r hyn sydd ar waith, am fod pwyslais unplyg ar wahan-
iaethau yn ormod o symleiddiad wrth drafod ystyr (sef un o nodwedd-
ion pob iaith), ac yn gor-dueddu at awyrgylch llencynnaidd diwedd
yr ugeinfed ganrif (ar ôl ieuengrwydd ymosodol y chwedegau). Nid
yw'n dweud y gwir aeddfed. Wrth wneud hynny, gobeithiaf awgrymu
annigonolrwydd 'différance' fel sgrechair i feirniaid cyfoes canrif new-
ydd. Y mae sôn am 'feistroli' testun, cyn diffinio natur deall yn ei
ddeuoliaeth hanfodol, yn colli'r pwynt. Bod yn rhy unplyg yw gwendid
'différance'. Er mwyn cael deall, er mwyn cael iaith o gwbl, er mwyn
anghytuno, mae'n rhaid canfod gwahaniaethau. Ond nid digon yw
hynny: mae'n rhaid hefyd ganfod tebygrwydd (rhwng y profiad hwn yn
awr a'r profiad gynnau; rhwng y profiad hwn yn y lle hwn a'r profiad
hwn yn y lle acw; a.y.b.).

Amrywiaeth mewn undod anochel (hoffi'r ffaith neu beidio) yw
hanfod ffurf lenyddol megis y Gynghanedd ei hun, cyferbyniad o fewn
ailadrodd, y ddwy ochr yn gyfun. Felly iaith a phob celfyddyd hefyd.
Wrth ystyried yr egwyddor honno, bydd eisiau wynebu hefyd yn gryno
un (neu ddwy) o'r ffyrdd rhyfedd y mae'r meddwl dynol yn gweithio ac
yn gorfod gweithio, a'r cysylltiad rhwng hynny a chelfyddyd Cerdd
Dafod.

Felly, mewn celfyddyd a'r Gynghanedd, y mae dau weithgaredd yn
gorfod bod ar gerdded gyda'i gilydd, sef gwahaniaethu ac uniaethu yr
un pryd. Er mwyn deall y gair 'drws' dyweder, nid digon yw gweld y
gwahaniaeth rhyngddo a 'ffenestr' neu 'wal' neu 'nenfwd', rhaid gweld
hefyd y *tebygrwydd* rhwng drws y gegin a drws y lolfa a drws yr ystafell
ymolchi, ac yn wir rhwng y drws heddiw a'r drws ddoe, rhwng drws o'r

cyfeiriad hwn a drws o gyfeiriad arall. Cyfuniad o debygrwydd a gwahaniaethau bob amser, yn ddi-eithriad orfodol, sy'n caniatáu ystyr i'r gair 'drws'. Ni châr Ôl-fodernwyr rhamantaidd mo orfodaeth, ond felly y mae hi. Mewn cyfnod o ormesu meddyliol a gwleidyddol enbyd, a chyfnod o chwarae gwrthryfela, amheuthun yw cydnabod y rhyddid glân a geir o fewn gorfodaeth iach. Mae dirnad (sy'n pwysleisio'r gwahanu) ac amgyffred (sy'n pwysleisio cysylltu) gyda'i gilydd yn gwneud deall. Does dim deall, does dim iaith heb gael y ddwy ochr hyn ynghyd. Dyna reidrwydd. Ni wna 'différance' felly mo'r tro i'r deall sylfaenol. Gwahuniaeth yw'r egwyddor a osodaf i wrthwynebu 'différance'.

Cymerer ffurf lenyddol fel *odl.* Mewn odl fel *llaeth/caeth,* ceir gwahaniaeth, y mae'n wir. Mae rhyw fath o wahaniaeth yn hanfodol. Ond ni cheir odl nes bod yna debygrwydd hefyd. A'r un modd gyda mydr. Cymerer y cyfuniad o acen drom ac acen ysgafn. Dyna uned mewn mydr: y mae'n gyferbyniad. Hynny yw, pwysleisia wahaniaeth. Eithr ni ddaw'n fydr nes ailadrodd y cyferbyniad hwnnw. Llunnir mydr gan gyfuniad o wahaniaeth ac o debygrwydd.

Cymerer trosiad wedyn: sonia Dafydd ap Gwilym am lili môr sy'n wylan. Yn awr, ceir gwahaniaeth amlwg rhwng lili a gwylan. Heb y gwahaniaeth hwnnw ni cheir trosiad. Eithr heb fod y naill a'r llall yn wyn debyg ac yn tebyg-nofio ar y don, ni byddai Dafydd wedi'u defnyddio fel hyn yn drosiad. Cyfuniad yw pob trosiad o undod ynghyd ag amrywiaeth.

Gallwn helaethu ymhellach. Ond yr hyn a welir yw nad yw pwysleisio'r amrywiaeth heb yr undod ddim yn adlewyrchiad teg a chyflawn o'r hyn sy'n digwydd mewn nac iaith na chelfyddyd. Wrth dybio bod iaith yn chwarae'n ddi-baid gyda 'différance', hawdd casglu nad oes sefydlogrwydd mewn iaith sy'n cyfuno gyda'r ansefydlogrwydd, ac nad yw'r diderfyn yn ymgnawdoli gyda'r terfynol. Mae'r rhagdybiaeth anaeddfed honno yn arwain at ansicrwydd tybiedig heb y sicrwydd angenrheidiol. Y gwir yw oni bai fod yna elfen o sefydlogrwydd o fewn trefn brawddeg, rhwng brawddeg a brawddeg, ac ystyr ac ystyr, ni byddai iaith na deall ddim ar gael.

Ac yn y Gynghanedd, buan y gwelwn fod yna debygrwydd yn gallu bod ym mhatrwm olyniaeth dwy set o gytseiniaid, eithr olyniaeth y llafariaid yn bur wahanol.

Gwelir bod y cyfuniad o wahaniaeth a thebygrwydd, sef yr hyn a alwaf i yn 'wahuniaeth', hefyd yn golygu fod a wnelom â phresenoldeb ynghyd ag absenoldeb, a bod y ddeuoliaeth (gair esgymun) hon yn hanfodol.

Ar yr wyneb fe all hyn oll ymddangos yn ddadl academaidd iawn ac
yn wrthun o'r herwydd i rai. Ond fe all camddeall y sefyllfa lenyddol
hon arwain at golli dealltwriaeth o gyfraniad 'traddodiad' ac at amharchu
treftadaeth. Fe all arwain y meddwl anaeddfed at gofleidio rhyw
egwyddor megis yr 'amhenodol' neu'r 'ansicr', heb sylweddoli'r geudod
peryglus yn y ddadl ffasiynol ac anaeddfed honno. Mae'n hyrwyddo
chwalfa moes a meddwl. *Rhaid* cael parhad i draddodiad llenyddol ac i
iaith neu nid ydynt yn bod; ond rhaid i'r parhad hwnnw gynnwys newid
ac aflonyddwch. Mae gwrthryfel yn ffrwythlon; ond egwyl yn y cyfuniad
yw. 'Radicaliaeth' heb geidwadaeth, chwalfa yw. Ond mae ceidwadaeth
heb 'radicaliaeth' yn marwhau. Dyma un o'r gwersi realaidd a ddysg
Cerdd Dafod i'r Ôl-fodernwyr. Cynhaliaeth i barhad amrywiol yw'r
Gynghanedd hithau, felly. Heb wahuniaeth, ni byddai'r Gynghanedd ar
gael.

Dadadeiladu yw'r dechneg feirniadol adnabyddus sy'n mynegi
'différance'. Seiliwyd dadadeiladu ar ddogma gwrth-awdurdodaeth. Roedd
y rhagdyb yna yn rhy simplistig. Bydd darllenwyr ceidwadol yn cysylltu
gwrth-awdurdodaeth â llencynrwydd mae'n debyg: bod yn erbyn y drefn
fel twymyn sefydlog blorynnog. Cymryd yn ganiataol mai damweiniol yw
rheolau'r gêm yn y lle cyntaf cyn dechrau arni. Eto, fe fydd pob artist yn
ei adnabod ei hun yn hyn o weithgaredd ymddangosiadol wrthryfelgar.
Ar un ochr i'r min rasel cyfarwydd a gerddir ceir y gwylltineb: y wedd
gyferbyniol i'r drefn. Rhaid i'r artist wrth ryddid 'llwyr' er mwyn cyd-
bwyso'i gaethiwed 'llwyr'. Ond fe chwilia'r dadadeiladwyr confensiynol
am yr amhenderfynol yn unig: yr ansicr, y gwall, a'u cyd-lunio'n 'Sefydliad'.
Dadlennir a dadadeiledir annigonolrwydd y Sefydliad hwn serch hynny
wrth fyfyrio am y ffordd y mae iaith yn *gorfod* gweithio'n gyflawn – drwy
debygrwydd yn ogystal ag annhebygrwydd. Ailadroddir yr ansicrwydd
fel pe bai'n rhan o'r drefn. Adleiswyr yw'r gwrthryfelwyr. Does dim mor
farwol â radical ystrydebol.

Mae yna elfen o baradocs yn y fan yma nas trafodir gan y dadadeil-
adwyr, pencampwyr paradocs. Pe bawn i'n ceisio dwys ystyried beth yw'r
sylfaen a'r rhagdybiaeth waelodol mewn diwinyddiaeth i'r cyfuniad
paradocsaidd hwn fe'i gwelwn yn y cyfuniad rhyfedd a gydnabyddai
Calfin o Benarglwyddiaeth Duw a chyfrifoldeb (a 'rhyddid') dyn. Cyfun-
iad gwrthresymol o fewn amser a lle, ond rhesymol o fewn dimensiwn
tragwyddol. Bu hyn yn benbleth i sawl ysgol ddiwinyddol ac i ambell
ryddfrydwr confensiynol Cymraeg fel J. Gwilym Jones. Ceisiai'r gau-
Galfiniaid orbwysleisio Penarglwyddiaeth ar draul y cyfrifoldeb, ceisiai'r

Arminiaid orbwysleisio rhyddid neu gyfrifoldeb dyn. Ar y naill law, caethiwed oedd y nod, ar y llaw arall hunanganolrwydd o fath oedd. Ac yn ôl ffasiwn y cyfnod 'annibynnol' diweddar, tueddu at yr Arminiaid y mae'r dadadeiladwyr. Yn eu gwahaniaethu dilyffethair collant orfodaeth ystyr. Ni welaf finnau eu bod yn y bôn ond yn ailganu hen gân eithr mewn geiriau ffug newydd. Dyna'u gwahuniaeth hwythau.

*   *   *

Gydag adwaith gwrth-gynganeddol yn y bedwaredd ganrif ar bymtheg, ynghyd â'r hiraeth rhamantaidd am ryddid, cafwyd mewn diwinydd-iaeth ymosodiad hyd ein dyddiau ni ar Ystyr, Trefn, Pwrpas a Gwerth mewn llenyddiaeth. Pwysig iawn ystyried pam. Yr un mor bwysig yw trafod pam lai.

Wyneb yn wyneb â'r ffasiwn Ôl-fodernaidd ac Ôl-adeileddol hwn sy'n rhemp drwy'r byd academaidd ceisiaf ddadlau fy mod innau'n gwneud fy safiad bellach gyda 'gwahuniaeth'.

Gwahuniaeth yw'r egwyddor sy'n seiliol i bob llinell o Gynghanedd, dyna'i neges hi i'r oes hon.

Eto, arhoser: bathwyd y gair 'différance' gan Derrida i gynnwys 'gohirio' yn ogystal â 'gwahaniaethu'; ac ofnaf nad yw fy safiad yn gwbl unplyg yn hyn o beth. Nid 'différence' yn unig yw'r gair. Mae'r *gohirio* yn y gair newydd hwn i fod i awgrymu, er bod yna *wahaniaethu*, y gall unrhyw elfen ieithyddol mewn testun ymgysylltu ag elfennau eraill. Hynny yw, ni olyga gair unigol ddim ar ei ben ei hun heb ymestyn at air arall. Mae'n wir y dibynna'i fodolaeth ar y ffaith ei fod yn wahanol, ond disgwylir hefyd fod yna led awgrym o undod hefyd (gair anffasiynol) yn yr ymgysylltu hwnnw sy'n ymestyn tuag yn ôl neu ymlaen. Ac y mae hynny'n wir (gair anffasiynol arall).

Eithr wedyn, diau fod y gair 'undod' fan yna gennyf yn rhy gryf. Ac efallai fy mod wedi'r cwbl yn *rhy* deg tuag at yr Ôl-fodernwyr. Gwell cydnabod mai ar yr ymddatod yr oedd ac y mae'r pwyslais dadadeil-eddol ganddynt hwy. Yn y pen draw ymwahanu yn ei erbyn ei hun y mae'r testun, yn eu bryd hwy. Yn lle arddangos cydlyniad adeileddol neu undod organaidd fel y mynasai'r hen Feirniadaeth Newydd American-aidd, yr hyn a wna'r Dadadeileddwyr Americanaidd diweddar yw taeru na ellir cyflawni'r fath amhosibilrwydd yn grwn. Hynny yw, adnabyddant y pechod gwreiddiol, er nas cydnabyddant.

Yn y bôn, y mae Ôl-foderniaeth yn sefyll yn weddol unplyg gyda negyddu Ystyr, Gwerth, Trefn a Phwrpas. Mynegi anaeddfed yw sy'n gwadu Tafod.

Ond yn y gornel fach gyferbyn, serch hynny, wele 'wahuniaeth'. Cais gyfuno dwy o nodweddion cyfun celfyddyd, sef cyferbyniad a thebygrwydd, yr undod a'r amrywiaeth, a chais eu cynnwys gyda'i gilydd yr un pryd. Hoffwn esbonio sut drwy drosiad cyfareddol.

Cyn imi geisio crynhoi beth rwy'n ei ystyried yw perthynas fewnol 'gwahuniaeth', carwn ddychwelyd at y trosiad mwyaf trawiadol mewn llenyddiaeth Gymraeg ddiweddar. Pe gofynnid imi fentro hawlio beth yw'r trosiad unigol mwyaf ffrwythlon a mwyaf treiddgar a ddarllenais erioed yn wir, ni phetruswn rhag dyfynnu ar ei ben y pennill canlynol am yr 'Eirlysiau' gan Waldo Williams:

> *Glân, glân,*
> *Y gwynder cyntaf yw eu cân;*
> *Pan elo'r rhannau ar wahân*
> *Ail llawer tân fydd lliwiau'r tud;*
> *Ond glendid glendid yma dardd*
> *O enau'r Bardd sy'n llunio'r byd.*

Yr wyf wedi trafod y trosiad hwn o'r blaen yn *Llenyddiaeth Gymraeg 1936-1972*. Caniatewch imi nodi un neu ddau o'i briodoleddau yn gryno'n awr. Cymherir yr eirlysiau (a thrwyddynt hwy y grym creadigol sy'n dod oddi wrth y goleuni) â golau'r prism. Gyrrir undod y gwynder cyntaf hwn (ddiwedd y gaeaf) drwy'r prism ac ymwahana'n holl liwiau'r enfys, fel glaw yng ngoleuni'r haul ar lun blodau amrywiol yn y gwanwyn. Caiff y gwynder cyntaf fel y daw oddi wrth yr haul ei ddadelfennu'n fyrdd o liwiau cynwysedig sy'n gynhenid ynddo. Felly ar ddaear y bydd eirlysiau. Dônt cyn i'r flwyddyn ymagor, ar flaen y gad. Ac allan o'u dewrder glân a gwyn hwy y tardd holl amrywiaeth lliw blodau'r maes.

Ond ymhellach, dyma oleuni absoliwt oddi wrth Dduw'r Crëwr, undod y Gwyn, yr Un sy'n Dri erioed. Dyma'r Un sydd hefyd yn cynnwys popeth. A chan mai Artist creadigol yw, sef y Gair, yna – o fewn Ei undod glân sy'n hanfod yn Ei waith, ac yn Fynegiant ohono, – ceir cyfuniad o'r posibiliadau amryfal sy'n cyfansoddi hwnnw. Dyma gân o fawl i Wahuniaeth. Rhaid i gelfyddyd blygu i'r rheidrwydd o gorffori 'Uniaeth' gan sylweddoli methiant pob Ôl-fodernydd i wrthddweud yr egwyddor hon (fel y ceisir, oherwydd y cyflwr etifeddol, wrth-ddweud unrhyw egwyddor). Eto ofer fyddai pob uniaeth o'r fath, a allai droi'n undonedd neu'n unffurfiaeth, yn farwolaeth yn wir, oni fyddai hefyd yno yr un pryd wahaniaeth bywiol. Mae argraff amrywiol ac unol y Crëwr ar Ei gread. Mae i'r creadigaethau naturiol hyn eu dimensiwn goruwchnaturiol.

Sylwer: deil yr amrywiaeth hwn i ganu am yr Un. Er gwaetha'r amlder a'r ffrwythlondeb a'r creadigrwydd gwahanol, daw'r llu allan o'r gwynder gan ddwyn o hyd y glendid a gafwyd ganddo yn ras cyffredin gwreiddiol. Dyna'r undod sy'n tanseilio'r chwalfa.

Allan o'r goleuni, y gwynder cyntaf, y daeth holl amrywiaeth y greadigaeth, gan gynnwys dynolryw. O'r fan yna, o'r Un yna, y cafwyd y llawer, y lluosrwydd, *plurality* (nid lluosedd: *pluralism*). Y gwynder cyntaf hwnnw oedd y gân, hyd yn oed i'r blodau. Yn yr undod hwnnw hefyd, mewn brawdgarwch dyweder (cariad at y brodyr), y ceid gwedd ar wir bwrpas bywyd ar y ddaear yn yr Un gwyn tragwyddol.

Carwn esbonio'r ffenomen hon ymhellach drwy sôn am hen gyferbyniad gennyf rhwng Tafod (neu Ramadeg) a Mynegiant di-ben-draw yr iaith, neu'r Gynghanedd fel sefydliad a'r gynghanedd unigol fel enghraifft ar waith. Yn y meddwl ceir gan oedolyn undod trefniant ieithyddol cryno. Sefydliad. Nid oes dim modd siarad heb hwn, sy'n gyfundrefn o gyfundrefnau yn yr ymennydd. Mae'r peirianwaith canolog sy'n cynhyrchu iaith yn cydlynu yn organwaith yno, yn Dafod, yn ddiwnïad. Ond allan o hynny y tardd y miliynau dihysbydd o frawddegau neu o linellau cynganeddol yn 'rhannau ar wahân'. Eto i gyd, ni chaiff yr amlder hwnnw ei fodolaeth ond gan yr undod ei hun. Dwg o hyd ôl yr undod hwnnw yn y ffaith ei fod yn digwydd o gwbl. Dyma'r sicrwydd rhydd sy'n trechu'r ansicrwydd caeth. Yr Undod sy'n cynnwys yr Amlder.

Felly ym mhob trosiad ceir tebygrwydd. Dibynna ar gael elfen o ailadrodd neu'n hytrach o undod delweddol. Rhaid i un peth fod yn gyffelyb i beth arall. Ond nid yw'n drosiad o gwbl onid oes ar gael yr un pryd ynddo wahaniaeth. Ac o ran egwyddor, yr un stori sydd i'r Gynghanedd.

Dyma un o ddeddfau dyfnaf celfyddyd. Gwahuniaeth.

Nid annhebyg yw mydr yntau. Yn wir, mydr ystyr yw trosiad; a throsiad sain yw mydr. Rhaid i fydr fel y gwelsom – er mwyn bod yn fydr o gwbl – gynnwys elfen o ailadrodd fel trosiad. Y mae mydr yn ganfyddiad o debygrwydd. Ond methiant fydd oni fydd hefyd yr un pryd ynddo wrthgyferbyniad. Hynny yw, 'gwahuniaeth' yw hanfod mydr a throsiad a Chynghanedd fel ei gilydd; a phob ffurf gelfyddydol o ran

90

hynny. Gwahuniaeth yw'r wedd honno sy'n orfodol mewn celfyddyd i gynnwys yr un pryd yn yr un lle undod ynghyd ag amrywiaeth.

Dyma a rydd fywyd mewn Cynghanedd, a'i rhannau sy'n gwneud undod. Dowch yn ôl at y gerdd a ddyfynnwyd. Adleisia'r ail linell yn y pennill cyntaf gan Waldo yr ail linell ym mhob pennill arall (hynny yw, mae yna 'debygrwydd' rhyngddynt), ac eto yr un pryd mae yna wahaniaeth. Cyfeirio a wneir at y ffynhonnell, at yr arloesi a'r newydd-deb, ac at y gwynder sy'n dod o'r ddaear ddu, at y gwendid ymddangosiadol feddal sy'n torri drwy'r caledrwydd gelyniaethus, at y gwyleidd-dra gerbron y gormesol, neu at yr atgyfodi bywydol o'r meirw. Dyma holl 'ymdrech yr haf. Mae dewrach rhain?' Dyma'r bardd yn corffori Cynghanedd y meddwl yng Nghynghanedd y llinell. Gwahuniaeth yr ystyr yng ngwahuniaeth y sain.

Ymhlith pethau eraill, sôn am farddoniaeth fel y cyfryw a wna Waldo. Dyma felly gelfyddyd ynghylch celfyddyd. Cerdd yw hon ynghylch cerdd y Bardd a greodd y byd. Cerdd hefyd ydyw a bwysleisia fod yr hanfod cynhwynol anweledig yn un sy'n aros yn yr amlder gwahân gweledig, a hynny ar ffurf yr hyn a eilw diwinyddion yn ras cyffredinol. Mae'r Ystyr wreiddiol o'r herwydd yn ffynhonnell i'r cwbl. Dyna pam na ddywed yr un bardd da ddim, byth, heb fod yna ryw Ddiben ymwybodol neu isymwybodol y tu ôl i'w weithred, heb fod rhyw Werth wedi llechu rywle y tu ôl i'r esgor ar y fath ddweud, taw pa mor ddistadl y bo'r Diben neu'r Gwerth hwnnw. Does ganddo ddim dianc.

Ac felly, yn y fan yma ceisiais eirio egwyddor ddeuol sy'n treiddio drwy feirniadaeth lenyddol glasurol o Aristoteles hyd Ôl-foderniaeth heddiw. Gwrthdrawiad paradocsaidd yw. Mae'n wir fod rhai beirniaid yn mynnu methu â chanfod y ddeuoliaeth hon ac yn gorbwysleisio un ochr arni. Ym mhob cyfnod, megis mewn gwleidyddiaeth, ceisir gorbwysleisio naill ai undod (unffurfiaeth, imperialaeth, gormes unbenaethol) neu chwalfa anarchaidd y gwahanol (yr ynysig, yr hunanlywodraethol heb gydweithrediad). Felly, ceir mewn celfyddyd, oddi ar gyfnod y rhamantwyr a thrwy gyfnod yr Ôl-fodernwyr a'r Modernwyr, ymgais i ganolbwyntio ar yr ymwahanu heb gydnabod yn ddigonol y cyfuno. Ond wrth gwrs, dibynna ystyr ei hun a deall (hanfod iaith) yn gyfan gwbl ar sylwi fod ffenomenau yn ymgyplysu'n ailadroddol mewn delweddau a ganfuwyd eisoes ynghynt. Hynny yw, GWAHUNIAETH. Dechreua'r baban bach amgyffred ei amgylchfyd pan gaiff brofiad gwahanol a ddaeth i'w ran unwaith o'r blaen ac sy'n ymddangos o'r newydd yr eilwaith. Ni all hepgor undod. Fe'i hedwyn, ac o ganlyniad mae'n deall: y gwynder cyntaf yw ei gân.

Hynny yw, er bod a wnelo 'différance' â gwedd bwysig ar y Gyng-hanedd, gwedd na wiw inni'i hesgeuluso, a gwedd nad yw'n debyg inni'i hesgeuluso byth yn y cyfnod rhamantaidd, (dyna feddwl rhigolog ac ystrydebol llawer rhamantydd), eto gwedd unochrog yw. Gwedd ydyw sy'n gorsymleiddio. Gwedd hefyd yw heb y paradocs hanfodol. Ymyrra â thuedd naturiol isymwybodol Cynghanedd. Megis y cafodd Derrida wahaniaeth heb debygrwydd, felly y cafodd gyfnewid heb gadw.

A phan geisiom ni'r ffeminyddion ddilyn yr unrhyw egwyddor hon yn anfeirniadol, ceisio parchu yr arall yr ydym heb barchu'r tebygrwydd. Wrth esbonio hyn yn *Tu Chwith* dengys yr Athro Jane Aaron am y gair 'gair': 'dim ond trwy ei wahaniaeth y mae'n medru cyfleu ystyr.' Ar ryw olwg, oni chytunwn oll â hynny, yn ffeminyddion ffyddlon i'r carn? Ond fan yma gellir yn sicr hawlio mai dim ond trwy ei debygrwydd *hefyd* y medr gyfleu ystyr. Heb debygrwydd nid oes na ffonem na chyfundrefn berthynas sain a synnwyr na gair yn para o ddydd i ddydd, na llenydd-iaeth. Na menyw.

Nid da gan ramantwyr gydnabod hyn; ond dyna pam y chwala'u hamgyffrediad hyd yn oed o ansawdd y gwahaniaeth. Gwahaniaeth mewn gwahuniaeth yw. I ni bleidwyr selog y mudiad ffeminyddol beirniadol, cydnabyddwn mai'r hyn a 'garfana' wrywod a benywod yw gwahuniaeth. Wedi'r cwbl, onid undod a thebygrwydd (yn ogystal â 'gwahaniaeth') yw cyfartaledd? Vive le *gwahuniaeth* felly.

A hyn, fel y gwelwn maes o law, wrth fforio ymhellach bellach i mewn i'r sefyllfa gyfoes, yw diffyg mawr y mudiad Ôl-fodernaidd. Nid oes iddo aeddfedrwydd diwinyddol. Cais beidio â bod yn hen. Mudiad hanerog yw. Pwysleisia un peth ar draul peth arall, heb sefyll yn ôl i ganfod cyfanrwydd. Ac o'r herwydd nid yn unig mae'n annigonol: gwallus yw. Ni fodola iaith heb fod uniaeth ar waith drwyddi draw: ni fodola ychwaith heb wahaniaeth. Mewn llenyddiaeth, gwahuniaeth sy'n frenin neu'n frenhines (mae'n meddu ar derfyniad benywaidd a chenedl wrywaidd). Diau mai'r hyn a gafwyd oedd i ofn diwinyddol am undod-credu atal beirniaid. Ni ddringent allan o ddogma *amharodrwydd i ganfod yr ystyr a'r gwerth a'r pwrpas* sy'n anochel. Ni lwyddwyd i lamu i'r sicrwydd anochel a drigai o fewn pob ansicrwydd.

Ac nid dyna, ysywaeth, fel y cawn weld eto, eu hunig angen.

*   *   *

Buwyd hyd yn hyn yn dadlau o blaid 'gwahuniaeth' yn lle term Derrida 'différance'.

Pan bleidiwn ni wahuniaeth fel yna, y mae a wnelom nid yn unig â hanfod y Gynghanedd, eithr hefyd ag un o ddeddfau'r greadigaeth, un o roddion Duw: dwy natur mewn un person, a'r tri yn un. Mae a wnelom, mewn gwirionedd, â gwedd ar gymeriad Crëwr, a gwedd felly ar fywyd. Dyma'r Cynganeddion a gafwyd gan Frenin pob Cynghanedd.

Yn ddiweddar, gwelais ambell feirniad yn tanlinellu'r ffenomen 'gatastroffig' yn hanes llenyddiaeth Gymraeg. Ceir toriadau sydyn a gwahanu chwyrn, fel pe bai popeth yn cael ei droi beniwaered, a'r llenyddiaeth yn dechrau o'r newydd o hyd. Mor bendant yr ymedy Gogynfeirdd â llwybr y Cynfeirdd! Ac fel y mae Beirdd yr Uchelwyr yn ailddyfeisio barddoniaeth yn eu cyfnod hwy! Go brin bod chwyldro mor chwyrn â'r Gynghanedd wedi digwydd erioed mewn unrhyw lenyddiaeth. Ac wrth gwrs, Saeson mewn gwisg anghyfiaith fu beirdd y canu rhydd cynnar hwythau o'u crud.

Dyma'r gwahaniaeth ymosodol byth a hefyd. Pwy a'i gwad? Ond beth am yr uniaeth?

Dangosir yn benodol yn y man fel yr oedd Gogynghanedd y Gogynfeirdd eisoes wedi ymddangos yng Ngherdd Dafod y Cynfeirdd, y Gyngynghanedd, nes ei darganfod yn gyfundrefn ddatblygedig mewn cyfnod newydd. Felly hefyd yr oedd Cynghanedd Beirdd yr Uchelwyr eisoes ar gerdded drwy gerddi'r Gogynfeirdd. A phrin bod angen tanlinellu fel y ceir hyd yn oed Mydr Corfannol Cyfacen o fewn rheolau curiadau mydryddol y Cynganeddwyr uchelwrol, heb sôn am y Gynghanedd dra dyfal ymhlith y beirdd 'rhydd' cynnar.

Dyna draddodiad. Ac wrth gwrs, traddodiad yw'r iaith hithau'i hun.

Onid yw, byddai'n rhaid ei hailddechrau gyda phob brawddeg o ran gramadeg a geirfa. Ond, heblaw'r gramadeg a'r eirfa, y mae llawer o'r syniadaeth ei hun hefyd yn dychwelyd ac yn cydadeiladu'r meddwl Cymraeg. Ceir ailadrodd safbwynt un genhedlaeth gan un arall ganrif-oedd wedyn. Sylwer fel y mae Gwrth-belagiaeth ac Awstiniaeth Dewi a'r seintiau Cymreig eraill yn dychwelyd (ar ôl cyfnod o iachawdwriaeth drwy weithredoedd) i ymgartrefu o'r newydd o fewn athrawiaethau gras Pawlinaidd Calfiniaeth y Piwritaniaid a'r Methodistiaid ac wedyn yn yr Efengyleiddwyr cyfoes. A phan drown at barhad thema'r ymrwymiad cenedlaethol, sylwn ochr yn ochr â'r diffygio cyson a'r bradychu mynych fod yna hefyd ymlyniad ystyfnig ac yn wir ymfalchïo yn yr arwyr a gadwodd y fflam ynghyn drwy'r canrifoedd. Dychwela pwyslais Bryth-

onig 'Armes Prydain' yn y ddegfed ganrif yng nghywyddau brwd Dafydd
Llwyd o Fathafarn yn y bymthegfed . . . Ond ymataliaf, rhag i minnau
f'ailadrodd fy hun.

Yn awr, dadleuais o'r blaen mai'r Traddodiad yw'r ffurf fwyaf sydd ar
gael ar lenyddiaeth (hynny yw, fel ffurf anymwybodol), fel y gellid
dadlau hefyd mai'r ddihareb neu'r wireb yw'r llenddull lleiaf. Un o'r
llinynnau mwyaf arwyddocaol o'r fath onid y mwyaf oll o fewn parhad y
Traddodiad llenyddol Cymraeg hwnnw yw'r Gynghanedd. Ni cheid
Cynghanedd heb ddatblygiad Traddodiad. Eto, o'r tu fewn i Draddod-
iad ceir bywydu newydd-deb ynghyd â chysondeb ailadrodd. Llunnir
Traddodiad drwy gyfuno ceidwadaeth y gorffennol (yr iaith dyweder) â
dylanwadau estron neu ddyfeisiau dieithr. Mae'r cysyniad o Draddodiad
yn enghraifft deg o wahanu ac o uno yr un pryd, o adeiladu ynghyd â
dadadeiladu, o ailadrodd a chyferbynnu. Fe ddadleuwn i fod yr union
gyplysiad hwnnw a ganfyddir yn amlwg yn y meicrocosm (mewn ffurf
fechan fel odl, sy'n dibynnu ar debygrwydd, ond sydd hefyd yn hawlio
cyferbyniad) hefyd yn ofynnol yn y macrocosm (sef y ffurf fwyaf neu'r
cyfanwaith llawnaf y mae a wnelo llenyddiaeth â hi) hynny yw, Traddod-
iad. Mae'r Traddodiad, fel pob gair, yn sefydliad.

Drwy ailadrodd adeileddol a thrwy danseilio y mae Traddodiad yn
ffynnu. Dyna yw ei ffurf. Dyna hefyd a grea sefydliad Cerdd Dafod. Fe'i
hadeiladwyd allan o weddillion Gogynghanedd.

Ac mae pawb yn y bôn yn ufuddhau i'r ffurfiau dwfn hyn.

Gwendid Ôl-Foderniaeth yn hyn o ddatblygiad ac yn hyn o bwyslais,
oherwydd dogma diymholiad, oedd methu â sylweddoli ffordd Tafod o
weithio'n ddeuol. Unwaith eto, oherwydd peidio â fforio i'r pen ar ôl ei
rhagosodiad unochrog, gorbwysleisiwyd un elfen yn y ddeuawd er mawr
ofid i synnwyr cyffredin.

Gellid crynhoi'r cyferbyniad rhwng 'différance' Derrida a'm 'gwahun-
iaeth' innau yn y Traddodiad fel hyn:

> *différance:* pwyslais ar wahaniaeth heb debygrwydd, cyfnewid heb
> aros.
> *gwahuniaeth:* cyfnewid ynghyd â chadw, tebygrwydd o fewn gwahan-
> iaeth.

Fel y bydd Rhethreg weithiau (e.e. wrth sôn am ffigurau ymadrodd
o'u cyferbynnu â throadau) yn tynnu sylw at ailadrodd ar draul newid,

ac eto'n cyflawni gwasanaeth drwy danlinellu hynny, felly y bydd Ôl-Foderniaeth yn gwneud môr a mynydd o ymwahanu ar draul ymdebygu, ac eto'n cyflawni gwasanaeth gwiw drwy danseilio'r modd gwrthwyneb.

Ar yr ieithydd mawr Saussure y mae'r bai, meddan nhw.

Dylai fod wedi gwybod yn well. Os oedd ef yn datgan yn ei 'Gwrs' enwog ar dudalen 166 '*mewn iaith* (sef Tafod) *does dim ond gwahaniaethau*', dylsai sylweddoli na byddai rhai darllenwyr byth yn cyrraedd tud. 167 lle mae'n dweud: '*cyn gynted ag y cymherir rhyngddynt a'i gilydd yr arwyddion ieithyddol – termau positif – ni ellir mwyach sôn am wahaniaeth.*' A oedd wedi anghofio mor fuan ei fod ar dud. 166 eisoes wedi gwrthwynebu ei ailadrodd ei hun, ac fel pe bai eisoes wedi rhagdybied gwrthddywedyd gwahaniaeth? Fel yna y mae'r meddwl a'r iaith yn gweithio. Ym mhob cyfundrefn ieithyddol (ac ymhob ffurf lenyddol) ceir symudiad meddyliol arbenigol (ac ynysoli) ynghyd â symudiad cyffredinoli.

Gorbwysleisio gwahaniaeth oedd camgymeriad cyntaf Saussure, o safbwynt ôl-foderniaeth, heb dynnu sylw *yn yr un frawddeg* at y cydbwysedd. Ceisiais innau'i wneud yn yr un gair.

Damweinioldeb iaith oedd ei ail ddogma, sef dogma hoff arall a ddôi wrth fodd Ôl-fodernwyr. Tybiai – a gwirionedd hanerog pwysig oedd – mai 'siawns' a oedd yn cyfrif am y cyswllt rhwng sŵn a synnwyr wrth wneud gair. Does dim byd ond 'damwain' dybiedig yn cysylltu ystyr y gair 'buwch' â'r seiniau sy'n llunio cnawd y gair. Ond y mae'r mecanwaith i gysylltu sŵn a synnwyr ymhell o fod yn wir ddamweiniol, ac ynddo'i hun yn dra ffonolegol. Yn wir, cyn gynted ag y dechreuir llunio'r gair (yn ôl deddfau derbyniedig), heblaw ffonoleg, y mae holl gyfundrefn y rhannau ymadrodd hefyd eisoes yn disgwyl am y 'fuwch' druan. Mae hi'n cerdded i ladd-dy cenedl enwau a rhif a pherthynas gystrawennol o lawer math. Wrth iddi ddod yn fuwch fach ddiniwed fel yna y mae'r gyfundrefn dreigladau'n disgwyl amdani o'r tu ôl i'r côr nesaf yn barod i'w chnocio ar ei chyrn. Chwala ei damweiniau'n drefnus. Fe'i godrir yn ieithyddol ddeddfol.

Pe bai Saussure wedi anghofio am funud mai ceisio ysgogi ymateb gan fyfyrwyr yr oedd, ac wedi pwyllo a dweud, 'Dim ond gwahaniaeth a thebygrwydd sydd mewn iaith' tybed a fyddem wedi cael ein hamddifadu o'r hwyl a gawsom gan yr Ôl-fodernwyr? Oherwydd sylwer: ni ddeallai'r un baban yr un gair (fel damwain) heb debygrwydd. Pan fu'r baban bach yn ymbalfalu am drefn bywyd ac yn ceisio amgyffred ei

95

amgylchfyd, dibynnai bob munud ar ailadrodd. Pan welai wyneb y tro cyntaf, ni olygai fawr heblaw chwilfrydedd syn. Pan welai hwnnw yr ail dro a'r trydydd o gyfeiriadau gwahanol, yna yr oedd yr ailadrodd yn caniatáu iddo ddechrau amgyffred ffiniau. Pan glywai air wedyn i fynegi'r ffenomen newydd hon, nis adwaenai nes iddo gael ei ailadrodd: sefydliad oedd gair hefyd felly. Dibynnai ar ddiffyg 'différance'.

Felly gyda llenyddiaeth hithau ei hun. Sefydliad yw llinell neu gerdd, sefydliad yw'r syniad o nofel, sefydliad yw cymhariaeth, sefydliad yw paragraff. A sefydliad o'r sefydliadau yw'r Gynghanedd. Gall fod ar lanc hiraeth am fod yn unigolyddol braf. Onid melys, yn ddeunaw oed, yw gwrthryfela? Sefwch o'r ffordd, medd ef. Rhaid bwrw i lawr bob sefydliad. A dyma un dull cydnabyddedig a cheidwadol, nid hollol anaeddfed – mae'n anghenraid – o weithredu er mwyn datblygu'r Traddodiad ar hyd y canrifoedd. Traddodiad ei hun, wedi'r cwbl, yw iaith y llenor gwrthryfelgar. O gamgymeriad i gamgymeriad y cerdda allan 'gymeriad'. Os defnyddia llenor ffurf lenyddol o unrhyw fath, ac ni ddefnyddia ddim llai, yna ar unwaith fe geir tebygrwydd ynddi ochr-yn-ochr â'r gwahaniaeth.

Cam tuag at gyfanrwydd moliannus o'r fath yw cydnabod y tebygrwydd hwn ynghyd â'r gwahaniaeth. Cam hwyrfrydig chwyldroadol tuag at aeddfedrwydd cadarnhaol gwahuniaeth yw.

Tybed ai 'mawreddog' yw dweud fel hyn fod yn rhaid i ddarllenydd, ac i feirniad neu i theorïwr yn ei oed a'i amser ddygymod rywsut â'r cyfanrwydd? Go brin mai uchelgais gor-hedegog yw ceisio cywirdeb. Dyma'r cwbl, wedi'r cwbl, y mae pob person bach syml yn ei geisio bob munud o bob dydd. Yn y pen draw, y mae ymateb i'r cydlynol hwn yn rhywbeth mwy neu lai anochel. Efallai nad yw'n amlwg ar y pryd, ac y mae hwn-a-hwn yn coelio'i fod yn gallu mynd yn ddianaf i'r naill ochr *heb* y llall – 'gwahaniaeth heb uniaeth': celwydd er enghraifft. Ond arhoser yno funud, bydd y llall yn cydio yn ei war toc ac yn ei lusgo'n ôl tuag at ryw bwynt callach a mwy canolog ar hyd echel helaeth beirniadaeth gyfansawdd a'r Gynghanedd.

Canys gwahuno yw anwylyd y Gynghanedd. Gwahuno yw teithi iaith a phob amgyffred. Does dim celfyddyd heb wahuno hiraethus. Nid hyd yn oed beirniadaeth lenyddol ei hun.

Hebddo ffug fyddai gwyro neu ddieithrhau amddifad. Ffug fyddai *différance* amddifad hefyd. Megis na cheid siarad y Gymraeg yn iawn heb blygu i gydymffurfio â chyfundrefn y gair dyweder, felly ni siaredid ac ni farddonid heb wahuno. Ni châi na gwyro na *différance* le unbenaethol mewn Tafod nac yn hanfod y Greadigaeth (oni chaent ddod yn Fynegiant am y tro). Caent ddod yn ysgogiad ffrwythlon i ennyn Undod mae'n debyg. Caent fod hefyd hyd yn oed yn gynrychiolydd i waseidddra dynoliaeth. Ond ni châi'r gwahanu fyw yn aeddfed ac yn iach ac yn sylfaenol heb yr uno.

Ac ni ellid trafod cyfundrefn na gweithgaredd dyfnaf llenyddiaeth heb roi sylw i'r undod sydd yn yr amrywiaeth, a'r manylion sy'n cydadeiladu llawnder. Pe na cheid ond gwyro, ni cheid angen sôn am wyro. Pan ddaw'r amser i theorïwr ddarganfod ei theori, oni rydd ef/hi sylw teg ac anrhydeddus i'r unionder sy'n esbonio'r gwyro ac i'r tebygrwydd a'r penodolrwydd sy'n diffinio'r *différance*, celwyddog unochrog fydd ei ddehongliad. Ac mae'n rhaid cael tebygrwydd yn ogystal â gwahaniaeth i gael celwydd hyd yn oed. Ni ellir dehongli natur y rhan yn iawn heb y cyfan. O'r braidd bod modd bodloni byth ar 'theori' sy'n rhannol yn unig. Caiff ysgogi eraill dros dro i ddechrau myfyrio. Ond perthyn unochredd ysgogiad o'r fath i anaeddfedrwydd theoretig mewn beirniadaeth sy'n disgwyl am ei chwpla. Ysywaeth, ni ddeallodd hwnnw'r wrthchwalfa sy'n llechu yng nghraidd Tafod.

Eto, wrth feirniadu 'gwyro' a hyd yn oed *différance* amddifad, yr wyf am frysio'n ôl o hyd i warchod y gogwydd difyr arall hwnnw. Mae'r gwelediad yn dal yn wedd ar hanfod, a'r genadwri – neu'r bregeth – am y tro yn gynhyrfus adeiladol. Atgoffhad ydyw bod a wnelo llenyddiaeth â mwy na'r dimensiynau realaidd a naturiolaidd, er bod cydnabod y rheina'n ddilys yr un pryd. Yn hyn o beth rhoddodd y Ffurfiolwyr Rwsiaidd eu bys yn blwmp ar wendid pennaf y Marcswyr. Mynnai 'gwyro' gwrthffurfiol y Ffurfiolwyr ein sicrhau nad mewn synnwyr cyffredin a chydweithrediad ac yn y norm y ceid cyfanrwydd profiad. Nid oeddent yn realwyr cymdeithasol.

Gellid cyfeirio'n gymariaethol at El Greco. Nid oes odid yr un arlunydd arall sydd, ar ryw olwg mewn dull mor gyrhaeddgar syml, yn gallu ein hestyn ni'n llythrennol fel y gwna ef. Mae ef ei hun yn lastig ac yn ein lastigo ni. Eto, ni ellir gwadu'i wreiddiau mewn naturiolaeth. Ond y fath naturiolaeth. Y fath wydnwch mentrus. A hynny oherwydd bod ei waith yn fwy na chelfyddyd ddof. Mwy na chelfyddyd yw. Mae'r uwchnaturiol yno'n styfnig estyn yr adeiladau, yn cystwyo hyd cyrff dynol, yn tynnu lliwiau o'u cysuron cyfarwydd. Gwyddant oll bresenoldeb arall.

Efallai mai dyna pam yr oedd y beirdd Cymraeg yn yr Oesoedd Canol yn mynnu mai'r Ysbryd Glân oedd tarddiad eu hawen. Roedd eu haddoliad a'u braw wrth ymhel â'r awen yn peri i'w celfyddyd gyrraedd ymadrodd a sŵn y tu hwnt i lafar cefn hewl. Gwrthryfelwr oedd y bardd ar ei orau yn erbyn y tri dimensiwn mewn gofod a'r un dimensiwn mewn amser. A'r cwbl yr un pryd yn gydymffurfiad â chyfanrwydd yr hanfod. Roedd blinder yn troi'n ddeffro poenus wrth ymgysylltu â threfn adnabod. Felly dieithrwch tal y tri ffigur yn 'Sain Martin a'r Cardotyn' El Greco, y ddau ŵr hir a'r ceffyl uchel, a'r tri yn ein tynnu ni o'r llawr, y nefol o'r daearol, y dyrchafedig o'r cyffredinedd, a hynny o fewn cyd-destun y byd.

Er gwaethaf y diffyg ymwybod o ogoniant trefn, bu Ôl-foderniaeth hithau yn gymwynas nid anghyffelyb wrth orfodi'n sylw i gydnabod cyfyngiadau rheswm. Mae hi hefyd, er ei gwaethaf, yn gallu cyfrannu at y rhyfeddod ynghylch annaearoldeb trefn. Math o sarhad yn erbyn un-ffurfiaeth yw celfyddyd. Traddodiad yw yn erbyn traddodiadaeth.

Dyma grynodeb o wahuno cynghanedd yn ôl cytseinedd/odl/acen:

A.   gwahanu (cyferbynnu) patrwm cytseinedd croes, traws, (sain)
     e.e. t g d r (ar y naill ochr i'r orffwysfa)
     uno (ailadrodd) patrwm cytseinedd croes, traws, (sain)
     e.e. t g d r / t g d r (sef y ddwy ochr)

B.   gwahanu (cyferbynnu) patrwm sain yn ôl trefn neu safle odl/cytseinedd (cyfochrog, olynol)
     uno (ailadrodd) patrwm sain yn ôl presenoldeb odl/cytseinedd

C.   gwahanu cytseinedd ar ôl acen neu sillaf olaf croes, traws, (sain)
     e.e. t g d r (ch) / t g d r (f)
     gwahanu odli sain/llusg yn ôl math o safle a threfn odlog mewn llinell:
     diwedd gair canol â chanol / canol â goben

CH. gwahanu mathau o acennu:
     (a) patrwm cytseinedd croes a thraws (i) cytbwys acennog, (ii) cytbwys ddiacen, (iii) anghytbwys ddisgynedig
     (b) patrwm cytseinedd sain (i) cytbwys acennog, (ii) cytbwys ddiacen, (iii) anghytbwys ddisgynedig, (iv) anghytbwys ddyrchafedig

D.   gwahuno: presenoldeb cynghanedd wahanol a threfn acennog ym mhob llinell (amryw mewn un).

(iii) DEUOLIAETH CYFLWR

O dan bob iaith ceir rhagosodiad neu ragdyb o drefn. Dyw siaradwyr normal byth yn meddwl am y peth. Mae'n rhan o'u bodolaeth fel yr awyr y maent yn ei hanadlu. Ond gwaith y sawl sy'n myfyrio am iaith – neu am Gerdd Dafod hithau yn achos y Gynghanedd – yw darganfod y dyluniad neu'r cynllun hwnnw sydd ynghudd ynddi.

Gwelsom, wrth ystyried hynny, fod yna ddwy broses sy'n rheoli'r Gynghanedd: potensialeiddio, sy'n sylweddoliad o gynllun ailadroddol amrywiol-unol; a dirfodoli, sef cynhyrchu canlyniadau unigol, gweithredu'r synwyradwy. Hynny yw, adeiladu sefydliad Cerdd Dafod yn gyntaf, yn hanesydol ac yn y meddwl; gweithredu proses Cerdd Fynegiant yn ail. Mewn geiriau eraill, gwelsom fod yna ddau gyflwr o fodoli (fel sydd ar iaith) ar y GYNGHANEDD: y Gynghanedd gyffredinol a'r gynghanedd unigol:

I TAFOD	Delfrydiad o leferydd h.y. lleferydd anghorfforol	Cyffredinol (wedi'i fewnoli) Y Cyflyrwr
II MYNEGIANT	Cyflawniad o leferydd h.y. lleferydd materol	Arbennig (wedi'i allanoli) Y Cyflyredig

Yng Ngherdd Dafod, profir bodolaeth y gyfundrefn o arwyddion (y patrwm o gytseiniaid, llafariaid, ac acenion), heb yr un arwydd penodol llawn ystyr. Yng ngolwg Ôl-foderniaeth, y ffasiwn diwinyddol diweddar o ymagweddu at fywyd, tryblith a chwalfa yw sylwebaeth uniongyrchol ar y canlyniadau yn II. Ac yn sicr, byddai'r ystyr yn ddigydlyniad ac yn anhydrefn fel yna mewn Mynegiant oni bai am Dafod. Rhagdybiaeth anghywir, sut bynnag, yn dechnegol yw Ôl-foderniaeth ynghylch diffyg gwerth, trefn, a phwrpas, nid yn unig yn rhagdybiol athronyddol, eithr yn ymarferol ddeallol. Ni chenfydd y Tafod sy'n cynnal deall. Ond yn y byd real, nid anarchiaeth anymwybodol yw Mynegiant yn hanes llenyddiaeth. Fe'i hamodir gan Dafod.

Gyrrir Tafod tua Mynegiant, fel y gyrrir ffurfiau'r Gynghanedd tuag at Gyfannu, ac fel y gyrrir llunio ffurfiol drwy Wahuno. Trefn orfodol sylfaenol sydd i'r cwbl. Delwedd gymen yn y meddwl.

99

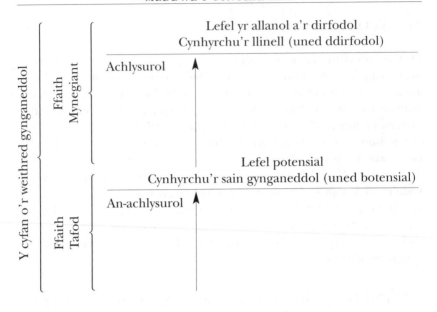

Gwiw i mi efallai o'r newydd esbonio'r gwahaniaeth a brofir rhwng *sain gynganeddol* (yn ôl cyflyriad Mynegiant) a *ffonem* (megis cytsain, llafariad, yn ôl cyflyriad Tafod):

1. Diffinnir y *ffonem* fel arfer yn ôl y grym sefydlog sydd ganddi mewn gair penodol a ffiniedig i wahaniaethu ystyr, felly: mat, mad; côt, cod; cwt, cwd; dyma a ddisgwyliem efallai yn y Gynghanedd hefyd – a dyna i raddau sydd yno. O fewn dosbarthiad y ffonem gellid clywed amryw seiniau sydd ychydig yn wahanol – OND,

2. Diffinnir y *Sain Gynganeddol* yn rhannol yn ôl y cyd-destun seiniol, a gwelir y newid a ddigwydd i'r sain 'wahân yn y gair unigol', sydd yn ffonem yn y bôn, yn ffonem arall yn ôl llif cyd-effaith seiniol (ond ffonem yw o hyd, nid sain neu allffon yn unig):

e.e. Y ddraig goch ddyry cychwyn.

g g   c

Digwydd rhywbeth yn y dirfodoli; ac y mae i'r hyn a ddigwydd ddau wyneb.

100

Dyna ymyrraeth ceseilio. Llif o seiniau cynganeddol statudol yw'r Gynghanedd ar ryw olwg; nid llif o ffonemau sefydledig yn unig; ac eto, tynnir y seiniau cynganeddol drwy batrwm yn ôl tuag at ddadansoddiad ffonemaidd. Mewn iaith, y gair yw'r uned botensial mewn Tafod yn gyffredinol. Mewn Cynghanedd, y sain gynganeddol yw'r uned botensial. Ar lefel y potensial teithia'r gair (sef gair yr iaith) drwy gyfnod cynnar potensial tuag at botensial cyd-destunol seiniol 'sefydlog', – cyd-destun y llif. Nid yw seiniau'r Gynghanedd yn gwahaniaethu ystyr (onid mewn Mynegiant), am nad oes a wnelo cyfundrefn y Gynghanedd mewn Tafod ddim oll ag ystyr: cyfundrefn seiniol bur yw, nes cyrraedd cyflwr Mynegiant. Yn y fan yna, mae'r seiniau'n cael eu cyflyru gan amgylchfyd nas ceid mewn Tafod.

Dywedais lawer tro cyn hyn – ac fe'i dwedwyd o'm blaen – mai 'iaith o fewn iaith' yw Cynghanedd. Ac yn awr, yr wyf yn awyddus i wrthbrofi'r haeriad hwnnw, o leiaf yn ei amrydedd. Fe'i gwnaf ar ddwy sail:

1. Nid ymddengys fod ynddi ffonemau sefydlog; dim ond seiniau. Does dim ystyr i'r gair 'ddraic' yn y llinell 'y ddraic coch ddyry cychwyn'. Ffonemau sy'n gwneud iaith, pethau a benderfynir gan ystyr. Nid dyna, fe ymddengys, sydd yma. Ac eto, cydymffurfia y ceseilio â'r sefydliad o ffonem gan dderbyn dosbarthiad confensiynol. Mae'r cynnyrch mewn Mynegiant yn ffonemig o ran dosbarthiad yn y diwedd. Dyma a geisir ac a geir.

2. Nid oes yn y Gynghanedd fylchau geiriol confensiynol; yr unig fylchau arwyddocaol yw'r rhai mydryddol. Llif o sain yw. Nid yw'r Gynghanedd ei hun yn cynnwys geiriau. Ni all felly fod yn 'iaith'. e.e. 'Esgud wŷs i ddysgu Duw Iesu', lle y troir 'ddysgu' yn 'ddysgud' gan y llif, yn gyntaf er mwyn odli ag esgud (nad yw'n angenrheidiol), ond yn ail: i atal rhagacen rhag odli â'r brifodl (sy'n angenrheidiol).

Beth yw'r Gynghanedd felly os nad iaith mohoni? Cyfundrefnsain.

Ystyrier y ffonem: dyma'r sain unigol sy'n caniatáu cael ei hynysu'n ystyrol; y sain, neu'r clwstwr seiniol, na all yr un sain unigol arall, na'r un clwstwr arall, ei disodli yn yr un amgylchfyd i fynegi ystyr: e.e. mewn rhai ieithoedd eraill nid yw'n bwysig a ddefnyddir t neu d mewn gair, yr un ystyr a geid. Ond yn y Gymraeg, mae t a d yn ffonemau gwahân am fod $t\hat{w}r$ a $d\hat{w}r$ yn eiriau gwahanol yn yr un amgylchfyd.

Eto, mewn Cynghanedd ceir ceseiliad fel:

> *Gwylltineb golli dynion*
> llt ll d lle y mae ll wedi meddalu t.

Hynny yw, mae un ffonem gonfensiynol yn dod yn 'ffonem' newydd oherwydd llif y sain.

> *Mwyalchod teg ym mylch ton*
> d t t lle y mae d wedi cael ei chaledu gan y t ar ei hôl.

Ystyrier y bwlch geiriol, yr hyn sydd yn yr ymwybod yn gwahanu geir-iau. Cymerer ymhellach y llinell ganlynol:

> *A'i rudd dlos yn swyno serch*
> os os

Rhed y llinell yn ei blaen yn seiniol, a dadansoddir y gynghanedd sain nid fesul gair odlog ond fesul uned neu rediad seiniol.

Am yr un rheswm fe geir camraniad hanesyddol sy'n newid geiriau: e.e. holbren (rholbren), rig (yr ig), rhoces (yr hoces), Bowen (ab Owen).

Hynny yw, nid yr elfennau ieithyddol, sy'n cynnwys ystyr, sy'n llywod-raethol yn y naill achos na'r llall, ond llif y sain. Cyfundrefnsain am ben iaith yw'r Gynghanedd hithau, nid iaith gyflawn o fewn iaith gyflawn.

Mae yna elfen o annibyniaeth felly gan y gyfundrefnsain, y Gyng-hanedd, ar ddadansoddiad yr iaith neu oddi arni. Ar un wedd, yn feddyliol ar gyfer cyfleu ystyr, fe glywir ffonemau confensiynol; ac ar y wedd arall, ysgerir ystyr, ymddygir fel pe bai'r gyfundrefn seiniol yr un ond yn gweithredu'n annibynnol. Nid cydredeg â'r iaith yw ei nod. Ond ei gwrthbwyntio o fewn rhagdybiau iaith. Nid o fewn yr iaith y gweithia, ond ar ei phen ei hun, eto o fewn ei chyrraedd.

Mae pawb sy wedi astudio'r Gynghanedd, hyd yn oed yn gymharol arwynebol, yn gyfarwydd â'r term ceseilio.

Y mae fel pe bai un gytsain yn cymryd un arall o dan ei chesail. Ac yn wir, y mae yn gwneud hyn yn isymwybodol. Mae'n digwydd hefyd drwy'r glust i'r meddwl.

Os yw'r gair 'ceseilio' yn derm technegol cymharol brin yn y mart, hynny yw os nad ydym yn ei ddefnyddio uwch ein creision bob bore, gair dieithrach byth i rai yw'r term *ffonem*. Dyma'r 'uned seiniol ystyrlon leiaf', medden nhw. Nid oes i ffonem ei hystyr briod ei hun. Derbynia'i hystyr a'i hunigrywiaeth yn ôl ei safle mewn cyfundrefn. Fe'i diffinnir gan ei ffiniau. Ond beth a ddigwydd pan gyll ei ffiniau, ac eto ddal i gadw ei harwyddocâd? Y pryd hynny â'r meddwl dadansoddol ati i drechu'r glust. Naid. Didola'r meddwl yn nannedd y sain.

Dowch yn ôl yng ngoleuni'r disgrifiad o'r ffonem i ailystyried ceseilio. Gwelir bod perthynas rhwng y ffonem Gymraeg ac ystyr yn ystwytho. Caniatéir yn ôl yr amgylchfyd seiniol i'r ffonem Gymreig fod yn fwy cynhwysfawr mewn Cerdd Dafod nag a wneir mewn ieithoedd Ewropeaidd eraill. Ymleda ffiniau ffonem o fewn amgylchfyd sy'n wahanol i Dafod yr iaith. Seinia fel y gwna'n ramadegol gyda'r treigladau, gan fynegi ystyr sefydlog o fewn amgylchfyd sy'n ei newid. Ond fel y crybwyllwyd, gellid cymharu ambell ffenomen nid anghyffelyb yn arferion y Gymraeg o fewn yr un gair: e.e. ap/ab. [Ab Owen, Ap Rhisiart]

Fe ellir petruso rhag mentro'r un cam pellach hwn. Eto, fe'i mentraf. Sôn a wnaf yn y fan yma nawr am amgylchfyd neu safle seiniol yn y treigladau. Y mae'r Gymraeg yn ei gramadeg yn mynd yn ystwythach hyd yn oed na diffinio ffonem yn ôl amgylchfyd agos seiniol. *Mae'r ffonem Gymraeg*, o'i chymryd yn awr fel 'uned seiniol ystyrlon leiaf', eisoes mewn treiglad yn gallu bod yn fwy cynhwysfawr na ffonemau yn y rhelyw o ieithoedd, ac *yn ymledu neu'n amgylchu rhychwant seiniol arall yn ôl safle neu amgylchfyd gramadegol*. Ymestynna rywfodd drwy'r gyfundrefn dreigladau, gan ddiogelu arwyddocâd semantaidd (o'i chyferbynnu ag ystyr ramadegol) fel y bo c/ch/g, yn ymyrryd yn gyson yn swyddogaeth gair fel *cath* mewn modd dieithr y tu allan i'r ieithoedd Celtaidd. Hynny yw, y mae 'ceseilio' cynganeddol yn wedd lenyddol ar ffenomen ieithyddol lithrol arall a thuedd strwythurol gynhwysfawr iawn yn yr iaith, tuedd sy'n lledu perthynas ffonemig yn ddosbarthol amryddawn eisoes mewn modd ystwyth.

Dichon felly, fod angen ailddiffinio'r gair 'ffonem' o fewn saingyfundrefn o'i chyferbynnu ag iaith, neu o leiaf ei diffinio'n helaethach ac yn ystwythach wrth sôn am y Gymraeg.

Hoffwn oedi gydag un wedd ar y ffenomen hon o berthynas dau gyflwr: sef gyda'r weithred gynganeddu ei hun, y trawsnewid rhwng Cerdd Dafod a Cherdd Fynegiant. Sef y symudiad meddyliol o'r 'potensial' i'r 'effeithiol'. Ym myd iaith gellid gwneud cymhariaeth awgrymus er anfoddhaol. Sylwch ar effaith y geiryn 'fe': gwelwch, fe welwch. Potensial amhendant braidd yw'r gair noeth 'gwelwch' o ran argraff bellach, ond trawsffurfir y gorchymyn yn effeithiol bendant drwy ddodi'r geiryn o'i flaen.

Dirfodi neu ddiriaethu, y potensial yn troi'n weithredig, dyna sy'n digwydd yn y symudiad bach hwnnw mewn prydyddiaeth. Hynny yw, rhywbeth tebyg i Dafod –> Mynegiant mewn iaith. Symudiad unffordd ar yr wyneb yw'r weithred gynganeddu hon o un cyflwr sefydlog diamser i gyflwr ar y pryd. Llunio'r diriaethol dan gyfarwyddyd yr haniaethol. O leiaf dyna'r hyn a feddyliwn innau bellach. Ond cyn hynny, ceid y broses o adeiladu Tafod ei hun, tuag yn ôl fel petai: Mynegiant –> Tafod (llunio strwythur y mecanwaith gweithredol drwy gorffori arferiad dros gyfnod o flynyddoedd). Adeiledir felly batrwm cyffredinol. Ymgais sydd yn y fan yma, mewn Tafod, i ddod o hyd i drefn sefydlog mewn tryblith arwynebol.

Proses ddwyffordd yw yn y bôn, gyda'r naill yn dibynnu ar ei gilydd. Gellid disgrifio'r gwahaniaeth rhwng y ddau gyflwr fel hyn:

> *Tafod:* 'sefydlog', 'parhaol', 'anweledig', 'pŵer disgwylgar y meddwl', 'isymwybodol'.

> *Mynegiant:* 'achlysurol', 'cyfnewidiol', 'gweledig', 'ymarfer pŵer y meddwl', 'ymwybodol'.

Yn awr, dychmyger ein bod yn profi'r Gynghanedd am y tro cyntaf gan chwilio amdani drwy brofi'r broses o sylwebaeth 'wedi'r-digwydd-iad' yn achos Tafod a Mynegiant. Yr ŷm ar ein pennau'n hunain: does neb wedi dweud dim amdani wrthym. Yr ydym yn ei darganfod am y tro cyntaf erioed. Yn yr enghraifft *Beibl i bawb o bobl y byd,* ymatebwn yn effro mewn Mynegiant i'r cytseiniaid oherwydd tebygrwydd amlwg yn y pat-rwm. Sylweddolwn, efallai, acen y brifodl ac acen gyfatebol yr orffwysfa (er mai hawdd yw camddosbarthu'r rheina), a sylwn o bosib ar y gwahaniaeth ar ôl y sillaf olaf yn y ddwy ran: b bl b/(b ¦ bl b/(d. Nodwn fod cytsain gyntaf rhan 1 yn cyfateb i gytsain olaf rhan 1, sydd hefyd yn gytsain gyntaf rhan 2 (yn cael ei hailadrodd) er mwyn cyd-adeiladu ateb cyflawn. Argraffiadau mewn Mynegiant yw'r rhain oll (a hynny fel y dywedais i'r sawl sy'n 'profi'r Gynghanedd am y tro cyntaf'), ond rhaid eu bod eisoes yn dechrau tyfu'n Dafod neu'n awgrymu cynllun i'r meddwl sy'n gwrando arnynt, yn enwedig o'u hailadrodd. Bydd y sylwebaeth ar Dafod sut bynnag, yn gofyn sylwi ar sawl enghraifft. Tybed a ddigwydd y patrwm hwn yr eilwaith? Hawdd camgymryd cynllun heb brofi peth amlder. Ai 'damwain' yw? Gall mai achlysurol a diddyfodol oedd hyn o ailadrodd i gyd.

Yn raddol dadlennir cynllun o linellau cynganeddol gan mai gwaith cyffredinoli yw. Awn oddi wrth 'Beibl i bawb o bobl y byd' at linellau o Gynghanedd Groes eraill. Adeiladwaith deuol yw'r patrwm yn y llinell hon sy'n lletach na'r llinell arbennig ei hun, patrwm y tro nesaf na bydd yn dibynnu ar led broest o gwbl nac ar gytsain olaf rhan un. Cytseinedd di-fwlch sydd yma, a didolir gan y ddwy brif acen. Ceir hefyd fod rhagacen angenrheidiol i'r ail ran er nad yw hyd yn oed cynganeddwyr profiadol yn sylwi ar hynny – na hyd yn oed yn ei wybod ond yn isymwybodol. Chwynnir eithriadau. Cyffredinolir yn amgenach. Ac o archwilio amlder o enghreifftiau gellir gweld bod modd mewn llinell fel hon (mewn Englyn neu Gywydd) gael nid yn unig y rhagacen yn yr ail ran, ond y goddefir rhagacen hefyd yn y rhan gyntaf, er y gall llawer cynganeddwr yn y Gymraeg hwylio drwy fywyd yn hyfryd braf heb sylwi ar ryw wirioneddau felly. Yr hyn y sylwebir arno ynglŷn â Thafod yw'r rheoleidd-dra sefydlog, yr ailadrodd fel egwyddor, y gydberthynas rhwng nifer o linellau a hynny mewn cyferbyniad â llinellau o fathau eraill. Ac ni ellir sylwebu felly heb gorff o brofiad, heb gyfuniad o luosrwydd. Awn oddi wrth y llawer at yr un.

Sylwer: mae'r method o sylwi neu o ymateb, a ddefnyddir ar gyfer Mynegiant, yn elfennol iawn ond yn orffenedig ar y pryd, ac yn bur wahanol o ran ansawdd i'r method o ymwybod â Thafod. Achlysurol yw; mae'n unigolyddol, ac yn agored.

Sylwer er hynny: wrth ddarllen prydyddiaeth o gyfnod i gyfnod (o syncroni i syncroni), y mae'r cydadeiladwaith mewn Tafod, er iddo *ym-ddangos* mor sefydlog barhaol, yn newid. A'r gymhariaeth orau ar gyfer hyn yw datblygiad gramadeg a geirfa'r iaith o gyfnod i gyfnod (o syncroni i syncroni), ffaith a esgorodd ar wyddor ryfeddol ieithyddiaeth hanesyddol gymharol, un o'r gwyddorau diogelaf a mwyaf datblygedig barchus o'r holl wyddorau dynol.

Ar adeg benodol (syncroni) mae gramadeg iaith yn ymddangos yn weddol sefydlog. Heb brofiad o'r fath, ni byddem yn deall ein gilydd. Ond o'r golwg, fel petai, mae gramadeg yr iaith yn tawel newid.

Yn awr, fe fydd rhai o'm darllenwyr mwyaf amyneddgar wedi sylwi bod f'ymdriniaeth â ffurf lenyddol yn tueddu i ddefnyddio diagramau. Mae yna reswm pragmatig a hwylus am y rheini. A'r rheswm yw, yn ôl Gustave Guillaume, fod y cyferbyniadau elfennau gwaelodol yn y meddwl yn dod inni ar ffurf delweddau yn yr ymennydd. Carwn i'r darllenydd feddwl am ddelwedd yn awr – y symudiad oddi wrth y cyffredinol at yr arbennig, hynny yw, oddi wrth y llydan at y cul, neu oddi wrth y llawer at gulni'r ychydig – ac fel arall. Delwedder yn gyntaf y cyferbynnu cyntefig yn yr isymwybod, ac mewn cromfachau yr effaith ramadegol mewn effaith, e.e. cyferbynner un a'r llawer (rhif enwau), mwyhau (graddau cynyddol ansoddeiriau), presennol/absennol (person), a.y.b., fel pe bai'r meddwl yn ymateb i ddau neu i dri llun gweledol cyferbyniol ym mhob system. Mae'r ymateb yn gyflym fel trydan sy'n pasio drwy gyfres o orsafoedd. Gellir delweddu cyfres o orsafoedd olynol anochel: eir drwyddynt mewn modd llinellol ar hyd echel 'amser gweithredol' yn yr ymennydd. Dyma'r amser (cwta iawn fel arfer) a ddefnyddir ar gyfer rhoi ar waith y cyferbyniad cydberthynol a chryno a geir ym mhob system ieithyddol, y meddwl sy'n defnyddio Tafod yn ymarferol. Hynny yw, amser gweithredol yw'r cyswllt sy'n dechrau mewn Tafod ac yn gorffen mewn Mynegiant. Ffurf yr amser hwnnw sydd o dan sylw yn awr. Priodol o'r herwydd yw canfod yr haenen feddyliol honno o fewn adeiladwaith mewn trefn hanner-diagramatig:

↓ Y meddyliol dealladwy
↓ Y meddyliol dywedadwy
↓ Y llafar dywedadwy
↓ Y dywediad
   Y canlyniad: yr hyn a ddywedwyd, sy'n aros.

Derbyniais gais i ymhelaethu ar y broses hon o adeiladu Tafod allan o ddefnyddiau Mynegiant. Er mwyn ateb y cais teg hwnnw, bydd gofyn imi aralleirio neu ailadrodd rhai o nodweddion 'Tafod' fel y'u disgrifiais hwy yn *System in Child Language, Tafod y Llenor* a *Seiliau Beirniadaeth*.

Mae a wnelo craidd yr unedau cyferbyniol deinamig hyn a geir mewn Tafod â'r weithred o glymu'n isymwybodol rai sylweddoliadau anghymleth ailadroddol. Clymau cyferbyniol o ddwy neu dair elfen seml yn unig sydd ar waith ym mhob uned yn y cyflwr elfennaidd hwnnw.

A dechreuaf gydag enghraifft seml iawn.

Cymerer er enghraifft yr uned iambig (sy'n llawer mwy elfennol na'r unedau cynganeddol, ond heb fod yn amherthnasol): sef cyferbynnu yr elfennau o sillaf ddiacen â sillaf acennog yn uned; ac yna ailadrodd yr uned honno. Yn awr, fe ellir cyferbynnu honno'n ddifeddwl bron ar y pryd, yn sydyn ddifyfyrdod ond yn fewnol ddelweddol. Ymateb 'greddfol' ydyw i sythwelediad o'r gwahaniaeth gwaelodol rhwng absenoldeb swn a phresenoldeb swn. Ac o'r cyfuniad mewn uned. Mae'n rhaid peidio â chyfrif na bod yn 'academaidd' ymwybodol o gyferbyniad mor drawiadol gyntefig.

Mewn gramadeg, cymerer y gyfundrefn o rif gramadegol, sef y cyferbyniad unigol a lluosog. Nid rhif rhifyddol yw hyn – un dau tri pedwar pum chwech saith, a.y.b. Does dim cyfrif mewn rhif gramadegol. Sythwelediad yw. Cyferbynnir delwedd noeth un a llawer. Cyfetyb cyfrif diuned i gyhydedd mewn mydr. Mae rhif gramadegol ar y llaw arall yn llawer mwy cyntefig (unigol – lluosog) ac yn tarddu mewn delwedd sydyn o ymateb cyferbyniol sythwelediadol elfennaidd. Ymffurfia'n uned gyferbyniol un/llawer. Nid oes a wnelo â chyfrif ymwybodol ond â'r gwahaniaeth rhwng unigolrwydd ac amlder. Felly, pob cyfundrefn ramadegol.

Felly yr ymateb i Gerdd Dafod hefyd.

Sydynrwydd ymateb sythwelediadol sydd dan sylw. Dyma'i gyferbynnu deuol. Mae i'r cyferbyniad hwn arwyddocâd wrth farnu ai cyhydedd sillafog ynteu acennu a oedd ar waith o fewn y math o gyfundrefnu a gaed mewn canu cynnar Cymraeg. Gall yr isymwybod ddal ynghyd uned gyferbyniol o'r maintioli cyfyng, heb droi'n ymwybod. Ac mewn modd elfennaidd tebyg ymdeimlir yn syth â chyferbyniadau syml fel absenoldeb/presenoldeb, uwchraddoldeb/israddoldeb, swn/tawelwch, tebyg/annhebyg. Ymatebir i'r fath glymau deuol gan afaelyd yn eu perthynas hanfodol mewn cyfundrefnu gramadegol pwysig a rhyngwladol (mewn ieithoedd Indo-Ewropeaidd), fel amser berfau, person rhagenwau, cymharu ansoddeiriau. Does angen meddwl am ramadeg wrth siarad. Felly mewn Cynghanedd dan law aeddfed. Llwydda'r isymwybod i ymestyn o'r cyferbynnu cychwynnol deuol hyd at gyferbynnu triol, ond byth mwy: hynny yw, byth mwy fel unedau isymwybodol. Wedyn, cydadeiledir yr unedau.

Mewn Tafod iaith (a Cherdd Dafod) nid oes unedau neu systemau creiddiol ond rhai deuol a thriol. Fe'u cyferbynnir â'i gilydd, deuol â deuol, deuol â thriol, triol â thriol. Ond yr un yw'r craidd hanfodol.

Beth felly yw cyhydedd? Cyfrif ymwybodol onis dadansoddir yn adrannau pryd y ceir unedau digon bychan i sythwelediad dan gyferbyniad. 'System' mewn Mynegiant yw. System ar lefel fwy ymwybodol (o ryw ychydig o leiaf). Mewn Tafod ni cheir ond yr unedau sy'n cynnwys cyferbyniadau deuol neu driol, a hynny'n weddol gyson yng Ngherdd Dafod y Cymry. Yn ffurfiol, rhaid i Dafod ragflaenu Mynegiant. Gofynnir: pa un – ai Tafod ynteu Mynegiant sy'n dod yn gyntaf yn *hanesyddol*?

Ymholiad deuol yw hwn. Cwestiwn hanesyddol *a* chwestiwn systemat-aidd yw. Yn *hanesyddol* ni cheisiwn roi barn: dibynna ar hel tystiolaeth ddogfennol, gydag eithriadau a heb eithriadau. Yn *systemataidd* gellir ateb nid ynghylch yr hyn a ddigwyddodd mewn hanes ond peth hollol wahanol – perthynas seico-fecanaidd y pegynau mawr, hynny yw'r berthynas ddadansoddol, ac yn y fan yna y mae Tafod yn rhagflaenu Mynegiant o ran hanfod, er na raid i gyhydedd ddilyn Mydryddiaeth gyferbyniol o raid. Drwy drefn y deuir yn arwyddocaol, nid drwy'r damweiniol na'r achlysurol.

Ceir o leiaf ddwy lefel o strwythur felly. Gallwn sôn am strwythur dwfn a strwythur arwyneb. Manylwn ychydig ymhellach ar y gymhar-iaeth ieithyddol a grybwyllwyd eisoes, sef categori Rhif; y cyferbyniad rhwng Un a Llawer a geir mewn enwau: e.e. llong, llongau. Seilir hyn ar gyferbyniad syml-ddwfn, isymwybodol, cyffredinol eang sy'n rhan elfennaidd o'r profiad dynol wrth geisio delweddau deall, a darostwng y byd yn feddyliol fel y bo modd ei drafod. [Ceir yr un cyferbyn-iad elfennaidd mewn berfau, (aeth, aethant), ansoddeiriau (tlws, tlys-ion), adferfau arddodiadol (drwyddo, drwyddynt)] Dyna'r lefel ddofn seml a sydyn ar strwythur canolog. Mae'n lefel ryngieithyddol yn y gwaelod.

Ond gellir defnyddio gwahanol arwyddion yn y Gymraeg (ychydig yn fwy cymhleth) i ddynodi dulliau o wneud yr un peth, fel y gwelsom eisoes. Hynny yw, gellid nodi gwahanol ffyrdd o lunio lluosog o'r unigol (saith, dywedir): un dosbarth bras sy'n ymwneud â therfyniad, ac un cyferbyniol sydd *heb* ymwneud â dim ar ddiwedd y gair ond sy'n ym-wneud â newid yn ei berfedd.

Mae'r ddau leoliad bras yn y gair, sef newid terfyniad neu newid perfedd gair (syntagmatig mewn dilyniant; paradigmatig mewn disodliad) yn dynodi mannau amrywebol ar lefel arwyneb. Nid yw o fawr bwys pa arwyddion a nodir o safbwynt y strwythur dwfn: a gellid newid ffurf terfyniadau arwyneb hefyd, e.e. mynyddau, mynyddoedd; tŷ, tai, teiau.

Ymddengys fod gwahaniaeth dyfnach yn wreiddiol rhwng ychwanegu a thynnu terfyniad. Ymddengys mai'r cyferbyniad yw rhwng lluosog allanol (ychwanegu: llong, llongau) ac unigol mewnol (tynnu: sêr, seren). Gair heb derfyniad, yn y fan yma yw'r man cychwyn dadansoddol. Gwelir y sêr yn uned ddechreuol neu'n brofiad o amlder unol ac o'r tu mewn i hynny gwelir is-uned. Ceir unigol mewnol felly – seren.

Bid a fo am hynny, felly gyda'r Gynghanedd. Un yw'r Gynghanedd. Adeiladwaith unol. Fe'i cyferbynnir â'r Digynghanedd: y caeth â'r rhydd. Ond fel gyda lluosogi enwau, ceir dulliau neu batrymau o'r tu mewn nid anghyffelyb, o droi oddi wrth y llinell ddigynghanedd, i'r llinell gynganeddol. Dulliau o ailadrodd, a rhyddid (sef yr arwyneb) yn caniatáu dewis:

1. *Ailadrodd cytseiniol* (Cynghanedd Gytseiniol: Traws a Chroes)
2. *Ailadrodd llafariad* yn bennaf (Cynghanedd Lusg)
3. *Ailadrodd llafariad a chytsain* (Sain)

Cyd-ddosberthir y Draws a'r Groes am mai'r un egwyddor gynganeddol sydd i'r Draws Fantach ac i'r Groes: sef ailadrodd cytseiniaid. Un peth sy'n eu gwahaniaethu yw Lleiafswm a Mwyafswm. Ceir echel. Ar hyd yr echel ceir graddfa o ailadrodd. Ac y mae maint y cyfateb neu'r adleisio yn gallu amrywio o linell i linell. Eithr yr un egwyddor ganolog sydd i'r gyfundrefn drefnol, er bod egwyddor y bwlch yn nodwedd esthetig o bwys. Ceir dulliau gwahanol o gyflawni'r un strwythur cynganeddol.

Galwn y gyfundrefn ffurfiannol gyflawn hon yn ymgynganeddu: a'r dulliau gwahân o gyrraedd cynganeddiad yn ddullgynganeddu. Wrth ymgynganeddu, hynny yw wrth i lenyddiaeth symud yn sythweliadol sydyn o bosib o ganu rhydd neu o ryddiaith (yr iaith ddigyfnewid) i mewn i ganu caeth (yr iaith gyfnewidiedig), y mae fel pe bai'r seiniau ynghlwm wrth gydlyniad o linynnau yn darparu amgylchfyd newydd. Symuda'r rhain o fewn cylch penodedig a chyfyngedig o ddewisiadau: dullgynganeddion.

Sylwer: ymddengys yn ffurfiol (er nad yn hanesyddol brennaidd o raid) fod yna ddatblygiad egwyddorol o'r cytseiniol a'r llafariadol ar wahân. Yn y symudiad ffurfiol hwn, digwydd newidiad lleoledig yn y llinell. Ond drwy gydol y broses o ymgynganeddu anwybyddir ystyr yn llwyr. Cyfundrefn ffonemig amhur yw, fel y gwelsom; a mabwysiedir y gyfundrefn sain wrth ymgynganeddu. Ceir dullgynganeddu sut bynnag yn broses sy'n nes at y 'damweiniol' [arbitraire], fel y darganfu rhai o'r Ôl-fodernwyr yng ngwaith Saussure; ond ymddangosiadol ddamweiniol yw. Gall fod yn bur arwyddocaol annamweiniol o ran trefniant meddyliol a rhythmig emosiynol o fewn Mynegiant. A diddorol sylwi, er bod llinell gyntaf cwpled o gywydd yn cael ymarfer y dull damweiniol o weithredu unrhyw un o'r cynganeddion – o'r Fantach i'r Groes, Llusg a Sain, 'annamweiniol' i raddau yw'r llinell olaf mewn mesur; a chyfyngir rhag derbyn Llusg.

Fe ellir theori ar lefel Tafod a theori ar lefel Mynegiant. Ar lefel Tafod, fe ddylai theori fod yn sylfaenol gyfansawdd. Er ei bod yn newid, ni ddylai newid ond fel y mae gramadeg neu athrylith yr iaith ei hun yn newid. Newid yn 'sefydlog' y mae fel y newidiai gramadeg yr iaith drwy'r canrifoedd. Ar lefel Mynegiant mae theori'n fwy ymwybodol: fe all theori fod yn bolemig hyd yn oed. Dull yw o bosib o amddiffyn ffasiwn, fel ffeminyddiaeth, ôl-strwythuraeth, a rhamantiaeth. Ar lefel Mynegiant, ceir ymosodiad a gwrth-ymosodiad, gwaith ac adwaith. Ymwthio yn y newydd, blinir a cheir y newydd 'newydd'. Gall ddibynnu ar ffasiynau chwaeth – ynghylch gwylltineb, taclusrwydd, swrealaeth, ceidwadaeth, a.y.b. Mae'r rhan fwyaf o'r hyn a elwir yn theori gan theorïwyr ôl-fodern yn perthyn i lefel Mynegiant. Newyddiaduraeth yw weithiau. Ond y mae'r cwbl o Fynegiant ystyrlon yn digwydd o fewn cylch amodau Tafod.

Brysiaf i bwysleisio nad bychanu'r naill na'r llall yr ydys wrth gydnabod y ddwy ochr hyn. Ni wiw difrïo theorïau Mynegiant, na gororseddu Tafod. Dim ond tynnu sylw at y ddeuoliaeth a'r gwahaniaeth a wnaf. Mae Mynegiant yn fwy o 'goron', os rhywbeth. Dywedodd Alan Llwyd un tro (*Trafod Cerdd Dafod y Dydd 51*): 'Nid Cynghanedd fel egwyddor ond Cynghanedd fel mynegiant sy'n creu miwsig'. Hynny yw, dim ond mewn Mynegiant y mae'r synhwyrau ar waith. Patrymwaith deinamig egwyddorol cyffredinol yn unig yw Tafod. Gweithio yn ôl enghreifftiau penodol unigol ac yn ôl anghenion yr amseroedd a wna Mynegiant. Ond fel egwyddor y mae gan y Gynghanedd athrawiaeth o drefn, mae ganddi rodd o drefn. Ac y mae hi ei hun yn y fan yna yn adeiladwaith anweledig hardd i'r ymennydd. Mae'n gyflyrwr neu'n amodwr. Ac o'r herwydd sibrydir cyfrinachau yn isymwybodol am ddaioni celfyddyd mewn Mynegiant yn ogystal ag mewn Tafod. Bydd rhai ohonom yn clywed egwyddorion yn gwneud miwsig gyda'i gilydd – megis y gwna'r sêr: yr un bobl ryfedd efallai sy'n gweld mathemateg yn 'hardd'.

Sylwch yn arbennig am foment ar y berthynas rhwng rhai enghreifftiau o'r Draws fantach mewn *vers libre* cynganeddol a'r traddodiad isymwybodol y maent yn rhan ohono. Y mae'r Draws fantach o fewn y traddodiad isymwybodol yn fwy o lawer nag ateb un gytsain o flaen yr acen mewn gair acennog ar ddechrau llinell a gair acennog ar ddiwedd y llinell. Y mae'n cydymffurfio â'r patrwm acennog mwyaf cyflawn. Yn ôl y patrwm hwnnw, caniatéir un rhagacen yn ail ran y llinell mewn uwchcorfan, hynny yw ar ôl yr orffwysfa, ac un yn unig. Egwyddor drefnu yw acen. Ac mewn Cynghanedd, trefnu perthynas rhediad o gytseiniaid yw rhan o waith y rhagacen. Dichon mai'n arwynebol ymwybodol y cafwyd y datblygiad camacennol mewn *vers libre* cynganeddol. Eisoes o ran potensial digwyddai yn y traddodiad caeth; ond nid ymddengys camacennu mewn *vers libre* yn unol ag athrylith Cerdd Dafod. Mewn Cerdd Dafod, sut bynnag, yr acen yw'r goron: dyna sy'n llywodraethol, yn drefnol. Mae ganddi felly ei lle strategol.

Mae camacennu yn digwydd bellach yn 'ail linell' Englyn, weithiau. Ond yn ddiarwybod, yn isymwybodol. Mor wahanol y digwyddodd pethau gydag amlhau acenion, gan ddryllio'r gyfundrefn yn yfflon. Felly y gwnaeth T. Gwynn Jones ac Euros – gyda llwyddiant yn achos T. Gwynn Jones ond heb gymaint o lwyddiant yn achos Euros. Golygai hynny amlhau rhagacenion mewn modd afradlon. A dyna a ddigwyddodd gyda'r Cynganeddion Traws artiffisial a gafwyd yn sgil arbrofi rhy esgeulus neu'r llinellau a ymestynnodd y tu hwnt i grynoder patrwm yr 'un' rhagacen.

Sylwer ar y linellau hyn. *Y Dwymyn,* T. Gwynn Jones:

> y gŵr canol oed oedd yn hanner gorwedd . . .
> a fydd o'i waed ei hun ni bo ufudd dano . . .
> meibion merchedaidd a merched mabaidd . . .
> drosodd, y tu hwnt i'r afon a'r drysi . . .
> disgynnodd o'r gaer yn araf ac yna safodd . . .
> Yna daeth, yng ngwagter ei enaid ef . . .
> wedi gwledd, a mynd y cymheiriaid i'w gwlâu . . .
> i ystofi ei gymysg feddyliau mewn ystafell . . .
> a medr awen yn y cadwynau a'r modrwyau . . .
> [Dyna naw enghraifft yn ei gerdd 'Y Fraint']

Yr hyn a ddigwyddodd wrth amlhau rhagacenion oedd anwybyddu a dianrhydeddu un o brif egwyddorion cyd-gynhaliaeth undod y llinell. Ymosodiad ydoedd ar yr 'uniaeth' sydd mewn 'gwahuniaeth'. Ac felly, rhaid ei holi.

Mae'n ymddangos i mi yn ôl anian Cerdd Dafod ei hun, fod cyfundrefn y rhagacenion yr un mor bwysig â chyfundrefn y prif acenion. Yr hyn sydd wedi digwydd mewn rhai enghreifftiau o *vers libre* cynganeddol – yn gam neu'n gymwys – yw bod arbrofwyr ymwybodol wedi ceisio patrymu o gwmpas y prif acenion gan anwybyddu, gan dreisio yn wir, y di-acenion.

Sut y dynodwn briodoleddau'r *gyfundrefn* Cerdd Dafod o'u cyferbynnu, o ran cymeriad, â'r llinell gynganeddol unigol felly? Mae'r naill yn gyffredinol yn rhagflaenu, heb ddewis. Mae'n achos; yn broffesiynol; yn offeryn, yn sefydledig, yn derfynedig barhaol, yn gymharol gaeth, yn amodi, yn gudd o'r golwg; yn theori, yn gymharol haniaethol, ac yn cyflyru; a'r llall yn unigol, yn dod yn ffurfiol wedyn, yn ffrwyth dewis; yn effaith, yn ganlyniad, yn ddefnydd, yn ansefydledig, yn ddiderfyn, ac yn gymharol rydd; wedi'i amodi, yn achlysurol, yn amlwg yn y golwg; yn empirig, yn ddiriaethol, ac yn gyflyredig.

Sylwir ar y llinell o gynghanedd (y Mynegiant) yn uniongyrchol. Sylwir ar Gerdd Dafod yn anuniongyrchol (hynny yw, casgliad yw a wneir drwy gyfrwng sylwadaeth a myfyrdod am y llinell gynganeddol – sawl llinell).

Mae'r cam o Gerdd Dafod i Gerdd Fynegiant fel pe bai'r meddwl yn treiddio drwy ogor trawsffurfiol. Rhidylla'r broses y deunyddiau 'crai' sy'n Gyfundrefn o gyfundrefnau gymharol sefydlog, a daw'r cyfansoddiad i'r golwg.

Math o drosiad mewn sain yw'r Gynghanedd. Yr hyn yw'r llythrennol i'r trosiad, dyna yw'r Ddigynghanedd i'r Gynghanedd: ni dderbyniodd yr ysbryd newydd. Derbynia'r Ddigynghanedd fath o dröedigaeth lle y mae iaith yn mwynhau bywyd llawnach. Math o ddistyllu yw lle y daw'r amrywiaeth anunol i dderbyn undod amrywiol. Caiff o'r herwydd ffiniau celfyddyd – gyda dechrau, canol a diwedd. Fe'i glanheir, fe'i prydferthir â threfn deddf. Allan o'r peth marw, mae'r peth byw yn dod; ac o'r ddeddf y gras.

Mae'n fwy na phasio o Dafod i Fynegiant (iaith). Ieithydda ychwanegol yw. Felly, pan dry ystyr botensial 'Mae'n braf edrych adref' yn seiniol effeithiol 'Teg edrych tuag adref', gwahuno yw'r distylliad:

Llythrennol	—>	Gwahuno	—>	Trosiad
Llinell ddigynghanedd	—>	Gwahuno	—>	Cynghanedd
Gwraidd	—>	Bôn	—>	Ffrwyth

Mae'r naill broses a'r llall yn darganfod tebygrwydd mewn annhebygrwydd. Troes ymwahanu gwastad yn wahuno crwn. Datguddiad rhyfeddol yw wrth ymwybod â phatrymau bodolaeth. Darganfod chwalfa ac anchwalfa celfyddyd a wneir. Cadarnhad yn y negyddiad.

Dichon mai gwell peidio â synied yn ormodol am y cymhlethrwydd hwn oll yn ôl termau fel 'amodau' neu ' gyfyngiadau' yn unig. Dyma'r

'adnoddau' hefyd. Dyma'r cyfleoedd a'r defnyddiau ar gyfer atgyf-
nerthu'r mydr a thanlinellu ystyr. Mewn trefniant mydr ni adewir hyd
yn oed y sillafau diacen yn amddifad. Rhaid yw meithrin rhyw batrwm
perthynas i'r sillafau i gyd. Ac yn hyn o faes y mae'r carfanu deuol/triol
unwaith eto'n arwyddocaol. Rhoddant y ffiniau cyplysu ar gyfer undodau
a ymostynga i arglwyddiaeth y sillafau acennog. Nid arwynebol yw ffurf
seml megis tri-yn-un. Dyma un o'r ffactorau mwyaf cyffrous a phell-
gyrhaeddol yn adeiladwaith y mydrau Cymraeg.

(iv) O GYLCH AC O AMGYLCH MYDRAU'R GYNGHANEDD

Mewn Cerdd Dafod, yr acen fel y gwelsom yw brenhines y llinell. O dan
ei goruchwyliaeth hyfryd hi y trefnir cytseinedd ac odl. Acenion yw
cynheiliaid Cynghanedd.

Oherwydd y traddodiad llafar y mae ei threfniant fel arfer yn anym-
wthiol isymwybodol. Gostyngedig yw'r acen. Yn fynych, pe gofynnech i
Gywyddwr profiadol sawl acen sydd mewn llinell o Gywydd Deuair
Hirion, ni byddai'n gallu ateb ar ei ben. Gydag ambell brifardd cadeir-
iol yn yr Eisteddfod Genedlaethol, pe gofynnech iddo sawl acen sydd,
dyweder, yn ail 'linell' Englyn, dichon na byddai ef ychwaith erioed
wedi ystyried y fath beth.

Yn wir, o'r herwydd, pan dry'i waith o Englyna i fod ychydig yn ym-
wybodol fe all wneud camgymeriadau acennog am nad yw'r prif
gwestiwn hwn, sef mater yr acen isymwybodol, yn cael y sylw dyladwy.

Wrth gwrs, yn achos yr Englyn, pan soniwn am yr ail 'linell', y mae'r
cwestiwn annifyr yn codi, pa un yn union yw'r ail linell?

Mae yna dri ateb posibl.

Yr un amlwg byrfyfyr yw'r un cysodol. Os yw pobl yn y cyfnod
diweddar yn gosod llinellau yn ôl nifer y sillafau: 10, 6, 7, 7, yna grŵp 6
yw'r ail linell, fel y gŵyr pawb.

Ond yr ydym eisoes wedi meiddio awgrymu nad cyhydedd, hynny yw
nad cyfrif sillafau, sy'n cyfrif yn bennaf, ac mai'r acen yw brenhines y
llinell. Ac wedyn, y mae gan yr odl hithau rywbeth i'w ddweud. A phe
baech yn ystyried unedu yn ôl (a) Prifodl, yn ogystal â (b) Cynghanedd,
does dim dwywaith fod yn rhaid cyfrif dechrau'r ail linell gyda'r gair
cyrch. Yn ôl y trefniant hwn, sydd i mi yn well na'r awgrym cyntaf (sef yn
ôl grwpio 10, 6), byddai'r aceniad sylfaenol yn hanesyddol yn golygu 3
acen mewn llinell heb y gair cyrch ynghyd â 3 acen mewn 'ail linell',
sy'n cydio yn y gair cyrch, ynghyd â 3 a 3 arall yn y ddwy linell wedyn.

Amrywiai, wedyn, hyd y llinell gyntaf a hyd yr ail yn ôl nifer y sillafau yn y gair cyrch. Nid cyfrif sillafau yw'r drefn ddofn eithr aceniad. Dechreuai'r 'ail linell' yn nechrau'r gair cyrch yn ôl y diffiniad hwnnw, fel y gŵyr pawb. Eithr tanseilir y dybiaeth hon ryw ychydig efallai gan y ffaith fod diwedd y gair cyrch yn ffurfio uned arwyddocaol, uned a bwysleisir gan y rhagwant sy'n mynnu gan y Gogynfeirdd a Beirdd yr Uchelwyr lynu'n gyndyn wrth y bumed sillaf.

Ar y llaw arall, y mae gennyf resymau hanesyddol, y soniaf amdanynt mewn man arall, dros ystyried y grwpio 10, 6 yn *un* linell gyfansawdd gyfan. Mae'n cynnwys dwy is-uned, tair acen yr un. Hynny yw, credaf, a bod yn fanwl mai 3 llinell fydryddol ac nid 4 sydd mewn Englyn Unodl Union. Ac y mae'r arferiad sydd gan rai beirdd o gysodi'r ail 'linell' o chwe sillaf (os oes rhaid o ran gofod ei gosod yn is-uned) fel y bydd yn cynnwys llythyren fach ar y blaen, yn beth i'w gymeradwyo ac yn adlewyrchu natur wreiddiol yr Englyn Unodl Union, sef cyferbyniad cydlynol o un llinell hir (16 sillaf) ynghyd â dwy linell fer (7 sillaf yr un). Yn yr hen amser fe adlewyrchid undod llinellol y 16 sillaf gan y ffaith fod y cymeriad ar ddechrau'r paladr yn ateb cymeriad pob un o'r ddwy linell yn yr esgyll (lluosog); ond nid atebid fel arfer yn yr ail 'linell' gysodol. Diddorol felly sylwi ar yr arferiad diweddar iach hwn i beidio â rhoi llythyren fawr ar ddechrau'r 'ail linell' gysodol chwe sillaf.

Ond dowch yn ôl at y cwestiwn: am yr ail linell gysodol, sef y 6 sillaf, sawl acen sydd? Cymerer ambell enghraifft. Dyma englyn anghywir:

BEDDARGRAFF TRI

Dyma ni gwedi pob gwaith – yn dri llesg
a wnaed o'r llwch unwaith,
Mewn bedd (On'd dyrnfedd fu'n taith?)
Lle chwelir ni'n llwch eilwaith. [YFE 19]

Dyma un arall:

AR GOFEB RHYFEL YSGOL DYFFRYN NANTLLE

I'w helynt dros bell dalar – aeth y rhain,
fel y llathr wŷr cynnar
A aeth gynt yn ebyrth gwâr
I hen dduwiau y ddaear. [YFE 83]

(cf. YFE 253, 272, 343, 435, 539, 666, 672, 714, 715, 902, a.y.b. Tebyg yw'r bai fan yma i'r bai 'Camosodiad mewn gorffwysfa' CD 271-3 nas nodir yn y Mynegai i'r gyfrol honno. Dyma derm Simwnt a J.M.J; ond wrth gwrs, y mae yna wahaniaeth. Fe'i galwn hi'n 'Gormod rhagacenion'. Fe'i trafodir CD 269, 277, 288. Trafodais innau'r mater yn gryno yn SB 97n. Ac fe'i trafodaf yn helaeth yn Adran y Beiau Gwaharddedig yn y gyfrol hon. Yr hyn a ansefydlogodd y patrwm acennu hwn o bosib oedd colli'r golwg ar y rhagwant.)

Pam yr awgrymwn fod y rhain yn anghywir?

Cymerer: *'yn dri llésg/a wnaed o'r llwch únwaith'*

Nodais y ddwy brif acen. Rhaid cael un rhagacen yn yr ail ran ac un yn unig. Disgyn honno ar y gair 'llwch' o raid oherwydd cytseinedd. Felly, ceir tair sillaf yn ddiacen olynol o'i blaen, er na chaniatéir mwy na dwy sillaf ddiacen olynol mewn Cynghanedd ynghyd â sillaf acennog. Yr un modd gyda'r ail englyn:

'aeth y rhain, fel y llathr wŷr cynnar.'

Mae'r rhagacen yn yr ail ran yn disgyn ar 'wŷr', sydd eto'n peri bod tair sillaf ddiacen olynol yn ei rhagflaenu. Un peth a allai fod wedi digwydd, dybiaf i, o gyfnod Simwnt Fychan ymlaen, yw bod y beirdd o bosib yn clywed unedau acennog-gyseiniol, heb fod yn gwbl sicr o'r Gynghanedd bengoll. Peth arall yw bod Mynegiant yn ymyrryd â Thafod gan ei atrefnu'n aflwyddiannus: hynny yw, yn ddibarhad yn y traddodiad. (Sylwer gyda llaw ar ddatblygiad nid annhebyg a ddigwyddodd yn orfodol mewn Sain Tro Bengoll, fel y gorfodwyd y Gynghanedd driol i droi'n bedairacennog.)

Symudwn ymlaen, sut bynnag, at y Cywydd Deuair Hirion. Symud yr ydym, heb ymadael yn llwyr â'r pwnc dan sylw, sef aceniad y Gynghanedd.

*   *   *

Mesur hirhoedlog anghyffredin yw'r Cywydd. Cyfetyb o ran pwysigrwydd i'r *alexandrine* yn Ffrangeg neu i'r mesur pum curiad iambig yn Saesneg. Yn wir, dichon iddo fod yn bwysicach i ni'r Cymry am gyfnod nag y bu'r un o'r mesurau hynny erioed yn Ffrainc nac yn Lloegr.

Mesur prydferth odiaeth ydyw. A chyfyd ei brydferthwch, a'i hirhoedledd o'r herwydd, o'i amrywiaeth anymwybodol rhyfeddol.

115

Yr anymwybodol ydyw nerth ffurf. Yr hyn a ddigwydd mewn ffurf heb ei gynllunio, fe all mai dyna a rydd iddi ei hystwythder a'i gwerth weithiau. Ond fe all ffurf, eto'n anymwybodol, ddatblygu undonedd, dadamrywio; ac oherwydd hynny, fe all lesgáu. Efallai y cawn sylwi ar hynny wrth droi o gylch ac o amgylch y Cywydd.

Ceisio tynnu sylw at yr hyn sy'n anymwybodol yn natblygiad y Cywydd yw prif ergyd y pwynt sy dan sylw yn awr. Fe'i bwriedir ar gyfer y *connoisseur:* nid ar gyfer y cynganeddwr ffwrdd-â-hi, ond i'r sawl, fel Waldo gynt, a hoffai feddwl am y seiniau, eu ffroeni a'u blasu'n bwyllog, gwrando ar eu sigl a'u hyfrydwch, a gadael iddynt fynd yn ôl ac ymlaen yn ei ddychymyg.

Yn awr, mi dybiaf i fod yna symudiad arddulliol datblygol go ddiddorol wedi bod yn hanes mydrau'r Gynghanedd, o gyfnod amlygrwydd y tri churiad mewn seithsill yn y bedwaredd ganrif ar ddeg tuag amlygrwydd y pedwar curiad yn yr unfed ganrif ar bymtheg. Bydd rhai ysgolheigion yn pwysleisio pethau felly o safbwynt 'hanes'. Maent yn awyddus i ddyddio pethau, a gall ffasiwn acennu anymwybodol helpu. Awydd digon teg. Ond o'm rhan i, mae yna gymaint o amrywiaeth yn arddull a chyfartaledd cynghanedd sain neu lusg un dyn, heb sôn am un cyfnod, fel y petruswn gryn dipyn rhag pennu dyddiadau'n rhy bendant i unrhyw gywydd unigol ar y sail yna'n unig. Yr hyn a ddylai gyfrif i'r *connoisseur* prydyddol doeth yw ffwdanu ynghylch yr hyn sy'n digwydd yn y glust, a rhwng y glust a'r galon.

Awgrymaf fod miwsig arbennig y Cywydd yn codi o'r amrywiaeth a geir rhwng cyferbynnu llinellau tri churiad a llinellau pedwar curiad. A gwell imi enghreifftio beth sydd gennyf mewn golwg. Clywch fiwsig arbennig y tri churiad. Miwsig yr odrif a'r anghytbwys. Sef *un* yn cyferbynnu â *dau*. *Un* cyn yr orffwysfa, a *dau* wedyn. Dyma gyfraniad mydryddol arbennig y Cywydd i'r traddodiad barddol. Yr ymddangosiadol wrthgyferbyniol. Y triol hefyd: fel y mae'n rhaid cael tair coes i unrhyw stôl sefyll. Gwrandewch ar yr acennu triol yn gyntaf.

> *Gyr gláw ar y gárreg lóm,*
> *Tréwir yr óerias trwóm.*

Mae'n bwysig cael gafael ar y symudiad eglur ac unigolyddol sydd ynddo. Felly clywch enghraifft arall:

> *Un dláwd yw fy nghénedl í.*
> *Rhóddwyd cyfláwnder íddi.*

Tuedd y llinell dri churiad hon yw ffurfio uned heb orbwysleisio rhaniad. Lleddfir yr orffwysfa, hynny yw, peidir â gadael inni ymdeimlo llawer â hi. Clywn y symudiad cyfan sydd yn y llinell ar ei hyd, ac mae'n fyrrach i'r glust na'r llinell bedwar curiad er bod yr un nifer o sillafau. Yn wir, y mae lle i gasglu fod y tri churiad hyn o uned, wrth ymgysylltu neu ymgyfuno ag uned dri churiad arall wedi esgor ar fesur cyflawn y Toddaid Byr; ond nid dyma'r lle i ddadlau am y mesur hwnnw yn awr. Y llinell dri churiad hyn yw'r cyfanswm lleiaf sy'n bosibl mewn llinell o Gywydd.

Cyferbynner miwsig y ddau gwpled a ddyfynnais uchod â'r ddwy linell ganlynol:

> Y cýsgod trẃm lle cẃsg tráis
> Ac wédi'r dáith gádo'r dýdd.

Ar unwaith fe glywn y cydbwysedd, ac y mae'n arbennig o drawiadol oherwydd bod y gofod yn brin. Ymwthia'r orffwysfa ymlaen. Ceir rhagacen yn rhan gyntaf y llinellau. Gwesgir y patrwm at ei gilydd gan fyrder y llinellau, a chlywn y trawiadau'n eglur, er bod yr undonedd yn cael ei leddfu drwy drugaredd gan yr amrywiaeth arall sy'n tarddu o fiwsig neilltuol y Gynghanedd ei hun, lle y mae peth rhyddid o gwmpas egwyddor i beidio â rhedeg mwy na dwy sillaf ddiacen yn olynol gyda'i gilydd. Pe bai'r Gynghanedd heb yr ystwythder hwnnw ac wedi'i chyfyngu gan y dull corfannog iambig neu drochäig o weithio, ni byddai'r mesur wedi byw, fel y gwnaeth.

Y llinell bedwar curiad yw'r cyfanswm mwyaf sy'n bosibl mewn llinell o Gywydd. Cyn belled ag y sylwais i, nid yw'n digwydd mewn Cynghanedd gytseiniol (groes neu draws) ond mewn llinellau acennog, gydag ambell eithriad. Y mae Cynghanedd odlog (sain a llusg) yn codi cwestiynau eraill:

> A'r lláll, ddyn gálch fálch fýlchgaer. (Dafydd ap Gwilym)
> A lláwer gáwr, fáwr fẃriad (Iolo Goch)

Ymddengys fod y tair acen olynol yn y llinellau hyn yn gorfodi ailfeddwl am aceniad Sain. A oes gan ragacen, sy'n odli, statws arbennig?

Cyn inni geisio sylwi ar y ffenomen hon yn hanesyddol, rhaid imi dynnu sylw at ddau gwpled pellach o fath ychydig yn wahanol, er mwyn rhoi to ar das fy nisgrifiad byr o fiwsig y Cywydd. Yr ail ddull fel petai o lunio cwpled. Dyma gyferbynnu'r llinell bedwar curiad â'r llinell dri churiad:

> *Y grúg a'i líw dan gráig lóm*
> *A rýdd ei árwydd érom.*

Y cyferbyniad cynhenid – ac i mi, cyfareddol – hwn yw cryfder y Cywydd. Mae'n gwbl isymwybodol. Nid oes neb o'n beirdd yn ymwybodol ohono wrth lunio'u cywyddau. Yn wir, dyma gryfder pob ffurf. Ped âi'n rhy ymwybodol, fe âi'n addurn yn hytrach nag yn adeiledd, yn atodiad yn hytrach nag yn gynhenid.

Dyma'r miwsig hwnnw eto ond tuag yn ôl:

> *Péidiai rhýfel a'i hélynt,*
> *Péidiai'r gwáe o'r pédwar gwýnt.*

Wrth gyferbynnu'r miwsig anghyffredin hwn a berthyn i'r cwpledi hyn yn awr, fe ganfyddwn nerth y gwahaniaeth: un a dau yn cyfredeg gyda dau a dau.

Yn awr, dyma'r pedwar posibilrwydd mewn cwpledi Cywydd. Gellir cyfuno tri a thri, tri a phedwar, pedwar a thri, pedwar a phedwar, dyna'r cwbl.

Yn hanesyddol tybiaf mai yn y cyfuniad cyntaf y dechreuodd y mesur. Mesur triol gwerinol ydoedd, dybiwn i. Ond pe bai wedi aros yn y fan yna, byddai wedi darfod o gyffredinedd ac undonedd. Byddai'n anniddorol, yn anfonheddig ac yn ddiflas.

Yr hyn a ddigwyddodd dybiwn i oedd bod dull arall wedi dylanwadu arno. Ochr yn ochr â thraddodiad gwerinol y tri churiad fe geid traddodiad bonheddig ceidwadol y ddau guriad. Efallai fy mod yn gormodieithu yn ôl theori'r rhyfel dosbarth; ac eto, fe all yn wir mai symudiad yn hierarchiaeth y dosbarthu cymdeithasol sy'n gyfrifol am yr hyn a ddigwyddodd. Yn natrysiad y rhyfel-dosbarth mesurol y cafwyd y cyfoeth. Sylfaenwyd llawer o fesurau'r awdl, sef prif fesurau'r pencerdd, ar uwch-corfannu dau guriad. Sylfaenwyd mesurau Englyn y bardd teulu ar yr un egwyddor â'r Cywydd, os cyfrifwn fod y Cywydd neu'r Traethodl (fel y Rhupunt hir) yn fesur arbennig i'r glêr. Benthyciad gan yr Englyn a'r Cywydd oddi wrth y mesurau awdl yw'r duedd ddau-guriad. Ymosodiad gan fesurau'r awdl ar yr Englyn a'r Cywydd a wnaeth fiwsig newydd y Cywydd, y miwsig sy'n caniatáu cyferbynnu dau a dau yn ogystal ag un a dau.

Yr amrywiad hwn a roes einioes hir i'r Cywydd. Dyma'i hyfrydwch a'i gywreinrwydd. Aeth ar un cam o un patrwm – tri a thri – i'r tri phatrwm a enillwyd yn syml wrth agor y posibilrwydd call o adeiladu seithsill o gwmpas pedair acen drwy gael rhagacen yn hanner cyntaf y llinell.

Gadewch inni wneud cymhariaeth. Cymharer cyfundrefn feddyliol y Gynghanedd â gramadeg iaith. Yn awr, ceir gwahaniaeth mawr o ran natur rhwng yr iaith a glywir bob dydd mewn mynegiant gan ffarmwr yn y mart a'r gramadeg sydd gan yr un ffarmwr hwnnw yn ei feddwl (heb yn wybod iddo). Nid yw'r naill gyflwr yn debyg i'r llall o gwbl. Mewn brawddegau y ceir mynegiant y ffarmwr, a siarad yn fras. Ond ynghudd o'r golwg, yn ei feddwl ceir mecanwaith i'w ddefnyddio, cyfundrefnau gramadegol o lawer math: er enghraifft y cyferbyniad rhwng amserau'r berfau (gŵyr y gwahaniaeth cyfrwys rhwng 'Buodd e yn Aberaeron' ac 'Roedd e yn Aberaeron') y cyferbyniad rhwng personau'r rhagenwau, y cyferbyniad rhwng graddau cymharol ansoddeiriau, ac yn y blaen. Peth felly yw 'gramadeg'. Nid mewn brawddegau parod a gorffenedig y cedwir y rhain ond mewn Cyfundrefn o gyfundrefnau, yr hyn a eilw Saussure a Guillaume yn Dafod.

Yn yr un modd y Gynghanedd. Ni ŵyr llawer o'n henglynwyr sawl acen sydd i fod yn 'ail' linell Englyn. Llai byth sy'n gwybod paham na cheir namyn dwy (a hynny gyda llaw o fewn mesur sy'n sylfaenol driol). Ac eto, heb ddysgu'r 'rheol' yna, ni byddant yn cyfeiliorni fel arfer odid ddim. A'r rheswm syml am hynny yw eu bod yn cadw yn eu meddwl, yn isymwybodol, yr ymdeimlad o gyferbynnu o fewn uned mewn ffordd arbennig. Nid 'rheol' ydyw, ond deddf. Gwahaniaethu mewn undod yw. Gwaith theorïwr llenyddol (fel J. Morris-Jones, canys theorïwr ydoedd, yn hytrach na beirniad llenyddol yn ystyr diwedd y ganrif ddiwethaf) yw dadlennu'r Tafod y tu ôl i'r Mynegiant, y gyfundrefn y tu ôl i'r ymarfer. Y deddfau yn ogystal â'r rheolau. Dangos sut yn gyntaf; ac yna, os yw'n theorïwr cyflawn, pam.

Mae'n werth oedi ynghylch y ffurfiau dyfnaf a ddatblygwyd mewn Cynghanedd yn isymwybodol gan fod a wnelont, yn rhyfedd iawn, â phob ffurf lenyddol – nid yn unig â ffurfiau sŵn megis odl, eithr â ffurfiau ystyrol megis trosiad, trawsenwad, coegi, amwysedd, a ffurfiau cyfanweithiol megis telyneg, drama, stori.

Carwn awgrymu, felly, fod hirhoedledd y Cywydd, ac yn sgil hynny yr Englyn, yn ddyledus i raddau i'r amrywiaeth amryddawn hwn sydd ynddo'n seiniol oherwydd y cyfuniad o bosibiliadau o amgylch un + dwy acen ynghyd â dwy + dwy acen. Ceid o ran egwyddor gyferbyniad ynghyd ag ailadrodd: sef yr egwyddor amryddawn a alwn i yn 'wahuniaeth'.

119

Dyma gefnu ar y cysyniad o 'différance' noeth, sef theori'r Ôl-strwythurwyr, sy'n rhy glwm wrth amrywiaeth yn unig, drwy'i gyfuno ag undod. Y cyfuniad hwnnw yw un o ragdybiau neu o amodau traddodiad celfyddydol.

Ceir hefyd – ac efallai mai dyma wreiddyn yr 'Ôl-strwythurwyr' sydd yn hyrwyddo 'différance' – ryw fath o fetanaratif rhamantaidd ganddynt o blaid chwalfa, penrhyddid, afreswm, damweinioldeb, diffyg trefn. Sef rhyddid heb ddisgyblaeth. Ac y mae hynny'n gysyniad sylfaenol groes i natur y Cread, a'r Creawdwr. Mae'n groes i'r ffeithiau.

Un gair pellach ynghylch arbenigrwydd mydr y Gynghanedd.

Mae mydr yn canoneiddio acen. Yn haniaethol neu'n ffurfiol ddelfrydol, mae Mydr, fel Cynghanedd, yn annibynnol ar ystyr. Acen piau Mydr a Chynghanedd, nid ystyr. Ond ni ellir dihatru gair rhag ystyr – neu ni byddai'n air. Ni ellir chwaith ddihatru Rhythm na Mydr rhag brawddeg – neu ni byddai'n iaith.

Byddaf yn defnyddio'r hen derm 'canu cyfacen' (neu derm newydd 'canu corfannog') i ddynodi mydr lle y trefnir y rhediad mewn corfannau ailadroddol: fel iambig x – | x – neu anapaestig x x – | x x – . Byddaf yn defnyddio'r term 'canu uwch-corfannog' i ddynodi mydr lle y ceir patrwm sefydlog o brif acenion (dyweder / | // neu // | //) ynghyd â nifer amrywiol o sillafau diacen, yn unigol neu'n ddeuol, o flaen yr acen neu wedyn. Ymddengys i mi fod y canu cyfacen, sef canu fesul corfan yn tueddu i gyplysu rhythm y *gair* â'r llinell, hynny yw ymdeimlir yn fwy tyn ag uned fechan y gair ar hyd rhediad y llinell. Ac ymddengys i mi fod canu uwch-corfannog yn tueddu i gysylltu y *frawddeg* (neu'r rhediad ymadroddol) â'r llinell. Ni wn a yw'r ymdeimlad tueddgar hwn yn gywir neu beidio.

Ond gwelais gyfeiriad gan Boris Eichenbaum at adroddiad (nas cyhoeddwyd) gan Osïp Brik ar 'Ffigurau rhythmig-gystrawennol'. Meddai ef: 'Brik's report demonstrated the actual existence in verse of constant syntactic formations inseparably bound with rhythm. Therefore the concept of rhythm relinquished its abstract character [h.y. pellhau rhag mydr] and touched on the very fabric of verse – the phrase unit.' Dichon mai'r ffenomen rythmig-gystrawennol fwyaf trawiadol a ddatblygodd o fewn mydryddiaeth Mynegiant y Gynghanedd yw'r sangiad. Roedd gan dyndra, rhyddid, gwrthdrawiad, ac ynysigrwydd stacato y ddyfais hon gryn apêl i Hopkins; ac er gwaetha'r adfywiad a roddwyd iddo gan Derec Llwyd Morgan, adlewyrchiad anffodus o ddiffyg mentr anfodernaidd ein cynganeddwyr diweddar yw'r amharodrwydd i'w fywhau. Wrth ddisgrifio'r ffigur a'i beryglon, mae gan John Morris-Jones un o'r gosodiadau hynny sy'n adlewyrchu'i graffter: 'ni thâl y gynghanedd i draethu meddyliau wedi'u ffurfio'n barod; rhaid i'r meddyliau a draether ynddi ymffurfio yn ei miwsig hi'. Syniaf i'r ffigur (sangiad) ddatblygu yn y Gynghanedd oherwydd nerth y rhannu pwysleisiedig a geir wrth gymalu Cynganeddion Traws, Sain a Llusg a hyd yn oed y Groes.

(v) FFURF SEINIOL YN RHAN GWMPASOL O'R DIFFINIAD

Fel y mae Tafod iaith yn theori o realiti'r bydysawd, felly y mae Cerdd Dafod yn theori o seiniau prydyddol y Gymraeg. Hynny yw, nid y disgrifiad ar bapur o Gerdd Dafod, ond y fodolaeth o Gerdd Dafod yn ei chyflawnder yn y pen. Eto, ni chlywir seiniau Cerdd Dafod byth. Ffurfiau ydynt yn yr ymennydd. Cerdd Fynegiant yw'r cyflwr a *glywir*, ie hyd yn oed yn y pen.

Sain yw un o brif nodweddion arferol iaith. Pan fo celfyddyd yn tarddu o iaith, mae'n naturiol ei bod o ganlyniad yn tarddu drwy sain i raddau helaeth. A pho fwyaf celfydd y bo'r ymwybod o iaith yn gyfannol, mwyaf celfydd fydd ei sain.

Nid gwedd ar ystyr yw'r gelfyddyd lenyddol. Gwedd yw ar iaith gyfan, ac y mae honno'n amgau (ymhlith pethau eraill) elfennau corfforol. Bu'r Gymraeg yn freintiedig iawn oherwydd iddi feddiannu un o'r gweledigaethau mwyaf treiddgar o gelfyddyd yn ei gwedd seiniol sydd ar gael. Gwrogodd hi i sain. Gwyddom oll fel yr oedd T. Gwynn Jones, Euros, Waldo, T. Arfon Williams ac Alan Llwyd a llu o rai eraill yn yr ugeinfed ganrif yn hwylio ar gefn rhythmau seiniol, a'u cynnwys yn symud yn ôl y tonnau, a'u hymwybod o rediad cyhyrog brawddeg, o gydadeiladwaith pennill, a'r cydblethiad o gytseiniaid a llafariaid, oll yn wrthrych gofal synhwyrus iddynt. Theori a'u llywiai hwy.

Enghraifft yn unig o 'ffurf seiniol' yw'r Gynghanedd. Ffurf seiniol ynysedig yw; hynny yw o ran hanfod y mae'n gwbl annibynnol ar ystyr, fel y mae odl a mydr hwythau (o'r safbwynt egwyddorol). Ac yn hynny o beth mae yn wahanol i'r defnydd arferol o iaith lle y mae sain a synnwyr yn gydblethog 'annatod' mewn Mynegiant.

Gwell imi geisio cyferbynnu'r ddau bâr 'sain/synnwyr' â 'ffurf/deunydd'. Mae sain fel 'cath' yn gallu cael ei dadansoddi yn dair:

    c: sy'n gytsain ffrwydrol ddi-lais
    a: sy'n llafariad hir agored, y fwyaf agored o'r llafariaid

th: sy'n gytsain ffrithiol ddi-lais
a'r tair yna gyda'i gilydd yn gwneud un sill sy'n cynnwys acen.

Mae synnwyr crwn 'cath' yn cyfeirio at anifail bach, mamalaidd o fath arbennig. Arwydd neu gynrychiolydd yw'r cyd-seinio o'r peth penodol hwnnw.

Ond yn ieithyddol, fel arfer os byddaf yn defnyddio'r gair *ffurf* am 'cath', fe'i defnyddiaf nid yn unig am *sain* yn ynysedig ond hefyd i ddynodi'i *bod yn un o'r rhannau ymadrodd traethiadol,* yn *enw* yn wir, a hwnnw'n enw *benywaidd,* unigol, anhreigledig. Dyna beth gwybodaeth am ei ffurf ieithyddol feddyliol. Ond fel ffurf lenyddol, mae potensial *odl* yn y gair (mae'n odli gyda llath), gall ddarparu *proest* (treth), ac *odl enerig* (llall): gall hefyd gymryd ei le mewn *Traws fantach,* dyweder 'cath wedi erlid y cŵn'.

Felly hefyd, yn achos y ffurf 'cerddodd', rhaid disgrifio hon yn awr fel *berf* yn y gorffennol unigol mynegol, trydydd person. Mae'r term 'ffurf' mewn iaith yn lletach o lawer iawn felly na sŵn. Nid peth synhwyrus byth yw ffurf mewn Tafod.

Am y deunydd, yn achos Baudelaire dyweder, mae'n amlwg bod 'cath' yn brofiad synhwyrus a diriaethol o greadures fechan gartrefol, ond diau mai'r argraff deimladol (symbolaidd bron) sydd drechaf ganddo, hyd yn oed yr elfen ysbrydol: mae'r deunydd sydd gan y bardd yn bur blethog.

O ran 'ffurf seiniol', fel y cyfryw, felly, gallwn anwybyddu synnwyr a deunydd, a sylwi bod y 'sain' yn elfen ynysig ynddi'i hun, ond bod y gair yn meddiannu'i ffurf yn llawn wrth ymuno â geiriau eraill. Rhan o gyfuniad yw, fel yr awgryma'r gair 'Cynghanedd' ei hun, ffurf seiniol gydlynol yr harmoni: elfen mewn patrwm estynedig yw, cyferbyniad mewn undod. Mewn llinell fel 'Teg edrych tuag adref', gellid cyfrif y cytseiniaid a'r llafariaid a'u henwi oll heb chwilio am batrwm. Ond mewn Cynghanedd, eu ffurf gydweithredol yw croes gytbwys ddiacen: undod llinellol ydynt.

Wrth gwrs, y mae'r ffurf seiniol pan fydd iaith ar waith, ac nid yn unig yn botensial yn y meddwl, yn ymgyfuno ag ystyr. Ond nid dyna sydd dan ystyriaeth yn y fan yma. Trafod yr ydym y ffaith go syfrdanol fod yna wedd ar iaith, sef y sŵn, gwedd sydd mor gwbl ganolog, yn medru cael ei hystyried fel pe bai ar wahân i ystyron penodol.

Diddorol yw cymharu'r hyn a ddigwyddodd gyda'r Gynghanedd â'r hyn a ddigwyddodd yn hanes diweddar arlunio. Mewn arlunio pellhawyd mewn rhai ysgolion rhag y 'stori', rhag y cyswllt â'r gwrthrych gweledig, a chilio i mewn i'r hanfodion – y llinell (gam a syth), y triongl, y pedrongl, y cylch, y lliwiau a'r cysgodion, y persbectif, y berthynas rhwng ffurfiau. Mewn ciwbistiaeth ac mewn paentio haniaethol (ac mewn ysgolion modern fel De Stijl, Adeileddrwydd, Celfyddyd Op, a Chelfyddyd Gysyniadol) adweithiwyd yn erbyn ystyr lythrennol.

Beth sy'n cyfateb i'r fath ffurfioldeb mewn barddoniaeth Gymraeg? Clywch Ddafydd ab Edmwnd efallai:

> I santesau oes un tasel
> a wna teiau onid Hywel
> o fewn caerau o fain cwrel
> i bawb copïau o bob capel?
> Un â llengau yn null angel
> o nef enwau yn ei fanwel
> a rydd sensau urddas honsel
> i'w luseniau oel a sinel . . .

Dyna'r arlunydd modern, seiniol haniaethol, bron. Dwi ddim am honni – o bell ffordd – fod yna enciliad trylwyr wedi digwydd rhag synnwyr ac ystyr gonfensiynol yn y fan yna. Ond y mae'r ystyr yn teneuo beth, a'r ffurf seiniol neu'r corff yn ymosod. Ymwybyddir â'r sain synhwyrus, y cnawd heb yr ysbryd. Ymwthia'r hanfod allanol. Ac ymbellha'r synnwyr, o leiaf yn fwy nag sy'n gyffredin mewn ieithoedd eraill. Mae synnwyr ar gael yno, wrth gwrs. Ond di-werth yw cyfieithu Cynghanedd o'r fath: peryg yw iddi fynd yn *rhy* elfennol i oedolion deallol. Wrth gwrs, peryg yw cyfieithu Cynghanedd beth bynnag. Llwydda rhai fel Dewi Stephen Jones ac Euros Bowen i ymddiogelu rhag y dynged honno, gan ymgodymu â meddwl er aros o fewn Cynghanedd. Yn eu hachos hwy, cyfieithir eu gwaith yn well na phrydyddiaeth gynganeddol arferol. Gyda Chynghanedd gyffredin, yn rhy fynych, tuedda'r cwestiwn 'Beth yn union y mae'n ei ddweud?' i fynnu'r ateb weithiau: 'Dim llawer. Dweud y sŵn y mae. Meddwl cymharol syniadol ystrydebol yw, mewn gwirionedd.'

Ond ni ddylai hynny ein poeni'n derfynol; ac y mae ymhell o fod yn wir droeon. Safant ar hyd yr echel, yn nes weithiau at y pegwn sain nag at y pegwn synnwyr, yn nes nag sy'n gyffredin mewn ieithoedd eraill. Ar ryw olwg maent yn arlunwyr mwy modernaidd.

Sylwer nad 'barddoniaeth' yw'r term ar gyfer y Gynghanedd ynddi'i hun. Ffurf seiniol yw, wrth gwrs; yn ymarferol fe all ddod yn farddoniaeth hefyd. Ond oherwydd llwyddo i 'ynysu' ffurf rhag deunydd, a sain rhag synnwyr, yr oedd yna un datblygiad symbolaidd go ddiddorol yn gallu digwydd. Er nad oedd y datblygiad ddim ar briffordd y Gynghanedd, yn gefndirol y mae'n bresennol ac yn fygythiol arwyddocaol. Ac oherwydd yr adnodd seiniol sydd yma, gellir mewn Mynegiant gynhyrchu perthynas rhwng sain go arbennig a synnwyr sydd y tu hwnt i gyrraedd y rhai digynghanedd.

Y mae'n debyg nad yw'n anodd dychmygu bardd, neu ysgol o feirdd, yn dyheu am ddelfryd o berffeithrwydd seiniol. Byddaf yn synhwyro ymdeimlad o'r fath ymhlith llawer o'r cynganeddwyr cyfoes. Fe'u diogelir hwy gan eu hiwmor a chan reolaeth angen y gymdeithas. Ond erys y peryg. Ond gellid synied ym maes Mynegiant fod yna ddyhead megis ffasiwn yn codi ar dro ac yn gwreiddio i feddiannu technegau allanol a greai fath o gydberthyniad diriaethol mewn sain a gyfatebai i wrthrych hiraeth esthetig gloyw. Mae'n dipyn o straen i gorffori profiad o'r fath yn fframwaith parhaol. Gellid esgor am gyfnodau felly ar enghreifftiau o linellau hyfryd, meddiannol eu seiniau, a glymai'r fath nod. Datblygid arferiadau seiniol estyniadol. Amlhaent, yn wir. Ond ni throsglwyddid arbrofion felly o fod yn achlysuron Mynegiant i fod yn gyfundrefn gorfforedig a sefydlog, yn gyfrwng patrymog cyson, yn gyfanwaith a oedd yn ffordd o fyw mewn sain. Nid âi'r wedd hon sy'n Fynegiant safonol, felly, yn Dafod sefydlog ffurfiol.

Cymerer er enghraifft yr ysgol adnabyddus o brydyddion Ffrangeg ar ddiwedd y bedwaredd ganrif ar bymtheg a adweinid fel y 'Parnasiaid'. Beirdd fel Théophile Gautier a Sully Prudhomme. Dôi Gautier (1811-72) i fyd prydyddiaeth o gyfeiriad gofod-ddiriaethol paentio. Mor gynnar â'i ragair i'w nofel *Mademoiselle de Maupin* lawnsiodd yr egwyddor fewnblyg 'Celfyddyd er mwyn Celfyddyd'. Ac fe ganfuwyd ar unwaith un elfen ddyheadol a ddaeth yn wedd ar realiti'r Gynghanedd, oherwydd, fel y gwelsom ni, safai'r Gynghanedd yn gyfundrefn ynysedig o ffurf seiniol – hynny yw, mewn Cerdd Dafod – a oedd yn annibynnol ar ystyr. Gallai'r Parnasiaid hwythau neilltuo barddoniaeth (i raddau) i fod ar wahân felly i ddigwyddiadau'r dydd. Ymarferiad cymharol ddatodedig oedd, felly, yn eu hachos hwy yn fynych, megis y gellid yn feddyliol ddatod cyfundrefn ffurf seiniol y Gynghanedd mewn Cerdd Dafod yn wyryfol oddi wrth unrhyw ymyrraeth gan fwlgariaeth cynnwys Mynegiant. Bardd eilradd oedd Gautier bid siŵr; ond y mae rhai o'r cwestiynau a godai yn sylfaenol ac yn heriol. Pleidiai ffurfiau caethach a mwy disgybledig. A dechreuai un o'i ddilynwyr Théodore de Banville (1823-

92) gloddio am fydrau mwy cywrain, mwy amhersonol gain, mwy crefftus farmoraidd. Ymgyrch ymwybodol oedd hyn oll iddo, fwriadus a chymharol arwynebol.

Yr hyn a feddylid wrth 'Celfyddyd er mwyn Celfyddyd' (ar ryw olwg) oedd 'Hunanlywodraeth i Gelfyddyd' neu'r hyn y soniwyd amdano ymhlith Calfiniaid ers y bedwaredd ganrif ar bymtheg fel 'Sofraniaeth y Sfferau'. Hynny yw, y mae i bob cylch neu sffêr ystyrol a moddol ei briodoleddau a'i hawliau'i hun o fewn y Benarglwyddiaeth.

Cafwyd cryn ddylanwad gan y Parnasiaid ar feirdd gweddol eilradd eraill fel Leconte de Lisle a José-Maria de Heredia. Ond fe'u disodlwyd yn fuan gan y Symbolwyr, a oedd yn ysgol lawer pwysicach ac a gynhyrchodd fardd o'r radd flaenaf, sef Charles Baudelaire, bardd yr oedd ystyr ei brofiad yn fwy ysbrydol arwyddocaol nag a wyddai'r Parnasiaid ddim amdano. Er hynny, dichon fod peth o *theori* Gautier yn rhagori ar ei *ymarfer.*

Defnyddir yr ansoddair 'amhersonol' i ddynodi llawer o weithiau'r cyfnod hwn yn llenyddiaeth Ffrangeg, hyd yn oed am *Madame Bovary,* yn rhyfedd iawn. Mae'r gwaith yn wrthrych celfyddyda. A hyd yn oed pan drafodir yr hunan, ymwahenir. Daw'r gwrthrych yn wrthrych sylw, yn ddeunydd llenyddol. Darostyngir y ddynoliaeth i'r gelfyddyd.

I mi, y datganiad sy'n crynhoi orau ysbryd ac athrawiaeth yr ysgol ecsentrig honno yw eiddo Prudhomme (1839-1908) yn ei *Testament Poètique*: 'y [mae'r] pwysigrwydd a ddyry'r Parnasiaid i blastigrwydd prydyddiaeth, hynny yw i'w phrydferthwch cerddorol pur, yn annibynnol ar feddwl ac ar y teimlad a fynega. Y pwysigrwydd hwn ni ellir ei brofi ond gan feirdd.'

Dyma'r math o ymdeimlad mewnblyg, ac o hiraeth a fethodd â chael ei ffordd yn llwyr ym mharhad Tafod, boed mewn barddoniaeth Ffrangeg neu yn y Gynghanedd, er y gallasai fod wedi'i wneud o bosib yng ngolwg rhywrai yn yr ail oherwydd bod dau o ffactorau mawr y Gynghanedd heb fod yn bresennol yn y Ffrangeg:

   (i)   Y cyfuniad o'r ddwy egwyddor 'gwahuniaeth' a 'rhy ac eisiau', a'r rheini wedi'u cyfundrefnu a'u corffori'n isymwybodol yn yr ymennydd;

   (ii) A'r ffaith ryfeddol – y gynhysgaeth o gydlyniad ffurfiolseiniol a ddarparai gyfundrefn gyflawn o drefniadaeth i'r glust;

   (iii) Ond ceir yn fwy amryddawn angenrheidiol, fod yr uned

feddyliol hon mewn ffurf seiniol ynghlwm annatod wrth drefniadaeth gyfansawdd gatholig a chyflawn cyfundrefn lawn hyd yr ymylon:

TAFOD – CYMHELLIAD – MYNEGIANT
DEUNYDD – CYMHELLIAD – FFURF

Heb y rhain mewn aeddfedrwydd gweddol gydlynol ni chaed y digonolrwydd i lenydda'n aeddfed. Nid sain noeth oedd iaith yn y diwedd; ond sŵn mewn ystyr.

A chofio cyfanrwydd yr effeithiau a amodir mewn Mynegiant, gwelir cymhlethdod cynnil ond tra ffrwythlon y cyfundrefnu mewn Tafod. Hynny yw, darperir, ar gyfer arddull, luosrwydd o adnoddau. Ac o'r cyffredinol hwnnw dewisir yr elfennau arbennig a wna'r llinellau unigol yn bosibl: gellir dewis yn ôl angen ansawdd y dieithrwch rhyfedd a ddymunir ar y pryd. Wrth adeiladu Cerdd Dafod crëir ymhlith yr amodau drefn a gwerth. Moesymgrymir i'r egwyddor fod i bob cytsain a llafariad werth a lle i ystyr. Drwy'r tyndra hwn y mae ystyr y cynnwys yn dod o hyd i'w symudiad a'i delweddaeth, i'w meddwl a'i hansawdd teimladol. Darpara'r tyndra fath o 'du-mewn' i'r ystyr. Nid allanolion arddangosol yn unig a geir, felly, ond mewnolion cyflyrol. Gwna lenyddiaeth yn eiddo i'r iaith ar waith. Fe'i siarsa ag egni. Fe'i caria cyn belled ag sy'n bosibl i mewn i hanfodion yr iaith. Mor glòs yw'r gwead fel na ellir didoli meddwl a synhwyrau. Mae synwyrusrwydd y seiniau'n cael eu cymhwyso gan y meddwl. Daw'r cynnwys yn ffurf. Gymaint yw cymhlethrwydd yr amodau fel na chaniatéir i symlder dym-di-dym mydryddiaeth Seisnig elfennu'r curiadau Cymraeg. Mae profiadau synhwyrus yn y modd hwn yn cael eu rhwymo mewn cymhlethrwydd cyhyrog ar lefel Mynegiant yn benodol.

Ac yn wir, gwiw yw cofio sylwadau eraill gan Syr John sy'n dangos na ellir caniatáu bob amser i rai o'r cyfuniadau hyn ymlwybro i gynteddau Tafod yn arbennig wrth Geseilio. WG 183: 'In Cynghanedd either consonant may correspond to a tenuis [di-lais, caled] or a media [lleisiol]'. *Welsh Orthography* 25: 'When two dissimilar mutes [ffrwydrolion] come together the first becomes voiceless or hard, but the second remains (or becomes) to a certain extent voiced. The exact quality of the second mute is difficult to determine; it is never quite hard and it is never as vocal as an ordinary soft consonant, but as a dental it seems to be somewhat harder than as a labial or guttural.'

Druain o'r beirdd. Yr oedd ganddynt ysfa isymwybodol am sefydlu cyfundrefn daclus mewn Tafod y gellid dibynnu arni, ond fe geid amwysedd seiniol mewn Mynegiant. Ac er cydnabod amwysedd fel troad, nid oedd amwysedd yn caniatáu cyfundrefn sefydlog a pharhaol pan fyddai ar waith. Sefydlogrwydd oedd cyfundrefn, er mor ansefydlog y byddai'r cynnyrch. A rhaid cael ymdeimlad o'r fath i rithio cyfundrefn mewn Tafod.

Mae'r isymwybod, sef meddwl cudd y Gynghanedd, yn ceisio ac yn cael sicrwydd. Gwyddom am ddogmâu a ffansïon Ôl-foderniaeth ynghylch ansicrwydd. Ond yn y byd real, sef yn yr achos hwn ym myd y Gynghanedd, does dim bywyd heb sicrwydd. Mynnir angorau. Ac fe'u ceir gan y Gynghanedd mewn ffonemau. Allffonau yw'r amrywiadau diderfyn a geir yn ôl traw'r llais, grym yr anadl, amgylchfyd pob sŵn ac yn y blaen. Y mathau gwahanol o *d*, dyweder, (y *d* sydd ar ddechrau gair, neu'r un ar y diwedd, neu'r *d* sy'n cael ei heffeithio gan amgylchiadau amrywiol o gytseiniaid neu lafariaid gwahanol, bob un yn rhith ysgafn wahanol, ond nid yn ddigon i effeithio ar adnabod ystyr). Y ffonem, fel y dysgasom, yw'r dosbarth cytûn o allffonau a fabwysiedir ac a ganfyddir er mwyn deall, yr hyn a rannwn yn gyffredinol. Bydd yr isymwybod felly'n didoli. Pan gaiff gyferbyniad cadarn, gall ei gorffori mewn Tafod. Pan na bydd cadernid, arhosir ar yr wyneb gyda Mynegiant, a chydag Ôl-foderniaeth hefyd os caf ddweud.

Mae Meddwl y Gynghanedd felly'n datgan o'r dyfnder fod gan iaith sicrwydd. Fe'i hamlygir ymhlith pethau eraill gan yr ymwybod o ddisgyrchiant: dywed ymhellach fod modd dibynnu ar ddeddfau cysylltiedig gan bwyso arnynt. Yna, adeilada yn ddiymwybod ddeddfau tarddiadol ar sail rhagdybiau neu sythwelediadau anochel, megis y cyferbyniad rhwng un a llawer, rhwng presenoldeb ac absenoldeb, rhwng uwchradd ac isradd, rhwng tawelwch a sŵn, rhwng trefn ac anhrefn ymddangosiadol. Dyma fan cychwyn meddwl y Gynghanedd. Dyma'r cyferbyniadau isymwybodol, cyn-ieithyddol sy'n fframwaith i'r cwbl o'n hiaith. Fe â drwy'r porth hwn i amlder o ystafelloedd y palas tan ganu 'Rŷm ni yma o hyd'.

Yn y cyd-destun hwn o burdeb seiniol, fe dâl inni oedi am foment ymhellach i ail-ystyried Ceseilio. Un peth annisgwyl a ddysgwn ni wrth astudio Ceseilio yw mai ffurf yw (mewn Tafod) sydd y tu hwnt i'n rheolaeth. Mae'n annibynnol wrth gwrs ar ystyr. Ond y mae hynny'n wir am bob ffurf seiniol ddofn, fel mydr ac odl hwythau. Yn rhyfedd iawn, mae'n wir hefyd am natur ffurf ystyrol megis trosiad neu goegi. Fe'u disgrifir hwy yn ôl telerau ffurfiol. Diffinnir y ddau ddosbarth, y rhai seiniol a'r rhai ystyrol hyd yn oed, yn gyfan gwbl ar wahân i ystyr neu gynnwys. Ffenomenau ffurfiol bur ydynt. Ac felly hefyd, fel y gwelsom ni, Ceseilio. (Manylwyd ar adeiladwaith Ceseilio mewn tabl yn SB 260; ac nis ailadroddaf yma.)

Dyma un o ffenomenau mawr a darganfyddiadau isymwybodol rhyfeddol Cerdd Dafod.

Ond pan drown i ystyried Ceseilio o ddifri fanwl, sylweddolwn fod a wnelom â digwyddiad asiol dwy ffonem yn yngan sefyll yn nesaf at ei gilydd ac yn effeithio ar ei gilydd, sy'n newid y sŵn er ein gwaethaf. Nid goddrychol nac ewyllysiol yw, megis dyn. Dyma'n hytrach y gwrthrych seiniol, yn y llais, yn ymddwyn yn ôl deddf isymwybodol mewn modd y tu hwnt i'n dewis a'n rheolaeth.

Hefyd y mae eglurder y cytseiniaid yn ogystal â phendantrwydd go reolaidd prif acen obennol pob gair lluosillafog (bron) yn caniatáu trefniant eglur i'r glust.

Dichon fod yr arwynebu cytseiniol sy'n ganlyniad i dreigladau (ffenomen arall sy'n tarddu o gyd-gyswllt geiriol a llif y llafar) yn caniatáu i feirdd dyfeisgar amrywio siâp brawddegau, a rhoi iddynt adnoddau seiniol sy'n amlhau posibiliadau Cynghanedd. Ond yr ymdeimlad o rediad sy'n allweddol. Dywed CD 148: 'Fe gytunir yn awr nad oes doriad rhwng geiriau wrth siarad; ac y mae'r *liaison*, sef rhediad geiriau i'w gilydd, yn amlwg yn y Gymraeg fel yn y Ffrangeg.'

Sylwer ar enghreifftiau o lif y llafar:

(i) Bydd cytsain ar ddechrau gair sy'n canlyn llafariaid olaf gair o'i flaen yn gwrthweithio *Gormod Odlau* a *Proest i'r Odl*.

Felly, er bod y 'beiau' canlynol yn cael eu nodi'n ddiffygiol gan CD 256, 259, 300, credaf eu bod ill tri yn gywir:

A mynegi myn Iago

[Mae'r llafariad ar ddiwedd 'mynegi' yn llifo hyd yr 'm' wedi'r orffwysfa]

Canu corn i'r cenau cu

[Mae'r llafariad ar ddiwedd 'canu' yn llifo hyd yr 'c' yn 'corn'.

Sylwer hefyd, er bod CD yn nodi acen yn y gair 'cánu', nad yw honno'n gynganeddol angenrheidiol o gwbl; a rhaid i Ormod Odlau wrth eiriau sy'n cynnwys acenion.]

128

O ran da ni'm gwrandewi

[Mae'r llafariad ar ddiwedd 'da' yn llifo hyd yr 'n' wedi'r orffwysfa]
Rheol John Morris-Jones ei hun yw (CD 259): 'Y mae'n amlwg yr ystyrrid bod cytsain ar ôl yr orffwysfa yn achub proest llafarog, fel hyn . . .

Deiliodd mwy no dolydd Mai.'

(ii) Nid yw'r orffwysfa'n ddigonol i atal y glust rhag i ddiwedd y cymal cyntaf mewn llinell gynganeddol gael ei gyfrif yn rhan berthnasol o'r ail gymal. Mae hyn yn bur amlwg mewn Cynghanedd Groes o Gyswllt. Ond sylwer ar a ddywed CD 149:

'Fe ellir cydio â'r orffwysfa acennog gytsain gyntaf y gair a fo'n dilyn, megis –

Aros máen' S/yr Rhys Máwnsel
O dda mŵy n/i ddymúnwn'.

Dyma wedd drawiadol ar lif y llafar. Mae'r cymal cyntaf yn dwyn rhan o'r ail gymal ar gyfer gorffen gair yn seiniol. Ceir y gwrthwyneb hefyd (ond yn fwy dethol), lle y mae'r ail ran yn dwyn peth o'r cymal cyntaf ac yn caniatáu ei ryddhau rhag ateb cytseiniol. Gellir cario diwedd y rhan gyntaf ymlaen i'r ail ran, yn benodol lle bo'r orffwysfa'n terfynu â dwy gytsain:

Na yrr d'óf/n ar y dífeilch   (CD 148)

Gelwir yr olaf yn Gynghanedd Drychben; a sonia *Welsh Grammar* J M-J, 17 am lafariaid ymwthiol o fewn y cyfuniadau,
(1) cytsain + r, l, neu n; (2) rm, rf, lm, lf; (3) dd, f; (4) yn brin – rch, lch.
Nid yw'r trychu hwn yn cyfrif ar gyfer cyhydedd, ond caniatâ Gynghanedd anghytbwys ddyrchafedig:

I'm lledd/f wylan am lladdawdd

(iii) Ceseilio, sut bynnag yw'r enghraifft fwyaf nodedig a mwyaf diddorol o lif y llafar.

Defnyddir y term *affeithio* ar gyfer yr hyn sy'n digwydd pan fydd llafariad neu gytsain yn cael effaith ar lafariad neu ar gytsain arall.

Sonnir fel arfer am ddau fath o newid o'r fath sef –

(1) *Cymathiad:* Dyma'r un mwyaf cyffredin: sef un sain yn pwyso ar sain arall i'w gwneud yn fwy tebyg.

e.e. bentyg, mentyg, mencyd (*n* yn peri i'r *b* fynd yn drwynol); canpunt, campunt.

> *A phawb yn gall ac yn ffôl*
> *A ddygymydd â'i gamol.*

(2) *Dadfathiad:* Dyma'r hyn sy'n digwydd pan fydd un sain fel pe bai'n procio sain i fod yn wahanol.

e.e. Chwefror, Chwefrol; cyllell, cylleth.

Fe geir anadliad caled weithiau drwy gyfuno *l* + *l*, *r* (TC 41), ail llaw, ail rhes; *n* + *l*, *r*, tanllyd, gwanllyd, angenrheidiol (TC 27, 29), *r* + *l*, oerllyd, stwrllyd; *m* + *l*, trymllyd, seimllyd; *n* + *l*, *r*, cyn rhwydded, yn llawn; *r* + *l*, *r*, Caerlleon, mor llawn, mor rhywiog, ar lled.

Ond a yw *Ceseilio* yn ffenomen arall o'r fath? Affeithio cynganeddol yw, mae'n wir. Lle y bydd *d* ac *h* yn dod at ei gilydd, dyweder, y mae diffyg lleisiol *h* yn affeithio ar ansawdd lleisiol *d* sy'n dileisio'n *t*.

> *ei thad hi – ei tha ti*

Ar y llaw arall beth sy'n digwydd pan fydd *d* a *d* yn dod at ei gilydd gan esgor ar *t*? Nid cymathu, mae'n amlwg, o leiaf – nid cymathu yn unig. Y mae'r ail *d* sy'n dilyn y gyntaf am foment yn ei dal rhag mynegi'r elfen leisiol sydd ynddi: ffrwydrolyn o gytsain yw ond heb lais. Try'n *t*. Yna, fe ddigwydd cymathiad gyda'r *t* newydd yn gorchfygu'r *d* sy'n dilyn. Erys yn *t*.

[Dyma esboniad ychydig yn wahanol i'r hyn a ddyry J M-J: 'Wrth ddal ar gytsain gaeedig fel *b*, *d*, *g* i gyfleu effaith dwy, arferiad yr hen Gymry oedd gadael i'r anadl grynhoi, ac wrth ei gollwng yn ebrwydd ar y diwedd yr oedd iddi effaith anadliad caled.']

Gan fod Ceseilio yn ddosbarth cyflawn arwyddocaol, a chan nad yw *d* + *d* a *d* + *t* a *d* + *h* yn mynd i gael eu hystyried yn ffenomenau gwahanol i'w gilydd o ran egwyddor, haeddant yr un term, sef Ceseilio neu Affeithio Cynganeddol. Mae'r newid yn rheolaidd pan fo llif y siarad yn rhwydd a phan na fo pwysleisio geiriol yn ei gwahanu.

130

Ym maes Ceseilio, sut bynnag, fe ddown wyneb yn wyneb unwaith eto â'r cyferbyniad rhwng Tafod a Mynegiant. Ar y naill law, cawn gyfundrefnau sefydledig a diffiniedig mewn Tafod. Tair is-gyfundrefn bendant sydd o fewn cyfundrefn Ceseilio, sef:

1. *h* ar ôl *b, d, g* yn eu dileisio i roi *p, t, c.*
2. dwy gytsain leisiol ffrwydrol a thebyg yn dod ynghyd ac yn dileisio, sef *b + b, d + d, g + g* yn rhoi eto *p, t, c.*
3. pob cytsain leisiol yn colli'r llais wrth ei chyfuno â'r gytsain ddi-lais gyfatebol, sef

   -t d - a *-d + t* - yn *t; -pb-* a *-bp-* yn *p; - cg-* a *-gc-* yn *c.*
   -ff f- a *-f ff-* yn *ff; -ll l-* a *-l ll-* yn *ll; -th dd-* a *-dd th-* yn *th.*

Sylwer, ym mhob un o'r tair cyfundrefn, y lleisiol sy'n colli. Tawelwch sy'n drech na sŵn. A hynny oherwydd bod y caead yn y weithred o roi cytsain ynghyd â chytsain yn tagu'r lleisio.

Beth sy'n gwneud Ceseilio yn 'gyfundrefn' mewn Tafod, yn hytrach nag yn arferiad mewn Mynegiant?

1. Mae'n ymwneud ag egwyddor isymwybodol sydyn. Nid eir ati i ymresymu sut y caledwyd mewn categorïau dadansoddedig, nac i bwysleisio'n seiniol arwahanrwydd araf cytseiniaid yn 'peidio' â newid mewn Mynegiant, tan geisio'n fwriadus ymatal rhag i'r broses ddigwydd.

2. Mae'r egwyddor honno'n gynieithyddol. Ni raid meddwl am yr iaith yn cyferbynnu'r absenoldeb/presenoldeb (sŵn/tawelwch); na'r cyferbynnu sydynrwydd ffrwydrol/ paraoldeb.

3. Mae'r gwahuno'n elfennaidd tan ymffurfio'n gwlwm deuol neu driol.

4. Wrth ei defnyddio neu ei rhoi ar waith, mae yna elfen o'r 'anorfod' neu o'r anfwriadol yn y broses. Ni cheisiodd yr un ysgolhaig na phwyllgor sefydlu'r arferiad o galedu. Digwyddodd. Mae dwyieithedd yn tueddu i dorri bellach ar lif y llafar.

5. Beth bynnag am unrhyw amwysedd a gynhyrchir mewn Mynegiant, er mwyn sefydlu'r gyfundrefn yn gyffredinol mewn Tafod o gwbl, y mae'r gwahuno yn yr isymwybod yn eglur syml ac yn benodol gyson yn y traddodiad. Neu ni ddigwydd. Cyfnewidiad diglandro sefydlog yw.

Dyna ansawdd cyflawn egwyddorion Tafod sy'n dwyn Ceseilio i fod, megis y digwyddodd i'r gyfundrefn dreiglo yn y cychwyn. Felly hefyd y mae'r holl gyfundrefnau eraill mewn Cerdd Dafod.

Sylwer ar yr hyn a dderbyniwyd i Dafod y Gynghanedd a'r hyn nas derbyniwyd.

Soniais am ddiffyg amwysedd y gyfundrefn hon a ddefnyddir yn gyffredinol. Yr hyn a fabwysiedir yw cyfundrefn sy'n gweithio'n anwamal. Os oes ansicrwydd ynglŷn â'i hymarferoldeb, fe'i gwrthodir yn isymwybodol gan y Traddodiad. Ceir llawer mwy o geseilio ar waith yn y Gymraeg nag a fabwysiadwyd gan gyfundrefnwaith Tafod y Gynghanedd. A gofynnwn pam. Cymerer y sylwadau canlynol a draethwyd, nid yng nghyd-destun y Gynghanedd ond wrth geisio sefydlu'r Orgraff, gan ysgolheigion megis John Rhŷs a John Morris-Jones yn niwedd y bedwaredd ganrif ar bymtheg. Ceisio ystyried yr oeddent nid yr hyn a allai neu a ddylai ddigwydd, ond yr hyn a oedd eisoes *yn* digwydd.

Sylwaf ar ddau amgylchiad:

(a) Pan ddaw dwy gytsain ffrwydrol anghyfunrhyw (e.e. t, p) at ei gilydd, mae'r gyntaf yn caledu (neu'n dileisio) a'r llall yn troi (neu'n aros) wedi'i lleisio i ryw raddau. Ond mae yna amwysedd. Meddai *Welsh Orthography* 1893 (arg. 1905), 'The exact quality of the second mute [ffrwydrolyn] is difficult to determine: it is never quite hard and it is never as vocal as an ordinary soft consonant, but as a dental it seems to be somewhat harder than as a labial or guttural. The nearest approximation then to the exact sound would be to write the second consonant hard when it is a dental, soft when a labial or a guttural. This would give the following combinations:

tb, tg; ct, cb; pt, pg.'

Ni wna'r math yna o draethu amwys ac ansicr y tro ym maes Cerdd Dafod.

Ceisio ystyried yr oedd yr ysgolheigion a ddylid sillafu 'adgas' neu 'atgas' ac yn y blaen. Ond meddylier pe baent wrthi yn ystyried pam y gwrthodwyd mynd i'r cyfeiriad hwn wrth geseilio mewn Cerdd Dafod. Roedd yna amwysedd nas derbyniai'r beirdd byth yn isymwybodol sefydlog mewn cyfundrefn.

(b) Ystyrier yn awr a ddylai Ceseilio (sy'n digwydd pan fo paraolyn a ffrwydrolyn yn dod at ei gilydd, e.e. th + t) ymsefydlu mewn Cerdd Dafod, cf. coethder, anhawster, halltu, neillfu. Clywch eto'r sylwebaeth gan ein hysgolheigion: 'When one of the voiceless spirants *ll, th, ch, ff, s,* precedes mute, the mute is neither soft nor hard . . . The dental is somewhat harder than the guttural or labial; though after *th* the dental

132

is soft and the labial hard.' Beth bynnag am yr orgraffwyr, ni wna'r math yna o amwysedd mo'r tro ar gyfer isymwybod Tafod. Cefais aml ymholiad gan benceirddiaid, 'beth a wnawn ynglŷn ag *s*?' Yr ateb yw, nis corfforwyd yn isymwybodol mewn Tafod o safbwynt Ceseilio sefydlog. Ymhelaetha'r orgraffwyr ar hyn: 'When a mute precedes the voiceless spirant *s*, it is neither soft nor hard, but except when it is a guttural it approaches the soft consonant nearer than the hard . . . '

Felly, fe geir Ceseilio a dderbyniwyd i gyfundrefnwaith Cerdd Dafod a Cheseilio nas derbyniwyd. Yr amod oedd diffyg amwysedd yn yr isymwybod.

Ond mewn Mynegiant, am y pegwn â chytundeb isymwybodol a chyff-redinol Tafod, fe geir cyfuniadau eraill, rhai anghyfunrhyw. Ac yma, oni wnawn y gwahaniaethu priodol rhwng Tafod a Mynegiant, fe ellid ymchwalu. Sylwer ar Syr John yn ymwthio i'r dwfn (CD 212):

'Y mae dwy *d* neu *b* neu *g*, fel y gwelsom, yn caledu i *t* neu *p* neu *c*; yn yr ynganiad Cymraeg y mae cyffelyb galediad yn digwydd pan ddêl dwy fud [hen derm dwl ar gyfer ffrwydrolion RMJ] wahanol ynghyd yng nghanol gair [mae'r safle'n bwysig]. Yn lle *dg* fe sgrifennid gynt *tc*, *dc* neu *tg*, ac atgas i 'glust gwir Gymro' ydyw llythreniad 'gwreiddeiriol' *adgas* Pughe [y bonclust defodol i hen gydnabod RMJ]. Y mae *g* efallai'n tueddu'n fwy na'r lleill i feddalu o flaen y llafariad, ond y mae'r *t* neu'r *p* o flaen yr *g* yn galed: *datgan, datguddiad, hepgor;*

> *Deutu genau / datganiad.*'

Hyd y fan yna, nid yw wedi'i mentro hi. Orgraff yn bennaf sydd dan sylw. Ond yn sydyn y mae'n symud yr holl ddadl i dir Mynegiant, heb gydnabod hynny.

'Ond fe all *tg* gyfateb i *dc* – y ddau gyfuniad yn cyfrif fel *tc*; a'r un modd *pg* i *pc:*

> *Datgladdwn/dad celwyddau*
> *Llaw Hopcyn/oll a'i hepgor.*'

Y ddau air allweddol o du Mynegiant yw 'fe all'. Sylwer yn y llinell gyntaf: yn *d* + *c* mae'r *c* wedi caledu'r *d*, a'r *d* wedi meddalu'r *c*. Yn yr ail, yn *pc* mae'r *p* wedi meddalu'r *c*: nid oes tystiolaeth yma, ond fe all, yn y ddwy ran, yr *g* fod wedi meddalu'r *p*.

Hynny yw, pan fo dwy gytsain ffrwydrol yr un ffunud yn dod at ei gilydd, y mae'r canlyniad yn eglur. Ond pan fo'r ddau ffrwydrolyn yn wahanol ac yng nghanol gair, y mae yna ansicrwydd yn codi. Â'r dirgelwch yn ddyfnach wrth i Syr John drafod y mater ymhellach.

'Yn gyffredin yn *un* o'r ddwy gytsain y mae'r caledwch yn amlwg, ac fe all [y ddau air yna eto RMJ] fod yn y naill neu'r llall yn ôl yr ennyd y dileisir yr anadl, ac felly fe geir *g . . . t* ac *c . . . d* i gyfateb i *ct*, a *b . . . t* a *p . . . d* i ateb *pt*.

g . . . t:	**G**uto'r Glyn,/do**ct**or y glod.	[ct o fewn gair > gt]
	Do**ct**or Siôn,/dy**g**e**d** dair sâl.	[ct > gt]
c . . . d:	E**ct**or a nerth/**cad**arn oedd.	[ct > cd]
	E**ct**or ieuan/**c** /o **D**roea	[ct > cd neu gd]
b . . . t:	Y **b**u tano/ga**pt**einiaid	[pt > bt]
	Be'i tynnid/o'i ga**pt**einiaeth	[pt > bt]
p . . . d:	Croes naid/ar ga**pd**éiniai(**d**/wyd	[(p)t > ( ) d]
	Ci**p**iwy**d** i nef,/ca**pt**en oedd	[pt > pd]
p . . . t:	Ci**p**iwy**d** dyn rhwydd,/ca**pt**en Rhos	[pt > pt]'

Ymddengys yr olaf yna eisoes yn eglur mewn Tafod; ond am y gweddill . . . Methwyd â datrys y dryswch. A'r unig gasgliad a welaf i yw bod yna ymdeimlad o newid mewn Mynegiant gan y beirdd, ond ni chlywant y newid hwnnw gyda phendantrwydd croyw. Ymbalfalu tuag at gyfundrefn mewn Mynegiant yr ydys, heb ei sefydlu eto mewn Tafod.

Mae *s* yn codi cwestiwn cyffelyb. Ac mae gan David Thomas, yn *Y Cynganeddion Cymreig* 153, frawddeg anfarwol am y gytsain sy'n ei dilyn: 'prin y gall eich clust ddywedyd ai un feddal ai un galed ydyw.' Mae Syr John CD 208-9 yn fwy penodol: o fewn gair lleisir ffrwydrolion di-lais *c*, *p*, *t*; ond *g*, *b*, *d* a geir ar ôl y ffritholion di-lais *ch*, *s*, *ff*, *th* pan fo'r cytseiniaid a'u hetyb yn sefyll ar wahân. Eto, pan fydd y ddwy gytsain *s*+ *c*, *p*, *t*, mewn dau air gwahanol, dyw'r *s* ddim yn caledu nac yn meddalu'r hyn sy'n dilyn.

Gan mai David Thomas sydd am gadw *s* y tu allan i Dafod yn yr achos hwn, sylwer ar un o'i enghreifftiau ef:

Cynhaeaf pob dysg newydd (John Morris-Jones)

Ac yn wir, rhydd Syr John eithriad arwyddocaol: 'Lle bo *c-* yn dilyn -*s* neu -*sg* fe geir *c* (neu *g h*) . . .

Am asio calch/ymysg coed
Nes cael/y ddyn eurwisg hon.'

Ymddengys i mi fod *s* yn sefyll rhwng y ddau begwn a nodais uchod, sef Tafod a Mynegiant, heb lawn sicrwydd, ond heb foddi yn ymyl y lan chwaith. Mae a wnelom â sefyllfa o Fynegiant yn adeiladu o bosib Dafod, eithr heb orffen ei orchwyl. Mynegiant yw o hyd.

Enghraifft ragorol yw ceseilio lle y gellir ymdeimlo â'r awydd am gyfundrefn a'r ymbalfalu tuag ati, y gwahanu a'r uno, yr ysfa am eglurder a symlder isymwybodol. Mae'r beirdd wrthi'n ymateb gan ddethol a chyferbynnu rhwng sefydlogrwydd a newid.

Hydeimled i lif y llefaredd sy dan sylw. Wrth ystyried perthynas sain a synnwyr yn y Gynghanedd, a sylweddoli'i math o hunanlywodraeth seiniol fel y'i hamlygir mewn Ceseilio, gwelwn fod yna ddwy ffenomen ar waith. Nodwyd eisoes y trais ar ein cysyniad o ffonem. Yn gyfredol â hynny, y mae ffin y 'gair' yn derbyn ymosodiad hefyd. Toddir geiriau yn ei gilydd. Enghraifft gyfredol â Cheseilio yn hyn o beth yw'r eithriad wrth bennu annerbynioldeb Gormod Odlau lle y bônt yn gorffen mewn llafariad.

Esgud wŷs wrth ddysgu Duw Iesu. [sef ddysguD]

Mae 'Ceseilio' felly yn codi llawer o gwestiynau. Eisoes nodwyd ambell un.

(i) Beth yw ffonem?

(ii) Rhaniad seiniol-eiriol. Beth yw gair?

(iii) Uned o ffurf seiniol a ffurf ystyrol a wahenir yn y meddwl. Mae *Ceseilio* yn ffyddlon i'r egwyddor sydd ynghlwm wrth Gerdd Dafod, sef bod yr holl gyfundrefn yn cael ei llywodraethu gan *sain* mewn llif yn annibynnol ar ystyr.

Beth yw perthynas felly rhwng y Gynghanedd/Ceseilio/a Thafod?

Mae yna elfen ynglŷn â'r lleisio a'r dileisio sy'n gynhenid ym mherthynas cytseiniaid Cymraeg â'i gilydd ac â llafariaid yn llif y llefaru fel y bo'u hansawdd cyfnewidiol yn eglur i'r glust. Y duedd yw bod amgylchfyd o lafariaid yn meddalu cytseiniaid, ac amgylchfyd o gytseiniaid yn eu caledu. Yr hyn sy'n digwydd yn yr ail yw bod yr ail gytsain yn darparu rhwystr rhag i'r gyntaf ymollwng, ac felly mae'n dileisio.

Mae yna ymdeimlad yn y meddwl ymlaen llaw fod y geiriau o ran ansawdd ar wahân yn y meddwl yn wahanol i'r ansawdd sydd ganddynt ar ôl eu hynganu yn llif y llafar, dyweder yn y cymathiad rhwng ffrwydrolyn lleisiol (ac weithiau ffrithiolyn lleisiol) ac *h* ddilynol.

Mae Treiglad Meddal yn sefydliad neu'n egwyddor a gorfforwyd yn yr Iaith (hynny yw, mewn Tafod) wrth i'r Frythoneg droi'n Gymraeg. I raddau, golyga fod cytseiniaid caled yn cael eu lleisio: c>g, p>b, t>d, ll>l, rh>r; ac eraill sy'n ffrwydrolion yn troi'n barhaol g>gh>diflannu, b>f, d>dd. Mae Ceseilio ar y llaw arall yn sefydliad mwy dieithr ac mewn Cerdd Dafod. Digwyddiad o fewn hanes y Gymraeg ei hun yw. Mae a wnelo â dileisio yn sefydliad gorffenedig llafar, mae'n wir, ond â lleisio hefyd na throes yn Dafod gorffenedig. Eithr fe'i cyfyngir i lafar y traddodiad llenyddol, heb ei dderbyn, at ei gilydd, yn ysgrifenedig yn yr iaith lenyddol yn ôl amgylchiadau rhwng rhai geiriau â'i gilydd ar y pryd. Hynny yw, ysgrifennir e.e epil < eb-hil, ac Epynt < eb-hynt; ond ni sgrifennir 'draic coch.' 'Draig goch' a ddeellir yn feddyliol.

Ymddengys i mi fod ceseilio rheolaidd naturiol a dibwyslais yn sefydliad mewn Tafod (hynny yw yn y traddodiad) mewn rhai cyfuniadau penodol yn llif naturiol a dibwyslais y llafar. Ond mae yna amgylchiadau seiniol eraill lle nad yw'r rheoleidd-dra hwnnw (eto o leiaf) mor ddi-bynnol gyson. Mae hyn yn arbennig o wir lle y bo ceseilio yn golygu lleisio yn hytrach na dileisio cytseiniaid. Yr unig esboniad sydd gennyf am hyn yw bod Mynegiant wedi gorffen adeiladu cyfundrefn aeddfed mewn Tafod yn y naill set o achosion, ond bod y cyfundrefnu hwnnw heb aeddfedu neu heb ei sicrhau mewn Tafod yn yr achosion eraill. Arhosant yn fwy rhydd, yn fwy amwys efallai, yn effeithiau achlysurol mewn Mynegiant.

Beth yn ymarferol a wnawn neu a gynghorwn ar gyfer cystadlu, a 'chywirdeb' ymarferol mewn Eisteddfod?

Credaf fod dau lwybr. Yn achos y cyfundrefnau traddodiadol bendant mewn Cerdd Dafod (1. b + b, ayb; 2. b + h, ayb; 3. ff + f, ayb) dichon y dylid fel rheol waelodol dderbyn y rhain yn bendant o hyd. *Tueddaf sut bynnag i adael y newidiadau hynny lle y bo lleisio*, e.e. ffrwydrolion anghyf-unrhyw lle y try p+t yn bt neu'n pd, p+c>bc neu'n pg, t+c>dc neu'n tg, c+t>dt neu'n td, a ffrwydrolion ynghyd â ffritholion di-lais fel p+s>bs, t+s>ds, c+s>gs yn amwys *ym maes Mynegiant yn ôl clust y bardd unigol.* Felly hefyd, rhaid cyfaddef (er yn llai argyhoeddedig) y ffrwydrolion ynghyd â'r ffritholion di-lais: p+s>bs, t+s>ds, c+s>gs; ynghyd ag s+p>sb, s+t>sd, s+c>sg. Gellid codi dadl, fel y gwnaeth Twm Morys, (*Barddas*, rhif 272) – onid yw'r llais, pan fo'n pwysleisio geiriau'n ynysig, yn cadw'r cytseiniaid cysefin? Gofyn ef: 'Pwy sy'n dweud *mâ-pychan* ('mab bychan')? Neu y *tâ-teiniol* (y Tad Deiniol)? Neu *drai-coch* ('draig goch')? Colli'r gytsain gynta' yn lle caledu mae'r Sais, ac 'roedd J M-J o'r farn mai dylanwad yr ynganiad Saesneg oedd "yr arferiad diweddar o esgeuluso'r rheol Gymraeg".'

Cytunaf na ddylid dilyn rheol a seiliwyd yn wreiddiol ar hen arfer, er ei bod yn ieithyddol ddealladwy a phriodol, os yw defnydd cyfoes wedi peidio â'i ddilyn. Mae Twm Morys yn gofyn – pwy a'i clyw? A rhaid imi gwympo ar fy mai, *tâ-teiniol* y byddwn yn dal i'w ddweud a'i glywed. A'r lleill. Ond gallwn ddychmygu bod llafar craff, pwyllog – ac y bydd dyn (neu ddynes yn fwy tebyg) yn medru siarad felly ar dro – yn gallu gwahanu geiriau'n ystyriol. Hynny yw, gall beirdd cyfoes – mewn Cerdd Fynegiant, sef drwy fylchu neu bwysleisio mewn Mynegiant ymwybodol – ddatod yr hyn sy'n drefn ar lif mewn Cerdd Dafod, tan gydnabod arwyddocâd Tafod. At ei gilydd, cadw'r traddodiad sydd orau.

Mewn mannau eraill (e.e. *s* + *c*, *t* + *g*, ayb) tueddaf i weld caniatâd i'r bardd (ac felly'r beirniad) i ymryddhau rhag gorfodaeth.

Eto ni ellir ac ni ddylid gau hyn o bennod, sydd wedi rhoi cryn sylw i'r Ffonem mewn Tafod, heb atodi yn ein meddwl o leiaf berthynas y Sain a'r ystyr mewn Mynegiant.

Carwn oedi ychydig er mwyn pwysleisio un arbenigrwydd cwbl syfrdanol ynglŷn â'r Gynghanedd – sef yn y berthynas rhwng synnwyr a'r synhwyrau, – y modd y mae'r Gynghanedd yn adeiladu'r meddwl, a'r meddwl yn adeiladu'r Gynghanedd, y ffordd ryfedd a chyfareddol y tawdd y cynnwys i wneud y ffurf, ac fel arall. Ni wn am yr un iaith Ewropeaidd lle y mae hyn yn digwydd i'r fath raddau.

Ond fe'ch clywaf yn hawlio: nid yw'r beirdd yn gweithio gyda'r fath fanylder amhosibl mewn golwg. Nid ydynt yn ymwybodol, o gwbl, wrthi'n cydlynu 'cynnwys' â 'sŵn' i lunio'u llinellau. Ceir damweiniau ffodus efallai, ond ni bydd y beirdd yn gallu cyfansoddi byth yn ymwybodol gan lywio'r deunydd meddyliol o gytsain i gytsain, ac o lafariad i lafariad, ac o acen i acen i mewn i'r patrymau seiniol nes eu bod yn cyfateb yn gymen. Byth bythoedd, ac eithrio ar lefel arwynebol onomatopoeia. Ond y mae'r gwth tuag at drefn feddyliol sydd ynghlwm wrth drefn seiniol y Gynghanedd rywsut yn cyd-drefnu cystrawen â mynegiant seiniol. Does ganddyn nhw ddim dewis. 'Dweud y drefn' yr ydys. Anrhydeddu trefn.

Gadewch imi esbonio drwy gymryd dwy enghraifft gan fardd. Dyma Alan Llwyd yn llunio englyn i Grist:

Rhag dy lais arswydais i; – eiriolaist
yn greulon dros fryntni
Fy mod – rhoi gras i'm codi,
Ond arswyd oedd dy ras Di.

Sylwer ar Gynghanedd Sain y cychwyn cyntaf: oedir ar ôl 'llais' fel y cyferbynnir ail ran yn uned, 'rhag dy lais' sy'n cilio i mewn yn ystyrlon ac yna 'arswydais i' yn ffrwydro allan; a'r 'i' yna wedi'i hynysu ar ôl yr odl fewnol, wedi'i gosod yn unigrwydd pwysleisiol y cymal acennog ar ôl 's'. Dyma'r gair cyrch yn ei dilyn, y gair annwyl a chariadus, sy'n symud at yr 'ail linell' lle y gwrthgyferbynnir yn baradocsaidd yn wrth-annwyl o fewn y Gynghanedd; ac yna, gorffennir y llinell yn bengoll gan esbonio'r paradocs hwnnw. Wedyn, llinell gyntaf yr esgyll. Dechreuir gyda chynffon i'r paladr: 'Fy mod', diwedd y gosodiad, diwedd cymal cyntaf Cynghanedd Lusg. Gyda'r goferu hwn, ynysir 'Fy mod' eto, heblaw ffurfio cymal cyntaf y Lusg; ac yn y ddeuair hyn ceir canolbwynt disgyrchiant i'r anghenus. O fewn yr esgyll, ceir dwy linell sy'n cyferbynnu. Ceir llawenydd yn yr ateb i'r angen yn y llinell gyntaf, ac yna dwyster yn baradocs yn y llinell olaf. A sylwer ar y llinell olaf honno, fel y cyferbynnir o hyd o'r tu mewn i'r llinell ei hun drachefn. Cydbwysedd? Trefn y Gynghanedd? Ar ryw olwg, ie. I raddau helaeth, y Gynghanedd ei hun sy'n caniatáu inni glywed y pethau hyn. Hi, o ran ei natur a'i haceniad, sy'n anwylo'r drefn. Ond mae'n fwy cymhleth na hynny o ran synnwyr; ac y mae'r Gynghanedd yn unig fel cyfundrefn yn methu cyfleu hynny o fewn y seiniau.

O'r gorau, meddwch, englyn o'r teip hwnnw sy'n digwydd bod fan yma. Ceir llawer o englynion sy'n gweithio ar sail cyferbyniadau, a dyna ddewis un ymlaen llaw i enghreifftio hynny.

Nage. Agor y llyfr rywle rywle 'wnes i. Mae'n digwydd felly o hyd, a cheisiaf esbonio pam, oherwydd y mae hynny'n bwysig er mwyn deall meddwl y Gynghanedd, a beth y mae'r Gynghanedd yn ei wneud. Gadewch imi agor y llyfr o'r newydd, rywle rywle.

Trist oeddwn, trist ers dyddiau,
Yr oedd hil yn fy mhruddhau:
Hil a fu'n wynebu'r nos
A'i diflaniad fel unnos:
Diflaniad o filiynau,
Mynd yn ddim ond un neu ddau.

Pe na bawn yn agor y llyfr rywsut, fel yr addewais, byddwn wedi dewis peidio ag agor fan hyn, oherwydd nid wyf am grwydro oddi ar briffordd fy nadl. Mae yna gymaint o gyfoeth ac arbrofi a chyfrwystra celfyddydol yn y llinellau hyn gan ein cynganeddwr mwyaf erioed, fel y mae'n hawdd i mi ddrysu symlder y pwynt sydd gennyf i'w wneud. Mae'r rhan fwyaf yn fwriadus, ond nid y cwbl. Ceisiaf osgoi'r trwch sydd yma.

Ailadrodd sydd yn y llinell gyntaf. Mae'r ail gymal yn bwysleisiol i ddwysáu felly. Uned o dristwch yw'r llinell o'r herwydd. Ond y mae'r ailadrodd seiniol ynddi yn ei ailadrodd ei hun drachefn: t r s d/t r s d/t r s d. Dwysáu a wna. Esgorir ar ail linell sy'n estyniad ystyrlon ar dristáu'r gyntaf, ac ychwanegir y gair 'hil' at yr hafaliad, gyda goddrych cymal cyntaf y Gynghanedd Draws yn camu drosodd i ferf allweddol yr hafaliad yn yr ail gymal. Yr wyf i'n ymwybodol iawn o'r newid ergyd rhwng 'oedd' yr ail linell a 'fu' 'r drydedd; yn ymwybodol hefyd o'r arwyddocâd terfynedig a darfodedig i 'a fu' heblaw'i lle esmwyth yn rhediad y frawddeg. Gellid erfyn efallai nad oedd y bardd am inni ddarllen mwy nag 'a fu'n wynebu'r nos' yn rhwydd fel yna. Ond y mae'r Gynghanedd yn gwneud pethau fel hyn, mae'n peri inni oedi ar ôl 'a fu' rhag llithro ymlaen i 'a fu'n'. Mae hyn yn rhan o'm dadl. Dwy linell sydd yma gyda'i gilydd o gwmpas y gair 'nos'. Ond yn y gyntaf o'r ddwy, trosiad yw: yn yr ail, ynghlwm wrth gefndir o ymadroddion megis 'tŷ unnos', gair yw sy'n cyfleu byrder cwta, creulon, gwib. Ac yn yr ail linell o'r ddwy, dyma gydbwysedd trawiadol eto, rhwng yr hyn a gymherir a'r gymhariaeth. Llinell ryfedd yw 'diflaniad o filiynau'. Mae'n gwneud mwy yn llif y llafar na dweud bod miliynau'n diflannu. Yr hyn a wnaeth y bardd oedd creu enw torfol yma ar gyfer holocawst. Dyma weledigaeth ieithyddol gredaf i. 'Tîm o chwaraewyr, côr o gantorion', meddir; ac Ow! 'diflaniad o filiynau', wedi'u clymu mewn Cynghanedd Groes o Gyswllt arswydlon. Efallai fy mod eto'n oedi'n fyfyrgar yn rhy hir uwchben y llinell hon; ond ni ellir gwadu'r cyferbyniad rhwng sero'r diflaniad a'r 'miliynau', cyferbyniad nas ceir i'r graddau hyn heb y Gynghanedd. Wedyn, y ddwy ran ysgytwol yn y llinell olaf, y coegi yn yr ail gymal, y symlder unsill, a'r atgyfnerthiad sydd ynddi i'r llinell cynt.

Dyfynnais waith bardd pwysig. Ond ble bynnag y byddwn i wedi troi, gallwn ddilyn yr un ffenomen.

Beth sy'n digwydd?

Rhaid i mi wrth gymhariaeth â maes iaith.

Y mae pob llenor, yn wir pob siaradwr, yn gorfod plygu i drefn yr iaith, i'w gramadeg. Bydd yr Ôl-Fodernydd yn tybied ei fod yn rhydd, yn benrhydd, ar chwâl, yn amhendant braf. (A gaf sibrwd ei fod yn ffôl o leiaf?) Does ganddo ddim dewis ond y tu mewn i seiniau a ffurfiau gramadegol etifeddedig yr iaith: cyfyngedig braidd yw'r newid a ddigwydd i hynny o ddydd i ddydd. Bydd trefn y frawddeg, – gyda'r enw yn ganol-bwynt disgyrchiant, ac yna berf (neu ansoddair yn dibynnu ar hynny), a'r elfen 'adferfol' (sef yr ail ddibynnwr, y dibynnwr ar y dibynnwr) gan gynnwys gwrthrych y ferf – bydd y drefn amodol a chyflyrol hon yn ei feddwl ef ar gael yng nghefn meddwl pob iaith Indo-Ewropeaidd. O'r tu mewn i hynny y llunia'i ffurfiau.

Nodais uchod y gwahaniaeth rhwng 'hil a fu' ac 'yr oedd hil'. Y tu mewn i gyferbyniadau felly y mae'r holl iaith yn gweithio. Bydd siaradwr a llenor profiadol yn cydweithio â hynny, yn ufuddhau, druain, yn hapus. Yn wir, ni bydd yn meddwl am y peth, ddim mwy nag y bydd y cynganeddwr yn ymdrafferthu i ystyried fel y bydd y seiniau cyngan-eddol hyn yn cyd-ddyheu gyda'r meddyliau cytbwys, cyferbyniol, ail-adroddol, paradocsaidd ac yn y blaen.

Hynny yw, nid cyd-fynd â seiniau y mae'r cynganeddwr yn unig wrth draethu synnwyr, eithr cydweithredu â threfn. Dathlu trefn y mae, wrth ufuddhau iddi. Ni fwriada gyhoeddi trefn, efallai. Nid ystyria mai plentyn trefn yw. Ni fyn gorffori trefn o fewn sŵn ei frawddegau efallai, na chorffori sŵn ei frawddegau fel y cyfryw o fewn trefn. Ond dyna a wna. Dyna'i gamp, a dyna naws a natur ac athrylith y Gynghanedd. *Dyna synnwyr y Gynghanedd.* Nid oes dim mor gyflawn. Nid oes dim tebyg iddi. Trefn yw'i neges. Soniais o'r blaen, a soniaf eto am gyfaill o Siapan y cyfarfûm ag ef yn Québec a ddwedai wrthyf y gallai wrth ddarllen Siapanaeg dreulio cryn amser uwchben tair llinell yr haicyw, nid yn unig oherwydd y cyd-drawiad rhwng sain a synnwyr, eithr hefyd y cyd-drawiad rhwng y rheini a'r dylunio ar ffurf y llythrennau.

Arhosaf mewn anwybodaeth ynghylch pethau felly. Ond gwn ei bod yn 'ymarferiad' da neu'n fodd buddiol o ddarllen englyn i oedi uwch-ben yr ystyriaeth o'r modd y mae'r Gynghanedd yn trefnu'r meddwl. Gwedd ganolog ar ffynhonnell y Gynghanedd oedd trefn ddelfrydus. Gwylier y cyd-drawiadau ac amlder y cyferbyniadau a'r ymraniadau.

Felly, meddwch, y mae'r Gynghanedd wrth lywodraethu yn cyfyngu ar batrymau meddwl. Yn hollol. Felly y mae'r gramadeg ei hun yn cyfyngu ar batrymau'r brawddegau hyn yr wyf yn eu sgrifennu ar hyn o bryd – yn rhydd, yn rhydd fel yr aderyn, – sydd yntau druan yn ufudd i ddisgyrchiant ac i gyfeiriad y gwynt.

Ond dathliad o drefn sain gyn-feddyliol yw Cynghanedd. Dyna sy gan

Alan Llwyd yn y fan yna. Diogeliad yw mewn byd a ymchwalodd (yn rhagdybiol) mewn anhrefn, diogeliad y gellir mynegi'n orfodol batrwm hanfodol ei fodolaeth. Dywed y Gynghanedd, mewn sain, y synnwyr mai patrwm yw bywyd. Corffora'i synhwyrau mewn synnwyr. Yn aceniad y Gynghanedd ymwybyddwn â deuoliaeth a thrioliaeth rhagluniaeth – yr ysbryd mewn corff, a'r tair rhan mewn un cyfan. A'r cwbl mewn adfywiad diriaethol. Yn chwiwus, rhedai ffasiyngarwyr bychain diwedd yr ugeinfed ganrif ar ôl amhenodolrwydd dogmatig; cythrent ar ôl relatifrwydd amhendant braf; ond erys y Gynghanedd, a dywed mai dyma fframwaith corfforol sy'n sylfaen i ystyr athronyddol ddiwyro. Amrywiaeth, oes; ond y cwbl o fewn undod. Amlder, yn ddiau; ond harmoni meddyliol sylfaenol, er y syrthio i gyd.

Dyna'r ateb a rydd Cerdd Dafod i'r taerwyr rhamantaidd dogmatig sy'n rhyfeddu'n stond ein bod yn gallu sôn am y gwahanu mewn Tafod rhwng Sain a Synnwyr. O ganfod cyd-doddiad y ddwy elfen hyn o raid mewn Mynegiant, tipyn o sioc iachus i'r cyfryw draddodiadwyr yw dod wyneb yn wyneb ar ffordd dywyll â Thafod y Gerdd.

Nid yw Ceseilio, felly, namyn un cynrychiolydd i'r peth anorfod isymwybodol sydd y tu ôl i bob Cynghanedd. Yn ddisylw. Yn anfwriadol. O'r golwg, o ran y drefn sy'n cyfeirio. Ond yn ddibwyllgor o drefnus yr un pryd, fel pe bai wedi'i seilio ar reolau cymharol gymhleth mewn seiniau, fel pe bai wedi ymlunio'n ddisyfyd – whiw! – fel yna. Yn adeiladol anferth hardd.

Ond nid oedd dim oll ar siawns: roedd yn wyddonol o union. Ac fe ddaeth i fod am ryw reswm cudd, ac ar ryw berwyl gan y Meddwl Cyffredin. Ceisio ystyried y perwyl arbennig hwnnw yw ein tasg ni. Pam y myth hwn o sefydlogrwydd? A sut?

II.

GOGYNGHANEDD
Y GOGYNFEIRDD

Gogynghanedd y Gogynfeirdd

(i) STRWYTHUR GOGYNGHANEDD

Chwiler oedd Gogynghanedd. Pili-pala oedd y Gynghanedd. Gan yr ail y cawsom yr ehediadau seiniol mwyaf datblygedig.

Er mwyn diffinio'r Gynghanedd, a gyrhaeddwyd yn y pen draw, a'i disgrifio mewn manylder deallol, does dim yn well na dadansoddi'i nodweddion canolog, cychwynnol. Mae eisiau dadlennu'r hyn sy'n hanfodol o'r dechrau ac yng nghalon isymwybodol y weithred o gynganeddu. Gellir cael cynganeddion hynod gywrain maes o law, mae'n wir. Ond nid dyna'r gyfrinach. Y gwynder cyntaf yw eu cân. 'Symlder' hen yw hwn a ganfyddir yn ymagor mewn Gogynghanedd.

Pa fath o beth a wneir mewn dadansoddi hanfodol yn y nodweddion 'allweddol'? A sut y daeth y pili-pala allan o'r chwiler?

Mae'r ateb creiddiol ei hun yn syml. Gwahuno drwy'r ysfa am fwyfwy o drefn sain.

Gweithred oedd hon o olrhain gwahaniaeth ac o adnabod tebygrwydd. Datod a chwalu oedd gwahanu: dodi at ei gilydd wedyn oedd yr uno. Gorfodaeth patrwm meddwl, ac aeddfedrwydd deall perthynas oedd y ddau gyda'i gilydd. Deall a wneid felly yn isymwybodol yn bennaf.

Ac ar gyfer mynd i galon y broses honno, y mae dilyn y camre a ddilynodd y beirdd eu hunain yn hanesyddol ac yn isymwybodol yn fodd hefyd i'w gweld yn adeiladu ac yn darganfod. Mae *darganfod* yn yr achos hwn yn awgrymu digwyddiad sythwelediadol go sydyn: mae *adeiladu* yn awgrymu proses araf o geisio ac o symud olynol. Credaf fod y naill a'r llall ar waith yn achos y Gynghanedd. Gellir dilyn ei datblygiad paratöol ymlaen llaw dros nifer o ganrifoedd, mae'n wir, fel pe bai'r beirdd yn fforio'n ofalus. Ond rywfodd, yn ddisyfyd bron, mae'r Gynghanedd yn ymddangos mewn digwyddiad neu ddigwyddiadau go benodol. Mae hi yno. Ceir ei hadeiladu o fewn ei diffiniad ei hun mwyach. O ble y daeth y fath beth, felly? Sut y cafwyd y cyfanrwydd terfynol hwn?

Beth oedd y rhyfeddod a deimlwyd yn ddigon i dderbyn cyfundrefn i'w chadw?

Ar ôl iddi ddod, câi aros, wrth gwrs: aros a wnâi eto am ganrifoedd. Ond sut a pha bryd y croeswyd y ffin a'i chael? Beth oedd y ffin? Pa hawl sydd gennym i ddweud – 'mae hyn yn awr yn Gynghanedd, ond doedd honno ddoe ddim'?

Mae'n wir, ar ôl croesi'r ffin a chaffael ohonom y Gynghanedd (neu'r Ogynghanedd hithau ynghynt), ei bod yn datblygu o hynny ymlaen eto, ond nid yn ei hanfodion. Fe'i miniogwyd gan bwyll wedyn; fe'i cadarnhawyd, fe'i gorffennwyd. Eithr ni newidiwyd y galon.

Ble yn union oedd a beth yn union a wnaeth y galon? Pa nodweddion yr ymaflwyd ynddynt fel y gallwyd honni – 'wele, mae hon wedi cyrraedd? Edrychwch. Yn y cant y cant fe gawsom y Gynghanedd.' Gwybodaeth o fath fu hynny, ac adnabyddiaeth newydd. Trodd y fforiwr rywbryd gornel ar y ffordd. Edrychwch, mae hi yma. Dowch, felly, i ninnau ei dilyn hyd at y fan yma – ac wedyn.

Druan o'r Gogynfeirdd. Nid oeddent hyd yn oed yn Gynfeirdd. A Gogynghanedd yw'r hyn a lunient, nid y Gynghanedd. Eto, credaf y byddai ambell un ohonynt yn mwynhau'r jôc, pob un ond Cynddelw efallai. Ac o leiaf, dichon fod teitl hyn o bennod yn ddigon tramgwyddus i awgrymu fod yr ymdriniaeth yn y fan hon yn mynd i sathru ar ambell gorn.

Yr hyn yr wyf am ei fentro yn yr ystyriaethau hyn yw ailymweld â maes a drafodwyd yn arloesol gan Thomas Parry yn ei erthygl bwysig 'Twf y Gynghanedd' (*Traf. y Cymm.* 1936, 143-160). Defnyddiaf yr ansoddeiriau gwenieithus 'arloesol' a 'phwysig' am yr erthygl yn fwriadus o bwyllog, oherwydd gwaith bwyall sydd ger fy mron, neu waith gordd fach o leiaf; ac ni hoffwn gydio yn y cyfryw dasg heb yn gyntaf dalu teyrnged i'r maen tramgwydd y ceisiaf ei hollti fymryn.

Mae'n gwbl angenrheidiol, wrth drafod mydryddiaeth neu farddoneg unrhyw gyfnod, bellach yn nechrau'r unfed ganrif ar hugain, dynnu gwahaniaeth eglur rhwng dau gyflwr hollol wahanol. Dyna sydd o'i le o hyd ar amryw ymdriniaethau â'r Cynfeirdd, y Gogynfeirdd, a Beirdd yr Uchelwyr. Ni ellir ymdrin fawr â mydryddiaeth bellach, hyd yn oed yn hanesyddol, heb Dafod. Megis wrth drafod iaith y gwelwn wahaniaeth rhwng gramadeg ac arddulleg, felly wrth drafod barddoneg y gwelwn wahaniaeth rhwng Tafod a Mynegiant, rhwng y gorfodol a'r dewisol, rhwng y deddfau haniaethol sy'n bod ar wahân i'r gwaith unigol a'r enghreifftiau yr esgorir arnynt, rhwng yr hanfod a'r addurn, rhwng cyfundrefn ac arferiad.

Ond priodol cofio hefyd fel yr adeiledir y naill a'r llall mewn amser.

146

Os cymysgwn y gyfundrefn angenrheidiol â'r nodweddion arferiadol neu achlysurol, yna fe gawn ryw fath o gawl, a phethau'n nofio o gwmpas yn rhydd, er yn ddigon blasus efallai ar yr wyneb; ond ni welwn yn iawn beth sy'n digwydd. Nid 'beth sydd yma yn yr amlwg?' yw'r unig gwestiwn pwysig, er ein bod yn dechrau gyda hynny. Ond beth sy'n arwyddocaol yma? Beth yn union a ddarganfu'r Gogynfeirdd ynghylch mydryddiaeth, yn ymwybodol ac yn anymwybodol? Beth oedd y ffurf sylfaenol i'r Cynfeirdd, i'r Gogynfeirdd cynnar, o'u cyferbynnu â Beirdd yr Uchelwyr? A beth oedd yr effeithiau arddullegol bychain ar y pryd, neu o leiaf y ffurfiau 'ymwybodol'?

Roedd yna rai priodoleddau canolog na ellid eu hosgoi: dyna Dafod. Byddai didoli'r rheini oddi wrth y priodoleddau damweiniol neu wasgarog neu arferiadol, – Mynegiant, – yn fodd inni sylweddoli beth yn union oedd y fframwaith sefydlog cyffredinol. Cyfetyb hynny mewn prydyddiaeth i natur a statws gramadeg mewn iaith.

Wrth ddidoli fel yna, fe werthfawrogwn nid yn unig gadernid cydlynol a chyfan Tafod yng ngwaith bardd unigol neu gyfnod, eithr hefyd gwerthfawrogwn beth oedd yn digwydd mewn Mynegiant hefyd. Gwerthfawrogwn sut yr oedd Tafod yn rheoli Mynegiant, ond hefyd sut yr oedd Mynegiant yn adeiladu Tafod o fewn hanes. Oherwydd, roedd Tafod ei hun (fel gramadeg mewn iaith) yn ddatblygol, hynny yw yn ddiacronig: derbyniai o bryd i'w gilydd elfennau o gyflwr Mynegiant, a'u corffori'n barhaol mewn Tafod. A chawn gyfle ymhellach ymlaen i drafod y berthynas rhwng Tafod a Mynegiant yn helaethach. Ond drwy gydol yr amser fe arhosai gwahaniaeth o ran natur rhwng y ddau gyflwr. Am eu bod mor wahanol, er yn gysylltiedig, y mae angen dau fath hollol wahanol o feirniadaeth lenyddol i ymdrin â hwy. Beirniadaeth Dafod a Beirniadaeth Fynegiant. Ac yna, Beirniadaeth Gyfansawdd, y ddwy ynghyd. Un peth a ddigwyddai rhyngddynt oedd: byddai bardd yn defnyddio nodwedd 'addurniadol' mewn Mynegiant, ac yna yn hytrach na'i defnyddio'n achlysurol yn unig fe'i mabwysiadai'n sefydlog ddi-eithriad a phob amser. Pan na cheid ganddo eithriadau (fwy neu lai), pan ddôi arferiad ysbeidiol yn ffurf anochel bob tro (fwy neu lai), yna (os meddai ar ddull isymwybodol o gyferbynnu elfennaidd) roedd Tafod yn tyfu drwy dderbyn gwedd ar Fynegiant i mewn i'w gyfundrefn ei hun. Dyma sut y datblygodd Tafod o syncroni i syncroni. Dyma sut y datblygodd gramadeg mewn iaith hithau hefyd – gydag elfennau y gallwn olrhain eu twf, megis (o fewn y cyfnod hanesyddol) ddatblygu'r fannod. Gramadeg prydyddiaeth yw Tafod y Llenor. Ymateb i ffrwythlondeb y gramadeg yw Mynegiant y Llenor. Ac ni buasai neb yn breuddwydio trafod ffurf iaith, heb wahaniaethu'n glir rhwng yr enghreifftiau llafar unigol (a llu o batrymau achlysurol, ystadegol efallai) mewn Mynegiant a'r gramadeg cyffredinol y tu ôl.

Wrth ystyried y Gogynfeirdd, y mae'n wiw inni nodi felly beth oedd mewn Tafod. Beth oedd yn rhaid ei gael? A beth a geid mewn Mynegiant o bryd i'w gilydd? Nid yw ystadegau cyfartaledd yn cyfrif o gwbl mewn Tafod er y gallant helpu i fewnosod yr elfennau yng nghyflwr Tafod yn y lle cyntaf: disgwyliwn gant y cant bob amser. Mewn Mynegiant gall fod yn ddiddorol olrhain cynnydd rhyw nodwedd o 10% i 30% i 60% nes cyrraedd 100%, bellach heb adael yr un bwlch. Arddulleg yw peth felly. Nid oes dim angen bychanu arddulleg. Mae hi'n ymwneud â'r dewisol. Yn hynny o beth y mae'n ôl-fodernaidd. Ond mewn Tafod dim ond 100% (o ran nod neu ddelfryd) sy'n llunio syncroni cyfundrefn. Felly, cyn gynted ag y cyrhaeddai presenoldeb rhyw nodwedd 100% yn 'sefydlog', gallai beidio â pherthyn i gyflwr Mynegiant, a dôi'n elfen mewn Tafod. Wrth drafod Tafod y mae angen crynhoi'r sylw ar *ddadansoddi*. Wrth drafod Mynegiant y mae *disgrifiad* ynddo'i hun yn gallu bod yn weddol ddigonol. Ystyr dadansoddi yw tynnu allan ansawdd, ac y mae'r ansawdd yna mewn Tafod yn wedd ar fframwaith meddwl. Rhestru yw cynefin Mynegiant.

Yn awr, yr hyn yr wyf am ei wneud yn yr ymdriniaeth hon yw ceisio archwilio'r Gogynfeirdd er mwyn amlinellu beth oedd yn digwydd mewn Tafod a beth oedd yn digwydd mewn Mynegiant ar y pryd: y ddau ar wahân, ac yna'r cyswllt rhyngddynt. Fel y gwyddom oll, fe amlinellodd Thomas Parry eisoes y math o ffurfiau a gaed gan y Gogynfeirdd mewn arolwg disgrifiadol. Dylwn nodi hefyd fod Syr Thomas yn sylweddoli'r ddau gyflwr, fod yna wahaniaeth hanfodol rhwng yr hyn a oedd yn orfodol a'r hyn a oedd yn addurniadol. Ac eto, am ei fod yn tueddu i drafod y ddau blith draphlith, yn organaidd os mynnir, fe lithrai ef o hyd i'w hystyried ynghyd yn un ffenomen, gan nodi priodoleddau'r naill ochr yn ochr â'r llall. Llifai'r ddau i'w gilydd: y deddfau a'r arferion. Ni wna hynny mo'r tro bellach.

Mae'n rhaid deall natur Tafod, a sylweddoli'r gwahaniaeth cwbl hanfodol rhyngddo ac arferiadau ac ystadegau.

Yr wyf am geisio profi yn y bennod hon, yn haerllug o ddigymrodedd, ei bod yn gyfan-gwbl amhosibl esbonio'n foddhaol ddatblygiad hanesyddol ffurfiau'r Gogynfeirdd heb ddeall y gwahaniaeth rhwng y ddwy lefel hyn, Tafod a Mynegiant. Ond fe awn ymhellach, a dadlau

nad oes modd amgyffred ffurf lenyddol o unrhyw fath heb ryw ddeallt-
wriaeth o'r berthynas rhwng y lefelau hyn. Cymerwn y tro hwn enghraifft
y Gogynfeirdd yn bennaf, ac ystyried y dadansoddiad o'u ffurf hwy,
mewn un cyfeiriad yn unig, sef y ffurf seiniol, gan ymwneud ag
egwyddorion sy'n egluro ffurf lenyddol o lawer math ac yn gyffredinol.

Rhagolygaf yn gyntaf fy nghasgliadau drwy fwrw trem yn banoramig
ar draws tri chyfnod – y Cynfeirdd, y Gogynfeirdd, a Beirdd yr Uchelwyr.
Ceisiaf nodi beth oedd natur fwyaf arwyddocaol y ddwy lefel Tafod a
Mynegiant ym mhob un o'r cyfnodau hyn, a'r symudiad rhyngddynt cyn
mynd ati'n ail i fanylu ar y Gogynfeirdd. Heb y trosglwyddiad cyson o
Fynegiant i Dafod nid oes modd symud tuag at esboniad cyflawn o
ymffurfiad y Gynghanedd. Y gwahaniaeth rhwng y ddwy lefel hyn, a'r
symudiad o'r naill i'r llall, a'r ddwy yn meddu ar freintiau arbennig, yw
cyfrinach y beirdd.

Cyfrinach sy gennyf i, y cudd: fy nhybiaeth i yw bod Tafod y Cyn-
feirdd, heblaw wrth gwrs gyflyru Mynegiant y Cynfeirdd, mewn modd
annethol isymwybodol wedi adeiladu potensial Mynegiant y Gogyn-
feirdd, ac yn eu tro fod Mynegiant y Gogynfeirdd mewn modd dethol
(drwy wahuno) wedi adeiladu Tafod y Gogynfeirdd; ac felly ymlaen fod
Tafod y Gogynfeirdd heblaw wrth gwrs gyflyru Mynegiant y Gogyn-
feirdd, mewn modd annethol wedi adeiladu potensial Mynegiant
Beirdd yr Uchelwyr; ac yn eu tro fod Mynegiant Beirdd yr Uchelwyr
mewn modd dethol (drwy wahuno) wedi adeiladu Tafod Beirdd yr
Uchelwyr.

Diddorol sylwi ar y rhaniad bras rhwng mesurau yn y tri chyfnod hyn.

Yn gryno, gellid amlinellu un wedd neu enghraifft ar y broses fel hyn:

I Mesurau llinellog sy gan y Cynfeirdd (ar wahân i'r Englyn):
e.e. Cyhydedd Fer, Cyhydedd Naw Ban, Toddaid Byr, Todd-
aid, Traeanog, Cyhydedd Hir, Rhupunt, Awdl-gywydd.

II Gan y Gogynfeirdd, heblaw cynnal dull y Cynfeirdd, ceid
cyfuno mesurau yn batrymog yn reit aml: e.e. Cyhydedd Naw
Ban â Thoddaid neu Gyhydedd Hir; neu Gyhydedd Fer â
Thoddaid Byr neu Draeanog.

III Beirdd yr Uchelwyr, heblaw cynnal dull y Gogynfeirdd a
feithrinodd y mesurau penilliog, sef y cyfuniadau patrymog
yn rheolaidd neu'n sefydlog: e.e. Gwawdodyn drwy ailadrodd
Cyhydedd Naw Ban ynghyd â chyferbynnu Toddaid. (Gall
mai'r Cyhydedd Naw Ban oedd y cyntaf o'r mesurau i ym-

ffurfio'n benodol ymwybodol ar gyhydedd sillafog, gan mai dyna'r unig fesur a gafodd enw penodol ar sail cyfrif y nifer o sillafau.) Y Gwawdodyn oedd y mesur penilliog pencerddol cyntaf, efallai, i dderbyn enw ar ôl yr Englyn. Yr Englyn a'r Cywydd a arweiniai amryw o ddatblygiadau Cerdd Dafod Beirdd yr Uchelwyr.

I   Beth oedd ffurf fydryddol sylfaenol a chyffredinol y Cynfeirdd?

A. TAFOD (y drefn lywodraethol)

Daliwn i rybuddio ein bod o hyd mewn sefyllfa annatblygedig ac ansicr ynghylch y cyfnod hwn; ond mentraf awgrymu hyn:

Y llinell yw'r uned ganolog i ddatblygiad.

(1) Drwy'r brifodl sy'n diffinio gwahaniaeth rhwng llinell a llinell, a'r uniad rhwng llinell a llinell, cafwyd unedau mydryddol sylfaenol. Cafwyd llawer o Odlau generig, rhai proest, rhai Odlau cyrch.

(2) Drwy rannu'n gyferbyniad mewnol o gwmpas aceniad, sef acen draw yn ôl pob golwg, cafwyd yr amrywiaeth sy'n gwneud undod, yn ôl acennu'n ddeuol/yn driol. Dichon fod y llinellau deuol yn perthyn i farddoniaeth o fath gwahanol (traddodiad yr awdl) i'r llinellau triol (a berthynai i draddodiad yr englyn-cywydd). Dichon hefyd fod yr egwyddor eisoes yn dechrau datblygu o beidio â chaniatáu mwy na dwy sillaf ddiacen yn olynol (er nad wyf yn credu iddi gael ei chorffori mewn Tafod eto, ac arhosai o hyd mewn Mynegiant yn unig). Dyna'r gyfundrefn fydryddol yn ei hanfod i'r Cynfeirdd ar wahân i'r cwestiwn o gyhydedd y down ato yn y man. Os oedd Cyseinedd *generig* ar waith mewn Odl yn y cyfnod hwn, tybiaf y dylid ystyried ei fod ar waith mewn Cymeriad ac mewn Cytseinedd hefyd, gan mai ffordd o glywed ydoedd. Agorid y dull o sianelu'r clustiau i gylch penodol o sŵn. Ond ar y pryd nid oedd cyswllt diwnïad rhwng y tair elfen – Odl, Cytseinedd, ac Aceniad.

Mae'r patrwm mydryddol mewn llinellau unigol yn gogwyddo at reoleidd-dra: e.e. *Armes Prydain* $2'$: $2'$ at ei gilydd. Ond mewn traethganau megis a geir yn *Canu Aneirin* ceir cryn ryddid wrth gyfuno llinellau sy'n dilyn mesurau amrywiol. Hynny yw, wrth gyfuno llinellau (dyma'r symudiad isymwybodol tuag at y pennill) gellid weithiau newid y mesur o linell i linell. Gellid sylwi o safbwynt safle'r acen, er bod Cytseinedd yn annibynnol ar yr acen, at ei gilydd, fod y berthynas rhwng yr acenion a'r Odlau mewnol fel pe bai'n dechrau dod yn glosiach.

Un o'r digwyddiadau mwyaf arwyddocaol wrth i'r Frythoneg droi'n Gymraeg oedd colli'r sillaf olaf mewn gair. A chan fod yr acen draw (tôn uchel) a'r acen bwys ill dwy yn disgyn ar y goben Brythoneg, pan gollwyd y sillaf olaf ddiacen, golygai fod y brif acen draw mewn gair – bob gair fwy neu lai – yn disgyn ar y sillaf olaf newydd. Golygai hyn fod y nifer o Odlau acennog yn y Gymraeg (1) wedi amlhau'n ddirfawr ar y pryd, (2) ac yn ffurfio rhaniad mwy trawiadol nag erioed o'r blaen (nac yn wir, wedyn), nid yn unig ar derfyn llinell ond o'i mewn hefyd. Dyma'r nodwedd brydyddol a mydryddol fwyaf amlwg a mwyaf arwyddocaol yng nghyfnod y Cynfeirdd.

Trafodais y mater o'r blaen o safbwynt prydyddol yn T Ll 82 n.1 ac yn helaeth yn SB 72-73, 187-8.

Sylwer ar y llinellau enwog gan Aneirin:

> Gwŷr a áeth Gatráeth oedd ffráeth eu llú;
> Glasfédd eu hancẃyn, a gwenẃyn fú,
> Trichánt trwy beiriánt ýn catäú –
> A gwedí elẃch tawelẃch fú.

Yr hyn sy'n amlwg yn y fan yma yw, nid Cytseinedd (er bod hynny'n bresennol iawn, pan gofiwn am gytseinedd generig a threigladol), eithr y rhaniadau Odlog mewnol. A charwn awgrymu, o ran Cerdd Dafod y Cynfeirdd, mai corfannu'r rhaniadau mydryddol mewnol hyn a'r Odli mewnol cyfun (neu'r proestio) yw'r prif nodweddion prydyddol cynharaf yn y cyfnod hwnnw. Sefydlwyd y ddwy wedd hyn yn benodol gan symudiad acennol arbennig. Ac er bod yr acen bwys wedi datblygu cyferbyniad yng nghyfnod Cymraeg Cynnar neu Hen Gymraeg, fe arhosodd y draw yno hyd y dydd heddiw, a diogelwyd y nodwedd drwy gydol hanes Cerdd Dafod y Cymry, ac yn wir (fel y'i trafodais yn y *Traethodydd* ym 1977 a 1979) yn y Llydaweg hefyd.

Tueddaf i gyfrif yr Odli a geir mewn Cynghanedd Lusg hefyd, lle y gellir Odli sillaf olaf diacen (dan draw) â goben (dan bwys), yn ffenomen gyffelyb go unigryw mewn Llydaweg Canol a Chymraeg y Cynfeirdd.

Yn yr ymgyrch selog yn erbyn cynharwch dyddio'r Cynfeirdd, nid yn anaml yr eir dros ben llestri. Un o'r gwaharddiadau a awgrymwyd i ysgolheigion oedd na ddylent ddefnyddio datblygiadau diweddarach Cerdd Dafod, ymhlith y Gogynfeirdd a Beirdd yr Uchelwyr wrth astudio a chwilio nodweddion y Cynfeirdd. Ar wahân i'r ffaith fod gwahardd o'r fath yn gwadu defnyddioldeb perthynas methodoleg achos ac effaith (sef sylfaen y method gwyddonol), buasai'r fath ymgyfyngiad yn ei gwneud yn bur gyfyng ar efrydwyr hanes ieitheg gymharol. Rywfodd, llithrodd dadl arall i mewn i'r ymrafael – sef y ddadl rhwng y rhai sy'n pleidio mai cyhydedd sillafog oedd hanfod llinellau'r Cynfeirdd a'r rhai sy'n pleidio dadansoddi'u llinellau yn ôl grwpio acenion. Tafod a Mynegiant.

Enghraifft ddidorol o'r prawf 'sillafog' ar gyfer y Cynfeirdd yw'r un a rydd Dr Graham Isaac yn *Dwned* Rhif 7, 2001, sef 'Pais Dinogad'. Geilw ef y mesur yn 'gyhydedd fer', sef y llinell wyth sillaf. Ond yn y 17 linell a ddyfynna ceir 1 llinell 5 sillaf, 2 linell 6 sillaf, 5 linell 7 sillaf, 2 linell 8 sillaf, 4 llinell 9 sillaf, 1 llinell 11 sillaf, ac 1 llinell 12 sillaf. Dyma ddechrau'r gerdd wrth weld tebygrwydd sillafog.

	Acenion	Sillafau
Péis Dinogád, e vreith, vréith,	3	7
o grẃyn balaót ban wréith.	3	7
Chwít, chwít, chwidogéith	3	5
gochanẃn, gochenýn wythgéith	3	8

Eto, er yr amrywiaethau sillafog, mae gan 15 o'r 17 linell dri churiad, a chan y ddau eithriad bedwar curiad.

Meddai Dr Isaac: 'y casgliad yr wyf i wedi dod iddo yw bod eu mydryddiaeth yn sillafog, a'r acen heb ran i'w chwarae o gwbl.'

Yn awr, o ddilyn dadansoddiad pellach tebyg drwy'r canrifoedd, gellir gweld bod yr aceniaeth yn rhyfeddol o gyson ym mhob cyfnod, a bod yr elfen sillafog, er ei bod ychydig yn wamal gan y Cynfeirdd, yn cryfhau gan bwyll tuag at yr hyn a alwn yn 'Strwythur mewn Mynegiant' gan y Gogynfeirdd, nes cyrraedd cysondeb mwy neu lai dibynnol gan Feirdd yr Uchelwyr.

Sylwer yn y darn arall a drafodir gan Dr Isaac yn yr un erthygl, sef 'Eg gorffwys'. Dyfynna ef 51 o linellau: bob un yn 4 sillaf ond 5 yn 5 sillaf, ac 1 yn 6 sillaf. Record boddhaol iawn. Eto sylwer: dwy acen sydd ym *mhob un* o'r llinellau gan gynnwys yr eithriadau. Apelia'r Dr Isaac at yr egwyddor waharddol a ddyfynna gan Nietzsche: sef peidio ag '*impio* ar yr hen rythmau, allan o'n harferion diweddar.' Eto, medd ef: 'Yn llinell 8 o *imi yn ryfed,* mae'r testun yn cynnwys y geiryn *yn* wedi'i ysgrifennu'n llawn: gellir awgrymu, ar sail profiad o'r iaith mewn cyfnodau diweddarach, y byddai'n rheolaidd cywasgu'r ffurf ar ôl llafariad olaf *imi,* wrth draethu'r gerdd ar lafar.' Yn hollol. Ond arferiad eithaf diweddar yw, tan edrych yn ôl.

Fy nghasgliad i yw, at ei gilydd, fod yr elfen acennol yn flaenllaw gan y Cynfeirdd fel Strwythur isymwybodol mewn Tafod, a bod yr elfen sillafog wedi tyfu'n gryfach gryfach nes cyrraedd Strwythur sefydlog mewn Mynegiant erbyn Beirdd yr Uchelwyr. Dichon fod y datblygiad o Gyhydedd reolaidd wedi digwydd ynghynt yn ôl y 'dosbarth' o feirdd: dyweder, yn fwy ymwybodol benderfynol gan y Pencerdd Taliesin na chan y Bardd Teulu Aneirin, ac yn fwy gan Aneirin dyweder na chan y Cerddor anhysbys a luniodd 'hwiangerdd' *Pais Dinogad.*

(3) Y Cynfeirdd a sefydlodd Ogynghanedd. Trafodir hyn yn fanylach ymhellach ymlaen: sef presenoldeb cytseinedd neu odl fewnol, neu'r naill a'r llall ynghyd, a hynny hefyd ynghyd ag aceniad 'annibynnol' ar y cyseinedd eithr yn reit reolaidd. Ond un elfen bwysig yn y cytseinedd oedd ailadrodd nid yn unig un gytsain, eithr fwy nag un wahanol o fewn Mynegiant.

B. MYNEGIANT ('addurniadau')

Tybiaf, gyda threfn acennol go gyson, mai naturiol oedd clymu yr acenion, a gogwyddo at reoleidd-dra cyhydedd; ond y mae'r brydydd-iaeth ymhell o fod yn gyson yn hyn o beth. Yn *Armes Prydein,* ceir 92 o linellau nawsill a 66 o rai degsill. Hyd yn oed yn 'Canu i Ddewi' gan Wynfardd Brycheiniog, deil yr amrywio cyhydedd yn eithafol (CBT 11, 438-9). Beiddgar mewn amgylchiadau felly yw defnyddio term megis Cyhydedd Naw Ban gydag unrhyw fath o hyder. Mae mesur tri churiad y Cywydd Deuair Hirion, y Gyhydedd Fer, a'r Gyhydedd Naw Ban Drichur yn sylfaenol yn un mesur, gydag amrywiaeth cymharol arwynebol yn nifer y sillafau mewn Mynegiant: hynny yw, os ystyriwn eu bod ill tri yn ymsymud rhwng 3 churiad a 2 + 2 guriad. Dyma awgrym, y mae angen myfyrio'n ddwysach amdano, ond os yw'n gywir, a allai chwyldroi ein holl agwedd at y mesurau a'u hylifedd.

Amorffaidd braidd yw'r ymwybod o 'bennill'. Amrywia hyd yn oed yr 'englynion'; a thraethganau yn hytrach na phenillion yw'r norm. Tyf yr englynion yn fwyfwy arferiadol sefydlog.

II Dyna'r Cynfeirdd. Beth oedd ffurf fydryddol sylfaenol y Gogynfeirdd ar eu hôl? Digon tebyg i'r Cynfeirdd. Fe'i galwaf yn Ogynghanedd.

e.e. 1. Ceir cytseinio un gytsain: b –
2. Ceir cytseinio mwy nag un gytsain gyda'i gilydd. Â ailadrodd b – yn ailadrodd br – .

3. Ceir bwlch: â br – yn b – r, ond heb fod yn cynnwys acen yn wahunol yn y cyfnod cynharaf.

4. Try'r sillaf rhyngddynt yn acen rhyngddynt. Dyma 'ymyrraeth' yr acen, dechreuad ei theyrnasiad arwyddocaol drefnol o safbwynt Cytseinedd ac Odl.

Mewn Mynegiant gyda'r Gogynfeirdd, felly, yn achlysurol neu'n 'addurniadol', tyf nodweddion ansefydlog newydd, nodweddion megis (a) patrymu cyfatebiaeth gytseiniol o gwmpas sillaf, ac yna o gwmpas sillaf acennog, (b) cyfatebiaeth seiniol rhwng dechrau'r llinell a'r diwedd, sy'n acennog. Erys hyn ar lefel Mynegiant yn unig o hyd yn nechrau cyfnod y Gogynfeirdd. Hynny yw, dyma elfen achlysurol, arferiadol ond elfen sy'n tyfu'n botensial ar gyfer dyrchafiad i statws Tafod yn y man, a hynny yn ystod cyfnod y Gogynfeirdd eu hunain. Dyna'r datblygiadau fel petai ar ganol y ffordd ac yn amlwg, o'r hyn lleiaf i'r Gogynfeirdd diweddar. Ond cafwyd o leiaf dri datblygiad arall rhwng y Cynfeirdd a'r Gogynfeirdd.

Yn gyntaf, dechreuwyd gwrando yn ôl arweiniad yr acen bwys yn hytrach nag yn ôl yr acen draw yn bennaf, ac felly patrymid perthynas geiriau'r Gogynfeirdd gan yr acen bwys, a rheolaeth Gogynghanedd o fewn y llinell gyflawn gan acen bwys ynghyd ag acen draw.

Yn ail, datblygwyd uned y pennill ymhellach drwy gyfuniad o'r llinell hir (toddaid) a'r llinell 'fer' (cyhydedd) a thrwy gyfuniad o ailadrodd a chyferbyniad. Digwyddai hyn eisoes yn yr englyn. Datblygwyd allan o'r englyn bob pennill arall a'r cysyniad o bennill ei hun, drwy reoleiddio unedau newydd yn arwyddocaol gyferbyniol. Gyda symudiad yr acen arwyddocaol o draw i bwys, ymsefydlwyd a phatrymwyd. Gellid meithrin y llinell, a fuasai ynghynt o dan reolaeth yr acen draw, bellach dan yr acen bwys. A gellid meithrin uned y pennill yn gynyddol, yn ôl egwyddor y llinell. Yr hyn a oedd yn gyfrifol am glymu'r pennill Cymraeg oedd cyferbynnu arferiadol. Ochr yn ochr â thraethganau ailadroddol megis Cywydd, Rhupunt, Cyhydedd fer a Chyhydedd Naw Ban, ceid Gwawdodyn a Chlogyrnach, yn ogystal â Byr-a-thoddaid, Gwawdodyn hir, Cyrch-a-chwta a Hir-a-thoddaid: dyma benodoli ffiniau i bennill.

Ac yn drydydd, dyma erbyn ei ddiwedd gyfnod datblygu holl adnodd-au'r Gynghanedd o dan lywodraeth newydd yr acen wrth iddi ymaflyd yn nwy nodwedd arall y sillaf, sef y gytsain a'r llafariad. Dyma gyfnod cryfhau cyhydedd sillafog yn ddirfawr.

III Beth oedd ffurf fydryddol sylfaenol Beirdd yr Uchelwyr? Yn y trydydd cyfnod, sef cyfnod Beirdd yr Uchelwyr, symudai rhai o'r arferiadau hyn, a fu yn achlysurol ac yn 'ddamweiniol' fel petai yng nghyflwr Mynegiant ynghynt, i fod yn Dafod. Hynny yw sefydlwyd cyfundrefn gyflawn o batrymu cytseiniaid o gylch yr acen bwys ac yn gyfatebol rhwng rhaniadau'r llinell yn wedd sefydlog ar gyflwr y llinell.

Ar ryw olwg, nid amherthnasol yw ymgynghori ag athro da, fel David Thomas, *Y Cynganeddion Cymreig*, 1923 os dymunir ystyried a oes cydberthynas rhwng y camre olynol y barnwyd eu bod yn arwain o gam i gam yn *strwythurol* i gyrraedd cyfundrefn lawn y Gynghanedd ar y naill law a'r camre *hanesyddol* yn nhwf y Gynghanedd ar y llall. Sylwer sut y mae ef yn annog i ddisgybl ddechrau yn ei gyfarwyddiadau mewn Cynghanedd gytseinedd, â'r Draws Fantach (tebyg o flaen yr acen; annhebyg wedyn): Dyn sydd yn ufudd a dewr. Yn ail, dwy gytsain yn ei dechrau: Ei braich yn cyrraedd y brain. Hynny yw, symudid oddi wrth egwyddor cyflythreniad, sef ailadrodd un gytsain, i adleisio mwy nag un yn ôl patrwm olynol. Yn drydydd, ateb cytseiniol o flaen yr acen gyda geiriau acennog ac o gylch yr acen mewn geiriau diacen, a'r sillaf ddiacen yn gorffen yn annhebyg: Cyfaill neu ddau a'm cofia. Mae'r darganfyddiadau hyn rywfodd yn anochel i'r sawl sy'n ceisio olrhain y datblygiad hanesyddol hefyd. Dyma gronoleg ffurfiol beth bynnag am y gronoleg hanesyddol.

Nid yw hyn yn gwbl annhebyg, yn wir, i'r anocheledd a geir wrth olrhain twf iaith plant, gan sylwi ar y ffaith fod yna reidrwydd wrth ddysgu rhif gramadegol i'r plentyn ddeall 'drws' cyn amgyffred 'drysau', ac wrth ddysgu cymharu ansoddeiriau iddo ddeall 'coch' cyn amgyffred 'cochach'. Felly, mewn Cynghanedd, bydd y bardd yn ymaflyd mewn cyfateb cytseiniol syml fel cytseinio 'd – ' (sef rhan o'r sillaf) cyn cytseinio'n llawnach gytsain ynghyd ag acen yn batrwm cyflawnach 'c – f x', y rhan yn arwain at y cyfan, y gwahanu at y gwahuno.

Un o'r datblygiadau mwyaf gwreiddiol ymhlith Beirdd yr Uchelwyr oedd y tro a ddigwyddodd o fewn cyfundrefn Cytseinedd, – o'r gyfundrefn elfennol o ailadrodd un gytsain gyffelyb yn wreiddiol, drwy ailadrodd mewn Mynegiant fwy nag un gytsain ond rhai gwahanol, heb fod mewn patrwm tyn weithiau (sef corffori o fewn cyfnod y Cynfeirdd egwyddor gwahanu o fewn egwyddor uno), ymlaen i ailadrodd *patrwm* o gytseiniaid lle yr ailgorfforwyd egwyddor uno. Ceid hyn yn aml ond yn anghyson weithiau gan y Cynfeirdd. Ailadroddwyd cyferbyniad neu

strwythur. Yr hyn a wnaeth y Gogynfeirdd diweddar a Beirdd yr Uchel-
wyr, yn isymwybodol oedd troi'r arferiad achlysurol o batrymu cytseinedd
yn undod strwythurol cyson ac yn egwyddor sefydlog. Dyma ddargan-
fyddiad neu sythwelediad, cyflawniad isymwybodol allweddol.

Colli'r amgyffrediad elfennol hwn o olyniaeth anochel strwythurol,
a'r egwyddor o raddio, a ddifethodd lawn effeithiolrwydd dysgu ail iaith
yng Nghymru rhwng 70au'r ugeinfed ganrif a diwedd y milflwyddiant.
Dadansoddi sy'n llunio strwythur creadigol: mae syrthni yn ddigon ar
gyfer rhesu. Pwysigrwydd canolog i barhad y Gynghanedd yw parchu o
hyd deyrnasiad yr acen, fel y cawn pan ystyriwn 'arbrofion' Euros.
Dihunwyd y broses o Gynganeddu gan wahuno. Fe all strwythurau o'r
fath ddihuno dysgu ail iaith hefyd. Mae'r cwbl yn cydlynu.

Ar lefel Mynegiant yng nghyfnod Beirdd yr Uchelwyr, cafwyd amryw-
iadau arddullegol, mae'n wir. Er enghraifft, yn y rhagymadrodd i Waith
Dafydd ap Gwilym disgrifiodd Thomas Parry rai o'r tueddiadau arfer-
iadol a chyfnewidiol a ddigwyddai yn hanes y cynganeddion gwahanol
rhwng y bedwaredd ganrif ar ddeg a'r bymthegfed ganrif; ond Myneg-
iant oedd y rheini. Nis corfforwyd hwy mewn Tafod.

Dyna'r tri chyfnod mawr yn Nhwf Cerdd Dafod hyd at y Gynghan-
edd. Ond sylwer y buasai'n bosibl – fe ganiatéid yn wir – i ffurf llinell
yng nghyfnod dau gael ei chynnwys yng nghyfnod un, ac i ffurf llinell
yng nghyfnod tri gael ei chynnwys yng nghyfnod dau; ond nid i ffurf
llinell yng nghyfnod un gael ei chynnwys yng nghyfnod tri. Mae yna
olyniaeth ffurfiol mewn Cyfundrefneg.

Tyfodd Tafod (y drefn orfodol) ym mhob un o'r tri chyfnod hyn
drwy ymborthi ar Fynegiant (y cyffyrddiadau gwirfoddol). Gwelir bod y
gwahaniaeth rhwng y ddwy lefel ar ffurf yn arwyddocaol ar gyfer neb
sydd eisiau dadansoddi mydryddiaeth a'i disgrifio'n llawn. Gwelir hefyd
gynnydd yn lefel Tafod yng nghyfnod y Gogynfeirdd ac wedyn yng
nghyfnod Beirdd yr Uchelwyr drwy ymborthi ar Fynegiant. Yn wir, y
mae deall y math o wahaniaeth a amlygir rhwng y ddwy lefel, a sut y
maent yn gweithio, a'r gyfathrach rhyngddynt, yn angenrheidiol er
mwyn amgyffred natur ffurf fydryddol yn y cyfnodau hyn, yn ogystal ag y
mae yn y bôn yn wir am bob ffurf yn gyffredinol.

Cyn troi'n ôl at y Gogynfeirdd, serch hynny, rhaid imi nodi ambell
rybudd ynghylch y Cynfeirdd. Rhaid bod yn wyliadwrus, oherwydd

(1) Y mae yna fwlch enfawr, bron bob amser, rhwng y cyfansoddi a'r
ysgrifennu, bwlch a lanwyd gan draddodiad llafar o drosglwyddo pryd y

gellid 'llygru' testun, ei ddiweddaru; ac yn achos y diweddariadau hynny, newidid yn seiniol yn bur eithafol. Gŵyr haneswyr llên mor frau yw prawf dibynnu ar un llinell (grwydr o bosib) i ddyddio cerdd a gadwesid ar lafar am bedwar can mlynedd o bosib. Os yw'n wir am farddoniaeth y bedwaredd ganrif ar ddeg, gymaint mwy gwir yw gyda'r chweched ganrif.

(2) Yn ogystal â'r newidiadau ar lafar (hyd yn oed pan dybir bod modd dyddio'r rheini), ni allwn fod yn siŵr pryd y digwyddodd newidiadau cyffelyb yn y traddodiad prydyddol ceidwadol, er enghraifft yn achos Aceniad, eithr hefyd yn ynganiad cytseiniaid a llafariaid. Hynny yw, gellid cadw ffurfiau seiniol cyntefig mewn cerddi ymhell ar ôl colli'u defnydd cyffredin ar lafar.

Heblaw newidiadau cytseiniol arwyddocaol lawer, a rhai newidiadau llafarog arwyddocaol, nid oes cytundeb pa bryd y symudodd yr acen bwys o'r sillaf olaf i'r goben, gellid disgwyl y buasai'r ddefod wedi parhau mewn prydyddiaeth ar ôl ei newid ar lafar gwlad. Y newid yng nghytsain 'g' (meddalu, yna diflannu) yw'r un ffonemig mwyaf trawiadol wrth ddarllen testun i ni heddiw. Ni wyddom pa mor chwyldroadol 'fodern' oedd barddoniaeth ac 'iaith lenyddol' y penceirddiaid.

(3) Yn ystod y cyfnod o newid yn safle'r acen bwys, hynny yw yn ystod cyfnod o ansicrwydd acennol (pwys), tybiaf fod i'r acen draw fwy o arwyddocâd. Efallai am gyfnod mai acen draw a oedd yn 'llywodraethu'. (Ar yr acen draw gw. TLI 77-78, 82, 87-89; ac SB 71-73.) Ymddengys fod hyn yn arwyddocaol yn achos y brifodl, ac felly wrth gorfannu neu wrth uwch-corfannu. Credaf fod y corfannau a'r uwch-corfannau yn ystod cyfnod y Cynfeirdd a'r Gogynfeirdd wedi'u patrymu o hyd yn ôl acen draw. Yn ystod y Gogynfeirdd, onid ynghynt, dechreuai'r arwyddocâd ychwanegol i'r acen bwys newid ychydig ar y sefyllfa.

Yn y ddadl bondigrybwyll ac enwog rhwng Cyhydedd ac Acenion, gwelaf nad wyf wedi dod allan yn blwmp ac yn blaen, er imi ddangos fy ochr ychydig. Credaf na ellir ystyried Cyhydedd yn elfen arwyddocaol mewn Tafod am nad fel yna y mae Tafod yn gweithio. Nid felly yr adeiledir cyfundrefnau isymwybodol. Yn ôl ei natur ei hun, Cyfundrefn o gyfundrefnau yn yr isymwybod yw Tafod, sy'n dibynnu ar gyferbyniadau deinamig cryno tra elfennaidd, fel arfer yn gyntefig ddeuol, weithiau'n ymestyn i mewn i'r triol. Nid arferiadau wedi ymgaledu ydynt, ond cyfundrefnau. Delweddir y cyferbyniadau hyn yn yr isymwybod yn ôl egwyddor seml anieithyddol bob tro: megis tawelwch/sŵn, un/llawer, absenoldeb/presenoldeb ayb. (gw. SCL xix). Dengys y gormodedd o eithriadau ym maes Cyhydedd yn y cyfnod cynnar na ellir ystyried hyn yn ddeddfol adeileddol, ond daeth yn arferiad pendantach gyda'r Gogynfeirdd. Fe all Cyhydedd ddatblygu ar lefel Mynegiant, bid siŵr, a mabwysiadu 'rheolau'. Rhaid cydnabod y fath beth â chyfundrefn Tafod yn gefndir. A thybiaf mai dyna a dyfodd gydag amser, ac yn hynny o dyfiant y ceir bod, mewn cywydd deuair byrion dweder, 'gyfartaledd' yr amrywiad rhwng llinellau 4 sillaf, 5 sillaf, 6 sillaf, o fewn cerdd neilltuol a rhwng cerddi a'i gilydd, yn gwastatáu eu cyhydedd. Ond nid drwy gyfrif, serch hynny, y ceir nac y trafodir cyfundrefnau isymwybodol.

Cymerwch, fel cymhariaeth o fyd gramadeg, gyfundrefn person y rhagenw. Mae gennych dri pherson. Hynny yw, yn y meddwl mae gennych gyfundrefn o berthynas y gellir ei dal yn isymwybodol, y gellir ymateb i'w chyferbyniad, ie gan blentyn, heb feddwl yn fwriadus amdani. Cyfundrefn unol yw yn cynnwys amrywiaeth, wedi'i seilio yn yr isymwybod ar y cyferbyniad cyn-ieithyddol presenoldeb/absenoldeb. Gellir ei defnyddio'n ddigymell. Mae yna egwyddor o berthynas gyferbyniol yn ei gwneud. Efallai, mewn defnydd allanol, y bydd y llefarydd (dyweder) yn mynegi 40% o'r person cyntaf, 45% o'r trydydd person, a dim ond 15% o'r ail berson. Ond mewn Tafod y maent yn gyfartal o ran statws, a phob un yn diffinio safle'i gilydd. Safleoedd cyferbyniol yw cyfundrefn. Yn sylfaenol nid yw amrywiadau ystadegol yn arwyddocaol. Ansawdd neu adeiladwaith y cyferbyniad rhwng y safleoedd, dyna sy'n seiliol. Felly, mewn gramadeg fe ellir colli yng nghyfundrefn y person un o'r ddau air posibl yn yr ail berson, rhagenwol dweder, ond *nid ydych yn colli safle meddyliol yr ail berson heb newid y gyfundrefn o gyferbyniad yn gyfan gwbl.*

Felly wrth ystyried Cyhydedd. Nid cyfrif rhestr sy'n gwneud cyfundrefn isymwybodol mewn Tafod: yn wir, nid cyfrif acenion pwys (nac acenion traw) fel y cyfryw sy'n ffurfio'r hen fydryddiaeth yn y bôn, ond eu cyferbyniad mewn cwlwm yn yr isymwybod. Ac mae'r acenion di-bwys mor hanfodol mewn ffurf fydryddol â rhai sy'n dwyn pwys. Cyferbyniad ac ailadrodd sy'n gwneud mydr. Ac mae'r di-bwys mor isymwybodol orfodol â'r hyn sy'n ymwthio. Rhaid i'r cyferbyniad fod yng nghefn y meddwl yn gwlwm neu'n uned sydd mor syml fel na raid rhifo.

Gall clymau o'r fath ddatblygu o un gyfundrefn i fod yn gyfundrefn arall o'r tu mewn i Dafod: er enghraifft dichon fod y Toddaid Byr rhwng y Gogynfeirdd a Beirdd yr Uchelwyr wedi datblygu oherwydd bod chwech yn gallu ymdrefnu'n 3+3 yn ogystal ag yn 2+2+2. Symudwyd o'r drefn ddeuol (dull yr awdl) i'r drefn driol (dull yr englyn) o dan ddylanwad y cywydd. Allan o Fynegiant y mae Tafod yn cael ei ffurfio.

Gellid cymharu'r duedd sydd yn y rhan fwyaf o dafodieithoedd Cymru i gyfundrefn 6 thymp (3+3) y Modd Mynegol o'r ferf BOD i droi'n gyfundrefn 5 tymp (3+2, wrth i 'byddai' a 'buasai' ymryson â'i gilydd). Fel y mae gramadeg iaith yn newid gan bwyll, felly y newidiai gramadeg Cerdd Dafod.

Cafwyd newid rhwng Gogynghanedd a Chynghanedd. Ond nid pwysau ystadegol yw'r unig ffordd o ddatblygu. Gellid cael defnydd ffasiynol trwm-ystadegol heb fod y ffurf yn meddiannu'i safle meddyliol o gwbl mewn Tafod. Arwyddocâd neu ansawdd ffurfiol y safle yn y cyferbyniad, dyna sy'n penderfynu a yw ffurf yn bod mewn Tafod.

Ffurf mewn Mynegiant yw Cyhydedd. Ond mae'n sylfaenol wahanol i ffurf mewn Tafod.

Gadewch imi roi enghraifft o'r ffordd y gweithiai Syr Thomas Parry wrth geisio olrhain twf y Gynghanedd. Wrth ymdrin â'r Farwnad i Ruffudd ap Cynan gan Feilyr Brydydd, y mae'n sôn am bedwar categori o gyfatebiaethau: Odl, Cytseinedd, Odl a Chytseinedd, a 'dim byd'. Yn fuan, y mae'n dechrau dosbarthu'r rhain yn fanylach gan nodi ai ar ddechrau'r llinell, tua'r canol, ynteu tua'r diwedd y digwydd y Cytseinedd. Ac yn y blaen. Mae hyn oll yn werthfawr dros ben, ac nid oes gennyf gweryl ag ef fel disgrifiad o Fynegiant ac fel amlygiad o arddulleg. Yn wir, credaf fod i'r safleoedd hynny, sef dechrau, canol a diwedd, arwyddocâd yma nid yn unig mewn Mynegiant, ond maes o law mewn gwahaniaethu rhwng y mathau o Gynghanedd (Sain, Llusg a Thraws) mewn Tafod. [Traws Sero yw Croes o ran patrwm.] Ond credaf, er mwyn astudio Cynghanedd neu Ogynghanedd, fod yn rhaid canolbwyntio ar Dafod, gan grybwyll Mynegiant yn ôl ei hunaniaeth gyfrannol ei hun.

Mae'n eglur mai'r un statws sydd i'r cyfuniad o Odl ynghyd â Chytseinedd ag sydd i Odl a Chytseinedd ar wahân, a hynny mewn unrhyw leoliad yn y llinell. Ceir dewis o fewn egwyddor. Mae'r beirdd naill ai eisoes wedi cyrraedd neu'n symud at gyflwr lle y mae'n rhaid cael Odl (Proest neu Odl enerig) neu Gytseinedd (eto ynghyd â ffurfiau generig posibl ar Gytseinedd) ym mhob llinell, heb yr un rheidrwydd ychwanegol o'r fath yn atodol arwyddocaol. Dyna Dafod iddynt. Dyna hefyd arloeswyr Cynghanedd Lusg a Chynghanedd Draws (a Chroes). Nid yw *cyfuno* Odl a Chytseinedd ond yn gywreiniad pellach dewisol – addurn mewn Mynegiant am y tro: mae'r cyfuniad hwnnw yn meddu ar statws gwahanol i Dafod ar y dechrau o leiaf. Daw'n arwyddocaol ffurfiol mewn Cynghanedd Sain ymhellach ymlaen.

159

A'r un modd wrth drafod a yw Odl neu Gytseinedd mewn llinell yn digwydd ar y dechrau, yn y canol [hynny yw, ar ôl acen arwyddocaol] neu yn y diwedd. Gall hyn fod yn sylw gwerthfawr mewn Mynegiant oherwydd y mae'n mynd i ddangos cynnydd poblogrwydd mewn elfennau sy'n esgor ar gynganeddion. Ond o safbwynt y gyfundrefn orfodol ar y pryd, cyfundrefn angenrheidiol (neu Dafod) y Gogynfeirdd yn ôl eu telerau'u hun, nid oes iddo unrhyw arwyddocâd. Dim ond i Odl neu i Gytseinedd ddigwydd rywle rywle o fewn y llinell, heb unrhyw ymdeimlad o safle (ar wahân i ymdeimlad cynyddol o'r goben wrth i'r ymwybod cynyddol o'r acen bwys ac o'r llinell fel uned gyflawn dyfu), dyna ddigon. Hynny yw, rhaid ymdrin â'r Gogynfeirdd yn ôl eu gofynion hwy, ac nid yn ôl y potensial sydd ynddynt i fod yn Feirdd yr Uchelwyr ar ôl tyfu i fyny. Daw'r ystyriaethau a gyfyd Syr Thomas yn arwyddocaol wrth gwrs, wrth ystyried datblygiad tuag at Gynghanedd Beirdd yr Uchelwyr ar sail arferion Mynegiant: wrth ddadansoddi cyfundrefn Tafod y Gogynfeirdd, nid ydynt yn cyfrif.

Ac eto, yn hanesyddol, er mwyn symud o sefydliad Gogynghanedd i sefydliad Cynghanedd, yr oedd yn rhaid cael trothwy lle yr oedd y cyflwr cyntaf yn gynwysedig yn yr ail. Hynny yw, rhaid oedd cael cyfnod pryd yr oedd y Mynegiant a oedd wedi datblygu yn yr ail gyfnod yn cael ei ganiatáu'n llawn gan Dafod y cyfnod cyntaf. Rhaid cael gorfodaeth y cyfnod cyntaf yn caniatáu ymarfer yn rheolaidd yn ôl dull yr ail gyfnod.

O'r pedwar categori a enwir gan Thomas Parry, yr un mwyaf diddorol wrth gwrs yw 'Dim Byd': hynny yw, categori lle nad oes nac Odl na Chytseinedd. Gyda'r *eithriadau*, dyma mewn Cerdd Dafod, megis mewn gramadeg, lle y mae'r hwyl fwyaf fel arfer. Gwaetha'r modd, ar gyfer y cerddi a ddadansoddir, ni ddyry Dr. Parry y llinellau a ystyriai ef fel rhai'n perthyn i'r categori hwn, ac nid yw'r ddwy a nododd yn benodol yn cael aros yn eithriadau yn fy nadansoddiad i. Mae peth o'r gwahaniaeth yn codi rhyngom yn ôl pob tebyg oherwydd fy mod i'n cynnwys Proestio mewnol, Cytseinio generig, a Chytseinio treigladol o fewn Tafod Gogynghanedd.

(ii) DATBLYGIADAU YN YSTOD CYFNOD Y GOGYNFEIRDD

Rhoddaf yn gyntaf ddadansoddiad gweddol gyflawn o Farwnad Gruffudd ap Cynan gan Feilyr tua dechrau cyfnod Gogynghanedd. Dechreuaf gyda Chytseinedd gan fy mod yn ystyried mai gwedd ar Gytseinedd yw Odl, a'm rhifau'n cynrychioli'r llinellau yn CBT 1. Dylwn nodi y gall llinell ymddangos o dan fwy nag un pennawd, er enghraifft lle y bo Cytseinio cysefin yn cyd-ddigwydd gyda Chytseinio Generig neu Gytseinio Treigladol. Ond y mae newydd-deb fy nadansoddiad yn canoli'n bennaf ar ddau bwynt:

Mewn Tafod ar y pryd (hynny yw, yn y gyfundrefn amodol, 'sefydlog', ragflaenol yn y meddwl) yr oedd i Gytseinio Generig a Chytseinio Treigladol ac i Broestio yr un statws ag a oedd i Gytseinio Ffonemig (hynny yw'r math o gyflythreniad yr ŷm ni yn gyfarwydd ag ef heddiw). Cyflwynaf yr elfen enerig gyda chryn betruster, wrth gwrs. Os clywid Odl Enerig, fe ddisgwylid y byddid yn clywed Cytseinedd Generig. Ymddengys i mi fod y Cytseinio Treigladol a'r Proestio yn elfennau arwyddocaol ac argyhoeddiadol, ond gwan iawn erbyn hyn oedd y tebygrwydd fod Cytseinedd Generig yn cynnal unrhyw fath o hunaniaeth gyflythrennol, er bod Odl Enerig yn dal yn weddol glir. Perthyn Odl Enerig i fath o Gyseinedd i lafariaid, sydd hefyd yn fater a haedda sylw ynddo'i hun, ond nid yn awr.

Nid oedd ots mewn Gogynghanedd yng nghyfnod cynharaf y Gogynfeirdd ymhle yr oedd y cyfateb, ar ddechrau llinell, yn y canol, neu ar y diwedd. Ar ryw olwg y mae dadansoddi felly yn amherthnasol mewn Tafod, er bod ei nodi mewn Mynegiant yn gymorth diamheuol wrth olrhain y twf a ddeuai maes o law mewn Cynghanedd. Digon oedd bod yna bresenoldeb Cyseinio, boed drwy lafariad (Odl) neu drwy gytsain (Cytseinedd). Angenrheidiol neu orfodol oedd cael y naill neu'r llall. Ychwanegiad oedd amlhau'r Cytseinedd neu'r Odl ar y pryd. Yr ydys felly yn ceisio gwahaniaethu, wrth drafod cyfnod, rhwng y gorfodol a'r dewisol.

Diau fod yna deimlad cynyddol ynghylch lleoliad: fod y rhain yn digwydd ddechrau, ganol neu ddiwedd llinell; ond ymdeimlad heb ei gyfundrefnu oedd. Ni cheid trefn orfodol. Mewn Cynghanedd gan bwyll (oherwydd gwahuno) dôi'r gyfatebiaeth i'w threfnu'n gwlwm Celtaidd: yn lle cyd-bresenoldeb, ceid rhyng-bresenoldeb. Tyn yn lle llac.

Mewn Mynegiant yng nghyfnod Marwnad Gruffudd ap Cynan (CBT 1), er nad oedd i'r amrywiadau lleoliad ddim arwyddocâd mewn Tafod, datblygai'r lleoliadau hyn fwyfwy o botensial neu o rym arferiadol tuag at batrymu'n 'sefydlog'. Yr acen a'u sefydlogai. Hynny yw, er na ellid cyfrif y dosbarthau canlynol yn arwyddocaol ar y pryd o safbwynt cyfundrefnu cyferbyniol, yr oedd ymwybod arferiadol y tu ôl iddo yn ymddangos fel petai'n tueddbennu i greu fframwaith newydd ar gyfer Tafod.

161

Dyma'r sgôr o arferiadau yn yr awdl fel y'i gwelaf ar hyn o bryd. Ni cheisiwyd bod yn ddihysbyddol, am resymau a esbonnir ymhellach ymlaen, yn y sectorau treigladol a generig. Awgrymir bod pob llinell i fod i gynnwys rhyw wedd ar y gyfundrefn.

I (1) *Cyfateb Cytseiniol dechreuol*

(a) ffonemig

e.e. 16. I ri a roai heb esgusawd

1, 2, 3, 4, 6, 7, 9, 10, 14, 16, 17, 18, 20, 21, 29, 35, 38, 44, 45, 49, 53, 54, 55, 59, 61, 65, 67, 71, 74, 81, 83, 86, 89, 96, 97, 107, 109, 111, 112, 113, 115, 119, 120, 123, 125, 126, 132, 135, 139, 146, 147, 148, 150, 151, 153, 159, 164, 169 [Cyfanswm: 58]

(b) treigladol (SB 250-252)

e.e. 149. Cadwaladr gedawl o gynfedydd.

3, 5, 25, 30, 31, 34, 50, 55, 64, 78, 86, 90, 95, 105, 110, 124, 128, 129, 130, 132, 134, 149, 150, 160, 168, 172 [Cyfanswm: 26]

(c) generig (SB 211-216, 221)

e.e. 80. Toresid gormes yn llynghesawg (t, g)
113. Am drefan Dryffwn rhag eiriolydd (f, ff)

1, 7, 8, 11, 17, 22, 27, 41, 57, 76, 106, 127, 133, 136, 162 Diau fod y rhain mor niferus fel nad oedd fel arfer ddim arwyddocâd iddynt : e.e. 7 Pan gaffwyf-i gan lain lân gyflogawd (H.y. 'p' ac 'g'). Ond nid diarwyddocâd bob amser. Parhad ydyw o hen 'sefydliad', parhad a allai mewn ambell linell esbonio Tafod y llinell. Yn fy marn i, y cyffredinedd goraml sy'n cyfrif bod y rhain, a oedd yr adeg hon yn rhan hanfodol o Dafod o hyd, wedi peidio â bod yn arwyddocaol erbyn diwedd cyfnod y Gogynfeirdd: enghraifft o elfen drwy amwysedd neu ddiffyg penodolrwydd miniog yn darfod. Hynny yw, fe'i derbynnid, bob amser, erbyn y diwedd – bron bob amser yn y dechrau – yn gyd-ddigwyddiad gwan yn hytrach nag yn rhan o'r fframwaith gofynnol neu amodol.

(2) *Cyfateb Cytseiniol canol*

(a) ffonemig

e.e. 7. Pan gaffwyf-i gan lain lân gyflogawd

2, 3, 4, 7, 8, 12, 14, 19, 21, 23, 24, 27, 32, 36, 41, 44, 47, 50, 51, 56, 58, 70, 71, 74, 86, 90, 93, 99, 100, 105, 107, 109, 110, 112, 113, 115, 116, 118, 120, 126, 133, 135, 136, 139, 144, 146, 151, 154, 161, 167, 168, 169, 171, 172 [Cyfanswm: 54]

ynghyd â Phroest 47

(b) treigladol

e.e. 166. Ergrynai fy mhwyll ei bell gerdded

5, 9, 11, 13, 15, 24, 32, 35, 42, 49, 61, 86, 96, 130, 141, 147, 150, 153, 160, 166 [Cyfanswm: 20]

(c) generig

e.e. 22. Pasgadur cynrain, Prydain briawd

17, 19, 33, 52, 64, 73, 76, 81, 89, 94, 112, 133, 140, 147, 154, 155, 161, 162, 169. Ond gw. y nodyn i (1c).

(3) *Cyfateb Cytseiniol diweddol*

(a) ffonemig

e.e. 39. Gogwypo ei Dduw o'i ddiweddawd

1, 2, 6, 10, 12, 18, 29, 32, 33, 35, 37, 38, 39, 43, 44, 46, 49, 50, 51, 52, 55, 56, 57, 58, 59, 60, 62, 65, 69, 70, 75, 81, 83, 85, 87, 88, 103, 107,108, 109, 110, 111, 112, 113, 114, 117, 119, 123, 124, 127, 128, 129, 130, 132, 138, 139, 140, 149, 151, 153, 162, 168, 170 [Cyfanswm: 63]

(b) treigladol

e.e. 14. Ni ddug neb ceiniad nâg ohonawd

2, 3, 4, 14, 22, 30, 41, 42, 61, 63, 72, 83, 84, 96, 105, 116, 143, 156, 159, 163, 166, 168 [Cyfanswm: 22]

(c) generig

13, 15, 24, 31, 35, 47, 54, 67, 69, 74, 95, 136, 154, 160, 166 gw. y nodyn i (1c).

(4) *Cyfateb Cytseiniol dechrau a diwedd*

(a) ffonemig

e.e. 20. Blaidd byddin orthew yn nerw blyngawd

1, 4, 5, 7, 13, 18, 20, 26, 30, 33, 34, 40, 47, 51, 52, 61, 62, 69, 70, 79, 81, 88, 95, 99, 101, 103, 107, 108, 109, 111, 112, 119, 134, 145, 152, 158, 166 [Cyfanswm: 37]

(b) treigladol

e.e. 104. Men yd las Trahaearn yng Ngharn Fynydd

6, 21, 22, 68, 104, 110, 129, 130, 137, 139, 141, 149, 159, 168 [Cyfanswm: 14] (c) generig 2, 8, 10, 19, 29, 30, 31, 35, 37, ayb. gw. y nodyn i (lc).

(5) *Cyfateb Cytseiniol o gwmpas sillaf/au*

(a) ffonemig

e.e. 6. Peryf, pâr wrthfyn yn erbyn Brawd

4, 5, 6, 7, 8, 9, 12, 14, 16, 19, 21, 29, 35, 41, 43, 45, 46, 51, 58, 74, 83, 103, 105, 111, 112, 120, 127, 130, 132, 139, 164, 166, 168 [Cyfanswm: 33] Efallai y dylid diwygio'r wedd hon i gynnwys cyfatebiaethau â mwy nag un sillaf e.e. 54, 60. Dyma'r patrwm i'w ddarganfod, y patrwm a ddôi maes o law yn gnewyllyn i Gynghanedd aeddfed.

(b) treigladol

25, 46

(c) generig gw. y nodyn i (lc uchod).

Cawn gyfle yn y man i sylwi na raid diffinio Odl fel cyfatebiaeth ar ddiwedd geiriau: gwelwn mai cyfatebiaeth ar ddiwedd sillafau yw. Yn yr un modd nid oes angen sôn am Gytseinedd fel elfen ar ddechrau geiriau. Mewn enghraifft a nodwyd uchod yr oedd yn digwydd o dan yr acen: 8 Can dyddaw angau angen drallawd.

Sut y bernir a ellid, neu beidio, gynnwys y dosbarthau gwahanol hyn – Cytseinedd dechreuol, Cytseinedd canol, Cytseinedd diweddol – yn gyfundrefnau mewn Tafod, fel y bu i Thomas Parry awgrymu efallai? Beth yw'r gwahaniaeth rhwng dosbarthiad triphlyg o'r fath ar y naill law a chynnwys ar y llaw arall mewn Tafod yn ystod cyfnod diweddarach y triawd Cynghanedd Lusg, Cynghanedd Sain a Chynghanedd Draws (yr olaf yn cynnwys Cynghanedd Groes, sef Cynghanedd Draws Sero). Yn y dosbarthiad cynganeddol diweddarach hwn, cyferbynnir tair egwyddor wahanol ddigon – Odl yn unig, Odl a Chytseinedd, a Chytseinedd yn unig. Mae yna reidrwydd i gynnwys un o'r rhain ac y maent yn cynnwys amodau sylfaenol cwbl wahanol i'w gilydd o ran natur ddofn, er y gall yr Odl â'r goben dyweder mewn Llusg gael ei lleoli ar ddechrau'r llinell neu yn y canol, ac er y gellir amrywio'r bwlch mewn Cynghanedd Draws. Gallesid casglu a dosbarthu gwahanol batrymau o effeithiau eraill o fewn y gyfundrefn o Gynghanedd, heb ymdeimlad o bendantrwydd lleoliad yn yr un, namyn mewn Llusg mewn cwpled o Gywydd neu yn esgyll Englyn. Ond nid ymdeimlir ag elfen ddamweiniol yn y tair egwyddor gyferbyniol a 'sefydlog' a nodwyd. Yn achos Gogynghanedd y Gogynfeirdd ceir dwy egwyddor gyferbyniol sy'n meddu ar yr un ymdeimlad o reidrwydd, sef Cytseinio ac Odli, y naill ynghlwm wrth Gytseinedd yn unig a'r llall yn fwy dibynnol ar lafariaid mewn rhyw ffordd neu'i gilydd, y caeedig a'r agored. Nid yw safleoedd y Cytseinedd a'r Odlau ar hydred y llinell yn ddigon penodol neu 'ddisgybledig' i fod yn wahaniaethol arwyddocaol. Gellir ymledu ar hyd y llinell. Er y gellid dosbarthiad pellach mewn Mynegiant fel y dangosodd Thomas Parry, nid oedd a wnelo â rheidrwydd dewis cyfundrefnol. Yn wir, yn nadansoddiad Syr Thomas (a'r patrwm a fabwysiedais innau uchod), anodd weithiau, pan fo geiriau cystrawennol yn ymyrryd, yw barnu a yw Cytseinio sy'n dilyn sillaf ddiacen yn agos i ddechrau llinell i'w gyfrif yn ddechreuol neu yn y canol, na chwaith ym mha le y mae'r canol ac ymhle y mae'r diwedd. Hynny yw, nid oes cyferbynnu ymwybodol eglur fel sydd rhwng y tair Cynghanedd a nodwyd, tair Cynghanedd sydd o dan lywodraeth acen ac felly'n ymrannu'n gymalau pendant, tair sy'n meddu ar gyferbyniad ansawdd i'w gilydd mewn cyfundrefn. Dichon mai llywodraeth eglurach y brif acen a gyfundrefnai hyn mor eglur gyda Beirdd yr Uchelwyr.

Ceisio dadlau yr wyf mai'r 'llinell' (a'r ffurf ar hyd rhediad y llinell) yw'r uned arwyddocaol. Ceid agosrwydd Odli neu gytseinedd ar hyd yr uned yna.

Sylwn yn awr felly ar yr 'Odli'. Cymerer y llinellau hyn:

49. Ceimiad cas agarw, syberw serchawg
58. Cyd doeth ef nid aeth yn warthegawg
84. Gwae a ymddired wrth fyd bradawg (Proestio â goben)

Mae'n anodd gennyf feddwl wrth ystyried ll. 49 nad oedd y bardd yn clywed Proest yn y fan yna, ac yntau wrth gwrs yn gwbl gyfarwydd â'r

165

ffenomen. Ac os clywai Broest yn y llinell honno, fe'i clywai mewn mannau eraill hefyd fel y cawn weld. Gyda llaw, ll. 84 yw un o'r ddwy linell enghreifftiol a nododd Dr Parry fel llinellau heb ddim cyfatebiaeth ynddynt (ni nododd yr eithriadau eraill a gyfrifai).

Heblaw Proest fel rhan o'r gyfatebiaeth Odlog, credaf y dylid hefyd gynnwys Odl enerig (TLI 126-130; SB 211-216). Mewn Odl enerig ceir cyfatebiaeth lafarog ynghyd â'r un dosbarth o gytseiniaid – naill ai ffrwydrol neu barhaol gyda thuedd gref i rai trwynol fynd gyda'i gilydd. Sylwer ar y llinellau hyn: 4. Rheg rhy-d-eirifam yn rhan Drindawd (m ac n); 35 Rhy'i gaded Rhufain reg addfwyndawd (gad*ed* r*eg*; Rhu*fain*, add*fwyn*dawd; heblaw rh – dyna'r tair cyfatebiaeth amlycaf).

Os yw hyn yn gywir fe all fod yn gryn gymorth i ddatrys pa gyfatebiaeth a glywid mewn ambell linell anodd. Symudwn ymlaen er enghraifft at y trydydd pwynt ynghylch Odli. Gwyddom fod Meilyr yn Odli nid yn unig â diwedd gair, eithr hefyd â goben: e.e.

> 48. Ni ludd ei erlid yn odidawg;
> 76. Bûm o du gwledig yn lleithigawg.

Nid yn unig â'r goben, ond â'r rhagoben: sylwer ar y tair llinell olynol, 91-93. Ond gan fod Odl ei hun yn gallu symud o gwmpas o fewn llinell, nid yw'n syn fod Odli gobennol hefyd ar y pryd yn symudol:

> 46. Rhag unmab Cynan, y cyndyniawg;
> 77. Eilwaith ydd eithum yn negesawg.

Dengys amrywiadau fel y rhain fod Odl yn cael ei chaniatáu ar ddiwedd sillaf yn ogystal ag ar ddiwedd gair.

Ond dowch ymhellach: os ydym eisoes wedi clywed Proest ac Odl enerig yn cyfateb ar ddiwedd geiriau; onid yw'n bosibl bellach y gallwn glywed Proest neu Odl enerig yn y goben? O leiaf, dyna'r esboniad sydd gennyf ar gyfer y llinellau:

> 72. Dy-m-gug, neu'm gorug yn oludawg (Odli generig â'r goben);
> 98. Marchogai esgar ar elorwydd (Proestio â'r goben).

Dyma f'arolwg o'r Odlau felly:

II (1) *Odli dechreuol*

(a) ffonemig

e.e. 12. I edwyn terwyn torf ei forawd

7, 10, 12, 29 (goben), 43, 45, 59, 72, 77, 80, 87, 138, 141?, 157, 158, 160, 163, 171 [Cyfanswm: 18]
Sylwer mai Sain/Braidd-sain yw 12, 45, 171
(b) generig

e.e. 127. Ni noddes mawredd eu merwerydd

(c) Proestio (ceisiais benodoli diffiniad Proest SB 216-223)

e.e. 109. Cuddynt cyfnofant cant cyfoedydd 58, 109, 116, 143

(2) *Odli canol*

(a) ffonemig

e.e. 2. Rhiau, Rhwyf elfydd, rhydd Ei folawd

2, 3, 5, 6, 10, 11 (tair Odl), 13, 15, 18, 19, 22, 25, 26, 27, 28, 29, 30, 31, 33, 34, 37, 38, 40, 44, 51, 52, 54, 55, 61, 64, 65, 66, 67, 68, 70, 71, 72, 73, 74, 75, 78, 82, 88, 90, 91, 93, 94, 95, 97, 99, 102, 103, 104, 105, 107, 109, 110, 111, 114, 115, 116, 117, 118, 120, 122, 123, 124, 126, 128, 129, 131, 132, 133, 134, 136, 137, 140, 142, 143, 146, 148, 150, 151, 152, 153, 154, 155, 157, 160, 162, 164, 170, 172. [Cyfanswm: 93]
Sain/Braidd-sain yw 10, 18, 19, 33, 37, 38, 44, 51, 52, 61, 65, 70, 71, 75, 93, 109, 114, 117, 123, 128, 130, 138, 153, 162, 163, 170
Sain dreigladol yw 22.

(b) generig

e.e. 1. Rhên nef, mor rhyfedd Ei ryfeddawd

1, 4, 6, 35, 42, 53, 63, 116, 130, 144, 147, 156 Sain dreigladol yw 62.

(c) Proestio

e.e. 49. Ceimiad cas agarw, syberw serchawg

8?, 49, 56, 58, 84, 89, 90, 103, 113, 164

(3) *Odli â'r goben*

(a) ffonemig

e.e. 1. Rhên nef, mor rhyfedd Ei ryfeddawd

1, 46, 48, 59, 61, 71, 76, 77, 79, 80, 91, 93, 100, 106, 107, 136, 145, 149, 165, 172

(b) generig

e.e. 72. Dy-m-gug, neu'm gorug yn oludawg

12?, 24, 27, 32, 40, 42, 43, 53, 54, 55, 62, 72, 100, 127, 135, 166

(c) Proestio

e.e. 17. Gruffudd glew dywal ar orfeddawd

17, 19, 24, 31, 35, 41, 43, 65, 84, 98, 104, 138, 147

Tybed a oes Proest generig rhwng 'crefydd' a 'nghyfrifed' yn llinell 159? Odli rhagobennol: 57, 91, 92, 125 Proestio rhagobennol: 39 Odli â goben gair mewnol 46, 77.

Caniatéid Odli heb fod â diwedd gair: Odlid fel y gwelsom â diwedd sillaf.

O'r cant, saith-deg a dwy linell, un yn unig a erys heb ei datrys, sef 121 A'r maint a ddyfu ar eu hedrydd. Rhaid, yn ôl y ffordd y bydd Tafod yn ymddwyn, fod hon yn herio. Gall fod yn wall neu'n gamgopïad: go brin bod 'a' yn Proestio â 'ddyfu' yn effeithiol, na'r 'm' a'r 'f' yn cyfateb yn dreigladol, na bod y gyfres o gytseiniaid parhaol yn Cytseinio'n enerig (r, m, n, dd, f, r, r, dd). Eto, tybed? Dichon bid siŵr wrth chwilio ar ymylon y gelfyddyd fel hyn y down ar draws 'eithriadau' o'r fath sy'n ei mentro hi. Y rheina yn y pen draw a laddodd gytseinedd treigladol a generig.

Gwelir bod yna amrywiaeth bron yn ddi-ben-draw yn yr amrywebau ar y ddau hanfod – Odli a Chytseinio. Ac eto, o gylch yr amrywiaeth hwnnw y mae yna hefyd undod. Ffordd arbennig o ganfod â'r glust yw Tafod. Yn yr achos hwn, yn lle clywed yn ffonemig yn unig fel y gwnawn ninnau heddiw, caniatâi clust y Gogynfeirdd i'r fframwaith ffurf glyw-edol gynnwys carfanau o (1) cytseiniaid ffrwydrol, neu (2) cytseiniaid parhaol, neu (3) cytseiniaid cysefin/treigladol, fel grwpiau mewnweith-redol, tri grŵp wedi'u cyferbynnu â'i gilydd, a hefyd grwpiau o lafariaid ffonemig ynghyd â llafariaid proestiol wedi'u cyferbynnu. Disgwylid bob amser bresenoldeb un o'r tri er mwyn cyfiawnhau llinell. Y rhain, sef y Tafod, digon ansefydlog ar y pryd, a amodai'r Mynegiant.

Os wyf yn gywir wrth gynnwys cyfatebiaeth enerig a chyfatebiaeth dreigladol o fewn y dadansoddiad tafodol, disgwyliem fod y beirdd yn clywed yr unfath mewn Cymeriad. Ac felly, fe geir e.e.

Cymeriad treigladol:
    133-134. Gan a'i canfu ni bu ferydd.
    Cad rhag tâl Prydain, prenial Fechydd.
    3-4, 19-20, 27-29, 65-66, 67-68, 133-134

Cymeriad Generig o bosib:
    19-20. Gŵr a lywai lu cyn bu breuawd,
    Blaidd byddin orthew yn nerw blyngawd.
    7-8, 19-20, 38-39, 44-45, 57-58, 71-72, 78-79, 80-81

Cymerer y llinellau:
    86-89. Tymp pan dreing terwyn torf ddiffreidiawg
    Cwynif, ni byddif ddiebreidiawg,
    Delw ydd amgyrwyf bwyf cynheilwawg.
    Crist cyflawn annwyd, boed trugarawg.

Fan hyn ceir cyfuniad o Gymeriad Treigladol a Chymeriad Generig. Ond wrth ystyried Cymeriad, cyfyd ystyriaeth newydd ynglŷn â'r clywed gogynganeddol o fewn y llinell. Ceir y gyfatebiaeth ryfedd a arhosodd ymlaen am ganrifoedd rhwng llafariaid (neu h, n) ac unrhyw gytsain:

    9-10. Ac ail dra drymaf trengi meddwawd,
    Llys lleufer ynys, gwrŷs gorfyndawd.

Onid oes rhaid disgwyl, os clywid fel hyn ar ddechrau llinell, yna y clywid yr un modd o fewn corff y llinell, er y gallai'r drefn mewn Tafod beidio, gan droi'n ddefod neu'r arferiad yn unig mewn Mynegiant? Mae dyn yn arswydo ychydig wrth feddwl am yr ateb, ac yn amlwg ni allai llacrwydd o'r fath mewn Tafod byth barhau.

Ceir hefyd Gymeriad Odlog (a oedd hefyd yn yr achos hwn yn enerig):

    7-8. (cf. 169-170) Pan gaffwyf-i gan lain lân gyflogawd,
    Can dyddaw angau angen drallawd

yn ogystal ag Odl Enerig fel Cymeriad:

138-139. Ar emys ei lys a'i luosydd
As rhoddwy fy Rhên ran dragywydd.

A Chymeriad Proestiol:
164-165 Marwnad mur tewdor fôr ddylyed.
Cedernid rhewynt cyn no'i fyned.

Wrth ystyried y Proest yn sillaf olaf 'cedernid' uchod, mae yna egwyddor arall y mae'n wiw ei chofio ynglŷn â Chymeriad, a hynny yw safle: ceir Proest ac Odli cyrch fan yma yn ogystal â Chymeriad dech- reuol. Fel arfer, wrth gwrs, dechreuol yw'r gyfatebiaeth rhwng dwy linell (dwy o leiaf). Yn wir, ceir ambell enghraifft lle y mae'r gyfatebiaeth o gylch y sillaf

e.e. 111-112. Taer terddyn asau talau trefydd,
        Torri calchdöed tiredd Trenydd.

Ond sylwer ar ddiwedd un llinell yn cyrchu ac yn cymryd dechrau'r llinell wedyn: e.e.

103-104. Amug â'u dragon, udd Môn, *meinddydd,*
Men yd las Trahaearn yng Ngharn Fynydd.

1-2, 3-4, 11-12, 18-19, 19-20, 25-26, 33-34, 34-35, 35-36, 37-38, 97-98, 103- 104, 116-117, 162-163, (cyrchir Odl enerig yn 163 -164; dichon fod 67- 68 yn enghraifft o gyrchu treigladol.)

Cyn troi i ystyried y datblygiadau mewn Gogynghanedd, sylwer ar y Gogynfardd cynnar hwn. Damcaniaethai Thomas Parry mai yn y canol y dechreuai Cytseinedd ac ymledu i'r ymylon. Fel arall y mae tystiolaeth awdl Meilyr. Sylwer ar bedwar pwynt. (i) Yn ystadegol, ceid cyfateb cyt- seiniol dechreuol: 84;/ canol 74;/ diwedd: 85; (ii) Yn ffurfiol, gwyddom mai'r allwedd i'r ddisgyblaeth acennol yw'r brifodl ar y diwedd; ac mai'r ail gam yw aceniad diwedd rhan gyntaf y llinell; po fwyaf y cytunwn â CD mai'r acen yw allwedd y Gynghanedd, mwyaf yr ydym yn debyg o ganfod y safle yna nid yn brennaidd ond drwy sythwelediad fel yr un sy'n meddiannu rheolaeth y llinell; (iii) Mae bodolaeth Cynghanedd Draws hefyd yn awgrymu gwendid cymharol rhan ganol y llinell; (iv)

170

Y Gynghanedd Sain (a llafariaid) biau ganol y llinellau mewn modd arbennig. Dichon mai dyna'r ail gam yn natblygiad y Gynghanedd o'r terfyn i'r canol tan feddiannu cyhydedd y llinell yn gyfansawdd.

Wrth gyferbynnu awdl fel hon ar ddechrau cyfnod y Gogynfeirdd ag awdl ddiweddarach yn yr un cyfnod, megis Marwnad Llywelyn ap Gruffudd gan Ruffudd ab yr Ynad Coch, ac yn fwy byth ag awdlau Gogynfeirdd wedyn, gallwn sylwi ar newidiadau sylweddol. Yr ŷm yn ymwybod â gwth o gyflwr Gogynghanedd tuag at yr hyn a ddôi'n Gynghanedd.

1. Dyma ymwared â chyfateb cytseiniol generig a threigladol ac Odl enerig a Phroest fel elfennau arwyddocaol o fewn arglwyddiaeth y llinell, hynny yw mewn Tafod. Mabwysiedir y ffonem yn hunaniaethol. Dichon fod cyfateb generig wedi digwydd mor fynych, mor ddisylw o naturiol, fel nad oedd yn ddigon gwahaniaethol i fod yn arwyddocaol fel arfer: e.e. 7, 8, 22.

2. Datblygwyd I (3) y cyfateb cytseiniol diweddol ynghyd ag Odl (tuag at Sain); I(4) y Cyfateb Cytseiniol dechrau a diwedd (tuag at y Draws Fantach a'r holl gyfundrefn acennog mewn Traws a Chroes). Dyma brif sylfaen y Gynghanedd, *i'r llinell.* Nid yw ystadegau yn ganolog mewn Tafod fel y maent mewn arddulleg (enghraifft dda yw'r dadansoddiad o gynganeddion englynion Dafydd ap Gwilym i'r Grog o Gaer, lle y ceir 75 o linellau Sain, 1 llinell o Lusg, ond lle y mae'r naill a'r llall ar y pryd yn gwbl gyfartal yn y gyfundrefn: YB XXI); I(5) y cyfateb Cytseiniol o gwmpas y sillaf tuag at gyfateb o gwmpas yr acen. Dyma eto sylfaen y Gynghanedd, *i'r gair.*

3. Ynghyd â'r datblygiadau hyn, dechreuwyd ymwybod â pherthynas rhwng uned y llinell ac amrywiaeth ailadroddol y cytseiniaid a'r llafariaid mewnol. Cafwyd cydweithrediad rhwng uned y llinell ac unedau'r sillafau o dan reolaeth yr acenion.

4. Datblygwyd II (1) Odli dechreuol a II (2) Odli canol drwy'u cyfuno'n fwy rheolaidd â chytseinio, tuag at Sain, ynghyd â II (3) Odli â'r goben tuag at Lusg.

5. Ymataliwyd rhag datblygu'r 'Cyfateb cytseiniol dechreuol' mewn Tafod. Hynny yw, peidiwyd; a gadael i gyfateb canol a chyfateb diwedd yn unig gael eu lle mewn ffurfiau Tafod; ac wrth beidio yr oeddid yn gosod fframwaith. Arhosodd y cyfateb hwnnw mewn Mynegiant yn unig fel ffactor hunaniaethol yn y drefn ogynganeddol, a hynny yn rhan o'r gyfatebiaeth rywle yn y llinell; ond ni ddatblygodd yn arwyddocaol mewn Tafod. Ni chyfrannodd yn arwyddocaol at unrhyw Gynghanedd o fath

171

arbennig, ar wahân i'r duedd gyffredinol tuag at gorffori ateb cytsein-
iaid. Mae ymatal negyddol yn wedd ar ddiffinio.

6. Digwyddodd y cwbl hwn wrth i arwyddocâd y llinell fel uned
seiniol ddod yn fwyfwy pwysig.

Ond sylwer yn fwy penodol ar Farwnad Llywelyn gan Ruffudd ab yr
Ynad Coch. (CBT VII)

Dyma ni o hyd o fewn cyfnod y Gogynfeirdd, ond y mae'r sefyllfa
wedi'i gweddnewid. Daeth yr acen i'w gorsedd. Cryfhaodd yr acen bwys.
Symudiad elfennaidd. Sefydlogwyd rhai o'r effeithiau gan ymwybod â
threfnusrwydd cadarn newydd o gylch acen. Cymerer y llinellau Cyhyd-
edd Fer (SB 95)

> 3-4. Aur dílyfn a délid o'i láw,
> Aur dálaith oedd déilwng íddaw.

Ceir cytseinio 'canol' fel o'r blaen, ond y mae'n amlwg ddigwydd yn
benodol ar yr acen gyntaf a'r ail yn y llinell, gan neilltuo'r unig acen
sydd ar ôl i'r brifodl. Ceir ailadrodd gwahanol gytseiniaid o gylch yr
acen. Hynny yw, llenwir y llinell â 'chyfundrefn': mewn gwirionedd, nid
yw'r term 'pengoll' yn gwbl fanwl gan fod prifodl ar waith. Gwell gennyf
ei ddisgrifio fel Cytseinedd dechreuol bellach yn hytrach na 'chanol',
gan ddigwydd o gylch y ddwy brif acen gyntaf. Dyma inni ddiffiniad
mwy penodol o Gytseinedd 'dechreuol' yn awr. Crybwyllais y disgrifiad
o'r llinell fel un 'bengoll': cytseinir y ddwy ran gyntaf yn unig a gadewir
cynffon heb y rheidrwydd o gytseinio. Digwydd hyn bob tro yn y
Gyhydedd Fer, sef yr unig fesur tair-acen bendant yn y gerdd. (Gellid
dadlau ai yn ôl y dull deuol ynteu yn ôl y dull triol y dylid rhannu'r
llinellau mewn Toddaid Byr a Thraeanog.)

Dyna enghraifft o linellau tair-rhan, llinellau ac ynddynt dair acen.
Cymerer yn awr linellau pedair-rhan (dwy a dwy)

> 47, 63. O làith Prydain fáith, cẁynllaith cánllaw.
> Poni wèlwch chwi hýnt y gwỳnt a'r gláw?

Digonol yw cyfatebiaeth y ddwy Odl yn y canol, ac y mae'r ddwy o
dan acenion; ac y mae tuedd ond nid gorfodaeth i bob Odl neu Gyt-
seinedd arall i fod o dan lywodraeth acenion.

Ac wrth archwilio'r llinell

> 28. Ùched y cẃynaf : òch o'r cẃynaw

172

sylwn nad cytseinio dau air yn y canol a wneir o raid, ond dau air acennog (dau o leiaf, gan fod y rhagacenion yn cyfrif ym Mynegiant y llinell hon), a'r rheina yn 'unigol' fel petai ac nid yn 'llif'. Os ychwanegwn Lusg –

17. Ys màu llid wrth Sáis àm fy nhréisiaw, –

dyna inni fwy neu lai y dadansoddiad cyflawn o Dafod Gogynghanedd ddiwedd cyfnod y Gogynfeirdd, gyda llawer mwy o adeiladwaith, felly, wedi'i ychwanegu at y ddwy elfen grai, Cytseinedd ac Odl. Yr hyn a nodwn fel yr elfennau gorfodol mewn Tafod erbyn hyn yw Cytseinedd neu Odl yn fewnol ym mhob llinell (ynghyd ag Odli â'r goben), a dwy o'r rheini'n tueddu i fod mewn geiriau acennog. Er bod llawer mwy o batrymau mewn Mynegiant, a'r rheini'n amrywio yn ôl y mesurau, ni welaf fod iddynt sefydlogrwydd di-eithriad mewn Tafod, onid yn ôl mesurau penodol. Mae'r effeithiau hyn fel petaent, bellach, yn ymryson â'i gilydd i ennill lle mwy cyfundrefnus o fewn mesurau. Dechreua mesurau bellach ddod yn rhan fwyfwy o Dafod.

Sylwer ar y mesurau deuol.

Ymddengys fod y Gyhydedd Hir (SB 91) wedi mabwysiadu tri phatrwm sefydlog:

(1) Tair Odl; sy'n Odli'n llusg â'r gair olaf:

7. Gwàe fi am árglwydd,/gwàlch diwarádwydd,/gwàe fi o'r áflwydd/ ei dràmgẃyddaw;

neu (2) Tair Odl; a'r olaf yn cytseinio â sillaf acennog wedyn:

9. Gwàe fi o'r gólled,/gwàe fi o'r dýnged,/gwàe fi o'r clýwed/fod clẁyf árnaw;

neu (3) Tair Odl; a'r olaf yn Odli â'r gair acennog nesaf:

55. Llawer hèndref fráith/gwèdi llwybr góddaith/a llàwer díffaith/drwy ànrhaith dráw.

Mewn Toddaid (SB 93):

(1) Mae gair acennog olaf y cymal cyntaf, a gair acennog cyntaf yr ail gymal yn cytseinio;

(2) Mae'r ail gymal a'r trydydd yn Odli bob tro;

(3) Mae gair acennog olaf y trydydd cymal yn cytseinio â gair acennog yn y pedwerydd, neu'n Odli'n llusg.

Mewn Cyhydedd Nawban (SB 89-90):

(1) Mae'r gair acennog olaf cyn yr orffwysfa yn Odli neu'n cytseinio â gair acennog wedyn;
neu (2) Mae'r llinell yn ffurfio Cynghanedd Lusg.

(Os derbynnir y drefn hon, gall orfodi symud yr aceniad disgwyliedig i le annisgwyl fel hyn: [gw. *Cerdd Dafod* ar ragacen]

52. Llàwer gwéddw/â gwàedd i amdánaw
Llawer mèddwl trŵm/ỳn tramẃyaw

yn hytrach na

Llàwer méddwl/trẁm yn tramẃyaw. (h.y. nid oes acen 'angen-rheidiol' ar y gair cyntaf dwy sillaf.)

Neu'n drichur, heb ragacen yn y rhan gyntaf o gwbl.
Mewn Toddaid Byr (ac mewn Traeanog os cyfrifir 11. 19-20 felly: gw. *Barn* 376, 1994, 35; SB 90-91):

(1) Cyn y gair cyrch: y gair cyntaf yn cytseinio â gair wedyn (heb i'r ail o anghenraid fod yn acennog);

(2) Ar ôl y gair cyrch, y gair acennog cyntaf yn cytseinio â gair wedyn (heb i'r ail o anghenraid fod yn acennog).

I mi yr hyn sy'n nodedig wrth gymharu Meilyr (ar ddechrau) â Gruffudd ab yr Ynad Coch (ar ddiwedd cyfnod y Gogynfeirdd) yw'r twf sydd i'r acen yn nheimlad y llinell wrth iddi briodi'r Cytseinedd a'r Odlau. Ac mae hynny hefyd yn golygu twf yn arwyddocâd y llafariaid. Tybed a oedd y datblygiad hwn yn cydredeg â thwf yn yr ymwybod â'r acen-bwys, a hyd yn oed â newid natur yr acen-bwys ei hun? Ceid hefyd dwf yn yr ymwybod o linell gyfan yn hytrach na chytseinio 'lleol'; a golygai hynny dwf mewn ymwybod o berthynas y rhan â'r cyfan ac yn yr ymwybod o batrymu yn hytrach nag ailadrodd syml. Trôi'r rhestr yn gyfundrefn, y Mynegiant yn Dafod. Hoffwn yn wylaidd awgrymu fod hynny wedi digwydd yn achos y cynganeddion cytseiniol (ac yn odlog mewn Llusg a Sain) yn safle diwedd y llinell. Pan gafwyd cytsain yn union o flaen yr acen honno yn cytseinio â gair yn nechrau'r llinell o flaen ei acen, y pryd hynny – nid ynghynt nac wedyn – y dechreuodd Gogynghanedd droi'n Gynghanedd o ddifri.

Tybiaf mai'r Gynghanedd Sain yn anad yr un oedd man ffurfiol y cynganeddion. Yng nghroth ffrwythlon ei hodl hi o bosib (ynghyd â Llusg) y cysylltwyd yn gyntaf y gair â'r acen. Yno yr amlygwyd ac y datblygwyd patrwm llinell gyfan. Yn gyferbyniad â'r odl, i gyflenwi'r llinell benbwygilydd, lluniwyd symlder y cytseinedd diweddol.

(iii) ACEN, CORFAN, AC UWCH-CORFAN

A oes rhyw arwyddocâd felly i'r tair rhan yr ymdeimlai Syr Thomas Parry â hwy?

Allan o'r uned o dair rhan y cafwyd strwythur Cynghanedd Sain. Megis allan o'r cyfuniad Cymeriad-Prifodl y cafwyd y cydlyniad mewn undod a roddodd i ni Gynghanedd Draws (a Thraws Sero). Megis allan o'r dirwyn tuag at benaethdod acennol y brifodl y cafwyd Cynghanedd Lusg. O fewn deuoliaeth a thrioliaeth egwyddorol gwmpasog o fewn yr undod hwn y tyfodd egwyddor arbennig yr Uwch-corfan.

Gŵyr pawb a ŵyr rywbeth am y Gynghanedd mai acen yw'r ffactor llywodraethol. Lleolir y brif acen yng ngair y brifodl, sef gair olaf y llinell fel arfer. A lleolir acen gyfatebol o flaen gorffwysfa. Corfannau neu uwch-corfannau yw'r rhaniadau mewn llinell a drefnir yn ôl acen, boed yn acen bwys fel heddiw, neu acen draw, fel y gallai fod yng nghyfnod y Cynfeirdd. Mewn cywydd deuair byrion, rhan o linell yw corfan, y naill ochr neu'r llall i orffwysfa, lle y ceir *un* acen bwys gyfatebol. Caiff uwch-corfan gynnwys *ddwy neu dair* acen bwys. (Gyda llaw, nid math o gorfan yw uwch-corfan; pe felly 'uwchgorfan' fyddai. Saif oruwch 'corfan', gan ei gynnwys; ac felly ffenomen arall ydyw 'uwch-corfan'. Gall uwch-corfan fod yn llinell.) Mae'r canu cyfacen diweddar, megis y llinellau iambig yn gyfarwydd inni heddiw, a'r corfannau a ddaw ohono'n daclus syml. Ond yn y Gynghanedd (ac mewn Gogynghanedd) nid oedd y nifer a'r safle i sillafau dibwys mor amlwg arwyddocaol. Daeth y drefn acennol maes o law i gynnwys cyferbyniad o acen bwys ynghyd ag un neu ddwy o sillafau di-bwys naill ai o'i blaen neu wedyn, neu'r naill a'r llall. Drwy gydol cyfnod y Gogynfeirdd ym-symudai'r acen at reolaeth ar Gytseinedd ac Odl.

Felly, yn natblygiad cyfundrefnu'r acen rhwng Meilyr a Gruffudd ab yr Ynad Coch, un cam allweddol oedd priodi'r patrwm Cytseinedd â'r prif acenion (hynny yw, prifodl â gorffwysfa, neu â gorffwysfeydd) a sicrhau bod llinell (drwy'i rhagacenion) yn cynnwys rhediad o acenion yn ddeuoedd neu'n drioedd, bob amser yn ymatal rhag mwy na dwy sillaf ddiacen yn olynol. Hyn bellach a roddai'r ymdeimlad o dyndra ac o daclusrwydd i linell gyfan. Felly, mewn llinell fel yr eithriad (Dim Byd) a nodai Thomas Parry yn awdl Meilyr; a thybiwn (am foment) fod ei dadansoddi fel hyn:

Ýni/fu wèryd ei obénnydd

yn briodol (sef yn Gynghanedd gyflawn). Yr hyn a wneid oedd tynhau'r carfannu acenion rhwng y rhagacen a'r brif acen fel na chynhwysai'r llinell dair diacen union olynol. Wrth osod y llinell gerbron yn y fan yna uchod, yr hyn a wneuthum oedd ei nodi a'i rhannu gyda gorffwysfa yn ôl patrwm y Cytseinedd. Ond tybed ai rhy gynnar oedd hyn? Cyhydedd Nawban oedd y mesur fan yma yng ngherdd Meilyr, mewn gwirionedd, mesur yn cynnwys ar y pryd bedair acen 2+2. Felly, o fewn cyd-destun y gerdd, dyma'r aceniad o bosib a gyflwynai'r bardd, er na raid ffitio'r Naw Ban o fewn pedair acen.

Ỳni fu wéryd/èi obénnydd.

A gwelir faint yn union oedd y cam ymlaen a wnaethpwyd (a'r atrefnu) wrth gydnabod statws y ddwy brif acen a sicrhau'r Cytseinedd a'r orffwysfa yn cydweddu â'r rheini.

Awgrymodd Dr Lynch i mi y gallai mai '[g]weryd/ g[w]obennydd' a oedd ym meddwl y bardd. Mae hynny'n sicr yn bosibilrwydd deniadol y mae'n rhaid ei ystyried.

Gŵyr pawb a ŵyr rywbeth am y Gynghanedd fod a wnelo cyflythren-iad ac yn arbennig Cytseinedd â'r ffurf. Yn wir, hyd yn oed mewn Odl ceir Cytseinedd, ond ni cheir Odl o anghenraid ymhob Cytseinedd. Pan gyfarfu neu pan ymunodd Cytseinedd â phatrwm yr acen y syrthiodd hanfod y Gynghanedd i'w le. Digwyddodd hynny pan ddefnyddid Cyt-seinedd/Odl i gysylltu dwy ran (neu dair rhan) y llinell, hynny yw cyn yr orffwysfa ac wedyn.

Mewn corfan, carfennir yr un acen bwys honno ynghyd ag un neu ddwy sillaf ddi-bwys hyd at ddwy yn olynol. Mewn uwch-corfan ceir dwy neu dair acen bwys gyda'r un drefn o acenion di-bwys olynol hyd at ddwy. Felly cyferbynnir yn ddeuol neu'n driol. Dyma'r grwpio ymarferol o safbwynt ymateb yn isymwybodol heb gyfrif, yn ddigymell sydyn heb fyfyrdod. Dyma'r math o drefn ddeuol neu driol a geir mewn cyfun-drefnau gramadeg hefyd, wrth geisio dal uned gyferbyniol yn isym-wybodol yn y canfyddiad, hynny yw heb feddwl yn fwriadus amdani. Tybiaf mewn mydryddiaeth fod un acen bwys yn gallu cynnal un neu ddwy acen ddi-bwys: x – neu – x neu xx – neu – xx dyweder drwy ddelwedd sydyn yn yr isymwybod a oedd yn cyferbynnu sŵn ac absen-oldeb sŵn. Yn awr, oherwydd y posibilrwydd o gyferbynnu o flaen acen bwys neu ar ei hôl, sef cyferbyniad dwfn syml y gellir ei gyfrif yn adeileddol, y mae posibiliadau eraill yn codi x – xx neu xx – xx neu xx – x neu x – x.

A chymryd fod a wnelo ffurf lenyddol bob amser â chyfuniad o ailadrodd a chyferbyniad, mewn llinell gyflawn elfennaidd lle y ceir dau gorfan, ac felly dwy acen bwys, y llinell sylfaenol angenrheidiol dybiwn i yw 4 sillaf. Ni cheid llai. Nid amheuaf y byddai 3 sillaf yn bosibl yn theoretig: hynny yw, y byddai'n ffurfiol dderbyniol i acen ddi-bwys efallai gynnal dwy acen bwys: gallai weithio ddwy ffordd, ymlaen ac yn ôl. Ond yn arbennig mewn llinell fer (fel pe bai heb fod gan sillaf le i ym-guddio) nid yw'n debyg o ymsefydlu'n ffurf gynddelwaidd. Felly, llinell bedair sillaf yw'r 'sylfaen', nid yn ystadegol ond yn isymwybodol ffurfiol angenrheidiol, hynny yw y sylfaen na ddisgwylir mynd yn llai na hi. Gellid disgwyl wedyn, os nad ydys ar y pryd yn gweithredu mewn Myneg-iant ffurf ystadegol, y byddai cyfundrefn Dafod yn magu'r posibilrwydd o fynegi 4 sillaf, 5 sillaf neu 6 sillaf (dyna a geir yn *Kat godeu* dyweder); gydag estyniad pellach, o ran theori o leiaf, o fwy pe byddid yn defn-yddio cyferbyniadau blaen yn ogystal â rhai ôl. Sylwer: nid oes dim 'cyfrif' mewn Tafod; dim ond mewn Mynegiant.

Ond nid yw pob problem yn ateb yn rhwydd. Cymerer y llinell yn *Kat godeu*: 'Bvm yn lliaws rith' y rhoddir un dadansoddiad iddo fel hyn: – xx – – . Os derbyniwn fod yna ffurf reolaidd o ddwy brif acen mewn llinell, ac os derbyniwn fod acen yn gallu osgoi rhai o'r geiriau megis enwau, sy'n ymddangos fel petaent yn haeddu prif acen bob amser, er mwyn cydymffurfio â gwth y sigl yn hytrach nag ag ystyr y gystrawen, yna gellid ei ddiwygio'n weddol hyderus i: – xxx – . Dyna gael tair sillaf ddi-acen yn olynol. Peth a geir hefyd yn y llinellau 'Arnaw yd oed canpen',

177

ac 'Achat arall ysyd.' Fy nghasgliad i o ystyried y rhain yw nad oedd yr arfer o ymatal rhag mwy na dwy sillaf ddiacen olynol wedi'i sefydlu'n elfen sicr mewn Tafod ar y pryd. (SB 74-5).

Dichon fod John Morris-Jones a Thomas Parry wedi credu fod a wnelo'r cwlwm seiniol, naill ai ar ffurf Odl neu ar Gytseinedd, â dynodi neu gryfhau'r aceniad neu â chysylltu'r 'corfan'. Awgrymwn innau fod y gwasgariad yn wreiddiol yn 'annibynnol' ar yr aceniad, a bod y gwasgariad hwnnw wedi gadael ei olion annibynnol ymlaen hyd amser y Gogynfeirdd mewn rhyw wedd, er bod y darganfyddiad o rym acen y brifodl a grym acen yr orffwysfa wedi ailgyfeirio'r gwasgariad yn rhannol. Yng nghyfnod y Gogynfeirdd yr oedd y gyfatebiaeth ar gael y tu allan i'r aceniad arwyddocaol yn ogystal â chydag ef:

1-4. Rhên nèf, mor rhýfedd Èi ryféddawd,
Rhìau, Rhwyf élfydd, rhŷdd Ei fólawd,
Rex rhàdau ẃrno, rhy-n-bò-ni gárdawd,
Rhèg rhy-d-eirífam yn rhàn Dríndawd.

Ni chyfyngir y gyfatebiaeth seiniol yn odid yr un o'r llinellau hyn i'r geiriau acennog.

Sut y byddwn yn gwybod mewn llinellau fel y rhain ymhle y *dylem* osod yr acen? Gweithiwn o'r hysbys i'r anhysbys, o'r wedyn i'r cynt: y method gwyddonol, o'r canlyniadau a welir i'r drefn nas gwelir. Gwyddom er enghraifft fod llinellau cywydd yn gweithio o gwmpas dwy brif acen, ynghyd ag un neu ddwy ragacen: felly ceir naill ai'r patrwm ´/` ´ neu ` ´/` ´ . Gwyddom hefyd na chaniatéir mwy na dwy sillaf ddiacen gyda'i gilydd yn olynol, o leiaf felly y byddai gyda sicrwydd ymhellach ymlaen yn natblygiad y ffurfiau hyn: y mae uned gyferbyniol yn goddef hyd at dair elfen, un acen bwys ynghyd ag un acen ddi-bwys neu acen bwys ynghyd â dwy ddi-bwys. Hynny yw, yr ydym wedi adnabod yr egwyddor glywed a oedd gan feirdd y cywyddau a'r englynion, a dyna a chwiliwn wrth ddadansoddi ynghynt onid oes rheswm i amau'r dull. Yn wir, y mae'r egwyddorion clywed hyn ar waith o hyd. A dyna pam y mae mor rhwydd i'w hadnabod.

Mewn corfan megis mewn uwch-corfan ceir gorffwysfa ar ôl gair y leiaf pwysig o'r ddwy brif acen. Hawdd gweld ymhle y mae rhaniad y diwedd: dyna sedd y brifodl. Ond yn achos y Cynfeirdd nid ydym yn sicr am yr aceniad, a yw'n ddatblygol neu beidio yn y cyfnod hwnnw, hynny yw a yw'r acen draw yn unig yn hollbwysig ar adeg neilltuol, ac i ba raddau y mae'r hyn a adwaenom ninnau fel gorffwysfa yn arwyddocaol mewn llinellau byrion. Yr wyf am godi cwestiwn eithaf damcaniaethol ynghylch posibilrwydd cyferbyniol arall, sut bynnag, mewn llinellau byrion: a yw cyferbyniad yn bosibl nid yn uniongyrchol gyfagos ond ar draws llinell? Hynny yw: a yw presenoldeb cyferbyniad acen (megis Cytseinedd ac Odl yn y cyfnod cynnar) rywle o fewn y llinell yn ddigon, heb fod y cyferbyniad hwnnw'n cael ei osod yn union nesaf at yr acen bwys, a heb y rhaid i osgoi dwy sillaf ddiacen olynol o'r herwydd? Ymatebir i gyferbyniad yr aceniad, nid yn ôl y sillafau cyfagos, ond yn ôl eu presenoldeb yn uned y llinell. Mewn llinell fer yn y cyfnod cynnar nid oes corfannu yn yr ystyr wedyn. Yr hyn a wneir yw cyferbynnu â'r 'llinell i gyd' hynny yw, yr hyn sy'n arwyddocaol yw cael presenoldeb acen bwys yn cyferbynnu â sillaf ddi-bwys o fewn cyfanrwydd y llinell. O'r cyfan at y rhan. Nid yw cyfagosrwydd yn ffactor naturiol arwyddocaol mewn llinell fer. Wedi'r cwbl, o safbwynt corfannau, yn y traddodiad Cymraeg ni feddylir am gorfannau olynol cyfacen (h.y. $x - x - x - x -$). Meddylir yn hytrach yn nhermau uned y llinell yn ôl ac ymlaen o gylch acen, a chydberthynas o fewn cyfanrwydd.

Mewn llinell fer yn y cyfnod cynnar, a dilyn egwyddor felly, nid oes corfannau. Hynny yw, nid oes cyferbyniad rhwng acen bwys a sillafau cyfagos di-bwys. Yr hyn a wneir yw ymateb i'r llinell fel cyfanwaith (SB 74-5), am nad yw egwyddor cyfagosrwydd yn arwyddocaol hunaniaethol mewn llinell fer. Tybiaf, hyd yn oed yng nghyfnod aeddfedrwydd Beirdd yr Uchelwyr, fod yna ymwybod neu olion o'r cyfryw ddidoli i'w glywed yn y rhyddid sydd i gyfosod sillafau dibwys cyferbyniol, o flaen neu ar ôl yr acen bwys (neu'r naill a'r llall).

Ac eto, byddwn yn anesmwyth i ddod i gasgliad felly ar sail y dystiolaeth fel yr ymddengys ar hyn o bryd. Arhosaf gyda'm casgliad ynglŷn â'r llinell fer, y Cywydd Deuair Byrion. Mae ynddi ddwy brif acen, a'r rheini'n acenion traw mae'n debyg yng nghyfnod y Cynfeirdd. Ceir cyferbyniad cyfagos â sillaf neu â dwy sillaf ddi-bwys (o ganlyniad ni chlywid dwy sillaf bwys ar ddechrau nac ar ddiwedd llinell). Beth bynnag yw pwysigrwydd ymddangosiadol y gair, y fydryddiaeth sy'n llywodraethu. O ganlyniad, er nad oes a wnelo Tafod â chyhydedd a chyfrif, gellid hawlio felly mai llinell bedair sillaf sy'n sylfaenol o raid mewn Tafod (hynny yw, ni ellid ei llai; y mae'n cynnwys y lleiafswm o'r holl elfennau angenrheidiol). Ar gyfer Mynegiant, ar y llaw arall, dangosodd Dr. Haycock mewn ysgrif feistrolgar fod y nifer o sillafau yn amrywio o 4 i 6 (*Early Welsh Poetry*, gol. Brynley F. Roberts, 155-178).

Sylwer mai egwyddor yr Acen yw'r elfen sefydlog sy'n aros yn syl-
faenol i'r llinell ac yn debyg rhwng Gogynghanedd a Chynghanedd.
Egwyddor Odl a Chytseinedd sy'n newid o ran arwyddocâd a statws
mydryddol. *Presenoldeb* y naill neu/a'r llall yw'r egwyddor gan y Gogyn-
feirdd cynnar; gyda'r *presenoldeb* hwnnw'n rhydd ar ei gilydd, ac yn
rhydd oddi wrth yr Acen. *Patrymu dan lywodraeth y Mydr* yw'r egwyddor
gynyddol tua diwedd cyfnod y Gogynfeirdd, nid *presenoldeb* yn unig, ac
ymlaen felly i Feirdd yr Uchelwyr. Yr Acen a fyn i'r ddwy elfen, llafariaid
a chytseiniaid, ar wahân ac ynghyd, ddod o dan ei gafael yn y drefn
newydd. Neu'n hytrach, gan na newidiodd patrymwaith yr Acen, y ddwy
elfen annibynnol hyn a gripiodd o fewn rheolaeth yr Acen. Hwy a
chwiliodd am drefn. Hynny a greodd yr undod newydd. Y symudiad
meddyliol hwnnw a luniodd y Gynghanedd. Dichon fod y cyfuno deuol
rhwng Cytseinedd ac Odl, a geid yn achlysurol hyd yn oed gan y Cyn-
feirdd, yn gam isymwybodol yn y gwth tuag at yr uno llawn a thriol a
geid ymhellach ymlaen drwy awdurdod yr acen.

(iv) PERTHYNAS TAFOD A MYNEGIANT

Mae Dr. Haycock yn gofyn i mi ynghylch perthynas Tafod a Mynegiant:
"I am not sure, for instance, whether R. M. Jones envisages the two
levels (h.y. Tafod a Mynegiant) to have been entirely independent, or
whether syllable-counting became more important as a kind of 'check';
as linguistic factors disrupted the 'old' prosody in some way."

Gadewch imi roi ateb syncronig iddi yn gyntaf. Dibynna Mynegiant
ym mhob gweithred ieithyddol ar Dafod. Tafod sy'n ei amodi yn ôl
perthynas achos ac effaith, cynt ac wedyn, anweledig a gweledig. Tafod
sy'n darparu'r egwyddorion neu'r ffurfiau rheidiol gyfundrefnol ar
gyfer Mynegiant. Nid oes mewn Tafod fynegiant gorffenedig, dyweder
ar ffurf brawddegau neu linellau cyfan o fynegiant. Ceir y mynegiant
synhwyrol i gyd mewn Mynegiant. Ond heb gyfundrefnau sylfaenol
elfennaidd, deuol neu driol a chyferbyniol (o fewn undodau), ni buas-
ai'n bosibl mynegi dim. Tafod yw'r cyflyrwr, a Mynegiant yn gyflyredig.
Ni allant fod yn annibynnol, felly, o safbwynt Mynegiant.

Ond gadewch imi geisio rhoi ateb diacronig neu hanesyddol. Yn
baradocsaidd iawn, adeiladwyd Tafod yn ddiacronig gan Fynegiant. Nid
wyf am sôn yn awr am gychwyniad adeiladwaith Tafod o du Mynegiant,
er fy mod wedi ceisio awgrymu sut yn SCL. Y cwbl y carwn ei bwysleisio

nawr, gan mai dyma sy'n berthnasol i fydryddiaeth, a chan mai dyma sydd ymhlyg yng nghwestiwn Dr. Haycock, yw mai arferion rhydd a ailadroddir mewn Mynegiant yw'r hyn all fwydo neu adeiladu Tafod ymhellach. Nid unrhyw arferion, ond arferion y gellid llunio cyfundrefn ohonynt yn isymwybodol, drwy'u cyferbynnu'n ddeuol neu'n driol, egwyddorion sy'n sylfaenol gyn-ieithyddol. Gellid cymharu datblygiad y fannod yn ieithyddol o fewn y cyfnod hanesyddol allan o'r rhagenw dangosol. Yn yr un modd, mewn mydryddiaeth, adeiladwyd holl gyfundrefn y Gynghanedd allan o arferion a ailadroddwyd o fewn Gogynghanedd.

Beth yw'r arferion yna?

Er mwyn i 'addurniadau' raddio i mewn i Dafod yr oedd yn rhaid iddynt gyflawni amod. Rhaid oedd meddu ar nodweddion syml a oedd yn agored i fod yn isymwybodol. Nid yw pobl yn arfer meddwl yn ymwybodol am Dafod. Mae'n perthyn i'r anfwriadus. Fe'i cymerir yn ganiataol. Fel nad yw'n normal i berson cyffredin feddwl am ramadeg wrth siarad iaith, felly nid yw'n normal i fardd cyffredin feddwl am Dafod y Llenor. Er mwyn caniatáu i ffurfiau Mynegiant raddio i mewn i Dafod, rhaid oedd cael elfen o ailadrodd ac elfen o gyferbyniad, a thrwyddi carfenid yn ddeuoedd neu'n drioedd: mae uwch na hynny (hynny yw cyfrif) yn peri bod y ffurf yn mynd yn ymwybodol.

Gwiw cofio hefyd wrth gwrs fod yna fath beth â strwythurau mewn Mynegiant, arferion sy'n mynd yn dra arferol, ond heb y nodweddion sy'n eu corffori mewn Tafod.

Gadewch imi barhau fy nyfyniad o erthygl Dr. Haycock 'Was regular syllabicity, while not being a basic feature of the underlying Tafod, always regarded as being desirable?' Yn awr, yn ôl y diffiniad a roddais i Dafod y Llenor gan ddilyn y dadansoddiad o Dafod yng ngramadeg iaith a wnaeth Guillaume, nid oes i 'syllabicity' neu gyhydedd neu gyfrif ddim lle mewn Tafod, sylfaenol neu beidio. Deuol neu driol, hynny yw cyferbyniadau 'greddfol' bron, digymell, a difyfyrdod isymwybodol, dyna natur yr ymateb mydryddol yn Nhafod y Llenor: sythwein y Llenor: sythweln y Llenor: sythwelediadau ffurf. Gellid cyfuno cyfundrefn â chyfundrefn i wneud cyfundrefn 'gymhleth', eto'n ddeuol neu'n driol; ond erys y cyferbyniadau deuol neu driol yn bendant o'i mewn. Ac eto, fe ellir cyfundrefnau neu'n well arferiadau rheolaidd mewn Mynegiant hefyd. Ni cheisir amharchu'r rheini. Anodd barnu pryd y dechreuid sylwi fod yr hyn a orfodid ar Fynegiant gan arferiad yn dechrau meithrin cyhydedd ystadegol o fath neilltuol, nes i hynny ddod yn 'ddymunol'.

Gadewch imi roi cymhariaeth o fyd iaith. Y rhannau ymadrodd traeth-
iadol yw sylfeini hanfodol y frawddeg: sef enw/berf, ansoddair/adferf.
(SCL; *Language* 1973) Dyna'u trefn feddyliol isymwybodol mewn
perthynas ramadegol: tri safle meddyliol (nid cystrawennol) – yr enw yn
hunangynhaliol, y ferf neu'r ansoddair yn dibynnu'n uniongyrchol ar
yr hunan-ddibynnol, a'r adferf yw'r elfen sy'n dibynnu ar ddibynnol.
Dyna'u diffiniad. A dyna'r cwbl o'r cnewyllyn hanfodol i'r frawddeg
neu i'r cymal aeddfed llawn, bob elfen gydadeiladol yn meddu ar ei
natur ei hun: yn yr achos hwn, natur y dibynnu. Gellid cyfuno cymal â
chymal i wneud brawddeg gymhleth. Gellid mewn Mynegiant (mewn
cystrawen yn allanol) drefnu olyniaeth bwysleisiol, emosiynol pryd y
gosodir adferf yn gyntaf, berf yn ail ac enw yn drydydd mewn rhediad o
gystrawen lafar. Yn y Gymraeg, y ferf a enillodd y lle cyntaf yn 'bwys-
leisiol' arferol. Yn wir, caniatéir sawl amrywiad, neu sawl cyfundrefn-
mewn-mynegiant. Ond ni newidir y berthynas driol a chyd-ddibynnol
rhwng y rhannau ymadrodd traethiadol a ffurfiwyd yn ôl egwyddor
isymwybodol. Ni newidir felly'r Tafod syml.

Felly, syniaf fod y patrwm o gyferbynnu acenion a sillafau di-bwys neu
ddi-draw yn ddeuol neu'n driol i'w gael o'r dechrau cyntaf mewn mydr
yn Gymraeg. Hynny yw, ymateb i uned, corfan neu uwch-corfan deuol
neu driol fel cyfanwaith syml neu'n ddelweddol mewn cyfundrefn, a
sythweledir. Cwlwm o ddibyniaeth yw. Ond nid ymddengys i mi fod
cyhydedd mewn Mynegiant wedi'i sefydlu o'r dechrau serch hynny. Mae
yna ormod o eithriadau. Gogwyddwyd arferion rheolaidd ym myd
cyhydedd i gyfeiriad sefydlogrwydd, nid oherwydd cyfrif, ond am resymau
ffurfiol mewn Mynegiant. Maes o law, fel yr awgryma termau megis
Cyhydedd Naw Ban dôi'r beirdd yn ymwybodol o reoleidd-dra y nifer o
sillafau, er nad wyf yn credu eu bod erioed yn wreiddiol wedi 'cyfrif'
hyd yn oed wrth dderbyn cyhydedd. Digon rhwydd, oherwydd y ddeddf
anymwybodol ynghylch peidio â chael mwy na dwy sillaf ddi-bwys yn
olynol, ac oherwydd y sillafau pwys, oedd i'r beirdd glywed yn anym-
wybodol ffiniau'r is-unedau yn ymffurfio.

Un arall o gwestiynau Dr. Haycock, a'i chwestiwn anhawsaf, 'When
the conscious level of Mynegiant becomes more sophisticated in its
articulation, does it entail any weakening in the organizational function
of the Tafod?' Ymddengys i mi, fel arall, fod Tafod wedi dod yn fwy
soffistigedig gyda'r Gogynfeirdd ac wedyn gyda Beirdd yr Uchelwyr. Fe
wnaeth hynny drwy fabwysiadu rhai o gynhwysion Mynegiant.

Mae hynny'n eglur. Nid mor eglur yw'r wedd arall ar f'ateb: ni wnaf ond ei chrybwyll yn awr. Fe'i crybwyllaf eto ar ffurf cymhariaeth. Fe all diacroni mydryddiaeth ddilyn (o ran theori) yr union lwybr a grybwylla Dr. Haycock. Pan droes Lladin yn Ffrangeg, a Brythoneg yn Gymraeg, yn lle defnyddio cyferbyniadau mewn Tafod (er enghraifft, cyflyrau enwau) fe ddatblygwyd dulliau mewn Mynegiant ('the conscious level of Mynegiant becomes more sophisticated') i gyfleu'r un peth yn union; megis trefn allanol gystrawennol a threigladau (SB 150). Diau felly fod awgrym Dr Haycock yn hollol gywir. Er na ddigwyddodd dim tebyg yn ystod y cyfnod dan sylw yn awr, dichon y dylid ystyried hynny o ddifrif wrth archwilio'r Canu Rhydd Cynganeddol (a'i fesurau newydd) a'r datblygiad i'r Gynghanedd yn yr ugeinfed ganrif (gyda *vers libre* cynganeddol, ac amlder rhagacenion: SB 145-149). Mewn Tafod yr ydys yn darganfod symlder patrwm, cwlwm cydlynol. Wrth ddilyn Mynegiant yn unig, gellid synnu at amlhau'r cyfatebiaethau yn ymwybodol, a thybied bod Gogynghanedd yn tyfu drwy bentyrru, o wylied proses datblygol nid yn unig wrth drwchuso seiniau, ond o ran eu lleoliadau a'u cyfuniadau. Ond nid digon hynny. Rhaid canfod egwyddor perthynas. Y mae Tafod yn dethol ymhlith hyn i gyd, gan gyfyngu ar y rheini a'u crynhoi o gwmpas symlder cyferbyniol. Ar y naill law, lledu a helaethu, ac yna ar y llaw arall darganfod yr ychydig mwyaf hyfyw sy'n gallu perthyn mewn modd arbennig. Y patrymau hyn yn hytrach na'r amlder trwchus a fydd yn meddiannu'r llinellau, a'u llywodraethu drwy orfodaeth ddewisol. Mae'r patrymau dewisol mewn Mynegiant yn gallu mynd yn gyfundrefnau syml mewn Tafod.

Yr hyn a ddigwyddodd oedd darganfod ychydig o egwyddorion canolog. Nid rhestr, ond cyfadeiladwaith cymen. Nid dilyn llwybr tarw ystadegol tuag at hynny a wnaeth y beirdd: camarweiniol yw ystadegau mewn Tafod, beth bynnag am eu diddordeb ym myd arddulleg. Gwrandawai beirdd, â'u clust fewnol, am batrymau elfennaidd dwfn. Wrth i Thomas Parry ystyried Cynghanedd a Gogynghanedd fel 'addurniadau' yn hytrach nag fel canfyddiad mewn adeiladwaith, methodd â sylweddoli'r gwahaniaeth rhwng hanfod, sef y gyfundrefn sythwelediadol, a'r estyniadau a allai, ac a allai beidio ag arwain at gyfundrefn newydd. Mae yna rai nodweddion y mae'n 'rhaid' iddynt fod yno, eraill sy'n digwydd bod yno. Nid digon yw casglu: darganfod yw'r rhaid; ac y mae hynny'n golygu nid yn unig nodi'r gweledig, ond datguddio'r anweledig. Canfod yn yr 'addurniadau' yr hanfod. Yr hyn a wnaeth Thomas Parry oedd rhestru'r hyn a welodd, sef man cychwyn gwaith tra phwysig. Ond disgrifio a wnâi, nid hanfodi. Dysgir llawer drwy ddisgrifio (megis y cyfartaledd o gynganeddion sain yn y bedwaredd ganrif ar ddeg o'i gymharu â'r cyfartaledd yn y bymthegfed ganrif – ffasiwn nid gorfod); eithr wrth roi popeth ar yr un lefel, yr hyn a ddigwyddodd wedyn oedd methu â gweld beth yn union oedd yn digwydd hyd yn oed ar y lefel honno.

Yn yr amlder o gyfatebiaethau seiniol a geid gan y Gogynfeirdd ynghanol yr anarchiaeth oll fel petai, yr oedd un gyfatebiaeth gymharol ddisylw. Ni chafodd fwy o sylw gan y Gogynfeirdd cynnar nag unrhyw gyfatebiaeth arall. Yn wir, y mae mor ddisylw nes i Dr. Parry ddyfynnu enghraifft ohoni fel esiampl o linell heb ynddi yr un 'addurn':

    101 Yni fu weryd ei obennydd

Fe geir dwy nodwedd bwysig ynglŷn â'r llinell hon, nodweddion a gâi eu claddu dan amlder y gyfatebiaeth amrywiol arall.

(1) Yr oedd aceniad y geiriau yn trefnu'r cytseiniaid cyfatebol o gylch y llafariad a bwysleisid. Ond yr oedd hynny'n digwydd yma ac acw hefyd mewn llinellau eraill: e.e. 4, 6, 7, 8, 9, 12, 14, 16, 19, 27.

(2) Yn ychwanegol yr oedd yna nodwedd ynghylch lleoliad y gyfatebiaeth gytseiniol ynghyd ag acennol. O ran tueddfryd wrth drafod y cyfatebiaethau, caent eu gwasgaru, yn nechrau'r llinell, yn y canol neu ar y diwedd. Yr hyn a oedd yn bwysig yn y llinell hon oedd bod y cytseinio acennol yn amlennu'r llinell. Ceid y llinell oll, yr uned gyfan a arweiniai at y brifodl, o fewn ffiniau'r amlen yna. Yr oedd i'r llinell, fel uned, gyfatebiaeth yn awr â'r gyfatebiaeth seiniol. Tair nodwedd yn dod ynghyd – cytseinio, acennu, llinellu. Aeth y rhannau yn gyfan newydd. Defnyddid y patrwm hwn o hyn ymlaen ochr yn ochr â'r patrymu arall, o fewn Mynegiant i ddechrau.

Sut y dôi allan o fod yn un ymysg llawer? Sut y gellid troi Gogynghanedd yn Gynghanedd fel y digwyddodd gan bwyll yn ystod cyfnod y Gogynfeirdd? Onid Cynghanedd oedd y llinellau unigol hwnt ac yma, fel hon, eisoes?

Nage. Tra bo enghreifftiau fel hon blith draphlith â'r lleill nid Cynghanedd mohonynt. Beth sy'n eu gwneud yn Gynghanedd?

Statws; Awdurdod; Ethol; Cysondeb. Ynghanol yr annibendod, darganfod. Ai darganfod cydweithrediad ffonoleg a chystrawen, gair a brawddeg, yr unigolyn a'r grŵp? Mewn ffordd, ie. Darganfuwyd perthynas sefydlog y rhan a'r cyfan, y gydlyniaeth hanfodol. Darganfuwyd 'deddf' hefyd.

Ar ôl darganfod fod modd i'r addurno mewnol lenwi'r llinell o ran egwyddor o dan reolaeth yr acenion, ar ôl patrymu'r gyfatebiaeth seiniol o fewn ffiniau'r curiadau, cafodd y darganfyddiad hwn statws brenhinol. Sylweddolwyd, yn isymwybodol mae'n debyg, fod y patrwm hwn o undod o gylch yr amrywiaeth yn amgenach na rhyw gyfateb cyflythrennol amrwd. Y tu mewn i gynghanedd yr hyn a ailadroddwyd oedd patrwm yn hytrach na chytsain nac odl. Yr oedd mor llawn o fewn uned y llinell (wrth feddiannu'r safleoedd allweddol, dechrau a diwedd) nes dod yn llywodraethwr ar ein barddoniaeth uchelwrol i gyd. Pan dry addurn yn strwythur, try arddulleg yn ddulleg.

Troes Mynegiant y Gogynfeirdd cynnar yn Dafod i Feirdd yr Uchelwyr.

Yn y darganfyddiad neu'r datblygiad hwn, un gair a oedd yn ysgogiad allweddol. Un gair os mynnwch a oedd yn echel i'r datblygiad oll, sef y gair olaf yn y llinell, uchafbwynt y llinell, gair y brifodl. Yn y gair hwn a goronwyd gan Odl y ceir prif acen draw y llinell: yn y gair hwn bellach yng ngwaith y Gogynfeirdd y ceir prif acen bwys y llinell. Dyma fôs y mydr.

Dichon mai yn yr hyn a alwn bellach yn Gynghanedd Lusg y darganfuwyd yn gyntaf (1) rym gair olaf y llinell ar gyfer trefniant y tu mewn i'r llinell, (2) a pherthynas odl fewnol â'r aceniad yn y gair hwnnw. Acen y gair olaf, ynghyd ag odl, a roddodd i ni, maes o law, y Gynghanedd Lusg. A diddorol sylwi fel y parhaodd y Gynghanedd Lusg yn y Llydaweg i mewn i'r cyfnod diweddar: yr hynaf mae'n debyg o'n cynganeddion.

Gellid cymharu'r digwyddiad hwn â'r hyn a ddigwyddodd wrth goroni Cynghanedd Sain, a gwneud honno'n ddigonol i fod mewn Tafod. Cawsom fel y gwelwyd, linellau lle y ceid Cytseinedd yn nechrau, ynghanol ac yn niwedd yr uned, a llinellau gydag Odl yn yr un safleoedd. Anarchiaeth ymddangosiadol o ran y safleoedd ac o ran yr acenion oedd hyn, er bod yr angen i gorffori naill ai Cytseinedd neu Odl yn rheidrwydd sefydlog. Ond ceid cyfuniad cyferbyniol hefyd, Cytseinedd ag Odl, neu Gytseinedd yn erbyn Odl, er bod y cwbl yn blithdraphlith. Yr hyn a ddigwyddai oedd dethol patrwm rheolaidd i'w ganoneiddio. Gadewch inni ystyried math neilltuol unigol o gyfatebiaeth a ddigwyddai ynghanol yr amlder annethol:

18. Gwir gwae ei werin, gwin eu gwirawd.

Dyma uned lle y mae'r rhan gyntaf yn Odli yn yr ail ran, a honno'n cael ei chario hyd at y gair olaf yn y llinell i gyfrannu'r uned. Yr hyn sy'n

bwysig drachefn yw'r cyfuniad o gyfatebiaeth yr uned linellol â'r gyf-
atebiaeth seiniol. Dyma hadau Seinlusg.

Mae yna un casgliad cyffredinol arall y gellir ei wneud. Rŷm ni wedi
gweld dau gyflwr neu ddwy lefel mewn ffurf brydyddol. Y cyflwr syl-
faenol angenrheidiol yw un; sef Tafod. Ond yr hyn sy'n datblygu'r
cyflwr hwnnw ac yn ei adeiladu a'i newid yn y pen draw yw'r ail gyflwr
sef Mynegiant. Yr ŷm yn gweld yn y fan yna, mewn tystiolaeth a gofnod-
wyd ac a gadwyd, enghraifft o broses sylfaenol yn natblygiad hanesyddol
iaith ei hun. Allan o berthynas y defnyddiau amrywiol o eiriau mewn
Mynegiant fe ffurfiwyd gramadeg. Soniwyd ynghynt am y fannod fel
enghraifft o ran ymadrodd gref a phwysig yn yr ieithoedd Indo-
Ewropeaidd wedi datblygu wrth sefydlu defnydd arferiadol o'r rhagenw
dangosol. Defnyddiwyd y rhagenw yn llif y lleferydd mewn ffordd neill-
tuol drosodd a thro (o fewn cylch posibiliadau'r rhagenw dangosol),
nes darganfod (yn isymwybodol) ei fod yn cyflawni (ymhlith yr amryfal
swyddogaethau) un swyddogaeth werthfawr arbenigol, a rhoddwyd statws
newydd iddi. Daeth y fannod yn offeryn i gyferbynnu'r cyffredinol a'r
arbennig: y cyflwyniadol a'r anafforig, ac i sylweddoli lleoliad yr enw yn
y meddwl wrth benodoli. Cafodd o'r herwydd ymrwbio'n gyfartal o ran
statws â'r arddodiad a'r adferf ac yn y blaen drwy fod yn 'rhan ymadrodd'.
Hynny yw allan o arferiad mewn Mynegiant y cafwyd sefydliad mewn
Tafod.

Math o ramadeg yw Cerdd Dafod. A'r hyn sy'n syfrdanol wrth fyfyrio
ar gyfundrefn y Gynghanedd yw'r modd y gwelwn yn ddiriaethol iawn,
ynghyd â llawnder mawr o enghreifftiau sydd wedi goroesi, un o'r
prosesau ieithyddol pwysicaf o adeiladu iaith ar waith o flaen ein llyg-
aid, a hynny yn nhwf mydryddiaeth Gymraeg: hynny yw, y trosglwyddiad
o Fynegiant i Dafod.

Beth a ddarganfu'r Gogynfeirdd, felly? Dim llai na'r gyfundrefn
fydryddol fwyaf cywrain a pherseiniol hardd mewn unrhyw iaith Indo-
Ewropeaidd, ac o bosib yn y byd. Drwy'r Ogynghanedd, y Gynghanedd.
A chan mai un o brif gampau llenyddiaeth Gymraeg yw'r Gynghanedd,
fe haedda'r agwedd hon ar gamp y Gogynfeirdd (yn anad dim ddwedwn
i) ein sylw ystyriol. Mae gwreiddioldeb Cynghanedd rhagor Gogynghan-
edd i'w sylweddoli yn yr amrywiaeth patrymog mewn cyflythreniad ac yn
yr undod cyfansawdd cyflawn ar hyd y llinell. A hynny mewn cyfun-
drefneg neu sefydliadaeth newydd. Pe gofynnid pa un ai'r Ogynghan-
edd ynteu'r Gynghanedd a oedd yn fwyaf anodd neu'n fwyaf cywrain, yr
ateb syml yw – mewn Tafod, y Gynghanedd. Mewn Tafod, dim ond ateb
cytsain (Cytseinedd) neu Odli rywle yn y llinell a geid mewn Gogyng-

hanedd gynnar: byddai gofynion Tafod y Gynghanedd yn llawnach. Mewn Mynegiant ar y pryd, bid siŵr, ceid llinellau'n llawn effeithiau seiniol a ymddangosai'n fwy cywrain na'r Gynghanedd; ond cofier iddynt fod yn ddewisol bron i gyd, ac wedi'u seilio ar orfodaeth seml wahanol. Gall llinell unigol o Ogynghanedd, ar seiliau dewisol, gael ei chywreinio'n eithafol. Ac eto ar y llaw arall, yn ogystal ag ymddangos yn hynod syml, mewn Mynegiant gall y Gynghanedd hithau o bryd i'w gilydd (yn ddewisol mewn Mynegiant) ymddangos yr un mor gywrain ac anodd i'r glust â'r Ogynghanedd astrusaf; eithr i'r meddwl hefyd, mewn Tafod, yn yr orfodaeth, y mae'r fframwaith yn dynnach. Mae'r Gynghanedd yn gofyn hefyd mewn Tafod am batrwm acennog mewn cyfeiliant. Darganfod isymwybodol oedd hynyna: cyflenwi angen isymwybodol (peth a ddigwyddodd dros gyfnod o amser, megis darganfod cyfundrefn arbennig y ferf Gymraeg). Dyma hefyd, yn sicr, mewn llenyddiaeth Gymraeg, y darganfyddiad mwyaf a harddaf erioed ym myd ffurf. Y Gogynfeirdd a'i hadeiladodd.

(v) CYFUNDREFNEG

Eto, nid paratoad bwriadol oedd yr Ogynghanedd, wrth gwrs, ar gyfer y Gynghanedd. Paratoad anfwriadol fu: isymwybodol. Cafwyd rhyngddynt, fel y dywedais, lam cwantwm. Beth yn union oedd natur y llam hwnnw? Dyma'r canlyniad i ysfa sylfaenol sydd ar waith ac yn gyrru pob celfyddyd – sef yr awch am undod. Yr hyn a gafwyd oedd bod tri math o undod 'diniwed' wedi cyd-dyfu tuag at ei gilydd mewn Cynghanedd – yn Gytseinedd, yn Odl, ac yn Fydr. Dyna'r elfennau cynwysedig, a fu ar nawf gan y beirdd am gyfnod, o fewn y llinell. Ond cododd yr awch ar y Mydr am undod i'r llinell fel uned gyflawn ddiwniad: undod rhwng y tair. Onid oedd yr ysfa am drefn gyfansawdd yn gynhenid? Cafwyd sythwelediad ynghylch y llinell fel ffurf. Dyna ansawdd y llam. Llam ym miwsig iaith ydoedd tuag at dôn newydd ryfeddol fwy trefnus y Gynghanedd. Llam gan y Mydr am ben y Cytseinedd a'r Odl. Cydiwyd yn y tair elfen – cytsain, llafariad, yn ôl llywodraeth acen, – tair elfen y sillaf neu'r gair, a chan ddechrau yn acen y brifodl, cafwyd patrwm o acenion yn rheoli patrwm yr odli a'r cytseinio. Fe'u hestynnwyd gan yr ymwybod cyflawn o fewn llinell, yn llinell. Darganfuwyd arwyddocâd llywodraethol acen y brifodl. A hynny a esgorodd ar y Gynghanedd. Llam oedd o un Gyfundrefn mewn Tafod i Gyfundrefn arall mewn Tafod.

Chwyldrôdd egwyddor y Gyfundrefneg.

Ceisiaf ddadlau yn y gyfrol hon fod y Gynghanedd (megis iaith) yn 'Gyfundrefn o gyfundrefnau' mewn Tafod. Ceisiais o'r blaen wneud cyfraniad i Feirniadaeth lenyddol drwy ddadlau sut a pham y gellid dweud mai Cyfundrefn o gyfundrefnau yn anochel oedd beirniadaeth ei hun (ac felly llenyddiaeth). Mawr oedd dychryn Rhamantwyr. Wrth gwrs, diogelu a wna'r Mynegiant mewn iaith (mewn beirniadaeth a llenyddiaeth) Gynghanedd sy'n gallu cydnabod Rhyddid Rhamantaidd bondigrybwyll. Yr amryw o fewn yr un.

Dylwn er hynny nodi rhai o nodweddion caeth cyfundrefn:

1. Yr amryw o fewn un, mae'n hierarcaidd ac yn olynol. Mae ambell gyfundrefn yn fwy llywodraethol neu gyffredinol na'r lleill. Gwahana ymhobman wrth gwrs. Felly hefyd mewn iaith – y Gair; a'r Rhannau Ymadrodd Traethiadol (ac yn eu sgil hwy y frawddeg); a Thafod/Cymhelliad/Mynegiant; a Ffurf/Deunydd. Felly mewn Cynganeddion hefyd – cyfundrefniad y sillaf – Acen/Llafariad/Cytsain; a Rhy/Eisiau; a'r llinell. Dyma'r rhai uchaf oll yng Nghyfundrefn o gyfundrefnau'r Gynghanedd.

2. Mae'n gydlynol. Hynny yw, y mae pob rhan yn cydlynu wrth rannau neu rannau eraill. Ffrwyth yr ysfa am undod. Mae Rhif fel categori mewn iaith yn amlwg, sef y cyferbyniad isymwybodol Unigol/Lluosog, wrth dreiddio o'r enw a'r rhagenw i'r ferf ac i'r ansoddair (weithiau), ac yn y Gymraeg i'r arferf arddodiadol. Mae cenedl (er bod yna ymgyrch yn ei herbyn yn ein dyddiau goleuedig ni) yn treiddio o'r enw a'r rhagenw drwy'r ferf a'r ansodair a'r adferf arddodiadol eto. Ac yn y blaen: gwyddys fel yr wyf wedi dadlau am gydlyniad y Rhannau Ymadrodd Traethiadol yn frawddegau ar sail dibyniaeth (h.y. disgyrchiant isymwybodol): hynny yw mewn iaith, yn debyg i'r berthynas rhwng Cymeriad/Digwyddiad/Amgylchfyd yn Llenfath y Stori. Mewn iaith y mae popeth yn cydlynu er mwyn gwneud synnwyr. Mewn Cynghanedd y mae cydlyniad Cytseinedd, Odl ac Acenion yn galon i'r cwbl. Felly hefyd, mewn Cynghanedd Sain yn un, dyweder, y mae rhan olaf y llinell yn darparu disgyrchiant neu ddibyniaeth fewnol o'r radd flaenaf, ail ran y llinell yn darparu dibyniaeth allanol ar y ddibyniaeth fewnol, a'r rhan gyntaf ar ddibyniaeth allanol ar ddibyniaeth allanol, bob un â'i swyddogaeth yn y drefn. Cyfundrefn Sain yn egwyddorol gyffelyb i Gyfundrefn y Rhannau Ymadrodd Traethiadol (sef sylfaen i Gyfundrefn y Frawddeg, prif gyfundrefn Cystrawen Iaith).

Ond y mae'n bwysig bob hyn a hyn am foment, inni ddal ein hanadl, eistedd yn ôl yn y gadair, a rhyfeddu at natur cyfundrefn ac at y ffordd ragluniaethol y mae pob dim yn y greadigaeth yn ymlynu wrth ei gilydd, yn hierarcaidd, yn olynol, ac yn gydlynol.

3. Yn sylfaenol, gellir defnyddio'r geiriau 'cant-y-cant' am yr hyn sy'n gyfundrefnus – cant-y-cant o ran delfryd a gwth. Hynny yw, mewn cyfundrefn ceir y duedd hon i fod yn gyson gyflawn. Mae beirniadaeth yn y bôn yn gorfodi bod, yn isymwybodol neu'n ymwybodol, yn gyfansawdd ym mhob dim.

Mae'n bwysig sylweddoli'r gwahaniaeth ansoddol rhwng effeithiau achlysurol a chyfundrefn gant-y-cant.

Digwydd y gyfundrefn cant-y-cant o ran delfryd (a) ym mhob llinell, a (b) ym mhob bardd.

Dyna pam y mae'n rhaid ymwared â chategori dadansoddol achlysurol Thomas Parry 'Dim byd' wrth iddo ganiatáu rhai llinellau o'r math hwnnw o fewn ei ddosbarthiad. O leiaf, y mae cyfundrefn bob amser yn chwilio am fod yn undod. Dyna pam y mae'n weddus wyneb yn wyneb â goddefiadau, dyweder, ein bod yn ystyried yn ddwys beth yw'r rheoleiddra neu'r egwyddor sydd ar waith. Nid addurniadau yma ac acw oedd natur cyfundrefn Gogynghanedd na Chynghanedd mewn Tafod, ond cyfundrefnau hollbresennol, cyflawn, a thrwyadl oeddent, a ddeellid felly. Megis gramadeg. Roedd rhyw ymdeimlad ynglŷn â hwy na ddylid caniatáu eithriadau er y gellid cael gwallau am resymau amlwg. Yr ymdeimlad hwnnw o strwythuro a barodd fod Cerdd Dafod yn bosibl. Pe ceid llinellau eithriadol ar dro, dylai'r eithrio yna ddigwydd yn baradocsaidd gyfundrefnus, dyweder yn gyferbyniol bob amser yn yr un lle, megis mewn llinell gyntaf. Neu fe'i hystyrid yn nam ar y gyfundrefn, yn fai: eithr heb wadu'r cyfundrefnrwydd delfrydedig. Cyf-un a wnâi gyfundrefn.

Un ffactor a gynorthwyai'r fath wth o fewn Cerdd Dafod oedd y ffaith fod yna Urdd o Feirdd yn gydnabyddedig 'orfodol'. Hynny yw, dymunid perthyn i gyfundrefn swyddogol o bobl gytûn. Hynny a anogai ufudddod i ddefod a drôi'n ddeddf. Ni ddymunid eithrio nac ymadael â breiniau a safle. Y tu mewn i'r gyfundrefn honno o bobl yr oedd statws a diogelwch.

Er bod ambell ffurf, megis dyweder Cynghanedd Lusg, yn ymddangos yn lleiafswm o effaith i ganiatáu lle iddi o fewn y gyfundrefn o'i chymharu â Chynghanedd Groes, digon oedd. Y gydnabyddiaeth o bresenoldeb cyson a roddai iddi egwyddor o gyfartaledd neu o gyfwerthedd go agos. Gwnâi hi'r tro gystal â'i gilydd mewn rhai safleoedd penodol. Yr oedd yn llawnder syml o fewn rhai amgylchiadau. A'r egwyddor o reidrwydd cant y cant a'i dyrchafai i statws hollol wahanol i effaith achlys-urol.

Cymerer dwy gerdd gan y bardd Americanaidd adnabyddus o'r ugeinfed ganrif, James Merrill (*Contemporary American Poets,* gol. Mark Strand, 1969), 'The Octopus' a 'Mirror'. Mae'r ddwy yn Odli drwyddynt yn gyson yn yr un ffordd wreiddiol a dieithr. Dyfynnaf hanner dwsin o linellau o'r ail gerdd 44 llinell:

> I grow old under int*en*sity
> Of questioning looks. Nons*ense,*
> I try to say, I cannot teach you ch*il*dren
> How to live – if not you, who w*ill?*
> Cries one of them aloud, grasping my g*il*ded
> Frame till the world sways. If not you, who w*ill?* . . .

Gwelir bod yma fath o Gynghanedd Lusg beniwaered newydd. Ym mhob cwpled y mae'r goben yn y llinell gyntaf yn Odli â sillaf olaf yr ail linell. Dyna ddull dwy gerdd ar eu hyd, ond ni pherthynai'r pedair cerdd arall ganddo yn y Flodeugerdd ddim o gwbl i'r un patrwm. Effaith gyfyngedig oedd. Techneg dros dro. Ceid cysondeb o fewn enghreifftiau cyfyngedig. Cyfundrefn fach breifat.

Mae technegau proestio Wilfred Owen yntau hefyd yn adnabyddus inni oll yng Nghymru. Yr wyf yn edrych ar ddetholiad o saith o gerddi ganddo yn *The Oxford Book of Twentieth Century English Verse,* gol. Philip Larkin, OUP, 1973. Mae 'Anthem for Doomed Youth', 'Disabled', 'The Send-off', a 'The Chances' yn odli'n gonfensiynol. Mae'r cerddi eraill oll yn cynnwys math neu fathau o broest sy'n gyfarwydd i bawb a ddarllenodd Owen: killed, cold; brothers, withers; fooling, filling. Hynny yw, yn wahanol i broest Cymraeg arferol, teimlai'r bardd Saesneg fath o orfodaeth i estyn ei broest ef ymhellach ychydig. Mae a wnelo hynny, gredaf i, â'r math o sefyllfa acennog sydd i eiriau yn y ddwy iaith. Gwyddys bod yna acen bwys wahanol gyffredin yn y Gymraeg ar y goben, ac acen draw ar y sillaf olaf: dyna resymau nid yn unig dros dwf y Gynghanedd Lusg ond hefyd dros bob Cynghanedd. Eithr yn ogystal ceir acen draw dybiaf i, yr un mor gyffredin ar y sillaf olaf. A hynny, o bosib, sy'n cyfrif pam y cyfrifir yn naturiol yn y Gymraeg fod 'cerdded' a 'gweled' yn odli, a hyd yn oed 'lled' a 'cerdded', ond bod Saesneg fel arfer yn disgwyl mewn odli diacen yr hyn a alwn ni'n 'Odl ddwbl', e.e. thirty, dirty. Rhaid cofio bod llawer mwy o sillafau olaf acennog neu unsill acennog yn Saesneg nag yn y Gymraeg. Ond yn achos Owen, hyd yn oed, mewn proestio acennog (e.e. 'The Show'), tuedda i broestio'r holl sillaf yn gytseiniol, hynny yw nid yn unig ar ddiwedd y sillaf, ond yn gynganeddus drwyddi: Death, why, dearth, woe, uncoiled, killed, hills, holes; er nad yw'n gwbl gyson yn hyn o beth.

Cafwyd dynwaredwyr achlysurol i hyn o dechneg yn Saesneg. Ond achlysurol yn unig oeddent. Nid aethpwyd o'r achlysur i'r cyffredinol. Ni chafwyd deddf yn ôl symudiad datblygol y Gynghanedd, a hefyd yn ôl cyfeiriad meddyliol cyfundrefnus y 'dull gwyddonol'. Ni ddaeth yn 'iaith', felly, yn gyd-sefydliad rhwng pobl a'i gilydd.

Cant y cant yw ystyr 'cyffredinol'. A chant y cant (o ran delfryd) sy'n gwahaniaethu rhwng arferiad a chyfundrefn. Isymwybodol yw. Dyna pam y mae eisiau ymholi pam y mae *ng* yn eithriad ymhlith y goddef-iadau. O fewn y Gymraeg, daeth y Gynghanedd a rheoleidd-dra cyfredol yn hanfod. Dyna a ganiatâi 'Gyfundrefn o gyfundrefnau'. Ac i iaith gyflawn y perthynai fel petai. Daeth yn amgylchfyd cyflawn i gerdd, yn ffordd o fyw i farddoniaeth. Felly, drwy ysgolion y beirdd (a Gramadegau'r Penceirddiaid) a thrwy eisteddfodau 'deddfwriaethol', fe adlewyrchid y math o swydd, isymwybodol i raddau efallai, i dderbyn ac i gydymffurfio â fframwaith cymdeithasol ffurfiol esthetig a feddiannai bob llinell.

4. Ni wyddys pwy oedd y bardd olaf a osododd y fricsen olaf yn ei lle wrth adeiladu mewn Mynegiant y gyfundrefn mewn Tafod, unrhyw gyfundrefn mewn Tafod. 'Anhysbys' yw awdur Tafod. Mewn Mynegiant gall cyfundrefn fod yn fwriadus. Gall bardd yn y fan yna wybod beth y mae'n ei wneud. Rhywbeth ar y pryd yw efallai. Un enghraifft. Ond cyfrannu y bydd yr un pryd o bosib i'r sefydlogrwydd mewn Tafod yn gyffredinol.

Pedwaredd nodwedd Cyfundrefn mewn Tafod yw ei bod wedi cael ei hadeiladu'n isymwybodol gan Neb yn fath o sefydlogrwydd newydd.

5. Mewn Cyfundrefn ceir rhannau sy'n cyd-adeiladu cyfan 'caeedig', neu lefelau cyferbyniol. Wrth symud o Ogynghanedd i Gynghanedd daeth y tair lefel ganlynol yn arwyddocaol yn y broses o wahuno fwyfwy yn ôl yr ysfa i drefnu perseinedd yn hierarcaidd ynghyd. Dyma'r Gyfun-drefn:

(i) CYFLYRAU A PHROSES
Cerdd Dafod   Cymhelliad   Cerdd Fynegiant
[Y symudiad oddi wrth Gyffredinoli drwy Drothwy Arbenigoli at Gyffredinoli newydd.]

(ii) CYNHWYSION

Cytseinedd	Odl	Mydr
[Cytsain	Llafariad	Acen]

Datblygai'r rhain, drwy'r ysfa am undod, yn dri math o gyfundrefn egwyddorol linellol: Traws (gan gynnwys Traws Sero, sef Croes); Llusg; Sain. O dan reolaeth yr acen, cafwyd uwch-corfannau deuol neu driol.

(iii) MINIOGI MANION

Ceseilio	[Cytseinedd]
Goddefiadau	[Cytseinedd]
Beiau Gwaharddedig	[Cytseinedd, Odl, Mydr]

Mewn Cynghanedd fe geir deddfau arbennig a chyffredinol ar bob lefel boed yn negyddol neu'n gadarnhaol ar gyfer pob sillaf a ddefnyddir, a phob rhan o bob sillaf (llafariad, cytsain, acen), a phob perthynas rhwng sillafau â'i gilydd ym mhob llinell, yn ogystal â rhwng llinellau a'i gilydd, hyd yn oed mewn cyferbyniadau negyddol. Dyna sy'n penderfynu trwyadledd y gyfundrefn. Ar ryw olwg, mae gan Gynghanedd hunanlywodraeth. Mae iddi werth a ffactorau ynddi'i hun, yn brydyddol o'i chyferbynnu â'r ymarferol. Ac y mae'n ddelwedd gyflawn. Yr hyn a wna, fel y dywedai Andrej Belyj efallai, yw 'paentio â seiniau' hyd at bob cornel. Mewn Cynghanedd cawn y deddfau seiniol sy'n gweinyddu hunanlywodraeth gyflawn o'r fath.

Wrth droi at ddiwedd cyfnod y Gogynfeirdd o Ogynghanedd i Gynghanedd, nid mater oedd o ambell newid gwasgarog achlysurol, felly. Nid helfa ddigyswllt neu bentwr a gafwyd o fân bwyntiau un cyfnod yn ildio i gasgliad o fanion mewn cyfnod arall. Pe meddyliem felly, fe gollem y pwynt. Yr hyn a ganfyddwn yw un math o gyfundrefn, o ran ansawdd a hanfod, yn cael ei weddnewid i fod yn fath arall o gyfundrefn. O undod i undod.

Wrth gyfosod Gogynghanedd â Chynghanedd, cyferbynnu yr ŷm ddwy gyfundrefn a sefydlwyd, y naill a'r llall, yn ôl egwyddoreg wahanol. Rhyngddynt fe geir trawsffurfiad cyfundrefnol go gyflawn.

Fel y ceir gan Ffonoleg y Gymraeg ei hanes, a chan Semantoleg y Gymraeg a Morffoleg y Gymraeg eu hanes, felly y mae gan Gyfundrefneg (*systématique*) y Gymraeg ei hanes. Fel y gellir archwilio a chyferbynnu syncroni seiniol arbennig, dyweder y 5ed ganrif cyn sefydlogi'r iaith, a'r 9fed ganrif ar ôl ei sefydlogi o'r newydd o fewn cyfundrefn gydlynol, felly yn achos cyfundrefn yr Ogynghanedd a'r Gynghanedd rhwng y ddeuddegfed ganrif a'r bedwaredd ganrif ar ddeg. Ar ryw olwg, ochr yn ochr â Ffonoleg a Morffoleg a Semantoleg gellir dadlau bod yna fath o wyddor y gellir ei galw'n Gyfundrefneg. Cafwyd eisoes nifer o gyfrolau yn trafod y ffenomen ryfedd hon gan Gustave Guillaume: dwy ar *Psycho-systématique du langage*, 1971 a 1997, a *Systèmes linguistiques et successivité historique des systèmes*, 1982, sef tair o'r pedair ar hugain o gyfrolau o waith Guillaume a gyhoeddwyd hyd at 2004. Disgwylir cyhoeddi o hyd ryw nifer arall gyffelyb yn ymwneud â maes Seico-fecaneg, o flwyddyn i flwyddyn.

[Dichon y dylwn grybwyll yn gynnil ddatblygiad ysgolheigaidd sydd ar gerdded yn Ffrangeg, ond nad yw'n hysbys iawn yn Saesneg (gan fod ysgolheictod ieithyddol Ffrangeg – fel yn achos Saussure – yn rhoi mwy o bwyslais ar ledaeniad drwy'r gair llafar), datblygiad y ceisiais fanteisio arno ers dros ddeugain mlynedd, datblygiad hefyd a all newid ein hastudiaeth nid yn unig o'r Gynghanedd, eithr hefyd o'r iaith Gymraeg a phob iaith arall. Buwyd wrthi ers ei farwolaeth ym 1960 yn golygu ac yn cyhoeddi *darlithiau* Gustave Guillaume. Bellach, cyhoeddwyd 17 o'r 27 o gyfrolau o ddarlithiau. Dyma fydd hanner y gwaith a adawodd. Dechreuwyd cyhoeddi'r ail hanner – y cofnodion a'r ysgrifau – yn gyfredol; a chafwyd dwy gyfrol hyd yn hyn, 2003 a 2004, yr ail yn 416 o ddudalennau. Arhoswn o hyd o flwyddyn i flwyddyn i weld pa ryfeddodau eraill sydd i ddod. Crybwyllaf hyn gan fod y cyfrolau diwethaf yn rhagymadroddi prosiect sylweddol – ei brosiect unigol mwyaf, – sef *Psycho-systématique du langage.* Ynddi bydd yn dadlennu'r deddfau sy'n penderfynu teipoleg ieithyddol byd-eang. Mewn gwirionedd, dau enw ar un wyddor yw seico-fecaneg a seico-gyfundrefneg, y gyntaf yn pwys-leisio mai gwyddor y meddwl ar waith mewn iaith sy dan sylw, y llall mai gwyddor y Gyfundrefn o gyfundrefnau. Math o ieitheg gymharol yw hyn oll. Dadansoddir ieithoedd cyfan a chyfundrefnau unigol gan nodi fel yr adeiledir y cyfundrefau hyn ar sail nodweddion ansoddol cynieith-yddol rhyngwladol. Fy nod i yn fy mhrosiect amlgyfrolog fechan innau – Beirniadaeth Gyfansawdd – megis yn y gyfrol hon fu ceisio darganfod ac amlinellu'r cyfundrefnau yn y meddwl sy'n cyfansoddi llenyddiaeth.]

Yn hanes Cyfundrefneg lenyddol y Gymraeg nodais bedwar dosbarth: (1) ffonoleg, gwyddor y sain lafar (Cynghanedd, Odl, Mydr); (2) semantoleg, gwyddor y ffurfiau ystyrol (Troadau a Ffigurau Ymadrodd); a (3) morffoleg, gwyddor y ffurfiau meddyliol (Llenddulliau). Ceisiais fraslunio'r rhain yn ysgafn yn SB II, III, IV. Er mai yn y gyntaf o'r rhain y

gellid lleoli'r Ogynghanedd a'r Gynghanedd, y mae'r cysyniad o Gyfun-
drefn a'r wyddor ddatblygol o Gyfundrefneg yn organaidd berthnasol.
Wedyn (4) cyfundrefneg, sef testun y gyfrol hon. Dyna'r hyn sy'n newydd
ac yn ychwanegiad dosbarthol yn f'amlinelliad o Feirniadaeth Gyfan-
sawdd. Mewn gwirionedd, mae yna seico-gyfundrefneg ar gyfer pob un
o'r lefelau hyn: ffonoleg, semantoleg, morffoleg. Hynny yw, y mae pob
un yn Gyfundrefn o gyfundrefnau.

Wrth drafod cyfundrefneg Cerdd Dafod, ceir pum syncroni neu
doriad arwyddocaol a dwy haenen 'dafodieithol' ar hyd ei diacroni:

Haenen A [Gogynghanedd a Chynghanedd]
1. Cynfarddas gogynganeddol (Taliesin), 2. Gogynghanedd fwy-
fwy penilliol (Cynddelw), 3. Cynghanedd (Tudur Aled) 4. Canu
Rhydd Cynganeddol: canu cyfacen cynganeddol,/corfanneg (Huw
Morus), 5. *Vers Libre* Cynganeddol (Euros).

Haenen B
Yn gyfredol gyda'r Iaith Lenyddol ceir cyfundrefneg prydydd-
iaeth yr Iaith Lafar (dafodieithol)
1. Cynfarddas Rhydd (Hwiangerdd) 2. Gogynghanedd Rydd (Y
Dychanwyr) 3. Canu Rhydd cyfnod yr Uchelwyr a'r Dadeni
(Traethodl, Canu Rhydd Anghyfacen) 4. Canu Rhydd Cyfacen
Corfanneg (Pantycelyn) 5. *Vers Libre* (Alun Llywelyn-Williams).

Y peth pwysicaf sydd gennyf i'w ddweud am berthynas yr Ogyng-
hanedd a'r Gynghanedd, felly, yw ein bod yn gallu olrhain yn ddi-fwlch
mewn manylion y newid o un gyfundrefn gyflawn ddiwnïad i gyfun-
drefn drwyadl wahanol, ond yr un mor gyflawn ddiwnïad. Trodd un
undod yn undod cwbl wahanol, megis blodyn aur dant-y-llew yn cael ei
drawsnewid yn glôb crwn o hadau. Mae'r gymhariaeth yn ein harwain i
sylwi mai Blodyn o flodau yw dant-y-llew, Cyfundrefn gyflawn o gyfun-
drefnau, gyda phob petal (ymddangosiadol) yn flodyn llawn, sy'n troi'n
fyd cyfan o hadau, a hwnnw eto yn Gyfundrefn o gyfundrefnau. Daeth
cyfanrwydd allan o gyfanrwydd heb betruso. Troes un gyfundrefn yn ôl
egwyddor A yn gyfundrefn arall yn ôl egwyddor B, heb faglu, a heb
fwlch. Syncroni allan o syncroni arall, yn ôl prif batrwm newydd. Hynny
yw, yn ymarferol dechreuai'r Gynghanedd ddatblygu o'r tu mewn i
Ogynghanedd. Ac eto, gallai llinell o fewn dechrau cyfnod y Gyng-
hanedd fod yn gwbl dderbyniol yn niwedd cyfnod yr Ogynghanedd. Er

mai sylfaenol wahanol oedd natur ac egwyddorion adeiladwaith cyfun-drefn y Gynghanedd, fe'i caniatéid o fewn cyfundrefn yr Ogynghanedd.

Tybiaf mai'r gymhariaeth decaf a mwyaf helpfawr yw'r un ieithyddol eto, gyda'r Gymraeg yn dod o'r Frythoneg. Dyma un math o iaith yn troi'n fath arall y llunnid ei brawddegau yn ôl egwyddor sylfaenol wahanol. Un math o Gyfundrefn gwmpasog yn fath arall o Gyfundrefn gwmpasog. Dyma, fel y dywedir yn dechnegol, iaith synthetig yn troi'n iaith analytig. Gwelir hyn ar waith yn bennaf wrth golli terfyniadau. Ceid rhyw bump o ffurfdroadau cyflyrol i'r enw Brythoneg. I bob pwrpas yr oedd y rhain oll wedi diflannu yn y Gymraeg, megis y troes Lladin yn Ffrangeg. Tua chanol y chweched ganrif cafwyd chwyldro. Ond chwyldro oedd a ddigwyddodd bron yn ddisylw; a phwysleisiaf 'yn ddi-fwlch'. Aeth *markos* yn *march* a *trumbos* yn *trwm*. Nid y terfyniadau mwyach a benderfynai ai genidol ynteu gwrthrychol ynteu cyfarchol ac yn y blaen oedd enw, ond safle cystrawennol yn y frawddeg, a threiglad.

Tebyg (er nad yn union debyg wrth gwrs) oedd y newid o'r Ogyng-hanedd linynnog yn ôl *presenoldeb* Odl/Cytseinedd i'r Gynghanedd analytig yn ôl *safle* Odl/Cytseinedd dan acen. Roedd gan y Gogynfeirdd yn eu cyfnod offeryn cyfan, rheolau a chydymffurfiad 'naturiol' gyd-berthynol: felly hefyd y Cywyddwyr wedyn. Ni wyddai'r naill gyfnod na'r llall yn ymwybodol fod yna brinder ar gael yn eu cyfnod hwy. Ni phen-derfynwyd newid chwaith, onid yn isymwybodol. Ond fe newidiwyd: o gyfan i gyfan. Ni wyddid ymlaen llaw ble'r oeddid yn mynd. Ond fe aethpwyd. O fewn amodau Tafod y Gogynfeirdd, yr oedd arferion Mynegiant Beirdd yr Uchelwyr yn bosibl. Cryfhawyd yr arferion hyn gan bwyll nes dod yn Dafod neu'n orfodaeth neu'n sefydliad i Feirdd yr Uchelwyr. Aeth yr Odl a'r Cytseinedd a fu'n rhifyddol gyda'r Gogyn-feirdd yn ansoddol gyda Beirdd yr Uchelwyr oherwydd acen. Roedd Tafod B o fewn Tafod A ar ffurf AB cyn i A grino. Ac felly y disodlwyd un gyfundrefn gan un arall. Un egwyddor ffurfiol gan egwyddor ffurfiol arall.

Diddorol sylwi fel y mae'r cyfnod pontiol yn ymddangos o bersbectif gwahanol yn yr Awdl o'i chyferbynnu â'r Cywydd. Credaf fod yr Awdl yn awgrymu bod *arddull* y Gogynfeirdd yn gorgyffwrdd yn fwy ymosodol ym Meirdd yr Uchelwyr, a bod *ffurf fydryddol a chytseiniol* Beirdd yr Uchelwyr wedi ymosod ar y Gogynfeirdd. Wrth gwrs, yn yr Awdl a'r Englyn y datblygodd y Gynghanedd. Fel y cyflwynwyd rhodd y Gynghanedd gan yr aristocratiaeth i'r werin, felly y cyflwynwyd rhodd y Cywydd gan y werin i'r aristocratiaeth.

Credaf mai ceisio datrys problem Chwaeth yr oeddid.

Wrth fyfyrio ym mha fodd y geill hyn ddigwydd – sut y gall un undod unigolyddol drawsffurfio'n gymharol gyflawn ac yn gymharol ddisylw i fod yn undod gwahanol – a pham na phrofwn ryw fath o lithro ymbalfalus baglog araf datblygol, na bod yna chwaith ac yn bwysicach ryw elfen annisgwyl o lam diystyr – ni allaf ond cynnig fod yna sythweOLEDiad ar waith. Sythwelediad oedd ynghylch undod. Gwyddys am y darluniadau hynny sy'n dangos dwy ddelwedd o fewn un llun: os edrychwch ar y cyfuniad o un safbwynt gydag un canfyddiad, fe welir hen wrach yn edrych i un cyfeiriad, ond o ymgymhwyso a'i ganfod o gyfeiriad canfyddol arall, fe'i sylweddolir yn fenyw hardd yn edrych i gyfeiriad cwbl wahanol: felly'r tro arbennig hwn. Gafaelwyd mewn gweledigaeth o ffurf gan genhedlaeth gyfan newydd. Darganfuwyd *gestalt.*

Cyseinedd oedd mecanwaith y Cynfeirdd: proses a geisiai fod yn gyflwr. Mecanwaith deinamig diarwybod oedd Gogynghanedd i droi oddiwrth Gyseinedd tua'r Gynghanedd: cyflwr a geisiai fod yn broses. Mecanwaith priodol Beirdd yr Uchelwyr oedd Cynghanedd: proses a geisiai fod yn gyflwr.

Gair pwysig, felly, yw 'cyfundrefn'. Dyma brif nodwedd wahaniaethol Cerdd Dafod. Mae rhamantwyr yn tueddu i ofni'r gair. Ond diwinyddol yw'r gwrthwynebiad, ac arwynebol. Cyfundrefn o gyfundrefnau yw Cerdd Dafod. Golyga 'cyfundrefn' fath arbennig o berthynas unol. Perthynas yw mewn lle y ceir un ddeddf unigryw a chanolog yn uno – o leiaf mewn un iaith a llenyddiaeth – glwm neu glymau deuol neu driol, neu gyfuniadau ohonynt. Mewn iaith, undod yw ffonem, morffem, semantem, megis cyfundrefn ei hun. Undod yw gair ei hun – o ddeunydd a ffurf. Undod yw'r holl rannau ymadrodd. Mewn Cerdd Dafod, y mae Odl ei hun yn gyfundrefn. Mae gan yr Acen hithau ei chyfundrefn, ac mae Cytseinedd yn cynnig cyfundrefn o gyfundrefnau fel y mae'r Beiau gwaharddedig a Cheseilio a hyd yn oed Goddefiadau hwythau yn gyfundrefnau. Haniaeth bur yw cyfundrefn, nad oes a wnelo hi â dim ond perthynas. Hyhi hefyd sy'n amgylchu'r cyfan o'r mân gyfundrefnau hyn.

Na ddirmyger y gair 'cyfundrefn', felly. Nac ofner chwaith. Dyma sy'n caniatáu inni ddeall a llefaru a byw.

Mae pob sain a geir mewn iaith ac mewn Cerdd Dafod yn ddarostyngedig i'w chyfundrefneg. Y tu ôl i bob cyfundrefn ieithyddol neu gynganeddol ceir y gyfundrefn waelodol lle y cyferbynnir ac yr unir Tafod â Mynegiant. Yn hanesyddol, gwelsom Dafod yn cael ei ffurfio gan Fynegiant. Ond yn weithredol ymarferol, gwelsom fel y rhagflaenir Mynegiant gan Dafod. Gwaith y sawl sy'n efrydu Cerdd Dafod yw archwilio'r cyfundrefnau sydd eisoes ynddi. Da i'n pwyllgorau gofio hynny. Y rheolau eu hunain sy'n eu cyflwyno'u hunain i ni heddiw, fel y gwnaethant i Ddafydd ab Edmwnd, Tudur Aled, a Simwnt Fychan. Ac i John Morris-Jones. Nid ni sy'n eu gwneud yn ymwybodol fel pe baem dan orfodaeth i dderbyn rhagdybiau Rhamantwyr neu Ôl-fodernwyr.

Ym mhob cyfundrefn ffonolegol, fel Cerdd Dafod, y cyferbyniad gwreiddiol yw'r un rhwng sŵn a distawrwydd. Ffonem yw'r sŵn cyfundrefnol lleiaf. Ac y mae'r ffonem yn cynnwys llafariad a chytsain ac acen; a'r holl ddosbarthu ar y rhain.

Nid ydym hyd yn hyn mae arnaf ofn wedi myfyrio'n ddigonol, nid am y gwahaniaeth seiniol, ond am y naws gyferbyniol awgrymus a'r hanfod ymarferol gwahanol sydd rhwng llafariad a chytsain, am effeithiau teimladol ystyrol y naill a'r llall. Nid dyma'r lle chwaith i wneud hynny. Ond gadewch imi awgrymu'n gynnil beth rwyf yn ei feddwl. Ymddengys i mi fod y gytsain gaeedig yn gogwyddo at bwysleisio'r ystyr ganolog, ac mai pwysleisio'r cysylltu goleddfol swyddogaethol ar hynny a wna'r llafariad agored (e.e. y cyferbyniad rhwng unigol a lluosog yn yr elfen ystyrol o ran ei hamser neu'i pherson). Felly, mewn rhai enwau, ceir sefydlogrwydd cytseiniaid cymharol ynghyd ag amrywiaeth llafariadol: troed, traed; tŷ, tai; llo, lloi; rhaeadr, rhëydr; haearn, heyrn; carreg, cerrig; maneg, menig; aberth, ebyrth. Ac mewn rhai berfau hefyd, sylwer ar sefydlogrwydd sylwedd cytseiniaid ystyrol, ac ar ansefydlogrwydd goleddfol llafariaid: â, âi; cyfod, cyfyd; try, trôi; diolch, diylch; cei, câi; ces, cas.

Yn hyn o beth, rhwng y sefydliadol (neu'r sefydlog) a'r cyfnewidiol, ceir perthynas nid annhebyg i ddawns werin Wyddelig. Wrth wylied merched a bechgyn Riverdance, dyweder, gwelwn fel y bydd un hanner i'r corff (yr uchaf) yn unionsyth sefydlog tra bo'r hanner isaf yn chwyrlïo'n chwim.

Rhwng y ddwy gyfundrefn Gogynghanedd a Chynghanedd, y mae'r cyfundrefnu cyferbyniol yn gwahaniaethu yn ôl trwch a dosbarthiad lleoli llafariaid a chytseiniaid, ac yn ôl llywodraeth gysylltiol acenion (neu beidio).

Wrth archwilio'r ddolen neu'r datblygiad rhwng y naill gyfundrefn a'r llall, da yw gweld pob un o'r ddwy gyfundrefn wahanol hyn yn ôl ei natur briod ei hun. Wedyn, sylwer sut y camwyd bron yn ddiarwybod, ac yn sicr yn ddi-dor, o'r naill i'r llall.

Yn gyntaf, yn Nhafod Gogynghanedd, hynny yw yn ymddangosiadol sefydlog, gwelsom fel y ceid undod cyfundrefn ym mhob llinell. A'r rhannau arwyddocaol a unid, beth oeddent? Ceid presenoldeb *Cytseinedd* neu *Odl* ym mhob llinell, hynny yw ailadrodd cytseiniol neu ailadrodd llafariadol ei duedd yn gyson. Cyfundrefnau tawelwch a swn. Dyna'r amrywiaeth yn cael ei uno o dan acen.

Yr *arferiad* (cyntefig fel petai) oedd i'r presenoldeb 'cyffelyb' rhwng cytseiniaid fod yn agos – gallai'r lleoliad agos hwnnw fod ar ddechrau, neu ar ganol, neu ar ddiwedd llinell. Gallai safle hyd yn oed ymddangos yn hanfodol felly. Ond nid yr agosrwydd ei hun oedd yr anghenraid na'i gyfundrefn, eithr y presenoldeb yn y llinell. Yn ail, nid oedd yr acen, hynny yw ym mha le y lleolid yr acen, yn orfodol arwyddocaol ar y pryd yn ôl perthynas â'r cytseiniaid neu'r Odl.

Dau beth a ddigwyddodd wrth gamu drosodd, yn ddi-dor, o'r gyfundrefn hon i gyfundrefn wahanol-gyffelyb y Gynghanedd. Ac ymwnâi hynny'n benodol â'r ddau bwynt a nodwyd yma.

Oherwydd nad oedd lleoliad y Cytseinedd na'r Odl yn amlwg bwysig, fe ellid eu gwahanu fwyfwy, a chael Cytseinedd neu Odl yn cyfateb o bell, eithr o fewn y llinell. A hefyd, o ran acen, gan nad oedd yna orfodaeth ar yr acen yn ei pherthynas ag Odl a Chytseinedd i gael lleoliad penodol, fe ellid cael acen a leolid mewn lle tebyg yn niwedd y llinell i'r hyn a geid yn ei dechrau, a byddai'n gwbl gyfreithiol a derbyniol. Yn wir, clywid aceniad gair ola'r llinell, sef gair y brifodl yn bwysicach bwysicach wrth i'r acen bwys ar y goben ymsefydlu fwyfwy. Felly'r Gogynfeirdd.

Oherwydd posibiliadau rhydd i leoliad aceniad ar hyd y llinell fodoli yn ôl y berthynas â'r gweddau seiniol eraill, tyfai *arferiad*, ac arferiad ydoedd o hyd, nid rheol, i gyfuno'r acen mewn gair â'r seiniau cyfatebol, seiniau a ddeuai'n bwysleisiol arwyddocaol am eu bod yn cynnwys ailadrodd. Yr acen a amlygai Gytseinedd. Drwy'r cyfuniad hwn, ac amlhau'r arferiad, dôi'n bosibl bellach i'r arferiad hwn ffurfio cyfatebiaethau cynganeddol; ac fe ganiatéid y rhain heb dorri amodau Gogynghanedd. Gellid corffori Cynghanedd o fewn y diffiniad hwn.

(Yr unig oleddfu a wnawn ar y ddamcaniaeth hon fyddai ychwanegu y dylid cofio bod yna ddau draddodiad yn cyd-ddatblygu. Yn ogystal â chael yr Ogynghanedd yn troi'n Gynghanedd fe geid hefyd yn gyfredol mewn haen is o'r gymdeithas [er enghraifft yn y Cywydd] y Canu Rhydd Cynnar Cynnar yn ymgynganeddu.)

Y cam olaf oedd troi'r arferiad yn sefydliadol, yn gant y cant (o ran nod ac egwyddor) yr achlysurol yn ddeddf.

Beth, felly, a wnaeth y gwahaniaeth rhwng Gogynghanedd a Chyng-
hanedd? Beth a ganiataodd y llam neu'r newid o un gyfundrefn i gyfun-
drefn newydd? Yn bennaf, daeth yr acen yn elfen lywodraethol a'r
llinell yn uned fwy ymwybodol. Aeth presenoldeb yn batrwm. Ail-
adroddid yr amrywiaeth yn hytrach na'r presenoldeb yn unig. Cysylltid
yr Acen â'r Odl a'r Cytseinedd mewn undod helaethach. Nid felly y bu
o ran Gogynghanedd. Wrth estyn y gyfatebiaeth rhwng Cytseinedd neu
Odl ar hyd ystod y llinell, gan ganiatáu i'r dechrau ateb y diwedd, dôi
acen y diwedd yn arwyddocaol, a chael cymhares yn acen yr orffwysfa.
Yr acen a'r llinell a greodd y Gynghanedd. Yr acen a drefnodd gyfan-
rwydd y llinell, y gyfun-drefn. Hi, drwy fod yn angor, a ddiffiniodd bat-
rwm yr ailadrodd.

Ychwanegwyd at natur yr undod, sef *presenoldeb* Cytseinedd ac Odl; yr
arferiad ac yna'r sefydliad, a'r lleoliad o reolaeth yr Aceniad. Syth-
welediad y Gynghanedd, ei hathrylith yn wir, oedd cysylltu Aceniad â
Chytseinedd/Odl.

Gwelsom, felly, ddatblygiad mawr mewn Cyfundrefneg pan symud-
wyd o gwlwm 'Cytseinedd ynghyd ag Odl' i gwlwm triol 'Cytseinedd
ynghyd ag Odl ynghyd ag Acen'. Ond cafwyd diacroni cyfundrefnol
pellach hefyd, yr un mor arwyddocaol a gwreiddiol. Cafwyd datblygiad
amseryddol o fewn cychwyn cyfundrefn seml y 'Draws Fantach', sef
Cytseinedd yr un gytsain mewn ailadrodd (unrhyw), i'r 'Draws Aml-
gytsain', gan gynnwys y 'Draws Sero/neu'r Groes', sef Cytseinedd
amlgytsain (drwy ailadrodd amryw o fewn yr un). Hynny yw, sylweddol-
wyd ailadrodd cyfundrefn newydd a mwy estynedig yn drawsffurfiol o'r
Cytseinedd traddodiadol. Ailadroddwyd cwlwm. Ac felly, yn hanes
Cyfundrefneg, symudwyd o gyfundrefn i gyfundrefn drwy sythweled
egwyddor Cytseinedd arall. Aethpwyd o'r unigol i'r lluosog. Dargan-
fyddiad isymwybodol oedd hyn i ddechrau, mae'n siŵr, a dewychodd
wrth sylweddoli hyfrydwch synhwyrus y patrymau soniarus mewn
Mynegiant. Ond bu'r darganfyddiad o'r amryw o fewn yr un, cyferbyn-
iad y lluosrwydd o gytseiniaid sy'n undod mewnol, yn dyngedfennol i
dwf y Gynghanedd.

Mae yna wedd arall bellach ar y myfyrdod hwn y gellid ei hystyried, er
nad dyma'r amser (er mai dyma'r lle) i'w ddatblygu. Trafod yr ŷm ber-
thynas y rhannau a'r cyfan. Dyna, cytunasom mi obeithiaf, yw hanfod
canolog a dibynnol cyfundrefn. Y mae i'r seiniau eu lleoliad priodol yn
y llinell. Olyniaeth yw'r ffonemau o orsafoedd fel petai, bob un â'i safle
neu ei ofod, ei syncroni hyd yn oed yma ac acw ar hyd y rhediad: rhannau

ydynt. Ond diacroni yw'r llinell, cyfanrwydd o berthynas mewn amser. Try'r lleoliadau yn ddatblygiad cyfun cysylltiedig, yn undod. O sylwi ar y Gynghanedd fel yna, gellir dod i'r casgliad pwysfawr: pan fo gofod yn dod yn amser, a'r rhannau'n dod yn gyfan, yna fe geir y Gynghanedd.

Casgliad awgrymus a go ogleisiol yw hyn; a drwg gennyf, oherwydd yr angen i gadw ffrwyn ar y drafodaeth hon, yw gorfod ei gadael hi yn y fan yna. Ond gellid canfod, mae'n bosib, (os caf fod yn bersonol) fod yna gysylltiad rhwng y Gynghanedd yn hyn o beth (y berthynas rhwng gofod ac amser), a phrosiect arall gyffelyb y bûm yn ymwneud ag ef wrth fynegi mewn prydyddiaeth y profiad deuol o Gymru. Mae ffurf cenedl yn dibynnu ar le'n cymathu amser, ac ar y rhannau (yn achos Cymru drwy israddoldeb a'r iaith yn anad dim) yn dod yn gyfan.

Gan fod cyfundrefn mewn Tafod yn dal i ddatblygu, ie, hyd yn oed yn isymwybodol heddiw, hawdd dod i gasgliad bod Tafod yn benagored, er lapio o'n cwmpas ein hunain flanced gysurus dogma'r penagored cyfoes. Bid sicr, datblygol yw Tafod o'r golwg. Mae'n ymddisodlol ac yn hunan-adolygol. Hoff gan y dogmatig ansicr yw peidio â chyflawni diweddiant gan fynnu ymaros gyda rhanoldeb digyfan. Yn y cyflawni y llecha'r Absoliwt. Ond nid yw mor rhwydd â hynny. O hyd erys myth y gestalt. Hiraethir am undod. Tardda'r 'malaise' ystyfnig-ddall o gyddestun ymchwalu a gais ddianc rhag ffaith yr awydd am batrwm. Ond ni cheir bodlonrwydd onid yn yr integreiddio. Mae hyd yn oed yr awydd ymffasiynol i beidio â dwyn i ben, ac i wrthod cau, yn gwywo gan fod pob cyfan mewnol, dyweder Gogynghanedd a Chynghanedd, yn ddiweddedig ar y pryd. Nid symud o ddrylliadaeth i ddrylliadaeth a wneir, felly, ond o gyfundrefn i gyfundrefn. Fe'n gyrrir gan y bydysawd i gael ystyr. Trawsffurfio, ie, ond o ffurf i ffurf. Meddai Jonathan Culler mewn maes cyfredol: 'a literary work can have a range of meanings, but not just any meaning.' O! gaethiwed pêr!

Carwn wrth ddirwyn y rhan hon i ben danlinellu'r cysylltiad rhwng y bennod hon a phrif thema'r gyfrol i gyd. Un o'm prif ddaliadau yw ein bod mewn Gogynghanedd ei hun wedi cael cyfundrefn. Hynny yw, cafwyd egwyddor gyson – yn bresenoldeb arwyddocaol o fewn amrywiaeth ym mhob llinell, mewn rhyw ran ohoni. Ond cafwyd ysfa gyfannol fywydol ar dwf ymhellach, a chyd-ddigwyddiad rhyfedd. O fewn y llinell ei hun hefyd ceid gogwydd ysfaol arall tuag at undod, undod a ymestynnai o ran egwyddor o ddechrau pob llinell hyd y diwedd. Yn erbyn un o brif ddogmâu Ôl-foderniaeth, sef drylliadaeth, cydiwyd yn yr egwyddor hon o undod, a hynny yn yr awydd cynhenid mewn deall, yn iaith y natur ddynol, yn wir yn y greadigaeth i gyd i orfod cyfannu llinell. Y llinell mewn sain yw'r cysgod i'r frawddeg mewn synnwyr. Dibyniaeth yn egwyddor y cyswllt, dibyniaeth driol. Mewn Cynghanedd cafwyd cyfundrefn newydd rymusach o lawer, fwy cyfan ac unol na Gogynghanedd. Ac yng Nghymru yn saithdegau'r ugeinfed ganrif, yn gyfredol gyda chwiw a gwaseidd-dra Ôl-foderniaeth, pryd y ceisid datod gwead y genedl, gwead y teulu, gwead Cristnogaeth, bob dim yn relatif, mynnodd rhagluniaeth i'r sain a'r synnwyr cynganeddol sefyll yn yr Absoliwt. Yn y meicrocosm o Gynghanedd, cafwyd cysgod neu adlewyrchiad o'r sefyll mawr cenedlaethol a chosmig mewn dyddiau blin chwâl.

Yn y bennod nesaf, cawn wylied eto beth o hanes pellach yr ymddygiad hwn o sefyll mawr, a hynny'n ddiwinyddol, gyda'r ystwythder yn yr amryw/undod, y ddwy natur mewn un, a'r tri pherson yn un, oherwydd ymwneud yr ŷm yn y Gynghanedd â gwedd fechan o feddwl y Greadigaeth. Cawn fyfyrio, felly, am y berthynas ddeuol/driol yn yr un, perthynas gyferbyniol a welir yn y mathau o gymeriad, cynganeddion, beiau, ceseilio, goddefiadau, a mesurau sy'n cydadeiladu Ffurf. A chawn yn sgil hynny ddilyn ymlaen beth ar hanes ffurfiol adeiladu arwrol a gafwyd yn isymwybod gorchfygedig ein pobl. Awn drosodd felly o facrogyfundrefn i facro-gyfundrefn . . . Nid pregethu yr wyf, ond gosod ffeithiau.

A derbyn bod cyfnod y 'Cynfeirdd' yn un go hir, a'r gweithiau a oroesodd yn gymharol brin o'u cymharu â'r Gogynfeirdd, a bod disgwyl y buasai cryn ddatblygiad mewn mydryddiaeth yn ystod y cyfnod hwnnw, ar hyn o bryd nid nodi damcaniaethau yw'r 'gosodiadau' a wnawn yn y diriogaeth hon, eithr nodi meysydd posibl i'w chwilio. Mae angen dadansoddi gwaith y cyfnodau olynol mewn Tafod/Mynegiant yn ôl llenddull ac amseriad, cyn belled ag y bo'n bosibl.

Am na wyddom ddim am y canu cyn y Cynfeirdd mae yna berygl inni anwybyddu'r ffaith debygol fod yna symudiadau rhwng swyddogaethau prydyddol, dosbarthiadau o feirdd, a ffurfiau, eisoes ar gerdded.

Gyda'r Cynfeirdd, ymddengys fod y ddwy swyddogaeth, Pencerdd a Bardd Teulu, wedi bod yn fath o sefydliadau hylifol, yn swyddogaethau bellach o bosib, yn hytrach nag yn swyddi. Roedd Mawl a Diddanwch yn weddau cyferbyniol ar waith bardd. Dichon fod y rhaniad yna'n ymgysylltu â rhaniad mwy cyntefig y gellir ymdeimlo ag ef o hyd ymhlith y beirdd, rhaniad swyddogaeth, hyd yn oed gweledigaethol, a âi'n ôl i gyfnod cyn-Gristnogol, sef y rhaniad rhwng y Gweledydd neu'r Proffwyd ar y naill law a'r Crefftwr ar y llaw arall. Nid yw'n gwbl amhosibl fod y rhaniad hwn yn ymgysylltu rywfodd â'r ddau draddodiad mydryddol, y Gweledydd (*vates*) yn ddeuol ei fydryddiaeth o bosib a'r Crefftwr yn driol. Ond dyna estyn hygoeledd.

Cynnar	Diweddar
Canu Duw	Canu dyn
Siamanistig (Gwawd)	Arwrol
Deuol > Triol	Triol > Deuol
Mesurau Awdl	Mesurau Englyn

Erbyn cyfnod y Cynfeirdd yr oedd y cyferbyniadau hyn yn ôl pob tebyg yn hylifaidd ac yn treiddio i'w gilydd, yn barod i gydlyniad y Gogynfeirdd.

Yn wyneb y dadansoddiad hwn, priodol yw dychwelyd at y feirniadaeth a wneuthum ar arwyneboldeb Ôl-foderniaeth, ac at yr adfywiad cynganeddol a gafwyd yng Nghymru yn saithdegau'r ugeinfed ganrif. Un wedd ar wahuniaeth Moderniaeth oedd pwyslais gwahaniaethol Ôl-foderniaeth. Drylliadaeth, dibaraoldeb, 'montage', dyna nodweddion celfyddydau 'arbrofol' dau-ddegau'r ganrif ddiwethaf. Dyna ddylanwad gwacter ystyr ynghyd â threndïaeth newyddiadurol: y neidio dirybudd o naratif i ddialog ac yn ôl, y toriadau diesboniad a diddolen yn y rhediadau, ciwbistiaeth Picasso, tameitiach chwâl Eliot yn 'The Waste Land', neidiadau ffilmiau Eisenstein, dyma'r wedd ffurfiol ar Foderniaeth a ddatblygodd fwyfwy yn athroniaeth ddethol erbyn Ôl-foderniaeth. Ond ymddangosodd Cynghanedd o'r newydd; a'r hyn y galwodd amdano oedd y Cyfan sy'n rhoi ystyr i'r Rhan, y Cydlyniad sy'n gwneud y gwahaniaeth yn ddefnyddiadwy.

Ceisiais awgrymu pam y mae'n allweddol bwysig sylwi ar y gwahaniaeth a'r gyd-ddibyniaeth rhwng strwythurau neu gyfundrefnau Tafod a Mynegiant. Gellir yn ymwybodol chwalu Mynegiant. Ond ni wna mo'r tro onid yng ngoleuni Tafod. Heb y cyfuniad, nid yw'r deall, na'r iaith, na llenyddiaeth yn bod. Ac un ffordd go dreiddgar i amgyffred natur y berthynas ryfedd hon yw drwy sylwi ar dyfiant ymbalfalus y Gynghanedd. Ac un peth sy'n ein cyfeirio at y Gair yw Tafod.

*   *   *

Mae'r symudiad o Gyfundrefn i Gyfundrefn i Gyfundrefn, yn ymadnewyddol ar hyd echel hanes, o Gynfeirdd i Ogynfeirdd i Feirdd yr

Uchelwyr megis cadwyn o *gestalten* neu o drawsffurfiadau. Symudir o syncroni i syncroni i syncroni ar hyd diacroni; bob amser o gyfanrwydd i gyfanrwydd i gyfanrwydd, gan wahanu ac yn uno. Felly, ymgysyllta'r holl broses ddeinamig a chronolegol hon mewn ffurf â'r math o agwedd a geir mewn Theori Ymateb Darllenydd fel y'i datblygwyd yn yr Almaen gan Wolfgang Iser. Hynny yw, gellid dweud bod Beirniadaeth Gyfansawdd hithau, yn ei dehongliad Seico-Fecanaidd o hanes y Traddodiad (fel Cyfundrefn o Gyfundrefnau) yn hynod debyg i *'Gestalt Reader Response Theory'*. Yr un pryd, dyma'r modd deinamig yr olrheiniwyd Ieitheg Gymharol a hanesyddol hefyd gan Roch Valin yn Québec. Cyfres o gyfannau mewn amser yw, sy'n darganfod a chreu, yn darganfod ac yn ail-greu, heb fod yn hollol ben-agored oherwydd y mae pob cyflwr mewnol hyd yr un 'olaf' ar y pryd yn gyfan, ond yn cynnwys o fewn pob un yr amrywiaeth deinamig i ddod o hyd i gyfan newydd. Wedi Iser, dirywiodd y theori yn America oherwydd dylanwad unochrog gan ddiwinyddiaeth lluosedd a dogma'r dadadeiladu-heb-yr-adeiladu gan bobl fel Stanley Fish (*'American Reader Response'*) a bwysleisia'r ymwahanu heb yr Uno, hynny yw, heb wynebu'r holl ffeithiau; y Mynegiant heb y Tafod. Cafwyd dadl ar un wedd gyfyngedig ar y ddeuoliaeth hon yr wyf yn sôn amdani, rhwng J. Hillis Miller ac M. H. Abrams. Ond yn America y mae'r pwysau diweddar wedi bod wrth gwrs o blaid amhenderfyniaeth (indeterminacy) ac yn gyfyngedig oherwydd crynhoi sylw ar Fynegiant yn ogystal ag oherwydd y dadlau diwinyddol sydd o dan holl ddiwydiant Ôl-foderniaeth.

(vi) GODDEFIADAU

Broc môr y Gogynfeirdd yw'r goddefiadau. Math o orsaf gyfundrefnus rhwng Gogynghanedd a Chynghanedd. Gan bwyll, ciliai'r rhyddid i gynnwys cytseiniaid fel y mynnid heb eu hateb, a darostyngwyd pob cytsain mewn cyfres benodol yn daclus i batrwm cyfatebol . . . ac eithrio ambell un. Dyna'r ysfa am drefn yn gwthio tuag undod. Eto, am gyfnod roedd hi fel petai gan rai cytseiniaid drwydded arbennig, yr hawl i oedi mewn llinell heb eu hateb yn fanwl. Ond yr oedd yna undod hyd yn oed ymhlith y rheini. Yr unig un ohonynt sy'n wir effeithiol mwyach yw coll *n*, sef y caniatâd a roddir mwyach i *n*, y fwyaf llafariadol o'r cytseiniaid (ar wahân i *h*), gael ei goddef yn ddiateb ar ddechrau llinell o Draws neu o Groes.

Mae *h* mewn categori arall ac yn cael ei goddef ym mhobman bron, yn fath o lafariad fethedig arall a grwydrodd i blith y cytseiniaid. Gellid ei goddef mewn unrhyw safle heblaw ar flaen sillaf bwysleisiol.

Yn y dyddiau gynt, fe oddefid mwy nag *n* ac *h*. Ceir erthygl gan Thomas Parry ym 1939, 'Pynciau Cynganeddol', sy'n dangos bod amryw gytseiniaid heblaw *n* yn cael eu goddef nid yn unig ar ddechrau llinell, eithr ar dro mewn safleoedd eraill hefyd. Ar ôl yr erthygl honno, helaethwyd ein gwybodaeth ymhellach, gan ychwanegu at y dystiolaeth drwy amlhau enghreifftiau o gytseiniaid eraill megis yn gyntaf m, l, r, ac wedyn gan ledu nifer o gytseiniaid eraill eto fyth.

Ond cwestiwn diddorol sy'n codi yw ai 'cyfundrefn' yw hyn? Hynny yw, a oes egwyddor isymwybodol ieithyddol ar waith sy'n cyfrif am ddosbarthiad y cytseiniaid a ddetholir ac yn rhoi undod iddo? A ddiffinnir y cytseiniaid goddefedig gan ryw ansawdd mewnol? A ellir esbonio pam y derbyniwyd y cytseiniaid arbennig hyn yn arbennig ac y gwrthodwyd i'r lleill? A allwn hefyd ddysgu mwy am eu safle a'u dyddiadau o ddiflannu o ran goddefiad?

Dyfynnaf ychydig o enghreifftiau:

coll *n*:		Na chwsg awr â chas gwiriawn
mewn safleoedd amrywiol:		Doe'r oeddwn dan oreuddail
		Fod blaen dy dafod yn blwm
cytseiniaid eraill:	r:	A'r gog rhag f'enaid a gân
	m:	Myn delw Gadfan ai dilyth
	f:	Fo wnaeth roi mwy no thriael
	dd:	Hyn oedd feddwl hen Fawddwy

Ar y briffordd o Ogynghanedd tuag at Gogynghanedd, oddi wrth gyflythreniad tuag at gydlyniad llawnach yn y llinell, gwelsom fod yna fath o wth isymwybodol yn cyflyru'r datblygiad hwn tan ymestyn tuag at yr ymwybod o gyfan. Mae hi fel pa bai'r isymwybod yn awyddu'n seiniol am gyfanrwydd, a bod y darganfyddiad o batrymwaith Cynganeddol yn gymorth i sylweddoli hynny.

Erys, sut bynnag, yr un ffenomen hon, ar fath o ffordd-osgoi yn y symudiad, sy'n dal i ymyrryd â'r awydd clodfawr hwn hyd heddiw, y cyfanrwydd, ac eto sy'n dal heb fod yn gwbl glir o safbwynt gwneud casgliadau 'terfynol' ynglŷn â hi. Ymddengys i mi hefyd y gallai hyn maes o law daflu mwy o oleuni ar y broses o droi Gogynghanedd yn Gynghanedd. Dichon wrth gwrs, ein bod eisoes yn gwybod mwy neu lai y cwbl y mae eisiau'i wybod amdanynt. Ond disgwyliwn wrth y golygiad diwygiedig nesaf o waith Dafydd ap Gwilym, a dadansoddiad disgrifiol pellach o'i gyd-gywyddwyr.

Pan fydd ieithyddion yn dosbarthu seiniau mewn iaith, y maent yn eu dosbarthu yn ôl y modd o'u cynhyrchu. Felly, ceir cytseiniaid sy'n 'bar-haol' yn eu cynhyrchiad a rhai sy'n sydyn neu'n 'ffrwydrol', fel y dwedir. Hynny yw, o ran theori, gellir cynnal y seiniau *n* ac *dd* am byth pe na baem yn smygu gymaint; ond nid felly y sain *d*. Y mae'r safle sydd i'r tafod ar gyfer y tair cytsain hyn yn bur debyg. Gwyddom, ni'r Cymry, am hyn drwy dreiglad trwynol a threiglad meddal rhyngddynt. Maent yn grŵp cyd-berthynol. Eithr yn achos y 'goddefiadau', dim ond cytseiniaid parhaol a ganiatéir. Felly gwelwn wahaniaeth ansawdd rhwng *m* a *b*. Gwrthodir 'goddef' *b* megis *d* am eu bod yn ffrwydrolion.

Ond ymhellach na hynny. Ceir dosbarthiad cyffredinol arall, sef yr un lle y cyferbynnir rhwng cytseiniaid lleisiol (sy'n defnyddio'r afalfreuant i gynhyrchu'r llais) a'r cytseiniaid di-lais (sy'n dibynnu ar chwythu di-lais): y safle a roir i'r tafod neu'r gwefusau sy'n gwahaniaethu rhwng pa gytseiniaid lleisiol neu ddi-lais yn union a gynhyrchir. Felly, y mae *f, l, r,* oll yn lleisiol er bod y tafod yn cael ei osod mewn lle gwahanol i'w hynganu bob un. Mae'r cytseiniaid cyffelyb *ff, ll, rh* (er eu bod yn rhoi'r tafod yn yr un lle â'r *f, l, r*) oll yn ddi-lais barhaol.

Eithr ceir dau ddosbarth arall: rhai cytseiniaid lleisiol fel *f, l, r,* sy'n barhaol, a rhai sy'n ffrwydrol fel *b, d, g.*

Yr hyn sy'n arwyddocaol, ac yn gwbl isymwybodol neu anymwybodol yn hyn oll, yw mai'r ddwy nodwedd hyn ynghyd – sef paraoldeb a lleisioldeb – sy'n penderfynu pa gytseiniaid a 'oddefir', hynny yw dyna a ddywed ba gytseiniaid a ganiatéir neu a ddosberthir o fewn corfan y goddefiadau a pha rai nas caniatéir. Dyna'r ffiniau gorfodol. Mae'n naturiol bod rhai geiriau cyffredin (megis 'ni') wedyn yn darparu'r enghreifftiau arferol ar gyfer y 'goddef' neu'n 'eithrio' hwn, megis *n*, ond *nid digon yw cyffredinedd y cytseiniaid na'r geiriau bychain hyn i wneud deddf*: eu hansawdd seiniol yn benodol gytûn a chyfyngol sy'n eu dos-barthu mewn cynghanedd: *n, dd, m, f, l, r.* Ceir geiriau bach cyffredin fel *nid, bu, ydyw,* yn digwydd yn weddol aml, mae'n wir, ond ni fyn neb 'oddef' *d* na *b*. Neu'n hytrach, cyfrifir *n* a'r lleill yn fath o lafariaid er anrhydedd, bron megis yr 'ndi' ardderchog a geir gan Wyneddwyr. Nid safle'r tafod, felly, ond y lleisio a'r parhau yw'r ffactorau penderfynol yn y corfannu goddefol hyn, dwy nodwedd a rennir â llafariaid. Unwaith eto, yn y 'gyfundrefn' neu'r cyplysiad cytseiniol hwn, ceir deuoliaeth, sef paraoldeb a lleisioldeb; ac undod, sef goddefiad. Mewn gwirionedd, dylanwad llafariaid yn wreiddiol fu achos treiglo meddal, sef troi'n lleisiol neu'n barhaol.

Pe baem yn chwilio yn ein traddodiad prydyddol am berthynas gyfundrefnus i oddefiadau, fe'i caem yn yr Odl Enerig.

Dyma restr o'r bobl amlycaf a ddisgrifiodd y ffenomen hon: J. Morris-Jones, *Cerdd Dafod*, 1925, 156-157, Thomas Parry, *Bwletin y Bwrdd Gwybodau Celtaidd*, X, 1-5; Eurys Rowlands, *Llên Cymru*, IV, 143-4; D. J. Bowen, *Llên Cymru*, VI, 9-10, 19-20; M. P. Bryant-Quinn, *Gwaith Ieuan ap Llywelyn Fychan ac Eraill*, 2003, 11; R. Iestyn Daniel, *Gwaith Ieuan ap Rhydderch*, 2003, 26-27; A. Cynfael Lake, *Llên Cymru*, 2004, 63-64.

Yr unig un o'r cytseiniaid goddefedig a gedwir yn weithredol bellach, a hynny'n brin iawn, yw coll *n*. A hynny mewn safle gwreiddgoll. Wrth ystyried goddef cytseiniaid, ymddengys fod tri safle nodedig:

1. Gyda'r Cywyddwyr hyd yr unfed ganrif ar bymtheg goddefid *m, n, r* yn Wreiddgoll.
2. Yn achos Cynghanedd Ganolgoll, ni welaf i ddim pwrpas i'r term gan fod Cynghanedd Draws yn goddef pob cytsain yn gwbl gyfreithiol yn y safle hwnnw mewn Cynghanedd Berfeddgoll. Sut bynnag (heblaw *m, n, r*) y mae *dd* yn ymddangos yn gartrefol fel y dengys Cynfael Lake, a thyn Eurys Rowlands sylw at y llinell hon gan Lewys Môn: [1] 'y bydd hallt gan y blaidd hen'.
3. Yn Eisteddfod Caerfyrddin caewyd y clawr ar Gynghanedd Bengoll gan Ddafydd ab Edmwnd (a chynghanedd Fraidd Gyffwrdd hefyd), ac eithrio ym mhaladr y Toddaid Byr (a'r Englyn Unodl Union).

Yn ôl Thomas Parry, 'nid ansawdd y llythyren sy'n cyfrif, ond ei mynych ddigwydd, a dyna pam na cheir *l* wreiddgoll, oherwydd ni ddigwydd y llythyren honno byth ar ddechrau geiriau bach cyffredin.' Ond ochrolyn lleisiol yw *l*, a saif ychydig ar wahân i *m, n, r*; ac nid yw'n dechrau geiriau bach cyffredin fel arfer, ac yn sicr yng nghyfnod y cywyddwyr. Credaf fod y dystiolaeth gyfan a gasglwyd bellach ac a nodais uchod, (gan gynnwys *l*), ynghyd â'r esboniad ieithyddol, yn dehongli'r ffenomen hon yn fwy boddhaol.

Fe'i cadarnheir gan bwynt a wnaeth Eurys Rowlands, gyda'i graffter cyfarwydd. Meddai: 'ceir *n, r, m, f* neu *l* bron bob tro yn un o elfennau'r amrediad.' Dyry hanner dwsin o enghreifftiau o waith Lewys Môn, megis 'Iolo Goch wyf, gwelwch wŷr,' Yn y cyd-destun hwnnw o gyd-berthynas y dosbarth hwn mewn Cerdd Dafod, priodol cyfeirio at bwynt a wna Cynfael Lake am waith Ieuan ap Llywelyn Fychan ac Ieuan Llwyd Brydydd, lle y ceir saith llinell lle yr atebir *n* gan *m*. Mae'r cytseiniaid parhaol lleisiol hyn yn hylifol: maent yn ddosbarth cyfun. Ac nid oes dwywaith nad eu hansawdd sy'n cyfrif am eu hymddygiad goddefol cyfun.

Ond beth yw lle hyn oll o fewn cyfundrefnwaith Cerdd Dafod?

Mae goddefiadau yn bur wahanol i gyfundrefn yr acen, neu i sefydliad Cynghanedd Groes. Nid oes iddynt yr ymdeimlad o reidrwydd ufuddhau a geir gyda'r rheini. Mae'r ffaith mai goddefiad yw, ac nid gorfodiad, nas arferir bellach ond yn achos coll *n* (a hynny efallai gan leiafrif o gynganeddwyr), bron yn awgrymu mai llwybr yw nas cymerwyd. Hawdd y gellid synied amdanynt fel cyfundrefn mewn Mynegiant a ganiatéid ar un adeg, a oedd yn bosibl, ond sydd bellach yn anghyflawn. Nid yw'n gant y cant o ran ansawdd. Achlysurol yw. Math o gyfundrefn mewn embryo yw, heb gyrraedd aeddfedrwydd Tafod. Ni pherthyn Tafod i'r gymdeithas hon.

Ond gwiw cydnabod mai isymwybodol ei seiliau yw. Mae'n amlwg fod yna statws arbennig i ddosbarth penodol o gytseiniaid, ie mewn Tafod, a gyfrifir yn lled-lafarog. Wrth drafod goddefiadau, ymdrin yr ŷm gyda mater y ffin: ffin cyfundrefn. Hyllt 'ddosbarth' y cytseiniaid. Y mae hi fel pe bai dau gam tuag at ddisgyblu neu ddethol a bod yn anoddefgar tuag at gytseiniaid nas goddefid. Fe drafodid goddefiadau fel 'eithriad rheolaidd', yn arbennig yn achos coll *n*. Gellid mentro nad oedd y beirdd yn meddwl yn benodol ymwybodol mai aros o'r tu mewn i'r terfynau lleisiol a pharhaol (terfynau llafariaid) oedd rhaid pan fynnent oddef rhai cytseiniaid. Digwyddai'n 'naturiol'. Yr oedd y rhain yn weddillion ymarfer Gogynfarddol pryd y caniatéid pob cytsain, ac yna rai cytseiniaid yn rhydd o fewn llinell heb eu hateb, ond gweddillion dethol.

Yn groes i Thomas Parry, yr wyf yn synied, felly, mai mewn dosbarth o seiniau penodol y digwydd goddefiadau – cytseiniaid parhaol lleisiol, a bod y Cytseinedd a'r diffyg Cytseinedd o'r amseroedd cynharaf, yn digwydd yma ac acw ar hyd y llinell, gyda thuedd bendant ond nid gorfodol i Gytseinedd ddigwydd mewn geiriau cyfagos. Dyfodiad y brif acen i'w gorsedd, yng ngair y brifodl, sef gair olaf y llinell, yw'r cam allweddol drosodd o Ogynghanedd i Gynghanedd. Gellid cyfrif gyda hynny ddyfodiad cynganeddol hefyd yr ymwybod o gyfanrwydd ac undod y 'llinell' fel ffurf brydyddol frenhinol. Nid lleoliad unigryw

Cytseinedd yng nghanol y llinell sy'n cyfrif am wreiddgoll na phengoll, felly, na diffyg pwysigrwydd canolgoll (na pherfeddgoll): yn wir, mae arbenigrwydd blaenllaw Cynghanedd Draws yn ein perswadio fel arall. Gwasgaredd y ffenomen 'ffwrdd â hi' ar hyd y llinell yw'r 'rheol'. Ond diau fod yna statws arbennig i ddechrau llinell, fel y tystia Cymeriad. Diau fod i'w diwedd hefyd statws arbennig, ac y mae prifodl mewn Cynghanedd Bengoll yn rhoi iddo berthynas o fewn ffurf gyfun. Eithr am y goddefiadau yr hyn sy'n eu gwneud yn ddosbarth yw eu natur leisiol, a'u cyd-berthynas lafariadol. Ni raid synied o gwbl mai tarddu o'r wreiddgoll a wnaeth y ganolgoll na'r berfeddgoll.

Dyma enghraifft drawiadol, ddwedwn i, o ffenomen lle y mae'r dosbarthiad hwn o gytseiniaid yn ffurfiol isymwybodol i'r beirdd, yn amlwg felly, ac fe'i cedwid mewn manylyn eithriol hyd heddiw yr un mor isymwybodol. Gwedd arall ydyw ar ryfeddod Cerdd Dafod.

Yr unig gytsain *leisiol barhaol* nas cynhwysid o fewn cyfundrefn y Goddefiadau oedd *ng*. Ni ddigwydd hon ar ddechrau gair, yn llif y llafar, onid mewn cyfuniad gyda'r arddodiad *yn*, neu ar ôl *fy* (sy'n gogwyddo at *yn*), neu'n dreiglad ar ôl rhif, mewn safle sy'n israddoli'i hunigoliaeth fel cytsain arferol. Treiglad yw yn wastad pan fo ar ddechrau gair. A gellid canfod yn rhwydd, felly, pam y gellid eithrio hon. Ond mae gennyf ddau gynnig arall pam y cyfrifid *ng* yn unig eithriad:

1. Sefydlwyd y gyfundrefn enerig cyn i *ng* ddatblygu yn yr iaith, proses hir a ddechreuodd o bosib tua diwedd y bumed ganrif ac a gwblhawyd cyn diwedd y chweched, ond yn yr Hen Ogledd nid cyn ail hanner y seithfed.
2. Cysylltir y gyfundrefn enerig â Chymeriad. Cydlyniad oedd hyn a weithredid rhwng y gyfundrefn enerig a phob math o gytseinedd; a chan na cheid *ng* byth ar ddechrau llinell mewn Cymeriad, nis corfforwyd yn y gyfundrefn gyflawn.

'Rhestr' ymddangosiadol yw *n, r, m, f, dd, l*, nid cyfundrefn amlwg, onid e? Rhestr yw o gytseiniaid nad yw'n debyg y buasai beirdd byth yn ei dysgu. Ni 'phenderfynwyd' dewis yr unigolion i fod yn aelodau yn y rhestr hon. Ni ddywedwyd wrth y beirdd 'dysgwch y rhestr'. Eithr egwyddor elfennaidd sythweledigol oedd paraoldeb, ac egwyddor gyffelyb oedd lleisioldeb. Mae'r naill a'r llall ynghyd, dwy egwyddor ddosbarthol, yn fecanwaith cudd yn yr isymwybod y gall y beirdd ymateb iddo a'i weithredu'n ddigymell. 'Cyfundrefnau' o'r math yna yw holl sylwedd iaith a ffurfiau llenyddiaeth. Mecanweithiau meddyliol o'r math yna, cyferbyniol yn ôl egwyddorion cytûn a deinamig, sy'n llunio holl adeiladwaith Cerdd Dafod ei hun, megis Tafod.

Undod o undodau, felly, yw cyfundrefneg iaith a llên. Maent yn adlewyrchu ac yn profi'i gilydd. Dadlennu methodoleg isymwybodol yr undod llawn yna, sy'n gorfod hanfod yn y *psyche*, yw methodoleg Beirniadaeth Gyfansawdd. Ein gwaith yw symud mewn symlder o gyfundrefn i gyfundrefn, gan ddadlennu natur pob un a chan olrhain y modd y maent oll yn cydadeiladu'n hardd gyfundrefn elfennaidd o gyfundrefnau cysylltiedig ac yn cyflyru Mynegiant.

Felly, dyna yw'r 'goddefiadau' bondigrybwyll: *gweddillion anfwriadus gyfundrefnus ac isymwybodol ddethol* gan Ogynghanedd: cytseiniaid ynghanol Cytseinedd heb eu hateb, fel petaent yn llafariaid, yn nofio rhag eu llwyr ddofi. Eithr, arhoser: onid dyna, fel y gwelwn, yw'r Gynghanedd hithau i gyd, ar ryw olwg, goroesiad Cytseinedd a fu drwy gyfnod o ddethol a gwrthod? Ar un adeg derbynnid yr holl gytseiniaid yn 'eithriadau'. Diau, ond inni dreiddio i'r dethol a'r cyfundrefnu anfwriadus yn yr isymwybod, a'r egwyddor arweiniol – gwahuno. Gwreiddioldeb y gyfundrefn arbennig hon, sut bynnag, yw mai dyma un o'r cyfundrefnau mewn Mynegiant (yr achlysurol) a fethodd ag ymsefydlu'n gyfundrefn gadarn gydnabyddedig mewn Tafod (y sefydlog cyfannol). Roedd ganddi holl ofynion Tafod (yr egwyddor wahuno, y seico-fecaneg elfennaidd); ond yr oedd y gwth cant-y-cant yn ormod iddi. Ac ni chadwyd o'r undod yna i bob pwrpas namyn un rhan effeithiol sef 'n' goll. Hynny yw, gwelwn yn hanes *Cerdd Dafod* broses ar waith a dderbyniai ac a wrthodai yn ôl egwyddorion *rhy* ac *eisiau*, a gwahuno.

Dwy enghraifft nid anghymharus, ond a gymerai lwybrau gwahanol yw 'Cynghanedd Lusg' a 'Chynghanedd Bengoll'. Erbyn y 15fed Ganrif gwrthodwyd y Bengoll ac eithrio yn y Toddaid Byr, er bod Sain yn enghraifft o linell lle y mae'r cytseiniaid yn Wreiddgoll (ar wahân i Odl; ond ceir prifodl yn y Bengoll hefyd.) Eithr derbyniwyd y Gynghanedd Lusg er gwanned oedd, ac er bod tuedd gref yn nhrydedd chwarter y 15fed Ganrif i symud tuag at ei gollwng, e.e. Cywyddau enwog Tudur Aled 'Moliant Dafydd ab Owain, Esgob Llanelwy' a 'Gofyn Gwalch': mynnwyd ei chadw er gwaethaf Tudur. Down yn dystion hefyd i'r Groes yn ennill tir am gyfnod ar draul y Draws. Chwaer yw'r Draws i'r goddefiadau.

Celanedd ar faes y gad, felly, yw'r goddefiadau yn y frwydr dros undod.

III.

FFURF DDEUOL
A THRIOL
Y CYWYDD
A'R ENGLYN

Rhan I:
Llinellol/Mydryddol

Rhan II:
Penilliol/Mesurol

Ffurf y Cywydd a'r Englyn

LLINELLOL/MYDRYDDOL

Erbyn cyfnod y Gynghanedd cawsid symudiad meddyliol arwyddocaol, o dan reolaeth gwth 'gwahuniad', tuag at drefniant deuol neu driol-bosibl ar y llinell: ymgrynhodd y patrymau cydseinio yn ôl cnewyllyn egwyddorol cyferbyniol, cwlwm cyfundrefnol cyson gydag aceniad rheolaidd:

1. gair lluosill y diwedd (ei acen bwys – sef y goben) yn *odli* â'r orffwysfa ynghynt: *Llusg;* yn ôl egwyddor o ddibyniaeth, pryd y pwysai un rhan o'r llinell ar y llall;
2. gair y diwedd (ei acen bwys) yn *cytseinio* â'r orffwysfa ynghynt: *Traws* (gan gynnwys Traws sero, sef *Croes*); unwaith eto, un rhan o'r llinell yn pwyso ar y llall, ond gyda goddefiad i oedi'r adlais – broc môr Gogynghanedd;
3. gair y diwedd yn *cytseinio* ag un orffwysfa ynghynt; a'r orffwysfa honno yn *odli* â gorffwysfa ynghynt eto: *Sain;* yn ôl yr egwyddor hunan-ddibyniaeth (canolbwynt disgyrchiant), dibyniant ar hunan-ddibyniaeth, a dibyniaeth ar ddibyniaeth; cf. cyfundrefn y rhannau ymadrodd traethiadol mewn Gramadeg, asgwrn-cefn y frawddeg (Enw – hunan-ddibyniaeth /Berf, Ansoddair – dibyniaeth ar hunan-ddibyniaeth/Adferf – dibyniaeth ar ddibyniaeth).

Cafwyd trefniant deuol – Llusg;
  trefniant triol – Sain;
ynghyd â threfniant triol a deuol – Traws a Thraws sero (Croes)
   Dyna ddarganfyddiad sythwelediadol cyferbyniol ac elfennaidd yr arweiniwyd tuag ato drwy ddadansoddi isymwybodol o gam i gam mewn gwahuno. Dyna un nodwedd fawr frenhinol mewn Cynghanedd wedi'i hennill.
   Ceid nodwedd fawr frenhinol arall yr un pryd, un sy'n gwahaniaethu rhwng Cynghanedd a Chyflythreniad. Unwaith eto, rhaid dechrau'i

hystyried yng ngair allweddol acennog y llinell, sef y gair olaf. Patrymwyd Cytseinio o gylch prif sillaf y llinell, y sillaf acennol lywodraethol: e.e.

c/n x ‖ c/n x

Yn y fan yma, yn sythweladwy, darganfuwyd drachefn rywbeth arbennig. Adleisiwyd gwahaniaeth: gwahanwyd y cyfateb yn y diwedd. Canfuwyd yn gyntaf mewn man gadarn iawn fod patrwm amrywiol yn gallu bod yn rhyfeddol o unol. Gellid dyfeisio undod newydd a oedd yn gryfach nag ailadrodd cyflythrennol syml, na fu mewn gwirionedd ond yn rhestr yn y bôn. Gellid troi *rhes* yn awr yn *gyfundrefn*, yn undod cytûn o rannau gwahân.

Dyma gynddelw cadwyn o gytseiniaid gwahaniaethol y gellid ei hestyn yn ôl undod cyfansawdd y llinell ei hun. Gyda'r ddau gam hyn, (wedi'r darganfyddiad cynt o ddadlennu nerth prif acen gair olaf odlog y llinell) y darganfuwyd bellach galon y Gynghanedd. Symud o'r rhan i'r cyfan.

Dyna'r ddwy nodwedd gytûn a greodd gyd-gyfundrefn newydd i Feirdd yr Uchelwyr ar sail gwth Mynegiant o fewn Tafod Gogynghanedd. Drwy ddethol o blith egwyddorion Gogynghanedd, cafwyd gwahanu a arweiniai at uno mwy cryno cyfundrefnus mewn cydseinio ac mewn odl.

Beth am batrwm acen y Gynghanedd?

Deuol oedd dosbarthiad mydrau awdl y Gogynfeirdd, gan mwyaf. Hynny yw grwpient mewn prif raniadau o fewn llinell yn glymau patrymog dwy-acen. Grwpient yn uwch-corfannog felly yn ôl dwy acen gyda dau uwch-corfan neu dri, neu ddyblu pâr o ddeuoedd, gan ffurfio llinell. Felly y cyflawnent urddas y dathlu tywysogaidd, gyda thaclusrwydd cytbwys dwy acen mewn un cwlwm.

Triol yn ôl pob tebyg oedd curiadau mydrau llai ffurfiol cytbwys y diddanwyr mwy gwerinaidd, a thraddodiad yr Englyn a'r Cywydd. Cynhwysent ychydig mwy o gic. Ymledai'n dair acen mewn llinell yn lle cyfres o ddeuoedd. Ond pan ddechreuai fframwaith cymen yr hen gymdeithas wegian, dechreuai rhai o'r perthnasoedd ffurfiol hyn mewn dathlu prydyddol ymystwytho.

Ar ôl cwymp y tywysogion, newidiwyd safle diwylliannol yr arweinwyr pennaf yn y gymdeithas. Daeth yr uchelwyr bychain i'r blaen, a daeth Beirdd yr Uchelwyr yn gyfrifol am fawl y llys. Ym maes pensaernïaeth, dechreuai rhai o dai'r bonheddwyr led ymbincio. Dôi dylanwadau mwy gwerinaidd o'r cyfeiriad arall i fyd anghynefin awdurdod ac urddas mesurau'r beirdd swyddogol. A rhythm newydd. Ond gellid ymglywed bellach ag un symudiad go ddiddorol o ran mydr. Dechreuodd y clymau deuol tywysogaidd maes o law ymwthio i diriogaeth y clymau triol mwy gwerinaidd a geid ymhlith y mân uchelwyr. Dyma ymryson neu gydddylanwadu yn digwydd yn nechrau sefydlu traddodiad Cerdd Dafod o'r newydd yn ôl y traddodiad diweddar hwnnw a adwaenom ni.

Y Cywydd a'r Englyn (Unodl Union) yn ddi-os, yw dau fesur pwysicaf traddodiad Cerdd Dafod, i Feirdd yr Uchelwyr, ac erioed mae'n debyg. Y maent yn perthyn i'w gilydd yn ffurfiol. Ac am fod cwpled Cywydd wedi'i gorffori yn yr Englyn, neu o leiaf am fod esgyll yr Englyn yr un ffunud â'r Cywydd Deuair Hirion, rhaid eu trafod gyda'i gilydd o ran ffurf Tafod. Syfrdanol ydynt o ran eu hansawdd a'u gwead a'u lle cyson yn y traddodiad hir. Ac iawn y'u cynhwyswyd hwy yn un o gyfeirlyfrau prydyddol pwysicaf y byd, sef *The Princeton Encyclopedia of Poetry and Poetics*, gol. A. Preminger. Diau eu bod ymhlith y ffurfiau prydyddol mwyaf cywrain a chyfareddol erioed mewn hanes. Mae'n briodol i'r Cymro diwylliedig eu hastudio.

Myfyrdod am beth o'u natur a'u hansawdd yw'r bennod ddwyran hon. A golyga hynny fyfyrio nid yn gymaint am Gywyddau neu Englynion unigol, ond am y cynllun cyffredinol yn y meddwl sy'n diffinio neu'n cyflyru pob Cywydd ac Englyn. Hynny yw, cyn cyrraedd y glust neu wyneb y tudalen fel Cywydd neu Englyn gorffenedig, y mae'n rhaid bod y brydyddiaeth yn ufuddhau i ryw amodau yn y meddwl. Ystyried beth yn union yw rhai o'r amodau hynny, yn gyntaf ar wastad llinellol ac yn ail ar wastad penilliol, dyna yw ein nod: y meicrocosm a'r macrocosm.

Er mai dau fesur bach ymddangosiadol ddistadl sy dan sylw, am eu bod mor ddwfn hanfodol yn y traddodiad, dichon y cawn weld, wrth chwilio'n enghreifftiol fel hyn ac yn ymddangosiadol gyfyngedig, y bydd yn rhaid wynebu rhai o brif bynciau holl ddatblygiad ffurf lenyddol fel maes deallol. Dywed eu datblygiad hwy rywbeth am holl faes mydryddiaeth Mesurau Cerdd Dafod.

Tafod, fel y gŵyr y darllenydd erbyn hyn, yw'r term a ddefnyddiwn ar gyfer yr amodau cyffredinol sy'n cyflyru siâp y ffurf unigol yn y pen draw. Yn yr achos hwn, cynllun sylfaenol y Cywydd a'r Englyn yn y meddwl yw Tafod.

Rhwng y Mydr a geir mewn Tafod cyffredinol a'r Rhythm a geir mewn Mynegiant enghreifftiol neu achlysurol, saif dau gyflyrwr.

Yn gyntaf, amodau'r Mydr seiniol ei hun (y caethiwed a'r rhyddid a rydd) a all fod yn syml yn sylfaenol ond a all esgor ar gryn amrywiaeth mewn Mynegiant. Ac yn ail, yr Ystyr. Dyna fel arfer yr hyn a enilla sylw'r darllenydd, ac y mae iddo arwyddocâd pellgyrhaeddol: hawdd gweld sut y mae'n cyflyru acen bwys a thraw mewn Mynegiant.

Annibynnol yw'r Mydr ar Ystyr nes iddo ddod yn Fynegiant, fel y mae Odl, Rhaniad Llinell, mesur y Pennill, a Chynghanedd, hwythau yn egwyddorion cyffredinol y gellir eu mabwysiadu yn ffurfiol sefydlog (o leiaf yn sylfaenol) o waith i waith fel petaent yn annibynnol ar ystyr. Wrth iddo groesi i Fynegiant drwy Ystyr (a Chymhelliad), try undod mydr yn fwy gwahaniaethus, a cheir ystwythder 'diderfyn' Rhythm.

Felly, yn yr ymdriniaeth hon fe sylwir fel y mae amodau Mydr go sefydlog y Cywydd, sy'n cyflyru amrywiaeth Rhythm digon ansefydlog, yn dal fwy neu lai'n annibynnol ar Ystyr. Ond cofier bod y dadansoddiad mewn Tafod yn wahanol i'r dadansoddiad mewn Mynegiant. Cyfeiriais o'r blaen at yr Athro Gwyn Thomas, wrth drafod y Traethodl a'r Cywydd, yn dadansoddi yn ôl curiad Rhythm, dull cwbl ddilys wrth gwrs, a'r math o ddadansoddiad sy'n gweddu i'r dim wrth ddisgrifio Mynegiant. Felly, yn *Dyrnaid o Awduron Cyfoes*, gol. D. Ben Rees, Lerpwl, 1975, 20, dywed: 'mewn cerdd gynghanedd ar yr hen fesurau 'does dim patrwm o sillaf acennog a rhai diacen'. Clyw ef ddwy acen yn 'Yr alarch ar ei wiwlyn' a phedair yn 'Abid galch fel abad gwyn'. Tair acen fyddai gan J. Morris-Jones a chennyf innau yn y naill a'r llall, gan ddod o safbwynt Cerdd Dafod. A thrachefn, mewn ysgrif yn y *Traethodydd*, Ebrill 1988, 101 dywed yr Athro Thomas: 'O ran curiadau gellir cael dau, tri neu bedwar curiad mewn llinell. Dangosir hyn gan yr enghreifftiau a ganlyn o waith Dafydd ap Gwilym:

> Ymddíddan y brawd llýgliw . . .
> Mai éilun prýdydd óeddwn . . .
> Lláesa bóen y dýdd a ddáw . . . '

Dyna hefyd, fel y cawn weld, ddull Dr Jenny Rowland hithau o ddadansoddi, wrth iddi roi pwyslais ar 'eiriau acennog' (EWSP 311).

Yn awr, yn ôl y dull a gymerwn i (yn TLl a SB) megis J. Morris-Jones (CD) o'm blaen, y mae'r aceniad mydryddol *angenrheidiol* yn llywodraethol reolaidd yn yr enghreifftiau a noda'r Athro Thomas. Tri churiad sydd ym mhob un o'r llinellau hyn (er y caniatéir pedwar sef 2 x 2 mewn mannau eraill oherwydd datblygiad nodedig o'r dull triol i'r dull deuol, fel y cawn weld). Ond Cerdd Dafod sy gennym ninnau, nid Cerdd Fynegiant oddrychol fel sydd gan yr Athro Thomas.

Gweithiai Syr John yn ôl dwy ragdybiaeth sylfaenol yn y fan hon. Gellid caniatáu (i Feirdd yr Uchelwyr) hyd at ddwy sillaf ddiacen gyda'i gilydd o flaen sillaf acennog, ac roedd yn rhaid cael rhagacen (neu sillaf yn cynrychioli rhagacen) ym mhob llinell o Draethodl neu Gywydd, yn rhan olaf pob llinell, hynny yw ar ôl yr orffwysfa. Dyna'r dull hefyd a fabwysiedais innau, ynghyd â rhagdyb arall: os oes rhaid mewn dadansoddiad (Tafod) ddewis rhwng dau bosibilrwydd dilys ond ansicr (Mynegiant yw'r ansicrwydd), y naill yn ddeuol a'r llall yn driol, yna cymeraf y triol nid yn gymaint oherwydd pwysau'r amgylchfyd hanesyddol ac ystadegol (er bod hynny'n ymddangos yn arwyddocaol) eithr oherwydd elfenoldeb cynnil hanes Tafod. Yn hyn o beth yr wyf yn fwy eithafol na John Morris-Jones. Er enghraifft, gyda'r llinell

Dŷwed áir/wèdi d'órwedd

fe glywai Syr John bedair acen lle na chlywaf i namyn y tair 'angenrheidiol', hynny yw mewn Tafod:

Dywed áir/wèdi d'órwedd.

Nid oes angen mydryddol am ragacen yn rhan gynta'r llinell. Dyma fy nghriterion ar gyfer mydr. Wrth ymwybod â churiadau mewn Cerdd Dafod, ac wrth eu dadansoddi, ni chlywir hwy'n weithredol arwyddocaol, ond lle y bônt yn *angenrheidiol* yn fydryddol. Yr egwyddor o fydr sy'n cyflyru hyd yn oed y rhythm. Gall deall y term 'angenrheidiol' chwalu peth o'r gamddealltwriaeth ddadleugar. Ffurfiau 'angenrheidiol' (yn yr ystyr a ddefnyddiaf i) yw'r cwbl o ffurfiau Cerdd Dafod. Gellir estyn y term drwy enghreifftio o'r Cynfeirdd (SB 175), 'Gŵyr a áeth gatráeth gan dŷd// neus goréu o gadéu gewilíd.' Y traddodiad sy'n cyfarwyddo, ynghynt ac wedyn, y lle y doir ohono, ynghyd â'r lle yr eir iddo o ran diben.

Mewn geiriau eraill, cyn gwneud dadansoddiad cyfansawdd o ffurf y Cywydd a'r Englyn, rhaid meistroli amodau Tafod. Mantais i feirniad yn ddiau yw myfyrio am y gwahaniaeth rhwng Tafod a Mynegiant.

Mae John Morris-Jones wedi dysgu inni beth i'w ddisgwyl ym Mydr llinell o Gywydd: hynny yw, 'sut y mae'i darllen', drwy gadw mydryddiaeth isleisiol y traddodiad yn sylfaen i'r ymwybod rhythmig. Ceir prif acen yn y gair olaf mewn llinell ynghyd ag acen bron mor gryf yn yr

orffwysfa. Ac yna, clywn ragacen rywle (neu sillaf sy'n cynrychioli'r rhag-
acen) yn llai ymwthiol yn rhagflaenu'r brif acen yn rhan olaf y llinell, a
hynny o fewn patrwm deuol neu driol lle na cheir ond un acen. Dyna
sy'n 'angenrheidiol'. Fe ellir cael rhagacen hefyd yn rhan gyntaf y llinell
o flaen acen yr orffwysfa ond iddi gael rheswm angenrheidiol dros fod
yno. Goddefiad yw, a gyfrifir pan fydd yn *angenrheidiol*. A sylwer mai
dewisol i'r bardd yw hyn hyd y dydd heddiw ac felly'n llai dwfn na'r
gyfundrefn dair acen. Nis cyfrifir ond pan fo'n angenrheidiol bellach i
osgoi mwy na dwy sillaf ddiacen. Hynny yw, mewn Tafod (hynny yw, o
fewn cyflawnder unol cyfundrefn seicolegol y Gynghanedd) eisoes rhaid
cael o leiaf tair prif acen yn y mesur hwn yn ôl y drefn 'un + dwy'. Ond y
mae Mynegiant fel pe bai ar hyn o bryd ac ers tro yn adeiladu 'dwy +
dwy' yn gyfochrog hefyd, er bod yr aceniad hwnnw o hyd yn ddewisol ac
felly heb fod yn rhan o hanfod Tafod (eithr ar lefel 'caniatâd').

Nid cyfartal yw pob un o'r acenion trwm. Yr olaf bob tro yw'r brif
acen, coron y llinell, acen gair y brifodl. Mae'r acen lywodraethol gyntaf
yn eiddo i'r orffwysfa, sy'n safle reit urddasol ond yn wasanaethgar i
acen y brifodl. Yna, lle y bo trydedd acen yn y canol, rhagacen yw yn yr
uwch-corfan cyn yr acen olaf; ystum o aceniad: deil yn acen, ond y mae
iddi hithau hefyd swyddogaeth weini yn uwch-corfan y brifodl. Tuag at
gwlwm y brifodl yr arweinia'r acenion. Y brifodl sy'n trefnu'r acenion yn
ddeuoedd neu'n drioedd. Maes o law bydd yn trefnu Cynghanedd
hefyd, i raddau, gyda chymorth yr acenion hyn i gyd.

Mewn cywydd, daeth yn oddefedig, nid yn angenrheidiol onid yn ôl
nifer y sillafau diacen, i gael pedwaredd acen, rhagacen yn rhan gynta'r
llinell.

Heblaw'r acenion, sylwer ar y sillafau diacen hwythau. Bydd y rhain
yn digwydd yn unigol neu mewn deuoedd o fewn eu corfannau; ond
nid yw tair sillaf olynol ddiacen yn cael eu goddef erbyn cyfnod Beirdd
yr Uchelwyr. Yn wir, mae'n angenrheidiol peidio â'u cael. Yn ystod cyf-
nod y Cynfeirdd, fe ddwedwn fod y ddeddf honno hefyd eisoes yn
ymffurfio mewn Mynegiant (h.y. bod yna eisoes duedd 'amlder' tuag at
hynny) ond yn bendant heb ei chorffori mewn Tafod.

Dyna hanfodion triol yn y gyfundrefn acennu wrth iddi ddatblygu
tua'r dwbl-ddeuol goddefedig ac achlysurol: sef y posibilrwydd i gael
dwy drefn mewn llinell o Gywydd, naill ai yn ôl tair acen neu yn ôl
pedair. Cyfle yw Beirdd yr Uchelwyr i sylwi ar y cyferbyniad rhwng uwch-
corfannau deuol ac uwch-corfannau triol.

*　　*　　*

Mae arnaf ofn fy mod yn SB, nid am y tro cyntaf, wedi creu cam-argraff. Dywed Dr Jenny Rowland yn ei hastudiaeth feistraidd ar ein Henglynion Saga (EWSP, 319) fy mod i'n credu bod yr Englyn yn tarddu o'r mesurau Awdl. Yn sicr, mae yna berthynas, ac olyniaeth yn y ber-thynas.

Gwell i mi wynebu'r broblem hon yn awr yn blwmp, felly.

Nid mydr yw x/ (os cymerwn x i gynrychioli presenoldeb elfen ddiacen gynrychioliadol, a / i gynrychioli un curiad acennog; nid o anghenraid yn ôl y drefn safleol olynol). Ond dyna'r darganfyddiad cyntaf hanfodol y tu mewn i dwf cenhedlol llinell: darganfyddiad ynghylch cyferbyniad. Corfan ar gyfer mydr yw.

Mydr yw x/x/. Dyna'r ail ddarganfyddiad yn ei esblygiad: yr ail-adrodd.

Cyferbyniad ynghyd ag ailadrodd (yn y drefn amseryddol honno – dyna'r gronoleg ffurfiol) sy'n gwneud mydr.

Os cymerwn am y tro fod yr elfen x yn gallu cynrychioli un *neu* ddwy sillaf ddiacen y naill ochr neu'r llall i'r brif acen (neu absenoldeb sillaf ddiacen yn rhan gynta'r llinell), yna, x/x/yw'r mydr mwyaf cyntefig sydd gennym. Galwn ef yn *Gywydd Deuair Fyrion*. Dyma gnewyllyn mydrau'r Awdl gan mwyaf. O'r dechrau, mewn *rhai* mesurau Awdl, dyma'r unig fydr a ddefnyddid. Dyma'r mydr elfennaidd hefyd y trowyd yn ôl ato yn hanes y Cywydd a'r Englyn wrth symud ymlaen o gywrein-rwydd y bedwaredd ganrif ar ddeg i symlder y bymthegfed ganrif, fel y cawn weld.

Ond awn yn ôl at y pâr x/x/. Os cawn, ymhellach, led ailadrodd egwyddor hanfodol yr ailadrodd hwnnw, cyrhaeddwn x/x/x/. Dyna ddatblygiad ffurfiol newydd ar y mydr cyntefig. Galwn ef yn *Gywydd Deuair Hirion*. Digwydd hyn yn yr Englyn hefyd. Gallwn feddwl felly ei fod yn dod *ar ôl* y Cywydd Deuair Fyrion yn ffurfiol beth bynnag am y drefn hanesyddol hysbys. Dyna eto olyniaeth yn y berthynas.

Plant y ddau ddosbarth hyn, yr acennu deuol a'r acennu triol, yw'r holl fydrau mewn Cerdd Dafod.

Felly, o edrych ar bethau fel yna, y mae Dr Rowland yn llygad ei lle ynghylch fy nehongliad. Mae mydr triol yr Englyn yn tarddu'n ffurfiol (os nad yn hanesyddol) o fydr deuol yr Awdl yn hynny o beth. Mesurau'r Awdl sy'n cynrychioli'r geidwadaeth ddeuol.

Ond arhoser: nid pennill yw hyn. Llinell ydyw, cnewyllyn cenhedlol i'r pennill. 'Pennill' yw ystyr 'Englyn': grŵp cydlynol o linellau. A chredaf (er na allaf fod yn siŵr), yn hanesyddol yn awr, ped olrheiniwn gamre'r trawsnewidiad o draethgan i bennill, mai'r Englyn yn ôl pob tebyg yn y traddodiad swyddogol (a'r Cywydd o bosib yn answyddogol) fyddai'r ymffurfiad *penilliol* cyntaf. Dyma'r unigoli neu ynysu a'i mentrodd hi. Arloeswr y mesurau oll. Tipyn o lanc oedd y pennill hwn; math o ymchwyddo 'annibynnol' oedd: estyniad ffurfiol. Ond dyna a ysgogodd yr ymffurfiad penilliol hefyd i geisio clymau cyffelyb yn y Mesurau Awdl. Cysyniad ffurfiol yr Englyn (pennill) a roes inni Fesurau'r Awdl (penill-ion). Dyna olyniaeth arall i'r berthynas.

Dyna fi felly yn tarddu'r Englyn o'r Awdl yn gyntaf (h.y. yn llinellol – y triol a'r deuol), ac yna'r Awdl o'r Englyn (h.y. yn benilliol – dyfais 'ynglŷn') yn ail. Ni allaf wneud yn well na hynny.

Ond, nid wyf yn siarad yn hanesyddol fel arfer wrth drafod ffurf. Siarad yn unplyg ffurfiol a wnaf.

Beth yw'r gwahaniaeth?

Yr hyn sydd o ddiddordeb i mi yw'r berthynas ffurfiol anochel a hanfodol, a honno bob amser yn seico-fecanaidd, hynny yw yn feddyliol ffurfiol ddeinamig o ran trefn olynol. Ceisio disgrifio symudiadau meddyliol elfennol yr wyf. A cheisio olrhain perthynas o'r fath yn ôl trefn gyferbyniol elfenoldeb, gan symud o'r sylfaenol i'r llai sylfaenol, dyna'r hyn a geisiaf yn yr adran hon. Chwilio am ffurfiau a allai ddod yn angenrheidiol.

Cymerer perthynas genhedlol ffurf iaith. Er enghraifft, disgwyliwn i faban bach ddysgu'r unigol (bachgen) cyn dysgu'r lluosog (bechgyn). Mae'r ail yn dilyn y cyntaf yn rhesymegol ac yn ddeallus. Yn angen-rheidiol. Dyma'r norm ffurfiol meddyliol, er na raid i hynny ddigwydd yn hanesyddol (er enghraifft, tybiaf yn hanesyddol fod sylweddoli 'sêr' wedi digwydd yn isymwybod iaith newydd y Gymraeg cyn sylweddoli 'seren').

Ym mhrif raddau cymharol yr ansoddair, ac eto yn nhwf iaith y baban, y mae *cochach* yn dilyn *coch*. Dyna'r norm anochel eto. Ac anodd gennyf feddwl y gall neb ddweud nac amgyffred *cochach* heb sylweddoli *coch* yn gyfundrefnus yn gyntaf.

Symud ymhlith pethau rheidiol o'r fath y bydd ffurf mewn Tafod. Pan wyf yn trafod perthynas y mydrau a'r mesurau dyna'r math o berthnasoedd sydd gennyf mewn golwg, y berthynas genhedlol angen-rheidiol nid yr hyn a ddigwyddodd yn hanesyddol. Er enghraifft, yr wyf yn cyfrinachol farnu fod y mydrau x/x/ac x/x/x o bosib ar gael cyn geni'r Gymraeg, yn wir cyn geni'r Frythoneg a'r Gelteg (a chymryd o hyd fod x yn cynrychioli cyferbyniad diacen o un neu ddwy sillaf y naill ochr neu'r llall i'r sillaf acennog); ond breuddwyd hanesyddol yw hynny. Pan sylwaf serch hynny ar bobl yn sôn am fenthyca'r Cywydd o'r Lladin, dyweder, byddaf yn ymholi beth y mae'r damcaniaethwyr 'hanesyddol' hyn yn ei ddychmygu a oedd gan y Celtiaid hwythau ynghynt? Nid syn i mi yw bod mydr tebyg i fydr y Cywydd ar gael yn yr Wyddeleg, er nad yw'n fenthyciad o raid o gwbl, yn y Gymraeg na'r Wyddeleg. Cyflawnent yr un angenrheidiau.

Yn fy null i o drafod y maes, ar sail enghreifftiau, ceisiaf ymgyfyngu'n gyntaf i'r berthynas *ffurfiol* angenrheidiol, ac yna ystyried efallai a oes modd lleoli'r perthnasoedd hyn o fewn patrwm hanesyddol penodol yn ôl trefn.

*   *   *

Er mwyn bwrw i bwll y pwnc, carwn gydio mewn un datblygiad annisgwyl. Carwn sôn am un chwyldro bach tawel go arwyddocaol mewn curiadau. Ond er mwyn mynd o dan y croen dowch inni gael dadansoddi mydr y dryll chwe-llinell o Draethodl enwog yng Ngramadegau'r Penceirddiaid (*Gwaith Einion Offeiriad a Dafydd Ddu o Hiraddug*, R. Geraint Gruffydd a Rhiannon Ifans, 71):

Breichffyrf, archgrwn, byr ei flew,	/x /x xx/3 churiad
Llyfn, llygadrwth, pedreindew,	/x/x x/x 3
Cyflwydd, cyflith, ceirch ymgaff,	/x/x x/x 3
Cyflym, cefnfyr, carn geugraff,	/x/x x/x 3
Cyflawn o galon a chig,	/x x/x x/3
Cyfliw blodau'r banadlfrig	/x/x x/x 3

[Sylwer: dadansoddi'r wyf yn gyntaf yn ôl fframwaith Tafod, nid yn ôl Mynegiant. Hynny yw, yr wyf yn nodi curiadau trwm lle y bo hynny'n *anochel angenrheidiol.*]

3 churiad - 100%

4 curiad – 0%. I mi, yn ganolog, *ffurf y meddwl* a'r perthnasoedd deinamig mewnol mewn cyferbyniad sy'n blaenori, cyn esgor ar yr amrywiadau mewn Mynegiant.

Trown yn awr a dadansoddi chwe llinell gyntaf Cywydd marwnad Lewys Môn i Syr Rhys ap Thomas (GLM LXXXVIII).

Nos da i'r Frân is Dofr ennyd	xx/x/ /x 3
ni ad i Sais dywys ŷd:	x/x/ /x/ 4

ei chyw er Sieb a chôr Sin	x/x/ x/ /4
a wna Lloegr yn llai egin.	xx/x/ /x 3
O bai Syr Rhys bwys ar ôl	x/x/ / x/4
eich Brân achubai'r Wennol.	x/x/x /x 3

[Sylwer: *rhaid* yw cydnabod rhagacen yn uwch-corfan cyntaf ll. 2, 3 a 5. Un o'r datblygiadau *mydryddol* gyda dyfodiad cynghanedd oedd sefydlu'n eglur bresenoldeb yr orffwysfa ac ynghyd â *hynny* y rhagacen.]

3 churiad – 50%
4 curiad – 50% (100% yn y llinellau acennog)

Ar yr wyneb, os cymherir llinellau tri churiad Lewys â'i linellau pedwar curiad, yn y rhai pedwar curiad y mae'r rhan cyn yr orffwysfa wedi ymestyn, a'r rhan olaf at ei gilydd wedi crebachu. Mae pob un o linellau Einion, fel y digwydd, yn dechrau'n acennog bwysleisiol, a Lewys bob amser yn wan. Ceisio archwilio beth yn union a ddigwyddodd, ac esbonio pam, yw peth o waith y bennod hon. Gweithgarwch arwynebol, meddwch? Wel, cawn weld. Ar ryw olwg, syml ydyw. Credaf ei fod fel arall hefyd. Mae a wnelo'r newid â datblygiad dwfn yn natur ffurf (ei hun) yn yr isymwybod. A chaiff y newid treiddgar hwnnw gynrychioli'r math o newid sy'n digwydd nid yn unig yn hanes ffurf lenyddol mewn amgylchiadau eraill, eithr hefyd yn hanes iaith ei hun. Mae a wnelo ag atrefniad chwyldroadol mewn ymateb 'greddfol' a diymwybod syml. Mae ffrâm y clyw yn troi neu'n syrthio oddi wrth *dri* phegwn y gellir eu dal gyda'i gilydd yn uned amrywiol gron yn y meddwl yn ôl i gyferbyniad *deuol* mwy tyn a chytbwys. Ac wrth reswm, gellir clywed y tro yn y miwsig. Tebyg, o ran yr ysgytwad, yw i symud gweld o'r arlunio sydd yn ôl dau ddimensiwn i'r arlunio yn ôl tri dimensiwn.

Symudwyd nid yn unig o 3 i 4, eithr o un uwch-corfan, sy'n llenwi'r llinell, i ddau uwch-corfan 2 + 2, sy'n cydbwyso o fewn math arall o linell.

(Dichon, pe baem yn troi'n ôl at Hanes y gellid damcaniaethu fod y newid a ddigwyddodd o guriadau 1 + 2 i 2 + 2 yn adlewyrchu newid swyddogaeth yn hynt y Cywydd, o ddiddanwch poblogaidd o bosib tuag at gyflawni mawl Duw a dyn, sef gwaith priodol yr Awdl. Yr oedd yna fiwsig i'r naill a miwsig i'r llall. Ond synied yr wyf y gallai fod pethau'n llawer mwy cymhleth, a bod y defnydd gan feirdd proffesiynol a rhai annhechnennig yn gorgyffwrdd. Ar lefel y beirdd proffesiynol yr wyf yn tueddu i weld y traethganau gyda'r Cynfeirdd cynnar yn cynnwys ffurfiau Cywydd, Englyn ac Awdl yn ddiwahân; ac yn wir, ar ôl hynny fe barhaodd y gorgyffwrdd i gyfnod y Gogynfeirdd i raddau: CBT I 24. 3-14; II 23. 11-13. Gellid crybwyll un bont fechan o'r llinell dair acen i'r llinell bedair-acen, er nas enwir ond fel cynrychiolydd mewn proses letach o lawer, sef Sain Tro Pengoll sydd bob amser yn cynnwys pedair acen.)

Rhaid rhybuddio rhag gorsymleiddio.

Cyn mynd ati i ymhelaethu ar y theori, gadewch inni lynu wrth ragor o enghreifftiau am ychydig, a lledu'r maes, ond gan ganolbwyntio ar yr un newid bach penodol os adweithiol hwn, oddi wrth drefnu llinell saith sillaf yn ôl tri churiad i drefn lle'r oedd pedwar curiad (2 x 2) yn digwydd yn amlach (yn arbennig mewn llinellau acennog). Gall y cynnydd mewn Croes (ac yn arbennig Croes o Gyswllt) fod yn ffactor cyfredol er nad achosol.

Nid wyf am orbwysleisio gwerth y datblygiad hwn o safbwynt dyddio cyfnod cerddi ansicr. Sylwn ar gyfrol gyflawn *Dafydd ap Gwilym, Apocrypha*, (gol.) Helen Fulton, Gomer, 1996. Gwyddom wrth gwrs fod rhai o'r cerddi hyn, megis rhifau 14, 18, 26 yn perthyn i'r 15fed ganrif. Ond diau fod rhai o'r gweddill naill ai gan Ddafydd ap Gwilym ei hun, neu (fel rhif 1 gan Lywelyn Goch neu rif 46 gan Ruffudd Llwyd) gan feirdd eraill o'r 14eg ganrif. Dyma'r cyfartaledd o linellau 4 curiad i'r cwbl o bob cerdd (gan gofio'r lled gyfyngiad i linellau acennog yn unig):

(1) $1/28 = 3.6\%$	(2) $2/28 = 7.1\%$	(3) $1/24 = 4.2\%$
(4) $4/38 = 10.5\%*$	(5) $2/52 = 3.8\%*$	(6) $6/80 = 7.5\%*$
(7) $2/30 = 6.7\%$	(8) $3/22 = 13.6\%$	(9) $4/34 = 11.8\%$
(10) $4/30 = 13.3\%$	(11) $3/32 = 9.4\%$	(12) $5/48 = 10.4\%$
(13) $2/32 = 6.3\%$	(14) $8/38 = 21.1\%$	(15) $6/60 = 10.0\%$
(16) $5/34 = 14.7\%$	(17) $2/52 = 3.8\%$	(18) $12/62 = 19.4\%$
(19) $2/30 = 6.7\%$	(20) $1/26 = 3.8\%$	(21) $4/30 = 13.3\%*$
(22) $4/42 = 9.5\%$	(23) $4/46 = 8.7\%$	(24) $4/72 = 5.6\%$
(25) $11/52 = 21.2\%$	(26) $10/50 = 20.0\%$	(27) $1/34 = 2.9\%$
(28) $3/32 = 9.4\%$	(29) $2/44 = 4.5\%*$	(30) $4/54 = 7.4\%$
(31) $8/56 = 14.3\%$	(32) $2/34 = 5.9\%$	(33) $3/32 = 9.4\%$
(34) $1/36 = 2.8\%*$	(35) $1/34 = 2.9\%*$	(36) $6/42 = 14.3\%$
(37) $5/54 = 9.3\%$	(38) $1/26 = 3.8\%$	(39) $2/50 = 4.0\%*$
(40) $8/84 = 9.5\%$	(41) $7/56 = 12.5\%$	(42) $6/80 = 7.5\%$

(43) 7/44 = 15.9%   (44) 5/62 = 8.1%   (45) 6/26 = 23.1%
(46) 6/54 = 11.1%   (47) 8/64 = 12.5%   (48) 4/74 = 5.4%
(49) 1/44 = 2.3%   (50) 5/26 = 19.2%   (51) 8/60 = 13.3%

Ar gyfartaledd i'r gyfrol i gyd: 9.8% Ond at ei gilydd ar hyn o bryd, y mae casgliadau pellach yn ansicr. Serennwyd y rhai lle y mae'r *holl* linellau pedwar curiad mewn Cynghanedd Sain. Tanlinellwyd y cerddi y bydd rhai'n teg ystyried eu bod yn perthyn i'r bymthegfed ganrif. Nid ymddengys fod patrwm cyferbyniol digon arwyddocaol ar gael yn sylfaen eglur i ddyddio. Rhybudd yw hyn felly rhag disgwyl chwyldro rhy dwt rhwng 1 + 2 a 2 + 2. Ond tybiaf fod angen rhoi sylw arbennig i'r llinellau digynghanedd fel creiriau parhaol.

Symudwn ymlaen at bedwar bardd o'r bedwaredd ganrif ar ddeg: dylem nodi o hyn ymlaen na ddetholais ddim yn fwriadus. Cynhwysaf bob bardd a cherdd a ddadansoddais, heb hepgor na dethol, gan ddadansoddi'r cerddi a astudiwn o bleser pur ar y pryd: (*Blodeugerdd Barddas o'r Bedwaredd Ganrif ar Ddeg*, gol. Dafydd Johnston, 1989). Dyma'r cyfartaledd o linellau 4 curiad.

Llywelyn Goch ap Meurig Hen:
(60) 6/74 = 8.1%   (61) 12/104 = 11.5%
Ithel Ddu: (69) 4/70 = 5.7%
Gruffudd Fychan: (77) 6/82 = 7.3%
Gruffudd Llwyd: (78) 13/82 = 15.9%   (79) 8/74 = 10.8%
(80) 10/84 = 11.9%   (81) 6/66 = 9.1%
(82) 6/80 = 7.5%   (83) 13/112 = 11.6%

Ar gyfartaledd i'r pedwar bardd: 9.9%

Nodiadau
Weithiau, mentraf feddwl yr anfeddyliadwy. Bu amser pan nad oedd Cyflythreniad (Cytseinedd) wedi datblygu'n gyfundrefn a gydseiniai â'r mydr, pan nad oedd ond yn addurn mewn Mynegiant heb ei gorffori mewn Tafod. Y pryd hynny gallai Cyflythreniad wrthdaro'n groes-graen yn erbyn y curiadau. Tybed a allai Odl, y peth rhaniadol hwnnw sy'n ymddangos mor wasanaethgar i adeileddau, hefyd ymatal rhag bod ond yn addurn yn unig, a hefyd wrthdaro'n groes-graen yn erbyn y mydr? Wrth bendroni uwchben yr eithriadau neu'r problemau y down o bosib i beth gwybodaeth newydd.

Sylwer yn gyntaf ar Sain mewn rhai llinellau amheus.

Llywelyn Goch:
60: 53 'I hàrdd flodéuros gàrdd gáin'. Os acennir yn ôl rhaniadau Sain ceir rhagacen yn 'hardd' a phedair acen. Ond o ran naturioldeb rhythm darllen, gellid wedyn ddiacennu 'gardd' ynghyd â derbyn tair acen i'r llinell. Dyma ragor o enghreifftiau o Sain – 61: 22, 48, 73, 87 – sy'n ymofyn rhagacenion os acennir yn ôl y rhaniadau, peth y'n denir i beidio â'i dderbyn ond yn ôl lefel Mynegiant, neu'n gyfarwyddyd bras ar gyfer Tafod. Sylwer yn arbennig ar bengoll ll. 87 'Lleddf ddeddf ddeuddawn ogyfuwch.'

Sylwer wedyn ar gyhydedd 60: 64 'A galw gwŷr i gael gwin' lle y derbyniwn 'galw' yn ddeusill, a chyhydedd 61: 24 yn toddi 'Echdoe a fûm uwch dy fedd'. O ddarllen yn y dull arferol gan doddi llafariaid, ni cheid rhagacen yn y cymal cyntaf, eithr ni cheid saith sillaf ychwaith.

Ithel Ddu:
Dyma'r un anhawster gyda Chynghanedd Sain: 69:67 'Bychan y cwynai Mai mwyn.' A ddiacennir Mai? Broc môr arferion y Gogynfeirdd yw hyn.

Gruffudd Fychan:
Dyma ni eto gyda phroblem Sain sy'n ymddangos yn bedwar curiad ond y gellid ei ddarllen â thri yn groes i'r graen: 77:29 'Táw, mi a'i hádwaen, raen rín'; a 77:63 'Ánnerch, na wád gennad gwáwr'.

Ac mewn modd cyffelyb gyda chyhydedd a'r llafariad dawdd mewn Cynghanedd Groes: 'Ènwi ei máwl, iàwn ym óedd', lle y gellid darllen yn chwe sill yn ôl gofynion 3 acen ac yn seithsill yn ôl gofynion cyhydedd.

Gruffudd Llwyd:
Cadarnheir y ddau bwynt wrth sylwi ar sain 78: 24, 30, 39, 45, 59, 69, e.e. 'Hýd nad óes nac ŷd nac ár'; 'A fú onáddun, ún óedd'. Ac wrth sylwi ar lafariaid tawdd 78: 35, 46 e.e. 'Diau o beth ydyw bod' (? Di-au). Dichon fod dwy o nodweddion cynganeddol y 14eg ganrif i'w canfod yn gwamalu yn y ddau gyfeiriad hynny (Sain a Chyhydedd) er y byddwn yn petruso ar hyn o bryd rhag eu defnyddio'n ffactorau dyddio.

Tybed a fydd rhyw ddamcaniaethwr gwyllt ryw ddiwrnod am awgrymu

225

mai drwy borth triol Cynghanedd Sain o bopeth y llithrodd y llinell bedair acen i'r Cywydd, ac mai yng nghartref naturiol y pedair acen 2 + 2, sef ym mhreswylfa'r Gynghanedd Groes (a Thraws efallai), yr ymgartrefodd y tair acen yn fwyaf cyndyn? Gwrthbwynt efallai. Rhaid cofio am y Sain gadwynog. A gellid sôn am dyndra rhwng 3 a 2+2.

Mae'n amlwg fod tair rhan gynhenid mewn Cynghanedd Sain: y dechrau yn odli â'r canol, a'r canol yn cytseinio â'r diwedd. Ac mae tair rhan o'r fath, mor bendant ac mor unigolyddol, yn mynd i awgrymu mai tair acen hefyd sy'n 'naturiol', yn ddisgwyliedig, yn orfodol bron. Ond yn y datblygiad a gafwyd ar ddechrau'r bedwaredd ganrif ar ddeg yn y Cywydd o fod yn driol acennog tuag at dderbyn 2 + 2, nid y Gynghanedd Groes na'r Gynghanedd Draws a arweiniodd y ffordd. Y Gynghanedd Sain ddyry cychwyn. Mae'r holl dystiolaeth yn cyfeirio at y ffaith mai yn y Sain yr ymgartrefodd y pedair acen, yn gynnar iawn.

Dyma saith linell wahân o Farwnad Rhys ap Tudur gan Ruffudd Gryg; bedair acen bob un:

> I grwth a chloch, dwyoch dyn
> Heb urddas mwy, mordwy mawr
> Pand oedd eryrawl, mawl Môn

(ond cf. hon a'r llinell ganlynol â'r llinellau amwys acennog gan Lywelyn Goch uchod)

> Nid oes yng Ngwynedd, gwedd gwŷd
> Na chanu cyrn, dëyrn daid
> Pand ydwyd weddw, dienw dyn
> Llyma fy nghred, winged wedd.

Acennog i gyd. Yn y Cywydd 76 llinell hwn ceir 8 llinell bedwar curiad Sain. Un sy'n Gynghanedd Groes – Heb Rys, iôr hael, heb ras rhwydd.

Sut y gallai hynny fod yn bosibl?

Sylwer: dyma gyfnod cymathu dau draddodiad. Y traddodiad deuol ar y naill law, traddodiad y Cywydd Deuair Fyrion, sef traddodiad yr awdl a'r pencerdd; a'r traddodiad triol ar y llall, traddodiad y Cywydd Deuair Hirion, sef yr Englyn a'r bardd teulu. Dyna Oes y Tywysogion yn ildio i Oes yr Uchelwyr. Yn nhraddodiad cywrain y pencerdd y dechreuodd yr awdl feithrin y Gynghanedd. Ni pherthynai'r Gynghanedd ar y pryd i fyd y traethodl (neu'r Cywydd 'o'r hen amser'). Felly, meithrinwyd y Gynghanedd Sain gan y Gogynfeirdd mewn Gogynghanedd. Ond cymerodd batrwm acennog y mesurau awdl triol feddiant ar fesurau a oedd yn fwy gwerinaidd, a hynny drwy Gynghanedd. Ymgartrefodd yn ddeuol.

Felly, pan ddaeth yn bryd i'r Gynghanedd hithau feddiannu mesurau'r bardd teulu, yr oedd y rheini eisoes yn ddigon cyfarwydd â Sain mewn patrwm 2 + 2 y tu mewn i draddodiad sefydledig. Bid a fo am hynny, mae Cynghanedd Sain yn cynnig problem reit ogleisiol yn y bedwaredd ganrif ar ddeg. Ymgrynhoa yn fynych yn dynn yn niwedd llinell. Diddorol iawn yw'r dryll o gywydd pwysig a gyhoeddwyd gan Ddafydd Johnston ac Ann Parry Owen yn *Dwned* 1999, 77. Cyfyd y pedair problem ganlynol mewn 22 o linellau o Gynghanedd gyfan:

> *Clwyf calon don dan fron friw*
> *Hagr yw fy ngrudd, nyw (?ni) gudd gur*
> *Dygn fydd byd gwas clwyfdras claf*
> *A'i mygrbryd hoyw hyloyw hael*

Y maent yn perthyn o ran tras i ddwy o linellau Gruffudd Gryg uchod:

> *Pand oedd eryrawl, mawl Môn*
> *Nid oes yng Ngwynedd, gwedd gwŷd*

a hefyd i linellau Llywelyn Goch:

> *I hardd flodeuros gardd gain*
> *Lleddf ddeddf ddeuddawn ogyfuwch* (pengoll)

Yr ŷm yn sôn am y cyfnod pryd yr oedd yr acen newydd lamu'n awdurdodol am ben Cytseinedd ac Odl: y chwyldro cynganeddol. Sylwer ar derfyn rhai o'r llinellau hyn: fel y cywesgir y cyfateb cytseiniol yn nwy ran olaf y Sain i'r ddwy sillaf olaf: fron friw, gudd gur, mawl Môn, gwedd gwŷd, gardd gain. Yn y llinellau amwys hyn (o safbwynt aceniaeth), a ymddengys yn ôl y rhaniadau defodol yn bedair-*acennog* ond yn dair-*rhannog*, ceir math o grwpio eithriadol. A ellid eto feddwl yr anfeddyliadwy mewn cyfnod pryd yr oedd awdurdod yr acen yn dal yn newydd? A ellid goddef rhaniadau lle y llithrir dros eiriau odlog, hynny yw geiriau'r rhannu naturiol, heb eu cydnabod yn acennog? Mae'r fath ansicrwydd yn atal ychydig ar bendantrwydd unrhyw reol ystadegol.

Newidiwn i'r ganrif nesaf (neu wedyn) gan gymryd pedwar bardd, a chwe cherdd yr un: defnyddiaf argraffiadau safonol i fesur presenoldeb pedair acen:

Lewys Môn:	(10) 17/72 = 23.6%	(83) 19/86 = 22.1%
	(87) 16/76 = 21.1%	(88) 24/80 = 30.0%
	(89) 16/60 = 26.7%	(91) 18/74 = 24.3%
Iorwerth Fynglwyd:	(2) 13/58 = 22.4%	(3) 12/72 = 16.7%
	(4) 13/68 = 19.1%	(6) 12/74 = 16.2%
	(7) 10/70 = 14.3%	(8) 11/70 = 15.7%
Lewys Glyn Cothi: (Detholiad)		
	(36) 16/64 = 25.0%	(37) 9/62 = 14.5%
	(38) 9/60 = 15.0%	(39) 11/64 = 17.2%
	(40) 9/60 = 15.0%	(41) 7/54 = 13.0%
Tudur Aled:	(39) 20/102 = 19.6%	(40) 26/78 = 33.3%
	(41) 18/86 = 20.9%	(42) 13/78 = 16.7%
	(43) 14/78 = 17.9%	(44) 13/86 = 15.1%

Ar gyfartaledd i'r pedwar: 19.8%.

Diau nad yw'r siampl a gymerwyd ddim yn ddigon mawr. Ond dichon y dengys fod gennym faes i'w archwilio. Ymddengys math o gysondeb yn y datblygiad. A gallwn am y tro fentro rhyw fath o egwyddor fel hyn:

Os yw Cywydd yn cynnwys llai na 7% o linellau 4 curiad fe all berthyn i'r 14eg ganrif.

Os yw'r Cywydd yn cynnwys dros 16% o linellau 4 curiad y mae'n weddol sicr o berthyn i'r bymthegfed ganrif neu wedyn.

Pe bai'r fath dybiaethau'n gywir, yna mae'n amlwg fod yna rai cerddi ymhlith yr *Apocrypha*, megis 17, 19, 23, 24, 27, 37 o leiaf sy'n mynd i godi cwestiynau. (A chofio hefyd, o ddilyn testun amgenach ar 19 fel BU 73, fod hyd yn oed llai o'r pedwar curiad yn cael eu cynnwys yn y fan honno. Noder wedyn sylwadau D. J. Bowen ar 23 yn *Llên Cymru* VIII, 20: a dilyn testun DGG ar hyn, ymwedir â *phob* llinell bedwar curiad. Drachefn, mewn Cywydd arall, 40, a adferwyd i Ddafydd gan yr Athro Bowen, *Llên Cymru* VII 193-205, mae DGG yn rhoi 'Rhywyr óll, a rhy òer óedd' yn lle 'A rhywyr óll, rhy òer óedd.')

Eto, sylwer ar un pwynt pellach. A dadansoddi, o safbwynt pedwar-curiad ynghyd â'r berthynas â Chynghanedd Sain, rai Cywyddau a ddadan-soddwyd gan Syr Thomas Parry yn rhagymadrodd GDG xcvii:

Gruffudd ab Adda: Blodeugerdd Barddas:
(45) 34% yn Sain; 3 llinell bedwar curiad (sef 4% o'r cyfanswm); 100% o'r rheini'n Sain.

Madog Benfras:
(43) 42% yn Sain; 4 pedwar curiad (sef 5% o'r cyfanswm); 100% o'r rheini'n Sain.
(44) 26% yn Sain; 5 pedwar curiad; 80% o'r rheini'n Sain.

Gruffudd Gryg:
(39) 33% yn Sain; 6 pedwar curiad (8% o'r cyfanswm); 67% o'r rheini'n Sain.
(40) 55% yn Sain; 4 pedwar curiad (9% o'r cyfanswm); 75% o'r rheini'n Sain.
(41) 34% yn Sain; 10 pedwar curiad (13% o'r cyfanswm); 70% o'r rheini'n Sain.

Gall y cyfnod diweddarach serch hynny beidio â chodi i'r disgwyliadau o ran curiadau. Sylwer ar *Utun Owain*:

OPGO: (1) 17% yn Sain, 2 pedwar curiad (sef 3% o'r cyfanswm), 0% o'r rheini'n Sain.
(3) 17% yn Sain, 2 pedwar curiad (sef 3% o'r cyfanswm) 100% o'r rheini'n Sain.
(4) 15% yn sain, 4 pedwar curiad (sef 8% o'r cyfanswm) 0% o'r rheini'n Sain.
(5) 14% yn Sain, 3 pedwar curiad (sef 7% o'r cyfanswm) 0% o'r rheini'n Sain.

Carwn rybuddio'n bendant felly nad 'prawf' ar gyfer 'dyddio' (ar ei ben ei hun) yw patrwm y curiadau, gan imi sylwi yn fy narllen ar ormod o eithriadau eithafol. Nis ystyriwn ond yn un mewn twysged o brofion eraill, i'w cyd-ddefnyddio.

Cawn ddychwelyd i ailystyried hynny ymhellach ymlaen, ond dewch inni gofio'n awr y theori sydd ar waith.

Nid wyf yn siŵr o gwbl a fydd yr ymdriniaeth hon yn awgrymu 'maen prawf' dilysrwydd neu ddyddio arall, (neu un i'w gymryd gyda'r lleill,) wrth farnu, dyweder awduraeth Dafydd ap Gwilym neu beidio. Ond nid dyna brif bwynt y bennod (gan mor sigledig yw hyd yn oed y profion o

eiddo Syr Thomas Parry bellach), a rhaid bod yn wyliadwrus gyda mater-
ion fel hyn. Ansawdd ffurf yn hytrach nag amlder ffurf, arwyddocâd
hanfod ffurfiol yn hytrach na chronoleg ffurfiol allanol, sôn am hynny
yr wyf er y byddwn yn falch i wneud rhywbeth defnyddiol yr un pryd
mewn cyfeiriad arall hefyd pe bai'n bosibl, er fy mod yn bur sgeptig.
Ond nid rhestru'r priodoleddau elfennol yn ystadegol yw fy nod, eithr
gweithio tuag at ddadlennu ffurfiau'r meddwl mewn amser a gofod.

*   *   *

Yn 'Nhafod' yr *iaith*, mewn cyfundrefn megis rhif, e.e. 'oen, ŵyn;
llong, llongau', beth bynnag yw'r dull allanol, y mae'r ffurf gyferbyniol
fewnol fel y nodwyd lawer tro yn y gyfrol hon yn elfennaidd iawn. Cyfer-
bynnir *un* a *llawer* yn ddifyfyrdod ramadegol heb gyfrif, er mewn trefn
ddeinamig. Yn allanol, bid siŵr, bydd y newidiadau mewn Mynegiant yn
gallu amrywio gryn dipyn. Ceir 'saith' ffordd, meddan nhw, i nodi
dulliau gwahaniaethu rhwng unigol a lluosog. Cyfundrefnau Mynegiant
yw'r rheini. *Ond yn yr un egwyddor sythwelediadol a sylfaenol gynieithyddol
yn y meddwl, sef yn y ffurf ganolog, y mae'r cyferbyniad yn eithriadol o syml.
Rhwng dau gategori o amlder yn unig y pennir y ffurf honno: Unigol a
Lluosog.* Dyna gyfundrefn Tafod. A dyna fel y mae Tafod yn gweithio.

Felly hefyd, yng nghyfundrefn person 'fi, ti, ef', mae yna gyferbynnu
triol mewn gofod sy'n gyntefig eglur, er bod pob un yn cynnwys amryw-
iadau – ar gyfer y trydydd person dyweder (mewn cenedl, rhif, a.y.b.).
Ni raid meddwl yn ymwybodol am ffurf y gyfundrefn: tri safle sydd i'r
meddwl yn ôl yr egwyddor o absenoldeb/presenoldeb. Ymetyb pob
safle yn ddifyfyr i safle'r 'fi': hynny yw, nid ymadewir â'r sawl sy'n siarad.
Y 'fi' yw'r presenoldeb eithafol: canolbwynt disgyrchiant yr ymwybod.
Ond wynebir un arall hefyd: y 'ti'. Mae hwnnw hefyd yn bresennol, os
yn llai presennol, yn absennol o bresennol. Mae'n un arall, ond nid
ymadewir yn ymwybodol â'r sythwelediad dirfodol o berthyn presennol.
Mae'r 'ti' yno, ac yn ymddwyn fel pe bai yno gyferbyn â'r 'fi'. Wedyn, er
bod y 'ti' yn absennol i ymwybod mewnol y 'fi', nid yw fel pe bai'n
absennol i'w hymwybod cytûn. Yn wahanol, mewn ffordd arbennig, i
'ef'. Sonnir am hwnnw fel pe bai'n absennol i'r ymwybod cytûn. Dyna'r
triongl cynieithyddol isymwybodol: y tri dimensiwn mewn gofod medd-
yliol. Dyna'r ddelwedd o'r gyfundrefn unol-amrywiol. Dyna graidd
gramadeg. Fel yna ffurfir cyfundrefnau Tafod oll.

Gellir dal y cyferbyniad hwn yng nghefn yr ymwybod heb feddwl amdano. Gellir ymateb i'r undod cyferbyniol yn ddifyfyr sythwelediadol. Ni raid cyfrif ar y bysedd na dioddef unrhyw synfyfyrdod ynghylch absenoldeb, hyd yn oed yn feddyliol. Dyma anghofio fel petai fod yna gyfundrefn o gwbl. Fe â'n isymwybodol elfennaidd a chyntefig. Defnyddir y gyfundrefn yn syth heb ei hystyried.

Gellir cyfuno cyfundrefnau o'r fath â'i gilydd. Gellir corffori er enghraifft y gyfundrefn ddeuol 'rhif' o fewn y gyfundrefn driol 'person'. Felly, 'fe' a 'hwy'. Ond bob amser mewn Tafod, dim ond cyfundrefnau deuol a thriol (a chyfuniadau neu lefelau ohonynt – yn ddeuol neu'n driol) a geir. Ac y mae a wnelo'r cyferbynnu egwyddorol hwn â chyferbyniadau cyntefig mewn bodolaeth bob-dydd. Chwarae plant.

Felly y bydd hi yn Nhafod y Llenor hefyd gyda chyferbynnu acen ac absenoldeb acen, y cyferbyniad cyntefig, sŵn/ distawrwydd. Felly y mae yn angenrheidiol ac yn gyffredinol ym myd ffurf fel y gallwn weithio tuag at ddadlennu'r ffurfiau hanfodol mewn Tafod ynghyd â'r Mynegiant arwynebol, gyda chyfundrefnau llenyddol o bob math, boed yn Seiniol (Mydryddiaeth), yn Ystyrol (Ffigurau a Throadau) neu'n Gyfanweithiol adeileddol (Dulliau Llenyddol). Ymwneud a wnawn â ffurfiant elfennaidd isymwybodol. Pan ymdrinnir â chyfundrefnau o fathau llenyddol, sef yr hyn a geir yn Nhafod y Llenor, ceir eu bod bob amser wedi'u hadeiladu'n ddeuol neu'n driol fel y rhai ieithyddol. Ymatebir iddynt yn isymwybodol sythwelediadol ac yn unol ag olyniaeth o berthynas yn ôl rhyw egwyddor gyffredin – (megis un a llawer; absennol a phresennol; tebyg ac annhebyg) – yn ein bywyd ymarferol.

*   *   *

Yr wyf am barhau'r thema a godais yn y bennod cynt 'Gogynghanedd y Gogynfeirdd'. Yn y fan honno ceisiais gyffwrdd ag un o'r materion mwyaf mewn theori lenyddol, sef sut yr adeiledir cyfundrefn lenyddol o gwbl yn y meddwl, sut y try Mynegiant yn Dafod. Ffurf yw'r union beth sy'n gwahaniaethu rhwng llenyddiaeth gelfydd a llafar anghelfydd. Y mae trafod y ffin felly yn allweddol i ddeall natur llenyddiaeth. Ceisir canolbwyntio yn y fan hon ar un mater mwy arbenigol er mwyn bod yn benodol ac yn enghreifftiol.

Ond mentraf hawlio mai'r hyn yr ŷm yn ceisio'i ddadlennu yn y bôn, er mor amlochrog y bo yn y pen draw, yw'r darganfyddiadau a wnaeth yr isymwybod wrth geisio trefn yn y gelfyddyd lenyddol. Yn y bennod cynt, 'Gogynghanedd y Gogynfeirdd', ceisiais ddangos fel y mae Tafod y Llenor yn cael ei ddatblygu a'i adeiladu *drwy amrywiadau arddull sy'n troi'n arferion rheolaidd ym Mynegiant y Llenor.* Hynny yw, y mae'r cnewyllyn o egwyddorion deinamig sy'n trefnu ffurf yn isymwybodol yn graddol newid o gyfnod i gyfnod, o gyfundrefn i gyfundrefn, oherwydd gwahanol ddefnydd mewn Mynegiant, er bod y cyntaf yn gymharol sefydlog a'r olaf wrth gwrs yn ymddangos yn gyfnewidiol iawn.

Felly (drwy sythwelediad anymwybodol) yr adeiledir myth sefydlogrwydd Tafod.

Yr wyf am gymharu Mydr a Rhythm dwy gerdd adnabyddus o waith Dafydd ap Gwilym, sef Traethodl 'Y Bardd a'r Brawd Llwyd' (GDG 137) â'r Cywydd 'Morfudd fel yr Haul' (GDG 42). Ceisiais ddadlau eisoes (SB 170-188) fod mydr tri churiad tebygol y Traethodl gwreiddiol wedi newid o gyfnod y Gogynfeirdd i fod ymhellach ymlaen yn gyfundrefn gyda'r Cywyddwyr lle y ceid dewis rhwng mydr triol a mydr a dderbyniai ddau + dau guriad. O'r braidd y bydd disgwyl llawer o wahaniaeth ym Mydr y ddwy gerdd a archwiliwn. Wedi'r cwbl, a derbyn mai gwaith dilys yr un bardd sydd yma, fwy neu lai ar yr un mesur mewn cyfnod mor fyr, does dim disgwyl datblygiad sydyn. Yn hanes Tafod, y diymwybod sy ar waith, a'r disylw.

Ac eto, efallai fod modd datgelu un gwahaniaeth go bendant hyd yn oed yn y Mydr. Sef un datblygiad a geir yn hanes Cerdd Dafod. Yr wyf am gyfeirio'r sylw yn neilltuol at y cyferbyniad rhwng dau batrwm mawr a sylfaenol yn y Gynghanedd, sef y Mydr yn ôl grwpiau deuol a'r Mydr yn ôl grwpiau triol. Dyma un o'r ffactorau mwyaf sylfaenol yn ein dosbarthiad o fydrau a mesurau Cerdd Dafod, wrth bendilio rhwng cyferbyniadau ac ailadroddiadau. Yn ôl y criterion hwn y dosbarthwn fydrau'r llinellau i gyd, yn rhaniad deuol.

Yn y Traethodl hwn ni cheir ond un neu ddwy linell (amheus) lle y ceir pedwar curiad (2 + 2), sef ll. 28, 77: hynny yw, dwy (ar y mwyaf) mewn 88 o linellau, sef 2.3% o'r cwbl:

> 'Y prýnodd Dúw/énaid dýn'.
> 'Ánaml a ŵyr/gýwydd pêr'.

Tueddaf innau serch hynny i dderbyn (yn annisgwyl efallai):

> 'Y prýnodd/ Duw énaid dýn'.
> 'Ánaml/a ŵyr gýwydd pêr'.

yn ôl y drefn a nodais eisoes o ogwyddo (mewn amgylchfyd triol) os gellir at y traddodiad hwn o dri mewn Tafod yn hytrach na phedwar curiad pan geir dewis mewn Mynegiant. Derbynnir yr acenion sy'n angenrheidiol, mewn trefn ychydig yn annisgwyl, yn arbennig mewn cerdd sy'n debyg o fod yn gynnar.

Yn y Cywydd am Forfudd ceir chwe llinell bedwar curiad, sef ll. 2, 19, 34, 40, 44, 58 (un yn ddiacen): hynny yw, chwech mewn 70 o linellau, sef 8.57% o'r cwbl.

> 'Gorlliw eiry mân marian maes.'
> 'A'r lláll, ddyn gálch fálch fýlchgaer.'
>   (Ond *A'r lláll, ddyn gálch falch fýlchgaer*)
> 'Raid wrth yr haul a draul drem.'
> 'Pêl yw i Dduw, pa le 'dd â.'
> 'Ennyn o bell o nen byd.'
> 'I ddwylo rhai ddaly yr haul.'

Sylwer: pob un yn acennog, ond yr un y gellid dehongliad mydryddol, cyn-seiniol reolaidd, arall iddi.

Yr oedd y Cywydd fel yr Englyn Unodl Union yn ôl pob tebyg yn tarddu o draddodiad lle'r oedd tri churiad mewn llinell (1 + 2) yn anghenraid sefydlog. Dyna fath arbennig o fiwsig a fabwysiedid yn y rhythmau maes o law ar reng gymdeithasol arbennig o bosib; ond byddai'r mesurau Awdl maes o law yn rhai a ddefnyddid gan y penceirddiaid yn cynnwys, yn gyfochrog â grŵp neu grwpiau o ddau guriad, ambell grŵp o dri churiad. Yr hyn a ddigwyddodd yn drawiadol mewn Tafod (mewn Mydr) yn achos y Cywydd oedd iddo newid o Syncroni I, tri churiad yn unig, i Syncroni II, sef ein cyfnod ni pryd y derbynnir grwpiau dau ynghyd â rhai tri churiad.

Ni ofyn ond am batrwm lleiafswm/ // yn y Cywydd, gyda'r amrywiad ychwanegol yn datblygu // ///.

Syml a chynnil yw adeiladwaith amodau rheidiol Tafod. Mae Rhythm mewn Mynegiant yn llawer mwy amrywiol a dewisol fel y gwelwn ymhellach ymlaen ar y naill law wrth gymharu Traethodl â Chywydd gan Ddafydd, ac wrth gymharu Cywyddau gan Ddafydd ap Gwilym ac Iolo Goch o'r 14eg ganrif â Chywyddau Iorwerth Fynglwyd a Lewys Môn, gan nodi pa Gywyddau sy'n dwyn pa nodweddion. Ond tybiais ei bod yn bryd inni bellach fwrw golwg ar gyfoeth rhythmig effeithiau Tafod mewn Mynegiant. Wrth imi drafod trafodaeth Thomas Parry yn y bennod o'r blaen nodais fel y teimlwn yn anesmwyth am ei fod yn sôn am hyn a hyn o linellau yn dwyn rhyw nodwedd, eithr heb nodi'r llinellau'n benodol. O leiaf, bydd darllenydd yn gallu dod o hyd i union leoliad fy ngwallau.

Gellir anghytuno wrth gwrs ynghylch y modd i ddadansoddi llinell. Yn wir, yr wyf yn gweld sawl ffordd i ddadansoddi rhai llinellau unigol. Ac felly, gwell imi nodi'r criteria a ddefnyddiais i bennu'r patrymau canlynol wrth gymharu Cywydd gan Iolo Goch â dau Gywydd gan Iorwerth Fynglwyd:

1. Os oes ansicrwydd rhwng Mynegiant llinell yn ôl tair acen neu yn ôl pedair, a bod yna ddewis dilys a derbyniol, dewiser tair. Hynny yw, gellid synied mai tair acen oedd prif batrwm y Tafod yn wreiddiol (fel y cawn weld), a dyna a ddeil yn y mwyafrif o gywyddau o hyd yng ngwaith Iolo Goch a Dafydd ap Gwilym: deddf tebygolrwydd.

2. Disgwylir un (neu ddwy) acen yn yr uwch-corfan cyn yr orffwysfa, a dwy bob amser wedyn.

3. Disgwylir un neu ddwy sillaf ddiacen yn olynol, byth dair, ac eithrio oddeutu gorffwysfa.

4. Disgwylir rhagacen yn yr ail uwch-corfan, hyd yn oed pan nad yw'n fwy na sillaf sy'n 'cynrychioli'r' rhagacen.

5. Mewn Cynghanedd Sain disgwylir acen lle bynnag (o leiaf) y bo gair sy'n odli'n adeileddol, ac sy'n gwrthweithio awgrym uchod, ond a allasai fod yn ddatblygol.

Wrth inni sylwi ar gyfundrefn driol y Cywydd yn derbyn cyfundrefn ddeuol yr Awdl, gellid synied bod Mynegiant am gyfnod wrth dderbyn amodau o'r math uchod gan Dafod wedi darganfod y tu mewn iddynt fod modd cyfosod y drefn driol yn ochr y drefn ddeuol heb golli prif hanfodion y miwsig.

Nodir rhif pob llinell gyferbyn â phob patrwm. Mae'r acennu a nodir fan yma yn llymach nag a ddefnyddid gynt yn SB 81. Yn y fan honno derbyniais bedair acen yn 'Dywed air/wedi d'orwedd,' a'r pedair mewn Mynegiant. Erbyn hyn, ni dderbyniwn namyn tair mewn Tafod, y tair angenrheidiol.

234

Marwnad Ithel ap Robert
GIG XV
rhifau'r ail gywydd ar
llinellau
acennnog
2 sillaf yn
y rhan olaf
x/x/x //* **44,46**,86,93

I Rys ap Siôn o Lyn-Nedd
GIF II; III (noder
ôl hanner colon;)

3 sillaf yn
y rhan olaf

xx/x /x/	4,17,67,**71,73**,99,112, 135,146	
xx/x x//	33,84,114	
x/x/ /x/*	48,63,126 56,63,68	8,19,30,48,52; **50,51**,
x/x/ x//*	**28,30**,56,118,134	21,33; 10,14,30,34, **60,62**
/xx/ /x/*	139	**3,6**,40,46; 4
/xx/ x//*	36,(107)	18;

4 sillaf yn
y rhan olaf

xx/ x/x/	2,21,26,31,39,61,66, 75,91,104,122,142	**10,12,14,24,25,27**,49, **53,55,58; 6,8,16, 18,19**,28,32,**37,39, 41, 44,46,47**,66,69
xx/ /xx/	11,41,119	2,31,38,44; 11,**24,25**, 58,72
xx/ xx//	96	
x/x x/x/	9,14,19,57,82,90,97, 129,137	
x/x /xx/	6,79	;35

5 sillaf yn
y rhan olaf

x/ x/xx/	8,49,54,69,88,106,116, 128	16; 1

x/ xx/x/   24,60,77,143   35; 21,54
/x x/xx/   16,37,101,131
/x xx/x/   52,110,123

6 sillaf yn
y rhan olaf
/xx/xx/   42;(Perthyn hyn i'r un
                           rhythm â'r draws fantach)

llinellau
diacen
xx/x //x   23,29,53,58,87,(105?),108 *5,7,9,23,26,*29,32;
            *117,120,*125,133,141   5,15,*22,23,*29,36,42,57

x/x/ //x* 83,121   39; 26,59
x/x /x/x 5,25,32,*35,38,43,45,*50, 13,45; 7,17,*53,55,*
          *62,64,68,70,*85,92,95   61,70
          98,102,111,*130,132,*
          136,144
x/x x//x 3,*15,18,*40,55,78,94,100 1,4,15,41; *31,33,*43
xx/ /x/x 13,20,42,65,80,89,127 17,22,54,57;9,40,
                               45,48
xx/ x//x 103   11,20,56; *12,13,*38,
                               49,64,71
x/x/x/x 22,51,59,*72,74,76,*109 28,34,50; 27,65
x/ /xx/x 27,81,115   36,51; *2,3,* 67
x/xx//x   43; 20,52
/x x/x/x 1,*7,10,12,*34,47,113
/x/xx/x 124,138,140   37,47;
/x/xx/x
/xx/x/x 145

    Ystyr seren* yw 4 curiad Cyfanswm: 146 o linellau 58 + 72=130 o linellau.
    Italeiddir yn ddu lle y ceir rhediadau patrwm mewn cwpledi olynol, am fy mod yn ystyried bod patrymau'n hoffi cwmni.

Nodiadau
1. Yn GIG XV ceir nifer arwyddocaol o linellau heb ond dwy sillaf

acennog yn y rhan olaf. Dim oll felly yn GIF II; III. Hawlia CD 269 na ddylid cael dwy acen drom gyda'i gilydd pan fydd y rhagacen ar ogwyddair. Ond wrth sylwi ar rai llinellau yn ystod y dadansoddiad hwn sylwais fod y beirdd yn dra goddefgar gyda gogwyddeiriau. [Dyma gywiro felly SB 104, 'Ond y mae'r egwyddor gyferbyniol . . . safle'r rhagacen.']

2. Yn GIG XV ceir y patrymau x/x/x//, xx/x /x/, xx/x x//, xx/ xx//, x/x x/x/,/x x/xx/, /x xx/x/ heb ddim cyffelyb yn GIF II; III. Sylwer: acennog i gyd. Yna,/ xx/x/x yn ddiacen.
Ceir 27 o batrymau gwahanol yn GIG; ceir 20 o rai gwahanol yn nau Gywydd GIF.

3. Yn GIF II; III ni cheir ond y patrwm /xx/xx/ sydd heb fod yn GIG. Mae cymharu'r cyfoeth patrymwaith amrywiol yn hyn o beth yn debyg i gymharu Bach â Handel.

4. Y patrymau cyffredin mwyaf dwys yw xx/x/x/ (37 o weithiau), xx/x //x (27), ac x/x/x/x (30).

5. Naturiol yw bod bardd yn ailadrodd patrwm yn olynol, hynny yw o fewn cyrraedd cwpled i batrwm a gyflwynir. Gall hyn ddigwydd yn fwriadol er mwyn effaith bwysleisiol neu arall. Gall ddigwydd oher-wydd llesgedd awenyddol, neu'n syml anymwybodol oherwydd ymateb yn gadarnhaol i'r patrwm hwnnw. Ond y mae'r chwe chlymiad neu rediad yn xx/ x/x/ gan GIF II, III yn nodedig, gredaf i.

6. Ymddengys fod mwy o debygolrwydd i gael y patrwm deuol mewn llinellau acennog.

7. Archwiliais ddau gywydd, y naill o'r 14eg ganrif a'r llall o'r 15fed ganrif er mwyn ystyried y patrwm acennog a oedd ymhellach neu'n ddyfnach na'r cyferbyniad deuol/triol, sef GIG XI a GIF2. Gan i mi wneud hyn yn gyntaf flynyddoedd yn ôl, gweithiais ar y pryd ar IGE2 XIX, ac wrth geisio diweddaru'r dadansoddiad, sylwais ar ffaith ddiddorol: llinell arwyddocaol o wahanol sydd, o safbwynt aceniad rhwng arg. Henry Lewis ac arg. D. R. Johnston.

IGE I Angau Coch, ing y cair

GIG I Angau Coch, yn ing y'i cair

Hynny yw, yn yr argraffiad trwyadlach (sy'n rhoi ffurfiau cynharach) adferir llinell driol yn lle'r llinell ddeuol (oherwydd rheidrwydd toddi 'I . . . A').

8. Pwyntiau testunol: GIG ll. 89: 6 sillaf. Derbyniais 'ffloyw o fflamgwyr' (llsgr. P77); ll. 105: 8 sillaf; ll. 107: 6 sillaf, darllenais 'aml' yn ddeusill; ll. 119: 6 sillaf, darllenais 'bwrw' yn ddeusill.

*   *   *

Mae cwestiwn newydd yn codi bellach – a oes criteria ychwanegol yn y fan yma yn y rhythm, heblaw cyferbynnu'r patrwm aceniad triol â'r patrwm aceniad dwbl ddeuol, sy'n arddangos esblygiad penodol rhwng y bedwaredd ganrif ar ddeg a diwedd y bymthegfed? Hynny yw, a ellir archwilio manylder rhythmig llinellol fel yr uchod i ddod o hyd i feini prawf ychwanegol wrth ddyddio poblogrwydd ambell batrwm mewn Mynegiant?

Diau fod ateb yn ddigonol y fath gwestiynau yn golygu mwy na chymharu GIG XV â GIF II; III. Awn ymlaen felly i gymharu peth o waith Dafydd ap Gwilym â pheth o waith Lewys Môn.

Cedwir yr un ffrâm ar gyfer dadansoddi pellach.

Y Bardd a'r Brawd Llwyd	*Moliant Syr Rhys ap Thomas*
GDG 137	GLM 88
ac ar ôl hanner colon	
Morfudd fel yr Haul GDG 42	*Marwnad Siôn Grae* GLM 83
	(y 78 llinell gyntaf)
Llinellau	
acennog	
x/x/x //*	
xx/x/x/ 5,52,73,***79,81***,85	
; 38,49	
xx/x x// 59,67; 42	
x/x/ /x/* 28;	2,5,24,31,41,***48,50,***
	62,64,70,71,74,75
	; ***2,3,5***,10,18,45,49
x/x/ x//* ; 23	3,17,30,44; 11,21,
	24,72
/xx/ /x/* ; 2	***14,15***,25,56; 25,36,
	66,70
/xx/x//* ; 34,40,44	10,80; 14,55,59
[xx// /x/]	52;

xx/x/x/	20,23,44,62; **12,13**, **16,18**, **26,28**,31,36,47, 54,66	**21**(*diwyg.*),**33**,36,37,**54**, **57**; 19,38,41,51,57, 61,68,78
xx/ /xx/	39; 56,60,70	12,19,27,39,59,66,78 ;34,39
xx/xx//		;29,73
x/x x/x/	22; 5,20,52,58,64	45; 27
x/x/xx/	34; 7,46	;31,75
x/x/xx/	45; 10,29,68	;8,64
x/xx/x/	29; 3	67; 43,48,53
/x x/xx/	2,7,35,41,63; 62	8;
/x xx/x/	77; 22	;15
/xx/xx/	12;	

Llinellau diacen

xx/x //x	6,13,17,27,38,**46,47**, **50,54,55,56,57**,68 ; 45	7,**16,18**,23,35,42,51, 69,76,79; **12,13,16**, 33,42,**46,47,58,60,62**, 65,69
x/x/ //x*		
/xx/ //x*		;67
x/x /x/x	8,14,18,21,**25,26**, **31**, **32**,37,40,**58,60**, **64,65**, **69,70**,75,**86,87** ; **6,8**,11,**24,25**,30, 51,61,69	22,32,38,47,55,68; 6,17,40,**71,74**
x/x x//x	**3,4**,53; 4,35,50	; 23,**28,30**,63
xx/ /x/x	11,19,36,**72,74**, ; 9,14,27,32,**39,41**	**9,11,28,29**,34,46,49, **58,60**,65; 1,7,22, 52
xx/ x//x	; 17,48,55	**1,4**,13,61,**72,73**,77 ; 20,26,32,**35,37**,44,56
x/x x/x/x	[8 sill] 66;	
x/ x/x/x	1,9,15,30,49,**78,80**	6,40,43,53; 4,76

	83; *19,21*,33,*57,59,* *63,65,67*	
x/ /xx/x	16,33,88 26; 50	
x/ xx//x		20;
/x x/x/x	10; 1,43,53	; 9
/x xx//x	; 37	
/x/xx/x	48,*82,84*	63; 54,77
/x x/xx/x	[8 sill] 76;	
/x/xx/x	*42,43*,51,71	
/xx/x/x	24,61; 15	

| cyfanswm: | 88 + 70 | 80 +78 |

Dodwyd bachau petryal [xx// /x/] ar gyfer patrwm nas cafwyd yn y gymhariaeth flaenorol. Nodir, heb ddim yn y colofnau gyferbyn, y patrymau a gafwyd o'r blaen na cheir enghraifft ohonynt yn y gymhariaeth hon.

Nodiadau

Sylwer: yn gyntaf ar y gwahaniaeth rhwng y Traethodl a'r Cywyddau:

1. Mae'r amrywiaeth patrymau yn y Traethodl yn dlotach: un neu ddwy linell bedair acen (bosib) sydd.

   Yn achos y Traethodl, oherwydd amwysedd yr orffwysfa ac absenoldeb cynghanedd, gall fod sawl ffordd o ddarllen llinell.

2. Yn y Traethodl ceir helaethrwydd o linellau diacen ac amlder defnydd o bedwar patrwm arweiniol: arwyddocaol yn y Traethodl yw'r patrymau x/x /x/x, x/ x/x/x (iambig), sef trefn ryngwladol gorfannol adnabyddus ac yn Gymraeg ymhellach ymlaen yn y canu rhydd. Digwydd 19 ac 8 o weithiau.

3. Ymhlith y llinellau acennog yn y Traethodl, arwyddocaol yw'r patrwm xx/x/x/ yn y cyfnod cynnar ac y mae hynny'n dilyn y duedd yn y cyferbyniad rhwng GIG a GIF.

4. Mae helaethrwydd y patrymau acennog pedwar curiad gan y bardd diweddar yn drawiadol iawn. Dyma'r datblygiad cryfaf, ac mae'n dilyn y duedd yn y cyferbyniad rhwng GIG a GIF.

5. Diddorol sylwi ar bresenoldeb cryf xx/x //x yn Nhraethodl Dafydd, ei brinder yn ei Gywydd, a'i ailymddangosiad cryf yng ngwaith Lewys. Yna, xx/ x//x: ei absenoldeb yn Nhraethodl Dafydd, ymddangosiad pendant yn ei Gywydd, ac yna blodeuad yn GLM.

6. Fel gyda GIG ceir yn GDG xx/x /x/, xx/x x//, /xx/xx/ heb ddim yn GLM (fel GIF).
7. Ceir gan GLM x/x/ /x/, xx/ xx//, /xx/ //x heb odid ddim gan GDG. Ac y mae xx/ /xx/ beth yn amlycach gan GLM. Ond sylwer fod/xx/xx/ gan GDG sydd heb fod gan GLM, yn cyfateb i GIF.
8. Y patrymau cyffredin helaeth i'r ddau gyfnod yw xx/ x/x/ (29 o enghreifftiau), xx/x //x (36) ac x/x /x/x (39) unwaith eto.
9. Sylwer hefyd ar dri phatrwm gan Iolo Goch nas ceir gan Ddafydd.
10. Sylwer ar gyfartaledd y llinellau pedwar curiad mewn Cywyddau eraill o waith Dafydd ap Gwilym: (3) 1/12=8.3%; (4) 4/52=7.7%; (7) 6/36=16.7%; (8) 5/50=10.0%; (9) 7/62=11.3%; (10) 3/38= 7.9%; (25) 5/56=8.9%; (26) 1/46=2.2%; (27) 8/52=15.4%; (41) 4/40=10.0%; (48) 4/44=9.1%; (63) 13/74=17.6%; (80) 10/64= 15.6%; (122) 5/36=13.9%; (124) 5/70=7.1%; (126) 5/44=11.4%. Sef ar gyfartaledd: 10.8%

*   *   *

Ai'r gynghanedd sydd wedi meithrin (neu o leiaf wedi cyfrannu at) y defnydd o bedair acen (2 + 2)? Wedi'r cwbl,

(i) O gyfeiriad y mesurau Awdl, sef y mesurau deuol a'r mesurau seremonïol y daeth y Gynghanedd i'r Cywydd, yn ôl pob tebyg.

(ii) Oherwydd *cydbwysedd* y Gynghanedd, ac oherwydd yr angen technegol i gael *mwy o ystwythder* posibiliadau rhythmig a threfnol yn y llinell, rhoddai'r dewis 'deuol neu driol' y pwysau o blaid datblygiad o'r fath.

Y llinell fwyaf gweddus i dri churiad, fe ymddengys yw Cynghanedd Sain. Ond nid ymddengys fod hynny wedi atal dim ar y datblygiad deuol. Fel y mae ystyr yn 'annibynnol' ar gyfundrefn Odl, Mydr a Chynghanedd mewn Tafod, felly gall curiadaeth Sain ymbellhau oddi wrth yr uned driol i ryw raddau o ran mydr. Mae'r ffaith fod y tair elfen ofynnol mewn Sain, – Odl, Cytseinedd, Aceniad – yn mynych ymgryn-hoi yn y cyfnod cynharaf o gylch diwedd y llinell wedi mynnu rhagacen tua dechrau'r llinell; a hynny hefyd o bosib a arweiniodd at bedair acen. Sylwer: ym mhatrymwaith Sain – Odl/Odl + Cytseinedd/Cytsein-edd – mai Cytseinedd a flaendirwyd ychydig, yn gymaint ag y cafodd Odl safle isradd yn rhan gynta'r llinell, sef y rhan leiaf grymus, fel y cafodd le isradd braidd wrth gael lle mewn Cynghanedd Lusg y leiaf grymus o'r cynganeddion, ac mai Cytseinedd a neilltuwyd i goron y llinell. Gellid awgrymu i'r flaenoriaeth honno ddigwydd oherwydd bod y brifodl eisoes wedi blaendiro Odl yn yr adran honno.

(iii) Sylwn ar sydynrwydd ymddangosiad y ddau-guriad gyda'r Cywydd cynganeddol.

Yn SB 170-188, yn y bennod ar y 'Traethodl', ceisiais ddangos gwreiddiau'r mesur yng ngwaith y Cynfeirdd, pryd y daeth i'r golwg o fewn amrywiaeth y draethgan, gan ddatblygu drwy'r cwpled, yn fesur penilliol. Yna, yng nghyfnod y Gogynfeirdd cafwyd trawsnewid cynganeddol ymhellach o'r Traethodl i fod yn Gywydd. Datblygodd y mydr ymhellach wrth gorffori'r Gynghanedd yn y llinell mewn rhannau disgybledig.

Ceisiais ddadlau mai ychydig o fesurau tri-churiad a geid. Yn y mesurau llinellol a grwpiais yn ôl dau guriad (SB 89-93, 98) nodais y Cywydd Deuair Fyrion, Cyhydedd Naw Ban, Rhupunt, Traeanog, Cyhydedd Hir, Rhupunt Hir, a Thoddaid. Yn y mesurau a grwpiais yn ôl tri churiad sut bynnag (SB 94-98) ni nodais ond y Cywydd Deuair Hirion ynghyd â'r Englyn Milwr (a'r Unodl Union), y Gyhydedd Fer, y Naw Ban Drichur, a'r Awdl-Gywydd. Nid yw'r mesurau llinellol tri churiad hyn (ac eithrio Awdl-gywydd) ond yn amrywiadau cyhydedd ar yr un patrwm. Mae Rhian Andrews, B XXXVI, 15 yn gosod y Traeanog er mai croes yw'r dystiolaeth ganddi B XXXV 17, ymhlith y mesurau tri-churiad, lle'r wyf i, SB 90-91, 98, 128 yn dilyn CD 313, sef tri dau-guriad. Yn y symud rhwng 3 x 2 y Traeanog a 2 x 3 y Toddaid Byr ceir yr un math o amwysedd ag a gafwyd yn natblygiad y Canu Rhydd Cynnar rhwng yr uwch-corfan a chorfan cyfacennog y cyfnod diweddar. Sylwer yn ychwanegol fod y pennaf o'n hysgolheigion ym maes Cerdd Dafod, Dr Peredur Lynch, wedi dadlau 'mai Einion Offeiriad a ddug bedwar curiad yn hytrach na thri i'r gyhydedd fer'. (*Gwaith Einion Offeiriad a Dafydd Ddu o Hiraethog*, R. Geraint Gruffydd a Rhiannon Ifans, 1997, 5). Bellach, gw. *Dwned* 4 (1998), 59-74. Y mae'r llinell 'Gwennyeith yw gweith y gwythlawn deint' yn enghreifftio'r awgrym (GP 10).

Mae'n uniongrededd bron bellach i ystyried mai mesur oedd y Cywydd (neu'r Traethodl) a berthynai i'r werin ac mai mesurau oedd rhai'r Awdl a berthynai i'r Tywysogion. Gallai fod tuedd i'r cyfeiriad hwnnw yng nghyfnod yr Hengerdd; ond fy nhyb i yw bod traethganau Aneirin er enghraifft yn cynnwys cryn amrywiaeth o 'fesurau' *in embryo* nas dosbarthwyd yn rhy lym o ran swyddogaeth tan wedyn. Perthyn i'r Tywysogion weithiau ar achlysuron ysgafnach neu o leiaf llai amhersonol seremonïol, yr oedd yr Englyn hefyd.

O leiaf erbyn diwedd eu cyfnod ac yn sicr erbyn y bedwaredd ganrif ar ddeg yr oedd y rhaniad swyddogaethol yn ymddangos yn weddol glir.

Ond beth am y chweched ganrif?

Pwy a ŵyr? Mi dybiwn i mai siarad ar ein cyfer a wnawn os hawliwn fod y Cywydd yn hanfodol neu'n gychwynnol *werinol* a'r mesurau awdl yn hanfodol *uchelwrol*. Seremonïol oedd yr Awdl, diddanol ar achlysuron oedd yr Englyn efallai, ie yn y llys. Cyn belled ag y gellid barnu wrth edrych ar Lyfr Aneirin a cherddi Taliesin, gan gynnwys yr 'hwiangerdd' enwog ac Awdl-Gywydd 'Marwnad Owain', ac wrth sylwi ar y modd y mae'r Cywydd yn cymryd ei le yn gysurus yng Ngramadegau'r Penceirddiaid yn ochr yr Englyn a'r Awdl, ni hoffwn fod yn rhy bendant fod yna raniad dosbarth chwyrn yn *wreiddiol*.

Newidiodd wedyn, yn ddiau, adeg Beirdd y Tywysogion.

Caed miwsig pop i'r werin, a miwsig gwahanol i'r llys, mae'n debyg, tri-churiad mentrus i'r naill, dau-guriad ceidwadol i'r llall. Ond beth a ddigwyddai pan geisid rhoi tipyn o 'buzz' yn y llys? Beth a ddigwyddai pan geisid ei foderneiddio, neu pan oedd crach y llys yn ffansïo seiniau swynol y lliaws? A beth wedyn, a ddigwyddai i dôn y werin, pan oedd y rheini'n awyddus i ymbincio ychydig?

Y pryd hynny, benthyciad amdani.

Ond wrth fenthyca yn ddiarwybod o bosib, âi'r llys i barchuso ychydig ar y cynnyrch, efallai'n ymwybodol mewn ieithwedd a sŵn. Roedd peth o'r diwygio crefftus, megis y testunau mewnol yn ôl ffasiynau Ffrengig, yn ymwybodol. Dichon fod mabwysiadu'r Gynghanedd yn fwyfwy pendant hefyd yn ymwybodol. Ond rwy'n amau a oedd y symudiad o'r patrymau dwfn ac anymwybodol tri-churiad tuag at gorffori'r patrwm dau-guriad yn achlysurol yn ymwybodol o gwbl.

Hynny yw, yn y fan yma, gwelwn y symudiad rhwng dau syncroni ar hyd y diacroni: gwelwn atrefnu'r gyfundrefn waelodol rhwng dau gyfnod. Gadewch imi ddychwelyd at gymhariaeth o fyd iaith er mwyn esbonio'n fwy penodol sut y gellir yn isymwybodol atrefnu cyfundrefnau rhwng dau gyfnod.

Yng nghyfundrefn y ferf Gymraeg ceir yn rheolaidd, ac mewn ambell dafodiaith o hyd heddiw, y patrwm chwe-rhaniad (2 x 3) ar dympau morffemig (ar wahân i'r cyfuniadau cystrawennol). Hynny yw, yn anymwybodol o fewn y ferf gallwn olrhain y dadansoddiad ar amser. Yn ffurfiol (yn forffemig) yn *sylfeini'r* ferf BOD (sef yr unig ferf sy'n rheoli ein holl amgyffrediad o ddadansoddiad ffurfiol o amser), rhannwyd holl dympau neu amserau'r ferf yn chwe sffêr cyfnodol fel hyn ar ddwy lefel (gyda'r terfyniad -wn yn diffinio'r lefel):

A. Dirfodol	1 bues	2 wyf	3 byddaf

B. Darfodol	4 buaswn	5 oeddwn	6 byddwn
	(Gorffennol)	(Canol)	(Dyfodol)
	b...s		b..dd

Dyna'r fframwaith y cawn oll feddwl drwyddo (yn llenyddol o leiaf) wrth ddadansoddi ffurf dympol amser y tu mewn iddo.

Yn awr, dyna'r sythwelediad cyflawn. Ond o fewn hynny, y mae'r berfau eraill fwy neu lai i gyd yn bodloni ar *bedwar* tymp (1, 3, 4, 6) gan ddefnyddio'r ferf 'bod' yn gynorthwyol fel is-ferf i lunio tympau cyfan-sawdd i gyd ac i ffurfio pob presennol ac amherffaith go iawn. Hynny yw, y tympau cystrawennol.

Dyma'r ferf arferol anghyflawn, sef 'rhedeg', yn y Modd Mynegol mewn Tafod:

> rhedais rhedaf
> rhedaswn rhedwn

Gwelir mai chwe thymp sydd yn y ferf gyflawn, a phedwar yn y ferf anghyflawn. Yn y berfau anghyflawn (sef y berfau arferol) ffurfir y tymp presennol drwy ddefnyddio'r ferf 'bod' yn y presennol mewn cyfuniad agweddol, *yr wyf yn rhedeg*, a'r tymp amherffaith drwy ddefnyddio'r ferf 'bod' yn yr amherffaith. 'Cryno' yw'r holl gyfundrefn hon yw'r cnewyllyn yn 'bod', nid 'cwmpasog' (agweddol). Mae'n cyfleu tri chyfnod amser, a dwy lefel. Manylwyd ar y gyfundrefn hon ac arwyddocâd y gydberthynas fewnol mewn erthygl yn SC VIII/IX, 1973/74, 229-250.

Y safleoedd hyn a'r cyfeiriad delweddol o amser, ynghyd â natur y gydberthynas seml isymwybodol rhwng y delweddau hyn sy'n pender-fynu adeiladwaith hanfodol Tafod y ferf.

Dewch yn awr i sylwi ar gyfundrefn gyfoethocach o lawer Mynegiant y ferf, sef y 'gyfundrefn agweddol'.

Dylwn nodi nad 'geiriau' unigol sy'n adeiladu Tafod, eithr egwyddor-ion neu ffurfiau 'y gair' a'r gyfundrefn. Hefyd, dim ond ffurfiau medd-yliol neu egwyddorion tympau'r ferf ar gyfer holl gyfundrefn y ferf yn botensial sydd yno.

Sylwn sut bynnag ar gyfundrefn lawnach o lawer Mynegiant y ferf, un lawnach o safbwynt y dadansoddiad manwl o amser na'r chwe thymp uchod, sef 'y gyfundrefn agweddol'. Rhestraf – sylwer ar y gair 'rhestraf'

244

(y term sy'n addas mewn Mynegiant) – holl dympau gwahanol y gyfun-drefn agweddol mewn Mynegiant. Mewn *Mynegiant* yr adeiledir y rhain yn gystrawennol o'r darnau unigol (a gyfundrefnir yn forffemig mewn Tafod):

Mewnfodol	Trosgynnol	Dau-drosgynnol
(i) bues yn rhedeg		
(ii) yr wyf yn rhedeg	(iii) yr wyf wedi rhedeg	(iv) yr wyf wedi bod yn rhedeg
(v) byddaf yn rhedeg	(vi) byddaf wedi rhedeg	(vii) byddaf wedi bod yn rhedeg
(viii) buaswn yn rhedeg	(ix) buaswn wedi rhedeg	(x) buaswn wedi bod yn rhedeg
(xi) yr oeddwn yn rhedeg	(xii) yr oeddwn wedi rhedeg	(xiii) yr oeddwn wedi bod yn rhedeg
(xiv) byddwn yn rhedeg	(xv) byddwn wedi rhedeg	(xvi) byddwn wedi bod yn rhedeg

Heb fanylu ar hyn (manylwyd peth yn SC VIII/IX, ibid), gellir tynnu sylw at y modd yr adeiledir brics pob cystrawen unigol i lunio tymp newydd. Storir yr adnoddau ar ffurf cystrawen, a'u defnyddio i gyfleu manylder ymwybod o amser. Er bod yr egwyddorion ar gael mewn Tafod, y mae'r adeiladwaith unigol fel pe bai'n cael ei wneud ar y pryd. Bodola safleoedd a chyfeiriad delweddol y gyfundrefn agweddol mewn Tafod, ond y mae'r enghraifft wneuthuredig unigol megis y darn o eirfa unigol ar waith mewn Mynegiant.

Dyna'r cyferbyniad trawiadol rhwng natur Tafod a natur Mynegiant yn y Ferf. Dau gyflwr, dwy fodolaeth wahanol. Dau gyfnod (neu syncroni) i raddau hefyd, wrth i'r gyfundrefn agweddol ennill poblogrwydd yn y Gymraeg, yn y tair canrif ddiwethaf. Bu J. Morris-Jones yn milwrio'n ddewr yn erbyn i'r 'cwmpasog' ddisodli'r 'cryno', yn ei Ragymadrodd i *Y Bardd Cwsc.* Ond dyna enghraifft ieithyddol o dyfiant, mewn Tafod neu mewn cyfundrefn (drwy gystrawen), y gellir sylwi arno yn y cyfnod hanesyddol, fel y pryd y bu i Ogynghanedd y Gogynfeirdd gael ei disodli gan gyfundrefn y Cynganeddwyr, ac wrth i'r Cywyddwyr tair-acen dder-byn cyfuniad o'r deuol/triol. Newidiadau diymwybod neu anfwriadus, mae'n ymddangos.

Ond a gaf ddefnyddio'r un enghraifft, sef y dadansoddiad o Amser yn y ferf Gymraeg i amlygu newid diacronaidd arall yr ydym yn gallu ymwybod ag ef ar waith, ac y gellir ei chymharu â'r newidiadau y tystiwn iddynt yn y Gynghanedd. Sylwyd bod y dadansoddiad morffemig o amser yn y Gymraeg yn sylfaenol chwechol (dwy lefel; tri chyfnod). Pum safle morffemig sydd yn y dadansoddiad o amser yn y ferf Ffrangeg, dau safle morffemig yn y ferf Saesneg, sef Gorffennol ac Anorffennol (Y mae'r dadansoddiad Saesneg o amser hefyd bellach yn pwyso ar gystrawen a'r dull agweddol.)

Dyma, eto, yn debyg i'r newidiadau diacronaidd yn hanes Gogynghanedd a Chynghanedd, yr iaith yn cynnig atrefnu systematig go drawiadol yn y dadansoddiad morffemig o amser.

Atrefnu amser yr oedd y beirdd hwythau wrth ailfeddwl Mydr.

Yn y ferf 'bod' ei hun, yn y rhan fwyaf o dafodieithoedd Cymru erbyn hyn, dybiaf i (efallai fy mod yn cyfeiliorni, ond nid yw tafodieitheg fel arfer ysywaeth yn sôn am feddwl yr iaith), dim ond *pum* tymp a erys. Cymysgwyd rhif 4 uchod (buaswn) â 6 (byddwn);

'Byddwn i'n cytuno am hynny./Byswn i'n cytuno am hynny.'

Dau dymp amodol sydd yn y fan yna yn y lle 'cyntaf', ac wrth gwrs gollyngir un ohonynt fel arfer, gan lunio patrwm adeileddol o bum tymp. Dadansoddiad newydd o amser mewn Tafod.

Ond, yn ôl fel y clywaf i bethau, ceir rhai tafodieithoedd sydd yn diogelu'r hen wahaniaethau:

'Byddwn i'n mynd bob diwrnod ers talwm.' (Arferiadol)

'Byswn i'n mynd pe bai mam yn caniatáu.' (Amodol)

Hynny yw, ar hyn o bryd yn y Gymraeg yr ŷm yn dystion anymwybodol o newid anymwybodol. Yr ŷm mor anymwybodol am y newid rhwng dau syncroni ag yr oedd Dafydd ap Gwilym gyda mydr.

Dyna grwydro cwmpasog. Ond cymhariaeth oedd i amlygu'r math o wahaniaeth a geir rhwng cyfundrefn Tafod a chyfundrefn Mynegiant, hyd yn oed yn y Gynghanedd.

Dyna ymryson byw, felly, i adlunio ein ffurf o feddwl drwy'r dadansoddiad berfol am amser. Rhywbeth tebyg yw'r ymryson cyfredol rhwng dau guriad a thri churiad, sy'n mynd drwy gyfnod o drawsnewid yr ydym yn ei ganol ar hyn o bryd drwy ganiatáu'r naill a'r llall gyda'i gilydd. Credaf fod y trawsnewid ym mhaladr yr Englyn er enghraifft yn fwy ceidwadol nag yw esgyll yr Englyn (sef y Cywydd).

Mae hyn hefyd yn olwg anymwybodol ar amser – pwnc metaffusegol mawr, fel y mae mydryddiaeth oll, bid siŵr, (Yn wir, awgrymais yn SB mai yn ffurfiau anymwybodol iaith a llenyddiaeth y mae Hanes Athroniaeth Gymraeg hithau yn dechrau. Nid anghytunodd yr un athronydd Cymraeg hyd yn hyn! Heblaw amser, ceisiais untro hefyd wrth drafod y

Fannod – SC 10/11, 1976 – olrhain dechreuadau'r myfyrdod anym-wybodol Cymraeg ar berthynas Cyffredinolion a'r Arbennig.) Ond gwell i mi beidio â mynd ymhellach i'r gors honno ar ôl cau'r cromfachau.

Hyd yn hyn yn yr astudiaeth hon, ceisiwyd olrhain ychydig ar esblygiad ffurfiol o fewn Cerdd Dafod. Awgrymwyd bod symudiad wedi digwydd rhwng y bedwaredd ganrif ar ddeg a'r bymthegfed ganrif oddi wrth glywed tri churiadol (a ymddengys yn gynhenid yn y Cywydd a'r Englyn) tuag at glywed dau guriadol yr Awdl. Dyma'r miwsig 'newydd'.

		Cyfnod I	*Cyfnod II*
Awdl:	pencerdd:	dau guriad yn llywodraethol	dau guriad
Englyn:	bardd teulu:	tri churiad yn unig	tri churiad + dau guriad (yn arbennig yn yr esgyll)
Cywydd:	clerwr:	tri churiad yn unig	tri churiad + dau guriad

Cyfuno'r triol â'r deuol o ran uwch-corfannau'r Cywydd oedd prif chwyldro'r Gynghanedd yn ystod cyfnod Beirdd yr Uchelwyr. Dichon fod y gwamalu yn y cefndir rhwng y deuol a thriol yn y Gyhydedd Fer a'r gyhydedd Naw-Ban yn ffenomen wahanol, er yn ffurfiol gysylltiedig.

Yn awr, gellid dadlau mai atrefniad cyferbyniol mewn dosbarth cymdeithasol neu wleidyddol a gyfrifai am hyn. Gallai hynny fod yn wir. Ond gwell gennyf (yn wrth-Farcsaidd mae arnaf ofn) synied am yr ysgogiad mewn termau swyddogaethol. Newidiwyd ychydig ar swyddogaeth Englyn a Chywydd tuag at swyddogaeth yr Awdl, o'r diddanu i'r dathlu gyda'r un bobl.

Ond pwysicach na hynny yw cofio am ddau newid ffurfiol arall a oedd yn gyfredol, ac a allasai bwyso tuag at atgyfnerthu'r symudiad sefydliadol neu gyfundrefnus hwn. Sef y symudiad ffurfiol oddi wrth draethgan i bennill, a'r symudiad tuag at Ogynghanedd ac yna i'r Gynghanedd. Wrth ddiffinio pennill yr Englyn a phennill y Cywydd allan o gyfuniadau amorffaidd y draethgan (yn ogystal wrth gwrs â phenillion yr awdl) y cafwyd gogwydd tuag at gyferbyniad deuol syml a bwysleisia'r atyniad deuol o'r newydd yn hanes yr Englyn a'r Cywydd. Ceisio sylwi ar y gogwydd hwnnw tuag at y pennill mewn Tafod a wnawn yn y gweddill o'r ymdriniaeth.

*   *   *

Ond cyn hynny, gan bwysiced yw mesur y Cywydd, dichon y talai oedi i adolygu, er mwyn ystyried pa fath o wahaniaeth a geir pan symudir o'i Dafod i'w Fynegiant. Beth oedd arwyddocâd y mecanwaith arbennig hwn ar waith mewn un mesur penodol enghreifftiol? Cofiwn, beth bynnag fo'r dymer neu'r testun, mai cyffredinol ac undod 'annibynnol' ar y rheini o hyd yw'r Tafod ymddangosiadol sefydlog, a bod pob enghraifft o Fynegiant yn wahanol ac yn unigolyddol. Dyma sialens i integredd creu.

I *Tafod Mydr*

Os wyf yn gywir wrth synied mai triol oedd curiad llinell o Draethodl, ac iddo yn ystod ei fywyd wedyn fel Cywydd blygu o dan bwysau dylanwad mesurau mwy awdurdodol a bonheddig deuol mydr yr Awdl, yna bell-ach y mae'n rhaid ystyried dwy lefel neu gyferbyniad cyfun o fewn curiadaeth y Cywydd. Arweinir at gyfuniad curiadol deuol posibl. Cawn yn sylfaenol, wrth gwrs, guriad dibennol a llywodraethol y diwedd (neu'r brifodl), a hynny'n digwydd yn y llinell anghytbwys neu wahan-iaethol driol o brif acenion:

/ ‖ \ /

Patrymir o gylch dwy brif acen, ac un rhagacen yn yr ail ran (prif ran y brifodl). Cyferbynnir â hyn bellach y llinell gytbwys neu gytunus:

\ / ‖ \ /

Yn lle cyfundrefn unplyg dair-acen, lle y cafwyd ambell linell 'gyfeil-iornus' dan ddylanwad y Mesurau Deuol, fe gafwyd trefn newydd gyd-nabyddedig: cyfundrefn ddeublyg felly sy'n cyferbynnu'r anghytbwys â'r cytbwys.

Mynegiant Rhythm

Nid rheoleidd-dra sy'n diffinio Rhythm. Gellir cael saith sillaf rhythmig ac unigolyddol o ran cyhydedd 'Cywydd' potensial heb iddo dyfu i fod yn Fydr unigolyddol. Gall fod yn arferiad neu'n ddefod, a gynhelir ac a anogir ar yr wyneb gan y curiadau. Ond priodoleddau mwy cyntefig neu elfennaidd sy'n peri bod cyfundrefn yn cael ei hadnabod a'i chydnabod yn elfen mewn Tafod: yn fydr. Rhaid fyddai iddo gyferbynnu'n ddeuol neu'n driol, yn ôl egwyddor unol isymwybodol, megis distawrwydd/sŵn neu absenoldeb/presenoldeb.

248

Mae cyferbynnu'r deuol â'r triol yn ddull o ffrwythloni miwsig llinell. Un ffordd arddullegol ddiddorol dros ben a hynod ffrwythlon arall o gywreinio amrywiaeth rhythm mewn Mynegiant oedd drwy sefydliad y sangiadau. Er hyned yw, daeth i mewn i rythmau barddoniaeth Saesneg o fyd y Gynghanedd drwy gyfrwng gwaith gwefreiddiol Hopkins, ac adenillodd fywyd newydd yn y Gymraeg. Rhoddodd egni newydd i brydyddiaeth. Un o'n beirdd diweddar a fopiodd ei ben ar sangiadu ar un cyfnod oedd Derec Llwyd Morgan, e.e. ('Anhunedd y Ferch'):

> Y fandwf anghyfiawnder,
> yn dor-hun, fel lleidr ei her,
> heb un sŵn ofn, bob nos noeth,
> dôi, a dwyn, funud annoeth,
> bleser iawn blys rhieni
> yn oer oddi wrthym ni.
> Y ferch Facbeth, difeth dwrf,
> a nacâi in ein cynnwrf.

Dôi'r sangiad â phetruso, cymhlethu amodol, stacato ansicrwydd a sydynrwydd ar draws rhediadau llyfn.

II *Tafod Odl*
Datblygwyd Odl rynglinellol a chydlinellol (sef yr allwedd i bennill) (i) allan o absenoldeb odl, a (ii) y posibilrwydd o'i threfnu'n gypledol neu beidio, a (iii) oherwydd patrymau amrywiol, yn gytbwys acennog: (a) / | /; neu'n ddiacen (b) / x | /x; neu'n gyferbyniol ddeuol /|/x. Yr olaf (c) a ymsefydlodd yn yr Englyn a'r Cywydd oherwydd y cyfoeth o odlau a ddarperir yn y Gymraeg y tu allan i'r gair acennog, ac eto gan ddiogelu'r posibilrwydd o bendantrwydd, o urddas ac o ymdeimlad o derfynoldeb a brofir mewn sillaf acennog lai mynych.

Mynegiant Odl
Mae'r Odl derfynol (prifodl) yn darparu ffin, yn diffinio math o derfyn, gall feithrin y gerdd linellog, hynny yw yr un lle y mae pob llinell braidd yn ynysig ac yn gyfan go annibynnol. Mewn cwpled ar y llaw arall, y mae'r odl yn ddolen gydiol, yn clymu llinell wrth linell er mwyn llunio cyfres o adleisiau. Ac wrth gwrs, y mae hanes y Cywydd yn dangos bod y ddau fath yna, weithiau'r un pryd ar waith, ond weithiau yn codi ffasiwn mewn arferiad am gyfnod ac yn cydio yn ôl chwaeth nifer o feirdd yr un

adeg. Heblaw hynny y mae ffin o'r fath yn darparu sialens, gan bryfocio her i'w threisio neu'i threchu. Gellir goferu. Gellir ffurfio paragraffau traws-linellol, llyfn, nad yw'r prifodlau namyn addurn ynddynt, yn begynau symudiadol cymharol ddibwys, yn batrymol isadrannol, gan suddo o dan rym deinamig y gystrawen lywodraethol.

III *Tafod Cytseinedd*

Dyma ffordd arall o ddarparu ffin, o ynysu, ac o gyfrannu at y diffiniad o linell. Patrymir uned yn gyntaf yn ôl ailadrodd cytseiniol ac amrywio llafariadol, gan arwain oddi wrth debygrwydd at ollwng y rhannau cyferbyniol mewn gwahaniaeth. Yn ail, defnyddir yr elfen o odl ar ei phen ei hun, i'w chyferbynnu â'r math cyntaf o gytseinedd; ond corfforir ail ran yr odl yn y goben yn hytrach nag yn y sillaf olaf ddefodol a disgwyliedig. Ac yna'n drydydd, ceir egwyddor arall o gyfuno odli (a hynny'n ddiweddol arferol, ond yn fewnol i'r llinell) ynghyd â chyfatebiaeth gytseiniol sy'n arwain eto o ailadrodd a thebygu tuag at ddiweddu'n gyferbyniol ac yn wahanol. Carfenid y clystyru cytseiniol yn ôl ffactorau hydeiml disgybledig a âi lawer ymhellach na phatrymu trefn olynol gymharol seml, fel y tystia'r beiau gwaharddedig treiddgar.

Mynegiant Cytseinedd

Ceir ffasiynau yn y fan yma eto. Er enghraifft, ystyrir mewn un cyfnod mai'r Gynghanedd Groes oedd yr orau a'r gryfaf a'r fwyaf dymunol o'r cynganeddion oll; a gorau po fwyaf o'r cyfryw hil y gellid ei gynnwys mewn Cywydd. Mewn cyfnod arall credid mai'r Croes o Gyswllt a ragorai. Mewn cyfnod arall, y Sain. I'm bryd cyfoes i, os synhwyraf yn iawn, y mae'r Cywyddwyr mwyaf hyderus bellach yn barod i ddefnyddio'n llawn adnoddau amrywiol, tan werthfawrogi cyfrwysedd cyferbyniol a ffrwythlon pob un o'r mathau gyda'i gilydd, hyd yn oed tlodion fel Llusg.

Eto, ceir yn ddiau gyfnodau negyddol, yn arbennig yn achos y Gynghanedd Lusg druan, pryd yr alltudir un math o gynghanedd yn amlach nag y dylid efallai, megis yr alltudiwyd y Llusg o'r ail linell mewn cwpled.

Rhan II:
PENILLIOL/MESUROL

Ceir cyfatebiaeth rhwng y cyfundrefnau meddyliol sy'n gwneud iaith a'r rhai sy'n gwneud llenyddiaeth. Mydryddiaeth, ffigurau a throadau ymadrodd, a'r llenddulliau (neu *genres*): dyna'r meysydd ym myd llenyddiaeth lle y ceir cyfundrefnau sy'n hynod debyg i'r rhai ieithyddol. Gellir bod yn hyderus fod y gyfatebiaeth awgrymus, ym myd iaith, a geir yn y berthynas rhwng Tafod (*langue*) o'r golwg a Mynegiant (*parole, discours*) yn y golwg yn union debyg i'r math o berthynas a geir rhwng Cerdd Dafod a Cherdd Fynegiant, yn y meysydd llenyddol hyn. Ceir symudiad o'r cynnil i'r ffrwythlon. Trefnu yw swyddogaeth Tafod: ffrwythloni yw swyddogaeth Mynegiant. Mawl yw gwaith y ddau.

Wrth iddo archwilio'r berthynas o fewn cyfundrefnau iaith mewn Tafod awgrymodd Gustave Guillaume fod pob cyfundrefn yn hynod elfennaidd, yn sythwelediadol ddiymwybod. Wrth ddefnyddio iaith, ceir pwyntiau cyferbyniad cryno gorfodol o fewn pob undod, ac fel arfer fath o drefn amseryddol yn y modd y bydd y meddwl yn eithafol o sydyn yn dilyn y cyferbyniad mewn cyfundrefn. Ond nid pwyntiau ysgolheigaidd yw'r rhain byth. Ffurfiau yw'r cyfundrefnau iaith y gall plentyn eu storio o'r golwg yn y meddwl, a'u defnyddio'n ddisymwth heb bendroni amdanynt. Gwaith ymateb cyferbyniol 'difeddwl' fel petai yng nghefn y meddwl yw defnyddio cyfundrefnau iaith a llên fel ei gilydd. Sythwelediadau cysefin.

Yn ôl Guillaume, wrth i ysgolhaig wedyn olrhain adeiladwaith cyfundrefn ieithyddol yn y meddwl, sylwa fod pob pwynt cyferbyniol yn derbyn ei ddiffiniad neu'i arwyddocâd yn ôl ei safle yn y cydlyniad llawn. Hynny yw, nid defnyddio pwyntiau gwahân a wna'r siaradwr syml na'r llenor yn eu tro, ond defnyddio pwyntiau o fewn perthynas. Defnyddir cyfundrefn. A'r berthynas honno sy'n diffinio ergyd pob defnydd.

Perthynas ydyw yn ôl trefn olynol. Hynny yw, y mae i bob cyfundrefn mewn iaith a llên fel ei gilydd fan cychwyn, angor, neu safle meddyliol dechreuol. Er mwyn cyferbynnu fe gaiff y pwyntiau cynnil, sy'n cydadeiladu cyfundrefn, eu harwyddocâd yn ôl trefn genhedlol ac iddi siâp ystyrlon ac iddi bwynt tarddiadol. Ac mae'n arwain at ddiben eithaf penodol.

Hynny yw, wrth olrhain adeiladwaith cyfundrefn mewn iaith neu lên, ceir math o gronoleg yn y ffordd y mae'r meddwl yn gweithio, olyniaeth ym mherthynas y pwyntiau gwahanol sy'n ei chydlynu. Mae darganfod y

251

gronoleg honno yn dweud wrthym rywbeth am y ffordd y mae'r meddwl llenyddol yn trafod ffurf.

Yn awr, o gam i gam y mae'r meddwl llenyddol yn adeiladu ffurfiau. Wrth ystyried adeiladwaith ffurf lenyddol yn y meddwl, a'i chydberthynas, ac wrth sylwi bod iddi fan cychwyn ac olyniaeth drefn, gellir gweld math o gyfatebiaeth rhwng y drefn sy'n hanfodol i'r meddwl a threfn tyfiant y ffurf mewn hanes. Ond rhaid bod yn ofalus gyda'r math hwnnw o gasgliad.

Mae yna fath beth â *chronoleg ffurfiol mewn Cerdd Dafod* na raid iddi fod yn unol â'r gronoleg hanesyddol.

Y gymhariaeth orau i esbonio gosodiad rhyfedd o'r fath fyddai tympau'r ferf. Yn gronolegol yn yr ymwybod, y gorffennol sy'n rhagflaenu'r presennol sy'n rhagflaenu'r dyfodol. Dyna symudiad hanesyddol twt yn y meddwl. Ond i'r plentyn wrth ddysgu iaith, fel arfer, ac wrth i oedolyn ddod o hyd i ganolbwynt disgyrchiant meddyliol i fwrw golwg ar y byd, ymsefydlir yn gyntaf yn y presennol; eir i'r gorffennol 'sicr' wedyn, sef y presennol a brofwyd eisoes, y presennol ar gof; ac yna i'r dyfodol 'ansicr', y presennol mewn gobaith neu ddisgwyliad. Felly y tyf yr ymwybod o amser wrth ddysgu iaith. Mae'r cydlyniad o amseroedd yn diffinio'i gilydd yn ôl swyddogaeth cyfundrefn. Dyma'r ansicr neu'r ansefydlog o fewn rhagdyb y sicr neu'r sefydlog.

Felly, y mae'r sawl sy'n chwilio cronoleg ffurf y meddwl yn cael tasg wahanol i'r sawl sy'n dilyn cronoleg digwyddiadau olynol.

Ceisio olrhain a wnaf yn yr ymdriniaeth hon y berthynas mewn datblygiadau *ffurfiol* ar eu mwyaf elfennol, hynny yw drwy ddechrau gyda'r math o gyfundrefn sy'n angenrheidiol ar un adeg o ymateb cyn y gellir mabwysiadu cam arall yn yr ymateb. Hynny yw, ceisio rwyf olrhain cydlyniad deinamig ffurf yn y meddwl isymwybodol.

Diau ei bod yn swnio'n od ei bod yn bosib i gronoleg ffurf fod yn wahanol i gronoleg hanesyddol. A dichon y byddai enghraifft bellach o gymhariaeth yn gymorth i esbonio'n llawnach. Gall plentyn ddysgu (o ran twf neu ddatblygiad meddyliol 'naturiol') gymharu ansoddeiriau yn y drefn hon: trwm, trymaf, trymach: hynny yw, gosod y fframwaith allanol eithaf cyn llenwi'r canol, dyna'r gyfundrefn gyntaf o ran trefn – yr eithafion. Dyna'r pam y defnyddir y radd eithaf wrth gymharu 'dau' yn y Gramadeg. Mae'r gronoleg ddatblygol y pryd hynny yn wahanol i'r gronoleg ffurfiol ymddangosiadol. Felly hefyd, gellid synied am yr Englyn Milwr o'i gyferbynnu â'r Cywydd Deuair Hirion nid fel ychwanegu llinell ar y diwedd, eithr fel ychwanegu llinell yn y canol drwy'r hyn sydd eisoes yn adeileddol gyntaf ac yn olaf, aros yn fframwaith i'r tair llinell yn grwn felly. Hynny yw, ni chaniatéid Cynghanedd Lusg yn y llinell olaf o hyd. Ond pa lwybr bynnag a ddewisid, ceid amodau naturiol cyflawn ar y pryd yn y fframwaith ei hun y mae modd eu holrhain.

Ond yn hanes ffurf ceir 'ymyrraeth' weithiau gan ffactor newydd annisgwyl. Cymerer mydryddiaeth gyffredin.

Yr acennu, wrth gwrs, sy'n cynnal mydryddiaeth llinell. Yr ydys yn tybied, er na ellir ei brofi ar hyn o bryd, fod yna gyfundrefn o acenion traw (sef 'pitch': y dôn) ar waith yng ngwaith y Cynfeirdd – ac nid o acenion pwys (sef 'stress'). Ar ôl colli sillaf olaf y Frythoneg, arhosai'r hen oben bellach yn effeithiol yn sillaf olaf o ran safle am y tro. Hynny yw, roedd yr acen bwys a'r acen draw ar y sillaf olaf. Tybir bod yr hen acen bwys wedi aros ar y sillaf honno am ychydig, ond bod ei hynt wedyn yn wahanol i hynt yr acen draw. Cafwyd cyfnod o ansicrwydd i'r acen bwys, (cafwyd atrefnu iddo maes o law): yn yr acen draw y ceid y sefydlogrwydd arwyddocaol newydd, a honno ar y sillaf olaf ar y pryd yn yr iaith newydd, fel yr erys o hyd. Disodlwyd hyn erbyn amser y Gogynfeirdd gan gyfundrefn newydd o acenion pwys (fel arfer ar y sillaf olaf ond un) fel sydd gyda ni heddiw, gan mwyaf. Dyma un o'r gwahaniaethau ffurfiol mawr rhwng iaith lenyddol y Cynfeirdd a'r Gogynfeirdd. (Ai gormod yw synied mai hyder symud yr acen bwys a greodd Feilyr a'i gyfoeswyr?)

Derbynnir yn gyffredinol fod yna adeg, wedi colli sillaf olaf geiriau'r Frythoneg, pryd y symudwyd safle'r *acen bwys* gan bwyll o'r sillaf olaf i'r goben newydd. Ond pa fath o gyfnod o drawsnewid a geid ar y pryd? Damcaniaethai CD 137 fod yna gyfnod o bwys cyfartal. Mae'n weddol sicr fod yr *acen draw* yn gymharol ddigyfnewid drwy gydol y datblygiad hwnnw. Carwn awgrymu mai'r acen draw, yn ystod y cyfnod hwnnw, fyddai'r acen gynhaliol. Gwelir arwyddocâd posibl yr acen draw, sy'n rymus o hyd yn y Gymraeg (e.e. mewn geiriau megis 'da yn lle 'gyda' yn Nyfed, 'lly yn lle 'felly' yng Ngwynedd) yng nghyfundrefn anghyfacen prifodli'r cywydd (/x l/ neu /l/x) ac mewn odli llusg lle y mae'r acen draw 'ddiacen' yn gallu bod yn ddigon sylweddol i ateb yr acen bwys ddiweddar (SB 71-3, 187-8).

Wrth archwilio curiadau pwys llinell y Cywydd a'r Englyn yn Rhan I y bennod hon, gwelsom eisoes ryw fath o symud ffurfiol o'r cwlwm triol (yn acennol) 'yn ôl' tua'r deuol, ynghyd â math o amwysedd lle yr arhoswyd ar ganol yr esblygiad hwnnw. Ac mewn modd cyfredol, ceir cyferbynnu deuol a thriol yn y clymiadau penilliol (o ran nifer y llinellau) rhwng llinellau Cywydd ac Englyn. Bellach, yn ffurfiad y pennill cawn weld, yn wrthwyneb, symud o'r deuol i'r triol nid mewn aceniad ond mewn cyfuno elfennau llinellol: siarad yn ffurfiol neu'n seicofecanyddol yr ydys, gan na siaradaf yn hanesyddol ond cyn belled ag y mae'n rhaid i dri ddilyn dau.

Ymddengys fel pe bawn yn awgrymu yn y fan yma o ran ffurf fod yr Englyn Unodl Union yn *dilyn* y Cywydd, ac y mae hynny'n wir cyn belled ag y mae tri yn adeiladwaith i ffurf feddyliol sy'n estyniad helaethach na dau. Ond mewn gwirionedd, gellid dadlau hefyd fel arall yn ffurfiol fod yr Englyn Penfyr, sydd wedi'i seilio ar ddeuoliaeth *gyferbyniol* (hir a byr), ar ryw olwg yn rhagflaenu'r Cywydd sydd wedi'i seilio ar ddeuoliaeth *ailadroddol* (llinellau 'cyfartal'). Yn ffurfiad adeileddol y meddwl y mae cyferbynnu yn broses o ddiffinio dechreuol (a heb gyferbynnu ni ellir mynd ymlaen at adnabod ailadrodd); hynny yw, y mae'r gwahaniaethu'n rhagflaenu ailadrodd ym mecanwaith y meddwl. Ni ellir sylwi ar debygrwydd heb ymwybod ag annhebygrwydd. Annhebygrwydd sy'n 'diffinio'n' gyntaf. Nid ydys yn cyffredinoli, nes bod arbenigoli neu unigoli yn ei ragflaenu. Nid ailadroddir yn effeithiol nes ynysu neu ffinio neu unigolyddu yr uned wahaniaethol i'w defnyddio. (Trafodwyd datblygiad yr Englyn a'r Cywydd o'r blaen yn lletach mewn rhai ffyrdd yn SB 108-140, 170-188).

Cyfuniad yw pennill o gyferbynnu ac/neu ailadrodd. Ni cheir pennill heb o leiaf ddwy linell. Llunnir y pennill felly drwy gyfuno llinell a llinell (a llinell a.y.b.). Adeileddir holl gyfundrefn y pennill mewn Cerdd Dafod hefyd yn ôl – A. Amrywiadau ac ailadroddiadau lled (h.y. hyd y llinell), B. Amrywiadau ac ailadroddiadau hyd (h.y. parhad y pennill). Diffinnir pob pennill yn ôl y naill *a'r* llall o fewn undod.

A. YN ÔL CYHYDEDD (Modd y berthynas rhwng llinell a llinell):

Gellir cyfuno mewn dwy ffordd sylfaenol: e.e.

  (i) Drwy *gyferbynnu* lled (llinell hir + llinell fer): Englyn Penfyr; neu

  (ii) Drwy *ailadrodd* lled (llinell yr un hyd + yr un hyd): Cywydd Deuair Hirion.

B. HYD YR UNED BENILLIOL (Maint y berthynas rhwng llinell a llinell):

Mae'r grwpio cyfuniadau'n sylfaenol draddodiadol yn ôl dau faintioli (neu nifer) mewn cyplysiad llinellol:

(i) Cyplysu deuol: Englyn Penfyr, Cywydd Deuair Hirion (cf. Cywydd Deuair Fyrion); neu
(ii) Cyplysu triol: Englyn Unodl Union, Englyn Milwr.

Dyma'r ddwy uned benilliol leiaf. Gall pennill fod naill ai'n syml neu'n gymhleth:

(1) Syml: sef cyplysiad deuol neu driol, y cnewyllyn: un uned + un uned (+ un uned), e.e. Englyn Penfyr, Englyn Milwr.
(2) Cymhleth: cydadeiladu deuoedd a/neu drioedd gan ddefnyddio brics a wneir o'r cyfuniadau syml hyn, e.e. Hir-a-Thoddaid.

Gellid cymharu'r gwahaniaeth rhwng Brawddeg Seml (Prif Gymal) a Brawddeg Gymhleth (Prif Gymal ynghyd â chymal(au) isradd).

Yng nghyfnod ý Cynfeirdd, hyd yn oed yn ôl swyddogaeth y Bardd Teulu, defnyddid yr Englyn mewn dwy ffordd. Cyn gynted ag y ceid enghreifftiau o'r Englyn, ymddengys y *gellid* defnyddio'r ffurf honno gan Bencerdd megis Aneirin ochr yn ochr â mesurau Awdl *o fewn* traethgan, ond mai gweithredu fel Bardd Teulu a wnâi ar y pryd. Ond pan weithredid yn swyddogaeth Bardd Teulu maes o law, megis gyda'r sagâu, yr Englyn yn unig ac yn 'annibynnol' ar fesurau eraill a ddôi'n briodol (o bosib ynghyd â defnydd cyfredol cynyddol o'r Cywydd ymhlith y 'bobl'). Ac nid arferol mwyach oedd y mesurau Awdl. Hynny yw, yn y rhaniad rhwng y tri dosbarth o fesurau – Awdl, Englyn, Cywydd, – yr oedd yr Englyn yn bont. Swyddogaeth y Bardd Teulu oedd biau'r Englyn yn ei gyflwr annibynnol, er bod angen peidio â gorsymleiddio'r rhaniad hwnnw (fel y dangosodd Dr Nerys Ann Jones yn fedrus iawn). Felly, yn 'Breintiau Gwŷr Powys' gan Gynddelw, y mae Cynddelw fel pe bai'n cynrychioli'r uchelwyr 'yn erbyn' y pennaeth; ac felly yr 'Englyn' (ond yn Doddaid Byr ynghyd â Chyhydedd Fer) sy'n briodol. Gwaith Bardd Teulu yw. Drachefn ym Marwnad gosgordd Owain Gwynedd gan Gynddelw (o'i chyferbynnu â Marwnad Owain), Englynion sy'n briodol. Dyma eto swyddogaeth Bardd Teulu yn llythrennol. (Eithr sylwer: caniatéir Mawl i Lywelyn ar ffurf Englynion, CBT IV rhif 13). Cyfeiria'r golygyddion at dair cerdd mewn Englynion sy'n gerddi i'r 'teulu', sef Englynion Dadolwch yr Arglwydd Rhys, ac Englynion i osgordd Madog ap Maredudd pan fu farw gan Gynddelw, ac Englynion cylchu Cymru o waith Owain Cyfeiliog. Saif swyddogaeth y Bardd Teulu felly rhwng y Tywysog a'r bobl; ac felly'r Englyn. Sylwer ar y term 'Englyn Milwr'.

Mewn nodyn ataf, mae Peredur Lynch yn gofyn am natur unigryw yr englynion newydd hynny (Toddaid Byr + Cyhydedd Fer), a yw'r ffurf fydryddol yn arwydd ei fod wedi meddiannu gofod rhwng yr haen uchelwrol a'r haen frenhinol? Hynny yw, ai cyfuniad yw o'r Awdl a'r Englyn? Onid yw'r bardd yn cyfryngu ar ran y gwŷr rhydd ac yn lleisio'u cwyn wrth y tywysogion?

Rhaid diffinio *mesur* yn ôl natur llinell neu/a natur pennill. Ymhellach ymlaen yn y gyfrol hon, wrth drafod arbrofi, cawn weld fod yna ddau fath o arbrofi – arbrofi llinellol ac arbrofi penilliol. Neu arbrofi cynganeddol ac arbrofi mesurol.

Mesur llinell yw pan fo'n rhaid wrth linell arall, cyn iddi allu sefyll. Llinell mewn mesur pennill yw Toddaid a Thoddaid Byr, Cywydd (sef *un* o'r ddeuair hirion) ac Awdl-gywydd gan fod rhaid iddynt wrth gwmni neu gynhaliaeth. Ond felly hefyd Cyhydedd Fer, Cyhydedd Naw Ban, Toddaid, Traeanog, Cyhydedd Hir a Rhupunt. Ond mesur pennill yw Englyn (megis Clogyrnach, Gwawdodyn, a Hir-a-thoddaid), ac fe all, fel y gwelsom, gynnwys y naill a'r llall o'r moddau o linellau, y cyferbyniol a'r ailadroddol. Nid anghyffredin yw cyfuno mesur llinellol deuol â mesur llinellol triol, fel yn achos y Clogyrnach neu'r Englyn diweddar (a'r Englyn cynnar hefyd ym marn Peredur Lynch, sy'n canfod y Toddaid Byr yn fesur deuol am gyfnod). Hynny yw, elfen mewn mesur pennill yw mesur llinell.

Gwneir rhai o'r mesurau pennill o elfennau amryfal, boed yn gyffelyb neu'n wahanol. Ansawdd yw llinell, cyfansawdd yw pennill; a dylid eu trafod yn ddwy gyfundrefn berthynol ond ar wahân. Nis gwnaeth J. Morris-Jones.

Camarweiniol, am amryw resymau, yw sôn am bedwar mesur ar hugain heb arddangos y dosbarthiad dwyochrog, a'r rheswm pennaf yw na ddosberthir tebyg gyda thebyg. Mesurau llinell yw rhai, a mesurau pennill yw'r lleill. Mesur llinell, fel y gwelsom, yw Rhupunt: mesur pennill yw Gwawdodyn. O fewn y cyd-destun hwnnw y cydnabyddwn y Toddaid Byr sydd yn yr Englyn yn fesur llinell. 'Llinell hir' yw.

Gellid damcaniaethu mai'r un mesur llinell, yn ei hanfod curiadol, oedd Cywydd Deuair Hirion â Chhyydedd Fer. Tri churiad a oedd i'r naill neu'r llall pan nad oedd cyfrif sillafau yn achos mynd i'r stanc. Dod i ymwybod â chyfundrefn Cyhydedd mewn Mynegiant (hynny yw, nifer y sillafau) a'u gwahaniaethodd. Ond wrth eu henwi, hynny yw wrth fathu termau ar eu cyfer daethpwyd i syllu ar y Cywydd Deuair Hirion o gyfeiriad y Cywydd Deuair Fyrion (yng nghyd-destun cymdeithasol cywydda) a'r Gyhydedd Fer o gyfeiriad y Gyhydedd Hir (yng nghyd-destun cymdeithasol yr Awdl). Dichon ar y dechrau nad ymdeimlid â'r nifer o sillafau yn uniongyrchol o gwbl. Gan bwyll, gwahaniaethid drwy fod cyhydedd yn ymsefydlu fel 'disgyblaeth' neu gyfundrefn mewn Mynegiant. (Dyma hefyd amser gwahaniaethu rhwng Englyn Unodl Union a Byr-a-Thoddaid.) Anodd bod yn sicr sut y datblygwyd ar sail ymwybod syml o batrwm curiadau i ymdeimlo â mesurau pennill allan o amrywiaeth traethgan. Dichon mai deddfau eraill heblaw deddf y tri churiad, ond deddfau curiadol o ryw fath (megis perthynas prif guriad a phatrymau ymdeimledig o sillafau diacen) a ogwyddai'r beirdd: ymdeimlo a wneid â chyhydedd wedi'i datganoli. Hynny yw, nid cyfrif sillafau ar hyd y llinell fel y cyfryw a wneid ond ymateb i grwpiau: yr oedd y cwbl yn isymwybodol ac yn ymwneud ag ymateb i unedau mydr, ac nid i gyfrif ar fysedd. Gellid awgrymu camre elfennaidd megis:

1. Ymwybod â chyferbyniad 1 x 2 neu 2 x 2.
2. Cyplysu sillafau diacen ynghyd â churiad acennog: 1 + 1, neu 1 + 2/2 + 1.
3. Oherwydd yr ail gam, byddai'r ffiniau sillafog cyfyngedig yn tyfu, tan ganiatáu cyhydedd. Yr oedd yr ail gam yn agor y llinell i fwy nag ymwybod o brif guriadau. Sôn yr ŷm am ddatblygu isymwybodol elfennaidd sythwelediadol.

Ymhlith y chwyldroadau a ddigwyddodd rhwng y Cynfeirdd a'r Gogynfeirdd gellid cyfrif sylfaenu trefn reolaidd y pennill ymhlith y rhai mydryddol awdlog. Eisoes, gyda'r Cynfeirdd, fe genid mewn penillion yn y traddodiad Englynol gyda'r carfanu curiadol yn datblygu'n drioedd. Ceid yn gynnar rai tueddiadau penilliog eraill. Ond yn y traddodiad mwy ceidwadol awdlog cenid at ei gilydd o hyd fesul llinell (mesur llinell), mewn 'paragraffau' (yn y meddwl) neu'n ddi-dor yn draethganau. Gellid amrywio y patrwm mesurol o fewn y llinell, o linell i linell, er cadw'r carfanau curiadol yn ddeuoedd. Mae penillion deuol yn dynnach na rhai triol o ran hanfod, ac efallai o'r herwydd yn fwy 'urddasol' gryno, yn fwy seremonïol drymach nag a geid yn y traddodiad Englynol. Ond yr Englyn, efallai'r Unodl Union â'i gyferbyniad (sef yn ôl yr egwyddor o gyferbyniad), a greodd y mesurau Awdl.

Rhaid bod miwsig awdlog dibennill y Cynfeirdd yn bur wahanol i'r math o arddull y mae ein clustiau ninnau'n gyfarwydd ag ef, o leiaf gyda gwaith diweddar cyn yr ugeinfed ganrif. Nid oedd dim o'r un ymdeimlad o undodau crwn i draethgan, gyda diwedd disgwyliedig, ac

eithrio yn yr Englyn cryno. Fesul paragraff y cenid, gan amrywio weith-
iau, yn arbennig yn y cyfnod cynnar o linell i linell, o ran siâp. Gall y
ffurf benilliol wedyn fod wedi datblygu o dan ddylanwad miwsig mwy
ailadroddol yr Englynion neu o dan ddylanwad miwsig estron Lladin ac
eglwysig.

Yr Englyn yw tad y mesurau. A'r hyn oedd Dafydd ap Gwilym i'r
Cywydd Deuair Hirion, hynny oedd Cynddelw Brydydd Hir i'r Englyn
Unodl Union. Cynddelw, mewn gwirionedd, oedd pencampwr y Gyhyd-
edd Fer, y Traeanog, y Clogyrnach, a'r Englyn. Tybed a yw'n henglynwyr
cyfoes yn gwrogi iddo fel y gwna'n cywyddwyr i Ddafydd?

Yr hyn a wnaeth y pennill Awdl yn bosibl ac yn ymdeimledig oedd
sefydlu ambell gyferbyniad neu gyfuniad yn arferiadol. Allan o'r tryblith
o gyferbyniadau amrywiol llinellol dechreuai ambell un hoffi'i gilydd, y
Gyhydedd Hir a'r Gyhydedd Naw Ban er enghraifft (B. V, 1929-31, 96-
100). Yn arferiadol yr ymsefydlai ambell gyfuniad felly mewn Mynegiant
i ddechrau, megis y Gwawdodyn: wedyn cawsant statws sefydlog bod yn
aelod o gyfundrefn.

Yn y proses hwn o lunio *penillion*, yn sgil yr Englynion a sefydlwyd
eisoes yn benillion gan y Cynfeirdd, Meilyr Brydydd ei hun yn ôl pob
tebyg oedd yr arweinydd newydd. Dechreuai ddarganfod rheoleidd-dra
wrth gyfuno mesurau llinellol. Dyna a gafwyd ym Marwysgafn Meilyr
Brydydd. Ac yr oedd hyn wrth gwrs yn cyd-fynd â miwsig a oedd yn
ymffurfio'n fwy rheolaidd. Dilynwyd ef yn fuan gan ei fab Gwalchmai:
Cyhydedd Naw Ban a Chyhydedd Hir, gydag ambell Doddaid. Wedyn
cyfunwyd Traeanog a Chyhydedd Fer. Roedd y cyferbynnu penilliol, a
wnaethpwyd yn 'derfynol' yn nhraddodiad yr Englyn, bellach yn cael ei
ddefnyddio gyda mesurau llinellol eraill i wneud penillion awdlog.

Onid teg casglu mai'r mesurau hwythau a greodd Feilyr?

Gellid dosbarthu'r mesurau oll, yn ôl fel y maent –

(1) yn ddeuol (o ran grwpiau *curiadol*): Cyhydedd Naw Ban,
Traeanog, Toddaid, Cyhydedd Hir, a.y.b.;
neu'n driol: Cyhydedd Fer, Awdl-gywydd, Toddaid Byr (yn
amwys gydag olion o bosib o hen drefn ddeuol), Cywydd
Deuair Hirion (yn amwys gydag enghreifftiau cynyddol o
drefn ddeuol newydd);

(2) yn unawdol, hynny yw, gellir defnyddio'r mesur *heb yr un arall
gwahanol* i'w gynnal mewn awdl: Awdl-gywydd, Rhupunt,
Cyhydedd hir, Cyhydedd Naw Ban;

258

neu'n ddibynnol, hynny yw, rhaid defnyddio mesur arall gydag ef o fewn awdl: Toddaid Byr (gw. Peredur Lynch, 'Yr Awdl a'i Mesurau', yn *Beirdd a Thywysogion*, gol. B. F. Roberts a Morfydd E. Owen, 260);

(3) yn fesur llinellol: Cyhydedd Fer, Cyhydedd Naw Ban, Toddaid Byr, Toddaid, Traeanog, Cyhydedd hir, Rhupunt, Awdl-gywydd;

neu'n fesur penilliol: Englyn Unodl Union, Gwawdodyn;

(4) yn llinellau cyferbyniol hir/ byr: Toddaid Byr, Englyn Penfyr; neu'n llinellau gogyhyd neu ailadroddol: Cywydd Deuair Hirion, Englyn Milwr.

Pan ŷm yn sôn am 'ddeuoedd' neu am 'drioedd' mewn Cerdd Dafod, ymwneud yr ŷm â dwy o egwyddorion sylfaenol ffurf gelfyddydol – y ffaith ei bod yn dibynnu ar amrywiaeth ynghyd ag undod. Felly hefyd deall: dirnad ac amgyffred, gwahaniaethu ac uniaethu. 'Gwahuniaeth': dyma'r ffordd y mae'r meddwl dynol yn gorfod gweithio hyd yn oed wrth drafod mesurau.

Fel y cafwyd cyferbyniad rhwng llinellau ddwy-acen, felly y cafwyd cyferbyniad rhwng clymau dwy-linell a rhai tair-llinell a'u cydadeiladu'n benillion drwy gyferbynnu ac ailadrodd.

Diwedd cyfnod y Gogynfeirdd, sef cyfnod Gruffudd ab yr Ynad Coch yw gwir gyfnod sefydlu'r pennill aeddfed. Anodd gwybod wrth gwrs pa bryd yn union y mae traethgan yn troi'n bennill gorffenedig, hynny yw Mynegiant achlysurol o'r fath yn troi'n Dafod cyson. Mae'n amlwg fod rhai mesurau'n cyd-ddawnsio'n hapus. Fe welir yr ymsefydlu penilliol hwn ar ei egluraf pan geir nifer benodol o linellau ynghyd â chyfer-byniad rhwng llinell hir (sef 'pennill' hir y Gramadegau) a llinellau byrion. Sylwer, felly, ar Fyr-a-Thoddaid: dywed y Gramadeg (GPII) y gellir cyfuno Toddaid Byr a 'kymeint ac a vynner o bennilleu byrryon o wyth sill bob vn onadunt'. Am y rheswm hwnnw y dywed John Morris-Jones (CD 335): 'Nid pennill yw hwn.' Ni chyfyngwyd yn ymwybodol ddeddfol ar y nifer o linellau tan gyfnod Simwnt. Enghraifft o waith Gruffudd ab yr Ynad Coch a roir gan Einion.

Y Gwawdodyn a'r Clogyrnach ('dull Cynddelw') yw'r penillion pwysig pendant cyntaf wedi'r Englyn. Mae'r naill a'r llall yn cynnwys dwy linell fer ynghyd ag un llinell hir – megis yr Englyn Unodl Union ei hun: ailadrodd a chyferbyniad. Fe'u dilynwyd gan y Gwawdodyn Hir (a oedd yn dal yn draethgan yng ngramadeg Einion), a chan fesurau Einion ei hun sef Hir-a-thoddaid a Chyrch-a-chwta.

Datblygiad angenrheidiol yn hanes y pennill oedd cyfyngu ar y nifer o linellau yn y cyhydeddau hir a byr: dau gwpled o Gyhydedd Fer a dau o Gyhydedd Hir, heb gyferbynnu ond y safleoedd o fewn y pennill, dechrau a diwedd. Mae John Morris-Jones (CD 361-2) yn hwyrfrydig iawn i alw'r rhain yn benillion. Fy nhuedd i yw eu hystyried yn benillion mewn Mynegiant.

Gwelwn y pennill yn awr yng nghyd-destun mydr y llinell fel cymhariaeth gyfredol. Datblygodd y pennill yntau yn ddeuol ac yn driol ei adeiladwaith, hynny yw, o ran lled yr uned benilliol (yn nifer y cyplysiadau). Rhwng y bedwaredd ganrif ar ddeg a diwedd y bymthegfed, o fewn y cynganeddion hefyd, cafwyd symudiad amlwg o drioliaeth Cynghanedd Sain tuag at ddeuoliaeth y Groes. Ac yn ddiau, yr oedd yr holl gyferbynnu deuol a thriol hwn, ar lefelau gwahanol, yn digwydd yr un pryd, ac yn gryn ddylanwad ar ei gilydd.

Ar ryw olwg, yr oedd y Gogynfeirdd yn ymddangos yn gymysgedd o'r solet sefydlog ac o'r cyfnewidiol chwyldroadol. Dyma wir gyfuniad celfyddyd.

Er mai mwynglawdd i geidwadaeth, os ceidwadaeth radicalaidd ddifyr, yw'r Gramadegau, ceir ymdeimlad clir ynddynt fod yna newid ar gerdded. Yr ansefydlog o fewn y sefydlog. Ar ryw olwg, adweithiol oedd Gramadegau Einion Offeiriad a Dafydd Ddu fel ei gilydd. Pleidient fath o geidwadaeth brydyddol radicalaidd ynghanol Chwyldro. Doent ar ddiwedd cyfnod. Yn gyfoeswyr i Ddafydd ap Gwilym cyflwynent y mesurau 'digynghanedd' a oedd eisoes yn mynd yn anffasiynol. Traethodl, nid cywydd go iawn. Soniai Dafydd Ddu am beidio â chanu serch i wragedd priod; a rhaid bod hynny'n amlwg, ac o bosib yn y llys yn ffasiwn newydd. Ffordd o ganmol uchelwr oedd canmol ei wraig. Ond llithrig oedd y llethr honno. Nid oedd y Gramadeg ieithyddol ei hun ganddynt yn weithredol nac yn ymarferol bedagogaidd na'r mesurau newydd yn ddysg ddefnyddiol. Nesáu a wneid at draddodiad ysgrifenedig. Yn ymarferol, dysg lafar oedd y ddysg draddodiadol hon. Cyfraniad oedd y Gramadeg, yn ei geidwadaeth i'r ymdeimlad o ddysgedigrwydd newydd, cyfraniad i forâl llys gwareiddiedig mewn cyfnod o chwalu'r llysoedd a sefydlu'r plastai'n gynheiliaid i'r prif draddodiad. Dysg ydoedd, i raddau, er mwyn dysg. Ond diddanwch uchel-ael ydoedd hefyd: felly'r cyfeiriadau at 'Angharad' gan Einion *Offeiriad* ac at esgeiriau gwynion gan Ddafydd Ddu, yr athro parchus, 'dibriod'. Noson Lawen i grachach oedd y Gramadegau. I ni, sut bynnag, llefarent am chwyldro chwaeth.

* * *

Mae pawb sy'n ymddiddori yn hanes yr Englyn yn gorfod rhoi sylw manwl bellach i *Early Welsh Saga Poetry*, Jenny Rowland, 1990 (sef EWSP). Ni bydd y ffaith fy mod i'n anghytuno â hi ond yn adlewyrchu fy mharch at ei champwaith, a'm bod yn derbyn yn safadwy naw rhan o ddeg o'i gwaith ac wedi dysgu cymaint ganddo. Y gyfrol honno, ynghyd â phennod Dr Marged Haycock yn *Early Welsh Poetry* gol. Brynley F. Roberts, ac ysgrif orchestol yr Athro D. Ellis Evans yn *Astudiaethau ar yr Hengerdd* gol. Rachel Bromwich ac R. Brinley Jones, nifer o erthyglau gan yr Athro Geraint Gruffydd, a gwaith dyfal Dr Graham Isaac, Pat Donovan, a Dr J. Koch yw'r cefndir angenrheidiol i bawb ohonom sy'n ymhoffi yn ffurf ein Canu Cynnar.

Gan fod corff o Englynion gennym yn mynd yn ôl i'r Hengerdd (yn wahanol i'r Cywydd), y mae gennym gwestiwn gogleisiol arbennig yn codi wrth drafod datblygiad yr Englyn: *Beth yw acen?* Meddai Dr Rowland: 'It should be noted that Irish stress patterns offer far more scope for cadences than Welsh, and Old Welsh final syllable accentuation offers none.' (EWSP 309n) Mae 'none' yn air mawr. Hyd yn oed pan gaed y cyfnod o ymryddhau rhag yr acen 'newydd' ar y sillaf olaf 'newydd' (wedi colli'r terfyniadau) ac y caed cyfnod cymharol ddiacenbwys, ni raid derbyn bod yr acen draw yn ddiarwyddocâd mewn sawl safle yn y llinell. Gallwn fod yn weddol siŵr fod yr acen draw a oedd ar gael mewn Brythoneg wedi para yn yr unlle ar ôl colli'r sillafau olaf, fel y mae'r acen draw a geid mewn Hen Gymraeg wedi para ar ryw ffurf hyd heddiw. Os cymerwn 'cadence' i olygu patrwm seiniol mesuredig, yna anodd cydnabod nad oes deunydd ar gyfer y fath fydryddu.

Meddai Dr Jenny Rowland (EWSP 308n), 'R. M. Jones is the only student of the *Englyn* to suggest a different origin for the *milwr* and *penfyr*, but this grey area between the two types argues against this.'

Cyn trafod yr ardal lwyd yna, rhaid imi bledio anwreiddioldeb wrth gynnig ffynhonnell wahanol. Roedd John Morris-Jones (CD 316) yntau'n gweld ffynonellau gwahanol. Toddaid Byr (neu Draeanog) ynghyd â hanner-llinell oedd y *Penfyr* iddo ef. A thri 'hanner-llinell' oedd y *Milwr*. Cytunaf innau mai tair llinell (debyg i linellau tri churiad y Cywydd) sy'n gwneud *Milwr*. Cytunaf hefyd mai Traeanog (wedi datblygu'n Doddaid Byr) yw llinell gyntaf y *Penfyr*. Mae'r *Milwr* a'r *Penfyr* wedi'u seilio ar egwyddorion ffurfiol gwahanol. Ond gadewch inni nesáu at ddatblygiad y Toddaid Byr ymhellach.

Credaf yn ffurfiol inni gael datblygiad cyfunol fel hyn tua'r dechrau:

1. Cafwyd llinell hir gyda phatrwm triol mewn Tafod o ddeu-
   oedd acennog fel hyn: 2 + 2 + 2 gyda'r nifer o sillafau mewn
   Mynegiant yn amrywio o 13 i 17 dyweder.
   Perthynai hyn i ddosbarth o fesurau llinell Awdl eithaf cyff-
   redin. Fe'i galwaf yn Draeanog (heb odlau mewnol na chyt-
   seinedd penodol).
2. Cafwyd yn gyfochrog linell fer gyda phatrwm o dair acen,
   llinell ddigon tebyg i linell y Cywydd a ddeuai'n Ddeuair
   Hirion. (Trafodwyd enghreifftiau cynnar o'r mesur yn SB 174-
   179.)
3. Cyplyswyd yr hir a'r fer, yn gyferbyniad unol.

Dyma'r seiliau dros awgrymu mai un llinell hir yw 'dwy' linell gyntaf
Englyn Penfyr ac Englyn Unodl Union (helaethais ar hyn yn SB 122-7):

(1) Yn ôl GP 6, 'Eglyn unawdyl unyawn a vyd pan uo y geir (sef
    llinell) hir gyntaf, a'e deuair vyrryon yn diwethaf.'
(2) Mae'r term unigol 'paladr' yn awgrymu y byddid yn synied
    am uned yn hytrach nag am ddwy linell. Lluosog yw 'esgyll'.
(3) Dyna a awgrymir gan 'gymeriad' Englynion un o'r cynharaf o
    Feirdd yr Uchelwyr sef Gruffudd ap Maredudd:

> Treigl i'r galon hon, hoen geirw creignaint – glwys
>   gloes alar ofeiliaint
> Tros orwyr deg traws Eraint,
> Tristyd bryd brwyn, mwy no maint.
>
> (*Blodeugerdd Barddas o'r 14eg G*)

Neu ymhellach ymlaen Dafydd Nanmor:

> Mredydd, Tomas, Rhys, gymerodedd – teml,
>   Tomas a'i etifedd;
> Mewn un gaer maen' yn gorwedd.
> Mae yno bump mewn un bedd. (GDN IX)

(4) Yn y modd y trafodir y cyrch ar ôl bwlch, gwrthweithir y
    duedd i ystyried mai llinell gonfensiynol yw'r hyn sydd o
    flaen y brifodl gyntaf.
(5) Gwelwn fod y brifodl gyntaf honno ar goll mewn amryw

enghreifftiau cynnar, megis 'Celain Urien' ac felly nad oes brifodl tan ddiwedd yr 'Ail linell'.

(6) Mae hyd y llinell hyd at y brifodl (h.y. cyn y gair cyrch) yn afreolaidd o ran cyhydedd, peth nad yw'n digwydd yn y mesurau llinellol sefydlog.

Neu mewn geiriau eraill: o rannu hyd y llinell 'gyntaf' ar ôl deg sillaf digwyddai'r toriad mewn lle heb fod ar ôl y brifodl.

Er bod y Toddaid Byr yn rhannu'r llinell hir, y paladr, yn 3 + 3, fel y tystia patrwm y gynghanedd bellach ynghyd â'r patrwm prifodlog (yr ail yn llai arwyddocaol), erys o hyd olion y fydryddiaeth ddeuol, hynny yw 3 x 2 y Traeanog.

Mae'r rhaniad sillafog wedi datblygu'n rheolaidd: ar ôl 5 sillaf (rhagwant) gyda'r ddau guriad cyntaf, ar ôl 5 arall gyda'r ail ddau guriad (wedi'r gair cyrch), ac ar ôl 6 arall gyda'r trydydd. Dau guriad sydd yn yr 'ail' linell, ac felly'n ei gwneud yn uned eto.

Dyma, yn y paladr, gyplysiad triol o guriadau deuol (tebyg i uned y Cywydd Deuair Fyrion) yn cael ei wneud yn uned, yn llinell, gan ein bod yn gyfarwydd â dyblu neu dreblu mewn llinellau mydryddol. Dyna a ffurfiodd gynifer o fesurau'r Awdl. Dechreuwn ein dadansoddiad gan weithio ar yr egwyddor mai'r enghreifftiau sy'n cario'r lleiafswm o 'addurniadau' sy'n corffori'r hanfod. Gan mai'r angenrheidiol yw braint Tafod, bydd y lleiafswm bob amser yn lle da i fyfyrio ynghylch datblygiad byth wedyn. Felly, sylwer ar Englynion Penfyr 'Celain Urien' (EWSP 422) ac ar effaith nid yn unig y cyferbynnu rhwng hir a byr eithr hefyd rhwng deuol a thriol (o ran acen):

24 Y geléin ueinwénn/a oloír hedíw/dan werýt ac arwýd. 16 sill
      gwae vy lláw llád vy arglẃyd. 7 sill

25 Y geléin ueinwén/a oloír hedíw/a dan bríd a thywáwt. 16
      gwae vy lláw llám rym daeráwt. 7

26 Y geléin veinwénn/a oloír hedíw/a dan bríd a dynát. 16
      gwae vy lláw llám rym gallát. 7

27 Y geléin veinwén/a oloír hedíw/a dan bríd a mein glás. 16
      gwae vy lláw llám rym gallás. 7

Mae'n well wedi'i gysodi fel yna, onid yw? Gwelwch y ffurf yn cwympo i'w lle.

Mae'r ailadrodd drwy'r gyfres yn llinell 1 ac yn ll. 2 yn rhyng-benilliol amlwg. Gellid cymryd efallai mai deusill yw 'goloir' gan glymu'r llafar-iaid yn ôl y dull arferol mewn Cerdd Dafod, er na raid wrth hynny gan nad oes rheoleidd-dra cyhydedd eto. Ym mhob llinell 1 ceir odl 'lusg' tua'r dechrau 'gelein ueinwenn'. Ceir yn 24(1) gytseinedd rhwng 'weryt' ac 'arwyd'; ond ni pharheir hynny yn yr Englynion wedyn.

Ym mhob llinell 2 ceir cytseinedd yn 'llaw llad' yn 24(2), a 'llaw llam' yn llinell 2 y lleill, ond dim arall heblaw 'gwae' a 'gall-'. Ymddengys y rhain yn fwy na 'lleiafswm', ond yn gymharol ddiniwed o safbwynt pen-droni am y patrwm curiadol.

Os cymerwn Englynion eraill llai cadwynog sydd heb fagu prifodl ar ddiwedd uwch-corfan 1 a 2, gwelwn nad yw hyd 16 sillaf yn y llinell gyntaf ddim yn hanfod: patrwm yr acenion sy'n hanfod.

EWSP

405   Gwasgaráwt néint/am gláwd cáer/a minnéu armaáf. 13
          ysgẃyt [brwyt] bríw. kynn techáf. 7
419   Dymkẃuarwydyát/vnhẃch dywál/dywedít yn drws lléch. 15
          dunáwt uab pabó ny téch. 7
421   Pénn a borthấf/o godír. penáwc/pellynnyáwc y luýd. 15
          [penn] vryén geiryáwc glotrýd. 7
(cf. yr ail o Dri Englyn y Juvencus B VI, 102 a'r seithfed yn Naw Englyn y Juvencus B VI, 206)

Dangosodd Dr Nerys Ann Jones ('Y Gogynfeirdd a'r Englyn', *Beirdd a Thywysogion*, gol. Morfydd E. Owen a Brynley F. Roberts) fel yr oedd beirdd mor ddiweddar â Llywelyn Fardd I a'r Prydydd Bychan yn gallu hepgor prifodl o fewn y paladr.

Ar yr olwg gyntaf, yn y llinellau hir nid ymddengys fod gan y cytseinedd batrwm penodol, oni sylwn fod i'r ail air acennog yn yr ail uwch-corfan (yn yr ail a'r drydedd enghraifft) berthynas â'r gair acennog wedyn, neu, os derbyniwn gytseinedd treigladol, â'r gair acennog cynt (yn yr enghraifft gyntaf).

Y cam nesaf, a hynny o fewn trwchuso Gogynghanedd, oedd amlhau prifodl yn y llinell gyntaf:

407
Gwen vordẃyt tyllurás a wylyás neithwẃr yngorór ryt uorlás
    a chan bu máb ymí ny thechás.

264

408
Pedwarméib ar hugéint yg kenuéint lywárch o wyr gléw galwythéint
[cwl] eu dyuót clót traméint.

409
Pyll wýnn pellynníc y glót handẃyf nwyf yrót oth dyuót.
   yn váb ath aráb atnabót.

Gallai prifodl ddigwydd mewn sawl safle, a pharhaodd yr arferiad
gyda Chynddelw, Llywarch Llaety a Pheryf ap Cedifor; ond gan bwyll
tyfai gair y trydydd curiad cyntaf yn hanfod sefydlog. Ond sylwer: nid
peth anghyffredin oedd corffori prifodl fel hyn o fewn y llinell, fel y
gwelir mewn Englyn Milwr fel

407 Tonn tyruít toít eruít.
      pan ánt kynréin ygovít.
      gwen gwáe ryhén oth etlít.

Yn y Traeanog di-odl bellach, gosodwyd llwyfan ar gyfer chwyldro.
Oherwydd ymyrraeth odl â'r brifodl a hynny ar y trydydd gair acennog
fe droes y patrwm 2 + 2 + 2 yn 3 + 3. Hynny yw, offeryn i droi Traeanog
yn Doddaid Byr oedd gosod odl a rhywbeth mor adeileddol arwydd-
ocaol â'r brifodl yng ngair y trydydd curiad. Cadarnhawyd hyn gan y
Gynghanedd wedyn a leihâi'r ymwybod o 'linell' fydryddol ar ôl 10fed
sillaf y gair cyrch.

Clywir y cyferbyniad bellach rhwng Traeanog a Thoddaid Byr; a sylwer
nad yn rhai o'r nodweddion a enwir fel arfer y clywir y gwahaniaeth
pwysig, eithr yn y cyferbyniad cynyddol rhwng miwsig y ddau guriad (3 x
2) yn y Traeanog, a miwsig y tri churiad (2 x 3) yn y Toddaid Byr. Yn wir,
dichon, a dichon eithaf petrus ydyw, mai'r Cywydd datblygol a greodd y
Toddaid Byr? Onid cydymffurfio â churiadau'r Cywydd (mesur triol) a
wnaeth y Traeanog (mesur deuol) i esgor ar y Toddaid Byr (mesur triol)?

Traeanog:
Ac i Ddúw o'i ddáwn/yd árchaf arch iáwn,/awdl ffrẃythlawn,
ffrwyth gýmwyn (CD 336)

Toddaid Byr:
Y Gẃr a'm ródes rhínieu/ar dáfawd, ag árawd a géirieu (CD 335)

Traeanog:
Oed ré r(y) eréint/dan fordŵyd Geréint,/garhirión, grawn gweníth
(CD 313)

Toddaid Byr:
I gýmryd pényd rhag póeneu/úffern ag áffeith bechódeu (CD 335)

Yr hyn sydd mewn Tafod yn awr i Englyn Penfyr yw (1) Uwch-corfannau'n drioedd, (2) Y cyferbyniad hir/fer (6 + 3), (3) Y brif odl rhwng yr hir a'r fer.

Cafwyd symudiad tuag at (1) prifodl a atebwyd ar ddiwedd yr uwch-corfan cyntaf yn unig, (2) mwy o drefn cytseinedd ac odl yn null Gogynghanedd, a chan ymledu'n rheolaidd o'r gair acennog cyntaf o'r ail uwch-corfan (yn ôl neu ymlaen), (3) sefydlu cyhydedd 16 + 7.

Atrefnwyd yr un llinell ffurfiol hir yn ddwy, yn gysodol.

Ond mae'n ddiddorol sylwi mai ar ôl gair y trydydd *curiad* y rhennir y ddau uwch-corfan.

Felly:

Pénn a bortháf yn anghát/vy lláw llary úd llywyei wlát

ar ôl y seithfed sillaf, ond y trydydd gair acennog,

Wyf tridyblíc hen ŵyf annwadál/drút wyf ehút wyf annwár

ar ôl yr wythfed sillaf, ond y trydydd gair acennog (prifodlau generig),

Dichonát ysteuýll o es[t]ýll/ ysgwydáwr tra vydát yn seuýll

ar ôl y nawfed sillaf, ond y trydydd gair acennog.

Ail uwch-corfan y llinell (sef diwedd y llinell) yw'r un y pwysir arno yn ffurfiol, ac yn sicr y gair acennog cyntaf yn hwnnw. Mae'r gair hwnnw'n ateb fel arfer naill ai'r gair acennog ar ei ôl neu un o'r ddau air acennog o'i flaen. Hynny yw, gair cyrch potensial yw.

Dyna'r norm. Ar yr achlysuron prin pryd na weithredir y 'gair cyrch', sef gair acennog cyntaf yr ail uwch-corfan, ceid tuedd i'r ddau air acennog ar ei ôl i 'ddod i rym':

e.e. EWSP *Gwen wrth lawen yd wyliis/neithwyr ar ysgŵyt ar y gnís*
Kyndylan gulhwch gynnifiat/llew bleid dilín disgynnyát
Llawer ki geilic a hebawc/ wyrennic a lithiŵyt ar y lláwr
(odlau generig lleisiol?)
Stauell gyndylan ys tywyll/heno o blánt kyndrwynýn
(odlau generig parhaol?)
Gwedy meirch hywed a chochwed/dillat a phluawr máwr melýn

Yn ddatblygol yr hyn a ddigwyddodd o fewn y llinell yw bod yna reol-eidd-dra wedi esblygu yn y sillafau ar ôl gair yr orffwysfa, ac mai dyna'r safle o fewn y llinell a ymgrisialodd neu a ymsefydlodd yn angenrheidiol fel man sy'n mynnu naill ai odl neu gyflythreniad. Pan soniwn am ail linell Toddaid Byr neu Englyn yn bengoll, y cwbl sydd gennym yw par-had o Ogynghanedd y Gogynfeirdd, sef cyflythrennu neu odli o fewn y llinell, heb fod gofyn i ddiwedd y llinell wneud dim ond prifodli.

Gadewch inni yn awr ein hatgoffa ein hunain o natur y Traeanog fel y'i disgrifir gan JMJ. Soniais gynnau am y sefyllfa newydd a gododd mewn Cerdd Dafod wrth i dair uned dwy acen ymuno â'i gilydd. Cymerer hyn (o'r Gododdin):

Cynréin yn cwydáw/fal glás heid arnáw/heb giliáw gyhafál.

Medd JMJ (CD 313): 'Yr un mesur yw hwn â thoddaid byr, ond bod trefn wahanol i'r odlau.' Wel, fe welwn ei bwynt: mae yna gryn debygrwydd, ond y mae rhywbeth newydd a llawer mwy sylfaenol nag atrefnu odlau (nad ydynt fawr mwy nag arwyddion unedu o safbwynt adeileddol ac yn cynnal acenion) yn y Toddaid Byr. Dyma fesur gwahanol o ran patrwm curiadau a fyddai'n cydymffurfio â'r triol, a charwn awgrymu fod hynny'n digwydd yn y llinell o bosib oherwydd cymdeithasu â'r llinell fer yn yr Englyn Penfyr.

Ymddengys fod rhywbeth arall wedi digwydd, felly.

Yr un pryd o bosib ag yr enillodd y Traeanog odl weddol reolaidd ar y trydydd curiad a gyfatebai i'r brifodl, fe enillodd (weithiau) odlau rhwng gair ail guriad a gair y pedwerydd curiad; yn wir byddai hyn yn naturiol ac yn cynnal y cyplysiad deuol a oedd eisoes yn bod. O ganlyn-iad, fe gafwyd (tua'r un pryd o bosib) y Traeanog a'r Toddaid Byr yn datblygu odlau mewnol, a churiadau atgyfnerthedig y naill yn ddeuol a'r llall yn driol. Hynny yw, gwahanent yn guriadol yn ogystal ag o ran odl.

267

Mesur a oedd yn cyfuno llinellau hirion, sef tri dau guriad (Traeanog), â llinellau byrion tri churiad (Cyhydedd Fer) yw'r Clogyrnach. Dyma enghraifft o 'Farwnad Madog ap Maredudd' gan Walchmai ap Meilyr (gw. Rhian M. Andrews yn B xxxvi, 1989, 13 yml.): CBT I, 154. Oni ellid dadansoddi fel hyn?

> Caru Dúw, diwélling ymddíred,
> Cyrchaf Cár cerénnydd afnéued.
> Car a'm hóedd ni'm hóes,/corawg fýnawg fóes,/
> corf éirioes eurfýged.

Hynny yw, dwy linell driol (Cyhydedd Fer naw sillaf neu Gyhydedd Naw Ban Drichur) ynghyd ag un llinell dri uwch-corfan deuol.

Mesur tri-churiad oedd Toddaid Byr (ac Englyn Penfyr) fel y gwelsom, o bwyso ar y rhaniad prifodlog. Er gwamalu am gyfnod (gw. Peredur Lynch, 'Yr Awdl a'i Mesurau' yn *Beirdd a Thywysogion*, B. F. Roberts a Morfydd E. Owen, 1996, Caerdydd, 264), ymsefydlodd y gair cyrch yn ail hanner neu ail uwch-corfan y Toddaid Byr. Am y Traeanog, yn wahanol i CD 313, ac i Dr Peredur Lynch yntau mae arnaf ofn, gwelir fy mod yn ei weld yn fesur gwahanol o ran curiadau i'r Toddaid Byr ac yn nes at Glogyrnach. Yr oedd CD yn dosbarthu yn ôl 6 acen a 4 acen a minnau yn ôl deuoedd a thrioedd elfennol gyferbyniol. Gellir enghreifftio Traeanog drwy ddyfynnu 'Marwnad Madog ap Maredudd' eto: CBT I, 156.

> Lliaws llẃyd a llái,/lliaws érch érfai,/lliaws grái grym díffwys.

Gwelir mai rhaniad 2 + 2 + 2 sy'n naturiol yn hytrach na 3 + 3, hynny yw rhaniad tebyg i linell hir y Rhupunt.

Hynny yw, yn ffurfiol, yr un peth sy'n digwydd yn adeileddol yn y Toddaid Byr ar raddfa driol i'r hyn a ddigwyddodd rhwng y Cywydd Deuair Fyrion a'r Gyhydedd Naw Ban ar raddfa ddeuol. Sef dyblu. Dywedais nad oeddwn yn gweld ystyr hanner llinellau; ond yn sicr gwelaf ystyr mewn trefnu neu atrefnu'n hanerog neu'n draeanog *o fewn* y llinell ddwbl neu'r llinell drebl.

Dylid sylwi, oherwydd yr afreoleidd-dra posibl yn y gyhydedd ac oherwydd magu prifodl ar ôl y trydydd corfan, hynny yw ar ganol y llinell gyntaf mewn Englyn Penfyr, fe geir yr hyn a alwai Jenny Rowland yn 'grey area'. Ymddengys fod gennym (mewn Mynegiant) orgyffwrdd rhwng y *Milwr* a'r *Penfyr*. Ond ceir gormod o dystiolaeth, lle yr hepgorir y brif-odl ganol, a lle y cyplysir llinell hir a llinell fer, fel na raid cyfrif y gor-gyffwrdd hwnnw yn arwyddocaol o gwbl. Hynny yw, cyd-ddigwyddiad mewn Mynegiant ydyw.

Mae Dr Jenny Rowland yn tueddu i ddadansoddi curiadau yn ôl yr hyn y mae hi'n ei ystyried yn 'eiriau acennog.' Sef yn ôl ystyr yn bennaf, peth a berthyn i Fynegiant. Egwyddor ddieithr yw seilio mydr ar ystyr yn bennaf, fel y dengys mydryddiaeth Gymraeg byth wedyn. I mi, rhythm biau ystyr. Mewn Tafod ceir sillaf acennog mewn gair sy'n cymryd acen, boed yn draw neu'n bwys, ond ar y sillaf y disgyn yr acen, nid ar y 'Gair'. A chan fod mydryddiaeth yr Hengerdd yn dod yn llawer nes at batrwm rheolaidd drwy ddadansoddi yn ôl egwyddorion cyfarwydd Cerdd Dafod, ond inni gofio am safle'r acen draw ar y sillaf olaf mewn gair, yna ni raid cyflwyno dadansoddiad mor wahanol ag y myn hi i'r hyn a geir yn y traddodiad a darddodd maes o law o'r Hengerdd. Geill y dyfodol (y diben) ddweud llawn cymaint am ffurf y presennol â'r gorffennol.

Felly, y mae'r dadansoddiad a rydd hi [t 311] yn wahanol i Morris-Jones a welsai'r canlynol fel hyn:

Gwen vordẃyt tyllurás a wylyás neithwŷr	(4)
Y máe henéint yn kymwéd a mí	(4)
Llawer kí geilíc a hebáwc wyrenníc	(4)
Kyndylán hýt tra attát yd adéi	(4)
Er ýr elí ban y léf henó	(4)

Rhydd Dr Rowland (5) (2-3) (5) (3) (5) o acenion i'r rhain.

A'r un modd y mae ei dadansoddiad hi o'r Englyn Milwr yn gwyro yn ôl safonau'r traddodiad am na wahaniaetha rhwng Tafod a Mynegiant (t.311). Dyma fy nadansoddiad i.

am kynnwyssít ýg kyuyrdý	(3)
neur dígeréis a garáf	(3)
rud cogéu goléu ynghẃyn	(3)
trigwyd oríc elwíc a wén	(3)
Llym vym pár llachár ygr ýt	(3)
kell llýr kein ebýr gwyr gláwr	(3)

Rhydd Dr Rowland (2) (2) (4) (4) (4) (6) o acenion i'r rhain. Medd hi, 'Unlike with the first line of the *penfyr* the variety is so great that it is

269

difficult to see how even minor adjustment of unnatural stresses could bring the lines into a common range.' Ond o deimlo o'r tu mewn y traddodiad barddol mewn modd uniongred, gan gofio cyfarwyddyd Morris-Jones ynghylch rhagacen (er mai 'gogwyddo' a wneid tuag at hynny yn achos y Cynfeirdd), y mae'r cwbl yn naturiol. Nid acennu ystyrol Mynegiant yw acennu adeileddol Tafod. Gweithia'r Traddodiad tuag at yr angenrheidiol.

Anodd gweld beth yw acenion 'gair' cyfan o fewn Tafod, yn sicr yn syml ar sail ystyr, er bod yna wrth gwrs *air* sy'n cynnwys sillaf acennog. Acennu sillaf a wneir (er nad yn gyfan gwbl yn ddiberthynas ag ystyr), a golyga hynny lafariad, a threfnir yr acen yn ôl anghenion mydr mewn Tafod.

Gwyddom o'r traddodiad wedyn (1) y gall geiriau dibwys o ran ystyr ac o ran arwyddocâd gramadegol gario cynghanedd neu gytseinedd; (2) y gall geiriau dibwys gario rhagacenion hefyd. Ni all y sawl sy'n llygadu'n ormodol 'ystyr' mewn Mynegiant bob amser amgyffred mydr Tafod.

Yr wyf i'n gweld gwreiddyn yr Englyn Milwr, nid yn y Cywydd Deuair Hirion (fel mesur gorffenedig) yn gymaint ag yn yr un llinell fydryddol dair-acen â'r Cywydd Deuair Hirion, o'i chyferbynnu â llinell ddwy-acen y Cywydd Deuair Fyrion a'r mesurau awdl. Felly, yr wyf yn pellhau rhag dadl Dr Jenny Rowland (307) ynghylch patrwm odli anghyfacen y Cywydd a rhag ei dadl ynghylch tarddiad ('almost certainly a borrowing from medieval Latin verse') y Traethodl. Llunnir y Cywydd Deuair Hirion, megis y Cywydd Deuair Fyrion, mewn adeileddau elfennol mewn hanfodion, y naill yn grwpio'n dair acen, y llall yn ddwy, a gallai'r fath ffenomen fod yn gwbl frodorol. Yn wir, heb brawf i'r gwrthwyneb dyna sy'n debyg.

Wedi canfod adeiladwaith acennol y mesurau hyn, yn ddeuol ac yn driol, gellir symud ymlaen i drafod y grwpio penilliol yn ddeuol ac yn driol, yn Gywydd Deuair Hirion ac yn Englyn Milwr, nid y naill yn tarddu o'r llall, ond y naill a'r llall yn cael eu hadeiladu o'r un mesur llinell yn ôl grwpio gwahanol.

Byddaf yn synied fod yr Englyn Unodl Union (yn hytrach na'r Englyn Penfyr, gan fy mod yn ystyried mai tair llinell sydd i'r unodl union, sef un hir a dwy fer) yn cyfateb i dair llinell yr Englyn Milwr. Y naill dair drwy gyferbyniad, a'r tair arall drwy ailadroddiad.

Mae yna broblem sylfaenol yn null EWSP o nodi mydr, e.e. 311. Mewn gwirionedd, rhythm sydd gyda hi. Mae hi'n cymryd fod pob gair o 'bwys' mewn llinell yn derbyn acen. Ond gwyddom, ac nid yn ôl *Cerdd*

Dafod yn unig yn ddiweddarach, fod yna fframwaith mydr mewn Tafod; a hyn yn bennaf sy'n cyflyru Mynegiant. Gall gair gwirioneddol bwysig – ie mewn rhythm, ac yn sicr mewn ystyr – gael ei 'daflu i ffwrdd' o fewn fframwaith Mydr, tra bo geiriau eilbwys yn derbyn acen bwys. Darganfod y Tafod drwy archwilio'r Mynegiant a wneir; ac yna, cyflyrir y Mynegiant gan y Tafod. O symudiad tua'r anhysbys oddi wrth brofiad hysbys y gyfundrefn fyw, sylwir sut y gallai'r beirdd fod yn gweithio.

Cymorth yw gwaith Dr Rowland, serch hynny, i werthfawrogi'r angen-rheidrwydd i ddeall y cyferbyniad rhwng Tafod a'r Mynegiant, a'r rheidrwydd i amgyffred natur wahanol ac olynol y naill a'r llall a'r math o berthynas a geir rhyngddynt.

Yr oedd *Cerdd Dafod* John Morris-Jones wedi dod at y llinellau tri churiad uchod o gyfeiriad celfyddyd fyw. Gwyddai megis o reddf sut oedd ymateb i acenion; ac yr oedd ef yn llygad ei le: tair sillaf acennog sydd ym mhob un o'r llinellau hynny.

Ystyrier rhai o'r sialensau a wynebai CD:

GIG XV   Glân da teg, gloyn Duw Tegeingl x x// x/x
         Mae Duw gwyn, anodig oedd x x/x/x /
         A wnaeth Duw iddo o'i nerth x/x/x x /

Ymddengys yn anhygoel; ond y tebyg yw bod JMJ, megis Iolo Goch ei hun, wedi clywed y gair 'Duw' ym mhob un o'r rhain yn sylfaenol ddi-acen. Sigl y patrwm cyfan a reolai fydr. Nid ystyr y gair a lywodraethai'n gyfan gwbl, er bod iddo'r fath arwyddocâd mewn Mynegiant. Ystyrier problem y llinell gyntaf. Mae dwy acen yn bendant amlwg – yng ngair y brifodl ac yng ngair yr orffwysfa. Rhaid cael rhagacen yn ail hanner y llinell: gall ddisgyn ar 'gloyn' neu ar 'Duw'. Caniatâ'r Tafod hynny. Beth am Fynegiant? Os disgyn ar 'Duw', yna cymerir mai 'Duw Tegeingl' sydd gennym. Ond creder neu beidio, swyddogaeth enidol neu ansoddeiriol sydd i'r gair 'Duw', ac felly mae'n ddibynnol ar 'glöyn'. Rhwng y traddodiad o ragacennu, a'r traddodiad o beidio â chaniatáu mwy na dwy sillaf ddiacen yn olynol, a'r traddodiad o osod sillaf gref yn yr orffwysfa a'r brifodl, y mae Traddodiad yn penderfynu beth sy'n angenrheidiol.

Ond cymerer wedyn yr ail linell sydd fel pe bai'n gwrthddweud y fath ddadansoddiad. Yr hyn a glywai Syr John yma fyddai – acen ar y 'gwyn' ac acen ar yr 'oedd'. Yn fydryddol does dim angen acen cyn 'gwyn': dyma ddwy sillaf ddiacen, ac am nad oes angen mwy mewn Tafod, nis ceir. Rhaid cael rhagacen yn ail hanner y llinell, ac ar ail sillaf 'anodig' y disgyn yn naturiol. Yn awr, y tro hwn, ansoddeiriol yw 'gwyn' a dibynna ar 'Duw', y fath enw mawr. Ond ni rydd Tafod ddewis. Rhaid i air yr orffwysfa dderbyn acen, ac felly y gwna.

Symuder at y drydedd linell. Cawn ein hacenion arferol ar 'wnaeth' a 'nerth'. Caniatéir un rhagacen yn yr ail hanner. Pam na chawn ei chlywed ar y gair pwysig 'Duw'? Oherwydd na rydd sefydliad Tafod ddewis inni. Mae yna ddeddf a dyfodd yn y Traddodiad, yn arbennig ar ôl i'r acen bwys sefydlogi, lle na chaniatéir mwy na dwy sillaf ddiacen yn olynol. Teimlid y ddeddf ymhobman. Gwth yw yn yr isymwybod. Felly, syrth yr acen ar sillaf gyntaf 'iddo', sef y fan bellaf oddi wrth 'nerth' a ganiatâi hynny.

Nid oes gennym yr un rheswm dros dybied fod yr egwyddor fydryddol hon wedi newid fawr rhwng yr Hengerdd a'r Cywyddwyr – er bod yr acen bwys wedi cymryd lle'r acen draw, a'r brif acen wedi symud o'r sillaf olaf i'r goben. Mae adnabod Cerdd Dafod gyfoes yn deimladol o'r tu mewn yn ein hysgogi i amgyffred yr hyn a esgorodd arni gynt.

Ond pam y digwyddodd rhyw newidiadau o'r math hwn? Dichon wrth gwrs fod yna ysgogiad cymdeithasol. Gallai fod newid mewn delfryd neu argyhoeddiad celfyddydol. Hynny yw, newidiwyd ffurfiau oherwydd pwysau ffurfiol. Ar ôl dwy uned mewn ffurf gyfan, sef y cyplysiad cytbwys cadarn, pan ychwanegir trydedd ymddengys fel pe bai'r awdur yn tynnu allan o'r cydbwysedd deuol cymen hwnnw tuag at fath o radd eithaf ar ôl gradd gymharol. Wrth i farddoniaeth symud yn fwyfwy tuag at gorffori teimladaeth a diriaethu profiad yn hytrach na datgan yn seremonïol, symudodd y ffurf at ymestyniad y tair uned. Ac i'r gwrthwyneb pan dynnir yn ôl rhag y drioliaeth at ddeuoliaeth, tybed onid oes yna ymwybod o dwtio gwastad a chyfartal? Efallai mai'r lle gorau i brofi'r cyferbyniad rhwng sbonc y deuol ac arafwch ymestynnol y triol yn y cyfnod modern yw mewn canu rhydd megis 'I'w Gariad' Huw Morris (OBWV) neu yn y Tri Thrawiad. Mae yna amrywiad rhythm, mae hynny'n sicr, a chyda'r cymhlethu hwn rhwng dau a thri rhaid gwylied rhag symleiddio.

Dichon yn wir mai'r union newidiadau hyn a drafodwyd y fan yma sy'n cyfrif am hir oroesiad Darwinaidd ffurfiau'r Cywydd a'r Englyn. Mesurau hynod amryddawn ydynt. Cafwyd mwy o ystwythder oherwydd y cyfnewidiadau cyfrwys. O'u cymharu â'r *Penfyr* a'r *Milwr* a mesurau'r awdl, ymddengys fod a wnelom felly â goroesiad hil.

Beth, felly, y mae prydyddion yn ei wneud yn ffurf y Cywydd a'r Englyn? Darganfod peth o'r drefn mewn iaith – a'i dathlu.

CRYNODEB HANESYDDOL O'R DATBLYGIADAU

Cyfundrefn o gyfundrefnau yw Traddodiad.
Fel prydyddiaeth, felly hefyd y traddodiad sydd gan yr iaith ei hun.
Dyma honiad go wrth-ôl-fodernaidd, a dadadeiladol yr un pryd. Ac yn sicr, mewn ieithoedd eraill, nid hawdd ei amlygu a'i brofi. Ond yn y Gymraeg, wrth symud o'r Cynfeirdd i'r Gogynfeirdd i Feirdd yr Uchelwyr ac ymlaen i'r Canu Rhydd Caeth, gellid olrhain cyfreslun o gyfundrefnau gwahunol.
Soniais o'r blaen droeon am Gerdd Dafod fel Cyfundrefn o gyfundrefnau. A phob tro, am wn i, sôn yr oeddwn am syncroni: hynny yw, ar unrhyw bwynt cronolegol unigol, yn gyfun ar y pryd, o fewn Cyfundrefn Cerdd Dafod, gellid canfod cydlyniad o gyfundrefnau llai. Yn awr, sut bynnag, gallwn sôn am ddiacroni o Gyfundrefnau o gyfundrefnau. Yn olynol, ar hyd echel amser, o gyfnod i gyfnod, ceir Cyfundrefn yn cael ei gweddnewid i fod yn Gyfundrefn arall, megis anifail yn bwrw croen yn y gaeaf. A phob Cyfundrefn yn Gyfundrefn o gyfundrefnau. Ni wn am yr un iaith arall sy'n amlygu'r ffenomen hon mewn modd mor drawiadol gyfun. Dyma wedd ar wreiddioldeb y Traddodiad Cymraeg.
(Cawsom gyfle i fanylu ar y ffenomen hon yn gyffredinol wrth drafod (v) Cyfundrefneg ym Mhennod II 'Gogynghanedd y Gogynfeirdd.')

A *Y Cynfeirdd* (6ed-11eg ganrif)
Dichon fod y Cynfeirdd yn wreiddiol yn cynnwys amlder o fesurau gwahanol mewn rhediadau 'digynllun' blithdraphlith organaidd. Y llinell yno a reolai. Dyna a geid gan Aneirin, er na raid i hynny fod fel y tystia Taliesin. Aneirin fel Bardd Teulu, Taliesin fel Pencerdd.

(1) (a) Llinellau dau guriad tebyg i rai'r Traeanog (3 x 2 guriad).

   (b) Yn gyfredol *neu*'n olynol, llinellau tri churiad tebyg i rai'r Toddaid Byr *in embryo* mewn traethganau ynghyd â llinellau seithsill trichuriad (tebyg i linellau Cywydd) yn cael eu corffori'n gyferbyniol mewn traethganau gyda'r Traeanog neu'r Toddaid Byr, a'r rheini yng nghwmni'i gilydd weithiau nes ymddangos fel Englynion claddedig neu'n hytrach *in embryo*. (SB 115)
(2) Tua diwedd y cyfnod, er bod y Traeanog yn ennill peth Gogynghanedd mae'n ildio i'r patrwm acennog arall neu'n ymrannu'n ddau fath ei hun. Gwedd ar y broses o ogynganeddu yw corffori odlau mewnol sy'n rhannu'r llinell hir; a thuedda'r rhaniadau i ymgyplysu'n ddwy

ffordd. Allan o odl sy'n disgyn wedi'r ail acen ymsefydla'r Traeanog. Allan o odl sy'n disgyn wedi'r drydedd acen ceir Toddaid Byr. Ceir yn y cyferbyniad rhwng llinell hir (Traeanog) a llinell fer (Cywydd) gyferbyniad ychwanegol yn y miwsig rhwng llinell ddeuol ei churiadau a llinell driol. Ceir yn y cyferbyniad rhwng llinell hir (Toddaid Byr) a llinell fer (Cywydd) ailadroddiad o batrwm y llinell driol. Dichon fod dylanwad curiad y llinell fer (Cywydd) wedi dylanwadu arni.

(3) Englyn Penfyr ac Englyn Milwr yn ymsefydlu'n annibynnol (dyma darddiad y 'pennill'): mae'r Penfyr yn hir a byr, a'r un hir yn gallu bod yn Draeanog, sef dau guriad trebl, neu'n Doddaid Byr, tri churiad dwbl (ond yn cario olion dau guriad triol). Cyferbynnu ac ailadrodd a'u gwna yn ddeuol, neu yn driol.

Y Cynfeirdd a sefydlodd Ogynghanedd.

(4) Ymddengys fod Cyfundrefn Seiniol y Cynfeirdd yn sylfaenol debyg i Ogynghanedd y Gogynfeirdd, heb yr un newid gwir gyfundrefnol o fewn y llinellau. Yr un fwy neu lai oedd presenoldeb cytseinedd, odl, neu'r ddau ynghyd yn y ddau gyfnod. Ceir ymdriniaeth ddisglair ar Fydryddiaeth y Cynfeirdd gan D. Ellis Evans ym 'Mydryddiaeth y Gododdin', yn *Astudiaethau ar yr Hengerdd*, gol. R. Bromwich ac R. Brinley Jones, 1978, 89-122, yn arbennig 114.

Y gwahaniaeth mawr rhwng y Cynfeirdd a'r Gogynfeirdd oedd nid mewn Gogynghanedd (o fewn y llinell), eithr yn y cynilo a'r sefydlogi mewn mesurau (wrth gyflwyno llinellau). Datblygwyd y pennill fwyfwy, a chysondeb rhwng llinellau a ailadroddid neu a gyferbynnid o ran mydr. Oherwydd yr amrywio a geid ynghynt gan y Cynfeirdd o ran cyfuno llinellau, ceir ymdeimlad o greadigrwydd mesurol yn y cyfnod hwn.

Dichon fod y sefydlogi a'r cynilo hwn ar fesurau (dan ddylanwad yr englyn amorffaidd yn bennaf), a ddatblygwyd ymhlith y Cynfeirdd ond a ddaeth yn drefn gan y Gogynfeirdd, wedi effeithio hefyd ar yr ymdeimlad o gyfanrwydd y llinell ac o reoleidd-dra llywodraethol yr acenion yn eu perthynas â'r cyseinedd. Dichon yn wir fod datblygiad cyfredol mewn Cerdd Dant yn atgyfnerthiad yr un pryd.

B *Y Trawsnewid*

(1) Datblygwyd y mydr, a fu'n dibynnu'n bennaf ar acen draw yn ystod cyfnod y Cynfeirdd, bellach i ddibynnu ar acen bwys yng nghyfnod y Gogynfeirdd. Byddai hyn maes o law yn ysgogiad i droi Gogynghanedd yn Gynghanedd. [Amserir symudiad yr acen: erbyn y 11eg ganrif yn ôl

Jackson, erbyn y 9fed ganrif yn ôl Watkins. Tuedda barn ysgolheigion bellach i bleidio'r dyddiad cynharaf o'r ddau.]

(2) Mewn Awdl, megis 'Marwnad Gruffudd ap Cynan' gan Feilyr Brydydd, gwelwn draddodiad yr Awdl yn gyfan gwbl ar un mesur yn parhau cyn tynnu i derfyn. Agorwyd y llwyfan ar gyfer y *cyferbyniad* rhwng mesurau Englyn a mesurau 'Awdl' yn yr Awdl 'glasurol' ddwyran.

(3) Darganfod y symlder mesur (nid symlder iaith). Datblygwyd mewn mydryddiaeth beth sy'n debyg i'r datblygiad ieithyddol rhwng y Frythoneg a'r Gymraeg neu rhwng y Lladin a'r Ffrangeg pryd y blingwyd y cyflyrau a oedd gan enwau, a dod o hyd i'r geiriau moel digyflwr. Troes Morffoleg i gyfeiriad Cystrawen. Yn ieithyddol, yr un ffurf i'r enw dyweder a wnâi'r tro bellach yn lle pob cyflwr. Felly, o fewn yr arfer o ddefnyddio gwahanol fesurau ynghyd blith draphlith, fe'u hynyswyd hwy. Drwy lwybr unigryw a dorrwyd gan yr Englyn, dodwyd ffiniau syml o gylch mesurau eraill yn lle traethganu'n gymysg.

C. *Y Gogynfeirdd* (12fed-14eg ganrif)

(1) Cadw Gogynghanedd gyfundrefnus: cytseinedd, odli mewnol, neu'r naill a'r llall.

(2) Datblygu'r 'pennill' ymhlith mesurau awdlog o fewn y draethgan: cyhydedd yn datblygu'n fwyfwy o sefydliad.

(3) Yr Englyn Unodl Union yn datblygu'n rymus gan gadw Gogynghanedd ac yna'r Gynghanedd (ar y blaen i'r Cywydd).

(4) Traeanog yn graddol ildio blaenoriaeth i'r Toddaid Byr. Ond teg yw holi a ddylid ystyried mai Traeanog (3 x 2) ac nid Toddaid Byr a geir mewn enghreifftiau o Englynion Cynddelw, Llywarch Llaety ac Owain Cyfeiliog, lle y daw'r brifodl ar y drydedd sillaf neu ar y rhagwant? (Nerys Ann Jones op. cit. 292-3).

(5) Rhwng y 12fed a'r 13eg ganrif datblygwyd yn esgyll yr Englyn y drefn odlog anghyfacen. Mae'r dull odli acennog-â-diacen, a ddatblygwyd yn y Gymraeg, mor addas i'r iaith oherwydd undonedd diflas y prinder odlau acennog sy'n dal yn felltith hyd y cyfnod diweddar. Heblaw'i ffrwythlondeb seiniol, y mae i'r dull hwn ryw atyniad awgrymus nas ceir mewn odli cyfacen. Un o broblemau mwyaf gogleisiol mydryddiaeth Gymraeg (o safbwynt olrhain gwreiddiau odli) yw bod y dull hwn i'w gael yn y mydrau *deibide* Gwyddeleg (sy'n cyfateb o ran cymeriad i'r

275

Cywydd). Anodd derbyn mai cytras na benthyciad (un ffordd na'r llall) ydoedd; a gall mai ymateb cyfredol ydoedd i'r un broblem. gw. *Early Irish Metrics*, Gerard Murphy, Dulyn, (1973), 28n 1 a 31. Am y peth agosaf yn Saesneg, gw. 'Simpsonian rhymes' yn *English Literature in the Sixteenth Century*, C. S. Lewis, (1954) 478-9; gw. hefyd y cofnod 'masculine and feminine' yn *The New Princeton Encyclopedia of Poetry and Poetics* (1993), 737.

CH. *Y Trawsnewid*

Datblygwyd y Gynghanedd: dechrau ymwybod fwyfwy â pherthynas rhwng uned y llinell ac amrywiaeth ailadrodd y cytseiniaid a'r llafariaid mewnol yn ôl patrwm acennog.

Symudwyd o ailadrodd Cytseinedd neu Odl i ailadrodd Patrwm; o'r Un i'r Amryw mewn Un.

D. *Y Cywyddwyr* (14eg ganrif ymlaen)

(1) Sefydlir y Cywydd Deuair Hirion (Traethodl) yn dri churiad mewn cwpledi odlog gyda Gogynghanedd gynyddol, o bosib ymhlith y beirdd 'answyddogol'.

(2) Megir uwch-corfannau dau guriad ochr yn ochr â'r rhai tri-churiad o fewn y Cywydd.

(3) Dyma gyfnod sefydlu'r awdl 'glasurol', – sef yr awdl-ddwyran; y gadwyn o Englynion (cyngogion) ynghyd â'r rhediad mewn mesur awdl.

(4) Gogynghanedd yn gwywo'n gynnar yn y cyfnod hwn, a'i disodli gan Gynghanedd. Corfforwyd ymarfer cynganeddol o fewn amodau gogynganeddol. Ymsefydlodd y Gynghanedd yn yr Englyn cyn ymsefydlu tua 1340 yn y Cywydd.

(5) Wrth i'r Cywydd fabwysiadu Cynghanedd yr Englyn, cydymffurfiodd â'r drefn odlog anghyfacen (a'r ieithwedd) yn esgyll yr Englyn.

Mae amrywiaeth rhyfeddol mydr y Cywydd (a'r Englyn yn ei sgil), wrth amrywio o ran safle'r acenion yn ogystal ag yn y cyferbyniad rhwng 3 a 2 x 2 acen i'r llinell, yn gyfrifol am ragoriaeth eithriadol y mesur prydferth hwn. Dyna o bosib sy'n cyfrif pam y mae'n fwy poblogaidd ac yn ddygn hirhoedlog o'i gymharu â holl fesurau'r awdl. Mae'r drefn acennu ddeuol gan yr Hir-a-Thoddaid dyweder yn drwm undonog mewn cymhariaeth, fel na ellir ei gyfrif yn gyd-deilwng yn yr un gystadleuaeth. Mae potensial cymharol y cywydd, mewn cymhariaeth, yn rhyfeddol.

Fel yr awgrymais, toddeidio neu fewnoli a wnaethpwyd ym mesur sylfaenol y cywydd: cyplysu'r hyn a oedd yn un o fesurau traethganu, sef y Cywydd Deuair Hirion, â'r Toddaid Byr. Wedi creu mesur newydd cymharol sefydlog, cafodd hwnnw fywyd newydd 'annibynnol'. Ymwahanwyd. Aeth yr hen Gywydd i blith y glêr, a'r Englyn Unodl Union at y bardd teulu, ac yna at y pencerdd. Diau, am gyfnod, fod urddas a chywair yr Englyn mewn Mynegiant o ran arddull wedi ymbellhau ychydig. Ond yn ystod y cyfnod cyn aduno yng ngwaith Beirdd yr Uchelwyr, nid oes rheswm dros gredu nad oedd isymwybod y beirdd drwy'r amser wedi diogelu undod perthynas y Cywydd ac esgyll yr Englyn.

Drwy'r mesurau hyn yn anad dim, ceisiai'r Cynganeddwyr 'wella-wella' eu Mawl. Chwilient am undod. Profent berseinedd. Credaf iddynt fod yn llwyddiannus. Eto, er gwaethaf campau enfawr rhai o'r Gogynfeirdd, credaf i Feirdd yr Uchelwyr gynyddu mewn dau gyfeiriad, sef yn eu Deunydd ac yn eu Ffurf. Yn eu Deunydd, dôi eu meddwl a'u geirfa a'u cystrawen yn ystwythach ac yn fwy hygyrch, eu themâu yn fwy amrywiol, a'u pynciau yn gyfoethocach-letach. Yn eu Ffurf, dôi'r cywreinrwydd a'r llawnder seiniol yn ddwysach, ac i raddau datblygai cynllunwaith eu cyfannau yn fwy diddorol. A chredaf yn hyn oll iddynt gael eu gyrru gan Gymhelliad cynyddol dreiddgar a deallus trefn, a chan fframwaith cymelliadol lletach ynghylch ystyr ddyrchafol Mawl.

277

IV.

BEIAU GWAHARDDEDIG

Beiau Gwaharddedig

(i) Y LLAWLYFR BEIRNIADOL CYNTAF

Ni raid bod yn 'Feirniad Llenyddol' i fod yn feirniad llenyddol. Mae pawb ohonom, os ydym yn ddarllenwyr, yn wrandawyr neu'n llenorion, yn feirniaid llenyddol o fath. Mae rhai yn fwy profiadol, rhai yn graffach, a rhai yn fwy catholig na'i gilydd. Ond pan rown lyfr heibio, pan ddefnyddiwn y botwm ar declyn teledu i newid sianel, gweithredu beirniadaeth yr ydym.

Felly, pan geryddodd Gildas, y pregethwr yn y chweched ganrif, ei frenin Maelgwyn Gwynedd am wrando ar feirdd annerbyniol, ni wnâi namyn gweithredu beirniadaeth lenyddol. Er hynny, erbyn ein dyddiau ni, pan soniwn am feirniadaeth lenyddol 'go iawn', synied am rywbeth pur wahanol a wnawn. A'r peth agosaf cyntaf a gawn yn hanes y Gymraeg i'n cysyniad ni am feirniadaeth sefydledig o unrhyw fath yw Gramadeg Einion Offeiriad yn niwedd y 1320au.

Dyma ŵr o Wynedd (ef oedd rheithor Llan-rug), gŵr a feddai ar diroedd yng ngodre Ceredigion, yn mynd ati i lunio'r ddogfen dreiddgar gyntaf yn hanes beirniadaeth lenyddol Gymraeg. Cyflwynodd ei waith i 'Syr Rhys ap Gruffudd ap Hywel ap Gruffudd ab Ednyfed Fychan er anrhydedd a moliant iddo ef'. Mawl oedd y Gramadeg. Uchelwr cyfoethocaf deheudir Cymru yn y bedwaredd ganrif ar ddeg oedd Syr Rhys, ac yr oedd mam Syr Rhys yn gyfnither i dad-cu Dafydd ap Gwilym. Dyw hi ddim yn amhosib fod gan Ddafydd, a Chasnodyn yntau o ran hynny, gryn ddiddordeb yn y llawlyfr hwn hyd yn oed cyn ei gyflwyno'n swyddogol i Syr Rhys, a hynny ar aelwyd Ieuan ab Ieuan Llwyd a'i wraig Angharad yn Nyffryn Aeron wrth i Einion 'ymarfer' ychydig ar y gramadeg yn y fan yna o ran diddanwch a dysg. Yn rhai o'r enghreifftiau a roddir ganddo ar gyfer mesurau, fe geir elfennau Noson Lawen, neu'r hyn y byddai'r Ôl-fodernwyr yn ei alw'n garnifál.

Meddylier am yr Offeiriad (gwyryfol a dibriod) yng ngŵydd Ieuan ac Angharad ei wraig, yn rhoi fel enghraifft o englyn proest:

Angharad hoyw leuad liw,
Ynghyfraith lewychwaith law,

Wyf o'th gariad, glwyfgad glew,
Ynfyd drwy benyd i'm byw.

Ymhellach ymlaen y mae'r un Offeiriad gogleisiol yn canu enghraifft o Hir-a-Thoddaid (y mesur a ddyfeisiodd ef ei hun):

Gwynfyd gwŷr y byd oedd fod Angharad,
Gwenfun, yn gyfun â'i gwiwfawr gariad;
Gwanllun a'm lludd hun, hoendwg barablad;
Gwynlliw eiry difriw difrisg ymdeithiad;
Gwen dan aur wiwlen, lleddf edrychiad – gŵyl
Yw f'annwyl yn ei hwyl, – haul gymeriad.

Gellid dyfynnu rhagor o enghreifftiau cyffelyb. Ni wn a oedd Ieuan yn rholio chwerthin ar y llawr erbyn hyn, ond yr oedd pawb o'r gynulleidfa fwyn yng Nglyn Aeron yn disgwyl efallai am gyrraedd yr adran sobr o'r llith a'i cynghorai wedyn braidd yn goeg: 'Dwy ryw wraig a folir, rhiain a gwreigdda. Gwreigdda a folir o ddiweirdeb, a phryd, a thegwch, a doethineb, a chymendod, a disymlder geiriau a gweithredoedd, a defodau da. Ac ni pherthyn moli gwreigdda herwydd serch a chariad gan na pherthyn iddi ordderchgerdd.'

Gellid dychmygu efallai y byddai'r Offeiriad yn medru mentro tynnu coes Ieuan fel hyn, lle na ddisgwyliem iddo wneud dim tebyg wedi cyrraedd llys Syr Rhys ap Gruffudd. Eto, defnyddir enw 'Rhys' yn yr enghreifftiau o fesurau yn y fan yna, er gyda chryn barch. Ond sylwer ar yr enghraifft hon wrth drafod gramadeg y ferf luosog: 'Rhys ac Einion (Offeiriad) a garant Oleuddydd.' Crybwyllir yr un Oleuddydd eto gan Einion ymhellach ymlaen wrth drafod y Cywydd Llosgyrnog. Ffugenw efallai.

Sôn yr ydym, sylwer, am lawlyfr ysgolheigaidd, ac am y ddogfen sylweddol gyntaf yn hanes yr astudiaeth o Gerdd Dafod. Ond yr ŷm yn sôn hefyd am gyfnod hwyliog Dafydd ap Gwilym, ac am gymdeithas ddeallol a diddan lle yr oedd Dafydd yn ymwelydd pur boblogaidd. Lluniodd Einion ei lawlyfr yn y 1320au, yn ôl yr Athro Geraint Gruffydd. A dechreuodd Dafydd ap Gwilym yntau ganu yn y 1330au. Mae ganddo Gywydd sy'n cyfeirio at Angharad, Cywydd y dywed Syr Thomas Parry amdano: 'diau fod rhywrai'n bwrw athrod o ryw fath ar y bardd oherwydd ei gyfeillgarwch ag Angharad.' (Ei mab hi, gyda llaw, oedd y Rhydderch yn Llyfr Gwyn Rhydderch). Tybed a oedd y ddau fardd hyn yn ffrindiau?

Anodd gennyf feddwl nad oedd yr Offeiriad 'beiddgar' hwn, a ganai mor debyg i Ddafydd, ac a oedd yn ysgolhaig mor llawen hwyliog ac eto a allai ganu'n ddwys hefyd, heb gael cryn ddylanwad ar y bardd ifanc. Dichon mai efô oedd yr ysgogiad i Ddafydd fentro ar y llwybr rhyfedd a gymerodd.

Dyma'r llawlyfr a fu'n batrwm i Ramadeg Dafydd Ddu o Hiraddug yng nghwmwd Rhuddlan bell tua 1330 (oni fu Dafydd Ddu eisoes yn cydweithredu ynghynt gydag Einion, fel yr awgryma'r Athro Geraint Gruffydd y gallent fod, gan eu bod – o bosib – yn gyfeillion). Olyniaeth y ddau ramadeg byr hyn hyd Gutun Owain a Simwnt Fychan y Pum Llyfr Cerddwriaeth oedd sylfaen beirniadaeth lenyddol Cymru byth wedyn drwy'r traddodiad print yn y Dadeni Dysg: Gruffydd Robert 1567, Siôn Dafydd Rhys 1579 (Llst 55) a 1592, a Wiliam Midleton 1593, gydag adrannau mewn gramadeg a geiriadur, tan y ddeunawfed ganrif, ac wedyn athrylith eithriadol Iolo Morganwg, yna ymlaen drwy lyfrau megis *Tafol y Beirdd* gan Gynddelw II. Ac wedyn, buont yn llygad ffynnon i'r llif enfawr a gafwyd o feddwl a gweledigaeth J. Morris-Jones yn *Cerdd Dafod*. I'r Cymry na theimlant yr orfodaeth i chwilio am sylfeini i feirniadaeth lenyddol yn Lloegr, dyma ffynhonnell wir hanfodol.

Un o'r pethau cyntaf y sylwn arno yw bod tair disgyblaeth, gramadeg, beirniadaeth lenyddol a diwinyddiaeth (y tri hyn), yn y llawlyfr hwn yn cael eu clymu wrth ei gilydd. Peth arwyddocaol iawn. Meddylid amdanynt fel undod. Yr oedd gan y beirniad yr un dull dadansoddol a dosbarthol o feddwl am iaith ag am lenyddiaeth, a chrefydd. A heblaw defnyddio'r un dull, fe ganfyddai Einion fath o gyswllt uniongyrchol rhwng y defnyddiau ieithyddol, y defnyddiau mydryddol, a'r defnyddiau ysbrydol. Wrth ddarllen y triawd hwn yn ei waith, y mae'n amlwg ei fod yn barnu bod ymwybod â'r llafariaid, cytseiniaid a deuseiniaid yn berthnasol i wybodaeth am y sillaf ac am fydr yn gyffredinol ac am drefn Duw. Ni all *connoisseur* llenyddiaeth lai na bod yn *connoisseur* iaith; a mantais yw gwybodaeth am ddiwinyddiaeth gyfundrefnol. Dyma'r tair disgyblaeth angenrheidiol i theorïwr llenyddiaeth, tair sydd ynghlwm wrth y dull absoliwt o feddwl.

Y mae'r llyfryn, felly, yn fwy o lawer na myfyrdod bach am grefft. Ceir wyth ran, a thri phrif ddosbarth o feysydd sy'n cyfateb i'r tri maes yr wyf newydd eu henwi.

A. *Gramadeg*
1. Ymdriniaeth â'r llythrennau. 2. Y sillafau a'r deuseiniaid. 3. Y rhannau ymadrodd, cystrawen, a ffigurau ymadrodd.

B. *Mydryddiaeth* (Ffurf)
4. Mesurau Cerdd Dafod. 5. Y beiau gwaharddedig.

C. *Athrawiaeth Gwerthoedd* (Cynnwys): Y Prydlyfr
6. Y modd y dylid moli pob peth. 7. Yr hyn a berthyn ar brydydd. 8. Trioedd Cerdd.

Un o'r pethau pwysicaf i'w nodi ynghylch cynnwys gwaith Einion a Dafydd Ddu yw'r hyn nas cynhwysir. Ni chynhwysir dim am y Gynghanedd. Ni wyddai Einion ddim cyfundrefnol am y fath beth. Y mesurau sydd yma'n bresennol. O fewn ffurf grai'r mesurau hyn, ac yn wir o fewn rhai o'r amodau gogynfarddol eraill fe ddaethpwyd yn y bedwaredd ganrif ar ddeg i ddarganfod presenoldeb newydd yn y meddwl prydyddol. Rhan o'r broses fforiol a dethol hon oedd y Beiau Gwaharddedig, rhan o'r didoli creadigol.

Bid siŵr, sonia'r llawlyfrau am 'y Gynghanedd'; ond y tebyg yw mai cytseinedd ac odl a olygid. Yn rhyfedd iawn, crybwyllir tri safle i feiau: yn y Cymeriadau, a'r Odlau, a dywedir bod y Gynghanedd yng nghanol y llinellau. Ond ni ddisgrifir yr un bai mewn Cynghanedd go iawn gyda manylder er bod Peniarth 20 yn honni'n enigmatig: 'Trwm ac ysgafn yn yr odlau fydd llyfn a chrych yn y cymeriadau neu'r gynghanedd. Lleddf a thalgrwn yn yr odlau fydd garw a gwastad yn y cymeriadau a'r gynghanedd.'

Os wyf yn iawn wrth gynnig mai'r union bwynt o groesi o Gytseinedd i'r Gynghanedd oedd canfod awdurdod yr Acen dros Gytseinedd ac Odl, ynghyd â'r posibilrwydd i gyferbynnu yn ogystal ag i ailadrodd, ac os cytunir bod a wnelo urddasoli'r cywydd â'r digwyddiad, tybed a oedd elfen o ganu neu o gyfeiliant cerddorol, a thonau penodol y canu pop ar y pryd hefyd yn allweddol yn y datblygiad? Ai cynnyrch betnic o Geredigion oedd y mydru newydd?

Yn seithfed ran y llawlyfr, cawn baragraff nodedig. Mae'n dechrau 'Ni pherthyn ar Brydydd ymhel â chlerwriaeth . . .' ac yn gorffen, 'a bylant y synhwyrau.' (fersiwn Llansteffan 3). Yr wyf eisoes wedi'i drafod mewn cyfrol arall. (MG 19-20) Rhaid cofio, ar ôl beirdd y tywysogion, i gryn newid ddigwydd yn y sefyllfa gymdeithasol. Yr oedd angen ailsefydlu'r traddodiad mawl. Rhan o'r gwaith hwnnw oedd llunio sylfaen athronyddol i'r mawl, gan ddangos mor ganolog ydoedd i farddoniaeth. Yr oedd angen ystyried, yn wir, mor hanfodol sylfaenol oedd mawl yn holl wead bywyd. Yn sgil y myfyrdod hwnnw, daethpwyd i fawrygu gwybod-

284

aeth y beirdd ac i briodoli iddynt allu a gweledigaeth arbennig. Hynny
yw, ar ôl y pum adran gyntaf yn ei Ramadeg, troes Einion o fyd crefft i
fyd celfyddyd a barddoniaeth awenyddol.

Y mae'n werth cyfeirio'n ôl at yr adran yma. Mae'r Athro A. T. E.
Matonis o Brifysgol Temple yn Philadelphia, sy'n awdurdod mawr ar
farddas Ewrob yn yr Oesoedd Canol, wedi dweud am y paragraff hwnnw
ac am y gweddill o'r gyfrol sy'n dilyn: 'Here we find the Welsh gram-
mars moving towards a theory of poetry – its origins, scope and aims. In
this singular, albeit regretfully abbreviated exposition, the Welsh bardic
grammars count as exceptional medieval commentaries on poetics.
They are exceptional not least because we have very little by the way of
vernacular poetics from the medieval period . . .'

'Medieval poetic doctrine . . . has little to say concerning inspiration
or genius, the social or novel obligation of poetics, of what charac-
terizes a poet . . . It is remarkable to find in a medieval text, and a
vernacular one at that, attention given to the role of intellectual,
creative and moral faculties in the poetic process.' Mae'n wir mai ym-
ddangosiadol seciwlar yw'r dadansoddiad cyn y drydedd adran hon.
Ond byddai rhannu o'r math yna'n artiffisial. Nid oes dwywaith fod
Einion Offeiriad yn canfod rhywbeth tebyg i sfferau swyddogaeth (neu
ddiddordeb) yn y bydysawd a oedd yn bwnc i'r awen, ond fe ganfyddai
hefyd y cwbl yn gydlyniad hierarchaidd o fewn penarglwyddiaeth Duw.
Hynny a ganiatâi iddo weld prydyddiaeth yn ysbrydoledig hyd yn oed
pan oedd yn 'diddanhau' neu'n 'digrifhau'.

Tyn Dr Matonis sylw at y term 'prydu' (sef cyfansoddi barddoniaeth,
llunio, ffurfio) a hawlia na ŵyr am unrhyw iaith Ewropeaidd arall yn yr
oesoedd canol (gan gynnwys Lladin) lle y ceir term cyffelyb. Anwybyddai
ieithoedd eraill y fath gysyniad. 'Canu' a wnâi pawb, fel ynghynt y
gwnaethai Taliesin. Gwêl hi arwyddocâd yn hyn o beth wrth symud o
feddwl am fydryddu syml i feddwl ynghylch celfyddyd lawn prydyddu.
Credaf ei bod yn tynnu'n sylw at derm arwyddocaol o safbwynt ymffurf-
iad unigryw Cerdd Dafod ei hun. I mi, yr un mor nodedig yw'r rheng o
dermau cynyddol yn y Gymraeg: canmol, moli, moliannu, gogoneddu.

Ar ôl Einion Offeiriad cododd Dafydd Ddu ac estyn cryn dipyn ar
waith Einion. Yna, er mwyn cael y datblygiad mawr nesaf, bu'n rhaid
aros am dros gan mlynedd tan Ddafydd ab Edmwnd, fl. 1450-97, a'i gyw
Gutun Owain a chyw Gruffudd Hiraethog, Simwnt Fychan, os caf
gyfeirio atynt mewn termau buarthaidd felly heb awgrymu ond cynhes-
rwydd eu perthynas. Ganddynt hwy fe gafwyd atrefniad sylweddol

odiaeth ar y dadansoddiad o Gerdd Dafod. Hwy a roddodd y dosbarth-
iad cyntaf ar y cynganeddion. Bu Dafydd ab Edmwnd yn gyfrifol hefyd
am y newidiadau yn y pedwar mesur ar hugain. A'r cwbl hwn a adlew-
yrchai yn ôl pob tebyg gyfathrachu rhwng penceirddiaid y tair talaith,
yn ogystal â chwaeth Dafydd ab Edmwnd ei hun. Dosbarthiad Dafydd
ab Edmwnd a gyfrifid yn safonol tan ddiwedd yr ugeinfed ganrif.

Yn y gwaith hwn oll, yn fy marn i, yr adran graffaf, fwyaf hydeiml,
newydd a meddylgar a geid gan y beirniaid hyn oedd y casgliadau a
heliasant ynghylch y Beiau Gwaharddedig. Dyma un o'r adrannau pwys-
icaf mewn beirniadaeth lenyddol Gymraeg cyn y ddeunawfed ganrif.
Fe'i dechreuwyd gan Einion (a barnu yn ôl y dogfennau a oroesodd),
a'i hestyn ychydig gan Ddafydd Ddu; ond yng ngwaith Simwnt Fychan
c.1570 y ceir y golygiad o'r dadansoddiad a safodd yn awdurdod nes
cyrraedd *Cerdd Dafod* John Morris-Jones 1925.

Dyma'r dadansoddiad o'r drwg.

Ai cyfarwyddyd *ymlaen llaw* – hynny yw, ar gyfer prydyddiaeth a
weithid ar ei sail – yw hyn oll yng ngramadeg y beirdd felly? Ynteu
sylwadaeth a dadansoddiad *wedyn*? Ai rhagosod rheolau a wnaent, ynteu
ôl-ddarganfod deddfau ar sail modelau derbyniol? Awgrymaf mai
darganfyddiad gan y beirniaid hyn ar sail traddodiad y beirdd oedd y
beiau fel arfer. Fel y bydd gramadegwyr iaith bellach yn archwilio'r hyn
sydd eisoes mewn iaith er mwyn dod o hyd i adeiledd a datgan deddf,
felly y gwnâi gramadegwyr Cerdd Dafod. Hynny yw, fel y gall yr adrannau
yn llith Einion ar y llythrennau ac i raddau helaeth hyd yn oed ar y
mesurau geisio disgrifio'r hyn a oedd eisoes yn bod, felly y mae'r adran
ar y beiau yn dadlennu fel y datblygwyd chwaeth a'r ymdeimlad â ffurf
brydferth. Yn yr adran hon y clywir egwyddorion celfyddydol seiniol y
beirdd ar waith yn isymwybodol.

I mi, y mae Adran y Beiau yn arbennig o werthfawr oherwydd ein
bod yn canfod ynddi ffenomen go syfrdanol. Gwyddom fod y Gramadeg
i iaith sydd yn ymennydd pob un ohonom (y Tafod fel y'i gelwir) wedi
cael ei adeiladu gan bwyll dros gyfnod o ganrifoedd gan arferion yn y
Mynegiant ei hun yn cael eu hailadrodd yn arferiadol. (Er enghraifft,
yn achos y Fannod fe'i datblygwyd mewn Tafod o gyfeiriad Rhagenw
Dangosol mewn Mynegiant drwy leihau grym y 'dangos'). Drwy ddethol
a gogwyddo i'r un cyfeiriad – un cymharol newydd o bosib, o fewn yr
hyn a ganiateid eisoes gan draddodiad gramadeg, y llwyddid i ddatblygu
gramadeg. Tyfai deddfau o egin arferion. Ceisiais ddadlennu yn y pen-
odau a ragflaena hon, fel y mae deddfau Cerdd Dafod (sef y gyfundrefn

isymwybodol cudd) hwythau hefyd yn cael eu hadeiladu a'u datblygu ym meddwl cyffredin y beirdd dros gyfnod o amser. Bellach, daeth yn bryd archwilio enghraifft arall (neu ddosbarth pellach o enghreifftiau) o'r ffenomen hon, sef y Beiau Gwaharddedig. Ffenomen arall a fu'n gudd, yn gyfrinachol. Hoffwn ddangos sut y mae ffurfiau'n datblygu yn yr isymwybod cyffredin drwy ogwyddo'r Mynegiant yn anfwriadus i dderbyn patrymau arferiadol o gyferbynnu ac ailadrodd. Derbynnir a gwrthodir gan bwyll, wrth gwrs, weithiau mor araf â chydol cannoedd o flynyddoedd, nes bod cyfundrefnau sefydlog wedi'u llunio yn y meddwl. Y methiannau yn hyn o ddatblygiad, sef y Beiau, sy'n dangos y ffin rhwng 'damwain' Mynegiant a deddf Tafod. A'r Beiau, felly, yw'r maes ffurfiol lle yr ymglywir ag ysbryd dyfnaf y Gynghanedd.

(ii) ADEILADU CERDD DAFOD DRWY FEIAU

Yr ydym bellach felly wedi cyrraedd y lle i ystyried Pechod. Mater diffiniol i feirdd crefyddol fel y Gogynfeirdd.

Daeth y llawlyfr beirniadol Cymraeg cyntaf, sef gwaith Einion Offeiriad, ac yntau'n rhan o'r un chwyldro â Dafydd ap Gwilym, ar ddiwedd cyfnod y Gogynfeirdd. O'r herwydd, pryd bynnag y dyfynnai Einion enghreifftiau, gwaith y Gogynfeirdd diweddar yn fynych oedd ei ddeunydd. Yn eu plith caed Bleddyn Ddu, Iorwerth Fychan, Gwilym Ddu o Arfon, a Gruffudd ab yr Ynad Coch, heblaw ambell un cynt fel Cynddelw Brydydd Mawr. Dyma oes cyn datblygu'r Gynghanedd yn llawn. Ond daeth Einion hefyd ar drothwy cyfnod Beirdd yr Uchelwyr, y Cywyddwyr. Ac ymhlith yr enghreifftiau a ddefnyddiai yr oedd gwaith hefyd ganddo ef ei hun mewn arddull a chynnwys nid annhebyg i beth o waith Dafydd ap Gwilym – gyda chyffyrddiadau o ganu serch a hwyl ysgafnach nag a geid yng ngwaith cymharol drwm cyfnod y Tywysogion. Dyma Awdl-Gywydd o waith anoffeiriadol Einion a ddefnyddiodd yn ei Ramadeg i enghreifftio'r mesur hwnnw mewn modd soffistigedig:

> O gwrthody, liw awen,
> Was difelyn gudynnau,
> Cael yt filain aradrgaeth,
> Yn waethwaeth ei gyneddfau.

Einion hefyd gyda llaw a ddyfeisiodd fesur yr Hir-a-Thoddaid (a'r ddau fesur clwc – Cyrch a Chwta a Thawddgyrch Cadwynog). Perthynai'r gŵr craff hwn, felly, i drobwynt neu i gyfnod o drawsnewid yn hanes llenyddiaeth.

Perthynai hefyd i gylch o weithgaredd ffrwydrol yn hanes llenyddiaeth, a hynny yn yr ardal rhwng Ystrad Fflur, Parcrhydderch (Llangeitho), Llanddewibrefi a Glyn Aeron, gweithgaredd a gynhwysai goron Beirdd yr Uchelwyr (Dafydd ap Gwilym), cychwyn pwysicaf ein beirniadaeth lenyddol (Einion Offeiriad), ac un o symudiadau llawysgrifol mwyaf arwyddocaol ein hysgolheictod (Llyfr Gwyn Rhydderch, Llawysgrif Hendregadredd, Llyfr Ancr Llanddewibrefi a'r cronicl gwreiddiol Lladin colledig i Frut y Tywysogion ynghyd ag un fersiwn Cymraeg ohono), heblaw gwaith cyfreithiol. Dyma ganolfan seciwlar ddeallol bennaf Cymru yn hanner cyntaf y bedwaredd ganrif ar ddeg.

Einion Offeiriad a'i gymar Dafydd Ddu o Hiraddug (sy'n ymddangos fel pe bai wedi cymhwyso ychydig ar waith Einion) yw'r to cyntaf o 'feirniaid' difrif. Cyn yr ail do rhaid inni ddisgwyl bellach am dros gan mlynedd. Erbyn hynny y mae'r Gynghanedd wedi hen aeddfedu.

A Simwnt Fychan sydd wedi gadael inni'r llawlyfr pwysicaf a llawnaf yn yr ail do. Plant Simwnt ŷm ninnau bellach. Ond yn wahanol i Einion, nid llunio llawlyfr hamddenol 'unigolyddol', myfyrdod academaidd, a wnâi Simwnt. Roedd yn fwy ymarferol. Y mae achlysur arbennig yn nodi'r amser esgor ar yr ail gnwd hwn o lawlyfrau beirniadol. Sef Eisteddfod Caerfyrddin 1451, a'r arolwg a wnaed yn y fan honno o dan arweiniad Dafydd ab Edmwnd o sefyllfa Cerdd Dafod. Yr ydym wedi symud o fyd answyddogol, amaturaidd braidd Einion, i fyd proffesiynol penceirddiaid y Ganrif Fawr. Y mae Simwnt yn meddwl busnes.

Datblygiad oedd hyn o gyfnod sylwadaeth neu o fyfyrdod beirniadol ar y *pennill*, 'mesurau Einion', tuag at gyfnod sylwadaeth ar y *llinell*, 'cynganeddion Simwnt', oddi wrth y macro-gyfan at y meicro-gyfan. Yn y cyfnod ar ôl Einion, canfyddwn fethiant theori fesurol Einion; ac yn y cyfnod ar ôl Simwnt, canfyddwn lwyddiant theori gynganeddol Simwnt. Ond yr oedd Einion yn anffodus gan mai'r unig ffordd i feithrin theori iawn i'r pennill oedd ar sail theori'r llinell – sef yn ôl y drefn wrthwyneb i'r un rhwng Einion a Simwnt.

Pan fyddwn yn meddwl am 'feirniadaeth lenyddol' ddiwedd yr oesoedd canol, y ddwy genhedlaeth hynny, sef cenhedlaeth Einion a chenhedlaeth Simwnt, yw'r fframwaith y mae'n rhaid inni ei ddefnyddio'n bennaf. Rhwng pegwn Einion a phegwn Simwnt y symudir wrth geisio ystyried y Gynghanedd, ac yn arbennig yr allwedd a ddefnyddia Simwnt i geisio 'diffinio' natur y Gynghanedd, sef y 'Beiau Gwaharddedig'. Y beiau wedi'r cwbl sy'n dynodi'r ffin, y gwahaniaeth, y paramedrau cywir, wrth ystyried beth yn union a wnaethpwyd wrth lunio a myfyrio am y ffenomen Gymraeg ryfedd hon, sef Cerdd Dafod.

Ceisiais yn gyson yn fy theori lenyddol gyfansawdd gwmpasu'r disgrifiad o feirniadaeth lenyddol drwy gyfeirio at dair agwedd: Cerdd Dafod, Cymhelliad a Cherdd Fynegiant. Gyda'r Oes Ramantaidd troes y pwyslais mawr bron i gyd at Gerdd Fynegiant. Dyma'n cyfnod ni (a sôn yr wyf am feirniadaeth lenyddol yn hytrach nag am y ddihangfa i hanes ac astudiaeth destunol ym myd ysgolheictod). Pan fydd beirniaid yn gwneud camgymeriadau neu'n camddeall rhywbeth ynglŷn â Thafod, fe wnânt hynny ond odid oherwydd bod eu bryd yn gyfan gwbl ar Fynegiant. Y disgrifiad a'r ymateb i weithiau unigol oedd biau'r sylw bron i gyd yn y cyfnod diweddar. Goddrychol ac argraffiadol a hanesyddol oedd prif natur y gwaith. Ond nid felly yr oedd hi yn y cyfnod clasurol nac yn yr oesoedd canol nac yn y Dadeni Dysg. Nid felly chwaith y mae hi yn y cyfnod diweddaraf oll mewn gwledydd eraill. Ac yn y cyfnod cyn-ramantaidd yr ŷm ni'n sôn amdano ar hyn o bryd, Cerdd Dafod a Chymhelliad oedd y ddau faes a gâi'r sylw pennaf. Lle y dôi Cerdd Fynegiant i drafod gweithiau 'arbennig', ymdrôi Cerdd Dafod a Chymhelliad yn fwy gyda'r 'cyffredinol'. Mae'r gwahaniaeth yn arwyddocaol. Pan geir dyfyniad o ddarn o farddoniaeth mewn beirniadaeth gyn-ramantaidd, fel arfer chwilio neu geisio arddangos egwyddor gyffredinol y mae'r beirniad. Gyda rhamantiaeth ac wedyn, pan ddyfynnir cerdd, fel arfer chwilio neu geisio arddangos camp neu natur y gerdd arbennig honno y mae'r beirniad. Mewn beirniadaeth gyfansawdd, ar y llaw arall, ymwneud yr ydys â 'chyfoeth' amlochrog llenyddiaeth: â phob agwedd megis.

Ac yn y cyfnod diweddaraf – nid Ôl-Ramantaidd yw'r term gorau amdano yn hollol – cafwyd ymgais i gyflenwi ychydig ar y darlun hwnnw yn arbennig ynglŷn â'r cyffredinol. Heb gefnu ar Gerdd Fynegiant, cafwyd mwy o sylwadaeth ar theori a sylwedd Cerdd Dafod, ac ar natur a grym Cymhelliad. Symudwyd tuag at fwy o amlochredd cyflawn. Ond methwyd â dygymod â'r cydlyniad.

Ar hyn o bryd, ceisio ystyried cyfraniad yr oesoedd canol yr ŷm.

*   *   *

Ymgais oedd Cerdd Dafod gan amlaf i ddadansoddi ac i sylweddoli patrymau seiniol. Ac yr oedd bob amser yn gweithredu ar sail egwyddorion cyffredinol syml. Bwriad ein hymdriniaeth yn y fan yma ac ymlaen am dipyn fydd ystyried beth yn hollol yw'r egwyddorion cyffredinol hynny, yn arbennig ynglŷn â'r Beiau Gwaharddedig. Mae a wnelont â phatrymau a aeth i graidd yr isymwybod, wrth gwrs. Gall yr isymwybod hwnnw fod yn ansicr ac yn sigledig iawn weithiau (fel y gwelwyd wrth drafod 'ail linell' yr englyn). A'r pryd hynny – ond yn wir bob amser o safbwynt deall cyfoeth a natur Cerdd Dafod – y mae myfyrdod ymwybodol yn llesol.

Mae'r iaith ddynol aeddfed ei hun, wrth gwrs, yn cynnwys dau gyflwr gwahanol, sy'n bur amlwg bellach. Mae un ohonynt mor ymwthiol ac yn cynnwys y math o barabl a glywn bob dydd ac a ddarllenwn ar dudalennau *Barddas* dyweder. Dyma Fynegiant. A hynny sydd yn y paragraff hwn. Dyna fel arfer yr un y mae beirniaid yn hoffi aros gydag ef. Ond gwyddom fod yna gyflwr arall yr un pryd o'r golwg yn yr ymennydd. Dyma'r mecanwaith potensial a alwn yn Dafod. Ac meddai Gustave Guillaume: 'Er mwyn bod yn gyflawn, rhaid i sylwadaeth yng ngwyddor iaith gynnwys yr hyn sy'n gorfforol (ac felly'n unionsyth) weladwy yn ogystal â'r hyn sy'n feddyliol (ac felly'n anghorfforol) weladwy, o dan y rhan gorfforol weladwy o'r iaith'.

Methiant i sylweddoli hyn yn llawn a fu'n llesteirio defnyddiau dysgu ail iaith yng Nghymru yn ein dyddiau ni, yn drychinebus felly o safbwynt tynged yr iaith; ond mater arall yw hynny.

A'r un modd mewn theori lenyddol, neu wrth drafod ffurf yn gyffredinol mewn beirniadaeth lenyddol. Ceir dau gyflwr. Mewn Mynegiant prydyddol ceir miloedd ar filoedd o odlau posibl er enghraifft. Ond o'r golwg, mewn Cerdd Dafod ceir cyfundrefn seml gyfyngedig Odl. Honno yw'r egwyddor esgorol. Y mymryn hwnnw sy'n cynhyrchu'r llawer. Cyfyng eto yw egwyddor Mydr Iambig; ond y mae miliynau o linellau'n bosibl ar sail y cynllun meddyliol deinamig bach hwnnw. Mae'n ymddangos fod gan y prydydd fecanwaith cynnil bach yn y meddwl sy'n gallu cyflyru neu amodi helaethrwydd aruthrol yn y golwg. Dyna berthynas dau gyflwr mawr prydyddiaeth: Cerdd Dafod a Cherdd Fynegiant. Ond beth yw natur briodoleddol a chyferbyniol y berthynas rhyngddynt?

Mae'n ymddangos fod Cerdd Dafod yn weddol sefydlog, a Cherdd Fynegiant yn bythol newid, o enghraifft i enghraifft. Felly y mae hi gyda Gramadeg a Mynegiant mewn iaith: y 'sefydlog' a'r ansefydlog. Ond rhith yw'r dybiaeth hon. Ymdeimlad. Y mae Tafod a Cherdd Dafod hwythau eu hunain yn newid o hyd dros y canrifoedd. Ac yn hanes

Tafod a Cherdd Dafod, yr hyn sy'n eu newid hwy, yn eu bwydo neu'n eu hadeiladu hwy yw arferion sy'n datblygu mewn Mynegiant. Try'r arferion achlysurol hyn yn gyfundrefnau yn y canol. Mae Tafod neu Gerdd Dafod yn canfod patrymau ac yn adnabod perthynas arwyddocaol reolaidd, ac yn eu mabwysiadu fel sylfaen. Wedyn, ar ôl i'r rhain droi'n rhan o Sefydliad Tafod, y maent yn darparu peirianwaith ar gyfer cynhyrchu defnydd arbennig ymhellach, y Mynegiant.

Ceisio olrhain sut yr oedd Cerdd Dafod yn cael ei hadeiladu'n araf isymwybodol mewn un cyfnod yn ei hanes, dyna yw'n bwriad yn y fan hon. Roedd yna broses debyg yn digwydd ym myd Tafod iaith hefyd. Ond yr oedd y broses honno yn digwydd ar raddfa gyflymach ym myd Cerdd Dafod, a gellir ei holrhain yn haws.

Bwhwman rhwng dau gyflwr, Tafod a Mynegiant, y bydd iaith. Sylweddoli'r broses honno o'i chychwyn wrth sylwi ar y canlyniadau, dyna a wnâi Gustave Guillaume ym myd ieithyddiaeth, arddangos y modd o genhedlu a'r rheswm dros y trawsnewid. A dyna a geisiwn innau mewn Cerdd Dafod.

Yr wyf am amlinellu dosbarthiad deuol o'r Beiau Gwaharddedig yn ôl yr egwyddor fawr gyffredinol a nodais o'r blaen – GWAHUNIAETH. Dyma'r egwyddor sy'n dweud mai hanfod ffurf aeddfed mewn celfyddyd yw'r cyfuniad o debygrwydd ac annhebygrwydd, uniaeth a gwahanu. Dyma'r ffurf sylfaenol hefyd i iaith ac i feddwl. Wrth esgeuluso un ochr – sef yr uniaeth – y cyfeiliornodd Ôl-foderniaeth. Hynny yw, wrth beidio â gwybod am natur lawn iaith. Cymerer dau fai adnabyddus lle y mae'r tebygrwydd neu'r uniaeth yn methu:

1. Mewn llafariaid (neu odl): *Yn y llan y mae e'n canu.*
Dywed y glust wrthym eisoes ac ar unwaith nad yw 'llan' a 'cân' ddim yn odli mewn geiriau unsill acennog. Mewn geiriau unsill y mae'r gwahaniaeth rhwng hyd byr 'llan' a hyd hir 'cân' yn ddifyfyrdod o amlwg. Dywedwn fod y rhain yn 'amlwg' gyferbyniol. Ond pan odlwn mewn llusg, a gosod acen drom ar y sillaf olaf ond un (y goben) ac acen ysgafn ar y sillaf wedyn – 'canu' – nid yw'r rhan fwyaf o dafodieithoedd Cymru'n gwahaniaethu rhwng 'canu' a 'cannu'. Mae Morgannwg yn dal i'w wneud, a phersain i'm clust i yw clywed rhywun o Forgannwg yn dweud 'cânu' neu 'câru' ac yn y blaen. Morgannwg sy'n dal i gadw'r hen ynganiad sy'n dynodi hyd y llafariad. Mae yna ddatblygiad yn yr iaith mewn tafodieithoedd eraill sydd wedi mygydu'r gwahaniaeth hwn rhwng 'canu' a 'cannu'.

Eto, mewn Cerdd Dafod, yn y llinell, (wrth ei hynganu yn ôl y dull mwyaf cyffredin bellach) *Yn y llan mae e'n canu*, ystyrir bod yna fethiant â chael odl lawn yn ôl y traddodiad. Mae yna 'eisiau'. Does dim digon o uniaeth. Ac enw'r bai llafariadol hwn wrth gwrs yw TRWM AC YSGAFN. Morgannwg a'i dywed wrthym.

2. Mewn bai cytseiniol ar y llaw arall: *Meirch unlliw maer Machynlleth*, mae'r bai yr un mor syml i'r glust y tro hwn eto. Ar y naill law ceir rhediad o gytseiniaid 'm r ch n ll'; ac ar yr ochr arall, 'm ch n ll'. Hynny yw, mae'r gwahaniaeth rhwng y ddwy ochr yn amlwg. Mae un gytsain yn 'eisiau': r. (Neu y mae yna *m* yn ddiangen yn yr ail ran.) Does dim digon o uniaeth eto. Mae'r cytseinedd yn brin ac o'r herwydd y cyfan yn methu. Ac enw'r bai yw TWYLL GYNGHANEDD. Machynlleth a'i dywed. (Cawn weld ymhellach ymlaen fod yna ymrafael â'r goddefiadau.)

Dyma'r dosbarth o feiau sy'n pwyso ar un ochr yn unig i'r egwyddor: mewn cynghanedd 'bur' ceisid cydbwysedd heb na rhy nac eisiau. Yn y rhain ceir prinder eglur: '*eisiau*'. Methir am nad oes digonedd o debygrwydd. Ac yn fy marn i, dyma fai 'adeileddol' amlwg, sy'n perthyn i'r sylw mwyaf 'cyntefig' ar Gynghanedd. Dyma'r mwyaf sylfaenol mewn beiau. Disgwylir tebygrwydd, ac fe roddir annhebygrwydd. Cyfateb go iawn yw'r ddefod. O'r herwydd, nid yw'n bodloni. Dichon mai rhai o'r beiau a ddatblygwyd ac a adnabuwyd yn gyntaf oll mewn Cerdd Dafod oedd y rhain.

Cymerer yn awr ddau fai lle y mae'r tebygrwydd (nid annhebygrwydd) yn mynd dros ben llestri, lle y ceir 'rhy' neu ormod o gyfateb:

1. Mewn llafariaid (neu odl): *Ifan fy nghariad ifanc*. Y tro hwn ceir 'gormodedd'. Yr oedd y bardd beirniadol a chlustdenau yn ymdeimlo â'r profiad bod y ddwy ochr i'r llinell yn rhy debyg ac yn gorwneud yn ei llafariaid. Ceir y gyfatebiaeth gytseiniol 'f' o fewn yr aceniad y naill ochr a'r llall: ceir digon o debygrwydd gofynnol, felly. Ond y mae'r bardd wedi mynd yn rhy bell, a hefyd wedi cael tebygrwydd ym mhatrymwaith y llafariaid yn y ddau le, o dan yr acen, ac yna yn y sillaf ddiacen. Ac enw'r bai hwn yw RHY DEBYG. Profiad rhy felys yw. Nam ar chwaeth. Yn yr isymwybod, erys awydd i amrywio llafariaid. (Amrywiaeth llafariaid: unrhywiaeth cytseiniaid).

2. Mewn cytseiniaid: *Y dewr gwrol drwy gweryl*. Mae'r Gynghanedd yn gofyn am debygrwydd yn rhediad y cytseiniaid, y naill ochr a'r llall i orffwysfa'r llinell ynghyd â gwahaniaeth ar ôl y llafariad olaf. Y mae a wnelo'r llafariad olaf â'r odl, sef uchafbwynt y llinell, ac felly dan beryg o gael dwbl debygrwydd mewn lle amlwg. Er enghraifft, byddai 'Y dewr gwaraidd drwy gweryl' yn dderbyniol ddigon oherwydd bod y gytsain 'dd' yn wahanol i'r gytsain 'l'. Ond ni chafwyd y gwahaniaeth hwn lle yr oedd yn ddisgwyliedig yn yr enghraifft a ddyfynnais. Cafwyd gormod, sef '*rhy*' y tro hwn eto. Ac enw'r bai hwn yw PROEST I'R ODL.

Dyma ddosbarth o feiau lle y mae'r uniaeth yn amlwg, ond nad oes dim digon o annhebygrwydd. Nid yw'n bodloni drachefn. Yr wyf am awgrymu mai'r 'hen ddosbarth' o feiau yw'r ddau cyntaf a enwais, lle y ceir *eisiau*, y dosbarth rhwyddaf i'w adnabod, ac mai'r 'dosbarth newydd' o feiau yw'r ddau olaf, lle y ceir *gormodedd*, dosbarth mwy soffistigedig o ran adnabod y diffyg. Datblygodd y beirdd yn feirniadol o gyfeiriad ymdeimlad ag adeiledd seiniol tuag at chwaeth seiniol, o adnabod amlygrwydd yr eisiau tuag at adnabod llai o amlygrwydd y gormodedd. Mae hyn yn gofyn datblygiad newydd mewn hydeimledd.

Sylwer, yn amlinelliad Simwnt Fychan o'r Beiau, ei fod yn rhestru y beiau 'rhy' yn gyntaf: Gormod Odlau, Proest i'r Odl, Dybryd Sain, Tin Ab, Carnymorddiwes, Rhy Debyg, Ymsathr Odlau. Dyma'r darganfyddiad newydd ar y pryd. Ac yna y mae'n rhestru'r beiau 'eisiau' yn ail: Twyll Gynghanedd, Twyll Odl, Lleddf a Thalgron, Trwm ac Ysgafn, Crych a Llyfn, Camosodiad. Dyna, yn ôl pob tebyg, hen sylweddoliad mwy 'naturiol'. Yn ei erthygl ar Dudur Aled awgrymodd J. Morris-Jones nad oes trefn yng nghyflwyniad y Beiau. Ond mentraf awgrymu yn y fan hyn mai 'rhy' ac 'eisiau' yw'r dosbarthiad bras, fel yr awgryma Simwnt ei hun. Dyna fy nosbarthiad yma.

Wrth adeiladu Cerdd Dafod – yn isymwybodol y dywedwn i – a hynny ar sail arferiadau a ddatblygodd mewn Cerdd Fynegiant, cafwyd symudiad ffurfiol, deuol. Yn gyntaf, cafwyd *sylweddoliad* o feiau adeileddol amlwg, sef diffyg tebygrwydd. Ac yna, yn ail, tyfodd yr ail sylweddoliad (newydd) a oedd yn ddyfnach, sef yr *angen* am rywfaint o ddiffyg tebygrwydd; hynny yw y dwfn angen am debygrwydd yn ogystal ag annhebygrwydd. Yr oedd hyn yn ddatblygiad mewn chwaeth, ac yn gofyn hydeimledd mwy effro.

Yn isymwybodol, dybiwn, ac yn gwbl ddiarwybod i ddechrau, yr oedd y beirdd wedi adeiladu'u celfyddyd drwy ymaflyd yn y sythwelediad o Wahuniaeth. Dwy ochr. Sythwelediad ynghylch cyneddfau sylfaenol pob deall. A chawsant felly gelfyddyd aeddfed. Yn ymwybodol yn ein dyddiau goleuedig ni yr oedd yr Ôl-fodernwyr wedi ceisio Gwahaniaeth yn unig. Dyma'u diwinyddiaeth hanner-pob ddiddyfnder. Diwinydd-iaeth yw na wna'r tro ar gyfer dadansoddi nac iaith na llenyddiaeth, na gwirionedd na bodoli, ta faint o amser y 'gohiriwn' er mwyn ei derbyn. Ni lunia theori go iawn gan fod pob rhan yn dibynnu ar ei gilydd ac ar y cyflawnder. Diwinyddiaeth yw a gollodd afael ar rai o ragdybiau han-fodol pob meddwl ystyrlon ac ymarferol a chreedig. A chafwyd chwalfa anaeddfed. Athronwyr yn potsian mewn iaith a chelfyddyd. Dyma, sut bynnag, y lle y ceir rhagoriaeth cyfarwyddyd Cerdd Dafod. A dyna'r pam y byddaf yn galw o hyd am Feirniadaeth Gyfansawdd, ac am ail-gydio yn nhraddodiad aeddfed gwybodaeth ddatblygedig Gymraeg yr oesoedd. Gwybodaeth isymwybodol y canfyddiad o Wahuniaeth yw. Gweledigaeth y traddodiad beirniadol Cymraeg treiddgar o debygrwydd undod ynghyd ag annhebygrwydd amrywiaeth. *Différance* +. Ymwybod o'r Anweledig y tu ôl i'r gweledig. Dyna fu ateb yr adfywiad cyngan-eddol yn y 70au'r ugeinfed ganrif i Ôl-foderniaeth.

Seiliwyd y weledigaeth Gymreig (ond hollol gyffredinol) honno ar y rhagdyb bod trefn yn gynhenid orfodol i'r greadigaeth: y mae'n is-ymwybodol angenrheidiol. Gwahuniaeth, sef amrywiaeth mewn undod, sy'n caniatáu neu'n cyflyru honno hefyd. Nid oes ystyr hebddo. Seiliwyd Ôl-foderniaeth ar y llaw arall ar y rhagdyb ymwybodol arwynebol mai anhrefn oedd hanfod y bydysawd. Cynnyrch diwinyddiaeth a rhagdyb-iau annatblygedig cyfnod heb wreiddiau digonol oedd. Cyfnod a gafwyd o'r herwydd pryd yr ymyrrwyd â llawnder isymwybodol llenyddiaeth gan brinder ymwybodol 'athroniaeth'. Ac ar ddechrau'r trydydd mileniwm bellach, ceir cyfnod o'n blaen i feirniaid chwydu'r dogma sicr sy'n rhag-dybio ansicrwydd a chwalfa unochrog o'u genau.

Gwyddom am theori Ansicrwydd: gellir bod yn bur sicr ei bod yn y pen draw yn anymarferol. Ansicrwydd yw o fewn Sicrwydd.

Mae'r criterion o Chwaeth mewn Beirniadaeth Lenyddol yn ymddangos yn eithriadol o oddrychol. Ond mae'n arwyddocaol fel y gwrthrychwyd ef yn isymwybodol gan y beirdd, ac yna fel y dadansoddwyd ef gan Simwnt Fychan yn strwythurol o dan begynau Rhy ac Eisiau. Mae hi fel pe bai modd mewn Coginio i rywun benodoli amodau eglur 'Rhy felys' neu 'Rhy hallt' ar y naill law, a 'Heb fod yn ddigon melys' neu 'Heb fod yn ddigon hallt' ar y llall. Gwyddom fod y gwahaniaeth hwnnw yn 'ffaith'. Mae yn ymateb go gyffredinol a chorfforol ddiriaethol. Ond ychydig a dybiwn y gellid corffori Chwaeth o'r fath, ac yn wir ei weithredu wedyn yn allanol wrthrychol mewn sylwadau cytûn. Anos byth yw cydnabod Chwaeth yn Ffaith gytûn.

Tueddwn ninnau i amddiffyn sensitifrwydd rhag gor-ymholi. Rhamantwyr ydym. Po fwyaf y dadansoddwn yn ôl rheolau prennaidd, mwyaf yr ymadawn ag unbenaethdod teimladrwydd. Yr ydym yn wyllt, ar egwyddor. Ceisiwn ffoi drwy begynu clustiau a rheolau, felly, mewn gwersylloedd gwrthwynebus, heb ystyried y gallai fod gan y clustiau eu rheolau a chan y teimladau eu trefn. Hynny yw: ymgais hynod annifyr yw'r eiddom ni i gysylltu Chwaeth â Cherdd Dafod, peth amhriodol iawn, gellid tybio, yn drosiadol neu beidio. Cymysgu Arddulleg â Chynarddulleg! Onid ymgysyllta hyn â'r egwyddor Aristotelaidd o Gymedroldeb, egwyddor weddol amheus mewn cyfnod dirfodol?

Ac egwyddor! I ninnau, y dwthwn hwn, yng nghysur ein Hôl-feirniadaeth, radicalaidd iawn fyddai unrhyw sicrwydd bygythiol o'r fath. Perthyn yn wir i ddychryn gwybod ac i arswyd credu. Rhag inni goleddu'r fath safle Absoliwt, celwyddwn yn wyllt awyddus am ormes dogma a gorthrwm totalitariaeth o fewn amgylchiadau cyfrifoldeb personol. Safbwynt Absoliwt arall.

(iii) DATBLYGIAD CERDD DAFOD Y CYWYDDWYR

Bydd yr hen ramadegau ambell waith yn sôn bod Hwn-a-hwn wedi dyfeisio rhyw fesur neu'i gilydd. Ond ni bydd neb yn dweud mai Hwn-a-hwn a ddyfeisiodd Gynghanedd Lusg neu Gynghanedd Groes Anghytbwys Ddisgynedig.

Pam?

Cwestiwn da.

Yn un rheswm, er nad yr unig un, am fod modd neu o leiaf mwy o fodd 'bathu' mesur yn ymwybodol. Mae'n waith cymharol arwynebol ac achlysurol. Tebyg yw i Bwyllgor yn bathu termau geirfaol, o'i gyferbynnu â Phwyllgor yn methu â bathu bannod amhendant. Gwaith yw mesur, megis geirfa mewn Mynegiant, a lunnir yn gymharol ymwybodol; ac yn achos y mesurau, fe'u hadeiledir ar sail elfennau Tafod. Datblygu'n isymwybodol, ar y llaw arall, a wna'r cynganeddion (fel y fannod hithau), o leiaf ar y lefel hanfodol, yn ôl eu helfennau adeileddol. Hynny yw, mae'r cynganeddion cychwynnol yn ymffurfio'n anfwriadus ddigymell, yn hytrach na gwneud fel y gellir wedyn, sef cyfuno'r rhai sylfaenol, proses a elwir yn 'arbrofi'. Gwaith yw llunio'r Gynghanedd yn isymwybodol mewn Tafod drwy gymathu'r hyn a adeiladwyd eisoes yn gyntaf yn ymwybodol o bosib gan Fynegiant.

(Gall unigolyn wrth gwrs fathu rhyw fath o 'Gynghanedd newydd' fel gêm neu ddyfais – a hynny'n ddifyr ddigon; ond nid yw'n suddo i mewn i *psyche* Cerdd Dafod. Felly hefyd y gallai pwyllgor geisio bathu bannod amhendant dyweder i'r Gymraeg; *un* yw'r gair mwyaf addawol. Ond nid popeth a wna pwyllgor sy'n mynd ar led. Yr hyn sy'n rhwydd ym myd iaith yw bathu geirfa. A chyfuno ffurfiau parod mewn llenyddiaeth. Ni bydd neb call yn bathu gramadeg.)

Felly hefyd y beiau. Perthyn *beiau mesur* i lefel lawer mwy arwynebol na'r *beiau cynganeddol*. Megis y mae'r pennill yn fwy arwynebol na'r llinell. Ac am y rheswm hwnnw, ac am ein bod yn ceisio chwilio dyfnderoedd ffurfiol Beirniadaeth Lenyddol yn y gyfrol hon, yr wyf am ymgyfyngu ar y dechrau i'r beiau cynganeddol yn unig.

Ceisiwyd dadlau bod yna raniad syml rhwng dau fath o feiau gwaharddedig a gafwyd mewn Cynghanedd. A dichon bod yna gyfnodau gwahanol yn hanes Cerdd Dafod, yn fras, ar gyfer adnabod a chydnabod y naill grŵp a'r llall. Dichon yn wir fod y naill grŵp yn perthyn, yn fras, i gyfnod Einion Offeiriad a'r llall i gyfnod Simwnt Fychan.

Bid a fo am hynny, yr wyf yn meddwl y gellid eu dynodi, a siarad yn llac ac yn llaes am y tro, fel

(a) *Beiau manylder a 'phrinder' cytseiniol a llafarog,*
(b) *Beiau adeileddol chwaeth 'gormodedd'.*

Nodir rhai ohonynt yn feiau oherwydd bod yna ddiffyg manylder neu brinder cyflawnder yn y gyfatebiaeth; a ffrwyth 'blerwch' o fath ydynt gyda theimlad o 'angen'. Tacluso neu dwtio neu finiogi'r glust yw'r cymhelliad wrth eu cydnabod yn feiau. Felly y rhy ychydig (yn yr ystyr peidio â chyrraedd nod cyfateb):

Twyll Gynghanedd – *Golwg teg fydd gweled hyn* (enghraifft o fanylder cytseiniol yn brin wrth geisio'r nod o gyfateb)

Camosodiad – *F'athrod ag ef fyth drwy gas* (enghraifft o brinder wrth gyrchu nod trefn cyfateb)

Trwm ac Ysgafn – *I wlad Fôn nid â honno* (enghraifft o brinder wrth gyrchu nod ateb llafariad)

Wrth sôn am y rhain fel beiau, tynnid sylw'r beirdd at yr angen i fod yn ofalus, yn glust-denau i gyfatebiaeth 'unffurf' gyflawn. Doedd hynny fawr o gamp. Clustiau blêr oedd y drwg.

Hollol wahanol yw natur beiau adeileddol gormodedd. Dyma gynilo yng ngramadeg Cerdd Dafod, sy'n debyg o ran ansawdd i'r cynilo yn Nhafod yr Iaith Gymraeg yn ddiweddar oddi wrth chwe thymp morffemig y ferf yn y Modd Mynegol tuag at fabwysiadu pum tymp (gan ollwng naill ai'r 'gorberffaith' [neu'r 'amodol'] – sef, yn ôl yr hen derminoleg anghywir, yr amherffaith). Angen tocio oedd. Cyrhaeddwyd y nod eisoes, ond ymdeimlid y dylid cynilo mwy. Datblygiad adeileddu cyffelyb a gafwyd (ym maes Cerdd Dafod yn isymwybodol) drwy gynnig a methu cynganeddion dros gyfnod o amser. Chwaeth dethol oedd, nid chwaeth amrwd. A chydnabod bod yr adeileddau chwaeth newydd hyn eisoes wedi datblygu'n sefydliad, dyna oedd y cymhelliad dros gydnabod y rhain yn feiau. Miniogi'r ymwybod o adeileddau arbennig newydd oedd y cymhelliad y tu ôl i'r cwbl. Felly:

Proest i'r Odl – *Poen ddolur pan feddylier* ['f' yn oddefiad]

Gormod Odlau – *A'i gad wyth oes gyda'i thad*

Rhy Debyg – *Llawer diwrnod llawen.*

Pwysig sylwi mai ym maes llafariaid ac odl y mae'r beiau adeileddol olaf hyn yn digwydd. Datblygiad cymharol ddiweddar ydynt: nid oeddent yn feiau yng nghyfnod Iolo Goch a Dafydd ap Gwilym; daethant yn feiau swyddogol yn ystod cyfnod Dafydd ab Edmwnd, Gutun Owain a Simwnt Fychan.

Datblygwyd o gyfnod y gogwydd tuag at 'debygrwydd' i bwyslais yn ôl 'annhebygrwydd' gan wneud '*gwahuniaeth*'; o'r unrhywiaeth at yr amrywiaeth. Mae arnaf ofn mai beiau cymharol anniddorol yw'r 'beiau manylder a phrinder' wrth ochr 'beiau adeileddol gormodedd'. Dichon mai un bai yn unig mewn manylder a phrinder (sef o'r grŵp cyntaf uchod) sy'n fwy diddorol na'i gilydd, sef 'Trwm ac Ysgafn'. Pair inni sylwi ar natur llafariaid, o ran hanes bron, yn enwedig pan geir yr acennog trwm yn odli â goben ysgafn mewn Cynghanedd Lusg. A rhyw fath o dŷ hanner ffordd hefyd rhwng manylder a sylweddoli adeiledd yw'r ffordd y cyflwynid Camosodiad Gorffwysfa yntau. Felly:

297

(a) *Yr hàul o'i órwel/éirian* (Dim rhagacen yn yr ail ran)
(b) *A dŷwyn i bób/dŷn bŷw*
    Y gŵr a bríg/àr brégeth

(Yn y ddwy linell hyn ceir tair sillaf acennog gyda'i gilydd; ac o'r her-
wydd ni chaniatéir gorffwysfa yn nes i'r diwedd na'r bedwaredd sillaf
mewn saith pan fo'n gytbwys, na'r drydedd sillaf pan fo'n anghytbwys.)
Ond down yn ôl at Gamosodiad Gorffwysfa eto. Mae'n gyw go grafog.
A bydd eisiau ei ddiesgyrnu, a'i osod mewn cyd-destun arall, sef cyd-
destun beiau acennog yn benodol.

Sylwer ar ystyr 'gormod' yn y beiau adeileddol. Mae a wnelo â 'gormod
o gyfatebiaeth', nid 'gormod o wahaniaeth'. Gellid canfod symudiad
ffurfiol (wedi'r digonedd o gyfatebiaeth gan y Cywyddwyr cynnar), tuag
at ymatal neu gynildeb yng Nghynghanedd Beirdd yr Uchelwyr diweddar.
Diddorol yw bod y cynilo cynganeddol isymwybodol wedi cydredeg â
symleiddio mewn arddull (yn arbennig ieithwedd) yng ngwaith y beirdd
hyn.

Dechreuwyd gydag adeileddau olyniaeth adleisiol felly, yn achos
y Cynfeirdd a'r Gogynfeirdd, a chafwyd tuedd tuag at gywreinio mwy
strwythuredig yn fewnol; o adleisio seiniau i adleisio patrymau. Mewn
gwirionedd cafwyd tri chyfnod: Gogynghanedd y Gogynfeirdd yn symud
tuag at lawnder mwy cynganeddol o gyfeiriad cyflythreniad ac odli;
cyflythrennu ac odli olynol strwythuredig digonol neu ormodol y llinell
gyfan gan y Cywyddwyr cynnar; tynnu'n ôl ac ymddisgyblu lle yr ym-
deimlid â gormodedd gan y Cywyddwyr diweddar. Corfforid y symudiad
newydd mewn arferiad a chwaeth i fod yn adeileddau mewn deddf wrth
i Gerdd Dafod ddatblygu. Roedd Siôn Phylip wedi cynnig – fel rhyw fath
o egwyddor chwaeth – unrhywiaeth cytseiniol ac amrywiaeth llafarog. A
gellid ychwanegu mai egwyddor ar dwf oedd ail ran y fformiwla yna. Yr
unrhywiaeth oedd yr egwyddor arweiniol.

Gyda llaw, nid yw egwyddor Siôn Phylip yn safadwy lawn ar gyfer
cytseiniaid, gan fod yr unrhywiaeth cyfateb cytseiniol sy'n rhagflaenu'r
amrywiad yn y llafariad olaf yn cael ei datod wedyn. Rhaid amrywio'r
gytsain olaf ar ôl y llafariad olaf. Y rheswm am hynny yw *bod yr egwyddor o
gyseinedd llafarog (sef yr odl, arglwyddes acennog y llinell) yn drech ac yn ennill
blaenoriaeth ar egwyddorion cytseinedd:* rhaid oedd osgoi Proest i'r Odl a
Gormod Odlau oherwydd rhan lywodraethol yr odl.

Yn nhrefn awdurdod mewn Cynghanedd, dyma'r hierarci:

Acen,
Llafariad,
Cytsain.

Credwch neu beidio, gellid cael gair, llinell o Gynghanedd, Englyn hyd yn oed, heb 'gytsain' (oni chyfrifwn fod *i* ac *w* yn gytseiniaid hefyd). Nid oeddid wedi datblygu'r egwyddor 'rhy ac eisiau' ar y dechrau, felly. 'Eisiau' *tout simple* oedd pob bai. Sefydliad ym myd clywed yr eisiau yn unig oedd adnabod y beiau cynnar. Datblygodd y 'ffasiwn' wedyn yn erbyn gormodedd. Bu gwamalu; ond gan bwyll teimlid yr 'orfodaeth' i godi gwrthwynebiad yn erbyn 'rhy debyg' a 'phroest i'r odl'.

Yng nghyfnod yr Ogynghanedd datblygwyd o gyfeiriad *presenoldeb* odl a chytseinedd tuag at *drefn olynol* odl a chytseinedd. Wedyn yng nghyfnod y Gynghanedd datblygwyd o unrhywiaeth seiniol tuag at amrywiaeth o fewn unrhywiaeth.

Yn adran yr Aceniad yn *Cerdd Dafod,* uchafbwynt ei gyfrol, y mae John Morris-Jones, yn gwneud y gosodiad hwn (ac fe'i hailadroddaf dro a thrachefn) ymhlith ei gasgliadau mwyaf disglair, *'Ni ddylai fod mwy na dwy sillaf ddiacen neu wan, gyda'i gilydd yn unman, oddieithr yn unig lle bo un o flaen gorffwysfa neu raniad llinell, a dwy ar eu hôl.'* Y gosodiad hwn ynghyd â'r rhagacen, oedd dau ddarganfyddiad disgleiriaf a dwy weledigaeth dreiddgaraf *Cerdd Dafod.* Aceniad oedd maes y naill a'r llall, calon y Gynghanedd. Ac y mae'r naill yn gysgod i'r llall. Ysywaeth, (heblaw esgeuluso esbonio pam), ni chyfeiria'r gosodiad hwn yn benodol ar y pryd ond at y sillafau diacen. Er mwyn gwneud ei bwynt yn gyflawn, dylai fod wedi dweud yr amlwg a'r anochel: sef cyfeirio at y sillaf acennog yn hyn oll. Dylai fod wedi esbonio arwyddocâd 'tri' mewn cyferbyniad sythwelediadol ac isymwybodol. Pam? Oherwydd fel yna y byddai wedi diffinio nid yn unig y gwahaniaeth ond y tebygrwydd hefyd. Y 'gwahuniaeth'. Byddai wedi diffinio'r math o uned ryfedd a geir yn gyflawn ailadroddol-gyferbyniol, hynny yw yn fydryddol, mewn Cerdd Dafod. Ac yn sgil hynny, byddai wedi cysylltu'r cwbl ag un o gyfrinachau ffurf lenyddol. Wyneb yn wyneb â'r fydryddiaeth gyfacen dynn, braidd yn beiriannol a geir, dyweder, mewn mydr iambig, ceir mwy o ryddid mydryddol ymddangosiadol mewn mydr cynganeddol, yn y Cywydd a'r Englyn er enghraifft. Ac estyn diffiniad J. Morris-Jones hyd at ddiffinio'r *uned,* gellid dweud bod yna ganiatáu sythwelediad deuol neu driol oherwydd bod yr isymwybod yn gallu dal elfenoldeb y fath gyferbyniad heb fynd yn ymwybodol: felly –

/ x; /x x; ond nid /x x x
neu   x /; x x /; ond nid x x x /

Drwy ddweud hynny yr ydym yn sôn am anghenraid unedol pob celf-
yddyd: y deuol neu'r triol yn y cnewyllyn sylfaenol. Yr ydym yn crybwyll y
gwahuniaeth, y sythwelediad isymwybodol o gyferbynnu ac o uno, sy'n
ffurfio miwsig arbennig Cerdd Dafod. Dyma un o feddyliau mawr y
Gynghanedd. Mae'n golygu bod rhychwant mydryddol Cerdd Dafod yn
ymddangosiadol amrywiol, ond yr un pryd ceir iddo ffiniau eglur a
sefydlog. Nid yw ar chwâl. Mae'r 'peidio' yn greadigol.

Dyma un o'r materion mwyaf gwaelodol ac athrylithgar mewn Cerdd
Dafod. Fe'i cymerir yn ganiataol. Mae yna fai, anymwybodol bron, yn
gysylltiedig ag ef. Nis wynebir yn blwmp ac yn blaen hyd yn hyn. Nid
oedd Gramadegau'r Penceirddiaid (na Mynegai *Cerdd Dafod* chwaith)
yn sôn yn rhyw benodol iawn amdano. Sef Camosodiad mewn Gorffwysfa.
Cawn weld ei fod yn fai go amlweddog, a'r aml weddau yn haeddu aml
ddosbarthiad.

Dyna ni, serch hynny, yn gweithio o fewn sefydlogrwydd ar sail y cyf-
newidiol. Y ddwy wedd. Clywch, Ôl-fodernwyr! Ni wedir y naill ar draul y
llall. Ffug fyddai hynny. Ceir yr ansefydlogrwydd (neu'r cyfnewidiol) yr
hiraetha'r Ôl-fodernwyr mor daer ddogmatig amdano; ond ni ddigwydd
yn ymarferol eithr o fewn y fframwaith 'sefydlog'. Yr ydych wedi suddo,
er eich gwaethaf, hyd at eich clustiau yn yr hen ddisgyrchiant yna.
Deddfau! Ac er mwyn cydnabod hynny, a sylweddoli'r undodau yn ein
dannedd ein hunain, y mae'n angenrheidiol sylweddoli'r brif acen
ynghyd â'r sillaf(au) diacen, yr angorau ynghyd â'r ehediadau ysgafn,
bob un o fewn disgyblaeth isymwybodol *gwahuniaeth*. Er bod y ffin yn
ystwyth, nis dilëir.

Yr ydym felly ynghlwm wrth fydysawd o ddeddfau os ydym yn mynd i
fyw, i siarad, neu i farddoni, boed yn Ôl-fodernwyr dros dro neu beidio.
Gyda'i gilydd, ffurfiant amrywiaeth rhyfedd o gytundeb.

Er mwyn angori'r gosodiad hwnnw a ddyfynnais uchod o *Cerdd Dafod,*
ac er mwyn dadlennu llawnder y fydryddiaeth, yr oedd yn rhaid i J.
Morris-Jones wneud darganfyddiad arall gweledigaethus.

Y rhagacen. Sef sylweddoliad cywrain arall gan y Gynghanedd. Rhagor
o ddisgyrchiant.

Yr oedd gair olaf y llinell wrth reswm yn mynnu prif acen. Dyma a
ddiffiniai'r llinell. Wrth i fydryddiaeth Cerdd Dafod ymffurfio, cafwyd
odl i anrhydeddu coron y llinell, yr echel, y sillaf lywodraethol, y ffin. Ac

yn adeiladwaith cyferbyniol y llinell, yn ôl ei hyd, ceid anghenraid pellach i sefydlu o leiaf un sillaf bwysleisiol yn orffwysfa. Yr oedd un sillaf gyferbyniol fawr (o leiaf) yn ddatblygiad sythwelediadol anochel er mwyn cydbwyso llinell. Felly y ffurfiwyd uned gyferbyniol: yr hanner neu draean llinell, ac acen yr orffwysfa.

Ond wrth gael prif acen neu acen bwysleisiol o gwbl, fe gaed hefyd yr un pryd, megis nos yn dilyn dydd, y sillaf neu sillafau dibwyslais. Ni chaniatéid i'r rheina redeg i ffwrdd. Nid stribed mohonynt ond plant cyfundrefn. Dyma ffurfio uned gyferbyniol. Ac i'r meddwl isymwybodol, sef y meddwl sy'n ymateb yn sythwelediadol anfwriadus sydyn i uned, gellid ymdeimlo'n ddifyfyrdod â'r deuol neu hyd at y triol, eithr wedyn dechreuir mynd yn ymwybodol, a 'chyfrif' hyd yn oed. Collir sicrwydd elfenoldeb yr ymateb 'greddfol' sydd wrth wraidd ffurf gelfyddydol Tafod.

A dyna'r lle y daw'r rhagacen i'r fei. Modd yw, neu aceniad hawliol, i sicrhau bod yr egwyddor o unedu'n aros yn gyferbyniol hyfyw mewn llinell estynedig. Hi yw cyfrinach trefn, yn ysgogi uned o fewn uned. Er mor ystwyth ac amrywiol yw'r drefn 'ddiacen', fe'i clymir wrth gyferbyniad. Ac y mae'r cyferbyniad hwnnw wedi'i angori mewn prif acen o hyd. Pan estynnir llinell ymhellach na'r Cywydd Deuair Fyrion y mae angen acen ychwanegol ac uwch-corfan. Dyma acen sy'n wahanol o ran naws i'r ddwy brif acen, sef acen y brifodl ac acen yr orffwysfa: acen yw a all fod ar ogwyddair, ar sillaf sy'n cynrychioli aceniad. Dyma'r rhagacen yn brigo er mwyn diogelu'r gwahuniaeth, yr amrywiaeth o fewn disgyblaeth yr uned ddeuol neu driol. Gwregys achub yw uwchben y dwfn.

Yr wyf yn synied bod Cerdd Dafod yn symud tuag at y gyfundrefn fydryddol arbennig hon, – o gyferbynnu acenion (gan gynnwys rhagacenion) â sillafau diacen mewn patrwm penodol ystwyth, – a hynny eisoes yn ystod cyfnod y Cynfeirdd. Dichon mai 'addurn' neu 'arferiad' mewn Mynegiant oedd yr odlau a'r cyflythreniad a gafwyd yn gynnar. Nid oedd iddynt bresenoldeb adeileddol. Maes o law, llawforwyn i'r aceniad fyddai odl, a llawforwyn arall fyddai cytsain ailadroddol. Ond yr wyf yn synied mai mydryddiaeth, miwsig mewnol yr acenion, traw neu bwys, oedd eisoes yn sylfaen i'r llinell. Dyna a ffurfiai'r patrymau. A thybiaf, yn gam neu'n gymwys, fod yr ymdeimlad o ffurf acennog wedi dechrau ymffurfio'n gynnar, cyn cyfnod barddoni yn y Gymraeg. Ni wyddom ddim am hynny, wrth gwrs, ar wahân i gymhariaeth â'r Wyddeleg. Ond ymddengys er nad oedd y patrwm acennu'n 'gaeth' yn ystod cyfnod y Cynfeirdd, fod yna ymsymud eisoes tuag at y cyferbyniol amrywiol sefydlog a ddisgrifir yn y fan hon, a hynny yn digwydd gan bwyll. Cawn farnu hynny yng ngolwg y Traddodiad, ac yn wyneb y patrymu sy'n dod i'r fei. Yn hanes datblygu'r Gynghanedd fel y cyfryw, ymddengys o leiaf fod y fframwaith acennu yn sylfaen ragflaenol angenrheidiol i bob dim arall.

(iv) GOLWG AR Y BEIAU

Mewn erthygl bwysig yn *Llên Cymru* 2004, tynnodd Cynfael Lake sylw at y term 'beiau gocheladwy'. Dyna'r term a geir gan Simwnt Fychan. Erbyn J. Morris-Jones ceir 'beiau gwaharddedig'. Datblygwyd eu statws rywfaint: gwahanol oedd natur yr Athro hefyd. Yn natblygiad y teitl hwnnw, ac yn fwy byth yn y ffordd y tyfodd y gocheladwy yn 'waharddedig', gellir olrhain y ffordd y trodd arferion Mynegiant yn ddeddfau Tafod.

Pan fwyf yn llafurus, neu'n ofalus efallai, byddaf yn sôn am 100% '*fwy neu lai*'. Ond mae'n hanfodol sylwi beth yw nodweddion y fath ddatblygiad isymwybodol. Diau fod datblygiad rhwng y ddau derm 'gochel' a 'gwahardd' yn helpfawr. Mae 'gochel' neu 'anochel' yn awgrymu ymateb emosiynol neu ewyllysgar, fel y term 'goddefiad' – 'allai-i ddim o'i oddef'. Symlach, mwy gwrthrychol weithredol, ac allanol braidd yw 'gwahardd'.

Pam y goddefir 100% weithiau drwy ychwanegu '*fwy neu lai*'? Am fod beirdd yn gwneud pob math o wallau er eu gwaethaf eu hunain, am yr un rheswm ag y ceir 'gwallau' iaith. Tynnodd M. Paul Bryant-Quinn ein sylw at y goddefiadau yng ngwaith bardd o faintioli Ieuan Llwyd Brydydd:

'Methir â chaledu -*d d* - yn 10.4, -*d* o flaen *h* - yn 12.68 ac *g* o flaen *h* yn 11.59; ac nid yw'n ateb cytseiniaid ar ddechrau llinell ar brydiau (cf. *c* (10.47); *b* ac *r* (11.10); *dd* (15.46)). Hefyd, ceir *m* ac *n* yn ateb ei gilydd yn 11.71, 13.50, 14.33 a 16.73, ac anwybyddir ateb *h* yn gyson. Y mae rhai llinellau afreolaidd eu hyd, gw. 10.23, 11.10, 12.13, 13.27, 15.65, 69, 16.4, a cheir yn ogystal rai llinellau digynghanedd (neu lwgr).'

Mae llawer o'r rhain yn debyg i'r hyn a elwir yn 'feiau gramadegol' yn ein dyddiau ni, megis 'gofynnais os oedd yn dod' neu'r anfarwol 'dwi'n teimlo fel hufen iâ' neu'r llu o wallau treiglo a geir yng Nghymru yr unfed ganrif ar hugain, megis yn Saesneg 'we was there'. Dyna'r iaith fyw. Yng Nghymru fe'i cymhlethir yn seicolegol gan gymhleth israddoldeb a phwerau cyhoeddus. Mae rhai yn ei goddef, eraill yn 'ffwdanu' ynghylch 'cywirdeb'.

'Cant y Cant' felly, fwy neu lai, a ddwedwn.

Cant y Cant o ran ymwybod â chyfundrefn. Cant y Cant o ran delfryd. Gellid gwyro oddi wrth yr ymdeimlo mai dyna yw'r safon bid siŵr. Mae llawer o siaradwyr brodorol a 'pherffaith' ym mhob iaith yn gallu llithro oddi ar y safon yn llif sydyn y siarad. Ond gwyddys bod yna safon. Y *wybodaeth honno* ym mêr yr esgyrn yw'r 'Cant y Cant' yn fy ymadrodd i.

Heblaw cyfeiriadu chwaeth, ar y naill ochr tua gormodedd cyfateb-iaeth, ac ar yr ochr arall tua phrinder cyfatebiaeth, ceir tair elfen gyferbyniol bosibl yn adeiladwaith sain y gair sy'n arwyddocaol mewn beiau: llafariad, cytsain, acen. A gellid tybied y caem dri dosbarth o feiau llinellol cyfatebol o ganlyniad: camlafariad, camgytsain, a cham-acen. I raddau, dyna sy'n wir.

Mewn *Twyll Odl* (prinder), er enghraifft, gellir cael camlafariad megis odli *ai* ac *ae*, neu *ae* ac *au*. Ond ceir camgytsain (prinder) hefyd mewn *Twyll Odl* pan fo un gytsain (neu glwstwr o gytseiniaid) yn ateb cytsein-iaid eraill, megis –

Parabl dyn trwyadl o'n tref.

Ceir camlafariad wedyn meddir yn *Gormod Odlau* yn *Canu corn/i'r cenau cu*, lle y bo'r brifodl yn odli â gair acennog yn y llinell. (Down yn ôl at yr enghraifft hon ymhellach ymlaen). Camgytsain o fath arall (gormodedd) yw *Proest i'r Odl: Poen ddolur pan feddylier.* Ond camlafariad wedyn yw'r un bai (amheus) yn *A mynegi myn Iago.* (Down yn ôl at hyn eto). Odl wedi'r cwbl yw'r sillaf lle y bo llafariad *a* chytsain (gan gynnwys cytsain sero) yn gyd-arwyddocaol.

Eto, camlafariad seml yw *Rhy Debyg* (gormodedd): *Ieuan fy nghariad ieuanc.* Camlafariad hefyd a geir mewn *Trwm ac Ysgafn* (prinder), megis yn *I wlad Fôn, nid â honno.*

Enghraifft o gamgytsain yw *Camosodiad:*

Ag ar ôl trais/galar trwm.

Gyda llaw, dyry CD 299 *Er Mair dwg/i Gymru'r dydd* hefyd fel enghraifft o Gamosodiad. Ond nid Camosodiad mohono gan mai cytsain ychwan-egol sydd yn 'Er' ['r wreiddgoll, 'r oddefiad], ac y mae'r olyniaeth m r d/ yn gytbwys yn nwy ran y llinell. *Twyll Gynghanedd* yw'r llinell honno megis *Gosteg a roir ag ust draw.* Hynny yw, nid gwahanol trefn olyniaeth a geir, eithr cynhwysir cytsain grwydr heb gyfatebiaeth. Cytsain yn ormodol, ond cyfatebiaeth yn brin. Neu, efallai'n fwy disgrifiol fanwl, nid yr hyn a gynhwysir sy'n fwyaf arwyddocaol, ond yn hytrach yr hyn nas cynhwysir. Ai 'rhy' yw yn y fan hon neu 'eisiau'? Wel, 'eisiau', mae'n debyg, gan nad yw'n 'rhy' o ddim cyfrannol; a gosodir elfen gerbron heb ei hateb. 'Eisiau' a glywai Simwnt yn ôl pob golwg.

Camacen wedyn yw *Crych a Llyfn: Huw Conwy fry/hy cawn farn.* Ond camacen go unigolyddol a chyfyngedig yw o'i chymharu â'r gamacen arferol fel y cawn weld. Prin yw oherwydd methu â chyrraedd nod cyfateb acennol er bod pob cytsain a llafariad ac acen ar waith.

Y Beiau Gwaharddedig sy'n dynodi union safle'r ffin rhwng Cynghanedd a'r hyn sydd heb fod yn Gynghanedd.

Yr ydym yn ceisio sylwi gyda pheth manylder – a pheth rhyfeddod gobeithio – ar y Beiau Gwaharddedig fel ffactor gwelediagethus mewn Cynghanedd, oherwydd wrth olrhain eu hymddangosiad hwy, fe sylwn ar rai *arferiadau* ymwrthodol yn troi'n *ddeddfau.* Try ymateb ar lefel chwaeth yn ymateb ar lefel adeiladwaith. Mewn geiriau eraill, dyma ni'n sylwi ar y 'gogwydd' ym myd *Mynegiant* yn troi'n 'gyfundrefn' ym myd *Tafod.* Maes defnyddiol, yn wir, yw'r beiau am ddadlennu'r ffenomen bwysig a holl bresennol hon yn natblygiad iaith a llenyddiaeth. Mynegiant yn adeiladu Tafod.

Sylwasom fod Simwnt Fychan yn dosbarthu'r beiau yn ôl egwyddorion chwaeth – 'rhy' ac 'eisiau'. Ond 'rhy' ac 'eisiau' ynglŷn â beth? Wel, rhy ac eisiau ynglŷn â thebygrwydd, neu ry ac eisiau ynglŷn â gwahaniaeth. Yr ysfa ddeallol gynhenid am *wahuniaeth.* Yn natblygiad manylaf cytseinedd, odl a mydr, datblygir cyfundrefnau 'isradd' neu 'wasanaethgar' Beiau Gwaharddedig yn ôl egwyddor chwaeth rhy/eisiau.

Mae'n hawdd canfod sut y bu i ogwydd chwaeth (y melys dan fygythiad y fwlgar) fel hyn droi, o fewn cyd-destun cydwladol clasurol mewn llenyddiaeth, yn egwyddor *decorum.* Ond diddorol fyddai chwilota a droes yn unman arall heblaw Cymru yn gyfundrefn o strwythurau ymarferol, – yn ramadeg, – ynghyd ag is-gyfundrefnau cytûn gweithredol megis 'rhy debyg, gormod odlau, proest i'r odl', a.y.b. Diddorol fyddai archwilio pa mor ffurfiol a pham y byddai beirniaid clasurol eraill yn barod i fynd neu i beidio â mynd mor bell.

Yn y Gymraeg sefydlwyd *mewn isymwybod creadigol* fframwaith o gyferbyniadau sythwelediadol mawr/bach; ac esgorwyd ar gyfundrefn benodol, neu glwm unol, debyg i dair gradd gynyddol gymharol yr ansoddair (mawr, mwy, mwyaf), sef *eisiau, cytbwys, rhy.* Oni fyddai'n ddifyr chwilio a droes yn unman arall ddeddf gelfyddydol o'r fath, a fuasai mor dderbyniol i hyrwyddwyr *decorum* o fath Cicero a Horas, ac yn nhrafodaethau'r Eidalwyr Castelvetro, Tasso, a Mazzoni, yn gyfundrefnus ddiriaethol fel y gwnaed yn y Gymraeg?

Yr un mor briodol, wrth gwrs, fu tyfiant yr adwaith yn erbyn deddfau o'r fath, a droesai'n 'rheolau', ym mryd rhamantaidd beirniaid megis Croce neu Wordsworth. 'Sythwelediad' oedd ysgogiad honedig rhamantwyr o'r fath, wrth gwrs. Ond yr hyn sy'n rhyfeddod yw mai sythwelediadol ac anfwriadus hefyd oedd y deddfau.

Cyfrinach llwyddiant y fath 'ddeddfwriaeth' oedd ei bod yn gyfyngedig ei maes, heb ymyrryd â lluosedd egwyddorion eraill sy'n diffinio chwaeth. Y bygythiad i berseinedd cytûn, wedyn, fu amlhau testunau neu bynciau i'r gynghanedd, a chyda hynny amlhau cyweiriau cytûn o ran urddas a melyster.

Yn yr iaith ac mewn Cerdd Dafod, yr egwyddor sylfaenol ddeublyg bob amser mewn ffurf, fel y crybwyllwyd ambell waith, yw Gwahuniaeth. Hynny yw, rhaid i Gynghanedd gorffori *cyferbynnu* yn ogystal ag *ailadrodd.* Dyma un o ddeddfau mawr y greadigaeth. Nid pwnc i ddadl Ôl-fodernaidd yw. Y cyplysiad o ymadawiad a dychweliad gyda'i gilydd sy'n creu'r tyndra a'r cytundeb angenrheidiol i wneud ffurf yn brofiad digon diddorol ac atyniadol i fod yn 'gelfydd'. Hynny yw, i'w gwneud yn gyfundrefn. Ni ellir meddwl na chyfathebru mewn iaith heb *sefydlogrwydd* ynghlwm wrth *ansefydlogrwydd* na heb *ansefydlogrwydd* o fewn *sefydlogrwydd.* A phan geir y naill heb y llall, ystyrir bod rhy *neu* eisiau, yn wir rhy *ac* eisiau gyda'i gilydd, ar waith, gan mai cyfuniad neu gydbwysedd o wahaniaeth ac o uniaeth sy'n gwneud cyfan. Ac y mae un ochr heb y llall yn annigonol. Mae gormod o un peth bob amser yn rhy ychydig o'r llall.

Dyma'r ddeuoliaeth lle yr aeth Derrida a'r Ôl-fodernwyr ar gyfeiliorn drwy ddilyn rhyw fath o ragdybiaeth ddiwinyddol ynghylch 'ansicrwydd', 'gwahaniaeth', 'relatifrwydd', 'gohirio ansefydlog' neu chwalfa ddogmatig yn hytrach na ffeithiau ieithyddol cyflawn. Trafferth yr ugeinfed ganrif ar ei hyd fu athronwyr yn potsian mewn iaith heb wybodaeth ddigon dwys am ieithyddiaeth a diwinyddiaeth glasurol uniongred. Ac anghredinwyr heb ddefnyddio'u pennau. O safbwynt dysgu ail iaith, gwnaeth 'drylliadaeth' neu ffwythiannau rhestrol, heb strwythurau, hafog i ddyfodol y Gymraeg. Gall selio'i thynged.

Bid siŵr, mewn Mynegiant caniatéir cyffyrddiadau 'arddulliol' i raddau lle y clywir y gwahaniaeth fel pe bai heb ddigon o'r tebygrwydd, a'r tebygrwydd heb ddigon o'r gwahaniaeth. Hynny yw, y mae'r ymbalfalu potensial tuag at y ffurf newydd ar gerdded mewn Mynegiant. Ond ni ddaw'n Dafod, hynny yw nid aeddfedir yn gyfundrefn orffenedig heb y ddeuoliaeth lawn a chymharol sefydlog. Heb hynny ni thry o fyd achlysurol arddull i fyd cynhaliol parhad. A'r drefn honno a rydd ystyr i fywyd.

Felly, mewn Odl seml bob dydd, ceir ailadrodd o ran *hyd* ac *enw* llafariad (neu ddeusain) olaf, ynghyd ag ailadrodd *enwau'r* cytseiniaid wedyn (gan gynnwys sero neu absenoldeb cytsain ddiweddol). Ond y mae elfen o wahaniaeth yn angenrheidiol *o flaen* y llafariad (neu ddeusain): baw/law. Math o leddfiad ymddangosiadol anghonfensiynol yn y cyfnod diweddar yw sefydlu'r cyfuniad i ailadrodd seiniol a chyferbynnu ystyrol i wneud odl ryfedd megis yn y gair 'law/law' (glaw, llaw). Ystyrir bod y gwahaniaeth 'ystyr' yn ddigon i ganiatáu ymdeimlad o wahaniaeth. Ond ymddengys hyn braidd yn 'newydd' o hyd, fel pe bai heb lawn gartrefu yn y gyfundrefn. Dyry argraff o chwarae, neu o oglais celfyddydol, yn drais sy heb fod yn drais. Eisiau digon o wahuniaeth sydd o hyd, hyd yn oed yn y cyfeiriad hwn.

Mewn celfyddyd cafwyd erioed yr ymdeimlad hwn o gyfuniad deublyg: patrwm cyferbynnu ynghyd â thebygu. Ac o'r herwydd, dosbarthodd y penceirddiaid y beiau yn ddwy garfan elfennol sythwelediadol. A buasai'r rhaniad sythweledol hwnnw wrth fodd calon Gustave Guillaume. Ar y naill ochr, ceid pegwn *gormodedd*, ac ar yr ochr arall, pegwn *rhy ychydig*. 'Particularisation' ac 'universalisation' chwedl Guillaume oedd y symudiadau meddyliol. Mae hyn yn ymddangos yn sythwelediad haniaethol ddigon. Ond ymateb diriaethol yn yr ymennydd yw mewn gwirionedd i ddelwedd gyferbyniol seml: y llai a'r mwy, a gwahuno. Dyma'r math o ymateb cyntefig y gall baban ei wneud yn gynieithyddol. Adnabod sythwelediadau elfennaidd o wahaniaethau'n ailadrodd yw defnydd dysgu gramadeg i faban. Ac ni raid yw meddwl yn ymwybodol amdano.

Eto, nid dyna ddosbarthiad Einion – na Dafydd Ddu am wn i – am y Gynghanedd a ddatblygasai yn eu cyfnod hwy. Simwnt Fychan yw'r un o bosib a ganfu'r gwahaniaeth arbennig hwn (neu ei adnabod) am y tro cyntaf. Nid gwneud rheol, ond darganfod deddf. Dyma chwaeth athrylithgar y glust yn ymffurfio'n rheolaidd, a mwy. Dyma'r ymateb gwahaniaethol yn ôl ymwybod craff o gydbwysedd synhwyrau. Ond y mae'n gryn ddarganfyddiad. Fel hyn y dywedodd Simwnt: 'I'r holl feiau hyn nid oes onid dau wreiddyn neu ddau gychwyniad. Sef yw y ddau hynny, Rhy ac Eisiau, neu Gormod a Rhy fychan'.

Dyna ganfyddiad craff pencerdd disglair cymharol ddiweddar, ac y mae a wnelo ag ansawdd. Diolch am feirdd sy'n meddwl, canys hwy a ddônt yn bobl mewn oed. Pan awn yn ôl at y llawlyfrau cynnar, y mae'r dosbarthiad gan Einion a Dafydd Ddu ychydig yn fwy amlwg ac allanol. Gweithio yn ôl 'lleoliad' Aristotelaidd a wnânt: dechrau gair, canol a diwedd. Dyna, fel y cofiwch, y tri safle allweddol a nodwyd gan Thomas Parry wrth olrhain datblygiad Gogynghanedd y Gogynfeirdd. Yr oedd Einion a Dafydd hwythau wedi dadansoddi'r Gogynfeirdd diweddar.

Mecanwaith 'gorfodol' yw hynny, er ei fod fel y cawn weld yn fecanwaith hynod dreiddgar. Ond y mae a wnelo dadansoddiad Simwnt â hanfod yr estheteg gaeth draddodiadol ei hun. Ac efallai y cawn ddeall hynny'n well drwy gyferbyniad â'r estheteg gyfoes. Meddylier er enghraifft am 'Ry Debyg' neu 'Broest i'r Gair Olaf Acennog' o fewn *vers libre* neu *vers libre* cynganeddol neu'r defnydd rhydd o Gynghanedd mewn canu cyfacen yn y cyfnod diweddar. Gallai'r fath 'gyfeiliornad' ar dro fod yn annisgwyl o effeithiol, yn awgrymus. Hynny yw, gallai fod yn dderbyniol drwy fod yn anghytgord a ddymunid. Dyna oedd gormodedd ar un adeg gynt mewn tebygrwydd annerbyniol i'r glust. Nid felly y mae hi heddiw. Ac mae'r rheswm yn eglur. Eithr nid am resymau 'relatifaidd' confensiynol. I Simwnt yr oedd 'melyster' yn nod. Ac ystyr 'melyster' oedd math arbennig o sŵn cytbwys amrywiol i'r chwaeth: trefn mewn llif perseinedd yn cyrraedd undod. Ceid cytundeb heb amrywiaeth mewn ffurf gymen gynganeddus. Twt oedd y ddelfryd o dlysni ar y pryd. Hynny yw, yr oedd cytgord gynt yn hanfodol ddymunol, lle y mae anghytgord y gwirionedd yn gallu ymddangos fel pe bai'n ennill y maes heddiw. Cyfiawnder efallai sy'n trechu harddwch. Yn y traddodiad gynt taclusrwydd cymen y seiniau heb adael iddynt fynd yn undonog oedd bwriad yr ymchwil: yn y chwaeth gyfoes y mae craster sŵn a hyd yn oed undonedd achlysurol yn egwyddorol dderbyniol. Newidiwyd y nod. Bellach, cydblethodd gwirionedd yn anochel drwy ffurf. Cafwyd bywiolrwydd egnïol hyll. Daeth y gwir cras yn anymwybodol *o fewn* yr egwyddor o harddwch: bellach y maent ynghlwm. Sylweddolwyd, yn isymwybodol, fod iaith wedi'i dyfeisio i draethu'r gwir (yn ogystal ag i fod yn hardd). Ac nid 'melys' confensiynol yw'r gwir hwnnw bob amser.

Cyfannu, yn ddiau, oedd un o nodweddion pennaf 'melyster' i'r glust. Soniais o'r blaen mai un o gamre pennaf ymgynganeddu, ar ôl cyfnod Gogynghanedd, oedd darganfod neu sythweled y llinell. Y cyfan

neu'r gestalt hwnnw a foddhâi'r glust. Golygai bodloni'r llinell mai cyf-
undrefn gynhwysfawr oedd y Gynghanedd lle y rhoddid cyfrif ac amodau
ar gyfer pob cytsain, pob llafariad, pob acen; pob sill o fewn ei llywod-
raeth mewn llinell. Cyfanrwydd y llinell fel delfryd oedd yr ymwybod a
dynnodd yr Ogynghanedd at y Gynghanedd. Cyfanrwydd a roddodd i
bob rhan ei chydlyniad ystyrlon. Cyfanrwydd wedi'r cwbl oedd un o brif
ffactorau diffinio bai. Cyfundrefn ddihysbyddol oedd, felly, yn amrywiol
gynnil ac yn unol obsesiynol. Lle sefydlid deddf, ceid trefn eisoes. Lle yr
ymatelid rhag sefydlu deddf, ceid trefn absenoldeb o hyd, yr un mor
gyrhaeddbell. Ceid hadau gwasgarog o hyn eisoes o fewn cyfundrefn
Gogynghanedd, hadau a esgorodd maes o law ar gyfundrefn ac iddi
ddimensiwn newydd.

Drwy archwilio beiau y diffinnir Cynghanedd orau. Nhw sy'n dyn-
odi'r ffiniau: mynd yn rhy bell weithiau, peidio â mynd yn ddigon pell
weithiau eraill. A theg dweud drachefn mai ymdriniaeth J. Morris-Jones
â beiau aceniad, ac yn neilltuol 'Camosodiad Gorffwysfa', yw'r adran
fwyaf cyrhaeddbell yn y gyfrol fawr *Cerdd Dafod*. Eto, ni chynhwysir mo'r
union fai hwn yn yr adran 'Beiau Gwaharddedig' nac yn y Mynegai. Ni
ddosbarthwyd beiau acennol yn ddigon cyfundrefnus fel y cawn weld.
Ond y mae yn arweiniad anorfod i'r connoisseur i fyfyrio am ffiniau
Cynghanedd.

Gwaetha'r modd, ni ddadansoddwyd y beiau yn ôl unrhyw 'ddos-
barth' cyffredinol gan J. Morris-Jones yn *Cerdd Dafod*. Bu'n trafod llawer
un, megis Crych a Llyfn, Proest i'r Odl ac eraill, o dan benawdau'n
ymwneud â phatrwm y Cynganeddion. Ac felly, pan gyrhaeddodd ef y
Beiau fel maes mwy penodol, dywedodd 'Cymerir y beiau eraill isod yn
y drefn fwyaf cyfleus'.

Yn yr adran ddiwethaf, ni wnes innau ond dilyn dosbarthiad Simwnt
Fychan – sef gormodedd a phrinder. Ond ceir dwy ffordd o ddos-
barthu'r beiau, I. yn ôl ansawdd neu natur y bai o ran graddfa ymateb:
Rhy ac Eisiau; neu II. yn ôl y wedd ar y sillaf. Yr wyf am fentro'u
dosbarthu y tro hwn mewn dull mwy confensiynol a llai 'athronyddol'
na Simwnt, sef yn ôl y tair nodwedd arwyddocaol sy'n llunio'r 'sillaf'
drwy weddau ar ei seiniau: sef y cytseiniaid, y llafariaid a'r aceniad. Eto
yn y bôn, rhestrir y rhain yn ôl math o sythwelediad ansawdd bob tro,
sythwelediad elfennol. Carwn restru rhai o'r prif feiau fel hyn yn gyntaf,
eu henwi'n syml a dyfynnu enghraifft neu ddwy o bob un; wedyn, cawn
gyfle i fyfyrio amdanynt: gwelir cymaint helaethach yw'r beiau llafariad
na'r beiau cytsain –

I CYTSEINEDD

1. Camosodiad

> Cawn fedd rhad/cyneddfau Rhys
> (trefn wahanol ar y naill ochr a'r llall)
> Gwodrudd cerdd/gwaed y ddraig goch [Iolo Goch]

2. Twyll Gynghanedd (neu'n fanylach Goroddef)
Dyma froc môr Gogynghanedd:

> Golwg teg fydd gweled hyn (Cytsain heb ei hateb)

'Prinder' yw hanfod y ddau fai hyn: heb gyrraedd y cyfateb llawn.

Gellid ychwanegu Camgeseilio.

II ODL

1. Gormod Odlau

Dyma enghraifft ddilys o'r bai:

> Ar y muriau eira am oriau

Ond sylwer ar ddwy linell arall a enghreifftir yn fynych:

> Mae brad cyfan amdanad
> Canu corn i'r cenau cu

Mae un o'r geiriau acennog yn y llinell, medd y gramadegwyr, yn odli â phrifodl: ceir 'gormod' felly. Yn y ddwy enghraifft hyn, ni raid cyfrif na 'brad' na 'canu' yn eiriau acennol. Nid yw'r rhagacen arnynt yn 'angenrheidiol', er nad dyna'r *unig* reswm dros gywirdeb yr ail fel y cawn weld.

Mae a wnelo Tafod â'r angenrheidiol. Mae a wnelo Mynegiant â theimlad ynganiad ac â phwyslais goddrychol. Yr angenrheidiol yw maes beiau Tafod.

Heblaw hynny, yn ôl llif y parabl, hyd yn oed mewn llinell lle y ceir rhagacen 'angenrheidiol', gellid cyfeirio at enghraifft Waldo yn 'Tŷ Ddewi':

> Yn esgud wŷs i ddysgu Duw Iesu

Y mae'r brif odl 'Iesu' yn odli â gair y rhagacen 'ddysgu' ac felly fel petai'n cyflawni'r bai 'gormod odlau'. Ond fe ddadleuai Waldo'n gywir

309

fod y gair 'ddysgu' yn llifo ymlaen yn y llafar i gydio yn nechrau'r gair 'Duw', [ddysgud] ac felly'n peidio â drysu'r brifodl. Mewn gwirionedd, y mae llif y llafar yn 'angenrheidiol'. Gwell nodi yn enghraifft ddilys arall, felly

> A oeddynt heb dda iddynt

Tueddaf i ymholi tybed ai dim ond yr odl yn yr orffwysfa sy'n arwyddocaol? Mae esboniadau Einion Offeiriad a Siôn Dafydd Rhys yn bur anfoddhaol, ac nid yw J. Morris-Jones yn cyfan gwbl gywir ynglŷn â hyn.

2. *Rhy Debyg*

> *Ag athrod meistr ac athro* (Math o ormod odlau. Llafariaid o gwmpas dwy sillaf olaf yng ngair diacen y brif odl yn ateb y ddwy sillaf olaf yng ngair diacen yr orffwysfa.)

3. *Ymsathr Odlau*

> *Y gŵr* (sef gw-wr) *o Gaerlleon Gawr* (Math o ormod odlau; ond llafariad a chytsain yn odli ag elfen mewn deusain acennog)

4. *Proest i'r Odl* (ac mewn Cynghanedd Sain, *Dybryd Sain*)

> *Dwyn a gaf d'awen i gof*
> ('Gormod' eto; ond proest yn lle odl seml)

Mae'r pedwar (neu bump, gyda Dybryd Sain) bai hyn yn ymwneud â hanfod 'gormodol'. Ceir mwy o debygrwydd nag sy'n angenrheidiol.

5. *Trwm ac Ysgafn*

> *Ar dor merch y côr y'i ceid* (Trwm yw 'tor': ysgafn yw côr. Ac felly, odl sy'n brin yw.)

6. *Lleddf a Thalgron*

> *Yn Iâl gwnâi Ruffudd Maelawr* (Sŵn crwn sydd yn Iâl, llafariad seml; sŵn sy'n goleddfu yw 'Mael', deusain heb elfen gytseiniol. Felly, prin yw'r odl eto.)

III ACENIAD

Fel a ganlyn y saif y dosbarthiad o feiau a geir yn yr adran hon, ar hyn o bryd. Ymhellach ymlaen, gobeithir ail-ymweld fel petai â'r adran all-weddol hon i geisio ystyried a ddaeth yn bryd ei dadansoddi'n fanylach, ac yn chwyrn felly. Tadogir enwau ar rai beiau sy'n 'newydd', hynny yw nas enwyd hyd yn hyn, er yn gydnabyddedig, a'u hychwanegu at y dos-barthiad 'rhannol' o'r beiau a gafwyd yn draddodiadol.

1. *Crych a Llyfn*

> *Huw Conwy fry hy cawn farn*
> (Camleoli'r acen o fewn patrwm y cytseinedd)

Darganfod y bai hwn oedd un o'r prif gamre yng nghreadigaeth y Gynghanedd, sef ymwybod ag acen wedi'i lleoli'n ailadroddol o fewn yr un fframwaith cytseiniol.

2. *Camosodiad Gorffwysfa*

> *A dàethai i bén/dàith bŷd.* Cywir fyddai: A daeth i ben deithio byd. (Yn fanwl, gyda'r hen ddull o wneud diagnosis, yn rhifyddol, mewn cynghanedd gytbwys ddiacen o 7 sillaf, ni oddefir i'r orffwysfa fod yn nes i'r diwedd na'r bedwaredd sillaf gan gyfrif o ddechrau'r llinell.) Mewn cynghanedd anghytbwys ddisgynedig o 7 sillaf, ni oddefir i'r orffwysfa fod yn nes i'r diwedd na'r drydedd sillaf.

> Anghywir: *Yn rhoi ei bág àr bégiau*
> Cywir: *Dywed áir wèdi d'órwedd.*

Hynny yw, rhaid cael rhagacen yn ail ran llinell, ond ni chaniatéir tair acen yn olynol, oherwydd yr hiraeth am gyferbyniad amrywiol. 'Gor-glystyru acenion cryf' yw enw'r bai.
   Cawn gyfle ymhellach ymlaen i ailystyried natur y bai hwn gyda'r camacennu yn gyffredinol. Gan mai dyma'r maes canolog yn y Gyng-hanedd, dyma lle y bydd angen myfyrio fwyaf.

3. *Tor Mesur*

> *Anodd yw dy goeliaw unawr* (8 sill yn lle 7)

sef y lleiaf pwysig o'r beiau, a'r mwyaf ymwybodol, oherwydd y cyfrif. Mynegiant yw.

Diddorol sylwi gyn lleied o le a roddid i feiau mydryddiaeth (neu acennu) wrth gofrestru'r Beiau Gwaharddedig swyddogol o'u cymharu â beiau cyseinedd. Gellid dadlau ei bod yn digwydd yn llai aml bid siŵr am eu bod yn nes i'r galon. Anos eu tyrchu o'r isymwybod. Roedd mydryddiaeth yn ddyfnach, yn fwy disylw nag odl a chytseinedd; ac aceniad gair yn llai diriaethol amlwg na chytsain na llafariad. Fel y goleuni yr edrychid drwyddo i ganfod gwrthrych arall, felly y clywid drwy'r fydryddiaeth y cyseinedd. Ond y gwir yw bod yr holl ymdriniaeth o feiau acen gan Syr J. Morris-Jones yn annigonol. Ceid rhai beiau tra diddorol ac arwyddocaol mewn mydryddiaeth, fel yr un a ganfu J. Morris-Jones ynghylch peidio â chael mwy na dwy sillaf ddiacen yn olynol; neu'r un a nododd ef a ymwnâi â rhagacen. Ond fe'u cymerid yn ganiataol erioed, heb eu cynnwys na'u cofnodi o fewn cyfundrefn y beiau gwaharddedig. Fe'u neilltuid fel petai i fod yn nodiadau ymyl y ddalen. Nis nodid hwy wrth eu henwau gan y Penceirddiaid. Ni sylwid bod y goleuni yno onis diffoddid. Edrychid drwyddynt yn dalog, yn rhy dalog efallai, nes i Syr John ddechrau dweud y 'drefn'. Fe ymdeimlid â hwy. Ond nis trafodwyd hwy wedyn, yn benodol.

Mae'r holl feiau hyn – boed mewn llafariad, cytsain, neu acen – yn ymwneud â mefl o fewn y llinell. Pechodau sain ydynt yn erbyn miwsig 'dwyfol'. Tardda'r ymwybod â'r pechodau hyn o ymwybod â glendid y ddeddf. Nid oes gorffwys mewn calon ddynol heb ymorffwys mewn purdeb. A gwêl y cyfarwydd fod yna feiau go adnabyddus nas crybwyllwyd sydd a wnelont â chysylltiad llinell â llinell: beiau penilliol. Beiau a gydnabuwyd yn o gynnar, tua diwedd y drydedd ganrif ar ddeg a dechrau'r bedwaredd ganrif ar ddeg, oedd Tin Ab (lle yr odlid gair acennog odl ddiweddol â gair acennog) a Charnymorddiwes (lle yr odlid gair diacen odl ddiweddol â gair diacen). Ceid y rhain mewn mesurau megis y Cywydd Deuair Hirion lle y daethpwyd yn gynnar i ddisgwyl gwahanu neu amrywio. Dymunid y gwahaniaeth hwnnw i gydbwyso tebygrwydd. Beiau eraill a oedd yn benilliol eu natur, yn hytrach nag yn llinellol, oedd Tor Cymeriad (lle y methid â chael cymeriad cyfatebol ar ddechrau llinellau lle y'i disgwylid), Gwestodl (sef ailadrodd prifodl), a Thwyll Odl (a allai fod yn llinellol fewnol neu'n benilliol).

Wrth gymharu'r tri dosbarth uchod â'i gilydd, Cytseinedd, Llafariad neu Odl, ac Aceniad, gwelir ambell egwyddor arall yn dod i'r golwg, megis er enghraifft yr un y sylwodd Siôn Phylip arni: 'Cynghanedd a fydd o gyd-sain cytseiniaid, a chyfnewid bogeiliaid (llafariaid)'. Felly, dymunir 'cyfnewid bogeiliaid' yn Gormod Odlau a Rhy Debyg, ond dymunir mwy o debygrwydd yng nghytseiniaid Twyll Gynghanedd. Dat-

blygodd y beirdd ryw ymdeimlad â sut y dylai'r sŵn weddu yn eu bogeil-
iau. Yr oeddent yn cerdded ar hyd min rasel ym myd sŵn parchus rhwng
gormodedd a phrinder. Dyma fagu chwaeth ac arferiad, felly, nes i'r
arferiad sticio a dod yn sefydliad, yn drefn ddisgwyliedig. A dyma'r
beirniad yntau, neu'r gramadegydd fel y'i gelwid yn y dyddiau hapus
gynt, yn dod ymlaen, ac yn darganfod neu'n enwi y drefn a oedd eisoes
ar waith.

Arhoser am foment. Mor rhyfeddol fu'r tyfiant deddfol hwn yn ein
barddoniaeth! Mor gywrain anymwybodol yr adnabod a'r ymhyfrydu
seiniol! O fewn y llinell, arweiniai cyflythreniad cytseiniol yr Hen Ganu
ymlaen at y Brifodl. Ond y Brifodl a ddarparai Acen. A dyma'r dywys-
oges fach 'newydd' hon (newydd o ran statws) a oedd eisoes yn bwysig o
fewn y llinell ac yn trefnu'r byd, yn dod yn llywodraethol. Ymestynnai
allan o gaer yr odl yn ôl hyd at yr orffwysfa. Ac felly y sefydlodd teyrnas
fechan dynn y llinell. Y beiau a'i plismonai. Nid cwcian y deddfau hyn a
wnâi'r beirniaid, felly, eithr eu darganfod o fewn traddodiad y beirdd.
Yr oeddent yn bod megis gramadeg mewn iaith. Beirdd y gorffennol yn
isymwybodol a ddaeth o hyd iddynt, a dadlennu'u cyfundrefnau hwy a
wnâi'r gramadegydd: fel y dywedodd Simwnt Fychan: 'Ein ffugrs ni yw
moddion prydyddiaeth, sef yw hynny, esgusion drwy awdurdod o waith y
beirdd cadeiriog neu'r athrawon penceirddiaid a fuont o'r blaen. A
phenillion o gerdd y rheini yw ein gwarant a'n harddelw ninnau i ganu
yn eu hôl.'

Beth a ganfu Dafydd ab Edmwnd a'i gywion yng ngwaith y beirdd
cadeiriog hynny yn llawnder y Gynghanedd? Beth a ddarganfu'r beirdd
o'u blaen yn ddiarwybod iddynt eu hunain? Dim llai na'r llinell gyflawn
wedi'i hadeiladu'n seiniol fanylach nag y'i darganfuwyd erioed gan
unrhyw draddodiad Ewropeaidd o'r blaen. Darganfuont brydu'r uned.
Galwyd eu gwlad yn Brydain, a hwythau'n brydyddion: llunwyr llinell. Yr
oedd y llinell fel y cyfryw ganddynt ers tro wrth gwrs, yn gyfres sillafog
wedi'i threfnu'n acennog yn arwain at brifodl, ynghyd â chyflythreniad
neu odl fewnol neu'r ddau ynghyd. Ond darganfu'r beirdd cadeiriog yn
isymwybodol berthynas fanylach yn y rhain bellach, y strwythur cymen
wedi'i batrymu'n uned yn ôl egwyddorion a glymai'r cyfanwaith. O dan
lywodraeth y prif acenion, cyd-drefnid yr acenion eraill, y cytseinedd a'r
odl, oll a hynny'n gynnil, heb ormodedd, heb brinder, yn union.

Dyma faes hardd i bob meddyliwr o artist yng Nghymru. Mae'n fwy
modern na'r Ôl-fodernwyr trendi gan fod a wnelo â'r tragwyddol. Tra-
gwyddolwyr ŷm ni oll, o ran potensial.

Chwynnid weithiau er mwyn clymu arferiad yn ddeddf. Yn achos *Crych a Llyfn* er enghraifft ceid trefn olynol y cytseiniaid yn gyffelyb oddeutu'r orffwysfa, ond lleolid yr acen yn anghywir. Eithr·sylwodd D. Myrddin Lloyd (SC III): [gyda'r Gogynfeirdd] 'There is a strong tendency (though not with the subtlety of later *cynghanedd*) to match consonants before and after a stress, but the feature later condemned as *crych a llyfn* (ruffled and smooth) – of ignoring the position of the accent in the sequence of repeated consonants – is quite common. Of course prior to the settling of the stress on the penultime there must have been a period of very slight stress, and *crych a llyfn* could well have been a legacy from that period'.

Yr wyf am awgrymu fod yna wahaniaeth statws oherwydd cefndir cronolegol, rhwng y ddau fath o Feiau Gwaharddedig a ddosbarthwyd gennym yn *rhy* ac *eisiau*. Ceir rhai sy'n dynodi uwchraddio Gogynghanedd i fod yn Gynghanedd: e.e. Camosodiad Acen, Twyll Gynghanedd. Mater o drefnu'r amlwg yn ofalus ddigonol yw'r rhain. Ac yna, ceir rhai sy'n dynodi gormodedd seiniol diweddarach, gorfelysu cyfatebiaeth, e.e. Proest i'r Odl. Dyna gaboli'r cyfateb. Sef ffrwyno'r Gynghanedd. Mae a wnelo'r cyntaf â hanfod syml, a'r ail â chanfyddiad mwy cyfrwys. Ond nid yw'r gwahaniaethu hwn yn golygu mai ymylog neu eilradd o ran ansawdd yw'r ail. Ail yw sy'n gronolegol fewnol. Manylder trefn gytseiniol ynghyd â manylder odl yw'r gyntaf: trefn lafarog bersain amrywiol yw'r ail. Ac y mae'r ail a'i berseinedd cytbwys yn golygu ailadrodd cytseiniaid ynghyd ag amrywio llafariaid. Ond cronolegol ydynt: o'r naill trafaelir at y llall. Yn y naill, y Gynghanedd sy'n coethi Gogynghanedd: yn y llall, mewn oes wahanol, y Gynghanedd sy'n coethi Cynghanedd. A'r ddeinameg sydd ar waith ym mhob cyfundrefn gyferbyniol mewn iaith ac mewn llenyddiaeth: Gwahuno.

(v) DAU FAI

(a) *Rhy Debyg*
Yn yr adran ddiwethaf rhestrais rai o'r prif feiau cynganeddol. Daeth yn bryd bellach fyfyrio ymhellach ar ambell un o'r rheini. Wrth wneud hynny mae arnaf ofn y byddaf fel ynghynt yn tanseilio gwaith un o'n Hôl-fodernwyr mwyaf *à la mode* yn y Gymraeg, sef Derrida. Ond sylwaf mewn pôl piniwn ymhlith academïwyr a wnaethpwyd ym 1998, mai ef a gyfrifwyd bellach fel yr athronydd a orbrisiwyd fwyaf ('most over-rated')

yn hanes y meddwl dynol. Ni ellir llai na theimlo'n anesmwyth wrth lithro i gwmni mwyafrifol wrth ei feirniadu.

Dogma Derrida ynghylch '*différance*' sydd dan yr ordd gennyf: sef yr ymgais i bwysleisio diffyg undod testun, y bylchau a'r gwrthddweud a'r methiant i dynnu i gwlwm. Yr amhenodolrwydd. I mi, er bod gwahaniaethau ac amrywiaeth yn flinedig o amlwg wrth lunio iaith a llenyddiaeth, dadlau a wnaf fod y meddwl dynol go iawn hefyd yn dibynnu ar y medr i ganfod undodau pendant. Ni ellir llunio nac iaith na llenyddiaeth heb fynnu amrywiaeth o fewn undod. A'r strwythur neu'r weithred gynhenid honno, sy'n rhan o'r ffordd y mae'r meddwl yn gorfod gweithio, dyna a enwais yn 'wahuniaeth'. Sylwer bod 'cymryd ochr' ffurfiol, yn y fan yma, hefyd yn golygu 'cymryd ochr' foesol: mae ffurf yn cyflyru cymhelliad, fel y mae cymhelliad yn cyflyru ffurf.

Mae 'gwahuniaeth' yn wedd ar adeiladwaith ymarferol yr ymennydd. Dyma un egwyddor iach wrth ddatblygu gramadeg a Cherdd Dafod. Yn isymwybodol y mae iaith a llenyddiaeth yn derbyn neu'n gwrthod cyfundrefnau gwahuniaethus i'w hadeiladwaith. Y mae cyfundrefnau'n golygu cyd-berthynas amrywiol.

Gallwn nodi enghreifftiau o'r modd, yn hanes y Gymraeg, yr oedd gramadeg hefyd (yn y meddwl isymwybodol cyffredin) wedi dechrau datblygu ambell arferiad; ac yna, peidiai. Ymwrthodai'r iaith ag ef, fel corff yn ymwrthod â thrawsblaniad organ. Nid oedd yn ffitio i'r gyfundrefn gyflawn mae'n debyg. Er enghraifft, derbyniwyd 'dylwn', 'dylaswn', a'u rhediadau amodol a gorberffaith; ond claddwyd 'dylaf'.

Ac felly gyda Cherdd Dafod. Ymddengys i mi nad pwyllgor nac unigolyn a deimlai'n anfodlon derbyn llafariaid cytbwys mewn llinell ynghyd ag ateb cytseiniaid cyffelyb (Rhy Debyg). O adleisio cytseiniaid, ymwthiai'r 'Traddodiad' bondigrybwyll yn erbyn y gor-wneud. Traddodiad – y datblygiad gwirfoddol isymwybodol hwnnw – a sibrydai 'na' ac 'ie.'

Ceisio'r ateb yr wyf o hyd yn y fan yma ymholiad gan un ysgolhaig Cymraeg. Gofyn yr oedd honno sut a pham yr adeiledir Tafod y Llenor (sy'n debyg mewn llenyddiaeth i Ramadeg ym myd iaith) allan o Fynegiant y Llenor. Gallai weld sut yr adeiledid i'r cyfeiriad arall, sut y ceid Mynegiant, o linell arbennig o Gynghanedd dyweder, ar sail cyfundrefn 'sefydlog' o'r golwg yn y meddwl. Adnoddau Tafod a gyflyrai ac a amodai Fynegiant. Rhoddai ddeddfau. Ond achosai'r gwaith gwrthwyneb o adeiladu a strwythuro Tafod ei hun yn y lle cyntaf dipyn mwy o benbleth.

315

Yr wyf am ateb y cwestiwn craff hwnnw drwy ymdrin ag un enghraifft adnabyddus o blith y Beiau Gwaharddedig mewn Cerdd Dafod – sef Rhy Debyg: *'Rhyfedd oni ddaw rhyfel'*. A rhaid dechrau drwy droi at yr egwyddor yr wyf newydd ei chrybwyll, sy'n un o fframweithiau cyneddfol mwyaf sylfaenol y meddwl dynol. Er mwyn gweithio o gwbl y mae meddwl (fel iaith, gwyddoniaeth, Cerdd Dafod, Traddodiad fel sefydliad, ac yn y blaen) yn gorfod cyfuno 'tebygu' ynghyd â 'gwahaniaethu'. Rhaid amgyffred (tynnu at ei gilydd) yn ogystal â dirnad (sylwi ar neilltuolrwydd). Rhaid cael cyfannu yn ogystal â chyferbynnu. Dyna un o ddeddfau digymrodedd meddwl a chelfyddyd. Ni ellir diffinio dim na deall dim hebddi. Methu â chanfod hynny oedd prif ddiffyg theori yn yr ugeinfed ganrif.

O bryd i'w gilydd, fel heddiw, ceir chwiwiau ffasiynol hynod ddynol a naturiol sy'n pleidio'r naill yn erbyn y llall. Rhed ein pobl ifainc ar eu hôl, yn arbennig o fewn y cyd-destun trefedigaethol. Gwedd yw ar yr hiraeth am beidio ag wynebu sicrwydd. Drwy gydol yr ugeinfed ganrif ac yn arbennig ar y diwedd, *'différance'*, chwalfa, relatifrwydd, lluosedd (pliwraliaeth) oedd y duedd ystyfnig. Anwylid drylliadaeth. Tuedd an-hunanfeirniadol mewn diwinyddiaeth oedd yn y bôn. Ambell dro arall, yn ysbeidiol amlwg ond yn ddwfn, ceid gwyrdroad tuag at unbennaeth, undodaeth, unffurfiaeth, undonedd. Ac yr oedd y naill mor ddwl ac mor greulon â'r llall. Ond y mae yna ysfa gynhenid er ei waethaf, eisoes, yn y plentyn ifanc i ddeall drwy ganfod tebygrwydd *ynghyd ag* annhebyg-rwydd. Ni all ddysgu iaith heb ymaflyd yn y medr hwnnw. Dyna sy'n diffinio iddo ac yn caniatáu ystyr hyd yn oed yn gynieithyddol. Dyna'i fframwaith strwythuro, a'i wers i'r theorïwyr. Dyna'i lwybr drwy'r byd.

Dal y ddysgl yn wastad rhwng y ddau begwn hyn yw'r gamp. Dyna un o briodoleddau aeddfedrwydd. Mae'r gwth i wneud hynny fel pe bai'n reddfol. Nid yw'n bosibl inni fyw hebddo. Allan o'r gynneddf hon tyf ein 'chwaeth'. Rhaid i chwi ddod megis plant. Roedd yr Ôl-fodernwyr wedi bod yn blentynnaidd, ond nid oeddent wedi dod megis plant. Dyna'r egwyddor sydd ar waith yn gynhenid, felly: sef y sylfaen i'r ddadl. Gwrthbrofwch hynny, ac fe gewch y pleser o ddanseilio'r cwbl sydd gennyf i'w ddweud.

Dirwyn yr egwyddor honno i gwlwm wrth drin llinell o Gynghanedd yw'r mecanwaith a esgorodd ar y bai 'Rhy Debyg'. Mae enw'r bai yn tynnu sylw at yr hyn sy'n mynd *o'i le*. Yr hyn a fyddai *yn ei le* yw tebyg-rwydd ynghyd ag annhebygrwydd, y naill gyda'r llall. Bu'r bai megis yn ddi-fai am gyfnod. Ond gan bwyll cyhoeddai'r ymdeimlad 'Rhy Debyg' i'r bardd ymhle y mae'r ffin ar gyfer mynd y tu chwith i'r egwyddor gyfun chwaethus. Canfuwyd cywirdeb amgenach na chyfateb llafariaid *yn ogystal* ag ateb cytseiniaid.

Ymddengys fod cyd-gyfarfyddiad go arbennig, felly, wedi digwydd mewn Mynegiant. Ceid cyfuniad anghytûn.

Ac mewn llinell o Gynghanedd Groes neu Draws Gytbwys Ddiacen y'i cafwyd o bryd i'w gilydd. Yn y ddwy sillaf olaf, sef pencwlwm y llinell, lle y ceid aceniad pwys y goben ynghyd â thraw y brifodl, cafwyd cyd-drawiad seiniol gormodol weithiau. Nis hoffai'r glust. Yn yr union le hwnnw ceid mewn dwy sillaf olynol lafariaid a oedd yr un ffunud â llafariaid o flaen yr orffwysfa. Digwyddodd y tebygrwydd hwn o fewn tebygrwydd cytseiniol ac acennol. Cafwyd gor-wneud. Cofiwn eiriau Edward Thomas am gerddi Frost: 'These poems are revolutionary because they lack the exaggeration of rhetoric, and even at first sight appear to lack the intensity of which rhetoric is an imitation'. Profodd yr helaethrwydd gorthrechol hwn yn ddigon i achosi adwaith chwaeth mewn bardd. Digon oedd digon. Tyfai anfodlonrwydd mewn Mynegiant ynghylch 'exaggeration', yn gymaint felly nes i'r adwaith ymsefydlu'n arferiad. Ac oherwydd bod yr amgylchiadau seiniol achlysurol hyn yn cyd-ddigwydd, fe sefydlwyd yr adwaith yn 'fai', hynny yw yn ymataliad deddfol neu'n atalnwyd seiniol. Allan o wrthwaith clywed mewn Mynegiant ceid bai gwaharddedig mewn Cerdd Dafod. Ar fin rasel y cerddediad angenrheidiol rhwng tebyg ac annhebyg mae'r rheidrwydd i gadw crap ar gydbwysedd, synnwyr, a chyfanrwydd ambell waith yn gorfodi eu pegwn i beidio â bod yn imperialaidd. Amddiffynnir chwaeth rhag ei drechu, a chorfforir yr amodau amddiffynnol mewn Tafod.

Hynny yw, mae yna ysfa yn yr anianawd dynol, yn wir yn y Greadigaeth ei hun, sy'n ein gyrru tuag at amrywiaeth o fewn undod. Da yw'r amrywiaeth ynghyd â'r undod. Mae'n ddeddf yr hiraethwn am ufuddhau iddi, heb yn wybod i ni. Ni chawn lonydd rhagddi. A'r nwyd strwythurol hwn a waharddodd Ry Debyg. Mae'r nwyd yn fab bach i'r fam-nwyd sydd yr un mor orfodol, i fod yn ffrwythlon.

(b) *Trwm ac Ysgafn*

Os yw Rhy Debyg yn condemnio'r undonedd, y mae Trwm ac Ysgafn yn condemnio'r diffyg undod.

Mae pob cynganeddwr yn dysgu beth yw'r bai hwn yn fuan yn ei yrfa. Ond y mae iddo hanes deuol hir. A cheisiaf adrodd hwnnw mor eglur gryno ag y medraf.

Mae a wnelo'r bai ag odl y tro hwn. Ac o safbwynt hanes y bai hwn, ceir dau fath o odlau – yr odlau 'arferol' ar ddiwedd y llinell (neu fel yn achos Cynghanedd Sain ar ddiwedd cymal o fewn y llinell); a'r odl od ond atyniadol arall yn y Gymraeg lle y mae'r orffwysfa'n odli â'r sillaf olaf ond un o fewn y llinell i lunio Cynghanedd Lusg.

Cymerwn yr odlau 'arferol' yn gyntaf. Ni byddai neb effro yn debyg o odli'n ofalus 'llan' a 'glân' mewn geiriau sy'n unsill. Mae'r llafariad yn y gair cyntaf yn fer, ac felly y mae'r llais yn disgyn arni'n 'drwm'. Yn yr ail air y mae'r acen yn dod i lawr ar y llafariad hir yn 'ysgafn'. Felly, pe ceisid eu hodli, fe gaem y bai amlwg 'Trwm ac Ysgafn'. Ac y mae orgraff y Gymraeg yn dangos y gwahaniaeth hefyd (meddan nhw) wrth ychwanegu sillaf at y rhain: felly, 'llannau' pan fydd yr 'a' yn drwm (dwy 'n'), a 'glanach' pan fydd yr 'a' yn ysgafn (un 'n'). Dyfynna *Cerdd Dafod* englyn gan Aled o Fôn i ddangos gwiriondeb y math hwnnw o odl; ac nid yw'n digwydd odid byth yn y safle hwn wrth gwrs:

> *Mae'r hedydd bob dydd yn dal – i ganu*
> *heb geiniog na medal;*
> *Mae dyn yn canu am dâl*
> *Am enw a thestimonial.*

Hyd y fan yna, y mae'r bai yn ddealladwy syml, a dylid ei gydnabod yn eglur.

Ychydig o feiau *cynganeddol* a enwir mewn gwirionedd gan y beirniaid cynnar, sef Einion Offeiriad a Dafydd Ddu – ac yn benodol 'Trwm ac Ysgafn' a 'Lleddf a Thalgron'. A'r safle prifodlog a drafodwyd hyd yma (sef ar ddiwedd llinell), dyna sy'n cael y sylw ganddynt hwy. Nid yr ail fath o Drwm ac Ysgafn sydd yma sylwer, mewn Cynghanedd Lusg, ond yn syml wrth odli'n 'arferol'. Ond pam? A oedd unrhyw fardd yn debyg o wneud y gwall gwirion 'llan', 'glân'? Nac oedd, nid mewn sillaf acennog. Ond ystyrier y sillaf ddiacen: 'aflan', 'gwinllan'. A yw'r rhain yn odli? Mewn sillaf ddiacen, nid yw mor rhwydd heddiw i farnu'n negyddol. Yn bendant! A dichon mai felly yr oedd yn y rhan fwyaf o ardaloedd Cymru hyd yn oed yng nghyfnod y Cynfeirdd diweddar pryd nad oedd yn fai yn y safle hwn mewn sillaf 'ddiacen' olaf. Dod yn fai swyddogol a wnaeth Trwm ac Ysgafn yng nghyfnod y Gogynfeirdd. Bai braidd yn academaidd ydoedd. Ac at ei gilydd, yr wyf am awgrymu y gall mai dim ond mewn ambell dafodiaith *o bosib* (dyweder Morgannwg am gyfnod a'r amgylchoedd agos) os o gwbl, y ceid y gwahaniaeth amlwg i'r glust a gyfrifai 'gwinllan' yn drwm, ac 'aflan' yn ysgafn. Erbyn hyn, nid yw hyn yn cael ei gyfrif yn 'Drwm ac Ysgafn' hyd yn oed ym Morgannwg yn y safle yma.

Mae a wnelom â'r sillaf olaf 'ddiacen' mewn gair yn y fan hon. Ac yr wyf wedi ymatal rhag dweud sillaf olaf ddiacen yn blwmp ac yn blaen heb ddyfynodau oherwydd acen draw. Yn wir, y mae cwestiwn hanesyddol acen o hyd yn aros braidd yn ansicr. Cafwyd ychydig o ddadl am hyn rhwng yr Athro Kenneth Jackson a'r Athro Arwyn Watkins. Dadleuai'r Athro Jackson nad oedd yr aceniad diweddar wedi ymsefydlu tan yr unfed ganrif ar ddeg, ond yn ôl yr Athro Watkins yr oedd yno'n ddiogel yn y nawfed. Credaf innau mai'r Athro Watkins oedd yn yr iawn a bod y ffaith fod odli Trwm ac Ysgafn ar y sillaf olaf yn digwydd yn gyffredin gyda'r Cynfeirdd diweddar yn cadarnhau ei ddamcaniaeth ef.

Felly, ceir llu o enghreifftiau o'r hyn a elwid yn 'Drwm ac Ysgafn' yn naturiol yn y safle hwn yn ystod cyfnod y Cynfeirdd a'r Gogynfeirdd. Yng Nghanu Llywarch Hen ac Ymddiddan Myrddin a Thaliesin fel y dangosodd yr Athro Jarman, Dr Jenny Rowland, Dr Haycock a Mr Eurys Rolant yr oedd 'Trwm ac Ysgafn' yn yr ystyr ddisylwedd hon yn gyffredin. Yr oedd yn rhaid i Einion Offeiriad fynd ati'n llafurus i geisio esbonio'r bai nad oedd yn bod o ddifri mewn gwirionedd: 'Dyma reol i adnabod Trwm ac Ysgafn, nid amgen, lluosogi'r gair a'i amlhau. Megis pe byddit heb wybod beth yw *calon*, ai trwm, ai ysgafn, lluosoger ef, a dyweder *calonnau* [h.y. dwy *n*], a chan mai trwm yw yn y gair wedi'i luosogi, wrth hynny, trwm fydd yn y gair cyn ei luosogi. Ac yr unwedd â hynny, oni wyddys beth yw *amcan*, ai trwm, ai ysgafn, lluosoger ef, a dyweder *amcanau* [h.y. un *n*], ac wrth ei fod yn ysgafn, wrth hynny, ysgafn fydd yn y cyntaf'.

Dyna, yn fy marn i, esbonio academaidd annilys.

Hynny yw, yr oedd y Gogynfeirdd o hyd yn gallu clywed y gwahaniaeth yn y sillaf olaf ond un acennog, ond yr oedd y gwahaniaeth wedi diflannu yn y sillaf olaf ddiacen. Rhaid oedd ei geisio drwy dipyn o gonsurio. Ac felly, y mae hynny'n ein harwain at yr ail fath o Drwm ac Ysgafn, sef y bai mewn Cynghanedd Lusg. A dyma ni gartref gyda'n Trwm ac Ysgafn ni: 'cafodd sen yn ei henaint.' Tybed a ydym ni yn awr yn ein hoes ddiweddar ni yn gorfod mynd ati yn *academaidd* (fel Einion gynt) i esbonio bai nad yw'n bod yn weithredol ymarferol ond ym Morgannwg a'i goror? Hynny yw, er bod y gwahaniaeth rhwng yr 'an' yn 'amcanu' a'r 'an' yn 'llannau' yn fyw ac yn iach yng nghyfnod y Gogynfeirdd o bosib ym mhob tafodiaith, erbyn hyn dim ond Morgannwg a'i hamgylchoedd sy'n ei gadw. Yn fy marn i, gyda phob parch i For-gannwg, dylid ei ollwng gan feirdd yn ôl eu tafodieithoedd. Dylai'r Gynghanedd weithio'n union yn ôl y glust nid yn ôl sain hanesyddol y gair nac yn ôl tafodiaith cymdogion. A oes eisiau disgwyl tan farwolaeth yr olaf sy'n siarad y dafodiaith? A gofiant ddweud wrthym? Pwy sy'n diffodd y golau? Pan ollyngir egwyddor y glust ddilys, gollyngir greddf y Gynghanedd a gweithio yn ôl rheolau academaidd hollol amhriodol.

Cwyna J. Morris-Jones fod llawer o'r bai hwn mewn cynghanedd ddiweddar megis 'Ac i'r ffon yr ymfoddlonwyf'. Ond y rheswm yw, nad yw'n fai i'r glust i'r rhan fwyaf ohonom; a pheth i'r glust fyw yw'r Gynghanedd, nid cofgolofn hanesyddol.

Yn awr, yr wyf wedi awgrymu egwyddor newydd yn y fan hon ar gyfer cynganeddwyr wrth fentro cymeradwyo y dylid diarddel y bai Trwm ac Ysgafn mewn Cynghanedd Lusg mewn rhai tafodieithoedd heddiw: dylai bardd cynganeddol bob amser farnu 'odl' yn ôl ei glust ei hun, hynny yw yn ôl ei iaith safonol ei hun, ac nid yn ôl rheol hanesyddol. Cyn gynted ag yr ymadewir â'r egwyddor honno, ymadewir â'r hyn sy'n briodol i farn seiniol gynganeddol. Gellid dadlau bod rheol 'Trwm ac Ysgafn' mewn Cynghanedd Lusg bellach fel y'i cedwir yn yr unfed gan-rif ar hugain yn tanseilio hanfod y Gynghanedd. Dyma'r academaidd yn ceisio disodli'r glust fyw. Ond seiliwyd y Gynghanedd – seilir Trwm ac Ysgafn – ar y glust. Pan dry anfoddhad darfodedig i'r glust yn rheol ddi-glust academaidd sy'n dibynnu ar hynafiaeth farw, yna nid wrth y glust y gweithir. Collwyd y craidd.

Felly hefyd gydag odli 'y' yn ddeheuol; neu wrth rifo sillafau gydag 'w' ansillafog gynt (enw, marw, a.y.b.). Problemau academaidd geid-wadol yw'r rhain.

Mae holl gwestiwn odli yn ôl y glust dafodieithol yn ymagor. Gellid efallai gadw ochr Trwm ac Ysgafn, pe cytunid ar 'ynganiad llenyddol'. Nid awgrym ysgafn yw hyn, oherwydd dyna a geir fel arfer ar gyfer 'au, ai, ae (ac e)' diacen:

llongau, perffaith, gwasanaeth, ateb

Bydd pob un o'r rheini yn dilyn yn weddol gaeth ac yn weddol gyson 'ynganiad llenyddol' er eu bod yn amrywio'n helaeth ledled Cymru yn naturiol mewn Cymraeg Llafar Safonol.

Dowch inni, sut bynnag, fynd â'r egwyddor honno i'w phrofi mewn amgylchiadau eraill gyda phroblem wahanol. Cymerwch yr 'u' a'r 'i':

320

llun, llin; hun, hin; tir, dur. Yn Nyfed y mae'r rhain yn odli'n bert: yng Ngwynedd y maent yn proestio. Hynny yw, lleoledig yw'r odli a lleoledig y proestio fel y gellid dweud bod Trwm ac Ysgafn mewn Llusg yn briodol fel bai ym Morgannwg, ond y dylid ei ollwng ymhobman arall. Os yw'r iaith yn newid, beth bynnag a ddywed gramadegwyr, ni ddylai Cerdd Dafod aros yn yr unfan. Yr wyf felly am lynu wrth yr un egwyddor ag a roddais ar gyfer Trwm ac Ysgafn, bellach, pan wynebwn y cwestiwn ynghylch odli u/i. Awgrymaf mai'u barnu y dylid yn ôl y clyw byw, hyd yn oed os yw yn dafodiaith.

Ond yr ydym yn wynebu cwestiwn cymharol gymhleth yn y fan hon. Dechreuwn gyda'r cyferbyniad u/y fel y'i ceir yn 'dyn, llun, Llŷn, barnu (sillaf olaf), hynny (sillaf olaf)'. Mae'r ddwy lafariad hyn yn union yr un fath.

Felly: *Yng ngwres dydd ar rudd yr iach.* (T. Llew Jones)
Darfu'r dydd yn ei ludded. (John Gwilym Jones)
Cans di-ludd yw'r dydd sy'n dod. (R. Goodman Jones)

Dywed Syr John ar ran pob tafodiaith: 'In Late Modern Welsh the sound of *u,* long, medium and short, is the same as the clear sound of *y* the words *hûn* 'sleep' and *hŷn* 'older' have now absolutely the same sound.' Ac yn sicr yn ôl Fynes-Clinton nid oes gwahaniaeth rhwng 'llun' a 'Llŷn' sy'n ffonemig: hynny yw, nid yw ynganu u/y byth yn golygu gwahaniaeth ystyr. Felly, mewn ateb i lythyr dysgedig gan y bardd Derwyn Jones yn rhifyn 7 o *Barddas* sy'n holi: 'Ai proestio ynteu odli bellach y mae geiriau acennog fel 'dyn' a 'bun', 'llun' a cŷn', 'brys' ac 'us', 'crys' a 'llus'?' mentrais o'r de ateb dros bawb a dweud 'odli'. Er bod *Cerdd Dafod* 179 yn awgrymu mai proestio a wnâi *dyn/bun* gan Ddafydd ab Edmwnd, nid felly heddiw, er bod rhai'n clywed gwahaniaeth naws yn y llafariaid. Mewn llafariaid hir acennog fel y rhain, yr oedd y gwahaniaeth wedi aros tan ramadeg Siôn Dafydd Rhys ym 1592 (er fy mod yn cofio G. J. Williams yn dweud 'Y mae'n bosib bod y sain i'w chlywed yn gwahaniaethu o hyd ym Morgannwg'). Ond ymddengys i mi fod y seiniau yr un fath ym mhob man arall yng Nghymru mewn sillafau hir, ysgafn. Mewn sillafau byr, trwm fel 'trum, llym; ystlum, grym' nid wyf yn siŵr; ac nid oes gennyf gof am glywed pobl dda Aberaeron a Llangeitho (y rhai tebycaf i ddirnad gwahaniaeth) yn defnyddio'r geiriau hyn er y byddwn yn disgwyl gwahanol seiniau.

Yn ddiacen, ni chadwyd y gwahaniaeth ond tan ddiwedd y drydedd ganrif ar ddeg. A thrwy gydol oes y Gynghanedd, bu u/y ddiacen yn odli'n hapus, fel yng ngwaith Dafydd ap Gwilym – Morfudd/bedydd; bydd/Gruffudd.

Wedi dweud hynny oll, ceir enghraifft o broest yn parhau'n barchus dderbyniol fel pe bai'n odl o fewn cyfundrefn ddi-broest y Gynghanedd, a hynny yn yr hyn a elwir yn Llusg Wyrdro: e.e. *'Yn y llyn y mae'n synnu'*. Ac ni allaf feddwl am hyn ond fel math o odl seicolegol, os caf fathu term amheus.

Mewn tafodieithoedd gogleddol, y mae odli 'y' ddiacen yn fwy cymhleth o lawer nag yn y tafodieithoedd deheuol. A'r unig gyngor y gellid ei roi eto yw dilyn y glust (neu symud i'r De). Er enghraifft, mae 'y' ddiacen yn troi'n 'i' o flaen 'g': tebyg, meddyg, dychymyg; a'r cwbl yn odli ag – ig – dig, brig. Felly'n fynych 'y' hefyd ar ôl 'i' yn y sillaf olaf ond un: llinyn, gilydd, gwreiddyn. A gellid ymhelaethu ar hyn, gan ddrysu pawb. (Sylwer ar *u* wedi'i hynganu'n *i* yn ugain, union, rhywun, bugail, cuddio, trueni, esgus; ac *y* fel *i* yn cyllyll, ergyd, efengyl, cyfyng).

Mawr yw penbleth iaith sy'n datblygu.

Un casgliad rhyfedd yn tarddu o hyn oll yw: na ellid odlau diacen o gwbl â grug, crug, ffug, sug (er bod ambell un yn eithrio ambell air cyfansawdd fel deublyg); ac ar ryw olwg, mewn *Odliadur* diau y dylid rhestru 'barrug, caddug' ac yn y blaen o dan 'ig'. Felly hefyd, ac o'r herwydd er mawr ofid i rywrai, sillefir 'menig, cesig' ac yn y blaen ag *-ig* yn lle defnyddio *-yg*.

Melltithier (bawb) yn dawel felly a dilyner y glust.

(vi) MONSIEUR PROEST

Mae beirdd Cymru wedi esgeuluso Proest. Pam?

Dwi'n falch eich bod wedi gofyn hynny. Un rheswm yw nad ydym yn ddigon Cymreig. Oherwydd – *Angen arbennig Gymreig yw Proest*. Pe baem yn myfyrio mwy am ein crefft brydyddol Gymreigaidd, fe sylwem mai rhan o athrylith yr iaith ei hun, hynny yw – gwedd ar ei chymeriad, – yw prinder ei geiriau acennog neu unsill. Mae hynny'n golygu prinder enbyd ac anweddus o odlau acennog. Cymerer gair bach fel 'gogr'. Does dim un odl unsill iddo o gwbl am 'wn i. Ond mae'n proestio â 'hagr, dagr, egr, llwgr, siwgr, chwegr'. Ac y mae proest o'r fath yn ddull ysgafn a hyfryd o gysylltu sillaf â sillaf mewn modd sy'n fwy awgrymus ac yn fwy cyfrwys nag Odl amrwd. Mae proestio o'r herwydd yn lledu adnoddau beirdd Cymraeg mewn modd gwir angenrheidiol.

Onid yw odlau acennog yn y Gymraeg wedi blino bellach? Gwrandewch ar ambell delyneg gonfensiynol luddedig neu emyn yn ymlusgo o Odl i Odl ddisgwyliedig. Maen nhw i gyd yn dylyfu gên. Yr oedd clustiau beirdd yr oesoedd canol yn llawer mwy soffistigedig ac effro na chlustiau diweddar. Llenyddiaeth lafar oedd ganddynt. Ac roedd odlau acennog yn dweud wrth feirdd felly, 'Gadewch inni gysgu ambell waith'. Yr oedd prydyddion y glust yn ymwybodol o brinder odlau acennog yn y Gymraeg. Ymysg y dulliau a gafwyd i gyfarfod â'r anhawster hwn, yn y Cywydd datblygwyd yr Odl acennog/ddiacen, sy'n ddull eithriadol ddeniadol wrth gorffori cyferbyniad ac ailadroddiad, ac wrth ymatal beth rhag yr ateb ymosodol ddisgwyliedig. Defnyddient hefyd odlau diacen mewn Awdl yn amlach nag a wnâi'r ugeinfed ganrif yn gyffredinol mewn cerddi.

Ond yr oedd ganddynt wrth law, yn ogystal, y drefn hyfryd hon o Broest, ac am gyfnod, y drefn yr un mor hyfryd o Odl Enerig. Wedyn, ar ddiwedd yr Oesoedd Canol, ysgubodd mydryddiaeth Saesneg dros Gymru. A gwae ni, daeth hyn yn arbennig o ormesol gyda'r emynwyr diweddar, yn arbennig wrth fabwysiadu tonau Seisnig. Gyda'r bri ar y 'delyneg' Seisnigaidd drefedigaethol yn hanner cyntaf yr ugeinfed ganrif, clywsom hefyd syrffed o hen odlau treuliedig – megis gardd, hardd; gwynt, gynt; awr, mawr; gyd, byd; hoen, poen; ef, nef; hon, ton. Dw innau a lluoedd o'm cymheiriaid wedi'u gyrru nhw hyd at syrffed. Pan glywid 'Crist' gellid arogli 'trist', yn dod bron yn gableddus, o bell. Dyma'r Odl imperialaidd ar ei gorsedd. Doedd dim math o reswm esthetig dros dderbyn y fath bresenoldeb amhriodol enfawr, ddim oll heblaw diffyg asgwrn-cefn prydyddol ronc.

A'r gwir yw bod gennym o'r dechrau ddulliau eraill (fel sydd mewn Islandeg) o gyflawni swyddogaeth Odl. Sylwyd eisoes fel y byddai Waldo hyd yn oed yn fewnol mewn llinellau yn defnyddio Proest mewn modd mor effeithiol:

> *Y talu tawel, terfynol. Rhoi byd am fyd . . .*
> *I helaeth drannoeth Golgotha eu Harglwydd Gwyn.*

Mae beirdd Saesneg, fel Wilfred Owen, Yeats, Eliot, W. H. Auden a Gerard Manley Hopkins oll wedi defnyddio Proest, a hyn yn aml yn sgil eu hastudiaeth o fydryddiaeth Gymraeg, oherwydd yr effeithiau o anorffennedd ac o golled ogleisiol a gyfleir gan 'Odl' sydd heb gyrraedd y lan. Rwy'n meddwl mai Vaughan oedd y bardd Saesneg cyntaf i broestio ar sail ei wybodaeth o'r Gymraeg. Ond yn y Gymraeg yr ydym yn dal i roi llawer gormod o le i Odl seml.

Soniai Auden am fod yn 'excited about the possibility of applying to English verse the internal rhymes and alliterations in which Welsh verse is so rich. I may very well find that they cannot be copied exactly in English, yet discover by modifying them new and interesting effects'. Ymhlith beirdd Lloegr yn yr ugeinfed ganrif safai W. H. Auden tua'r pumed neu'r chweched o ran safon ei gamp. Ond fel crefftwr, fel un a fyfyriai am bosibiliadau ac adnoddau'r gelfyddyd, ef oedd ar y brig. Profai Waldo yntau yr un cyffro, ond am resymau brodorol.

Mae technegau proestio Wilfred Owen yntau hefyd yn adnabyddus inni oll yng Nghymru. Yr wyf yn edrych ar ddetholiad o saith o gerddi ganddo yn *The Oxford Book of Twentieth Century English Verse*, gol. Philip Larkin, OUP, 1973. Mae 'Anthem for Doomed Youth', 'Disabled', 'The Send-off' a 'The Chances' yn odli'n gonfensiynol. Mae'r cerddi eraill oll yn cynnwys math neu fathau o broest sy'n gyfarwydd i bawb a ddarllenodd Owen: Killed, cold; brothers, withers; fooling, filling. Hynny yw, yn wahanol i broest Cymraeg arferol, teimlai'r bardd Saesneg fath o orfodaeth i estyn ei broest ef ymhellach ychydig. Mae a wnelo hynny, gredaf i, â'r math o sefyllfa acennog sydd i eiriau yn y ddwy iaith. Gwyddys mai ar y goben y mae'r acen bwys yn gymharol gyffredin yn y Gymraeg: dyna un o'r rhesymau nid yn unig dros dwf y Gynghanedd Lusg ond hefyd dros bob cynghanedd. Eithr yn ogystal ceir acen draw dybiaf i, yr un mor gyffredin ar y sillaf olaf. A hynny, o bosib, sy'n cyfrif pam y cyfrifir yn naturiol yn y Gymraeg fod 'cerdded' a 'gweled' yn odli, a hyd yn oed 'lled' a 'cerdded', ond bod Saesneg fel arfer yn disgwyl mewn odli diacen yr hyn a alwn ni'n 'odl ddwbl', e.e. thirty, dirty. Rhaid cofio bod llawer mwy o sillafau olaf acennog neu unsill acennog yn Saesneg nag yn y Gymraeg. Ond yn achos Owen, hyd yn oed, mewn proestio acennog (e.e. 'The Show'), tueddu i broestio'r holl sillaf yn gytseiniol, hynny yw nid yn unig ar ddiwedd y sillaf, ond yn gynganeddus drwyddi; death, why, dearth, woe, uncoiled, killed, hills, holes; er nad yw'n gwbl gyson yn hyn o beth.

Cafwyd dynwaredwyr achlysurol i hyn o dechneg yn Saesneg. Ond achlysurol yn unig oeddent. Nid aethpwyd o'r achlysurol i'r cyffredinol. Ni chafwyd deddf yn ôl symudiad datblygol y gynghanedd, a hefyd yn ôl cyfeiriad meddyliol cyfundrefnus y 'dull gwyddonol'. Ni ddaeth yn 'iaith', felly, rhwng pobl a'i gilydd.

Cant y cant yw ystyr 'cyffredinol' mewn gwyddor. A chant y cant (o ran nod a naws) sy'n gwahaniaethu rhwng arferiad a chyfundrefn. O fewn y Gymraeg, daeth y gynghanedd yn hanfod. Dyna a ganiatâi 'Gyfundrefn o gyfundrefnau'. Ac yn iaith gyflawn fel petai. Daeth yn amgylchfyd cyflawn i gerdd, yn ffordd o fyw i farddoniaeth. Felly, drwy ysgolion y beirdd (a Gramadegau'r Penceirddiaid) a thrwy eisteddfodau 'deddfwriaethol', fe adlewyrchid y math o awydd, isymwybodol i raddau efallai, i dderbyn ac i gydymffurfio â fframwaith cymdeithasol ffurfiol ac esthetig a feddiannai bob llinell.

Gelwir Proest gan J. Schipper yn ei *A History of English Versification* yn 'consonantal assonance'; gan S. L. Mooney yn 'Near Rhyme'; ac yn 'consonance' gan U. K. Goldsmith.

Wrth fyfyrio am bwnc mawr Odl o safbwynt y Gymraeg, dylai prydyddion difrif (a difrif o ddigrif) rhoi llawer mwy o sylw i Broest ac i Odl Enerig (neu Odl Wyddelig). Yn gryno wrth ddiffinio, gellid nodi am Odl fod yna lafariad 'olaf' mewn sillaf sy'n dwyn yr un enw a'r un hyd â llafariad mewn gair arall a bod y gytsain (neu'r cytseiniaid neu'r absenoldeb cytsain sy'n ei dilyn) yr un fath. Dyna ymgais i'w gwahaniaethu. Am Broest gellid newid un o'r tair elfen hyn, sef enw'r llafariad, e.e. gwêl, sâl. Ac am Odl Enerig, gellid newid un (arall) o'r tair elfen, sef enw'r gytsain sy'n dilyn y llafariad honno: e.e. blêr, sêl. Ond sylwer: soniais am ddiogelu'r un hyd er mwyn proestio – llên min, nid llan min. Byddai'r olaf yn 'Drwm ac Ysgafn'. (Ond gyda llaw, yr oedd datblygu adnabyddiaeth o 'Trwm ac Ysgafn' yn wedd eto ar yr un didoli neu dwf miniog â'r beiau eraill ond heb fod yn fai mor gynnar ag yr oedd J. Morris-Jones ac eraill yn ei dybied.)

Ond y mae yna un nodwedd mewn Proest ac mewn Odl Enerig y tâl inni sylwi arni. Nid unrhyw gytsain ni waeth p'run sy'n gwneud y tro mewn Odl Enerig, ac nid unrhyw lafariad chwaith sy'n gwneud y tro ar gyfer Proest, o leiaf erbyn cyfnod y Gogynfeirdd. Tra bo Odl Enerig yn dosbarthu'r cytseiniaid diweddol yn garfanau, y mae Proest yn dosbarthu llafariaid hefyd yn ei ffordd ffwdanus ei hun.

Felly, ceid y llafariaid crwn gyda'i gilydd yn proestio â'i gilydd – a, e, i, o, u, w, y, ond heb broestio â deuseiniaid – aw, ew; ei, oi; ac yn y blaen. Hynny yw, proest cywir yw 'blêr, sir', ond anghywir yw 'blêr, sawr'. Ond fel y cawn weld, cawn ddau ddosbarth pellach sy'n ymgartrefu yn ddau grŵp ar wahân ym myd y deuseiniaid. Hynny yw, mynnodd y glust wrth ymhel â Phroest glywed mewn modd arbennig a didoli seiniau cysylltiol neu deuluol mewn modd penodol.

Yr hyn yr wyf am sôn yn arbennig amdano yn y bennod hon yw

325

datblygiad Proest mewn Cerdd Dafod. Y mae ffurfiau Cerdd Dafod bob amser yn datblygu'n naturiol oherwydd ymdeimlad o angen neu ymateb i fanylder. Y mae'r un peth yn wir am Dafod mewn iaith ei hun. Ac yr wyf cyn hyn wedi enwi enghraifft o'r ffenomen hon mewn gramadeg yn hanes y Gymraeg drwy grybwyll hanes y fannod. Soniais am ddatblygu'r fannod yn y Gymraeg drwy fabwysiadu *rhagenw dangosol* (rhywbeth sy'n cyfeirio'n ddangosol fel 'hwn, hon'; Saes. this) i ateb problem arbennig. Diddorol sylwi fel y mae Saesneg pobl anaddysgedig neu 'ansafonol' yn ddiweddar yn datblygu'r gair 'this' o'r newydd. 'I saw this man', heb fod yn ddangosol o gwbl, a heb gyfeirio at y dyn ynghynt. Felly y datblygwyd gynt y rhagenw dangosol 'y, yr' (this) yn y Gymraeg i weithredu swyddogaeth bannod. Ymwaredwyd â'r hen ddefnydd o 'y' yn ddangosol bellach, a chael dyfais arall yn ei lle. Hynny yw, mae'r iaith yn newid tan wrthod, disodli a derbyn elfennau effeithiol. Ceir mabwysiadu ac ymwrthod yn hanes yr iaith sy'n ddigon tebyg i'r mabwysiadu a'r ymwrthod a geir yn hanes Cerdd Dafod. Magu arferiad yn gyntaf, ac adnabod deddf wedyn.

Mae'r sawl sy'n astudio'r fannod yn mynd i ddeall mwy am y Gynghanedd.

Dyma ddatblygiad hollol anymwybodol mewn iaith sy'n gymhwysiad iach a naturiol. Datblygiad yn ôl athrylith yr iaith yw. Nid yw pob datblygiad ieithyddol mor iach â'i gilydd. Fe glywn weithiau rai o amddiffynwyr Seisnigrwydd y cyfryngau Cymraeg yn ceisio amddiffyn iaith sathredig yn y Gymraeg drwy honni'n wybodus fod 'iaith yn datblygu'. Daethant o hyd i hanner gwirionedd. Ond priodol cofio bod yna ddwy ffordd i ddatblygu, y naill yn ôl anian yr iaith ei hun, a'r llall yn ôl taeogrwydd a gormes (a all ddileu iaith yn y pen draw). Gwaseidd-dra a hyrwyddo gormes yw ildio i gynnwys llawer o Saesneg yn ddiangen ac yn ddisodlol, gredaf i; mae'n gwneud drwg seicolegol yn y gymdeithas, ac esgus gywilyddus yw sôn yn 'ddiduedd' ac yn 'ddiwerthoedd' am 'ddatblygiad'. Esgus yw bod yn drendi. Dyna'r cyd-destun trefedigaethol eto. Nid datblygiad yw'r hyn a ddigwyddodd ar Radio Cymru yn nechrau'r mileniwm ond llyfu cadwyni. Roedd yn treisio chwaeth. Roedd yn fai gwaharddedig mewn synnwyr cyffredin.

Bid a fo am hynny, trown yn ôl i sylwi ar y datblygiad o Broest o fewn Cerdd Dafod. Mae'n ymddangos i mi fod yna dri chyfnod yn hanes Proest. Hynny yw, fe gafwyd yn eu tro dair ffordd o glywed. Datblygwyd y glust drwy fanylu a dosbarthu'n gyfyngach y seiniau a dderbyniai fel rhai cysylltiedig o'r un teulu.

Sôn yr ŷm yn awr am feithrin manylder yn y dull o glywed.

1. *Cynfeirdd:* Mae yna ddwy farn ar y cyfnod hwn yn hanes Proest. Yn ôl y ddadl gyntaf, dyma'r pryd yr oedd unrhyw lafariad ac unrhyw ddeusain yn gallu ateb ei gilydd yn ddiwarafun ond inni gael y gytsain unol wedyn. Yn y cyfnod hwn gellid dadlau bod Proest yn digwydd yn anymwybodol lydan. Gellid ei ddefnyddio'n achlysurol yn lle Odl, fel petai'n ddifeddwl, am fod y gyfundrefn yn gallu cwmpasu Odl a Phroest fel ei gilydd yn un ffenomen gytûn, seiniol: e.e. eleirch, arch (CA); galan, eiran, prein, prydein (Etmic Dinbych); bythic, wreic; fas, treis; llinos, egroes; gethrawt, llygad (BT) (Dylid nodi bod y deuseiniaid hyn yng nghyfnod y Cynfeirdd wrthi'n ymsefydlu, neu newydd eu sefydlu; a nodi hefyd amlygrwydd 'ei' yn yr enghreifftiau cynnar. Dyna ddeusain a darddai o lafariad + c, p: e.e. affaith < affectus, anghreifft < increptus, ceithiwed < captiuitas. Llafariaid a 'newydd' leddfwyd yn ôl termau hanes iaith.). Hynny yw, yn ôl y ddadl hon, os cawn siarad yn anachronistig, Proest-Odl oedd paramedr y gyfundrefn neu'r teulu. Dyma Broest eang yn y cyfnod cyn-ddidoli. Yn ôl yr ail ddadl, sut bynnag, a gyflwynwyd gan Dr Jenny Rowland, sef ein hawdurdod bennaf gyfoes ar Broest, cyfundrefn annibynnol oedd Proest; hynny yw, nis defnyddid yn annethol yn lle odl lawn. Yr oedd yn wahanol yn hyn o beth i Odl Enerig. Rhaid cael mwy o brawf o hyn. Mae'r ddamcaniaeth hon yn cael ei chadarnhau rywfaint pan gyrhaeddwn ffenomen yr Englyn Proest yn y cyfnod nesaf.

2. *Gogynfeirdd:* Dyma gyfnod ychydig yn wahanol yn y dull o wrando. Parhaodd y 'goddefiad' yn achos 'ei' i mewn i gyfnod y Gogynfeirdd. Ond ni ddigwydd bellach ond o flaen clwstwr cytseiniol diweddol. Felly, er enghraifft, y Prydydd Bychan – peisg, eurwisg, dilesg; dichwant, seint, pressent. Ymddengys mai dyma'r unig ddeusain a dderbynnid fel hyn bellach yn y cyfnod newydd, a hynny mewn amgylchiadau penodol gyda chlystyrau cytseiniol fel lch, rdd, rch, rf, gl, gr, dr, fr, fn, sg, nt ac yn y blaen ar ei hôl: o leiaf erbyn diwedd y cyfnod hwn (Ceir dau eithriad annhymig: 'fawr, Nêr'; 'gwaelawd, golud'). Hynny yw, yr oedd arferiad newydd yn graddol ddatblygu mewn Mynegiant. Doedd neb wedi deddfu, neu'n well nis ceid yn ddi-eithriad. Ac yn y cyfnod hwn, yn ôl Dr Jenny Rowland ni cheid Proest mewn Englyn Penfyr nac yn yr Englyn Unodl Union. Yr oedd datblygu Englyn Proest yn weithred unigolyddol benodol, yn fab i'r Englyn Milwr.

3. *Beirdd yr Uchelwyr:* Ni chaniatéid erbyn diwedd yr unfed ganrif ar bymtheg i'r un ddeusain leddf (gan gynnwys 'ei') na hyd yn oed deusain dalgron broestio â llafariad gron. Dyma'r arferiad wedi tyfu'n ddeddf. (Neu yn ôl fy nherminoleg i: y mae arferion Mynegiant wedi troi'n ddeddfau Tafod). Ac yn ystod y cyfnod hwn, pryd y sefydlid y Gynghanedd a phryd y sefydlid siâp Proest fel ffenomen yn ddisgybledig, y sefydlwyd hefyd y gwaharddiad llinellog Proest i'r Odl. Dyma fai a ddaeth tua diwedd y cyfnod yn ddeddf gwlad (i'r beirdd) o bosib yn ail eisteddfod Caerwys 1567.

Pan ddown at y Cywyddwyr diweddar, fel y disgrifir eu cyfundrefn gan J. Morris-Jones yn *Cerdd Dafod*, y mae'r drefn yn weddol eglur bellach: y mae llafariaid sengl yn ateb llafariaid o'r un hyd, ac y mae deuseiniaid yn ateb deuseiniaid yn ôl fel y maent yn 'lleddf' neu'n 'dalgrwn'. Hynny yw, dechreuodd y beirdd glywed gwahaniad o fewn naws y deuseiniaid fel dosbarth cyflawn. Roedd eu clustiau'n clywed perthynas a gwrthdrawiad. Sefydlwyd *gwahuniaeth*: deuseiniaid oeddent oll, ond ceid gwahaniaeth rhwng dwy garfan. Yn fras y mae'r rhai talgrwn yn gorffen yn 'w' (cofier yr 'w' yn 'talgrwn') a'r rhai lleddf yn gorffen yn 'e' (neu lafariad berthynol megis i neu y; cofier yr 'e' yn 'lleddf'): felly mae aw, ew, iw, ow, yw, uw yn dalgrwn ac ae, oe, wy, ei yn lleddf.

Hynny yw, roedd clustiau'r beirdd, fel erioed gydag odli, yn clywed yn ôl dosbarthiad o seiniau. Ac yn y clywed hwnnw, credent fod y dosbarthiad cyferbyniol newydd hwn rhwng Lleddf a Thalgrwn yn arwyddocaol.

Ond pam gwahaniaethu rhwng y ddau ddosbarth hyn o gwbl? Pam na allent i gyd broestio'n eciwmenaidd hapus â'i gilydd?

Wel, y mae â wnelom â Monsieur Proest. Gŵr niwrotig a fuasai, pe buasai'n byw yn yr ugeinfed ganrif, wedi leinio'i ystafell â chorc er mwyn cadw'r byd garw a'i Feiau Gwaharddedig y tu allan.

Yn ei glust ef, cadwai'r talgrynion atgof fod yr 'w' yn 'aw, ew' ac yn y blaen braidd yn gytseiniol ei chysylltiadau: e.e. ysgawn, ysgafn. Hynny yw, nid deusain go iawn ydoedd, ond llafariad sengl wedi'i dilyn gan glwstwr cytseiniol tebyg i 'fn'. Yn fras, gellir dweud bod 'talgrwn yn ymwneud â llafariad sengl neu â deusain a gadwai beth o naws llafariad sengl.' Roedd bron yn gron. Yr oedd y ddeusain leddf yn gwyro neu'n lleddfu. (Mewn cyfnod cynt, dylid sibrwd – ond peidier â dweud wrth y beirdd – mai 'c' yn wreiddiol oedd yr 'e' yn 'llaeth, doeth' ac yn y blaen, a hithau hefyd yn wreiddiol gytseiniol. Ond dyna'r pryd o bosib yr oedd yr ymdeimlad o Broest heb ond dechrau ymffurfio.) Mae'n wir wrth gwrs fod yna wahaniaeth rhwng nerth yr 'w' a nerth yr 'i'. Gwefusau sy'n ffurfio'r 'w' yn 'llaw' a'r llwnc sy'n ffurfio'r 'i' yn 'llai', ac nid yw 'i' o'r herwydd mor gaeedig ac yn gymaint o 'gytsain' felly ag 'w'.

Yn fy marn i, dyma fai eto y gallai cynganeddwyr heddiw ddeddfu mai hynaflyd ddiangen yw. Deuseiniaid yw'r rhain oll bellach i'n clustiau ni, a chredaf eu bod oll yn proestio â'i gilydd erbyn hyn, hynny yw â'i gilydd fel deuseiniaid. Oni wnânt felly, yna dylai 'aw, ew' ac yn y blaen broestio â llafariaid sengl. Credaf yn dawel bach y dylid gollwng pob rheol sy'n cynnwys Lleddf a Thalgron. Gadawer hwy i'r ysgolheigion.

Wedi trafod yn frysiog fel yna y ddau ddosbarth o ddeuseiniaid go iawn, rhaid troi at gyfuno llafariaid mewn modd gwahanol. Ceir cyfuniad o lafariaid o fath arall nad ydynt yn ffurfio deuseiniaid, lle y mae 'w' yn wir gytseiniol, a hyd yn oed 'i' ei hun yn amlwg gytseiniol. Ac felly, talgrwn ydynt hwy, yn wyryfol ddiymyrraeth felly, a heb ddwli. Talgrwn yw ia, ie, io, iw, ac iy: talgrwn hefyd yw wa, we, wi, wo, wy. Y mae'n amlwg mai 'i' gytseiniol ac 'w' gytseiniol sydd gennym yn y dechreuadau yn y fan yma. Un llafariad heb ddeusain sy'n dilyn yn wir effeithiol. Clywch y gwahaniaeth rhwng naws yr 'w' yn 'gŵr' ac yn 'was', a naws yr 'i' yn 'win' ac yn 'ias'. Mae'r geg yn ymffurfio'n gytseiniol yn y naill rediad talgrwn a'r llall. Yn wir, credai J. Morris-Jones fod gwefusau'n symud hefyd fel ar gyfer cytsain wrth ddweud aw, yw ac yn y blaen. Hynny yw, ym mhob un o'r rhai ag 'w', yn gyntaf neu yn ail, ceir llafariad seml (llafariad gron) ynghyd â chytsain: talgrwn.

Nid wyf yn tybied bod y gwahaniaeth yn ddigon byw bellach rhwng naws y rhai lleddf ae, oe, wy, ei a'r rhai talgrwn aw, ew, iw, ow, yw, uw, er bod yr w yn y rhai olaf yn gytseiniol ei naws, megis f, yn yr hen amser. Beth bynnag oedd tarddiad yr e (neu i neu y) yn y deuseiniaid lleddf, bellach nid ydynt yn ymddwyn o gwbl fel cytseiniaid. Y maent yn wir ddeuseiniaid, ac yn goleddfu i ffwrdd o'r crwn. Ac felly y talgryniaid i raddau helaeth. Lleddf bellach yw'r rhai oll a alwn yn 'wir' ddeuseiniaid, boed y rheina yn lleddf neu'n dalgrwn. Gellid dadlau mai'r gwahaniaeth, rhwng llafariaid sengl ar y naill law a deuseiniaid lleddf (sef rhai '-w' ac '-i') ar y llall, yw'r dosbarthiad effeithiol a erys bellach. Hynny yw, nid oes angen mwyach gwahaniaethu rhwng deuseiniaid Lleddf a Thalgrwn. Dim ond rhwng llafariaid a deuseiniaid.

Dowch inni ystyried sut yr oedd y rhaniad gynt mewn dosbarthiadau deuseiniaid yn effeithio ar y ffordd yr oedd y beirdd yn clywed perseinedd ac felly'n 'deddfu' (hynny yw, yn creu cyfundrefn ddi-eithriad). Mae yna ddwy reol bellach ynglŷn â 'Lleddf a Thalgron' y mae'n ddisgwyliedig inni'u cofio yng nghyd-destun Beiau Gwaharddedig. Yn gyntaf, y rheol sy'n penderfynu beth yw Proest (Lleddf a Thalgron), ac yn ail y rheol sy'n penderfynu ei gyfatebiaeth yn strwythur y llinell – Proest i'r Odl.

Esboniodd John Morris-Jones: 'Ped odlid y sillaf leddf *glwys* â'r sillaf dalgron *chwys*, fe geid y bai a elwir 'lleddf a thalgron''. Mewn Odl, felly, bai ydyw yn ddigymrodedd. Dyna sefydlu bai eglur a swyddogol i ni. Sylwer: y mae'r 'y' yn 'glwys' yn gorffen â sŵn o fewn dosbarth 'i, e, y' ac yn gwyro neu'n lleddfu fel gwir ddeusain. Ond yn 'chwŷs', y mae'r 'w' yn gytseiniol a'r 'y' yn llafariad sengl hir. Ond mewn amgylchiadau eraill, 'dad-wneud' bai a wna Lleddf a Thalgrwn. Sylwer: e.e.

> Llyfn iawn a allai fy nwyn.
> Ni alla' droi i unlle draw.

Dyma linellau cywir a derbyniol hollol. Nid proestio a wnânt ar hyn o bryd; hynny yw, does dim proest i'r odl ynddynt, oherwydd mai Lleddf a Thalgrwn swyddogol yw'r deuseiniaid mewn mannau allweddol. Yn ôl y traddodiad, mae'r sillaf sy'n 'dalgron' yn ymddwyn yn fwy fel llafariad sengl. Mae'r un sy'n 'lleddf' yn lleddfu neu'n gwyro'n fwy penodol i wir ddeusain.

Nid wyf wedi ceisio ystyried *pam* y digwyddodd hyn oll, pam y didolwyd y deuseiniaid, pam y diarddelwyd odl enerig, pam y cafwyd symudiad tuag at leihau amlygrwydd Proest ac i orseddu pwysigrwydd Odl. Am y tro, nid wyf wedi ceisio gwneud mwy nag ymdroi o gylch Proest fel ffenomen mewn prydyddiaeth ac mewn diddordeb seiniol yn gyffredinol. I bob prydydd Cymraeg sy'n meddwl am ei grefft y mae'n faes difyr. Ond ym myd Cerdd Dafod, hynny yw o fewn corlan y Gynghanedd, y mae i Broest statws arbennig, cyfreithiol hyd yn oed. Mae ganddo awdurdod o fath. Ond er mwyn dweud gair am Broest yn ei holl bwysigrwydd llawn mewn Cerdd Dafod, rhaid i mi gael rhagor o ofod, ac fe'i neilltuaf tan yr adran nesaf. Y tro hwnyma, dim ond Monsieur Proest fu dan yr ordd. Y tro nesaf, trown at Monseigneur Proest-i'r-Odl. Gwell imi wisgo tei.

(vii) MONSEIGNEUR PROEST-I'R-ODL

Y 'Beiau Gwaharddedig' sy'n dynodi'r ffin rhwng yr hyn sy'n iach a'r hyn sy'n afiach. Rhaid gwneud diagnosis. Ac ymarferion adferol i'w hiacháu. Wrth eu harchwilio hwy yr ŷm yn hofran uwchben y 'diffinio'. Y maent hefyd yn dyst mor eithriadol o soffistigedig oedd y gyfundrefn firain hon a ddatblygwyd yn isymwybodol gan chwaeth y Cymry. Rhan go bendant o'r soffistigeiddrwydd hwnnw oedd 'Proest i'r Odl'.

Crybwyllwyd eisoes 'Rhy Debyg' a 'Trwm ac Ysgafn', a phethau llai soffistigedig.

Ond wrth symud o fai i fai fel hyn y mae'n anochel fy mod yn ymddangos fel pe bawn yn ymdrin â manion – y rheolau bach twt mewn cornel. Hawdd yw colli'r darlun mawr. Yn wir, efallai ein bod ni fel efrydwyr llenyddiaeth Gymraeg yn rhy hoff o osgoi y darlun mawr. Mae angen rhyw fath o olwg ar y symudiad cyffredinol yn ogystal â rhoi sylw i fanylion arbennig. Beth oedd yn digwydd ym meddwl a chwaeth y beirdd wrth drafod materion fel Rhy Debyg a Phroest i'r Odl ac yn y blaen, oll yn fras, tua'r un cyfnod? Cofiwn fod y rhan fwyaf o'r newidiadau a'r ymffurfiadau hyn yn digwydd tua'r un pryd, yn wedd ar un symudiad mawr mewn chwaeth a chanfyddiad. Yr oedd pob un o'r datblygiadau yn rhan o wth cyffredinol dros gwlwm o ganrifoedd, dwy yn arbennig, y ddwy fwyaf efallai yn hanes ein llenyddiaeth, o leiaf tan yr ugeinfed efallai, sef y 14eg a'r 15fed. A phriodol yw myfyrio ynghylch beth oedd natur y gweddnewidiad llydan hwn yn ei gyffredinedd cydlynol. Roedd rhywbeth dirgel cyfun ar waith.

Yn yr adran ddiwethaf ceisiwyd sôn am hanes ffurfio Proest (e.e. dwfn, ofn, trefn). A buom yn trafod Monsieur Proest 'fel y cyfryw', hynny yw bu bron inni ynysu'r ffenomen yn ei hystafell gorc. Mater oedd hyn y gellid ei ynysu o fewn cyd-destun Odl ac Odl Enerig. Gefeilliaid Siam anghymharus oedd Odl ac Odl Enerig (fel y cawn weld eto gobeithio). Ar y llaw arall, partneriaid mwy rhydd oedd Odl a Phroest, a'r naill a'r llall yn meddu ar ei 'ofod' ei hun fel y dywedir yn yr oes oleuedig hon. Ond yn y bôn, dull dymunol oedd y naill a'r llall o gysylltu a chyferbynnu sain â sain: ymddygiad arbennig gan y glust, modd i drefnu'r meddwl seiniol.

Y mae a wnelo hyn â bodolaeth Proest fel categori. Y mae a wnelo â'r gwahaniaethu isymwybodol llawer mwy cyffredinol a dyfodd wrth ymateb i unigolyddiaeth Proest o'i chymharu ag unigolyddiaeth Odl. Darganfuwyd gan bwyll hunaniaeth Proest ei hun fel dosbarth seiniol. Dysgwyd carfanu Proest wrth ei gyferbynnu fwyfwy ag Odl. Fe'i didolwyd yn ffurf hunanlywodraethol fel petai, yn gyfwerth 'annibynnol' ar Odl, gan feddu ar sianeli seiniol gwahanol.

Ond sut?

Os trown yn ôl am foment at yr effeithiau seiniol mewnol a geid yng nghyfnod y Gogynfeirdd gwelir bod Odl a Phroest yn gyd-gyfnewidiol ac yn amyneilio'n hapus gydweithredol. Ffordd arall a mwy technegol o ddweud hynny efallai fyddai awgrymu bod rhyw fath o 'Odl Gyfansawdd' gynt yn y glust, yn cynnwys Odl a Phroest ynghyd yn ddiwahân, ar gael yn un dosbarth cyflawn, o leiaf y tu mewn i linellau. Rhyw fath o Brodl. Hynny yw, ni wahaniaethai'r glust fawr rhwng Proest ac Odl o ran swyddogaeth fewnol gan y Gogynfeirdd yn eu Gogynghanedd. Roedd paramedrau'r ailadrodd seiniol a gwmpasai'r dosbarth ffurfiol hwn yn lletach wahanol i'r hyn a geid wedyn. Mewn geiriau eraill, roedd yna Ffurf arall yn bod ar y pryd – 'Odl Gyfansawdd' – y darganfuwyd o'i mewn ddwy Ffurf. Cysgai'r Odl a Phroest yn yr un gwely. Ond tyfasant a deffro a bu'n rhaid trefnu gwelyau gwahân. Roedd un yn fenywaidd, a'r llall yn wrywaidd.

Felly, fe'u rhannwyd hwy. Fe'u clyw-wyd yn wahanol. Aethant drwy sianeli gwahanol. Dosrannwyd hwy'n ddwy ffenomen lle gynt na chafwyd namyn un. Dyna sut y ganwyd Proest.

Dyna, yn fy mryd i, oedd gwth yr amseroedd ar y pryd. Miniogi. A dichon (a dyma fi'n ei mentro hi yn awr) ein bod bellach wedi cyrraedd cyfnod – o leiaf mewn *vers libre* cynganeddol a'r defnydd o Broest mewn canu rhydd, – pryd y byddai Proest Lleddf a Thalgrwn yn gweddu o'r newydd i gyfnod llai persain a pharotach i groesawu garwder. Mae'r ddelfryd o seinio celfydd bellach wedi newid. Gellid ail groesawu'r gwrthdaro a'r anghytsain yn ôl megis yn y cyfnod cynnar.

Ar y llaw arall, gellid cael esboniad arall am y datblygiad yn erbyn Lleddf a Thalgrwn. Rhaid cofio bod iaith ei hun yn 'symleiddio' o hyd, hynny yw yn cydymffurfio neu'n ymreoleiddio. Ac felly'n debyg y mae rhai gweddau ar Gerdd Dafod. Ym myd iaith ceir tuedd i'r 'llawer' mewn ffurfiolaeth (pan fo'n ddiangen) i grynhoi yn ôl llai o amrywiadau: er enghraifft, yn amlder y dulliau amryfal o lunio lluosog enwau. Concrwyd er enghraifft lawer o diriogaeth y terfyniad lluosog '-edd' bellach gan rym '-oedd': mynyddedd/mynyddoedd; tiredd/tiroedd; ynysedd/ynysoedd (ond nid y cwbl fel y tystia'r gwragedd a'r nadredd os caf eu cyplysu yn yr oes hon yn hollol anfwriadus). Ac ym maes y berfau concrwyd tiriogaeth y gorffennol: e.e. -is (peris), -es (rhoddes), ac -as (cafas) gan -odd, er bod -ws yn dal i befrio'n llon ym Morgannwg. Mae llawer o ddatblygiadau eraill yn digwydd mewn iaith, rhai yn ôl athrylith yr iaith ac yn symleiddiad cyrhaeddbell defnyddiol, rhai oherwydd israddoldeb trefedigaethol. Dichon fod Proest wedi ymddosbarthu o'r newydd oherwydd symleiddio 'iach' a 'naturiol' o'r un fath.

Hynny yw, gallai'r symlder fod wedi goresgyn mewn Lleddf a Thalgrwn, beth bynnag oedd datblygiad y chwaeth a'r ysgafnhau a'r melysu rhamantus. Dichon mewn Cerdd Dafod fod yr ymsymud anfwriadus ac isymwybodol yn gwthio tuag at symlder o fwy nag un math.

Yn yr adran hon dymunir sylwi ar Broest wrth iddo ddod o hyd i'w leoliad mewn cyfundrefn fawreddog hynod soffistigedig. (A chelfyddion hynod o synhwyrus a medrus fu ein beirdd clasurol oll, meddylwyr at ei gilydd cyn i 'dwpeiddio' gwleidyddol ennill peth monopoli ym myd y Celfyddydau). Ceisio canfod Proest yn ei bendantrwydd mewn cadwyn o gysylltiadau seiniol cydblethog yr ŷm, a hynny drwy sylwi ar y ffordd y mae'n gallu troseddu.

Partneriaid, meddwn i, oedd Proest ac Odl. Hynny yw, o'i gymharu ag Odl Enerig (mêl, sêr) yr oedd Proest (mêl, sâl) yn gallu ffurfio *Englyn Proest* neu *Englyn Proest Cadwynog.* Hynny yw, yr oedd iddo statws a oedd bron yn gyfartal ag Odl. Ond doedd mewn cyfundrefn ddim modd cael *Englyn Odl Enerig* nac *Englyn Odl Enerig Gadwynog.* Thyfodd Odl Enerig erioed i'r safle uchelwrol yna.

A gellid sylwi eto ar statws Proest, o'i gymharu drachefn ag Odl Enerig, drwy gymharu bai *Proest i'r Odl* â'r hyn sydd gan Simwnt Fychan a Syr John Morris-Jones i'w ddweud am *'Rhy Debyg'* generig acennog. Yn yr adran ddiwethaf, dyfais yn unig fu Proest i ni. Modd o fodolaeth ynysedig o fewn cyplysiad un gair ag un gair. Y tro hwn y mae gan Monsieur Proest ychydig mwy o bwysigrwydd ac awdurdod. Mae ganddo blwyf swyddogol bellach ymhlith y Beiau Gwaharddedig. Ac mae'r gyfraith ar ei ochr. Monseigneur yw. Mae bod yn fai swyddogol yn rhoi pwysigrwydd i ddyn. Bydd yn rhaid inni chwilio'i achau mwyach i sylweddoli'i statws mewn perthynas lywodraethol yn y llinell, hynny yw – fel y dywedai'i ewythr yr un mor ffwdanus, Monsieur Marcel Proust, 'Ymchwilio am yr Amser Coll' sy raid bellach.

Dyma'r bai Proest i'r Odl fel y safai erbyn amser Simwnt: 'Poen ddolur pan feddylier'; 'Gerllaw tân y gŵr llwyd hen'. Ond sylwer ar Odl Enerig yn yr un amgylchiadau:

'Y mae â pheth am ei phen'.

Odl Enerig yw 'pheth' a 'phen', wrth gwrs. Ond meddai Simwnt am hyn: 'ni ellir dim o'i alw yn rhy debyg, namyn tebyg, ac nid yw fai'. Nid yw'n debyg o leiaf i Broest. Ymhellach, meddai Syr John: 'Y mae'r hen gywyddwyr fel pe'n *ceisio'r* gyfatebiaeth hon mewn traws fantach:

'Ai dwyn/nis gellir o dwyll' a.y.b.

Hynny yw, methodd 'Odl Enerig i'r Odl' â thyfu'n fai gwaharddedig parchus mewn oed: glynodd wrth statws 'addurn'.

Dyma'r ail sylw, felly, ar statws Proest a statws Odl Enerig, ar statws llafariad a statws cytsain.

Ond y mae'r trydydd pwynt sydd gennyf yn fwy llwythog. Fe fabwysiadwyd y naill a'r llall o'r ddau fater hyn – Englyn Proest a Phroest i'r Odl – gan Feirdd yr Uchelwyr. Collwyd pob sylw bron ar Odl Enerig gan y traddodiad swyddogol. Y werin a'i coleddodd yn eu bythynnod:

> Sosban *fach*
> yn berwi ar y *tân*.

Yn answyddogol, yn y seleri, mewn Penillion Telyn, gyda'r merched (sef y gwrth-fechgyn yn ein hoes ni) a'r plant, a chydag ambell fardd arbrofol yn yr ugeinfed ganrif, canfuwyd dymunoldeb yr Odl Enerig, a'i gwerth i'r dyfodol. Ac yr oedd iddi wir werth arbennig, os caf bwysleisio, yn ôl natur y Gymraeg a natur ei thlodi ym maes odli acennog. I'r tanddaearolion bobl cynigiai'r Odl Enerig ddyfais fywiog a gogleisiol pe gwrandawent. A hwy a'i cadwodd i ni, i'w hystyried yn yr adran nesaf. Ond i'r uchelwyr, – a phwysleisiaf y sillaf dramgwyddus 'wŷr' – yr oedd yna alergedd i'r generig.

Yr hyn a ddigwyddodd, debygaf i, – rhwng pwynt tua diwedd oes y Gogynfeirdd (ac yn wir ymlaen yn ôl pob tebyg drwy'r bedwaredd ganrif ar ddeg), pryd yr oedd Proest i'r Odl o hyd yn dderbyniol, a Simwnt Fychan y deddf-gofnodwr (ar ddiwedd oes aur y bymthegfed ganrif) – yw bod y chwaeth wedi mynd drwy chwyldro miniogi. Tebygaf i fod arferiadau clywed wedi datblygu ac ailsefydlogi. Ac arferiad mewn Mynegiant yw'r hyn a dry yn y diwedd yn sefydliad mewn Tafod. Hynny yw, defodau a dry yn ddeddfau. Daw'r rhain i lywodraethu. Arferiad diawdurdod am gyfnod fu ymwrthod gan bwyll â Phroest i'r Odl, am ei fod yn ormodedd. Math o ffenomen ffasiynol a chwaethus oedd ymwrthod. Aeth y bymthegfed ganrif yn obsesif yn ei gylch. Arferiad difyr oedd yr ymwrthod hwn a amlhaodd nes cyrraedd cant y cant (fwy neu lai – wel, llai). Wedyn, yr oedd yn rhan o Gerdd Dafod.

Wrth sôn am y cyfnod cynnar yn y datblygiad hwn, (sef am y Gogynfeirdd a Beirdd yr Uchelwyr cynnar hapus ddiniwed gyda'u Proest i'r Odl) meddai J. Morris-Jones, person a oedd yn gallu cael gweledigaethau: 'Yng nghytseinedd y cynganeddion yr oedd yr orffwysfa a'r brifodl yn diweddu'n wahanol bron bob amser, nid am fod yn *rhaid* iddynt, ond am *nad* oedd raid iddynt gyfateb.' Hoffaf y disgrifiad yn fawr. Ond carwn pe bai wedi ychwanegu: yr oedd yna eisoes gyferbyniad seicolegol-ffurfiol pendant, am fod y naill ochr (yr Odl) yn gaeth wrth natur, a'r llall yn rhydd. Gallasai ychwanegu hefyd eu bod yn dilyn deddf isymwybodol celfyddyd Cerdd Dafod i gyfuno cyferbyniad ynghyd â thebygrwydd: ceid y tebygrwydd eisoes yn y cytseiniaid o flaen y sillaf olaf, ac ymwthid yn naturiol tuag at gyferbyniad cytseiniaid wedyn.

Hynny yw, egwyddorion nid rheolau a oedd ar waith. Ac egwyddorion yw maes mydryddeg.

Sylwer mai Proest i'r Odl oedd hyn i gyd. Hi, yr Odl, oedd tywysoges y llinell, ac yr oedd hi eisoes yn cael digon o le seiniol am ei bod yn uchafbwynt i rediad y llinell ac yn cadwyno gyda llinellau eraill. Neu, o'i rhoi hi mewn ffordd negyddol, os nad oedd yna Odl i gorffori ac i bwysleisio'r Proest, fe arhosai'n rhydd. O'r herwydd, y mae yna ddau achlysur diddorol arall yn aros, heb gyflenwi'r amod, heb syrthio i fagl 'Proest i'r Odl', ac y dylid eu crybwyll: daliant eu tir hyd heddiw.

1. Yn 'ail linell' englyn, rhwng y gair cyrch a'r darn sy'n ei ddilyn mewn cynghanedd bengoll, fe ganiatéid (yn wir, fe hoffid) proest gan nad oedd yn cyfateb i'r brifodl:

– a'n lles
Yn llys Dolwyddelan

2. Yn yr un modd fe'i caniatéid ar ddiwedd llinell mewn *vers libre* cynganeddol. Gall gorffwysfa mewn llinell o *vers libre* cynganeddol broestio'n hapus braf â diwedd y llinell fel pe bai J. Morris-Jones heb fyw erioed. Nid yw Proest i'r Odl yn digwydd wrth gwrs.

Gadewch i mi yn awr adolygu'r adeiladu neu'r datblygu hwn ar Dafod (a Cherdd Dafod) a hynny yn y cyfnod ar ôl sefydlu Cynghanedd a dechrau cefnu ar Ogynghanedd y Gogynfeirdd.

(i) Yn gyntaf, fe gaed cyfnod pryd yr oedd y ddwy linell ganlynol yn 'gywir':

A daw'r gwirion drwy gweryl.
Y dewr gwrol drwy gweryl.

Yr oedd y naill a'r llall yn ddigonol o fewn defod a ddaethai i ddisgwyl

335

cyfatebiaeth gytseiniol o gwmpas aceniad yr orffwysfa a'r odl. Hynny yw, 'g/r x l'. Cydymffurfid â'r egwyddor i'r dim yn y ddwy enghraifft. Ac yn y bedwaredd ganrif ar ddeg yr oedd y ddwy'n gyd-dderbyniol. Ond y tu ôl iddynt eisoes, a'r tu ôl i bob celfyddyd, mae yna egwyddor o ryw fath yn llechu.

(ii) Ar sail chwaeth, tyfid 'arferiad' i ymwrthod fwyfwy â'r ail, sef (yn fras) beidio ag ateb y gytsain yn y gair olaf wedi'r llafariad olaf. *Teimlai'r beirdd mai gor-wneud oedd ateb hyn hefyd.* Yr oedd yn rhy felys. GWAHUN-IAETH oedd yr egwyddor y tu ôl i'r ymdeimlad hwn. Dyma un o egwyddorion sylfaenol celfyddyd a deall, un o egwyddorion y greadig-aeth, gwedd ar natur Duw ei hun yn drindodol. Hynny yw, mynnid cael gwahaniaeth o fewn y tebygrwydd (y tebygrwydd hwn yw sawdl Achil yr Ôl-fodernwyr). Arweinid y naill grŵp o gytseiniaid gyda'i gilydd hyd at y sillaf olaf, ac yno, gan fod yr odl eisoes ar waith yn hawlio tebygrwydd mawr yn sillaf olaf (sef coron) y llinell, ymataliwyd. Gogwyddid at gyt-sain arall. Ond arferiad chwaeth oedd hyn ar y pryd. A chwaeth a fagai arferiad.

(iii) Y trydydd cam oedd *troi'r arferiad yn rheidrwydd,* yn sefydlog-rwydd (sy'n dramgwydd arall ymhlith dogmâu'r Ôl-fodernwyr). Er amser Simwnt Fychan ac ail Eisteddfod Caerwys ni chaniatéid proest yn y fan hon. Hynny yw, os oedd hyd y llafariad olaf o flaen yr orffwysfa'n debyg i hyd y llafariad yn yr odl, mynnid bod cytsain wedyn yn wahanol. Collid marciau yn y Talwrn. (Sylwer ar fanylder y rheol gan *Gerdd Dafod* am fod ei diffiniad yn llawnach). Ond sylwer: erys y rheidrwydd a geid yng ngham (i) o hyd yng ngham (iii). Yr hyn a ddigwyddodd oedd corffori egwyddor arall o fewn yr egwyddor gyntaf. Nid newid llwyr, ond trwchuso'r ymwybod.

Sut y ceid Tafod felly allan o Fynegiant (mewn Gramadeg ac mewn Cerdd Dafod)?

Troes Egwyddor [Gwahuniaeth] yn Chwaeth, troes Chwaeth yn Arferiad, troes Arferiad yn Ddeddf.

Gellid bod wedi olrhain yr un tri cham hyn drachefn yn natblygiad 'Rhy Debyg' a beiau eraill. Ac y mae'r term ei hun 'Rhy Debyg' yn awgrymu'r hen egwyddor hoffus GWAHUNIAETH. Yn gyntaf, fe'i caniatéid; wedyn daeth y glust yn feinach a'r chwaeth yn fwy dethol. Daeth ymatal yn arferiad; ac wedyn aeth yn wedd ar y gyfundrefn. Ceis-iais ddangos mewn man arall, sut y datblygodd y canu rhydd cynnar hefyd yn gyffelyb ddigon, yn gyntaf o fewn aceniad traddodiadol y canu caeth, ac yn olaf tan fabwysiadu mydr cyfacen y Saesneg, ond rhyngddynt yn y cyfnod trawsnewid drwy feithrin arferiad yr olaf heb ymadael â'r cyntaf.

Cafwyd cwestiwn arall yr ŷm eisoes wedi cyffwrdd ag ef, ac i mi y mae hyn yn gwestiwn difyr. Cwestiwn yw ynghylch y dull o glywed gynt ac fel y newidiodd. Onid oedd yna gyfnod pryd yr oedd clywed *Prodl* hynny yw *Proest* ac *Odl* yn un, yn ateb yn ddiwahân? Ac o ganlyniad, onid oedd rhychwant neu sianel y gwrando am gyfatebiaeth yn lletach ar y pryd nes i Odl ymbluog ddod heibio ar ei hald a'i gyfyngu? Oni wrandewid gynt yn wahanol? Dyna a ddigwyddodd, mi gredaf i, er nad yw'r datblygiad yn gwbl unplyg. Peth rhyfedd ac amrywiol a ymrithiodd yng nghyfnod y trawsnewid. Gan bwyll yr oedd dull clywed y beirdd wedi dethol. Clywent yn gyferbyniol lle yr oeddent ynghynt wedi clywed Proest ac Odl yn unol. Yma ac acw yn yr awyr ymddangosai bellach led ddiffiniad y llafariaid, a glywent o'r blaen yn 'normal', yn annerbyniol bellach yn ôl hen ddull llydan blêr. A doent o hyd i lwybr mwy union a thlws drwy gyfatebiaeth llafariaid i'w gilydd – tri llwybr yn wir lle bu un, y lleddf a'r talgrwn mewn Proest ynghyd ag Odl. Dyma ddisgyblaeth ceinder, yn sicr.

Er mai sôn yr ŷm yn bennaf am ddatblygiad dwy ganrif nodedig, sef y bedwaredd ar ddeg a'r bymthegfed, a sôn hefyd am Gerdd Fynegiant yn troi'n Gerdd Dafod, ceid hadau arwyddocaol ynghynt. Ac o safbwynt adnabod llawn gywreinrwydd y Gynghanedd, rhaid mynd yn ôl i gyfnod y Gogynfeirdd, wrth gwrs, at eu Gogynghanedd ar y naill law (yn ôl eu Cerdd Dafod hwy); ond hefyd at eu Cerdd Fynegiant, i sylwi pa egin oedd yn procio ac yn crafu yn y fan yna, eisiau dod yn Gerdd Dafod. Ond yr un mor allweddol, rhaid mynd hefyd yn ôl at Gerdd Dafod y Cynfeirdd, a'u Cerdd Fynegiant hwythau. Hynny yw, darganfod yn benodol beth oedd eu Gogogo-Gynghanedd ar y naill law (cyn yr Ogynghanedd, neu'n fwy mirain eu 'Cyn-gynghanedd'); eithr hefyd ar y llall amlder patrymog y potensial a ragflaenai gamp anghyffredin eu holynwyr. Ni ellid olrhain goruwchadeiladaeth y gamp honno hyd yn hyn. Ond wrth i Dr Jenny Rowland a Dr Margaret Haycock gloddio'n ddyfal yn y maes, fe ddadlennir fwyfwy inni fod y cyfnod rhwng y chweched a'r ddeuddegfed ganrif yn un o gyfnodau mawr twf celfyddyd y Cymry.

Gwiw cofio na fu pethau mor gwbl uniongyrchol â hynny i gyd.

Hyd at y fan yma buwyd yn sôn am y datblygiad mewn Proest yn ôl termau cywirdeb seiniol yn unig, yn unol â'i delerau'i hun. Esgeulusais sôn llawer am ffactor anhydrin ac annelwig Chwaeth. Ond beth oedd y rheswm esthetig fod hyn oll wedi digwydd yn y cyfnod arbennig hwn? Pa ddatblygiad a gafwyd yn yr ymwybod adeileddol neu mewn Chwaeth fel y trafferthwyd yn ôl y dull newydd hwn nawr? A oes a wnelo'r Chwaeth ymyrrol Normanaidd ar y pryd â hyn oll?

A gaf awgrymu bod yna ddatblygiad penodol mewn estheteg? Aeth y gwrando yn fwyfwy dethol, yn fwyfwy miniog. Fe'i canfyddid yn y symudiad arddull rhwng y Gogynfeirdd a Beirdd yr Uchelwyr diweddar. Cafwyd yr un symudiad, neu un cyffelyb rhwng chwedl *Culhwch ac Olwen* a'r Rhamantau. Llyfnhawyd, symleiddiwyd, melyswyd, ysgafnhawyd, miniogwyd. Roedd yna symudiad Chwaeth wedi digwydd yn yr ymwybod llenyddol cyffredinol yn rhyngwladol. A ddaeth tlysni o fath newydd i fri? Do. A oedd proestio llafariaid syml a glân â'i gilydd, ac ymwared â'r gwrthdrawiad sain a geid wrth gynnwys deuseiniaid o fewn yr un cytseinedd, yn boddhau ffasiwn a chwiliai am dinc fwy unplyg syml yn gyffredinol? Oedd.

Y pwynt yr wyf yn ceisio'i wneud yn awr yw bod ymagwedd y cyfnod at 'felyster' ac at 'symlder' (yn baradocsaidd) wedi gwthio'r Chwaeth ar y pryd tuag at beidio â derbyn seiniau Lleddf a Thalgrwn gyda'i gilydd. Ym mryd yr oes newydd, ysgafnach a phertach oedd eu cael mewn cyfatebiaeth o fewn carfanau ar wahân. Er mwyn disgrifio hynny o fewn cyd-destun cyffredinol esthetig, rhaid bwrw golwg ehangach ar naws a natur rhyddiaith a phrydyddiaeth mewn llawer gwedd. Ond pwnc cywrain a chyfoethog arall ydyw patrymau mawr felly – i'r dyfodol; ac nid i'm dyfodol i.

(viii) Y NEGYDDU SY'N ADEILADU

Yn y broses o wahuno mewn Cynghanedd, fe wynebwyd y beirdd, a'r traddodiad, gan her 'dethol' a 'gwrthod'. Wrth symud o Ogynghanedd i'r Gynghanedd, yr oedd llunio llinell yn ei hanfod yn golygu crynhoi o fewn patrwm. Po fwyaf y crynhoi, mwyaf y gwrthod. Gwrthodwyd y cytseiniaid nad oeddent yn gymorth yn yr adlais. Sonnir weithiau am ganu 'caeth'. Gellid o leiaf gydnabod y gogwydd tuag at gyfyngu'r ffurf i lun, tan ymwrthod â phob dim nad oedd yn unol â'r llun hwnnw. Bydd pawb sy'n taflu sbwriel yn negyddu.

Mae'r term 'beiau gwaharddedig' yn cyfeirio at y negyddu sy'n gorfod bod, bob amser, o fewn symudiad meddyliol a chelfyddyd cadarnhaol. Mae'r terfyniad '-uno' yn y term 'gwahuno' yn tanlinellu'r closio sydd yn y weithred honno; ond tanlinellu'r ymbellhau a'r cefnu a wna'r rhan gyntaf 'gwah-' a'r cytseinio. Negyddu yw'r arwydd cyntaf yn y broses o gadarnhau, yn ddiwinyddol ac yn gelfyddydol.

Felly, lle bynnag y bo cyfundrefn, mae yna flingo a cherfio a thocio wedi digwydd. Chwilir yr hyn sy'n gyffredin drwy wrthod yr amherthnasol. Symudir oddi wrth y lluosrwydd at yr undod, oddi wrth y 'gwah-' at yr '-uno'. Sonia'r meddwl sentimental yn hapus braf am fod bob amser yn annethol, yn gynhwysol, yn unplyg gadarnhaol. Mawrygir y penagored. Delfrydir y 'rhydd' fel pe bai'r safbwynt hwnnw heb ei gaethiwo gan ragdyb Ramantaidd ffug. Relatifrwydd yw'r rhagdyb ôl-fodern: beth yw'r ots? Ond y realaeth yw bod pob gweithred a wneir, pob gair a ddywedir, pob meddwl a goleddir yn golygu peidio â gwneud gweithredoedd eraill, na dweud geiriau eraill; a sianelu y meddwl yn ôl yr hyn a ddetholir ar y pryd.

Yn y diwedd, y mae gan y Gynghanedd adnoddau seiniol cyfoethocach o lawer na Gogynghanedd. Y mae ei hamlochredd celfyddydol yn fwy helaeth am fod ei hamrywiaeth yn llai. Cyrraedd hynny a wnaethpwyd o'r tu mewn i drefn o ddewis cyfyngiadau fwyfwy. Drwy'r undod y cafwyd yr amlder newydd. Drwy gyfraith a threfn gytbwys ac egwyddorol, enillwyd y rhyddid cyfun ar ei fwyaf ffrwythlon.

Ar hyd ymylon y llwybr a gymerwyd gan y Gynghanedd, felly, gwasgarwyd celanedd y ffurfiau nas derbyniwyd. Felly y'u gwelir yn amlwg yn achos y Beiau Gwaharddedig a'r ymwared â'r Goddefiadau. Ond y mae'n wir yn hanes yr Englyn, er enghraifft; yn nhwf mesur penodol mor dwt o effeithiol. Fe'i gwelir hefyd wrth ymwared â'r Gynghanedd Bengoll. Ar hyd y briffordd down at lwybrau nas cymerwyd ac at gorneli llwybrau pengaead a droediwyd am ychydig, ond a gafwyd yn brin.

Fel y dywedodd Kierkegaard: 'Purdeb calon yw ewyllysio un peth.'

Rhan o'r diffiniad o Gynghanedd yw sylwi beth nad yw. Rhan o'n dealltwriaeth o'i chynllun yw cyferbynnu'i threfn â'r ymylon a osgowyd neu a 'ochelwyd' yn y gorffennol. Mae'r Gynghanedd yn cael ei diffinio gan ei methiannau.

Odl enerig oedd un o'r rhai bach cyntaf i syrthio ar fin y ffordd. Fe'i cafwyd yn weddol fynych gan y Cynfeirdd. Fe'i cafwyd wedyn mewn hwiangerddi a hyd yn oed mewn emynau. Fe'i ceir o hyd gan feirdd modern. Ond dyma un llwybr nas derbyniwyd gan y Cynganeddwyr, er bod peth gwamalu o'i gwmpas mewn rhai mannau dirgel, datblygol. Ymdeimlid nad oedd yn ddigonol i uchelwyr.

A gaf ddyfynnu hwiangerdd o gasgliad O. M. Edwards, pennill sy'n adnabyddus inni i gyd?

> *Jim Cro Crystyn,*
> *Wan, tw, and ffôr*
> *Mochyn bach yn eistedd*
> *Yn ddel ar y stôl.*

Un arall:

> *Rhowch imi fenthyg ceffyl*
> *I fyned dros y lan*
> *I garu'r ferch fach ifanc*
> *Sy'n byw 'da'i thad a'i mham.*

Ac un arall:

> *Mae digon o arian yn Llundan*
> *A swper gyda'r nos,*
> *A mynd i 'ngwely'n gynnar*
> *A chodi wyth o'r gloch.*

Odli generig sydd yn y tri phennill hyn, peth sy'n odl gywrain ddigon yn isymwybodol. Clywch yn y penillion hynny: 'ffôr, stôl; lan, mham; Llundan, gynnar; nos, gloch.' Fel y cawn ni weld y mae'r newid yn y gytsain olaf yn tueddu i ddilyn rheolau seiniol penodol. Mae'n fath o odl – fel Proest – y talai i odlwyr Cymraeg cyfoes ei gymryd o ddifri am yr un rheswm ag a nodais o'r blaen – sef oherwydd cyfyngder cymharol yr amlder o odlau acennog yn y Gymraeg. Clywch un enghraifft arall am ei bod yn dod o ddosbarth arall o odli generig:

> *Pedoli, pedoli, pe-dinc,*
> *Mae'n rhaid inni'i bedoli*
> *Tae hi'n costio inni bunt,*
> > *Pedol yn ôl, a phedol ymlaen,*
> *Pedol yn eise o dan y droed ase, –*
> > *Bi-dinc, bi-dinc, bi-dinc.*

Mae yna ddau ddosbarth i'w cael mewn Odli Generig. Ac er gwaethaf taerineb rhai ysgolheigion, hyd yn hyn yr wyf heb gael f'argyhoeddi bod mwy na'r ddau ddosbarth hyn. Ceir odlau sy'n gorffen gyda chytsein-iaid sydyn ffrwydrol fel b, d, g, p (neu fel yn y pennill olaf yna, t, c) ar un ochr; ac ar yr ochr arall ceir y cytseiniaid sy'n gallu cael eu parhau, megis r, l, n, m, s, ch uchod. Yr ydym yn ôl yn y drafodaeth hon ar ymylon y 'goddefiadau'. O fewn y naill ddosbarth a'r llall, gellir derbyn bod cyfatebiaeth 'odlog' yn bosibl.

Symleiddio'r disgrifiad heb symleiddio'r ffeithiau yr wyf wedi ceisio'i wneud wrth gyflwyno dau ddosbarth, tan geisio negyddu a thocio, a mynd at hanfod yr egwyddor. A gaf roi enghraifft ddadlennol o'r hanfodi hwnnw yn mynd ar gyfeiliorn?

Cymerer dwy o 'reolau' Thomas Parry wrth ddisgrifio'r ffenomen hon yn *Hanes Llenyddiaeth Gymraeg hyd 1900:*

'(2) Cyfetyb *l, r, dd*. Odla *cleddyfal* a *trydar; pryder* a *gwnêl; caredd* a *rhyfel; mynydd, ymyl, gwŷr.*

(3) Cyfetyb *f, w, gh* (sef treiglad meddal *g*, a fu unwaith yn rhan o'r iaith). Odla *anaw, Cuneddagh, haf.* Ond tueddir i gymysgu'r dosbarth hwn â'r dosbarth blaenorol, e.e. odlir *arf, carw, barr, chwardd,* lle mae'r *f* a'r *w* o'r dosbarth hwn yn odli ag *r* ac *dd* o'r dosbarth arall.'

Gyda phob parch i ragoriaeth ysgolheictod Syr Thomas, i mi os yw *f* ac *w*, felly, yn odli ag *r* ac *dd*, ond hefyd yn odli ag *gh*, ac os yw *r* ac *dd* hefyd yn odli ag *l*, yna y mae *gh* yn odli ag *l*. Ni allaf gredu bod y beirdd yn 'cofio'n' ymwybodol res fach o gytseiniaid fel hyn a rhes fach arall o gytseiniaid fel arall mewn Cerdd Dafod. Un dosbarth yw'r ddau hyn a grybwyllai Thomas Parry. Ymateb y byddai'r beirdd nid i restr ond i egwyddor, i ansawdd seiniol: dyma sylfaen cyferbynnu ffurfiol mewn Tafod.

Beth oedd yr egwyddor? Ymateb y byddent yn ystyrlon i *egwyddor elfennaidd* yn y glust isymwybodol, hynny yw i'r cyferbyniad (1) Parhaol, (2)Ffrwydrol, ynghyd weithiau â'r cyferbyniad (1) Lleisiol, (2) Di-lais. Clywent y cyferbyniad yn ddosbarthol anfwriadus. Cyfundrefnu yw a ymddangosodd yng ngwaith y Cynfeirdd, ond a ddechreuodd ddiflannu gan y Gogynfeirdd ac a aildd
erbyniwyd wedyn neu a barhaodd yn hyt-rach hwnt ac yma mewn canu rhydd answyddogol. (Tebyg i'r Goddef-iadau.)

'Yn gwmws', meddir. 'Merched. Nhw sy'n odli'n blentynnaidd fel yna, nid y gwrywod. Merched a ganai'r hwiangerddi. A nhw, decini, a wnâi ryw bethau blêr fel Proest ac Odl Enerig. Mae hyd yn oed yr ysgrif safonol ar Broest wedi'i sgrifennu gan ferch. Un o'r meysydd llenyddol a feddiannwyd gan ferched oedd hwiangerddi – er mor hwyrfrydig ydyn nhw bellach i ganlyn eu harbenigrwydd cartrefol mewn ambell gyfeiriad o'r fath.'

Dwi'n anghytuno, meddaf i yn wrywaidd ryddfrydol gan ateb. Ond clywch onid cyfunrhywiol yw hyn, yn yr ystyr fanwl? Sylwch ar y wan, tw, ffôr yna. Cytgan yw'r geiriau hynny i hwiangerdd enwog – 'Dacw MAM yn dwad'. A diau y buasai pawb call, pawb a dwy glust yn ei ben, yn addef mai'r *tad* a luniodd y fath bennill â hynny.

'Anghywir eto, gyfaill. Mam-gu a'i cant'.

Touché. Ond yr hyn sydd o ddiddordeb pennaf i mi yw'r ffordd yr oedd Cerdd Dafod yn ymffurfio allan o Gerdd Fynegiant. Dyma un o'r pynciau mwyaf canolog mewn theori llenyddiaeth: gwelwn y ffordd y trodd arferiadau'n 'ddeddfau' neu'n strwythurau yn y gyfundrefn gyffredinol swyddogol. Cynyddodd yr arfer weithiau, fel yn achos Proest, nes dod yn sefydliad ffurfiol: lleihaodd Odl Enerig ar y llaw arall o ran ffasiwn neu arferiad nes mynd yn elfen ymylog.

Yng nghyfnod y Cynfeirdd ceid arfer Proest, ceid hefyd arfer Odli Generig. Parhaodd hyn i gyfnod y Gogynfeirdd, ond gan bwyll dôi arferiad Proest yn rhan o wead Cerdd Dafod, a llithrodd yr arfer strwythurol o ddefnyddio Odlau Generig i'r cysgodion. Fe'i gwrthodwyd. Hynny yw, ar un adeg, yr oedd *mêl* a *sêr* yn ffrindiau, ond yn wahanol iddynt hwy daeth *mêl* a *tâl* yn ffrindiau oes. O'm rhan fy hun, gwell gennyf Odl Enerig, lle y rhoir pwyslais ar gyd-lafariaid. Sŵn amgen yw llafariad mewn cydseinio odlog. Ond cytseiniaid a gâi'r blaen mewn cytseinedd. Beth bynnag ein chwaeth, ennill a wnâi Proest ar draul Odl Enerig.

Yr oedd y sefyllfa hon eisoes yn bygwth yng nghyfnod y Cynfeirdd. A cheir awgrym o'r hyn a allai ddigwydd gan Dr Jenny Rowland wrth iddi sylwi ar un arwedd ar y gwahaniaeth statws rhwng Proest ac Odl Enerig. Meddai, 'It should be stressed that *proest* usually works as a system of ornament in itself, and unlike generic rhyme it does not seem to be used indiscriminately as a replacement for full rhyme'. Gadewch imi aralleirio'r term 'used indiscriminately'. Yr hyn a olyga mi dybiaf yw, os yw Odl Enerig yn gynwysedig mewn odl, yna y mae rhychwant seiniol yr Odl Gymreig hon yn lletach na'r odl ddiweddar gonfensiynol. Mae siâp arall i'r hyn a glyw y glust.

Yr hyn yr wyf i'n ei ddadlau yw: yn y gwahaniaeth statws hwn, dichon mai un ffordd o ddisgrifio'r sefyllfa fyddai mai cyfundrefn neu sianel mewn Mynegiant (hynny yw, cynnig a methu) oedd Odli Generig, ond tyfodd Proest yn gyfundrefn neu sianel mewn Tafod (hynny yw, yn rhan o'r sefydliad). Nid yn addurn, ond yn strwythur. Ac un o'r breintiau a gafwyd mewn Tafod o'r herwydd gan y beirdd (er nad yw hyn yn angenrheidiol i wneud cyfundrefn Tafod) oedd bod Proest wedi cael 'enw' swyddogol technegol ganddynt. Ysgolhaig diwedd yr ugeinfed ganrif a ddyfeisiodd y term 'Odli Generig' i'r ffenomen yn lle term yr ysgolheigion ychydig ynghynt sef 'Odli Gwyddelig': ond nid y beirdd trwyddedig, sylwer, a'u bathodd, y naill na'r llall.

'Twt, twt. Derbyn Proest a gwrthod Odl Wyddelig! Elitiaeth yw peth felly!' ebychir yn Baflofaidd werinllyd. 'Saunders Lewis, siŵr o fod.'

Nage, nage. Synwyrusrwydd yw. Symleiddiad isymwybodol fod a wnelo byd eang yr Odl â diweddebau yn y bôn. A chytsain yw'r ddiweddeb hanfodol (boed hyd yn oed yn gytsain sero) mewn gair ac mewn llinell. Dyma o bosib yr ysgogiad a lywiodd y gwahaniaethu hwn.

Addurn oedd Odl Enerig, does bosib. Strwythurau oedd Proest.

Dyma'r ffordd, felly, yr adeiladwyd gramadeg iaith yn y meddwl, a Cherdd Dafod hithau yr un ffunud: trowyd rhai arferiadau'n strwythurau sefydlog, a methodd eraill â chyrraedd y 'safon'.

A chrynhoi, felly.

Yr oedd y Cynfeirdd yn clywed (a'r Gogynfeirdd i raddau llai) – yr oedd eu clustiau'n ymateb i seiniau ac yn eu dadansoddi – mewn ffordd wahanol a gollwyd bellach gan y glust isymwybodol fodern. Os caf lunio cymhariaeth: dichon fod elfen, yn yr hen amser gynt, o ddadansoddi neu o *weld* rhaniadau lliwiau mewn safleoedd yn y sbectrwm yn wahanol i'r ffordd a wnawn ni. Ceid ceffylau gleision, porfa ac awyr las ar y naill law, ac ar y llall siwgr coch (brown), papur llwyd (brown), ac yn y blaen. Dyna'r gweld hwyliog gynt. Dosberthid y gweld. Rhennid y sbectrwm mewn rhannau gwahanol. Felly hefyd yr oedd hi ym myd seiniau. Ymatebodd Cerdd Dafod i raniadau seiniol yn gyferbyniol arbennig ar hyd sbectrwm sain, megis mewn gramadeg y sefydlwyd y mân wahaniaeth isymwybodol rhwng 'Roeddwn i yn Aberaeron ddoe' a 'Bues i yn Aberaeron ddoe'. Er maned yr ymddangosai fe'i hoeliwyd yn gyferbyniol yng nghyfundrefn y meddwl, yn ddadansoddiad o fath o amser. Fe'i sefydlwyd yn wedd esgorol botensial yn nadansoddiad iaith. Chwilid am sicrwydd fel yna. A'i gael. Ni wyddid am ddoethineb Ôl-fodernaidd, drwy drugaredd.

343

Gwelsom drwy Broest fod eu clustiau'n carfanu llafariaid a deuseiniaid mewn modd y mae'n arfer inni'i ddysgu'n ymwybodol bellach. Ond gwelsom hefyd mewn Odl Enerig eu bod gynt, yn lle clywed y cyferbyniad syml rhwng llafariaid a chytseiniaid a glywn ni yn hyderus braf, ac a gymerwn yn ganiataol ddifeddwl, eu bod hwy hefyd yn clywed dosbarth y cytseiniaid ffrwydrol sydyn ar un pen mewn seiniau fel *b, d;* yna hanner ffordd cyn clywed y llafariaid (sef seiniau y gellir eu cynnal yn botensial am byth), ceid math o barhad mwy rhwystredig rhyngddynt mewn cytseiniaid megis *m* ac *n*, heb fod mor rhydd agored â'r llafariaid.

Yn y paragraff diwethaf hwnnw, dyna ddosbarthu'n driol yn hytrach nag yn ddeuol. Dyna gwlwm o gyferbyniadau isymwybodol, elfennaidd, syml na raid oedd eu corlannu'n fwriadus ysgolheigaidd.

Collwyd y math hwnnw o glywed, ysywaeth, yn y canu swyddogol. Ond fe'i cedwid yn danddaearol gan y werin, a dechreuodd rhai 'parchus' yn eu plith (rhai fel emynwyr), rhai dosbarth-canol hyd yn oed, roi bri o'r newydd arno ers dechrau'r bedwaredd ganrif ar bymtheg. Fe hoffaf i'r arferiad yn fawr, rhaid cyfaddef, ac ni allaf namyn mynegi'r dymuniad, 'dere 'nôl, fam-gu!'

*   *   *

Pa fath o arwyddocad, felly, yn yr oes sydd ohoni a allai fod i *gyferbynnu* a *gwahaniaethu* rhwng Proest ac Odl Enerig? Onid oes tipyn go lew o *debygrwydd* rhyngddynt? Beth yw'r ffwdan? Holwn ymhellach: paham y mae Proest wedi'i gorffori a'i groesawu i ffurfiant cyfundrefn, felly, drwy'r Englyn Proest ar y naill law a Phroest i'r Odl ar y llall, ond yr Odl Enerig fel pe bai wedi syrthio ar fin y ffordd?

Gwelsom mor bwysig oedd sylwi mai llafariad oedd calon gair. Ni raid cael cytsain. Y llafariad sy'n arwain prif sain y gair, a'r cytseiniaid yw'r cloriau yn cyd-seinio. Dilynwyr ydynt. Ac felly, mewn Odl Enerig lle y mae'r llafariad yn aros yr un fath, ond y gytsain yn amrywio o fewn yr un dosbarth cytseiniaid (llên, pêr), mae'n haws derbyn yr ailadrodd fel math o Odl, heb sylwi, nag a wneir wrth broestio (pâr, gêr). O ganlyniad, mae Odl Enerig yn gallu mynd a dod o dan gysgod y llafariad ar lafar gwlad heb dynnu sylw ati'i hun. Does dim digon o wahaniaeth i fod yn arwyddocaol – dyweder mewn penillion telyn neu ganu gwerin arall ffwrdd-â-hi. Llithra Odl Enerig heibio i'r glust tan chwerthin. Ond nid felly Proest. Mae mwy o annibyniaeth gan hwn. Gwrywaidd yw. 'Edrychwch arna i'. Mae'n ddigon o bresenoldeb i sefyll ar ei droed ei hun ac i ffurfio cyfatebiaeth a chyferbyniad cadarn. Mae'n glywadwy effeithiol o safbwynt sefydlu 'cyfundrefn'. Hynny yw, myn Proest ei ddiffinio'i hun, a datgan annibyniaeth.

Mwy disylw yw Odl Enerig fel arfer. Creadures ansefydlog swil. Sylwer ar Odl Enerig yn ymguddio mewn un o emynau Ann Griffiths (merch arall bid siŵr):

Ffordd a drefnwyd cyn bod amser
I'w hamlygu wrth angen rhaid,
Mewn addewid gynt yn Eden,
Pan gyhoeddwyd had y wraig.

Ac yn 'vers libre' T. Glynne Davies:

Jo bach, hanner pan,
Côt ail law a sbectol gam'

Felly, dyweder, mewn amgylchfyd cyfoes, fod rhywun am ddefnyddio mesur gwerinol neu hyd yn oed fesur emynyddol acennog, lle y mae'r odlau acennog uniongred mor brin nes iddynt fynd yn ystrydebol, yna y mae Odl Enerig yn gallu amlhau'r potensial, ychwanegir at y storfa, drwy ledu posibiliadau cytseiniol diweddol. Cynigir amrywebau newydd. Ac felly, o fewn mesurau sefydledig, dyweder, gellir cuddio Odlau Generig effeithiol heb dramgwyddo'n ormodol ar y glust gonfensiynol. Mwy anodd o fewn cyd-destun ceidwadol gwerinol yw cuddio presenoldeb Proest. Oni waeddodd hwnnw'n gynnar, 'Edrychwch arna i'?

Rhy ddistadl oedd Odl Enerig. Amwys, blêr, dirmygedig, heb fod yn ddigon unigryw. Drwy fod yn unigryw, ac yn ffenomen drawiadol, y daeth y Gynghanedd hithau yn rhyfeddod.

Yn ôl Descartes, sef tad Athroniaeth Fodern, mewn amheuaeth y gwelid dechreuad Athroniaeth. A rhaid cyfaddef mai offeryn gwerthfawr, un o'r offer pwysig (o fewn cyfyngiadau) yng nghrefft theoreiddio neu gyffredinoli, yw amheuaeth neu ansicrwydd. Dengys y negyddu sy'n angenrheidiol. O flaen Descartes, sut bynnag, gwelai Aristoteles, sef prif athronydd yr hen fyd, mai mewn rhyfeddod y dechreuasai yntau'i yrfa yn hanes athroniaeth. Ac wrth ymdroi gyda Chynghanedd i ystyried ei hanfodion, byddaf innau – a minnau'n llawer mwy dyledus i Aristoteles nag i Descartes mewn llawer ffordd – yn tueddu i eistedd yn ôl yn gyntaf a pheidio â gwneud fawr ond rhyfeddu. Rhaid cael negyddu ynghyd â phob cadarnhau; eithr y cadarnhau a fydd yn ennill yn strwythurol yn y diwedd.

Wrth geisio diffinio Cynghanedd yn ymarferol, darganfu'r beirdd Feiau Gwaharddedig – a'u gweithredu. Ninnau ar eu hôl yn ufuddhau, neu'n weddol ufudd. Nid arwyddbyst tuag at gywirdeb cywrain yn unig oedd y rhain. Wedi'r cwbl, cywirdeb ynglŷn â beth ydoedd? Esboniad y gramadegwyr canoloesol oedd mai cywirdeb ynghylch cydbwysedd adleisiol yn llif y sain oedd. Lledwyd eu cydbwysedd hwn gerbron, ar hyd echel rhwng 'rhy ac eisiau'. Hynny yw, nid cywirdeb 'gwneud', neu artiffisial, fel y cyfryw a fu dan sylw, eithr un egwyddor esthetig a brofwyd i'r byw, mewn ymagwedd sythwelediadol ynghylch harddwch. Cywirdeb ynglŷn â'r hyn a foddhâi unionder neu gymhendod chwaeth oedd. Ac roedd y Chwaeth hwnnw yn awyddu am ymatal rhag prinder ar y naill law a rhag gormodedd yr un pryd ar y llall. Dyna'r namau duon ar y lliain wen.

Mi dybiwn i mai'r hyn a oedd yn bwysig i fardd cynganeddol difrif, ar ôl iddo fwrw prentisiaeth o fewn 'cywirdeb' elfennol y Gynghanedd, oedd treiddio os gallai i'r hyn a ysgogai'r trachwant esthetaidd gwael-odol hwnnw. Ymserchu clasurol o fath arbennig oedd cyfrinach ddyfnaf y Gynghanedd. Sylweddoliad seicolegol ydoedd o ddisgyblaeth ffurfiol: cywirdeb cymeriad. Sylweddoliad gwareiddiedig ydoedd o fwynhad cyhyrog meddyliol. Ac y mae gwisgo Cynghanedd am y meddwl – neu'n hytrach y mae cymhwyso'r meddwl i fod yn Gynghanedd ynddo'i hun – yn golygu mwy o dipyn na chrefft allanol trefn cytseiniaid o gylch acenion. Gwybodaeth isymwybodol yw am drefn aruthr y greadigaeth. Dyma wir gyfiawnder harddwch.

Un o eiriau mawr Plato (a Socrates) oedd cyfiawnder. A diau iddo ef arddangos yn rhagorol harddwch cyfiawnder. Moesymgrymwn gydag edmygedd dwys tuag at ei ddadleuon gloyw ef. Ond wrth inni ogwyddo tuag at fyfyrio am y Gynghanedd, cymerwn y llwybr cyferbyniol, sef cyfiawnder harddwch. Dichon, os â'r tueddiadau Ôl-fodernaidd eto yn fwy grymus (neu, fel sy'n debycach, yn fwy poblogaidd), y bydd angen i ryw Socrates Ôl-Ôl-fodernaidd, efallai, gymryd rhyw dipyn o hemloc ryw ddiwrnod mewn gweithred amddiffynnol i arddel yr egwyddor odidog a chadarnhaol honno. Hyderaf na chollwn yr un prifardd Cymraeg.

Rhyfedd mor berthnasol yw'r Gynghanedd o hyd.

(ix) CAMACENNU

Acennu yw prif fater y Gynghanedd. J. Morris-Jones a ddarganfu hynny yn ymwybodol. Swyddogaeth drefnu sydd i acennu. I'r sawl sy'n ymhyfrydu yn harddwch trefn, y mae ymglywed â'r acenion ar waith mewn Cynghanedd yn brofiad amheuthun. Ond y mae trefn dan lywodraeth acenion yn fwy na phleser. Y mae a wnelo â gosod trefn ar feddyliau ac â glanhau'r greddfau. Yn anad yr un nodwedd o'r hyn a drafodir yn y gyfrol hon, y beiau acennol sy'n gosod paramedrau neu'n cyfleu athrylith y Gynghanedd orau. Y beiau acennol uwchlaw popeth sy'n diffinio calon ddisgyblaeth y Gynghanedd.

Ceir dwy egwyddor allweddol i gywirdeb yr acennu. A J. Morris-Jones a ddarganfu'r rhain hefyd. Sef:

(1) Egwyddor y rhagacen,
(2) Egwyddor y dosbarthiad acenion yn ddeuol ac yn driol.

Mae hynny'n swnio'n orffurfiol i glustiau rhamantaidd, ond cawn weld mi obeithiaf mor graff ac arwyddocaol oedd y ddau ddarganfyddiad ymddangosiadol fach hyn. A'r ffaith yw bod a wnelont â chlywed a sythwelediad cwbl isymwybodol, (megis sy'n digwydd, mewn ffordd wahanol, mewn ceseilio).

Roedd a wnelo'r ddwy egwyddor hyn â'r angenrheidrwydd i fydr gynnwys *cyferbyniad* acennol, ac i'r cyferbyniad hwnnw ymffurfio'n *uned*, ddeuol yn wreiddiol, ond ar yr eithafbwynt isymwybodol yn driol. Ceid elfen o ailadrodd pwysleisiol persain ynghlwm wrth y brif acen bob amser. Roedd a wnelo ag adeiladu palas. Bywyd ei hun oedd y palas. Y rhagacen oedd y stepyn drws i orsedd y palas hwnnw.

Yn ymarferol, yn achos y *llinell* golygai'r acennu yn gyntaf fod yna ddau 'hanner' cymen i linell. Yn y naill 'hanner' a'r llall, roedd yn rhaid cael acen.

O fewn y llinell rhaid oedd cael elfen ddiacen, eto'n gyferbyniol. (Yn rhyfedd iawn, nid oedd rhaid cael y cyferbynnu diacen hwn ond o fewn cyfanrwydd y llinell, nid o angenrheidrwydd yn y naill 'hanner' a'r llall. Daw'r egwyddor hon yn dra phwysig i'r sawl sy'n dadansoddi mydr y Cynfeirdd neu'r Draws Fantach.)

Oherwydd yr ymwybod o uned driol eithafol, ni chaniatéid mwy na dwy sillaf ddiacen yn olynol ynghlwm wrth brif acen.

Oherwydd y posibilrwydd mewn Traws Fantach saith sillaf, dyweder, i'r acen gyntaf ddisgyn ar y sillaf gyntaf, daeth yn angenrheidiol i fagu rhagacen yn ail 'hanner' y llinell, er mwyn i'r sillafau diacen beidio ag amlhau a phentyrru. Rhaid oedd cadw trefn ar y manion cyferbyniol.

Allan o'r rhain y tarddodd y *pedwar bai acennol gwaharddedig*. (a) Absenoldeb Rhagacen, (b) Gormod rhagacenion, (c) Gorglystyru acenion cryf, (ch) Gorglystyru acenion gwan. J. Morris-Jones a led-ddarganfu'r rheini oll hwythau. Ond nis enwodd erioed. Nis arddangosodd hwy yn systematig. Ni sylwodd fel yr oedd y beiau hyn yn cyd-fynd ag egwyddorion athrawiaethol deuol y Penceirddiaid o Ry ac Eisiau. Ac am nad oedd wedi adnabod perthynas briodol Tafod a Mynegiant, fe gawliodd yr adran hon, os caf ddweud yn haerllug, yr adran bwysicaf oll yn ei gyfrol, pwysigrwydd yr oedd ef ei hun yn ei sylweddoli. Her ein dadansoddiad yma yw ail-ddilyn trywydd J. Morris-Jones, ac atrefnu'i ddadleuon, a dangos ble, sut, a pham y mae'r dadansoddiad hanfodol a wyddai ef, ond nas cyflwynodd ef y pryd hynny yn ei newydd-deb trefnus, yn iawn.

Gwaith haerllug oll yn sicr. Ond gadewch inni fod yn glir. Ni buasai'n bosibl, yr un iot, heb yr hyn a ganfu ef ar y naill law, a heb yr hyn a ganfu Gustave Guillaume yntau ar y llaw arall, ynghylch mater a natur Tafod. Hyderaf yn fawr na wnaf innau gawlio'r hyn a dderbyniais gan y ddau wrth geisio dadgawlio Syr John y tro diwygiol hwn.

Roedd Einion Offeiriad wedi hen ddisgrifio beiau llafariaid a beiau cytseiniaid Gogynghanedd. Roedd hefyd wedi eu rhestru a'u cyfundrefnu i raddau. Cafodd hynny oll effaith ar sefydlogi'r traddodiad Cerdd Dafod, yn ddiau.

Roedd J. Morris-Jones yntau wedi derbyn hynny i gyd yn ddiolchgar, ac ychwanegu disgrifiad o'r *beiau acen*, weithiau 'gyda llaw' fel petai, 'wrth basio'. Ond doedd ef ddim wedi'u rhestru na'u hynysu na'u cyfundrefnu'n llawn. Eu darganfod a wnaeth, *heb* eu ffitio o fewn adeiladwaith mawreddog y beiau oll. Ac oherwydd hynny, nid oedd pawb wedi sylwi ar eu trefn o'r braidd, heb sôn am ddeall pam yr oeddent yn bod a sut y ffitient yn y ffrâm i gyd. Âi rhai prydyddion yn eu blaenau o hyd i gyflawni'r beiau hyn yn flêr, heb sylwi arnynt: e.e. drwy roi tair acen yn yr hyn a elwir yn 'ail linell' yr Englyn Unodl Union er enghraifft, neu drwy amlhau ynddi sillafau diacen.

Eto, oherwydd yr ymwybod cynyddol yn y cefndir o ganologrwydd mydr neu acen, pwyslais sy'n ddyledus yn bennaf i J. Morris-Jones ei hun, y mae'n bryd bellach inni fwrw golwg cyflawn dros y fframwaith i feiau acen. Yma, yn anad unlle, y canfyddwn y ffin rhwng yr hyn sy'n

Gynghanedd a'r hyn sydd heb fod. Yma y canfyddwn y ffaith o ffin, yr ymwybod o gydberthynas cyfundrefn gwbl arbennig, a'r egwyddor o amrywiaeth mewn undod – megis sail perthynas gydwladol wleidyddol eithaf allfarddonol, sail aelodaeth eglwysig, sail pob celfyddyd a gwyddor, sail y Drindod. Yma hefyd, mae arnaf ofn, y canfyddwn y llygredd sy'n bygwth.

Dyma'r drydedd adran fawr ym myd Beiau Gwaharddedig. Gwelsom eisoes ddwy o'r tair prif nodwedd sy'n *adeiladu sillaf*, sef llafariad a chytsain, yn esgor ar ddau fath o feiau. Beiau acen sy'n drydydd. Ond nid dyma'r tri dosbarth o feiau a ganfyddai Einion Offeiriad a Dafydd Ddu Hiraddug, sef – y rhai yn y Cymeriadau (yn nechrau'r llinellau), yn y Gynghanedd (yn y canol ac ar eu hyd), yn yr Odlau (ar y diwedd). Mae fy unedu innau am bwysleisio 'cywirdeb' seiniol sy'n symud yn achos y dadansoddiad acennol hwn o'r llinell i'r sillaf. Cytunaf fod angen sylwi ar nodweddion y cytseinio a'r odl. Ond tybiaf hefyd fod angen sylwi yn ddosbarthol ar acennu, y bwysicaf o nodweddion y sillaf mewn Cynghanedd: y mydrau sy'n trechu cyseinedd. Yn wir, dylid dosbarthu beiau bob amser rhwng y tair nodwedd sillafog hynny gyda'i gilydd: llafariad, cytsain, acen. Ac y mae acen, yn ôl ei swydd hi, yn mynnu inni hefyd sylwi ar uned y llinell yn llif y siarad.

Yn adran y beiau yng ngramadegau'r Oesoedd Canol, tri bai cam-acennu yn unig a drafodir, sef Camosodiad mewn Gorffwysfa a Chrych a Llyfn a Thor Mesur. A hynny gan y Gramadegwyr diweddar hyd yn oed. Dyna'r unig dri a enwai J. Morris-Jones yntau. Credaf fod angen ail ystyried yr adran hon o'r brig i'r bôn, yn ddosbarth mawr penodol.

Nid enwir Camosodiad mewn Gorffwysfa gan nac Einion Offeiriad na Dafydd Ddu. Ond erbyn Simwnt Fychan, dywedir: 'Camosodiad mewn Gorffwysfa yw gosod yr Orffwysfa mewn croes gynghanedd yn rhy agos i'r odl, fel hyn:

Y gŵr a brig ar bregeth.'

[Croes o gyswllt sydd yma wrth gwrs, a'r rhaniad cytseinedd yn dod ar ôl yr 'i' yn 'brig'.]

Ymddengys i mi mai'r unig sefyllfa sy'n ddilys o dan y teitl 'Camosod-iad mewn Gorffwysfa' yw'r bai mewn Mynegiant lle y bydd safle'r Orffwysfa (dyweder, yn ôl trefn arferol Englyn Unodl Union, ar ôl y bumed sillaf yn y llinell 'gyntaf') yn digwydd yn groes i'r drefn arferol, ac yn disgyn dyweder ar ôl y bedwaredd sillaf yn llinell 'gyntaf' yr englyn. Ond dyma ni ym myd 'cyfrif' yn hytrach nag ym myd ymateb sythwelediadol isymwybodol y Gynghanedd. I mi, y mae natur y math hwn o fai (neu'r math hwn o esboniad) yn gwbl wahanol i'r beiau a drafodwyd hyd yn hyn. Nid oes iddo resymau dwfn Tafodol. Pedair sillaf yn wir? Pump? Pwy sy'n cyfrif yn isymwybodol? Ymddengys yn *arferiad* mewn Mynegiant, ar lefel 'cyfrif' arwynebol, megis cyhydedd. Diddorol sylwi nas nodwyd ym Mynegai *Gramadegau'r Penceirddiaid* nac ym Mynegai *Cerdd Dafod*.

Camacennu yw'r holl faes hwn.

Maes newydd-hen a maes cyflawn o fewn cyfundrefn yw Camacennu; ond maes ydyw, ac nid un gwall penodol. Yr wyf eisoes wedi sôn am Grych a Llyfn, sy'n symlach ac yn sefyll ar wahân i'r lleill ym maes Camacennu. Saif ar wahân am na byddai neb yn debyg o'i ystyried yn Gamosod mewn Gorffwysfa. O fewn maes Camacennu ceir amryfal feiau acennol eglur y byddai'n wiw bellach eu hystyried yn feiau unigol hunaniaethol ac ar wahân i'w gilydd, er mai Camosodiad mewn Gorffwysfa yw'r bai a gysylltir â hwy fel arfer. Enwaf yn awr y pedwar bai acennol a ganfyddaf i mewn Cynghanedd. A dyma'r beiau a gydnabyddir yn ddiarwybod gan y beirdd fel arfer, hynny yw heb sylweddoli hynny.

a. Absenoldeb rhagacen, (Eisiau)
b. Gormod rhagacenion, (Rhy)
c. Gorglystyru acenion cryf, (Rhy)
ch. Gorglystyru acenion gwan, (Rhy)

ac ychwanegaf am y tro:

d. Camosodiad Gorffwysfa [Dadansoddiad mewn Mynegiant]

Mae pedwar o'r labeli hyn yn newydd sbon. Ond dyma feiau tra arwyddocaol mewn Cerdd *Dafod*.

Mewn un man yn *Cerdd Dafod*, dywed Syr John Morris-Jones am aceniad, 'dyma'r pwnc pwysicaf mewn Cynghanedd'. Ac yn y man hwnnw, ynghyd â'r holl drafodaeth ar gamacennu a rhagacenion, y ceir ei gyfraniad disgleiriaf i'r astudiaeth o Gynghanedd. Y tudalennau hynny yn anad dim – ond ynghyd â rhai cyfraniadau beirniadol eraill yma ac acw mewn Cerdd Dafod – sy'n peri i mi ei farnu ef, ynghyd â Saunders

Lewis, fel un o'r ddau brif feirniad Cymraeg mwyaf gwreiddiol yn yr ugeinfed ganrif. Ei drafodaeth athrylithgar ar aceniad oedd yr hyn a'i harweiniodd i galon Cerdd Dafod. Ac o'r holl feiau gwaharddedig, yr un lleiaf archwiliedig hyd hynny y bu'n ymwneud ag ef oedd y bai 'Camosodiad mewn Gorffwysfa'. Mae ymdriniaeth Syr John â'r pwnc hwn yn athrylithgar ac eto yn annigonol yr un pryd. Ar ei ysgwyddau llydain ef, bellach, y dringa pawb ohonom a gais feddwl am Gerdd Dafod o'r newydd. Allan o fyfyrdod Syr John a Saunders Lewis, yn fy marn i, y tardda popeth a fydd yn Gymreig ym meirniadaeth lenyddol y dyfodol agos.

Ceir hen ddadl, ymhlith y rhai sy'n astudio hanes mydr, rhwng y rhai a rydd bwyslais ar *gyfrif sillafau* a'r rhai a rydd bwyslais ar *ymdeimlo ag aceniad*. Diau fod y naill a'r llall o'r egwyddorion hyn yn arwyddocaol yn hanes ein prydyddiaeth. Mae'r naill mewn Mynegiant a'r llall mewn Tafod. Mae'r olaf yn sylfaenol isymwybodol: gofyn yr aceniad Cymreig am gyfuniad deuol x – neu gyferbyniad triol x x – (symbolau a nodaf i gynrychioli'r *cyferbyniad*, nid trefn olynol yr acenion). Gellir ymateb i'r rhain yn unedau isymwybodol, gan glywed yn sythwelediadol sydyn, yn elfennaidd gyntefig. Ar y llaw arall, perthyn rhifo sillafau a *lleoliad rhifyddol* Gorffwysfa a Rhagwant i sylweddoliad mwy ymwybodol o lawer. Does dim o'i le ar gyfrif sillafau mewn Mynegiant, wrth gwrs, ond na chymysger â phatrymau acenion Tafod.

Cymharer eto â'r modd y byddwn yn synied am Rif mewn iaith. Mewn Tafod (Gramadeg), gellir cynnal y cyferbyniad elfennaidd yng nghefn yr ymennydd rhwng Un a Llawer, sef Unigol a Lluosog. Mewn rhai ieithoedd, a'r Gymraeg ar un adeg, cynhelid gynt mewn gramadeg y cyferbyniad triphlyg Unigol/Deuol/Lluosog. Cyferbyniad sythwelediadol cyntefig syml yw. Delwedd a ganfyddir.

Mewn Mynegiant ar y llaw arall, sy'n fwy ymwybodol, heb fod mor elfennaidd gyntefig neu sythwelediadol, mae Rhif (o hyd mewn iaith, ym maes geirfa) yn golygu un, dau, tri, pedwar, pump, chwech ac yn y blaen. Mae'n cynnwys rhifau ymwybodol ac esoterig megis 391 neu 2357 ac yn y blaen, rhifau cyfoethog wrth gwrs, ond rhai y mae'n bur anodd eu hadnabod ac ymateb iddynt gan yr isymwybod yn sythwelediadol sydyn. Mynegiant a lluosedd yw hynny. Ni ddônt byth yn Dafod yng nghefn y meddwl ar gyfer eu defnyddio'n sydyn ddifyfyrdod. Dyna fyd Rhif (sef Rhifyddeg) hollol wahanol o ran *ansawdd* i Rif gramadegol. Dyna Gyhydedd.

Mae Rhif gramadegol yn ffenomen gyffredin drwy'r gymdeithas a ganfyddir yn syth, megis yr ymateb mydryddol mewn Tafod. Sylwer mai yn gymdeithasol yr adweinir ac y cedwir Rhif Tafod. Rhennir yr ymateb elfennaidd hwn gan bobl â'i gilydd. Cyfundrefn yw ym mhob pen a ddefnyddia'r iaith yn sydyn sythwelediadol. Gwyddys ymlaen llaw mai cyfyngedig mewn undod yw'r uned gyferbyniol. Ceir math o foddhad i'r deall ac i'r synhwyrau wrth adnabod yr uned drafodadwy. Gellir ei chyfrif yn annymunol neu'n 'anghywir' pan fo clwstwr o acenion cryf neu wan yn dod at ei gilydd ac yn milwrio'n erbyn elfeneidd-dra patrymol y cyferbyniad.

'Rhy' neu 'Eisiau' yw'r tramgwydd elfennaidd cyntefig yn Nhafod chwaeth. Mae effaith gormod o sillafau gwan yn olynol yn gwanhau cydlyniad sythwelediadol y llinell. Dibynna'r cyferbyniad ar gyfuniad cynnil (deuol/triol) sy'n gwrthod lluosowgrwydd llac. Mae a wnelo hyn â beirniadaeth y Gynghanedd ar luosedd neu 'fragmentation' yr Ôl-fodernwyr. Yr un pryd pan geir gormod o sillafau cryf neu acennog gyda'i gilydd, teimlir bod yna bentyrru neu ganoli neu dynhau gor-modol fel y rhwystrir cyferbyniad angenrheidiol, ac fel na chaniatéir ymglywed â'r patrymau. Ni phrofir y patrwm heb i'r gwan gyferbynnu â'r cryf neu i'r cryf gyferbynnu â'r gwan mewn sylweddoliad sydyn. Dibynnant ar ei gilydd.

Nid fy mwriad yn y drafodaeth hon ar Gamacennu yw herio J. Morris-Jones, yn bendant iawn. Yr hyn a geisiaf yw ei ddatblygu y mymryn lleiaf. Penodolaf, ynysaf ac enwaf feiau na thybiodd ef eu bod yn haeddu ymdriniaeth felly, beiau yr oedd wedi'u crybwyll yn 'ysgafn' wrth basio. Ond ni fynnai ddangos eu rhan yn y gwaith o ddangos natur y berthynas rhwng Tafod a Mynegiant. Rhestraf bedwar bai digon adnabyddus o dan enwau sy'n benodol newydd.

Gwelir amharodrwydd J. Morris-Jones i ddidoli'r ddau gyflwr yn y ffordd yr oedd *Camosodiad mewn Gorffwysfa* ganddo, fel term, yn cael ei ddefnyddio'n ymbarél dros sefyllfa amlochrog. Ac o ganlyniad, niwliwyd y ffyrdd *gwahanol* y camddefnyddid rhagacenion ac y clystyrid acenion gwan neu gryf.

Fel y cawn weld, ceir tuedd i gymysgu dwy ffordd o ymdrin â beiau mydryddol gwaharddedig: ffordd Tafod a ffordd Mynegiant. Tybiaf fod y beirdd yn gyntaf wedi adnabod y Tafod mydryddol a ddisgrifiwyd uchod yn gyferbyniad cynnil mewn uned rhwng acennu cryf ac acennu gwan (un neu ddwy acen wan). Ond sylwir, o ganlyniad i'r ymwrthod hwn â chlystyru gormodol, fod llinell mewn cerdd yn gallu ymddangos yn anghywir hefyd am fod yr *Orffwysfa* (neu'r aceniad sy'n cyfateb i brif acen yr odl) wedi'i lleoli'n sillafog anghywir. Hynny yw, yn hytrach nag aros yng ngwraidd y broblem yn ôl yr acen, a sylweddoli cyferbyniad elfennaidd, tynnir sylw at duedd i *Orffwysfa* fod ar y sillaf a'r sillaf, yn 'rhy agos i ddiwedd y llinell', – a hynny, dyweder, ar ôl y gyntaf (mewn Traws Fantach), yr ail, y drydedd, y bedwaredd neu'r bumed. Ond o archwilio'r mater yn rhifyddol fel hyn, gwelir nad yw'r pwyslais hwn ar leoliad gorgymhleth yn ddigon sylfaenol, ac y gall o'r herwydd fod yn bur wahanol. Tuedda'n hanesyddol i ymlacio, er enghraiff yn llinell 'gyntaf' englyn.

Eisoes, yn y cyfnod clasurol ceid gwamalu yn lleoliad yr Orffwysfa a'r gwant, a sefydlogrwydd yn y rhagwant a'r adwant. Ond gan bwyll, gwamalodd y rhagwant hefyd. Tybiaf mai bai mewn Mynegiant oedd. Nid yw camosodiad neu leoliad anghywir yr Orffwysfa yn un o elfennau Tafod. Fe'i chwalwyd felly, nid oherwydd bod rhyw newid rheol ynghylch safle rhifyddol sillaf arbennig, ond oherwydd bod lleoliad yr Orffwysfa heb feddu ar ddwfn arwyddocâd elfennaidd, gan mai cyd-batrwm y trwm a'r gwan yw calon aceniad. Mae Rhif yr isymwybod mewn mydr yn mynnu disodli Rhif mathemategol.

Pa arferiadau mewn Mynegiant sy'n cael dyrchafiad i fod yn gyfundrefnau mewn Tafod?

Rhai elfennol. Y rhai sydd eisoes yn cydymffurfio â'r amodau gofynnol elfennaidd mewn Tafod: sef yr amodau hynny sy'n gallu dod yn 'sefydlog' (yn weithredol sefydlog, yn fytholegol neu'n ymddangosiadol sefydlog). Amodau cyferbyniol elfennaidd yw'r rhain. Maent yn ddigon syml fel y gallant gael eu defnyddio'n sydyn megis drwy sythwelediad. Hynny yw, dyma gyferbyniadau mewn cyfundrefnau cryno sy'n ymddangos yn unol yn ôl egwyddor ddeuol neu driol. Hynny sy'n eu gwneud yn addas ac yn barod i fod yn rhan o Dafod. Yn fynych, y mae manylu fel hyn yn ymddangos yn ordechnegol i sylwebydd arwynebol. Ymddengys yn ddi-ysbrydoliaeth, ac yn fecanyddol tost i'r rhamantus. Ond y gwir yw bod cyflyrau mewn estheteg a ffurfiau sylfaenol celfyddyd yn ymrithio mewn manylion diriaethol elfennaidd iawn.

Awn felly at y pedwar bai acennol.

(a) *Absenoldeb Rhagacen*

Dyma'r rheol a ddyry J. Morris-Jones am y rhagacen yn achos y Cywydd Deuair Hirion:

Mewn croes neu draws o 7 sillaf y mae rhagacen bob amser . . . rhwng yr Orffwysfa a'r brifodl, sef o flaen yr ail brif acen.

Neu, os caf innau ei geirio'n negyddol, gan ymgyfeirio at fai gwahardd-edig:

Os nad oes rhagacen rhwng yr Orffwysfa ac acen y brifodl mewn croes neu draws 7 sillaf, ceir gwall Absenoldeb Rhagacen.

Mae holl drafodaeth J. Morris-Jones ar ragacen yn ddarganfyddiad ac yn datguddio dirgelwch mydryddol pwysig.

Mewn llinell ddiacen, os atebir gair diacen y brifodl gan air yn union o'i blaen, nid oes lle i ragacen yn y cymal olaf:

> *Yr hàul o'i órwel/éirian*
> *Yn nhŷ'i rhiéni/ 'r húnodd*

(Mewn cyhydedd fer – 8 sillaf – buasai'r ail yn gywir fel hyn:

> Yn nhŷ'i rhiéni/ỳr húnodd.)

Sylwer: ceir tair acen yn y llinellau cywydd o'r fath. Ond y mae'r rhag-acen, yn yr enghreifftiau italig hyn, ar waith yn y rhan gyntaf, nid yn rhan y brifodl. Felly, y maent yn anghywir. *Mewn llinellau 7 sillaf croes a thraws, yr ail ran (sef rhan y brifodl) yw coron y llinell* (gw. T Ll 91n), *a hi a ddiogelir o ran statws gan y rhagacen.* Mae'r rhagacen yn gorfodi trydedd acen mewn llinell o hyd y cywydd; ond rhaid sicrhau ei bod yn yr ail hanner, o leiaf, neu fe gyll y llinell ei phwysau yn yr 'hanner' pwysig. Mae'r rhagacen yn llinell y gyhydedd fer yn darparu peth saib er mwyn pwysleisio sillaf acennog y brifodl.

Mewn llinell o gywydd erbyn hyn caniatéir rhagacen yn y rhan gyntaf, ond nid ar draul colli rhagacen yr ail ran.

[Mae angen nodyn ar ogwyddeiriau. Dyma eiriau ysgafn iawn eu pwyslais megis y fannod *y, yr;* a'r rhagenwau *fy, dy, i* (ei), *yn* (ein), *ych* (eich), *i* (eu); a'r rhagenwau *a, y, yr, ydd;* a'r cysylltteiriau *a, neu, na;* 'yn' o flaen ansoddair. Medd CD 267: 'Ni ellir acennu'r un o'r rhain.' Yna, drwy drugaredd, nid oeda cyn iddo roi i ni'r llinellau cywir (269-270):

> *Ystỳrmant/ỳr ystórmoedd*
> *Fonhéddig/fy nyhúddo*

354

Cyfrwystra/à'i cyfréstriodd
Cymhésur/ŷ cymhŵysei

Esbonnir hyn gan y ffaith 'bod sillaf hollol ddiacen rhyngthi a'r brif acen bob amser': hynny yw, y mae modd peidio â llithro dros y gogwyddair, a llwyddir i roi peth trymder ar yr aceniad.]
'Camosod mewn Gorffwysfa' yw enw CD ar y bai 'Absenoldeb Rhagacen'. Ac yn sicr, mae disgrifiad CD o'r bai yn ddisgrifiad teg o'i amgylchfyd, a hyd yn oed yn wedd ar ei achos, er y byddai'r un lleoliad i'r Orffwysfa mewn llinell acennog yn burion. Yr hyn a glywir yn y bai, sut bynnag, yw bod rhaniad llinell driol yn ddwy ran ac yn disgwyl i ddwy acen gref ddigwydd yn rhan y brifodl. (Pan dry'r cywydd yn ddeuol, yna wrth gwrs bydd dwy acen gref y naill ochr a'r llall i'r Orffwysfa). Pan na cheir y rhagacen ofynnol i anrhydeddu'r brif acen, yna hynny sy'n peri'r diffyg, nid dim ynglŷn â'r rhaniad.
(gw. y drafodaeth yn T Ll 145-147)
Dylwn ddweud gair ynghylch rhagacen *rhan gynta'r llinell* mewn mesur sy'n hanfodol neu'n hanesyddol driol (mi dybiaf) fel y cywydd, ond a droes yn ddeuol. Pa bryd yr ystyriwn fod rhagacen wedi tyfu yn rhan gynta'r llinell? Wedi'r cwbl, mae'r traddodiad yn dal i bwyso o blaid y triol. A gall y triol orbwyso'r 'naturiol' i awgrymu'r aceniad. Disgwyliwn mai *angenrheidiol* yw rhagacen mewn rhai mesurau; ond ni chredaf fod eisiau ei sylweddoli na'i nodi lle na bo'n rhaid. Gall ymddangos yn fanylyn dibwys; ond mater yw hyn o'r ffordd seicolegol y gweithia acen. Felly, yn null Tafod (sef yn angenrheidiol) dyma'r ffordd i ddadansoddi llinell fel hyn:

Dywed áir/wèdi d'órwedd
Duw a líwiodd/dâl éwyn
Dy wallt áur/i dẁyllo dŷn,

Ac felly byddwn i'n adlewyrchu trioliaeth traddodiad y cywydd drwy ymwybod â rhan gynta'r llinell heb y rhagacen am nad yw'n *angenrheidiol*. Yr angenrheidiol yw maes Tafod, nid pwysleisiau personol Mynegiant. Ceir y tair acen draddodiadol drwy fynnu rhagacen anochel yn· ail hanner y llinell.
Yn y llinellau hyn, er hynny, mynnai Syr John ragacen yn y rhan gyntaf hefyd oherwydd, er nad oedd yn gynhenid angenrheidiol i'r mydr, felly y'i 'mynegai'. Ni wahaniaethai'i ddadansoddiad ef yn llym

rhwng Tafod a Mynegiant. Ond i mi, y mae Mynegiant byw ac ymwyb-
odol o draddodiad yn cydnabod angen.

Felly, dywed ef beth fel hyn: (CD 270)

> *Gellir cyfrif gair neu sillaf yn rhagacen gyntaf os bydd sillaf rhyngthi a'r*
> *brif acen, fel hyn –*

> *Y gòrffénno/gàu'r ffýnnon;*

> *Ond nid pan ddêl yn nesaf at y brif acen: tair acen ac nid pedair mewn*
> *llinell fel:*

> *A chéraint/à chwiórydd.*

Ond pam? I beth y cyfrifir rhagacen o gwbl yn rhan gynta'r llinell gan
nad oes mwy na dwy sillaf ddiacen gyda'i gilydd cyn acen yr Orffwysfa?
Nid oes 'gorfodaeth'.

Cyn belled ag y gwelaf i, y ffordd yr acennwn yma yw'r ffordd *angen-*
rheidiol i acennu'r llinell:

> *Y gorffénno/gàu'r ffýnnon*

Gweithiaf yn ôl egwyddor yr 'angenrheidiol'. Mae'n rhaid cael acen
ar 'ffyn' ac ar 'ffen', a rhaid cael rhagacen yn yr ail ran. Does dim dewis.
Nid oes rhagacen yn angenrheidiol yn rhan gyntaf y llinell o ran amser
triol (er ei datblygu'n ddeuol hefyd); a lle y'i ceir yn yr ail ran, ni cheir
gorglystyru tair acen gref. Fe gyfeddyf Syr John mai tair acen sydd yn
wreiddiol mewn llinell saith sillaf. Ac yn fy marn i, hynny sy'n aros, cyn
belled ag sy'n bosibl am mai rhaid yw, onid lle y mae'r llinell o ran 'gor-
glystyru acenion gwan' yn mynnu cael rhagacen yn y rhan gyntaf hefyd,
fel y cawn weld. Dyna i mi yw ystyr acen *angenrheidiol.* Yr anghenraid sy'n
rheoli seico-fecaneg.

Carwn oedi gyda llinell o waith Tudno a gondemnir, gan CD 271,
oherwydd absenoldeb rhagacen:

> *Am hàllta' iáith/melltíthion.*

Meddai Syr John, CD 271: 'Yn y ffurf hon ni all sillaf wan gynrych-
ioli'r ail rag-acen – ni ellir rhoi cymaint ag acen retoregol (neu ddych-
mygol) ar sillaf ddiacen rhwng dwy acennog'.

Yn awr, pe caniatéid cyfrif *mellt* fel aelwyd rhagacen, yna byddai yna dair sillaf acennog yn dod at ei gilydd, a byddai'n 'Orglystyru Acenion Cryf'. Dyna, i mi, sydd o'i le; a cheisiaf ei esbonio o dan (c). Gwell gan Syr John ei gyfrif fel 'Absenoldeb Rhagacen'. Ond nid dyna yw.

Eithr ar yr un tudalen, medd ef, 'mewn croes (ac ar antur draws) gytbwys ddiacen lle bo rhag-acen gyntaf, fe all sillaf ddiacen sefyll yn lle'r ail rag-acen, fel hyn:

> *Ag àur éos/gàrúaidd.*
> *Eos géfnllwyd/ỳsgáfnllef*
> *Mìl o wínwydd/mèlýnion.'*

Math o gynrychiolydd rhagacen yw. Dyfynnaf hyn, y gwahaniaethu mân a gofalus hwn, fel enghraifft o feinder dadansoddol clust ac ymennydd Syr John. Yr unig wahaniaeth rhwng fy null trafod i a dull Syr John, yw na welaf yn y tair llinell ddiwethaf fod yr un *anghenraid* i gael rhagacen yn y rhan gyntaf. Ac o'r herwydd, tybiaf fod gofyn gan y traddodiad a dyfnder yr acennu triol mor gryf nes y dilëwn i'r rhagacen gyntaf. Tybiaf nad yw Syr John wedi bod yn ddigon caeth i'r traddodiad.

Yn fy marn i, mewn man arall, nid yw Syr John wedi ymateb yn ddigon ystwyth chwaith. Dywed CD 272-3:

'Lle bo pedair acen ni ddylai'r brif acen gyntaf fod yn nes i'r dechrau na'r drydedd sillaf; lle bo ar yr ail, bydd dwy rag-acen yn y canol fel hyn:

> *Nid ófna/èf bèdwar (défnydd*
> *E wlých/y tân gànol (échwydd*

Trwsgl yw hyn; i gael pedwar curiad yn ddigloff rhaid i'r ddau gyntaf fod o flaen yr Orffwysfa'.

Ond tri churiad sydd; ac un rhagacen ym mhob llinell: ar 'bèdwar' yn y gyntaf, ar 'gànol' yn yr ail. Nid yw'r rhagacenion eraill yn 'angenrheid-iol'.

(b) *Gormod Rhagacenion*

Cymerer y llinellau hyn gan Lewys Glyn Cothi:

> *Árwydd/y bỳddi dìthau'n éurog*
> *Ág/o Wlàdus Ddu, ùn o égin*

Dyma linellau lle y ceir anghydbwysedd rhwng y ddwy ran, y naill yn cymryd un acen gref (yr acen o flaen yr Orffwysfa), a'r tair acen arall yn olynol yn rhan y Brifodl. Collir yr ymwybod o ateb cyferbyniol unedol twt.

Mae'r llinell hon gan T. Gwynn Jones yr un mor wallus:

Gẃr/a ryfŷga òsod mewn géiriau

Ceir dwy ragacen eto yn yr ail hanner.

Gellid disgrifio'r amgylchfyd eang i hyn fel 'Camosod mewn Gorffwysfa' efallai. Ond tywyllu cyngor yw hynny. Cymerer y llinell hon o'r Draws Fantach a gynigiwyd yn Eisteddfod 1953:

Clẃy/ìngol ystẁytho clún.

O ran lleoliad yr Orffwysfa ei hun mae'n burion. A phed ysgrifennid

Clẃy/i'r dyn dèwr blygu clún.

byddai'n gywir. Yr hyn sydd o'i le yn yr enghraifft gyntaf yw nad yw'n uned fel yr ail: nid ymdeimlir â'r cydlyniad cyferbyniol; a'r rheswm am hynny yw amlhau rhagacenion yn amhriodol. I'r *psyche* rhythmig y mae'r drefn ar chwâl, a'r pegynau cynhaliol yn ysigo. *Nid* safle'r Orffwysfa.

'Gormod acenion' o'r fath yw hoff fai Euros yn yr hyn a eilw ef yn Arbrofi.

Honnais innau un tro: yn ôl dull Euros o synied, hynny yw heb ystyried aceniad yn berthnasol, gellid sgrifennu nofel gyfan ar sail y Draws Fantach. Dechreuai gyda 'Dyn' a gorffennai gyda 'dim'. Rhwng y ddau air bygythiol hynny ceid efallai dri chant o dudalennau. Cytunodd Euros. Nid oedd ef yn hidio am y mesurau, meddai, ac nid oedd mor barchus ag y dylai fod ynghylch amlhau rhagacenion. Ond ceisio yr oeddwn i yn ddiniwed braf esbonio gwerth dadansoddiad isymwybodol cynnil, ystyrlon, unedol Cerdd Dafod. Ceisio protestio yr oeddwn nid yn erbyn protest Euros, ond o blaid sylweddoli natur y Gynghanedd. Mewn gwirionedd, o'r tair elfen gyfrannol i sain y Gynghanedd, – llafariad, cytsain, acen – yn fy marn gyntefig i, yr acen yw'r un lywodraethol. Felly yn yr hen Ganu Rhydd. Wrth ymlacio, ymadewid yn sylweddol â Cherdd Dafod fel y cyfryw. Yn yr acennu hwn gydag Euros, collwyd hanfod y Gynghanedd. Nis ceir heb acen, na heb barchu acen.

Gellid ymholi, fel y gwnâi'r Rhamantwyr, pa mor bell wrth arbrofi y gallwn fynd felly wrth amlhau rhagacenion? A fyddai un rhagacen ychwanegol yn ail ran y llinell yn ormod o straen? Neu ddwy ychwanegol? Neu dair? Neu gant? Ac yna, yr ŷm ar y llethr lithrig efallai. Ymadawsom â'r hanfod isymwybodol, sythwelediadol i'r glust, sef calon y Gynghanedd, hanfod cryno y cyferbynnu elfennaidd deuol a thriol; ac yr ydym ym myd clandro, ac arwyneb, a byd ymwybodol Mynegiant. A chwarae. Creadur arall sydd gennym.

Myn bechgyn fod yn fechgyn. A myn Cerdd Dafod . . . wel . . . myn hi ei hathrylith anrhydeddus ei hun.

(c) *Gorglystyru Acenion Cryf*

Dyma un arall o'r beiau a gysgodir o dan fantell 'Camosodiad mewn Gorffwysfa'. Cymerer y llinell:

Yw mùrmur y môr/ì mí

Cynghanedd Groes o Gyswllt yw hon. Ac y mae hi'n bechadur mawr sy'n reit afradlon wrth gyflawni'r bai hwn. Gwthia'r Orffwysfa ymlaen yn y llinell, er mwyn gosod rhai o'r cytseiniaid ar *ddiwedd* y rhan gyntaf eisoes, fel y bônt yn dechrau ateb cytseiniaid yn ôl yn *nechrau'r* rhan gyntaf honno. Mewn Cynghanedd acennog, o'r herwydd, gellid pentyrru tair acen yn olynol gyda'i gilydd, ac un *yn union cyn* yr Orffwysfa. Oherwydd bod y llinell yn gorffen yn acennog, mae'r sillaf cyn yr Orffwysfa'n gorfod bod yn acennog atebol i'r brifodl; a rhaid cael rhagacen yn yr ail ran ddwy-sillaf. Ond nid dyna'r bai sydd dan sylw ar hyn o bryd. Dyma eto Simwnt Fychan (mewn orgraff ddiweddar) yn esbonio 'Camosodiad mewn Gorffwysfa':

Camosodiad mewn gorffwysfa yw gosod yr orffwysfa mewn croes gynghanedd yn rhy agos i'r odl, fel hyn:

Y gŵr a brig ar bregeth.

Beth yw ystyr 'rhy agos'? Ai awgrymu y mae fod gosod yr Orffwysfa ar ôl 'brig' yn rhy agos i ddiwedd y llinell? Ond nid lleoliad yr Orffwysfa yw'r bai fan yma: gellir derbyn tair *sillaf* ar ei hôl yn gwbl gywir. Y bai yw bod acen yr Orffwysfa ar 'brig', rhagacen yr ail ran ar 'ar', ac acen y

359

brifodl ar 'breg': tair acen gyda'i gilydd yn ddi-dor olynol ddiamryw-iaeth, a'r olaf o'r tair yng ngair y brifodl. Nid oes ond un sillaf rhwng yr Orffwysfa a phrif acen y gair olaf, a chan fod rhagacen yn ofynnol ceir tair acen ynghyd yn ddigyferbyniad. Dyna sydd o'i le.

Dyma a ddywed Syr John (CD 271) am Gamosodiad Gorffwysfa o'r fath:

> *Ni oddefir i'r Orffwysfa fod yn nes i'r diwedd na'r* **bedwaredd** *sillaf o'r dechrau . . . Mewn Cynghanedd ddisgynedig fe ddigwydd y tair acen ynghyd os bydd yr Orffwysfa ar y bedwaredd . . .*

> (CD 272) *Mewn llinell o 7 sillaf ni ddylai'r Orffwysfa fod yn nes i'r diwedd na'r* **bedwaredd** *mewn croes neu draws gytbwys, ac na'r* **drydedd** *mewn croes neu draws ddisgynedig.*

Gwneud casgliad ar sail Mynegiant yn hytrach nag ar Dafod a wna Syr John. Casgliad am yr ymwybod yw. Rhifo. Ni pherthyn i'r isymwybod cyferbyniol. Ni pherthyn i athrylith y Gynghanedd, nac i'r unedau deuol a thriol mewn sythwelediad.

Nid cwbl anghyffelyb oedd agwedd Syr John at y rhagwant:

> *Fe ddylai'r rhagwant fod ar y bumed sillaf, yn rhannu'r llinell* [ysgrifen-edig] *o 10 yn ddau hanner cyfartal. Fe ddylai'r gwant fod ar y seithfed, yr wythfed, neu'r nawfed, yn rhannu'r Toddaid yn ddau hanner mwy neu lai cyfartal.*

Brysia i ychwanegu:

> *Nid yw'r beirdd diweddar yn gofalu am y rhagwant ond mewn Cyng-hanedd Sain yn unig.*

Gallai fod wedi ychwanegu: 'ond y maent yn gofalu am beidio â gorglystyru acenion'. Sef y gwir fai sydd dan sylw yn awr. Patrymir yn ôl perthynas y prif acenion a'r sillafau diacen, ac nid yn ôl sefydlogrwydd Gorffwysfa. Ac yn sicr, nid yn ôl saith, wyth, naw. Nodweddion yw'r rhai a grybwyllir gan Syr John sy'n ganlyniad i 'reolau' mwy sefydlog a han-fodol. Ond nid y rhifyddeg honno yw'r ffactor cyfrifol.

Haedda'r bai ei ddidoli, felly, rhag amlder amorffaidd 'Camosodiad mewn Gorffwysfa'. A haedda enw priodol 'Gorglystyru acenion cryf'. Dyna'r hanfod sydd o'i le.

Fel hyn y cyfeiria *Cerdd Dafod* 271 at y bai yn gywir iawn; ond nis enwa:

> *Peth arall a ddinistria rythm croes neu draws yw dodi tair acen olaf y Gynghanedd yn nesaf i'w gilydd fel hyn:*
>
> *A dŷwyn i bób dỳn býw . . .*
> *Mae stìwart yr Hólt mèistr trául.*

Un ffordd graff sydd gan Syr John o esbonio'r rheswm dros y math hwn o anfodlonrwydd greddfol yw drwy gyfeirio at *yr aceniad ysgafn . . . yn codi o duedd naturiol yr iaith i roi acen eilradd ar sillaf wan rhwng dwy eraill, ac ar flaen sillaf o flaen sillaf wan.*

Dyma enghreifftiau o'r ymyrraeth waredigol gan aceniad gwan:

> *Eféngyl/ỳn **ddifỳngus*** [aceniad gwan ar *ddi*]
> *Dywed áir/wèdi d'órwedd* [aceniad gwan ar *di*]

Yn y fan hon try Syr John i ymwneud ag athrylith yr iaith, yr awydd isymwybodol (pan geir dwy sillaf acennog) i gael sillaf wan rhyngddynt er mwyn eu dal ar wahân yn eglur.

Ond wedi rhoi'i fys ar hanfod y bai, tuedd Syr John o hyd ysywaeth yw cyfrif sillafau. Er nad enwodd y bai *Gorglystyru Acenion* wrth sylwi ar gronni tair acen *wan* yn olynol, rhoddodd reol loyw ddigon yn *Cerdd Dafod* i'w ddisgrifio; ond ni wnaeth ddim yn union debyg ar gyfer cronni tair acen gref: *Ni ddylai fod mwy na dwy sillaf acennog, neu gref, gyda'i gilydd.* O leiaf, ni chysylltodd y ddwy ffenomen, a'u hunaniaethu yn ôl eu natur fydryddol gynhenid.

Yr wyf yn amau a yw 'cyfrif' ymwybodol yn yr achosion hyn yn arwyddocaol. Canlyniad yw, yn hytrach nag achos. Nid oes neb yn cyfrif mewn Tafod. I mi, tywyllu cyngor yw peri i'r beirdd feddwl yn y modd canlynol: CD 272-3

> *Lle bo pedair acen ni ddylai'r brif acen gyntaf fod yn nes i'r dechrau na'r drydedd sillaf . . . Fe ddylai Gorffwysfa ddiacen fod ar y bedwaredd; a gall fod ar y bumed os bydd sillaf acennog ar ei hôl.*

Ni chredaf fod y beirdd yn meddwl mor rhifyddol o gwbl. Arweiniwyd Syr John i'r cyfeiriad hwn (sef i esbonio yn null Mynegiant) gan Simwnt Fychan a chan ei gefndir mathemategol ei hun. Nid Camosodiad

Gorffwysfa yw gwir natur arwyddocaol y bai hwn, ond Gorglystyru Acenion. Dyna y gwrandawai'r beirdd yn isymwybodol arno. Clustfeinient yn sythwelediadol ar dair acen gref gyda'i gilydd: pan gaent ormodedd fel yna i'r glust, sef dwy o'r tair heb amrywiad yr acen wan, ymwrthodent â'r sŵn. Clywent yn isymwybodol hyd at uned o dair yn cynnwys cyferbyniad. Un, ac un bob ochr. Roedd mwy na hynny yn ymwybodol, yn 'gyfrif' arwynebol yn hytrach nag yn gyferbynnu sythwelediadol anfwriadus. A gwaetha'r modd, yn lle ymaflyd yn yr adnabod bai greddfol a amlygwyd wrth drafod 'A dywyn i bob dyn byw' uchod, gogwyddai Syr John yn CD 271 ymlaen am dudalennau lawer at safle rhifyddol yr Orffwysfa:

e.e. CD 276: *Rhennir y llinell o ddeg yn ddau hanner ar y bumed; gelwir y rhaniad hwnnw yn "rhagwant". Rhaid i'r ail curiad ddyfod yng ngair y rhagwant, y trydydd yng ngair y brifodl, neu'r "gwant", a'r pedwerydd yn y gair cyrch, sef o flaen yr "adwant"* (CD 276).

Credaf mai bai syml mewn Tafod yw 'Gorglystyru Acenion'. Yn yr isymwybod yr ymatebir i berthynas acenion cryf a gwan; mynnir cyferbyniad priodol rhyngddynt; ac ymwrthodir yn negyddol â'r rhediad sydd heb ddigon o gyferbyniad. Dyma ni yn ôl gyda'r egwyddor seiliol ar gyfer Beiau Gwaharddedig, sef 'Rhy'. Nid oes a fynno â chyfrif neu rifo. Sythwelediad sydyn ac ymateb isymwybodol yw, megis mewn Gramadeg.

Ond sylwer: fe all 'Gorglystyru Acenion' mewn Tafod gyfateb wrth gwrs i fai 'Camosodiad Gorffwysfa' mewn Mynegiant.

Sylwer ar osodiad CD 269:

Mewn traws fantach a'r Orffwysfa ar y gyntaf rhaid i'r rhagacen fod ar y bedwaredd, fel yn –

Drúd/yr adwàenwn dy dró

Dyna ef yn cyfrif uwchlaw tri. O'r herwydd, ystyriaeth am Fynegiant yw. Ond sylwer ar ddiwedd y frawddeg:

onide fe ddaw tair sillaf wan ynghyd ar ôl yr Orffwysfa.

A dyna ef yn siarad yn ôl termau Tafod. Am yr un llinell, esbonnir felly yn ôl Mynegiant (Camosodiad mewn Gorffwysfa) ac yn ôl Tafod (Clystyru Acenion).

Yn yr un modd, condemnia Syr John ddodi tair acen olaf y Gynghanedd yn nesaf at ei gilydd, 'A *dŷwyn i bób/dỳn bŷw.* Sef safle mewn Tafod. Ac yna ychwanega: *Am hynny mewn croes neu draws gytbwys acennog hefyd, o 7 sillaf, ni oddefir i'r Orffwysfa fod yn nes i'r diwedd na'r bedwaredd sillaf'.* Sylw sydd eto ym maes Mynegiant.

Pan geir tair acen ynghyd, nid oes modd i'r un yn y canol gyferbynnu â thawelwch ddechrau na diwedd llinell, nac â sillaf ddiacen. Tybed, pan geir cyd-ddyfodiad di-fwlch tair acen gref fel hyn (neu dair acen wan), onid yw hunaniaeth yr un ganol yn cael ei dileu?

(ch) *Gorglystyru Acenion Gwan*

Geiria CD 269 ddiffiniad o'r bai hwn yn groyw, yn groywach na chyda'r beiau acennol eraill, ond nis enwa. Nis gwna'n swyddogol:

> *Ni ddylai fod mwy na dwy sillaf ddiacen, neu wan, gyda'i gilydd yn unman, oddieithr yn unig lle bo un o flaen Gorffwysfa neu raniad llinell, a dwy ar ei hôl.*

Yn fy mryd i, cyfrifaf hyn yn un o'r darganfyddiadau pwysig gan Syr John ym maes Camacennu. Haedda enw arno'i hun. Ac fe'i henwaf yn Orglystyru Acenion Gwan. Dyma enghreifftiau:

> *Tân/yn cỳnnau sy'n y tŷ*
> *Páwb/nid ỳdyw'n dal i'r pén*

Mae hyn yn ddigon tebyg i'r hyn sy'n digwydd gyda gormod rhagacenion a gorglystyru acenion cryf. Mae medr sythwelediadol yr isymwybod i gynnal neu i ymateb i uned gyferbyniol o fwy na thair elfen yn cael ei dileu.

Sylwer: gellid dehongli'r bai 'Gorglystyru Acenion Gwan' fel 'Gormod Rhagacenion'.

Felly: *Tân/yn cỳnnau sỳ'n y tŷ*
      Páwb/nid ỳdyw'n dal i'r pén

Onid un bai sydd? Onid dwy ffordd o seinio'r un rhediad yw? Ie: felly, a oes angen enwi 'dau fai'? Mae'r naill ddisgrifiad a'r llall yn gywir.

A hwylustod yw cydnabod arwyddocâd y ddwy ffenomen 'clystyru acen wan' ac 'amlhau rhagacenion' gan fod y naill welediad a'r llall ar acen ac ar llinell yn dra arwyddocaol; ac ymdeimlir fel arfer fod un ffordd neu'r llall yn amlycach ar y pryd.

Ymddengys i mi fod y term 'Camosodiad Gorffwysfa' eto yn cael ei ddefnyddio'n rhy lac fan yma yn achos Gorglystyru Acenion Gwan, megis gyda rhai beiau eraill, er ei fod yn cynnwys grŵp perthynol o feiau.

Yr hyn sy'n bwysig ac yn briodol yw sylweddoli beth yn union a oedd o'i le y tu ôl i *ymateb cyntefig, elfennaidd, sythwe_lediadol, isymwybodol clust y bardd.* Nid cyfrif sillafau yr oedd hyd at Orffwysfa, nac wedyn. Ond ymateb i batrwm cynnil cyferbyniol o fewn undod: hyd at ddwy sillaf ysgafn gyda'i gilydd, heb ddim mwy. Ceid patrwm sylfaenol syml a oedd yn foddhaol i'r glust isymwybodol; ac yr oedd popeth na chydymffurfiai â hynny yn fai gwaharddedig. Her i'r beirniad oedd adnabod y ffin – a pham. Ar sail y ffin y'i diffinnid, yn gam neu'n gymwys.

Wrth benderfynu pam, roedd ganddo egwyddor arweiniol. Gwahuniaeth. Y mae yna amrywiaeth o fewn undod ym mhob ffurf 'sefydlog' neu 'draddodiadol' celfyddydol. Mae natur yr undod yno, am ei bod ynghlwm wrth ymateb 'difeddwl' a sydyn, bob amser yn y bôn yn ddeuol neu'n driol. Ceir un brif acen gref gyferbyniol, a'r hyn sy'n gyferbyniol gychwynnol yn un acen wan. Dyna graidd yr uned ffurfiol: ffurfir undod gan ddwy ran gyferbyniol seml. Wele wahanu ac uniaeth.

Yna, ambell dro, datblygir yr elfennaidd isymwybodol un cam ymhellach, o'r deuol i'r triol; a chyferbynnir yr uned ddeuol i fod yn uned a all ei hun sefyll yn wahaniaethol wyneb yn wyneb â sillaf wan bellach. Ceir uned newydd: cryf a gwan cyferbyniol ynghyd â gwan ailadroddol. Ond dim mwy. Dyna'r cwbl a ganiatâ'r glust gyntefig, y sythwelediad o 'hunan-ddibyniaeth ynghyd â dibyniaeth' allanol yn ymestyn i gynnwys ail uned: sef 'dibyniaeth ar hunan-ddibyniaeth, dibyniaeth ar ddibyniaeth' – sef yr uned driol. Dyna'r cwlwm o unedau gwahunol a ganiateir gan yr isymwybod.

[Mewn gramadeg, y mae yna enghreifftiau cyffelyb lle y mae hyn yn digwydd – yr estyniad o'r deuol i'r triol e.e. cyfundrefn *y rhannau ymadrodd traethiadol.* Yno y ceir yr 'enw' fel pe bai'n acen gref – yn hunanddibynnol. Cyferbynnir ag ansoddair (gofod) neu ferf (amser), a'r rheini'n ddibynnol ar hunanddibynnol. Ond yna gellir ymestyn un cam pellach, sef at yr 'adferf' neu'r dibynnol ar y dibynnol. A dyna'r cwbl. Nid estynnir ymhellach o fewn yr uned ffurfiol draethiadol yna. Byddai camau ymhellach yn ymwybodol neu'n gystrawennol.]

Gadewch imi oedi am foment i wrogi i John Morris-Jones. Beth a wnaeth ef yn y rheol arbennig y daeth o hyd iddi yn achos y bai hwn?

Yr hyn y mae'r gwyddonydd yn arfer ei wneud – ei fethod – yw cael profiad llawer o ganfyddiadau, ac yna drwy sythwelediad, myfyrdod ac ymarfer, y mae'n darganfod yr ychydig neu'r un sy'n esbonio'r llawer, y ddeddf gyffredinol sy'n goleuo'r cannoedd o brofiadau gwahanol. Dyma Syr John, felly, yn darllen neu'n clywed cannoedd o gywyddau ac englynion, ugeiniau o'r mesurau eraill, miloedd o gynganeddion, ac yna y mae'n pwyso'n ôl ac yn gofyn – beth sydd yma? Mae'n dadan-soddi. Mae'n disgrifio. Mae'n cael yr ateb. Ond yna, y mae'n gofyn cwestiwn arall, cwestiwn sy'n didoli. Beth sydd *heb* fod yma? Mae'n rhaid bod yna filiynau o filiynau o bethau sydd heb fod yna, wrth reswm. Eto, beth sy'n arwyddocaol *heb* fod yna? Pwy a sylwai, yn yr holl gynganedd-ion hyn, o fewn pob rhan, na chaniatéid tair sillaf wan olynol ynghyd ag un sillaf gref? Sut y gallai ddarganfod y fath absenoldeb?

Yn syml, drwy wneud yr hyn yr wyf yn ceisio'i wneud gyda'r dar-llenydd – drwy'i berswadio'i hun i feddwl yn nhermau Tafod. Mae'n wir nad aeth Syr John ati yn ymwybodol i egluro a dehongli Tafod fel yr wyf wedi ceisio'i wneud yn y gyfrol hon, a chyfrolau eraill. Sef cyflwyno'r anweledig sydd yn llechu y tu ôl i'r gweledig, y drefn seml a sythweled-iadol (sy'n dwyn cymeriad arbennig yn ddeuol neu'n driol) y tu ôl i'r anhrefn. Ond hynny, a'r method hwnnw – sef sylweddoli patrymau angenrheidiol cyson bodolaeth trefn, ac amodau naturiol y rheini – a ganiataodd i Syr John ganfod yr anweledig. Megis drwy'i fyfyrdod a'i wybodaeth gefndirol ym myd ieithyddiaeth hefyd, y gallodd ef ymdeimlo â'r deddfau hanesyddol a esgorai'n rheolaidd ar y ffurfiau diweddar, y Frythoneg a'r Gelteg a lechai'n anweledig y tu ôl i'r Gym-raeg a'r Llydaweg Diweddar – felly y Gerdd Dafod a esgorai ar y llin-ellau cynganeddol.

A'i athrylith ef – a droes ef bellach yn fath o weledigaeth – a ddarg-anfu'r ddeddf gudd, hollol elfennaidd, ond sylfaenol athrylithgar hon. Nis enwodd. Gadawodd y cawr i rywrai llai yn yr unfed ganrif ar hugain wneud y manylyn hwnnw yn ei le.

Ar ôl i John Morris-Jones ddarganfod y ddau wirionedd acennol sy'n rhoi asgwrn cefn i'r Gynghanedd, y naill ynglŷn â phatrwm deuol-driol cwlwm acennol ysgafn-trwm, a'r llall ynglŷn â'r rhagacen, rhyfedd nad aeth ef yr un cam bach pellach. Mae'r naill 'ddeddf' a'r llall yn gallu egluro'r cyfeiliornad sy'n gysylltiedig â hwy. Yn wir, ceir beiau gwahardd-edig mwy canolog na'r un a ddarganfu nac Einion Offeiriad na Simwnt

Fychan. Eithr ni sylweddolodd John Morris-Jones lawn arwyddocâd yr hyn a ddarganfuasai: dim llai na'r hyn a droes Ogynghanedd yn Gynghanedd, yr egwyddor atrefnol, y sythwelediad ynghylch perthynas, ac enyniad tyndra trefn.

(d) *Camosodiad Gorffwysfa*

Beth felly sy'n digwydd i'r hen derm annwyl 'Camosod mewn Gorffwysfa'?

A oes unrhyw arwyddocâd i hyn bellach wyneb yn wyneb â'r ffaith ein bod yn gallu hunaniaethu beiau'n fwy penodol ac ar wahân o dan yr ymbarél hwn?

Yr wyf am roi ateb 'Oes' yn bendant iawn i'r cwestiwn hwnnw.

Ond tybed a yw'r pendantrwydd hwnnw wedi'i gyfyngu'n fwyaf penodol i fyd Mynegiant? Er ein bod yn tueddu i feddwl am strwythurau yn nhermau Tafod, fe geir strwythurau mewn Mynegiant hefyd. Y rheini weithiau (os ydynt yn ddigon elfennaidd) sy'n tyfu'n strwythurau mewn Tafod. Cymerer strwythur y pennill – y strwythur lle yr eir ati i lunio unedau o gyfuno llinellau: pum llinell dyweder, dwy hir, dwy fer, ac un hir, yn uned reolaidd drwy gydol cerdd can llinell, ac yn odli AABBA. Dyna uned a strwythur mewn Mynegiant.

Yn awr, cymerer y 'llinell' hon:

Dilynais, clwyfais,/fel y'm clyw – decant

Dyna linell 'gyntaf' Englyn Unodl Union. Deg sillaf yw. Rheol CD 321 amdani yw 'Fe ddylai'r rhagwant fod ar y bumed sillaf, yn rhannu'r llinell o 10 yn ddau hanner cyfartal'.

Dysgasom wrth ystyried Tafod y Gynghanedd, mai fesul unedau deuol a thriol y gweithia hwnnw o ran natur. Ymateb sythwelediadol yw yn yr isymwybod. Teimlir y cyferbyniad yn ddadansoddiad yn y dyfnder. Mewn Mynegiant, ar y llaw arall, er y gallwn gael strwythur, gweithiwn ar lefel lai cyntefig er nad llai teilwng. Dyma ni'n cyfrif sillafau heb eu dal yn dwt gynnil yng nghefn y meddwl yn unedau trafodadwy i'r isymwybod. Sylwer, er hynny, mor rhwydd y syrth y pum sillaf gyntaf yn gyferbyniad o dair ac yn ddwy. Gall yr isymwybod ymateb hyd yn oed i bump o'i luosogi'n fewnol fel yna. A dyna a ddaeth yn arferiad.

Daw cyfrif sillafau yn isymwybodol weithiau oherwydd eu clymu wrth strwythur acennog cyfredol. Ymwybod â'r acenion y pryd hynny a reola reoleidd-dra cyhydedd.

Does dim o'i le ar strwythur mewn Mynegiant. Yn achos llunio pen-illion gellir cael canlyniadau tlws i'r glust. Ond am nad yw'n hanfod fel Tafod, dechreua'r gyfundrefn 5:5 lithro ychydig. Gellir cael 6:4 neu 4:6 ac o'r braidd fod y beirdd diweddarach a'u gwrandawyr yn sylwi. Onid ydynt o hyd yn gallu cyflawni holl ofynion cynnil y cyferbyniadau cynganeddol acennol? A dyna a ddigwyddodd wedyn yn hanesyddol. Yn wir, dyna a ganiatéir bellach.

O'r herwydd, gellid casglu mewn gwirionedd mai term hanesyddol parchus yw 'Camosod mewn Gorffwysfa' *mewn Mynegiant* erbyn hyn.

Diddorol sylwi bod rhai hen arferiadau o'r fath ynghylch hen gywir-deb yn ildio i drefn newydd yn weddol ddibrotest. Bu hyd yn oed arch-geidwadwyr glew fel J. Morris-Jones a Thomas Parry yn barod i ildio'n annodweddiadol dawel ar gownt lleoliad gwamal i'r rhagwant mewn lle heblaw'r bumed sillaf, ac i gydnabod nad oedd wedi aros yn y lle a fynnent hwy. Gwnaent hynny'n fodlon ddigon, yn syfrdanol felly lle y buasent ar fater arall yn bur ddi-sigl. Ond nid atebent y cwestiwn bythol-allweddol – pam?

Oherwydd mai arwynebol, sef cyfundrefn mewn Mynegiant, oedd lleoliad y rhagwant, dyna pam. Ni tharddai yng ngwreiddiau'r Gyng-hanedd, yn y patrymu isymwybodol ystyrlon. Ni ddeuai 'pump' yn wir uned mewn Tafod (heb ei rhannu) am nad oedd yn gyfan elfennaidd yn ôl yr amodau sythwelediadol cynnil deuol neu driol. Strwythur arfer-iadol eilradd mewn Mynegiant oedd yn unig, a feddai ar ansawdd gwahanol i Dafod. Ni thyfai'r peth yma byth yn Dafod.

Datblygodd amrywio trefn lleoliad yr Orffwysfa; ond ni ddatblygodd ddim tebyg i wrthod yr ymwrthodiad ag olynu tair sillaf yn ddiacen. Ffrwythlon yn fy marn i oedd ymwared â chaethiwed strwythur diangen Mynegiant yn yr achos hwn. Eithr diffeithwch a distryw a ddôi o anghofio iaith Tafod, er y gellid ei datblygu. Rhyddid o fewn caethiwed a geir bob amser o flaen Tafod. Dyna'r 5:5 sillaf, felly, yn mynd yn 6:4, yn 4:6 ac yn y blaen yn hapus braf heb ddrysu acenion.

Ond yr wyf am grybwyll yn atodol i'r hyn a gyflwynaf, fel term hanes-yddol mewn Mynegiant, 'Gamosod mewn Gorffwysfa' fath o sefydlog-rwydd aceniad sydd ar waith o hyd ac yn fath o Orffwysfa lle na cheir amrywio o'r fath. Sefydlogrwydd rhaniadau Tafod sydd gennyf mewn golwg yn awr, i'w cyferbynnu â'r gwamalu a geid yn y 5:5. Disgrifiad yw yn null Mynegiant am strwythurau sylfaenol mewn Tafod.

Clywch rai o osodiadau tra rhifyddol a thra chymhleth *Cerdd Dafod* J. Morris-Jones, 273:

'Os croes a genir arni [sef ar y llinell 9 sillaf], yn y rhaniad, sef ar y bumed, y bydd yr Orffwysfa esmwythaf; ac fe'i ceir felly weithiau yn yr awdlau caeth hen, megis:

I glòywdwf éuraid/à glodfórir
A chỳrdd adéiniawg/a chèrdd dánnau.

Ond yn amlach na hyn traws a genid, a'r Orffwysfa ar y drydedd neu'r bedwaredd; ac yna yr oedd yn rhaid cael rhagacen yn y gair traws ar y bumed.'

Meddyliais pe bai bardd yn gorfod ymateb yn sythwelediadol yn ôl disgrifiad anisymwybodol fel yna, ni chysgai drwy'r nos. Meddylier am gymhlethdod ymwybod y cyfrif beunyddiol wedyn drwy'r dydd wedyn. Casgliadau ar lefel ymwybodol Mynegiant yw'r rhain. Digon cywir, bid siŵr, ond heb fod ar waith yng nghraidd y Gynghanedd, Tafod. Fe all rhai o'm dadansoddiadau innau ymddangos yn ddigon cymhleth mae arnaf ofn. Ond bob amser, – er mai dadansoddi'r isymwybod, yn wir, *am* mai dadansoddi'r isymwybod yr wyf – syml ac elfennaidd yw calon y canlyniad. Gellir geirio'r casgliad yn y diwedd bob amser yn dwt. Yr hyn sydd ar waith yn hytrach yn y fan yna yw'r ymateb deuol neu driol cyntefig, ateb prif acenion a mabwysiadu rhagacenion. Wedyn, y mae'r cwbl yn ffitio, heb gyfrif, yn union yn yr un ffordd ag y'i disgrifiodd John Morris-Jones, eithr heb wybod hynny. A dyna'r unig ffordd gywir.

Nid oes angen felly'r term 'Camosodiad mewn Gorffwysfa' eithr er enghraifft mewn disgrifiad hanesyddol neu mewn dadansoddiad mynegiannol. Er mor athrylithgar oedd gwaith J. Morris-Jones yn datgelu holl faes *Acennu*, mor ychydig o 'wallau' o'r fath ysywaeth a ynyswyd a'u henwi'n benodol ganddo, a'u cofnodi yn ôl hunaniaeth unigol bob un. Credaf hefyd fod angen gwahaniaethu ym maes Camacennu rhwng gwallau'n erbyn hanfodion y Gynghanedd ar y naill law a chyfeiliornadau llai difrifol (ac a allai fod yn arbrofol ffrwythlon) mewn Mynegiant ar y llall, rhwng deddfau ac arferion, rhwng isymwybod mydr ac ymwybod anesmwyth rhythm. Maent yn perthyn, wrth gwrs, ond nid yr un peth ydynt.

Beth oedd ac yw'r Orffwysfa?

Yr oedd yno o'r dechrau mewn Cynghanedd. Lle bynnag y ceid cyferbynnu yn y meddwl, fe gaed ffin. Yr Orffwysfa a bwysleisiai ac a gyfundrefnai'r ddwy ochr neu'r tair ochr. Dyma ganolfur mewnol y gwahaniaeth. Elfen ddiriaethol oedd. Saib a gadwai drefn. Rhaid oedd cael Gorffwysfa mewn llinell: hebddi nid llinell gynganeddol mohoni. Ni chydbwysid y llinell yn gyflawn. Mynnai llinell wahaniaethu o'i mewn ei hun (tebygrwydd/annhebygrwydd). 'Ffin-goror, lle am drwbwl bob amser', meddai Parry-Williams. Ond fe aeth ef ymhellach, yn ddigon ôl-fodernaidd, ac felly'n unochrog ac yn annigonol: 'Annelwigrwydd, anwadalwch, annibendod. Rhyw anniffinioldeb fel yna sydd hefyd ar y ffin rhwng cnawd ac ysbryd, rhwng corff ac enaid, rhwng pwyll ac amhwyll, rhwng barddoniaeth a rhyddiaith, rhwng byw a marw.' Dyna unochredd gwyrdröedig Ôl-foderniaeth; yr ymwahanu i ffetis ansicrwydd.

Bellach ar ôl Ôl-foderniaeth, fe'n harweinir i ychwanegu ar frys am yr orffwysfa, 'Ie, lle i'r annelwig, yr anwadal a'r anniben efallai. A lle i drefn hefyd, i'r disgybledig, i'r cyfannu cyferbyniol, i'r undod llywodraethol a gorfodol. Hollt yw, sydd oherwydd yr undod sydd o dan bopeth, yn bont.' Ceid afreoleidd-dra yno o fewn fframwaith y rheolaidd. Pan aethpwyd ati i gyfrif (yn ymwybodol), yr hyn a oedd yn amlwg yn ei gynnig ei hun i'r rhifyddwr oedd egwyddor seml cyfartaledd, $4 + 4$, $5 + 5$ ac yn y blaen. (Dyweder yn neg sillaf 'llinell gyntaf' yr Englyn Unodl Union). Yr oedd odrif yn bosibl wrth gwrs: gellid hefyd gael sillaf arall yn y myth. Ac fe'i ceid oherwydd bod, yn y myth, amrywiaeth o fewn undod y disgwyliedig. Y mae odrif felly yn gallu rhoi mydryddiaeth ddiddorol i ni. Ar ben hynny y mae'r odrwydd yn gallu bridio trwbwl. Ansicrwydd yw o fewn sicrwydd.

Dywed David Thomas, 'Gwendid mewn llinell ydyw bod y ddwy ran yn anghyfartal â'i gilydd.'

Beth mae'n ei feddwl? Nid bod angen yr un nifer o sillafau – hyd yn oed yn fras – y naill ochr a'r llall i'r Orffwysfa mewn llinell o Draws Fantach, nac mewn llinell saith sill. Nid chwaith fod angen yr un nifer o acenion cryf. Tybed oni olygai fod yna raniad cyferbyniol arwyddocaol i'r isymwybod, a bod patrymu i fod yn gyfryw fel yr ymdeimlir â gorffennedd cydweithredol wrth gyrraedd pen y cwlwm? Ymdeimlid yn sythwelediadol â chyfartaledd digonolrwydd – ac anghyfartaledd.

(dd) *Tor Mesur*

Hyd yn hyn, buom yn trafod y beiau cynganeddol, sef y beiau sydd a wnelont â thair nodwedd y sillaf, – sef cytsain, llafariad ac acen. Bellach, trown at faes arall. Beiau mesur, mae hyn yn golygu canolbwyntio ar y

llinell a'r pennill yn hytrach nag ar y sillaf a'r llinell, ymestyniad adeil-
eddol pellach. Mae hyn hefyd yn nes at 'Feiau' Mynegiant nag at Feiau
Tafod.

Nid yw'r term 'Tor Mesur' ond yn dweud wrthym fod yna fai, a bod y
bai hwnnw'n digwydd ym maes mesurau. Dichon mai priodol fyddai
penodoli beth yn union sydd ac sydd heb fod ar gerdded yn y maes
hwnnw eto drwy ryw dermau megis *Colldrio a Chollddeuo Mesur.*

Mae a wnelo'r bai hwn â'r datblygiad a ddigwyddodd mewn rhai
mesurau o newid trefniant eu curiad. Newidiwyd er enghraifft o fewn y
dosbarth triol (sef yn ôl uwch- corfan tair acen unol 1 + 2) i berthyn i'r
dosbarth deuol (sef yn ôl trefn ateb dwy acen â dwy acen yr uwch-
corfannau triol). Gallesid cysidro hyn, am gyfnod, yn fai mewn mesur.
Digwyddodd hyn er enghraifft o fewn llinell y Cywydd Deuair Hirion, ac
o fewn pob llinell o esgyll yr Englyn Unodl Union. Digwyddodd oher-
wydd pwysau y mesurau awdl ar y mesurau cywydd ac englyn. Ond
digwyddodd yn amseryddol cyn i'r cysyniad a'r drefn o Fai Gwahardd-
edig esblygu yn ôl yr adeiledd diweddar o Feiau. Yn yr Englyn (yn y
paladr) sut bynnag, digwyddai'r datblygiad o fewn cyfnod y Beiau
swyddogol, ac fe'i cyfrifid felly'n Fai.

Cafwyd newid cyffelyb, eto cyn cyfnod y Beiau (neu o leiaf cyn ym-
wybod â'r Bai hwn) yn hanes y Gyhydedd Naw Ban, ond i'r cyfeiriad
arall o bosib, sef o'r dosbarth deuol i'r dosbarth triol. Colldrio oedd y
naill symudiad: collddeuo yr ail. (Brysiaf i ychwanegu, nad amhosibl yw
mai'r Gyhydedd Naw Ban Drichur oedd yr hynaf.)

Ond cymerer yr hyn a ddigwyddodd, ac sy'n dal i ddigwydd o fewn y
Toddaid Byr. Sylwer ar y gwahaniaeth o ran sefyllfa a statws. Llinell
unigol gyfan yw'r naill a'r llall mewn cwpled Cywydd Deuair Hirion a
phob un o'r ddwy linell mewn esgyll Englyn Unodl Union. Ond y mae'r
Toddaid Byr (fel paladr yr Englyn Unodl Union) yn un llinell gyfan yn
fydryddol, yn ôl fel y gwelaf i bethau, er y gall fod yn ddwy linell
gysodol. Llinell yw sy'n cynnwys dau uwch-corfan, yn lle un uwch-corfan
llinell driol y cywydd. Yr oedd yn fwy amddiffynnol felly, rhag i un o'r
ddau uwch-corfan newid o ddosbarth triol i ddosbarth deuol heb fod y
llall hefyd yn ei wneud. Nid mater o uned fesurol gyfan oedd newid
'hanner' cyntaf y llinell dyweder. Dechreuai hynny ddigwydd, ond yr
oedd llai o barodrwydd i'r ail ran i wneud hynny. Felly, ceid anghyd-
weddiad. Roedd y newid hanesyddol yn hynt paladr wedi llusgo ar ôl y
datblygiad yn yr esgyll. Ac yr oedd hynny ynddo'i hun yn pleidio
ceidwadaeth. Yn isymwybodol, cyfrifai'r beirdd hyn yn fai yn y paladr, ac

yn fynych fe'i cyfrifir felly o hyd. Digwydd a wna, bid siŵr, ond mae yna anesmwythyd yng nghlust beirdd hydeiml.

Sylwer mai un cyfeiriad sydd i'r bai: colldrio yw. Ni ddigwydd, onid yn y cyfnod cyn sefydlu cyfundrefn y Beiau Gwaharddedig, ym mesurau sefydledig yr awdl. Hynny yw, nis ystyriwyd yn fai mewn mesur awdl i uwch-corfan deuol droi'n driol. Ni cheir collddeuo, yn rhyfedd iawn. Neu felly y mae'n ymddangos. Unffordd oedd gwth datblygiad y clymau curiadol yng nghyfnod sefydlu'r beiau. Cyn sefydlu'r beiau gellid cael Cyhydedd Naw Ban Drichur, mae'n wir. Ond gyda sefydlu'r beiau, sefydlid hefyd yn fwy penodol y dosbarthiad eglur rhwng Mesurau Deuol a'r Mesurau Triol, er enghraifft yn y Toddaid Byr.

Dyma sut bynnag enghreifftiau o'r bai Colldrio Mesur yn y Toddaid Byr (fe'i codaf o'r Flodeugerdd Englynion):

19. *Dyma ni gwedi pob gwaith – yn dri llesg,*
    A wnaed o'r llwch unwaith
21. *Doedd ŵr a ddwedodd eu hynt, – yn nydd Barn*
    Caeodd y bedd arnynt.

cf. 83, 253, 272, 343, 435, 539, 666, 678, 718, a.y.b. Gwell gennyf ystyried y bai hwn yn y mannau hyn fel gorglystyru acenion gwan.

Sylwer: ym mhob un o'r rhain yn ail uwch-corfan y Toddaid Byr (neu yn fwy penodol, ar ôl y gair cyrch ac yn ail 'linell' gysodol yr englyn) ceir tair acen yn lle dwy. Nid oedd hyn yn isymwybodol dderbyniol gan y beirdd. Bai isymwybodol oedd heb ei enwi'n swyddogol.

Mesurau Cerdd Dafod
Gwell ystyried bai 'Tor Mesur' o fewn cyd-destun lletach *Ffurfiad y Mesurau Llinellog a Phenilliog*. Sut y cyfundrefnid yn y meddwl adeiladwaith holl gyfundrefn y mesurau? Hynny yw, a ellid synied am holl Fesurwaith Cerdd Dafod fel Cyfundrefn o gyfundrefnau ac iddi ffurf unol gymen a gynhwysai'r amryfal fesurau?

Ni chanfu John Morris-Jones yr un o'r ddwy egwyddor fawr sydd y tu ôl i ddosbarthiad ac adeiladwaith mesurau Cerdd Dafod. Ni sylweddolodd chwaith y berthynas rhwng y mesurau â'i gilydd. A'r rheswm? Ni ddeallodd y math o batrymau isymwybodol yr oedd a wnelont â hwy. Rhestr a oedd ganddo felly o hyd. Nid cyfundrefn.

Dilynodd ef theorïwyr yr Oesoedd Canol; a bodlonasant hwythau ar y rhaniad triol: Awdl/Englynion/Cywyddau. Rhaniad oedd hyn a oedd yn gymdeithasol ei wreiddyn o bosib; a rhaniad a oedd hefyd, yn fras, yn ddigon agos at y dadansoddiad cyfundrefnus ei hun; ond yn y fan yna y boddodd ef yn ymyl y lan. Mewn dadansoddiad ieithyddol a llenyddol, y mae cyfundrefnu gan y meddwl cyffredin o drefn profiad o'r bydysawd bob amser yn blaenori ystyriaethau cymdeithasol hanesyddol.

Ceisir yn y gyfrol hon gyflwyno dosbarthiad deublyg newydd o'r mesurau. Ar y naill ochr, dangosir eu dibyniaeth ar gyferbyniad rhwng y llinell (y rhan) a'r pennill (y cyfan); ac ar y llall ar y cyferbyniad rhwng y deuol a'r triol ('rhif' Tafodol).

Priodol wrth fyfyrio am arbrofi a threisio mesurol yw ystyried beth a ddigwyddodd eisoes yn y Traddodiad. Ac yn y fan yna, gwiw yw sylwi ar y cyferbyniad rhwng Tafod a Mynegiant.

Beth yn gyntaf a geid mewn Tafod?

1. Y drefn o adeiladu Mynegiant ar y pryd a'r adnodd sylfaenol, cymharol sefydlog mewn Tafod.

2. Y grwpio cyferbyniol rhwng deuoedd a thrioedd.

3. Y posibilrwydd a'r dull o gyd-adeiladu ymhellach (drwy gyfuno) ddeuoedd a deuoedd, trioedd a thrioedd, neu'r posibilrwydd o gyfuno deuoedd a thrioedd.

4. Yr egwyddor, neu'r gyfundrefn yn hytrach, o wahuno.

5. Clymir posibiliadau cyhydedd (mewn Mynegiant) yn ôl trefn curiadau mydryddiaeth.

6. A'r gwahaniaethu rhwng uned y llinell ac uned y pennill.

Mae yna ddwy egwyddor sylfaenol eglur wrth ddosbarthu'r mesurau fel cyfangorff cyd-berthynol:

1. *Llinellog* Yng ngwneuthuriad y llinell unigol ceir dau ddosbarth bras yng nghyfuniad yr acenion:

   (a) Corfennir yn unedau o *ddau* guriad; e.e. Cywydd Deuair Fyrion

   (b) Corfennir yn unedau o *dri* churiad; e.e. Cywydd Deuair Hirion

   Dyma egwyddor fewnol i'r llinellau, h.y. y tu mewn i'r un llinell. Gellir adeiladu'r holl ddadansoddiad o gyfundrefn y mesurau ar y cyferbyniad hwn.

2. *Penilliog* Ni all llinell sefyll ar ei phen ei hun. Dosberthir yr holl fesurau yn ôl fel y maent:

(a) yn *ailadroddol:* hynny yw, cedwir yr un llinell o ran patrwm (e.e. Cyhydedd Naw Ban). Mae ailadrodd llinell â llinell gyffelyb o ran curiad, hyd, a phatrwm odlog neu gynganeddus yn ddigon, fel arfer mewn grwpiau deuol neu driol, i wneud pennill (neu i wneud caniad, traethgan neu 'baragraff'); neu

(b) yn *gyferbyniol:* hynny yw, cyfunir dau fath o linell o ran patrwm gwahanol. Wrth gyfuno dwy linell, defnyddir dwy linell wahanol, y naill yn llinell dawdd a'r llall heb fod (e.e. Toddaid Byr a Chywydd Deuair Hirion) neu y naill yn ôl un gyhydedd, a'r llall yn ôl cyhydedd wahanol – e.e. hir a byr.

neu

(c) yn *gyfuniad o gyferbyniol ac ailadroddol:* dyna'n gyflawn a geir mewn Englyn Unodl Union, un llinell hir a dwy fer: cf. Sain lle y cyfunir Odl a Chytseinedd.

Mae'r egwyddor dawdd yn bwysig wrth adeiladu llinellau yn ailadroddol ac yn gyferbyniol: golyga yn fynych fod y brifodl yn odli â gair o fewn y llinell. Mae'r egwyddor benilliog ar y llaw arall yn egwyddor allanol i'r llinellau, h.y. rhwng llinell a llinell.

Estyniad yr Uwch-corfannau
Gellir bellach adeiladu'r mesurau drwy *Estyniad.* Ar sail y cyferbyniad gwreiddfesur deuol   (a)   x – x –

[lle y cyferbynnir, nid yn ôl safle (diacen o flaen acen drom; diacen ar ôl acen drom), ond yn ôl ansawdd (y naill yn drwm, a'r llall rywle o fewn y llinell yn ysgafn)]

gellid ymestyn mewn dwy ffordd:

i wreiddfesur triol   (b)   x – x – x –

neu (c) fel grwpiad newydd x – x – / x – x – ac yn y blaen.

[o'r cyplysiad deuol neu'r uwch corfan, i'r cyplysiad neu'r uwch-corfan triol; neu drin y naill a'r llall yn ei dro fel grwpiad newydd, i'w estyn ymhellach.]

Bellach, bydd y gwreiddfesur ei hun yn cael ei amlhau'n ddeuoedd neu'n drioedd, fel y cawn weld.

Dosbarthaf holl fesurau Cerdd Dafod, felly, yn ddwy garfan, y rhai llinellog a'r rhai penilliog, ac isddosbarthaf o'u mewn yn ddeuol ac yn driol. Dosbarthiad cwbl isymwybodol a sythwelediadol yw hyn oll. Ac fe seilir y ddwy garfan gyntaf ar y cyferbyniad cyffredinol, angenrheidiol yn y meddwl isymwybodol dynol, rhwng rhan a chyfan.

Rhan yw'r mesur llinellog, er enghraifft llinell o gywydd. Ni fodola ond ynghyd â mesur llinellog arall – drwy ailadrodd neu drwy gyferbyniad. Ni saif ar ei ben ei hun. Cais berthynas.

Cyfan yw'r mesur penilliog. Perthynas yw lle y ceir eisoes ailadrodd neu gyferbyniad llinellog. Gall sefyll yn gyfan ar ei ben ei hun – fel yn achos yr Englyn Unodl Union neu'r Hir-a-Thoddaid – yn gerdd gyfan. Neu fe all ymuno â chyfannau eraill i wneud cerdd hwy. Ond nid oes rheidrwydd i fodoli ynghyd â mesur penilliog arall drwy ddibyniaeth. Mae iddo fath o gyd-ddibyniaeth fewnol.

Mae'r egwyddor sythwelediadol hon yn wedd ar ein bywyd beunyddiol, ac yn angenrheidiol i'r bywyd hwnnw. Y mae sylwi ar berthynas debyg neu gyferbyniol rhwng pethau o'r fath mewn bywyd datblygedig, defnyddiol yn dosbarthu'r rheini'n ymarferol, ac yn sylfaen i iaith ac yn wir i ddeall. Gwahuniaeth yw. Priodol yw nodi hynny yn nyddiau Ôl-foderniaeth. Esgorwyd ar theori ffug, hollol anymarferol a maldodus, ond dealladwy yn ddiwinyddol, i geisio seilio'r meddwl ar fodolaeth chwâl, ar luosedd (yn hytrach na lluosrwydd), ar ranoldeb relatif yn unig. Anwylid ansicrwydd o ran cyfleustra. Nid yw gwrthod hyn yn fater o anghytundeb 'gwrthryfelgar' syml, ond o 'raid', fel na byddid yn anghytuno â disgyrchiant neu'n anghytuno â'r cyferbyniad presenoldeb/absenoldeb. Synnwyr cyffredin yw. Synnwyr angenrheidiol y cyffredin.

Seilir y Gynghanedd, a'r mesurau hwythau yn yr achos hwn, ar egwyddorion ffurfiol sydd yn y lle cyntaf yn anochel. Yn Nhafod yr Iaith ac yn Nhafod y Llenor, yn y gwaelod, cyferbyniadau o fewn cyfundrefnau sydd, a'r rheina wedi'u clymu wrth ffurfioldeb gweithredol ac esgorol trefnus y meddwl dynol. Y rheidrwydd i ddarostwng tryblith i drefn. Heb hynny, ni ellir cytuno nac anghytuno.

A. LLINELLOG

I. *MESURAU DEUOL*

Sylwn yn gyntaf eto ar galon yr holl fesurau. (Sôn yr wyf yn ffurfiol)

1. Gwreiddir y mesur craidd, y *Cywydd Deuair Fyrion*, mewn cyferbyniad ac mewn ailadrodd.

Mewn *corfan* cyferbynnir un sillaf acennog ag un neu ddwy sillaf ddiacen (mwy ambell waith).

Yn y drafodaeth sy'n dilyn y mae'r arwydd x o hyd yn un neu ddwy sillaf ddiacen, h.y. yn elfen ddiacen. Mae'r lleoliad yn amrywio. Gallant ragflaenu neu olynu'r acen gref yn ôl uned y llinell. Gelwir uned felly, lle nad oes mwy nag un acen gref, yn gorfan. Ond nid yw cyferbyniad ar ei ben ei hun yn gwneud mydr: rhaid cael ailadrodd, megis:

x – / x –

O ran cyhydedd sillafog, oherwydd anghenion cyferbyniad o fewn y llinell (gyda llawer amrywiaeth e.e. x x/x /, x/x/x, /x x /, x/x/ ayb., ond yr un nifer o brif acenion) bydd y 'sylfaen' yn bedair sillaf. Ni ellir llai. Gellir adeiladu ar hynny un neu ddwy sillaf (neu fwy).

Gelwir uned felly lle y ceir dwy neu dair acen gref, os defnyddir hi'n uned fydryddol mewn mesur, yn *uwch-corfan*. Gall trefn un uwch-corfan fod yn llinell neu ymgyfuno ymhellach ag uwch-corfannau eraill yn ddeuol neu'n driol i lunio llinell.

Cywydd Deuair Fyrion yw'r llinell leiaf: dyma ddwy linell –

Bráich tir Brýchan,
Briw'r iéirll bwrw rán.

Cynhwysa gyferbyniad acennol: cynhwysa ailadrodd acennol.

Dyna hefyd enghreifftiau o gorfan, uwch-corfan potensial a llinell 'graidd', gan eu bod gyda'i gilydd yn darparu egwyddor a ffurf ar gyfer llunio mesurau mwy 'datblygedig'.

[Sylwer: yn y cywyddau deuair fyrion neu hirion, caniatéir unsill acennog yn y gair cyntaf mewn llinell.]

Nid oedd y *Cywydd Deuair Fyrion* yn fesur Gogynfarddol; ond (wedi bod yn fesur Cynfarddol) fe'i cadwyd gan y glêr, a hefyd yr oedd yn dad ar ddosbarth cyfan o fesurau deuol, y mesurau Awdl yng nghyfnod y Gogynfeirdd, sef:

2. *Cyhydedd Naw Ban:* x – x – / x – x –

Dau uwch-corfan 2 + 2: 9 sillaf

Yno, dyblir ffurfiant y Cywydd Deuair Fyrion.

e.e. *Rhên llên a llyfrau, / golau galar*

375

Gellir cael Cyhydedd Naw Ban sy'n wyth-sillaf megis Cyhydedd Fer. Ond y patrwm acenion sy'n penderfynu'r mesur mewn Tafod, nid y gyhydedd. A dywed hynny rywbeth am flaenoriaeth acenion. Rhaid bod yn wyliadwrus, felly, *rhag* cyfrif Cyhydedd Fer, sydd mewn Tafod yn dair-acennog, yn bedair-acennog oherwydd goslef llais mewn Mynegiant.

    e.e.   *Duw dy náwdd/na'm cáwdd/i'm cámwedd*
    Nid: *Dúw dy náwdd/na'm cáwdd/i'm cámwedd*

Eto, nid amhriodol yw ystyried, pan geir 4 curiad mewn llinell o Gywydd, ei fod yn ymylu ar droi'n fesur newydd, yn Gyhydedd Saith Ban.

    3. *Rhupunt:* x – x – /x – x – /x – x –
    Tri uwch-corfan 2 + 2 + 2: 12 sillaf

        A   B   C

Gydag isodlau yn uwch-corfan A a B. Yno, treblir ffurfiant uwch-corfannau yn lle'r dyblu sydd yn y Cywydd Deuair Fyrion.

    e.e.   *Dy óed ond áeth/a ró'r Gwr áeth/ár y wir gróg*

    4. *Cyhydedd Hir:* x – x – /x – x – // x – x – /x – x –

Pedwar uwch-corfan deuol 2 + 2/2 + 2: 19 sillaf

        A   B   C   Ch

Hynny yw, dyblir patrwm y Gyhydedd Naw Ben o flaen y brifodl. Ailadroddir o fewn A a B, a chyferbynnir o fewn C ac Ch.

    e.e.   *Un dẃrf pan dérfynt/ac ód gan y gwýnt,/a náw erw óeddynt/ýn orwéiddiog*

II. *MESURAU TRIOL*

1. Datblygiad ffurfiol (nid hanesyddol o anghenraid) yw'r *Cywydd Deu-air Hirion* o'r Cywydd Deuair Fyrion o ran egwyddor fesurol. Ymestyniad corfannol yw. Y triol yn adeiladu ar y deuol. Hynny yw, ar ben dau guriad, neu ddwy sillaf gref y Cywydd Deuair Fyrion, ychwanegir un acen gref arall i ffurfio uwch-corfan triol.

    O ran egwyddor, yr oedd i bob llinell o'r Cywydd Deuair Fyrion un 'corfan' cynhaliol, sef corfan y brifodl. Pwysid ar hwnnw gan y corfan o'i flaen, y corfan dibynnol. Dyma'r cyferbyniad llinellol: corfan dibynnol/corfan cynhaliol. Gyda'i gilydd gwnaent uwch-corfan potensial. Hynny yw, dyma'r 'uwch-corfan' deuol yr adeiledid y mesurau Awdl ohono.

O ran egwyddor, yr oedd yr 'uwch-corfan' bellach a geid mewn Cywydd Deuair Hirion yn wahanol o ran natur. Yr oedd yn hwnnw gorfan dibynnol, bid siŵr, ond ni phwysai'n uniongyrchol ar y cynhaliol, eithr ar ddibynnol arall, ar ddibynnol a bwysai eisoes ar y cynhaliol.

Y llinell driol leiaf o bob un yw'r Cywydd Deuair Hirion. Dyma ddwy linell:

> *Y céiliog sérchog ei són,*
> *Brónfraith dilédiaith lóywdon*

Mae'r llinell gyntaf (a'r ail yn ei thro) yn uwch-corfan potensial yn ogystal â bod yn llinell. Gwahaniaethir yn y modd o lunio pennill: y cywydd yn llunio pennill dwy linell, a'r englyn yn llunio pennill tair linell. Yr un mesur mydryddol sydd i'r *Gyhydedd Fer*, ond mai 8 sillaf sydd yno, yn hytrach na saith.

Nid oedd y Cywydd Deuair Hirion yn fesur Gogynfarddol, ond (wedi bod yn fesur Cynfarddol) fe'i cadwyd gan y glêr, a hefyd yr oedd yn dad i ddosbarth cyfan o fesurau triol yng nghyfnod y Gogynfeirdd gan gynnwys y *Gyhydedd Fer*, a'r *Naw Ban Trichur.*

2. *Cyhydedd Fer:* x – x – x – Un uwch-corfan 3: 8 sillaf

e.e.   *Amdrist ẃyf,/górffwyf/i'm górffen*

Mae'n ddiddorol sylwi, yn ôl J. Morris-Jones (CD 334), ac yn fanylach helaeth yn ôl Peredur Lynch, mewn erthygl graff yn *Dwned* 4, 59-74 (1998), fod y Gyhydedd Fer newydd wedi datblygu ar ôl cyfnod y Gogynfeirdd. Yn lle'r hen raniad, tair rhan a thri churiad, cafwyd dwy ran pedwar curiad: sef 4 + 4 sillaf.

e.e.   *Gwan ẁyf o glẃyf/yn glàf trýmaint*
        Gwen ffràeth a'm gwnáeth/gnè goféilaint

Meddai Dr Lynch am y datblygiad hwn, 'gallwn ychwanegu yn bur hyderus mai o ganlyniad i ymyrraeth Einion Offeiriad y digwyddodd hynny.'

Sylwn mai datblygiad tebyg yw hyn i'r Cywydd. Ond syniaf fod y newid hwn, y sylwir arno'n gyntaf yng ngwaith Einion Offeiriad, yn gallu bod yn wahanol o ran cymhelliad ac ynghynt o ran datblygiad na'r Cywydd.

Gall fod yn fwriadus o ran Einion. Tybiaf mai isymwybodol oedd gogwydd cyffelyb y Cywydd.

Ond yr un yn union, debygaf i, oedd y fframwaith yn y naill ochr a'r llall. Dan bwysau mydrau mwyafrifol yr Awdl, sef 4 curiad, yr ymddangosodd y Gyhydedd Fer newydd. Mesur 8 sillaf (Cyhydedd Wyth Ban?) ar y ffin oedd rhwng 7 sillaf (Cywydd) a 9 (Cyhydedd Naw Ban). Dichon fod Einion Offeiriad wedi addasu'r Gyhydedd Fer yn ymwybodol, felly, i gyd-fynd â'r mesurau Awdl arferol. Ond rai blynyddoedd wedyn, gan nad mesur Awdl oedd y Cywydd yn gynhenid, fe lithrodd yn isymwybodol i ymdebygu'n oddefgar i bedwar curiad yr awdl, ond yn achlysurol. Hynny yw, ceid goddefiad i fod yn bedwar curiad yn ogystal ag yn dri churiad.

Ni wyddom pa mor hen oedd y Gyhydedd Fer wreiddiol. Nodais ynghynt, wrth gyfeirio at y Cynfeirdd, fod eu symudiad tuag at Gynghanedd Sain yn cael ei adleisio mewn prydyddiaeth Lydaweg (*Traethodydd*, 1977). Nid amherthnasol yw'r ffaith fod mesur tebyg i'r Gyhydedd Fer ar gael mewn Llydaweg hefyd. Gw. *Traethodydd* 1979, a hefyd sylwadau yn y gyfrol hon ar y Traeanog.

3. *Naw Ban Trichur* x – x – x – Un uwch-corfan 3 : 9 sillaf

Dyma wamalu i'r cyfeiriad arall. Ym Marwnad Gruffudd ap Cynan gan Feilyr Brydydd, ceir cymysgedd o Gyhydedd Naw Ban arferol a'r Naw Ban Trichur. Galwaf hyn yn *Gollddeuo*. Mae ein syniad am 'fai' (oni chaniatéid, fel y gwneid yn y cyfnod hwn, i'r naill a'r llall gydfodoli yn ddi-fai) ar y cwestiwn beth a ystyrid yn angenrheidiol ar y pryd, neu o leiaf yn gyntaf a pha un a ddôi wedyn. Dyma rai enghreifftiau o'r ail, sef Naw Ban Trichur (ond sylwer bod pob un yn gallu mynnu acen – rhagacen – ar ogwyddair):

> *Rhên néf mor rhŷfedd Ei ryféddawd . . .*

(Pe dadansoddid hyn yn ddeuol, gellid mynnu cael rhagacen ar y gogwyddair 'Ei')

> *Ni ddug néb céiniad nâg ohónawd . . .*
> *I rí a róai heb esgúsawd . . .*
> *Mal Úrien úrdden a'i amgýffrawd . . .*

(Gogwyddair eto – 'nâg', 'heb', 'a'i')

> *Nur cádau, neuáddau o ystýfllawd . . .*
> *Rhy'i gáded Rhúfain reg addfẃyndawd . . .*
> *Gogẃypo ei Ddúw o'i ddiwéddawd . . .*
> *Atgóryn déyrnedd yn weinýfddawg . . .* a.y.b.

(Tybiaf y byddai gogwyddeiriau'n maeddu bod yn acennog mewn Tafod wrth i fesur ymsefydlu'n gadarn yn acennog.)

Gan mai dyma fesur newydd i'w enwi, dylwn gyfeirio at enghreifftiau eraill ohono a grybwyllir mewn trafodaeth helaethach ar y mesurau yn SB 87-107.

III. *MESURAU TODDEIDIOL*

Rhaid trafod yn awr ddosbarth go wreiddiol o fesurau yn y Gymraeg, sef y Toddeidiau sy'n cynnwys y Toddaid, y Toddaid Byr, yn ogystal â'r Awdl-gywydd a'r Traeanog. Fel y gwelir yn y man, ymhlith y dosbarth Pen-illiog o fesurau ceir hefyd Hir-a-Thoddaid a Byr-a-Thoddaid. Mae a wnelo 'toddeidio' â'r patrwm odlog. Mewn gwirionedd, gosodir y Mesurau Toddeidiol gyda'r Mesurau Llinellog, am mai llinellau unigol cyfain ydynt yn fydryddol (er bod llawer yn fwy nag un yn gysodol), â'u nodweddion yn eu gosod ar wahân i'r Mesurau Llinellog eraill, am fod i'r brifodl arwyddocâd (neu ateb) o fewn y llinell, neu am fod diwedd un rhan neu gymal neu uwch-corfan yn odli â gair acennog *o fewn* uwch-corfan arall. Mewn Toddaid, ac weithiau yn y Toddaid Byr, y mae'r gair cyrch yn odli â'r gorwant, sef y bumed sillaf ar ei ôl. Yn yr Awdl-gywydd y mae'r isodl hefyd yn brifodl.

Mae'r rhain hefyd yn cael eu huwch-corfannu'n ddeuoedd ac yn dri-oedd.

Deuol

1. *Traeanog* (J. M-J a fathodd yr enw)

Tri uwch-corfan deuol 2 + 2 + 2 : 16 sillaf

$$x - x - / x - x - / x - \_ x -$$
A   B   C

  e.e.   *Dẃyfil o dýfydd,/dífalch yw Dáfydd,/Dinégydd,* | *dawn Iágo*

Gydag isodlau yn A a B ac *ar ganol* C. Treblu gydag amrywiad ar leoliad isodl yn y trydydd uwch-corfan.

Mae peth anghytundeb rhyngof a Dr Rhian Andrews (B xxxvi, 15) ynghylch lleoliad Traeanog yn y dosbarthiad. Deil hi y dylid darllen y Traeanog fel mesur triol. Ac wrth gwrs lle y bo chwech o guriadau, gellir synied eu rhannu'n 3 x 2 guriad neu'n 2 x 3 churiad. Dyna'r tramgwydd posibl cyntaf. Hynny yw, yn ddamcaniaethol gellid rhoi cynnig ar ddarllen y llinell uchod fel hyn:

Dẃyfil o dẏfydd, dífalch | | Dáfydd Dinégydd, dawn Iágo

Ond o ddechrau'i ddadansoddi yn y cymal olaf, sef uwch-corfan llywodraethol y brifodl, gwelir mai 'Dinégydd, dawn Iágo' yw'r rhaniad llywodraethol arweiniol i'r llinell hon. Ac yna, y mae'r ddau uwch-corfan o'i flaen yn barau cysurus sy'n odli â'i gilydd. Yr wyf i'n rhannu'r Traeanog felly yn dair rhan, gyda phob uwch-corfan yn cynnwys dau guriad (gw. SB 90); ac felly y'i gwna CD 313.

Oedd ré r(y)eréint/dan forddẃyd Geréint,/garhirín, grawn weníth

Hynny yw, rhydd CD 313 dri chymal, a'r tri yn ddeuol eu haceniad. Derbyniaf ei ddadansoddiad. Ac felly y'i gwna Rhian Andrews (Bxxxv, 14). Ond dywed J. Morris-Jones hefyd, 'Yr un mesur yw hwn â thoddaid byr, ond bod trefn wahanol i'r odlau.' Yma yr oedd yn anghywir, ac yma y camarweiniodd ef Dr Andrews efallai. Rhydd hi'r Traeanog yn y dosbarth tri churiad gyda'r Toddaid Byr.

Gyda llaw, geilw CD 335 (yn sgil Einion Offeiriad), yng nghyd-destun Byr-a-thoddaid, y Toddaid Byr yn Doddaid yn y fan hon; ond y mae'r Toddaid yn benodol ddeuol. Dyna'r ail dramgwydd posibl.

Ond y trydydd tramgwydd yw bod llinellau tri churiad yn gallu troi'n ddeuol mewn gwirionedd mewn datblygiad hanesyddol: felly'r Gyhydedd Fer, y Gyhydedd Naw Ban Drichur, o bosib (SB 95) Y Cywydd Deuair Hirion, ac yn wir y Toddaid Byr ei hun. Hynny yw, ceid ansefydlogrwydd o fewn y sefydlogrwydd.

Mae angen adolygu cymhariaeth J. Morris-Jones o'r ddau fesur, Traeanog a Thoddaid Byr. Tair rhan sydd i'r Traeanog, gyda dau guriad ym mhob rhan, ac y mae'r nodweddion cytseiniol ac odlog yn cadarn-hau'r traeanu. Dwy ran sydd i'r Toddaid Byr, a thri churiad i'r naill a'r llall (CD 339), ac y mae'r nodweddion yn cadarnhau'r ddeuoliaeth honno.

Y gẃr a'm rhòddes rhíniau | – ar défawd,
Ag àrawd a géiriau

Ni allwn wybod pa mor hen yw'r Traeanog. Ond y mae'r ffaith ei fod ar gael yn y Llydaweg, fel y ceisiais ei ddangos yn y *Traethodydd*, Ebrill, 1979, 97-105 yn goglais ymholiad, yn arbennig o gofio'r tebygrwydd yn strwythur y llinell yn seiniol yn y ddwy iaith (*Traethodydd*, 1977)

2. *Toddaid* (y 19G a fathodd yr enw)

Tri uwch-corfan deuol 2 + 2 _ 2 + 2 : 19 sillaf

$$x - x -/x - | \, x - // \, x - x -/x - x -$$

Datblygiad o'r Gyhydedd Hir drwy amrywiad odlog – megis yn y Traeanog. Y tro hwn ceir lleoliad prifodlog (a'r tro hwn yn yr ail uwch-corfan).

e.e. *Gwna d'isarn gádarn/góediog | gan hárcholl, // gwna pŵys dy wáyw/óll gan pais dŷllog*

Triol

1. *Awdl-gywydd:* Dau uwch-corfan 3 + 3 : 14 sillaf

$$x - x - x // \, x - | \, x - x -$$

Perthynas i'r Englyn Cyrch. Fel yn y dosbarth deuol yn achos y Traeanog, felly gyda'r Awdl-gywydd, ceir, yn uwch-corfan y brifodl, ymyrraeth isodlog. Yn y Traeanog y mae'r isodl yn y traean olaf yn odl fewnol. Yn yr Awdl-gywydd y mae'r isodl hefyd yn brifodl.

e.e. *Bŵriaist a gýrraist ar gíl // ddeunáwmil | óedd yn ýmwan*

2. *Toddaid Byr:* (y 19G a fathodd yr enw) Dau uwch-corfan 3 + 3 : 16 sillaf

$$x - x - x - // \, x - | \, x - x -$$

Tebyg yw'r patrwm i'r Awdl-gywydd, ond bod y patrwm sillafog yn wahanol: yr Awdl-gywydd 7, 7; yn y Toddaid Byr ceir cyfanswm o 16 sillaf ond gyda rhaniad ymyrrog yn yr ail uwch-corfan o is-rannu sillafog ar ôl y ddegfed sillaf. Llinell hir bengoll yw fel arfer (ac eithrio mewn Cynghanedd Sain)

e.e. *Dáfydd ŵyr Ddáfydd, gyr ddŵyfil // ar ffó | fal gyr Ffŵg a'th fásil*

Nid ystyriwyd y Toddaid Byr na'r Traeanog yn fesurau gan y gramadegwyr canoloesol. Dywed hynny rywbeth am ddiweddarwch yr arferiad swyddogol o doddeidio: y Toddaid Byr, fel y Toddaid, yn odli canol y llinell â'r brifodl; y Traeanog heb odli â'r brifodl, er y tebygrwydd i'r Toddaid Byr o ran cyhydedd.

Y nodwedd fwyaf arwyddocaol yn y Toddaid Byr o safbwynt bai 'Tor Mesur' yw'r Orffwysfa ar ôl y bumed sillaf yn yr uned (sef deg sillaf) sy'n tynnu i fath o raniad ar ôl y gair cyrch. Am gyfnod ymgaregodd yr Orffwysfa hon. Daeth yn rheol mewn Mynegiant. Ond wedyn, yn y cyfnod ar ôl y bymthegfed ganrif ymystwythodd.

Arferiad mewn Mynegiant yw'r Orffwysfa ar ôl y bumed sillaf, arferiad nad yw'n 'gyfundrefnol'. Tebyg yw i'r hyn a ddigwyddodd yn hanes yr *alexandrine* (sef llinell gyffredin prydyddiaeth Ffrangeg, 12 sillaf) wrth i'r Orffwysfa ymsefydlu ar ôl y chweched sillaf yn ystod yr ail ganrif ar bymtheg:

Je le vis, je rougis, // je pâlis à sa vue . . . (Racine)

Wedi'r ail ganrif ar bymtheg, ymddatododd y drefn honno, gan bwyll oherwydd Rhamantiaeth.

A chyda llaw, gwiw cofio mai'r hyn oedd y llinell seithsill gynganeddol i'r Gymraeg (drwy'r Cywydd a'r Englyn), hynny oedd y llinell ddecsill i'r Saesneg (drwy'r gwpled arwrol a'r mesur penrydd), a hynny eto oedd y llinell ddeuddecsill i'r Ffrangeg (yn yr alecsandrin), a'r llinell chwe chorfan i Roeg ac i Ladin (mewn hecsamedr), sef yr archfesur 'naturiol', y mesur cynddelwaidd yn yr iaith.

Wrth drafod datblygiad ambell fesur o fod yn driol i fod yn ddeuol, neu'n hytrach yn gymysgedd o'r naill a'r llall – y mae'r Cywydd Deuair Hirion a'r Toddaid Byr (a'r Englyn Unodl Union o'r herwydd) yn enghreifftiau gwiw – dylid cofio bod Dr Peredur Lynch wedi dangos bod y Gyhydedd Fer hithau hefyd wedi gwneud symudiad cyffelyb.

Dyna'r mesurau llinellog mwyaf arwyddocaol.

B. PENILLIOG (h.y. cyferbyniol)

Cyfunwyd gwahanol fesurau. Ac o arfer, sefydlwyd ambell drefn.

I. *MESURAU DEUOL*

(i) *Mesur Sylfaenol – Cyhydedd Naw Ban*

1. *Gwawdodyn:* Cyhydedd Naw Ban + Mewnosod Toddaid/neu Gyhydedd Hir
2. *Gwawdodyn Hir:* Gwawdodyn + cwpled ychwanegol.

II. *MESURAU TRIOL a CHYMYSG*

(ii) *Mesur Sylfaenol – Cyhydedd Fer*

1. *Byr-a-Thoddaid*: Cyhydedd Fer + Mewnosod Toddaid Byr/neu Draeanog ar y dechrau a'r diwedd. Ni ddodid dau Doddaid Byr ynghyd. [Sylwer: triol yw Cyhydedd Fer a Thoddaid Byr; deuol yw Traeanog.]
2. *Clogyrnach*: Cyhydedd Fer + Traeanog [Eto: triol yw Cyhydedd Fer a Thraeanog yn ddeuol.]

Dichon fod *Canu Aneirin* yn adlewyrchu cyfnod cynfesurol neu swydd y Bardd Teulu. Ceid traethganu fel y gellid 'paragraffu' yn hytrach na phenillio, tan gymysgu perthynas a chydlyniad 'mesurau'. Fe ddilynid hyn gan gyfnod o briodi rhai 'mesurau' yn fwy aml neu 'reolaidd', yn ôl dull yr Englyn ac efallai'r Pencerdd.

Dyma fesurau Awdl ychwanegol Beirdd yr Uchelwyr.

(i) *Mesurau Einion Offeiriad*

Deuol 1. *Hir-a-Thoddaid:* Gwawdodyn Hir (sydd eisoes yn cynnwys un llinell 10 sill). Rheoleiddir y llinellau oll yn 10 sill.
       2. *Tawddgyrch Cadwynog:* Dau bennill o Rupunt Hir â'r un brifodl.

Triol 1. *Cyrch-a-chwta:* Chwe llinell 7 sillaf + Awdl-Gywydd.

(ii) *Mesurau Dafydd ab Edmwnd*

Deuol 1. *Gorchest y Beirdd:* sef Rhupunt Hir Cwta 2 + 2: 15 sillaf
       2. *Cadwynfyr* (wedi'i seilio ar fesur Gogynfarddol) 2 + 2/2 + 2 16 sillaf

(iii) *Mesur y Cynfeirdd/a'r Glêr*

Rhupunt Hir: atgyfodi hen fesur a gafwyd gan y Cynfeirdd, a ollyngwyd gan y Gogynfeirdd, ond a gadwyd gan y Glêr.

$$x - x -/x - x - // x - x -/x - x -$$

Estyniad ar y Rhupunt. Ceir tri uwch-corfan cyffelyb o flaen uwch-corfan y brifodl, yn lle dau yn achos Rhupunt. Amrywiad yw hefyd ar y Gyhydedd Hir – gwahaniaeth rhwng y patrwm sillafog. Yn y Gyhydedd Hir ceir 5, 5; 5, 4 o sillafau, ac yn y Rhupunt Hir 4, 4; 4, 4 o sillafau.

383

Dyma'r mesurau Englyn pwysicaf:

(i) *Englyn Penfyr:* Toddaid Byr ac un llinell o Gywydd Deuair Hirion.

(ii) *Englyn Unodl Union:* Toddaid Byr a chwpled o Gywydd Deuair Hirion.

Y mae'r rhain yn golygu cyferbynnu llinell hir â llinell fer.

Dyna'r mesurau penilliog mwyaf arwyddocaol sy'n cynnwys cyfuniad o amryfal fesurau llinellog. Ceid cyfuniadau amrywiol eraill yn y cyfnod cynnar, megis Englyn Unodl Crwca, Englyn Cyrch. Gellid cyferbynnu'r *Englyn Milwr* nad yw ond yn ailadroddiad tair llinell o'r Cywydd Deuair Hirion, â'r *Englyn Proest* sy'n bedair llinell o Gywydd Deuair Hirion yn proestio. Codwyd y cwestiwn (gan Dic Jones) ynghylch y ddau fesur hyn – Beth yw'r rheol ynghylch peidio â defnyddio Cynghanedd Lusg yn y rhain? Ymddengys y gellid defnyddio Cynghanedd Lusg mewn llinellau olynol, megis yn Hir-a-Thoddaid, ond nis caniatéir yn y llinell olaf mewn mesur. Dyna pam y gellid honni wrth estyn dwy linell yn dair (e.e. yr englyn unodl union), nad ychwanegu ar ôl y llinell olaf a wneir, eithr cyn hynny.

Gwelir bod strwythurau'r mesurau yn wahanol o ran natur i strwythurau'r Cynganeddion. Mwy ymwybodol yw'r mesurau, ac y maent yn perthyn i Fynegiant. Gwelir felly fod yna gyfundrefnau adeileddol i'w cael ar lefel Mynegiant yn ogystal ag ar lefel Tafod. Maent yn awr yn fwy bwriadus. Ac y mae natur eu beiau o'r herwydd yn wahanol. Gellir symud ar lefel 'cyfrif' mwyach: cyhydedd.

Ac eto, tyn yr adeileddau hyn mewn Mynegiant rai egwyddorion neu batrymau sylfaenol o adnodd Tafod. Yn arbennig y grwpio llinellau mewn deuoedd a thrioedd, a'r gwahuno a ganfyddir mewn grwpio llinellau yn ôl ailadrodd/cyferbynnu. Dyna'r ddwy egwyddor ddofn a fabwysiadwyd gan Fynegiant i gyfuno llinellau'n benillion.

*   *   *

Torri Mesur

Gwelsom, felly, fod dau fath bras o fesurau: y rhai llinellog a'r rhai mesurol. Dosbarthiad hanfodol arall ar y mesurau (yn ôl mydr) fyddai rhai deuol a rhai triol. Yn y mesurau llinellol, gellir cael rhaniad deuol (Croes a Llusg) a rhaniad triol (Traws a Sain); a hefyd yn ôl dadansoddiad corfan, x – a x x –. Mae cyferbynnu dau a thri yn gyferbyniad delweddol elfennaidd.

Nid oedd cymysgu'r cyferbyniadau hyn oll yn mennu dim ar y mesurau heblaw pan roid Llusg yn llinell olaf mesur; ac nid oedd iddynt fel arfer arwyddocâd. Yn llinellol, yr unig dro cyffredin pryd y teimlid bod y mesur yn mynd ar gam oedd pan ddiffygid o ran cyhydedd. Hynny yw, pan geid nifer afreolaidd o sillafau. Gellid galw hyn yn *Gam Gyhydedd.* Bai mewn Mynegiant.

Yn y mesurau penilliol, gellid cyplysu llinellau â'i gilydd eto yn ddeuol neu'n driol, megis cwpled y Cywydd Deuair Hirion, a'r Englyn Unodl Union (lle yr ystyrir y Toddaid Byr yn un llinell hir). Hefyd, wrth gyplysu llinellau yn benilliol fe geir techneg ailadrodd, eto yn y Cywydd Deuair Hirion (er bod yna amrywiad odlog), a'r dechneg gyferbyniol, eto yn yr Englyn Unodl Union lle y cyferbynnir llinell hir y paladr â dwy linell fer 'ailadroddol' yr esgyll.

Unwaith eto, uno mesurau â'i gilydd a wnaed i ffurfio'r hyn a ystyrid yn fesurau a gyferbynnai hir a byr, yn y traddodiad Indo-Ewropeaidd. Er enghraifft, byddai dodi'r paladr (hir) ar ôl yr esgyll (byr), yn hytrach nag o'u blaen, yn cael ei gyfrif yn dderbyniol. Tyfodd y traddodiad mesurol drwy estyn ac arbrofi o'r fath. Yn gynhenid yr oedd y traddodiad penilliol yn barod iawn, yn gaeth ac yn rhydd, i dyfu'n weddol naturiol, yn ystwyth ac yn amryddawn. Ac ni ellid llai nag ystyried bod y cyfyngiad diweddar yn yr Eisteddfod yn erbyn *vers libre* cynganeddol i'r gadair, a'r rheol o bosib ynghylch cyfyngu ar dro i'r 24 mesur (go anhraddodiadol aneffeithiol at ei gilydd: stwff gramadegwyr), yn groes i *ysbryd* y traddodiad.

Gellid ystyried y byddai yna ddau fath cyffredinol o Dor Mesur, Tor Mesur llinellol a Thor Mesur penilliol. Ond i bob pwrpas, dim ond Tor Mesur llinellol a fu'n wir ystyrlon ond pan godwyd shiboleth ynghylch *vers libre* cynganeddol.

At ei gilydd, byddaf yn ystyried bod Tor Mesur yn fai arwynebol o'i gymharu â Thor Cynghanedd. Bai yw mewn Mynegiant yn hytrach na bai mewn Tafod. Cyfeiriodd Simwnt Fychan a John Morris-Jones at y tri bai a geid yn y cwpled:

> *Gwr-ab oedd yn gyrru bw,*
> *Gwreigan gul greg yn galw.*

Oherwydd yr hen reol mai un sillaf oedd 'galw' (*w* gytseiniol: felly y dangosai ychwanegu sillaf -odd, ac fe geid 'galwodd'), bernid bod Tinab yma (sef odli acennog ag acennog); yn ail, Twyll Odl, am yr un rheswm; ac yn drydydd, Tor Mesur (Cam Gyhydedd), sef chwe sillaf yn lle saith. Roedd yn amlwg, eisoes yn yr oesoedd canol fod yr *w* yn 'galw' yn sillafog. Academaidd oedd ei throi'n ôl yn gytsain fel y bu gynt. Bellach, ers diwedd yr ugeinfed ganrif, fe'i cydnabuwyd yn swyddogol sillafog.

Mae'n amlwg mai'r glust a ddylai lywodraethu ar y Gynghanedd. Gwaith llafar oedd, o dan awdurdod y glust yn y meddwl. Felly, academaidd oedd ystyried 'enw' a 'garw' yn unsill o dan bwysau afreal a hynafiaethol y 'traddodiad'. Canlyniad traddodiadaeth, ac academaidd yn y fan hon, oedd treisio hanfod realistig ymarfer y Gynghanedd – sef clywed. Digwyddai rhywbeth tebyg mewn Trwm ac Ysgafn, ac eithrio ym Morgannwg, pan ymlaciodd y rhan fwyaf o Gymru a pheidio â gwahaniaethu ynganiad rhwng tonau, tonnau; tanau, tannau; canu, cannu. Cedwid gwahaniaeth ymhobman ond Morgannwg gan y beirdd yn groes i dystiolaeth eu clustiau.

Ai mater academaidd yw hanfod y Gynghanedd ynteu rhywbeth i'r glust? O'i rhoi fel yna, mae'r ateb yn syml. Cymerer ynganiad y cysylltair 'ac' (sef ag). Felly y bu 'erioed'. Artiffisial, ie cynnyrch addysg annigonol, fu ynganu 'ak': yr un fath ag ysgolion yn methu â dysgu i'r plant mai'r ffordd gywir ddiamheuol i yngahu 'ei, ein, eich, eu' yw 'i, yn, ych, i'. Artiffisial hollol yw'r orgraff. Mae'n bryd addysgu darllen yn gywir. Mewn Cynghanedd, felly, disgwylir i'r glust ymateb i'r iaith lafar fyw fel y bu erioed, a hyd yn oed i'r fel y datblygwyd. A dyma gwestiwn bron yr un mor rhwydd, felly, mae'n ymddangos. Ai rheolau a benderfynir gan bwyllgor drwy bleidlais ddemocrataidd sy'n sicrhau beth sy'n gywir mewn cystadleuaeth yn yr Eisteddfod, ynteu yr iaith fyw ei hun? Onid yr iaith ei hun yw'r frenhines? Ynteu onid realedd pethau yw bod addysg (hyd yn oed addysg anghywir) yn medru newid traddodiad?

Arafwn am foment. Ar gyfer cystadleuaeth a chanddi reolau, mae'n bwysig gwybod beth sy'n safonol gytûn. A yw 'lle' er enghraifft yn odli â 'llongau'? Does neb yn naturiol yn dweud 'llongau' am wn i. Neu, ai 'da' sy'n odli â 'llongau'? Beth yw seiliau'r penderfynu? Onid yr iaith fyw lafar naturiol safonol? Tybed? Sut yr yngenir 'diffaith' a 'gwahaniaeth'? A ddylai'r pwyllgor bob amser ildio i 'eth' ac 'ath' ac ymgymhwyso i'r iaith lafar safonol neu ynteu gydymffurfio â ffaith ddiamheuol yr iaith lenyddol yr wyf yn ei defnyddio yma ar hyn o bryd mewn rhyddiaith, a cheisio deddfu'n unol ag ynganiad priodol i'r iaith lenyddol geidwadol hon ei hun? A ddylid caniatáu i Dic Jones (yn 'Gwanwyn') ddefnyddio 'Ac ymlid eira cymylau dyrys' ac i T. Gwynn Jones (yn

'Ymadawiad Arthur') ddweud 'Nad ery cwyn yn ei thir ac yno ni thery'. Pwy yw'r meistri dywedwch?

Cyfyngai J. Morris-Jones y term Tor Mesur i gyfrif sillafau yn unig. Cam gyhydedd. Ond mewn Tor Mesur gellir mynd yn ddyfnach, a'i gael pan fo mesur deuol yn cael ei fabwysiadu a'i sefydlu yng nghyd-destun ffurfiol cerdd, ac yna'r bardd yn ymyrryd neu'n trosi llinellau a fu mewn cyd-destun deuol yn driol. Neu i'r gwrthwyneb. Colldrio neu gollddeuo.

Gadewch inni drafod un broblem arbennig, sef tri churiad neu bedwar curiad y llinellau nawsill neu ddecsill. Dyma sydd gan Euros Bowen i'w ddweud mewn beirniadaeth Eisteddfodol ym 1978 am linell nawsill: '*A hélaeth olýniaeth oléuni*':

'Tri churiad yn lle pedwar, er na welaf pam na ellir hyn yn amrywiad lle y bo'r llinell yn Gynghanedd Sain sydd o ran natur â thri churiad eglur'. Hynny yw, disgwylid i linell fel hon, Cyhydedd Naw Ban yn ôl pob tebyg, feddu ar bedair acen gref. (Nawban Trichur yw'r enw a roddais ar y mesur uchod.) Disgwylid i Sain feddu ar dair acen gref (yn unig).

Pedwar curiad a geir mewn llinellau naw a decsill, yn ôl J. Morris-Jones. Ond i'm bryd i, sail artiffisial sydd i'w reol. Yr hyn a wna Euros yw derbyn llinell sy'n gywir o ran Cynghanedd, er ei bod yn ôl pob golwg yn dryllio'r traddodiad mesurol.

Yr hyn sydd o'i le ar ddadl Euros, yn ôl traddodiad Syr John, yw bod y llinell a drafoda yn perthyn *yn fesurol* i ddosbarth y mesurau deuol (h.y. mae'n meddu'n draddodiadol – yn ddeddfol os mynnir – ar bedwar curiad). Eto, yr ydym yn dystion o'r gwamalu a geid yn y Cywydd Deuair Hirion rhwng y deuol a'r triol.

Yn awdl 'Hyperion' (Euros) ym 1953 ceir y llinellau

> *Daw ánnwyd/ar ei thír/a dihóeni*
> *Mae'r gálon/yn mawrháu/y regália*

sydd yn yr un olyniaeth: yn gywir o ran cyd-batrwm acenion, ond yn anghywir o ran perthynas fesurol.

Yn awr, yr wyf i wedi ceisio dadlau, yn ôl rheolau Cynghanedd (bid a fo am draddodiad mesurol) fod yna'r fath beth â Chyhydedd Nawban Drichur. Hynny yw, fel y daeth y Cywydd i gynnwys y ddau draddodiad, deuol a'r triol, felly y Gyhydedd Naw Ban. (gw. SB 95-6, 157, 175)

Mae gan J. Gwilym Jones yntau awgrym i berwyl cyffelyb ym 1979, ond ei fod ef yn mynd ychydig ymhellach: 'Y mae yna rai nodweddion yn aceniad y llinellau sy'n awgrymu ychydig o ddiffyg profiad mewn cynganeddu . . . ambell sain sydd â phedair acen.' Rhaid bod yn eglur yn gyntaf am awdurdod y traddodiad. Nid yw Cynghanedd Sain yn ymgyfyngu i dair acen, wrth gwrs, gan fod modd cael Sain Deirodl, Sain Wreiddgroes, Sain Ddwbl a Sain Gadwynog. Yn y bennod ar 'Ffurf y Cywydd a'r Englyn' (Rhan 1), cyfeiriais at enghreifftiau helaeth o Gynghanedd Sain gan Ithel Ddu (Bychan y cwynai Mai mwyn), Gruffudd Fychan (Taer, mi a'i hadwaen, raen rin), Gruffudd Llwyd, Gruffudd ab Adda, Madog Benfras, Gruffudd Gryg ac yn y blaen, lle y ceir pedwar curiad yn naturiol. Ac yn wir, yn hanes y Cywydd Deuair Hirion, wrth i bedwar curiad dyfu yn lle tri churiad, Sain (yn baradocsaidd) a arweiniodd yn y newid.

Os yw Sain yn cydymffurfio'n gywir â chydberthynas sillafau acennog a sillafau diacen, yna ni waeth a oes 3 neu 4 curiad mewn llinellau – ond (ac y mae hyn yn fater pwysig) fe ddigwydd yn ôl fel y mae'n perthyn *yn fesurol* i ddosbarth y mesurau deuol (y mesurau awdl at ei gilydd – Toddaid, Hir a Thoddaid, Cyhydedd Naw Ban a.y.b.) neu i ddosbarth y mesurau traddodiadol driol (y Cywydd a'r Englyn: dosbarth sydd bellach yn cydymffurfio'n gynyddol â'r mesurau deuol).

Ceir dau draddodiad mesurol didoledig i'r glust yng Nghymru, peth nad oedd Euros yn glir ynglŷn ag ef, sef y traddodiad triol (Cywydd Deuair Hirion, Englyn Unodl Union, Naw Ban Trichur, Awdl-gywydd, Cyhydedd Fer), a'r traddodiad deuol (Cywydd Deuair Fyrion a'r rhan fwyaf o'r mesurau awdl fel Cyhydedd Naw Ban, Rhupunt, Cyhydedd Hir, Toddaid). Mae ef yn eu cymysgu'n anfeirniadol yn ei swydd fel 'beirniad'. Gellid cyfrif hynny'n fai mawr mewn Mynegiant, er nas gwnelwn i, oherwydd y mae gennym gynsail eisoes yn natblygiad hanesyddol y Cywydd Deuair Hirion, fod y triol yn gallu llyncu a chyfredeg gyda'r deuol.

Roedd gan Euros, sut bynnag, agenda personol ynghylch newid mesurau a mydryddiaeth hyd yn oed pan nad oedd ond yn beirniadu'r awdl yn yr Eisteddfod Genedlaethol. Dengys hyn eto ym 1978 lle y cais ddisodli patrwm acennog 2/2 gan 3. Mae hwnnw'n fai y mae angen esgidiau dawnsio bardd yn hytrach nag esgidiau hoelion beirniad i ymdrin ag ef.

Ond mi farnwn i mai peth yw 'cyfrif sillafau' nad yw'n perthyn i graidd Cerdd Dafod. Felly yr ystyriwn hefyd gymysgu mesurau deuol a thriol, ond bod acenion yn fwy dylanwadol na chyhydedd. Digwydd amrywiad y naill a'r llall yn y traddodiad heb greu gormod o ffwdan.

Felly y cyfunwyd gynt fesurau triol yr Englyn mewn gosteg ynghyd â mesurau awdl draddodiadol glasurol. Cyferbyniad oedd hwnnw hefyd mewn undod.

Rhyfedd er hynny yw pedwar curiad Cynghanedd Sain, gan eu bod yn croesi disgwyliadau theoretig. Gellid meddwl y byddai rhaniadau mydr y cynganeddion yn cyfateb i'r rhaniadau cyd-seiniol. Hynny yw, fe ddisgwylid y byddai rhaniad tair rhan odlog-gytseiniol Cynghanedd Sain yn cyd-fynd â thair acen gref. A'r un modd, dylai dwy ran Cynghanedd Groes gyd-redeg â dau brif guriad, neu ddau bâr o ddau guriad. Ond nid felly y mae'n digwydd. Mewn Cynghanedd Groes yn y Cywydd Deu-air Hirion o'r cychwyn cyntaf roedd tair acen gref yn arferol: 1 + 2. Ac yn y Gynghanedd Sain, fe geid pedair acen yn rhyfeddol o aml: 2 + 2. Mae hi fel petai afreoleidd-dra annisgwyl yr aceniad yn gallu ystwytho neu darfu ar rigol y patrymau seiniol. Ei wrthbwyntio. Mewn celfyddyd ni fodlonir ar gysur rhy brennaidd a rhy ddisgwyliedig.

Gwir bod y nifer o acenion mewn llinellau yn ymestyn neu'n crebachu yn ôl cyhydedd. Ni ddisgwyliwn mewn llinellau dros wythsillaf (dyweder naw neu ddeg) fod tair acen yn ddigonol. Tueddir mewn llinellau o'r hyd yma i gael patrwm deuol – dau a dau, dyweder, neu ddau a dau a dau. Pan gawn dair acen gref gan Euros, cyfrifwn mai Tor Mesur yw. Ond gwelsom fod Nawban Trichur yn bosibl a gwyddom na pharchai Euros beth bynnag y mesurau yn ôl fel y gwnâi'r traddodiad. Yn ôl y traddodiad yn ddiarwybod iddo ef ceid mesurau triol (Cywydd ac Englyn) a mesurau deuol (rhai mesurau Awdl); ac yn ddatblygol o fewn Cywydd (ac wedyn yr Englyn) fe geid y cymysgu cynyddol rhwng dau a thri.

Ond ni pharchai Euros yr egwyddor y tu ôl i'r mesurau ychwaith. Ac fe'u bychanai hwy. Heblaw hynny, pwysleisiai – yn gwbl gywir – fod egwyddorion y Gynghanedd yn ddilys ar wahân i'r mesurau; ac mai da oedd arbrofi. Byddai rhai'n dadlau mai priodol yw arbrofi'n brydyddol o fewn natur y gyfundrefn gynganeddol, fel y bydd yr iaith ei hun mewn Mynegiant yn dod o hyd i amrywiaeth o fewn Tafod. Y Traddodiad efallai yw'r arbrofwr gorau mewn Cerdd Dafod. Mae Ôl-foderniaeth, mi obeithiaf yn myned heibio; bellach cawn ôl-orseddu Traddodiad ym-gyfnewidiol, ond yn fwy effro y tro hwn. At ei gilydd, arbrofion y beirdd mewn sensitifrwydd yw'r gwir ddatblygiad, nid syniadau 'arbrofol' y beirniad.

*   *   *

Ond pa fath o gysyniad yw 'Beiau Gwaharddedig' mewn unrhyw fath o farddoniaeth yn yr oes ôl-fodernaidd hon? Yn wir, mewn cyfnod rhamantaidd, pa mor ystyrlon yw rheolau Cynghanedd o fath yn y byd? Onid ydym oll yn ymosodol o rydd? Onid haerllugrwydd annioddefol yw anadlu'r un chwa o ddeddf lenyddol bellach? Heneb od a chywrain, efallai. Sefydliad bach cenedlaethol ymylog, yn ddiau. Ond onid rhyfygus ac amherthnasol yw tarfu ar ein penrhyddid bach cyfoes ni, yn ôl crairgarwch Cerdd Dafod ddifrif?

Pa fath o fywyd yw hyn dwedwch, pan geir rhywun mewn un wlad drefedigaethedig ddiarffordd yn sôn am lenyddiaeth wâr a'r un pryd yn sôn am rywbeth sy'n 'waharddedig'?

Cymerer un ddefod enghreifftiol dila yr ydym oll yn gyfarwydd â hi. Yr oedd yna gyfnod ar ddiwedd y bedwaredd ganrif ar bymtheg, ac ychydig wedyn, pryd y byddai gorffen llinell o brydyddiaeth â gogwyddair megis y fannod neu arddodiad fel 'ar' neu ragenw blaen fel 'fy' yn ddigon i J. Morris-Jones dyweder golli'i limpyn. Meddyliwch. Nid oedd pobl yn gwbl siŵr a oedd Islwyn yn anwybodus ynteu'n wirion wrthryfelgar wrth sgrifennu:

> *O naws aeafol fyth yn disgyn ar*
> *Amfrwysol bethau ei ramantol awr . . .*
> *Yr hongiai eu gorelltydd gwylltwedd dros*
> *Ddyfnderoedd nad yw'r greadigaeth hon . . .* a.y.b.

Wrth gwrs, ar ôl chwythiadau Islwyn fe ddaeth William Carlos Williams ac e.e. cummings ar lwyfan rhyngwladol America yn hanner cyntaf yr ugeinfed ganrif. A derbyniwyd bod goferu o'r fath efallai yn amgenach ac yn ddyfnach nag *avant-garde* sy'n ceisio bod yn llancaidd ddefodol a siocio hen bobl gloff o gefn-gwlad Cymru. Gellid hyd yn oed gorffen llinell â'r fannod 'y' neu â'r cysylltair 'a'. Dull cydnabyddedig oedd mwyach i 'linell' a 'goferu brawddeg' groesi cleddyfau â'i gilydd. Tyndra bychan pitw oedd hyn. Plygodd hen wlad ein tadau gan bwyll.

Dyma, gyda llaw, faes lle y câi Syr John ei hun dipyn o drafferth. Ar un tudalen, gwelsom fel y gallai daeru gydag awdurdod hyderus (am yr 'y' a 'fy' mewn rhagacen), 'Ni ellir acennu'r un o'r rhain', a dau dudalen wedyn dyfynnai:

> *Ystýrmant/ yr ystórmoedd*
> *Fonhéddig/ fy nyhúddo.*

Ni chawn ninnau yn ein soffistigedd uwchradd fawr o drafferth i ddygymod â hyn, wrth gwrs. Ond diau ei fod yntau ychydig yn anfodlon o fewn ambell gyd-destun. Ond sut y gallwn ninnau heddiw yn ein hoes oleuedig ni ganiatáu'r fath ffenomen â *rheol* neu *fai*?

Yr unig ateb yw cydnabod mai gwlad gyfan oedd Cerdd Dafod. Wrth fynd iddi derbyniwyd deddfau'r wlad beth bynnag oeddent. Ei harbenigrwydd mwyaf gorchestol oedd ei bod yn gyfundrefn gyflawn, ar gyfer pob llinell o ran delfryd – yr iaith ffonolegol gyfan. Doedd dim modd deall neb heb hynny. Roedd gyrru ar ochr dde'r hewl yn bosibl bellach. Ond yr un pryd roedd rhai deddfau hyd yn oed yn fwy haerllug. Roedd anadlu ocsigen eisoes yn normal. Caniatéid disgyrchiant. Dichon fod rhai o gonfensiynau'r wlad yn od, megis gwisgo dillad. Ond mae'n syndod mor gyflym y down yn gyfarwydd â'r arferiad. Y tu mewn i ffiniau'r wlad hon, fel a'r fel yr ydym yn byw. Dim ond ymarfer yma ychydig, ac fe ddaw bron yn naturiol. Mae Cynghanedd Groes yn bodoli megis ag y mae berf yn bodoli. Gwaharddedig yw iaith (Indo-Ewropeaidd) heb enwau ac ansoddeiriau. Mae gennym yma gyd-destun penodol. Disgrifio'r amgylchfyd prydyddol penodol hwnnw – a oedd ac sydd yn norm ac yn ddirfodol, – dyna dasg y sylwedydd o feirniad Cymraeg: cydnabod realiti. Cynghanedd yw'r iaith gyfan a siaradwn.

Gwlad fwy o faint wrth gwrs, ond cyffelyb ddigon yw llenyddiaeth hithau ei hun.

Un o brif themâu'r gyfrol hon yw dangos sut y mae arferiadau strwythurol mewn Mynegiant yn ymsefydlu'n gyfundrefnau strwythurol i Dafod. Ffordd arall o ddweud yr un peth yw mai Arddulleg sy'n llunio Dulleg. Estynnir hyn drwy gydol llenyddiaeth.

Yr un pryd ag y mae Tafod yn gallu adeiladu Mynegiant ar y pryd, y mae Mynegiant yn gallu adeiladu Tafod dros amser hir. Un o ryfeddodau'r astudiaeth o Gynghanedd yw amlygrwydd syfrdanol y datblygiad ieithyddol hwn ar waith mewn enghraifft anferth ffonolegol.

Caniatáer yn or-gryno gyfeiriad cymharol at un strwythur cyffredinol o fewn Beirniadaeth Gyfansawdd, ac nad oes dim modd ond ei grybwyll yn y fan hon, ond sy'n un o ffurfiau mawr llenyddiaeth. Cymhariaeth lydan ond arwyddocaol, gredaf i, fyddai olrhain y modd mewn Beirniadaeth Lenyddol y mae un o strwythurau neu o dechnegau mwyaf gogleisiol Mynegiant – Safbwynt Storïol (fi, ti, ef) – yn medru ymledu o ran arwyddocâd ac esgor ar brif strwythur morffolegol a chystrawennol Tafod llenyddiaeth, sef y llenddull gofodol (*spatial genre*), neu lenfath (Telyneg, Drama, Stori). Dynodaf i fy nghred fod y fframwaith yn y Safbwynt Storïol wedi ymsefydlu'n rhan o'r fframwaith i'r holl ffenomen o Lenfath ffurfiol. Ac os caf gario'r gymhariaeth honno un cam ymhellach . . . Yn *System in Child Language* ceisiais ddangos fel y mae rhychwant cyfundrefn y rhannau ymadrodd traethiadol (enw; berf/ansoddair; adferf) mewn Morffoleg yn ymgysylltu â thri phrif brop y 'frawddeg' mewn Cystrawen. Ac ymhellach, o ganlyniad, mewn Beirniadaeth Lenyddol, yr wyf yn gallu trafod y ffordd gysylltiedig y mae'r Rhannau Ymadrodd Storïol (Cymeriad, Digwyddiad, Amgylchfyd) yn esgor ar lenfath y Naratif, a hynny eto yn ôl egwyddor 'dibyniaeth'. Ceir datblygiadau mawr 'cosmig' bron, yn drosiadol. A rheidrwydd i gyd. Da cofio cydlyniad y panorama oll.

Mae holl weithgaredd ffurf lenyddol, sy'n isymwybodol ac *o'r* golwg, ar gerdded yn gudd, ond mor ddiriaethol bob dim â'r gweddau arwyneb sydd *yn* y golwg. Cerdda o Fynegiant i Dafod, ac yn ôl. Erys y cerdded yn faes go wyryfol. Tybed, yn y Gymraeg, a fydd modd inni fentro arloesi drwy fraenaru'r maes hwn *yn lle* bodloni o hyd ar ddynwared dulliau meddwl Lloegr?

Fel y mae dychan yn cael ei ddefnyddio'n unswydd er mwyn hyrwyddo moesoldeb, felly y mae'r Beiau Gwaharddedig yn gyfundrefn sy'n bodoli'n unswydd er mwyn sicrhau'r cadarnhaol. Ymddengys hyn oll i mi, yn nannedd pob ymgais ymwybodol i fod yn danseiliol, yn wedd isymwybodol ar wth triol eu celfyddyd: gwerth – trefn – diben. Gellir datblygu trefn bellach o fewn cadw trefn o'r fath.

V.

ARBROFI

Arbrofi

(i) ARBROFI CYNGANEDDOL

Hen, hen, hen alwad yw'r gri am 'fod yn newydd'. Ond beth yw newydd-deb heddiw? Ai arddull disgwyliedig annisgwyl dauddegau'r ugeinfed ganrif? Ai *avant-garde* barfwen ystrydebau 'sioclyd' oes a fu? Ai arbrofi anhunanfeirniadol blinedig *pissoir* Duchamp?

Bid siŵr, erbyn hyn, y mae'r beirniaid rhigolog i gyd yn gweiddi 'newydd'. A gwyddant eu bod yn llygad eu lle. Ond i'r sawl sy'n teimlo'r awydd am newydd-deb dwfn greadigol yn cwrso'n anwel annealladwy drwy'i wythiennau, y tu hwnt i arddangosiad creu argraff allanol, y mae'r newydd iddo ef neu iddi hi yn herio'r ystrydebau 'gwrthryfelgar', yr Ôl-foderniaeth ddiddychymyg, yr anhrefn drefnedig, y sioe yn y golwg.

Ym mryd rhywrai, arbrofi mewn Cynghanedd yw Beiau Gwaharddedig eu hun. Pawb at y peth y bo. Gwyddom am y plant drwg hynny y mae ganddynt esgus am bopeth. Ac wrth gwrs, ar ryw olwg y maent yn dweud yr anochel . . . Onid y farddoniaeth sy'n cyfrif?

Priodol er hynny yw gwybod – beth yw natur 'newydd-deb' y toriad neu'r datblygiad yn y Traddodiad? Oni ddywed hynny rywbeth am ddyfnder y strwythurau? A yw'r Beiau Gwaharddedig creadigol a gyflawnir yn digwydd *o fewn* Tafod (megis Gorglystyru acenion cryf) ynteu yn digwydd yn fwy arwynebol o fewn Mynegiant megis Cam Gyhydedd? A yw'r newydd-deb ei hun yn isymwybodol neu'n ymwybodol? Gall bardd dreisio 'cywirdeb' wrth reswm ym mhob cerdd a sgrifenna a honni bod hynny'n newydd; ond ni wna hynny ddilysrwydd newydd-deb, o leiaf yn yr hanfodion, os yw am aros o fewn teyrnas gelfydd Tafod Cynghanedd.

Buwyd drwy gydol y gyfrol hon yn ceisio ystyried y berthynas rhwng cyflyrau pwysfawr Cerdd Dafod a Cherdd Fynegiant. Un o'r nodweddion sy'n gwahaniaethu rhyngddyn nhw yw'r ffaith fod Cerdd Dafod fel arfer yn dathlu'r isymwybodol, a bod Cerdd Fynegiant yn dathlu'r ymwybodol. Ond dichon fod modd arbrofi yn y naill fel y llall o'r ddau gyflwr hyn. Hynny yw, dichon fod yna'r fath beth ag arbrofi'n isymwybodol yn ogystal ag yn ymwybodol. Ac efallai, i'r crefftwr deallus, mai da yw gwybod y gwahaniaeth.

Mae yna le i'r naill a'r llall. O fewn ffurf Traddodiad, sef y fwyaf estynedig o'r ffurfiau llenyddol i gyd, fe gawn ddiacroni (sef yr olwg ar 'hyd' llenyddiaeth o'i chyferbynnu â'r olwg gota ond dwys amlochrog – syncroni – ar un pwynt yn hanes llenyddiaeth). Yr hyn sy'n angenrheidiol i ddatblygiad yw ansefydlogrwydd o fewn sefydlogrwydd. Y newid o fewn y parhad. Darpara Traddodiad y ddwy ochr. Ond i lenor ar y pryd, y mae hefyd yn fath o Dafod. Hynny yw, dyry Traddodiad fath o gynhysgaeth, cefndir, dysg. Dyma'r hyn a rydd i'r presennol wreiddiau megis iaith: yr offeryn rheidiol i ddeall a siarad, ar gyfer symud ymlaen. Drwy'r Traddodiad hefyd y dysgwn yr angenrheidiau sydd mewn trefn.

Arbrawf isymwybodol o fath a geir bob tro y bydd datblygiad arferiadol mewn Cerdd Fynegiant yn troi'n drefn mewn Cerdd Dafod. Cymerwch ein hen gyfaill y gwall:

Y dewr gwrol drwy gweryl

Fe sylwasom o'r blaen fod hyn ar un adeg, yn y bedwaredd ganrif ar ddeg, yn gywir dderbyniol. Yna, o dan bwysau chwaeth a ffasiwn y bymthegfed ganrif, ac o fewn amgylchfyd yr egwyddor GWAHUNIAETH a *rhy ac eisiau*, cyfyngwyd fwyfwy ar yr hyn a oedd yn dderbyniol i'r glust. Twtiwyd. Daeth hyn yn fai gwaharddedig. Fe'i diarddelwyd. Nid oedd y corff yn gallu derbyn yr organ hwn mwyach.

Dyma arbrofi go ryfedd, o ddilyn ystyr arferol y gair 'arbrofi'.

Eto pe ceisid trawsblannu wedyn Broest i'r Odl i linell yn y bymthegfed ganrif, fe ymwrthodid ag ef fel arfer megis drwy reddf. Oherwydd symudiadau o'r fath newidiwyd fframwaith Cerdd Dafod oll. Math o arbrawf isymwybodol geidwadol oedd osgoi Proest i'r Odl o fewn awyrgylch 'annifyr' yr amseroedd. Corffori 'ymatal' newydd mewn fframwaith clywed oedd yr 'arbrawf' anfentrus hwn. Dyma chwyldro go od – arbrofi drwy ymwrthod, creu drwy beidio. Rhaid bod hyn yn fath o glasuraeth ewyllysgar. Mae'r duedd mor ddierth i ni fel y gallem lewygu wrth feddwl amdani'n ormodol.

Hynny yw, ar un adeg bu'r llinell uchod yn gywir. Wedyn, cynilwyd yn fewnol ar faes cywirdeb. Cafwyd gwahanol siâp i'r gyfundrefn. Nid ychwanegu dim *anghywir* a wnaethpwyd. Ond tociwyd. Ailosodwyd terfynau'r maes. Dyna arbrofi isymwybodol gwrth-dros-ben-llestri Tafod. Ceidwadaeth o arbrofi.

Ym meddwl y ganrif ddiwethaf, bid siŵr, a'r un cynt, ystyr arbrofi oedd dryllio a lledu a 'rhyddhau'. Chwalu Mynegiant a wnaed. Y gwyllt a

oedd mewn bri. Cyfnod Rhamantiaeth oedd hyn o hyd, ac yn gwbl
groes i glasuraeth. Yn y bymthegfed ganrif, ar y llaw arall, gallai arbrofi
olygu ymgyfyngu ac ymddisgyblu'n ddethol.

Ond soniai Euros Bowen yn y ganrif ddiwethaf am hen bethau
llancaidd rhamantaidd (a chywir) fel 'rhyddid'. Dewch i ni yn awr ystyr-
ied un o arbrofion Euros Bowen yn ei gyfrol *Cylch o Gerddi* oherwydd yn
yr achos hwn y mae'n rhaid holi'r cwestiwn annifyr – ai gwall plwmp a
phlaen sydd yma, ynteu arbrofi ymestynnol gonest? A yw'n briodol i'r
math hwn o wall gael ei dderbyn drwy ddrws cefn Cerdd Dafod neu
drwy dorri un o ffenestri lliw Mynegiant?:

> *yn fuddugol ei liwiad*
>> *ar hyd y ciliau gwyn*
>> *a chryd y clogwyni*
> *yn foddog.*
>> *Aleliwia!* (Eirwynt)

Dyma gymhares deilwng i'r llinell gynganeddol honno:

> *a rhai'n rhosynnau*
>> *hyd y golau drwg*
>> *gyda gwaelod yr ardd,*
> *hen aur yn nhir y synnwyr* (Yn Nydd Nwyd)

Beth sydd yma o ran arbrawf? Yn syml, wrth gwrs, sangiad cyngan-
eddol. Yn y naill enghraifft a'r llall ceir 'llinell' gynganeddol sylfaenol.
Ond sengir ar draws y llinell honno gan linell gynganeddol arall, a
rennir yn gysodol yn ddwy, gan ffurfio arbrawf felly. Mewn enghraifft
arall (Ar Dro o Delffi), eir ymhellach: ceir llinell o Gynghanedd Draws
mewn 24 sillaf a sengir sawl gwaith:

> *Ac mi welwn o gwm eilwaith*
> *fro*
>> *a oedd hardd*
>>> *gan olewydd*
>>> *a gwinwydd*
>>> *ac ŷd,*
>>>> *bellach*
>>>> *heb allu*

> *yn y grawn,*
> *yn y grân,*
> *nac yn y groth,*
> dan lofrudd waed.

Dyna bedwarawd o linellau arbrofol o ffatri Mynegiant Euros. Ac y mae'r cwbl, a bod yn fanwl, yn 'anghywir' annerbyniol o fewn sefydliad Tafod. Nid wyf yn siŵr ai bwriadol 'anghywir' yw, ynteu anfwriadol 'anghywir'. Yr ail, yr wyf yn rhyw amau. Nid oedd Euros yn ddigon o ddifri ynghylch arglwyddiaeth acen. Eto, yr oedd yn meddwl yn bur ddwys am bethau o'r fath, efallai'n fwy na neb arall yn yr ugeinfed ganrif, yn arbennig ynglŷn ag 'arbrofi' ym maes y 'llinell'. Felly, mae'n anodd bod yn sicr ai bwriadol oedd y bai neu beidio.

Pam yr wyf yn mentro haeru bod Euros yn anghywir? Cyn ateb y cwestiwn hwnnw, a gaf fod yn fwy haerllug byth drwy hawlio nad oedd ond yn dilyn yr un gwall â T. Gwynn Jones yn *Y Dwymyn* yn yr achos hwn – ac mewn achosion eraill, gydag ychydig mwy o ryfyg? Credaf fod Euros wrth ganolbwyntio sylw ar gyfatebiaeth gytseiniol yn ei 'linellau' wedi colli'r prif beth mewn Cynghanedd, sef y patrymau acennog. Yr oedd yn anghyfrifol ddi-hid am aceniad. Cymerer y tair enghraifft uchod. Yn y gyntaf, y mae'r llinell

> *yn fuddugol ei liwiad yn foddog Aleliwia*

eisoes, cyn cael yr un sangiad, yn anghywir. Mae'n marw tua'r canol. Pam? Ar ôl yr orffwysfa, ceir cyfres o dair sillaf ddiacen yn olynol yn 'foddog Aleliwia' rhwng y ddwy sillaf acennog (neu ddwy ragacen). Ac ni chaniatéir mwy na dwy sillaf ddiacen yn olynol byth, am resymau da. Wedyn, ychwanegodd sangiad:

> *ar hyd y ciliau gwyn/a chryd y clogwyni.*

Yn y fan hon y mae bodolaeth sangiad mor sylweddol â hyn fel petai'n golygu bod gweddill y llinell bellach yn bendant fydryddol anghywir. Byddai'r fath drais i'r patrwm acennog yn wrthun i Dafod go iawn. Heblaw hynny, o gylch yr orffwysfa ceir 3 churiad + 2 guriad yn hytrach na 2 + 2 neu 1 + 2. Ac eto, i'm clust i y mae modd rywfodd glywed yr atseiniad o hyd. Mae'r peth yn gallu gweithio (yn isymwybodol neu beidio) oherwydd nad yw'n sengi'n rhy bell i atal undod y grŵp, ac y mae'r grwpio'n cynnal yr unedu.

Gwahanol yw dilyn eithafiaeth y drydedd enghraifft wedyn. Ni chlywir ffrâm y llinell amgaeol hon gan sŵn y sangiadau ar ei chanol. Ymddengys i mi fod Euros wedi eistedd i ymarfer â chytseiniaid yn lle troi i wneud ei groesair yn dwt. Buasai'n well pe bai wedi aros gyda chroesair y *Cymro*. Mae yna beth wmbredd o 'arbrofion' o'r fath, mae arnaf ofn, yn yr un gyfrol (e.e. 33). Droeon, ceir tair acen o flaen yr orffwysfa, a dwy wedyn:

> *yn ffelu â bar a jincs y Folies-Bergère.*

Credaf fod yna elfen o arbrofi 'anghywir' isymwybodol ynghyd ag elfen o arbrofi bwriadus ymwybodol yn y pethau hyn. Eithr yn isymwybodol mae'n cloffi. Mae hyn yn hollol wahanol i'r modd y datblygodd y Gynghanedd draddodiadol yn 'arbrofol' ac yn 'avant-garde' yn isymwybodol o fewn Cerdd Dafod go iawn ei hun.

Na thybied am foment fy mod am ddifrïo arbrofi ymwybodol. Dyna'r arbrofi a geir fel arfer mewn Mynegiant. A than straen gorgelfydd yr ugeinfed ganrif aeth arbrofi ymwybodol yn dipyn o ddiwydiant ffetus. Gall fod yn hynod ddifyr fel yna, wrth gwrs. Gall hefyd fod yn weddus 'gywir', os oes eisiau'r fath beth. Pan sgrifenna Euros gerddi prôs mewn Cynghanedd, y mae'n ymwared ag uned y llinell, ond nid yw'n ymwared â mydr y Gynghanedd: e.e. *Cerddi Rhydd*: 'Rhíthyn oer gíau/yw gwrthúni'r gáea/a'r gwíail/ym myd úndu/â mudándod. Ond sôn yr wyf am ddwy ffenomen wahanol, tan awgrymu bod pob datblygiad ar ryw olwg yn arbrawf, boed yn fwriadol neu beidio, mewn Mynegiant neu mewn Tafod.

Hyd yn hyn, yn y gyfrol hon, buwyd yn ceisio olrhain sut y cafwyd rhai o'r beiau gwaharddedig mewn Cerdd Dafod. Hynny yw, ceisiwyd olrhain sut y dechreuwyd drwy enghreifftiau achlysurol mewn Mynegiant ymdeimlo â rhai patrymau yn ddigonol ac eraill yn annigonol. Nid oedd y rhai olaf yn gweithio'n 'iawn'. Weithiau roedden nhw'n rhy *wahanol* o ran sŵn, doedden nhw ddim yn ddigon *tebyg* efallai. Ac weithiau roedden nhw'n ei gorwneud hi, yn *rhy* debyg o ran sŵn, doedden nhw ddim yn ddigon *gwahanol*.

Drwy ddilyn trywydd y beiau hyn dyma ni'n sylwi sut yr oedd Cerdd Dafod wedi ymffurfio, sut yr oedd patrwm penodol mewn sain yn dod i deimlo'n 'iawn', yn gytbwys, yn chwaethus bersain. Yn fyr, rhedodd ein hen gyfaill scitsoffrenig gall ar ein hôl, – Gwahuniaeth.

A gwelsom fod y duedd i ymateb ar y pryd yn ffafriol neu'n anffafriol wedi ymgaregu'n 'ddeddf'. Nid mater o ymateb emosiynol achlysurol ydoedd. Nid mater o arbrofi 'beiddgar' ydoedd chwaith. Ond ffordd o glywed. Ymateb isymwybodol o fewn egwyddor Gwahuniaeth. Yr oedd yn wedd ar fyw. Yr oedd yn hanfod i'r ffordd batrymol hon o drin iaith. Yr oedd wedi dod yn rhaid, ac yn wrth-ôl-fodernaidd.

Mae gennym yn y Gymraeg y gyfundrefn fwyaf cywrain yn y byd wrth lunio prydyddiaeth. Ac ni bu farw oherwydd parodrwydd i arbrofi. Credaf fod yna ddau fath o arbrofi wedi datblygu ynddi – arbrofi ymwybodol ac arbrofi anymwybodol. Arbrofi'r Beirniad ac arbrofi'r Bardd. A'r ail oedd y dyfnaf. Diau fod modd arbrofi o fewn cyd-destun Cerdd Dafod gymaint nes difodi'i bodolaeth. Nid yn ysgafn y bydd pencerdd yn treisio Cyfundrefn o gyfundrefnau. Ymddengys fod Cerdd Dafod wedi datblygu'n araf benodol, ond drwy gyfres o sythwelediadau sydyn, ar draws cannoedd o flynyddoedd. Weithiau'n gymharol sefydlog a cheidwadol fel pe bai wedi ymwreiddio mewn cyfundrefn orffenedig am y tro, ond weithiau'n weddnewidiol ac eto o gam i gam yn ymffurfio'n grwn.

Ni chafwyd digon o fyfyrdod am y ffenomen ryfeddol hon. Dyma dasg i benceirddiaid. Ymddengys ar lefel y cynganeddion fod y gwth i gyfeiriad newydd wedi digwydd yn gymharol isymwybodol. Nid arbrofwyr bwriadus mewn Mynegiant a luniai'r arbrofion mewn Tafod. Gwth yn yr ysbryd ydoedd tuag at drefn nas deallwyd yn ymwybodol. Yr oedd yna awydd penderfynol ond cudd tuag at ymgywreinio'n fwy celfydd, ond yn gynnil gywrain, yn ddisgybledig gain. Gellir deall y math o ffurfiant a oedd ar gerdded, drwy gymharu ag iaith ei hun, neu â'r modd y mae baban yn darganfod y fframwaith sy'n cynnal iaith. Ni dderbyniai Tafod ond yr arbrofi a oedd yn gweddu i'w gyneddfau.

Nid unrhyw bwyllgor a esgorodd ar y gyfundrefn dympau o chwech yng nghyfundrefn lawn y ferf Gymraeg yn y Modd Mynegol. Y maent yno yn gytbwys gyfun-wahaniaethol, ac y maent yn ddadansoddiad cwbl unigryw cymesur a hardd o Amser. Does dim iaith arall yn union debyg. Sylfaenwyd hwy ar ddadansoddiad isymwybodol o gyferbyniad ynghylch presenoldeb/absenoldeb a chyferbyniad o ran cyfeiriad ymlaen/yn ôl. Sylwch: ffordd sythwelediadol oedd o ddadansoddi amser, ffordd gywir a diddorol. Ond cafwyd 'arbrofi' isymwybodol hyd yn oed yn nifer a nerth tympau'r ferf. Mewn modd digon tebyg, ie, mewn modd mor ddirgel â hynny, y dadlennwyd dadansoddiad y Gynghanedd.

Gellir dweud bod y meddwl dynol – er mwyn goroesi – wedi mabwysiadu neu wedi meithrin a datblygu patrwm o drefn y gellid hongian seiniau arni er mwyn cyfathrebu. Rhaid oedd cael rheoleidd-dra. Doedd dim modd i iaith pobl olygu dim i'w gilydd heb ailadrodd. Ac er mwyn sefydlu patrwm ailadrodd gywrain ar gyfer cyfleu neu gorffori dadansoddiad Amser mewn geiriau, yr oedd patrymu arwyddion seiniol synhwyrus mewn modd elfennol gyferbyniol yn hwylus ddoeth.

Ond rhaid ei bod yn ddyfnach na hynny. Beth oedd y gwth hwnnw? Pa gymhelliad a oedd yn gyrru'r Dyn a luniodd ei iaith ac a'i datblygodd dros y canrifoedd mewn modd mor rhyfeddol o isymwybodol gywrain? Beth a barai i'r iaith ei hun arbrofi?

Y gwir yw bod yna sefyllfa o drefn wrthrychol allanol, a sefyllfa o drefn oddrychol fewnol eisoes ar gael. Roedd y gwth tuag at drefn yn wedd ar y Greadigaeth. Ceid ymwybod sad a threiddgar ynghylch y cyferbyniad 'absennol/presennol' eisoes yn sylwadaeth sythwelediadol y baban. Oherwydd y cyferbyniad hwn a'i debyg yr oedd safle tympau'r ferf – presennol/gorffennol/a dyfodol – yn bosibl. Yr un cyferbyniad sylfaenol hwn a ganiatâi gyfundrefn driol y person, a gorfforwyd yn y ferf. Dyma sy'n gwahaniaethu rhwng yr un – gwae ni! – sy'n llethol o bresennol, sef 'fi' a'r un sydd fel petai'n absennol, sef 'ef/hi'. Ac y mae'r 'ti' yn fath o dŷ hanner-ffordd, yn absennol i letholdeb mewnol y 'fi', ond yn bresennol iddo'n allanol.

Yn awr, dyma batrwm o gyferbyniad mawr a defnyddiol yn y meddwl, cyfundrefn o gyferbyniad seicolegol, sydd ar gael bellach ar gyfer amgylchiadau eraill. Does neb yn naturiol yn gwneud môr a mynydd o'r cyferbyniad hwn. Ac eto, y mae yno'n ddiffiniol. Hynny yw, y mae'n penderfynu gwahaniaethau rheolaidd dwfn. Yn wir, hyn sy'n adeiladu hunaniaeth.

Ac yng nghyd-destun Odl hefyd fe gawn eiriau megis mur/llaeth lle y mae adlais seiniol yn hollol absennol. Yna, fe geir cyplysiadau eraill megis llaeth/traeth lle y sylwir bod yna gyfateb a thebygrwydd. Digwydd y naill gyplysiad a'r llall mewn ymddiddan 'anymwybodol'. Galwn yr olaf hwn, wrth gwrs, yn 'Odl'. Yr oedd yn ddarganfyddiad isymwybodol esthetig.

Ond yn y Gymraeg, sylwasom fod yna dai hanner-ffordd traddodiadol to-gwellt fel Proest ac Odl Enerig. Mewn Proest ceir dwy o'r elfennau sy'n llunio Odl, ond hepgorir un. Ac felly mewn Odl Enerig ceir pâr arall o'r elfennau sy'n llunio Odl, ond hepgorir un arall. Dyna ddarganfyddiad pellach.

Ar sail cyfuniad bythol o debygrwydd ac o annhebygrwydd ynghyd, y mae'r ffurf esthetig Odl yn dod yn gyfundrefn mewn Cerdd Dafod.

Felly hefyd y Cynganeddion a Phroest.

Y mae'r cwbl o Gerdd Dafod – heb bwyllgor, – ond nid heb sylwad-aeth newydd gan feirniaid effro megis Einion Offeiriad a Simwnt Fychan – yn ymffurfio. Daw'n gydadeiladwaith, yn eglwys gadeiriol anferth.

A oes modd datblygu Cerdd Dafod yn ddilys ymwybodol? Os yw Mynegiant yn troi'n Dafod yn isymwybodol, a oes y fath beth ag arbrofi sy'n mynd i newid llun Cerdd Dafod?

Wel, fe ellir arbrofi mewn Mynegiant. Fe ellir sefydlu arferiadau newydd. Ac os bydd beirdd eraill yn eu mabwysiadu, fe allant yn anfwr-iadus ac yn isymwybodol ar draws cenhedlaeth droi'n rhan o'r gyfun-drefn. Nid drwy orfodaeth. Ond yn wirfoddol ac yn 'ddisylw'. Ac yn ôl pob tebyg, drwy dderbyn bod cyfnod B eisoes yn gyfreithiol ac yn dder-byniol o fewn cyfnod A, neu drwy arbrofi mewn Mynegiant y tu allan i Gerdd Dafod megis ym mesurau'r Canu Rhydd. Ond ni ddatblygir Tafod yn ymwybodol.

Gan amlaf, mewn iaith, y mae fforio newydd neu ddatblygiad yn digwydd yn llwyddiannus mewn modd digon anfwriadus. Darganfyddir angen yn naturiol isymwybodol. Y mae'r iaith o hyd wrthi'n procio ac yn arbrofi yn ddiarwybod iddi'i hun. Ond oherwydd yr angen ac oherwydd dynwared y ffordd anfwriadus o gyflenwi'r angen, fe geir arbrawf llwydd-iannus.

Digwydd yng nghanol cythrwbl o lawer o newidiadau, rhai'n llwydd-iannus, eraill yn aflwyddiannus. Y peth priodol yw ein bod bob amser yn arbrofi. Gellir gwneud ffetus o hyn. Ond y mae pob creu yn arbrawf. Ceir arbrawf ar ei fwyaf cyrhaeddbell ddwfn pan fyddwn wrthi'n ei weithredu bron yn isymwybodol, yn rhan o'r ysfa greadigol sylfaenol. Daw berw bron heb sylwi, ac wedyn edrychwn yn ôl a'i weld.

Arwydd o fywyd yn y Gynghanedd yw bod yna arbrofi o'r fath ar waith. Ceir bwrlwm o arbrofion a all daflu allan, os delir ati i arbrofi, nifer o ddatblygiadau a fernir yn ddefnyddiol, yn ymarferol ac yn rymus. Ac eraill sy'n mynd i'r gwellt. Yr iaith sy'n dweud na – neu ie. Arbrofion *Cynganeddol* yw'r arbrofi mwyaf deniadol a gwreiddiol a gafwyd yn holl lenyddiaeth Gymraeg yr ugeinfed ganrif, dybiaf i. Pan gafwyd y deffroad cynganeddol yn y chwedegau a saithdegau cafwyd nifer o arbrofion, yn anad neb gan Gwynne Williams ac Euros Bowen. Yr oedd yna eraill wrthi fel Alan Llwyd ac Arfon Williams yn arbrofi'n fesurol yn bennaf. I mi, arbrofi mesurol yw'r arbrofi bwriadol mwyaf dilys, am mai dyna duedd briodol Mynegiant. Ond ychydig a gydiodd yn yr her, at ei gilydd. O safbwynt trwch y beirdd, ceidwadaeth a deyrnasai. Ac nid oes dyfodol ffrwythlon mewn awyrgylch esmwyth. Llonydd llipa; ac ni newidiwyd Cerdd Dafod odid ddim. Ceir trafodaeth beni-gamp ar y datblygiad hwnnw gan Alan Llwyd yn y ddeuddegfed bennod o *Anghenion y Gynghanedd* 1973, ac yn ddiweddarach gan amryw syl-wedyddion yn y gyfrol bwysig *Trafod Cerdd Dafod y Dydd*, 1984. Gallasai'r awgrymiadau yn y mannau yna brofi'n ffrwythlon pe buasai'r adfywiad yn ddwysach ac yn fwy ffurfiol hwyliog. Ond ddaeth ddim llawer ohoni, o safbwynt arbrofi cynganeddion, er pwysiced yw'r hyn a ddaeth.

Bu'r arbrofi mesurol – ac y mae mesurau bob amser yn fwy arwyn-ebol – yn fwy llwyddiannus o ychydig. Y mae *vers libre* cynganeddol, ar ryw ffurf neu'i gilydd, fel pe bai wedi dod i aros. Mae'n symudiad mawr mewn termau prydyddol: symudiad cosmig yw. Ac unwaith eto, yn *Anghenion y Gynghanedd* ceir amryfal sylwadau sy'n wir werthfawr (tt 160, 162, 167-177, 191-195, 199, 201) ar y mesurau. Ond carwn bwysleisio mai llithro allan o amlder o newidiadau cymharol arwynebol *yn y golwg* y bydd pob newid dwfn, parhaol a gwir ffrwythlon, *o'r golwg*.

Yr hyn yr wyf wedi ceisio'i ddadlau yn yr adran hon yw bod yna ddau brif fath o arbrofi mewn Cynghanedd. Ar y naill law, yr arbrofi mewn Tafod, sy'n arbrofi isymwybodol, o fewn amodau'r traddodiad: arbrofi 'cywir' yn dod o'r dyfnderoedd. Ac ar y llaw arall, yr arbrofi mewn Mynegiant. Dyma arbrofi hollol gyfreithlon eto wrth gwrs. Gall fod yn ffrwythlon ac yn ysgogol. Ar lefel sŵn y mae'r ail fel arfer yn arbrofi ymwybodol a bwriadus, a all 'gyfeiliorni' os nad yw'r bardd wedi myfyrio digon am amodau ac egwyddorion dyfnaf Cerdd Dafod; ac efallai fod y term beiddgar 'arbrofi anghywir' yn ymylu ar ddweud rhywbeth go sylfaenol am sicrwydd ffurf aeddfed. Ar lefel synnwyr hefyd y mae yna arbrofi drachefn sy'n bur wahanol i'r arbrofi seiniol – weithiau dan ddylanwad Siapaneaidd bellach – mewn bathu delweddol a symbolaidd. Ond nid wyf am gymysgu gormod ar ein harbrofion am y tro.

(ii) ARBROFI GYDA'R MESURAU TRADDODIADOL

Os ydym am arbrofi gyda mesurau traddodiadol Cerdd Dafod, mae'n werthfawr pendroni sut yr adeiladwyd y mesurau hynny ar y dechrau. Er mwyn arbrofi'n ddeallus, mae'n briodol amgyffred yn iawn beth oedd gwneuthuriad y mesurau. Beth oedd egwyddorion eu hadeiladwaith? Sut yr oedd y beirdd, boed yn ymwybodol neu'n isymwybodol, yn mynd ati i lunio llinell yn gyntaf, ac yna'n ail i gyfuno llinell â llinell i lunio pennill? Beth oedd natur ffurfiol a hanfodol y gwreiddiau yn ein traddodiad cyfoethog? Beth oedd gwyddor fawr y mesurau?

Cymysgu Mesurau

Ar ôl *Cerdd Dafod* J. Morris-Jones 1925, ychydig o fyfyrio a gafwyd yn y ganrif ddiwethaf ysywaeth tan ei diwedd ynghylch hanfodion y mesurau. Cafwyd peth gan Thomas Parry ac Eurys Rolant. Ond bu'n rhaid disgwyl hyd amser Alan Llwyd a Peredur Lynch tua diwedd y ganrif, ynghyd â'r ddwy o Iwerddon Jenny Rowland a Rhian Andrews, ac yna criw ffrwythlon y Ganolfan Uwchefrydiau cyn camu ymlaen gyda gogwydd neu ddealltwriaeth newydd wrth astudio'r mesurau. Rhyw gyfleustra fu'r mesurau oll i'n beirdd, mae arnaf ofn, am gyfnod hir. Ond i feirdd diweddar o ddifri, mae mater fel hyn, a holl faes Cerdd Dafod, yn faes i'w goleddu a'i anwylo, i dreiddio i'w wneuthuriad ffurfiol ac i fyfyrio'n ddwys amdano. Mae arnaf ofn bod taeogrwydd seicolegol a gwleidyddol ieithyddol Cymreig wedi peri mai prin yw'r parodrwydd i ddadansoddi rhyfeddod ein hetifeddiaeth. Pan fyddwn yn ceisio astudio llawnder ein treftadaeth, ymwneud y byddwn hefyd â rhyddid meddyliol y genedl.

Cyffesodd cyfaill diwylliedig o Gymro wrthyf untro ei fod yn barod i feddwl yn ddwys ac yn ofalus uwchben barddoniaeth Saesneg fodern, ond nad oedd (wrth reddf) yn barod i gymryd barddoniaeth fodern Gymraeg o ddifri yn yr un ffordd. Mae hyd yn oed yr agwedd ddiog arwynebol hon at ddarllen barddoniaeth fodern Gymraeg yn wedd ar ein hisraddoldeb seicolegol. Uba rhai o'n 'beirniaid' taeogaidd am symlder bythol. Dyna pam y bydd rhywrai'n defnyddio'r gair taeog a diog 'tywyll' mor fynych am brydyddiaeth sydd ychydig yn fwy oedolyn na 'Nant y Mynydd'. Mae manteision Cymru yn ddirfawr: ar y naill law yn aeddfedrwydd aruthr traddodiad Cerdd Dafod ac yn ail yn argyfwng aruthr y genedl. Nis parchwyd hwy'n briodol. Beth bynnag am y methiant hwnnw i gyfarfod â sialens barddoniaeth ddiweddar, mae'n bur drist gweld yr un amharodrwydd i ystyried o ddifri botensial cyfoethog Cerdd Dafod o'r newydd. Ni ddylid gadael i'n gwleidyddion llenyddol ein bwlio i mewn i dwpeidd-dra.

Dichon mai un rheswm sylfaenol am wendid tybiedig y mesurau a'r diffyg parch atynt, (rheswm na sylwodd Euros Bowen arno mae arnaf ofn wrth iddo fwrw ati i lambastio'r mesurau traddodiadol, a phledio'r 'Gynghanedd' yn erbyn y 'Mesurau'), oedd nad oedd digon o fyfyrdod wedi bod ynghylch natur y mesurau hynny o du'r rhai a'u defnyddiai o flaen Euros, hyd yn oed yn ystod llewyrch yr oesoedd canol. Wrth drafod a dosbarthu mesurau Cerdd Dafod aeth rhywbeth sylfaenol o'i le gynt gan J. Morris-Jones yntau. Nid oedd ef ond yn dilyn un diffyg syl-faenol a oedd eisoes wedi ymddangos o'r dechrau cyntaf yn yr oesoedd canol, yn wir. Fe'i ceid gan y to cyntaf o ramadegwyr, sef Einion Offeir-iad a Dafydd Ddu o Hiraddug. Fe'i ceid drachefn gan Ddafydd ab Edmwnt, a'i ddilynwyr Gutun Owain a Simwnt Fychan, yn ail hanner y bymthegfed ganrif. Dilynwyd y rheini byth wedyn. Gwall gwaelodol mewn dosbarthiad ydoedd. Fe'i hitaleiddiaf.

Cymysgwyd mesurau llinell â mesurau pennill. Rhoddwyd y teitl 'mesurau' i'r naill a'r llall yn ddiwahân, heb nodi bod yna wahaniaeth o ran egwyddor a natur rhwng y naill ddosbarth a'r llall. Mae'r naill yn darddiad i'r llall, ond mae'r naill a'r llall yn gyfundrefn 'ddibynnol' ar ei gilydd. Ni cheir llinell ond mewn pennill; a gwneir pob pennill o linellau.

Cynhwysir yn y dosbarthiad terfynol o'r mesurau gan y gramadegwyr rai mesurau nad ydynt yn benillion (yn ein hystyr ni). *Mesurau llinell* ydynt – fel Cywydd Deuair Fyrion, Cywydd Deuair Hirion, Cyhydedd Naw Ban, Rhupunt, Cyhydedd Fer. 'Llinellau' yw'r rhain oll. Gyda'r rhain rhaid cael un llinell o leiaf gyda llinell arall i lunio pennill (yn ein hystyr ni), naill ai drwy ailadrodd neu drwy gyferbyniad. Dyna yw ystyr 'llinell'.

Wedyn, ceir *Mesurau pennill* – fel Hir-a-Thoddaid, Gwawdodyn a Gwawdodyn Hir. Dyma gyfuniad o linellau gwahanol, cwlwm sy'n sefyll fel pennill, yn hunangynhaliol fel petai. Ni raid i bennill fod yn rhan: rhan yw llinell o raid. Gellir dosbarthu llinell a phennill ar wahân *yn ôl egwyddor dibyniaeth.* Egwyddor seico-fecanaidd yw hynny, a dardd mewn gwirionedd yn ein hymwybod diarwybod o ddisgyrchiant. Pwyso ar linell arall a wna pob 'llinell' unigol. Egwyddor yw nas canfu J. Morris-Jones.

Dyma'r ddau fath gwahaniaethol o 'fesurau'. A phwysig yw eu dos-barthu ar wahân er mwyn deall beth sy'n digwydd ynddynt a rhyngddynt.

Oherwydd – ceir trydydd math yn ein golwg ni heddiw, nad oedd yn drydydd math mewn gwirionedd. Y llinell dawdd. Cymerer y Toddaid Byr. Nid yw hyn yn 'bennill', oherwydd rhaid cael rhywbeth arall, mesur arall (naill ai mesur llinell neu fesur pennill) gyda Thoddaid Byr cyn iddo gael ei ddefnyddio. Er enghraifft, defnyddir Toddaid Byr gyda dwy linell o Gywydd Deuair Hirion er mwyn gwneud Englyn Unodl Union.

Felly, nid yw Toddaid Byr yn fesur pennill go iawn: ni all

> *O Dad yn deulu dedwydd – y deuwn*
> *â diolch o'r newydd*

byth fod yn fesur pennill. Pam? Beth yw felly? *Mesur llinell* yw; ond fe'i sgrifennir bron bob amser fel dwy 'linell'. Mae'n ddatblygiad Cymreig iawn. Dwy 'linell' gysodol yw, ond un llinell fydryddol hir. Ac felly hefyd yr Awdl-Gywydd a'r Gyhydedd Hir. A gall fod yn 'ewn' ar y brifodl.

Heblaw'r rhain ceir holl bosibilrwydd cyfuno Cynghanedd a'r mesurau rhydd.

Diffiniad o linell

Os ydym yn gytûn ac yn glir ar y dosbarthiad hwnnw, gallwn edrych o'r newydd ar holl fesurau Cerdd Dafod er mwyn sylwi beth yw adeiladwaith llinell (llinell fydryddol sy gen i mewn golwg, nid llinell gysodol) a beth yw adeiladwaith pennill. A rhaid dechrau gyda'r diffiniad o linell.

Yn gyntaf, ceir dau bosibilrwydd o leiaf i'r diffiniad unedol hwn wrth ystyried Cerdd Dafod:

(1) Uned fydryddol yw llinell lle y ceir un brifodl ar y diwedd (dyma'n rhy aml yw'r diffiniad cyffredin); rhaid gwrthod y diffiniad hwn oherwydd y llinell dawdd ac oherwydd *vers libre.*

Ar un adeg, tyfodd grym Cymeriad fel nodwedd ffiniol a diffiniol i nodi dechrau llinell. Ond dyma enghraifft o gyfundrefn a dyfodd dros gyfnod, ac a ddarfu.

[Nodyn ar ffurf Cymeriad:

Fel arfer, ailadrodd cytsain, neu unrhyw lafariad ynghyd ag unrhyw lafariad arall, ar ddechrau dwy linell olynol yw Cymeriad. Ceir y drafodaeth safonol ar hyn gan Ann Parry Owen, *Dwned* 4 (1998), 33-58. Hi hefyd a ddywedodd (*Gwaith Llywelyn Brydydd Hoddnant,* 20): 'y grefft hon o ddefnyddio'r un cymeriad dros nifer helaeth o linellau a ddug Dafydd ap Gwilym yn ddiweddarach i gelfyddyd y cywydd.' Disgrifiwyd Cymeriad a'i fathau gan CD 290-293.

Mae'n bwysig cofio hefyd y gellid cael gan y Gogynfeirdd:

Cymeriad treigledig [gwell peidio ag ystyried hyn yn Gymeriad Generig, gan nad yw 'G/Llafariad' yn enerig] –

> Gwae ni hael mor wael, mor wolan
> Weled in nesed ein heisiau. (Dafydd Benfras)

> Cad yn Iwerddon dirion drefydd,
> Gan a'i canfu ni bu ferydd. (Meilyr)

Cymeriad generig [h.y. naill ai dosbarth o gytseiniaid ffrwydrol gyda'i gilydd, neu gytseiniaid parhaol] –

Priodawr mwynglawr Môn glod ysgain,
Traul golud pentud, pentir gwythain. (Einion ap Gwgon)

Dymunaf ychwanegu at y mathau hynny:

Cymeriad gohiriedig [gwreiddgoll: math o berthynas i Gynghanedd Draws] –

Gwyach rudd gorfudd goralwai,
[Ar doniar] gwyar gwonofiai. (Cynddelw)

[Er] perygl preidlwyr peri ffosawd
Pasgadur cywrain, Prydain briawd. (Meilyr Brydydd)

Medr fy eiriawl Bawl ban ddêl im angau,
[Hael] meidriawl ni'm deawl o'm Un diau.
(Einion ap Gwalchmai)

[Arwyneb] neuadd yn amniferawg,
Nerth Rhodri, rhëi rywasgarawg. (Meilyr Brydydd)

[O] haelon, haelaf mab dyn,
Hawl llu haelfab Llywelyn. (Einion Wan)

Hebawg bryn a bronddor,
[Ni] hebaf i gan ei hepgor. (Llywelyn Fardd)

[Nas] gofwy gorddwy na gorddin
Gofal tâl teledig brenin (Cynddelw)]

(2) Uned fydryddol yw llinell y mae'n rhaid cael llinell(au) arall (eraill) gyda hi er mwyn iddi sefyll, hynny yw er mwyn iddi lunio pennill, yn uned fydryddol hunangynhaliol. Mae llinell mewn cerdd o ran amcan yn dibynnu ar linell arall, er mwyn ei gwneud yn llinell. Mae'r diffiniad hwn yn amgylchu'r llinell dawdd.

Yr ail uchod fel y gwelir yw'r diffiniad a dderbyniaf i o safbwynt curiadol. Ceisir sylwi ymhellach ymlaen fel y gellir ychwanegu mwy nag un brifodl o fewn y llinell ar rai achlysuron heb iddi beidio â bod yn llinell. Digwydd hyn yn arbennig yn nhraddodiad y Toddaid neu'r Englyn Penfyr.

Yn ail, y gyfrinach fawr i'w meistroli wrth fynd i mewn i fydryddiaeth Gymraeg (ac i fydryddiaeth Indo-Ewropeaidd hefyd ddwedwn i) yw mai *yn ddeuol ac yn driol y corfennir yr unedau.* Heblaw cael ei diffinio gan berthynas allanol, mae gan linell mewn Cerdd Dafod adeiladwaith o raniadau mewnol. Wrth ailadrodd neu wrth gyferbynnu curiadau *neu* linellau, byddir bob amser yn grwpio'n ddeuoedd neu'n drioedd. Os estynnir mydr, felly, mewn llinell neu mewn pennill dyna'r egwyddor sylfaenol ar gyfer yr arbrawf. A'r rheswm yw mai gweithio *ar sail sythwelediad isymwybodol* yr ŷm mewn mydryddiaeth, *nid* cyfrif ar fysedd y llaw. Gellir cyferbynnu un ac un, neu un a dau, dau a dau, dau a thri, tri a thri; mae hynny oll yn bosibl drwy sythwelediad sydyn delweddol fel pe bai yng nghefn y meddwl. Heblaw cyferbynnu, ceir ailadrodd, yn unau, yn ddeuoedd, yn drioedd. Ond dim mwy – mewn Tafod: y mae cyfrif ymwybodol yn gwbl amhriodol wrth ymwneud â hanfod y mydr. (Carwn nodi mewn cromfachau, ar gyfer y rhai sy'n rhoi pwyslais o hyd ar gyhydedd neu rifo sillafau, fod y rheina hefyd ond odid yn isymwybodol fel arfer yn cael eu rheoli gan egwyddor – a grwpio – y deuol a'r triol curiadol. Dyna pam yr aethpwyd i wrthod olyniaeth o fwy na dwy sillaf ddiacen gyda'r 'corfan' acennog).

Mae brawddeg gyntaf pennod J. Morris-Jones (*Cerdd Dafod*) ar y Mesurau yn dreiddgar anghywir: 'Gellir olrhain yr hen fesurau Cymraeg oll i linellau o bedwar neu chwe churiad.' Na ellir. Dyna pam yr aeth J. M.-J. ar ôl peth mor wirion â 'hanner-llinellau'. Dywedwn innau:

> *Mewn gwirionedd corfannau isymwybodol o ddau neu dri yw hanfod adeiladwaith pob mesur, megis ym mhob adeiladwaith ffurfiol cynganeddol neu yn y rhediadau diacen o gwmpas un curiad. Uwchben dau neu dri, – dau neu dri churiad neu gyfuniad o ddwy neu dair llinell – ni bydd yr isymwybod, sef Tafod, yn gweithio gan ymateb yn sythwelediadol ddifyfyrdod. Dau a thri yw'r cyferbyniadau safonol isymwybodol.*

Felly, ceir dau bosibilrwydd yn sylfaenol o safbwynt carfanu mydryddol yn ôl athrylith Tafod:

(1) Gellir adeiladu aceniad llinell yn ôl curiad deuol;
(2) Gellir adeiladu aceniad llinell yn ôl curiad triol.

Ac o ran datblygiad fe ellir synied am gyfuniad o'r naill a'r llall, y deuol ynghyd â thriol. Mae'r rhan fwyaf o'r hyn a elwir yn fesurau Awdl yn fesurau deuol: e.e. Rhupunt:

Dúw yn gýmorth/yn nérth, yn bórth,/yn gýnhórthwy

Tri uwch-corfan, ond dau guriad ym mhob un, ailadrodd ynghyd â chyf-erbynnu.

Mae'r mesurau Cywydd a'r mesurau Englyn yn sylfaenol driol: e.e. Cywydd Deuair Hirion:

Rhŷdd y mae Dúw yn rhóddi
Coed bríglaes a máes i mí.

Sef un uwch-corfan ym mhob llinell, ond tri churiad ym mhob un. (Mae hyn wedi datblygu wrth gwrs yn y cyfnod diweddar.)

Yn drydydd, ceir dau fath o linell o safbwynt patrymau cyswllt yr uwch-corfannau. Ceir llinellau 'moel' neu ddi-dawdd, a cheir llinellau 'todd-aid'.

(1) Dyma enghraifft o linell ddi-dawdd, sef Cyhydedd Hir:

Lléwod Gwenllían/néfoedd a nófian'/ill dáu yr áethan'/i'r llán o'r llŷs

Pedwar uwch-corfan (yn ddau grŵp, y naill yn ailadrodd a'r llall yn gyferbyniol), dau guriad yr un; eu prifodl heb ei hateb.

(2) Dyma Doddaid:

Mab Rhŷs aeth o'i lŷs/i láwr – yr Érwig/mewn gró a chérrig/
máe'n garchárawr

Pedwar uwch-corfan, dau guriad yr un; prifodl yn cael ei hateb *o fewn* un uwch-corfan mewnol.

Yn bedwerydd, cyfunir llinellau mewn dwy ffordd: sef

(1) Ailadrodd, e.e. Cywydd Deuair Hirion.
(2) Cyferbyniad, e.e. Englyn Unodl Union (hynny yw, Toddaid Byr, neu linell 'gyntaf' Englyn Penfyr ynghyd â chywydd).

Yn bumed, gellir olrhain yr holl fesurau llinellog Cymraeg yn ôl i uwch-corfannau deuol (Cywydd Deuair Fyrion) neu i uwch-corfannau triol (Cywydd Deuair Hirion).

O fewn Cerdd Dafod, gellir cyfuno pob uwch-corfan ag uwch-corfan(nau) arall (eraill), ond inni'u grwpio yn ddeuol neu'n driol.

Felly hefyd gellir olrhain yr holl fesurau penilliog Cymraeg i ailadrodd neu i gyferbynnu fesul dwy linell neu fesul tair llinell. Hynny yw, nid yn unig gyda'r uwch-corfannau o fewn y llinell, ond hefyd rhwng y llinellau sy'n cyplysu â'i gilydd, yr ydys yn dal i grwpio'n ddeuol neu'n driol.

Arbrofi drwy Gyfuno

Dyna'r pum ystyriaeth sylfaenol wrth ddosbarthu'r mesurau i gyd. Ar ôl ymaflyd ynddynt, gwelir bod modd adeiladu ymhellach, sef arbrofi Mynegiant yn ôl athrylith Tafod. Ac wrth gwrs, fe ddigwyddodd hynny yn hanes Cerdd Dafod. Arbrofwyd o fewn y llinell. Arbrofwyd wrth ymgyfuno'n bennill. Ac arbrofwyd drwy ymwneud â phrifodl a thrwy gyfuno llinell heb berthynas gorfannog o ran patrwm rhyngddynt a'i gilydd: e.e. yn hanes yr Hir-a-Thoddaid.

O'r braidd fod angen pwysleisio'r gwahaniaeth o'r newydd, yn y *dull-iau* gwahanol o arbrofi, rhwng mesurau llinell a mesurau pennill. Darparu brics ar gyfer cyfuno a chydadeiladu a wnâi mesurau llinell, tra oedd mesurau pennill yn darparu deunydd ar gyfer addasiadau neu gymwysiadau mewnol.

A gaf yn gryno iawn archwilio ychydig o enghreifftiau o arbrofi llin-ellol, ac yna nodi peth o'r arbrofi penilliol? Defnyddiaf gyfrol bwysig Jenny Rowland er mwyn tynnu sylw at yr arbrofi (isymwybodol efallai) llinellol. Tyn hi sylw at y patrymau gwahanol o adeiladu'r Englyn penfyr.

Early Welsh Saga Poetry gan Jenny Rowland yw'r llyfr safonol ar ddech-reuadau'r Englyn. [Caf beth anhawster i'w ddefnyddio am ei bod yn gosod acenion ar gytseiniaid yn ogystal ag ar lafariaid, ac am nad yw'n ystyried rhagacenion, ac am nad yw'n ystyried chwaith y posibilrwydd o ddilyn awgrym J. M-J ynghylch peidio â chael mwy na dwy sillaf yn olynol ddiacen (*tuedd* neu *arferiad* yn unig oedd hyn yn y cyfnod gynt, er mai tuedd go gref oedd), ac am na raid cyfrif pob gair 'semantaidd bwysig' yn acennog – felly mae'r llinellau ar dd. 311-312, a wêl hi'n afreolaidd, i gyd i mi yn rheolaidd. Mae hi hefyd yn defnyddio'r gair 'ornament' lle y byddwn i'n canfod 'strwythur'). Yr apêl at drefn, gredaf i, sy'n gyrru iaith a llenyddiaeth yn gyntaf: estyniad neu weddnewidiad neu frwydr hyd yn oed yw'r apêl at harddwch. Mae'r harddwch yn y drefn.] Byddaf i, yn gam neu'n gymwys, yn ystyried bod yr Englyn Penfyr mewn gwirionedd yn ddwy linell, a'r Englyn Unodl Union yntau felly yn dair llinell. Yn y Penfyr, cyferbyniad a geir rhwng llinell hir a llinell fer: 6 acen + 3 acen (yn fras 15-16 sillaf + 7 sillaf). Ni raid hidio am y ffaith fod un odl fewnol yn odli â phrifodl yn yr un llinell. Yn wir,

410

yng nghyfnod 'Canu Llywarch Hen' gellid cael *mwy* nag un odl fewnol yn odli â phrifodl:

> '*Wyf hén, wyf uníg, wyf annelwíg/oer, gwedý gwelý ceinmýg,* '
> '*Pedwarméib ar hugáint a fethiáint/fy nghnáwd drwy fy nhafáwd lesáint,/*
> *da ddyfód [bychód] colledáint.*'

Un pwynt mydryddol yr wyf am dynnu sylw ato ynglŷn â'r llinell hir yn y cyferbyniad hwn. Mae yna air cyrch, yn union ar ôl yr hanner ffordd, dan y pedwerydd curiad: hynny yw, i ddechrau'r ail uwch-corfan. Ond fe all ymestyn yn ôl neu ymlaen – drwy gyflythreniad, odl, neu'r naill a'r llall. Dyma gyflythreniad (yr ail yn gyflythreniad generig):

> e.e. '*Pén a bortháf yn anghád/fy llaw llári udd llywiái wlád*'.
> (*i* gytsain yn 'llari')
> '*Dichonád ystef ýll o estýll/ysgwydáwr tra fyddád yn sef ýll.*'

Yn awr, yr hyn a ddigwyddodd yn hanes yr Englyn (Penfyr ac Unodl Union fel ei gilydd) oedd bod y *dewis* hwn yn ymestyn yn ôl neu ymlaen wedi'i docio. Cyfyngwyd yr orfodaeth i ateb yr hyn a ddilynai yn unig. Yn lle cydio'r ail uwch-corfan wrth y cyntaf, fe gronnwyd y gyfatebiaeth o fewn yr ail uwch-corfan. Datblygwyd drwy gyfyngu felly. A chynilo arferion yn wir yw'r hyn a wneir fel arfer wrth sefydlu cyfundrefn: rheoleiddio.

A gaf i gloi, yr un mor gryno, drwy nodi ychydig o enghreifftiau o arbrofi penilliol. Gallwn gymeradwyo erthygl Peredur Lynch ar fesurau Awdl y Gogynfeirdd a gyhoeddwyd yng Nghyfrol Deyrnged yr Athro Geraint Gruffydd, *Beirdd a Thywysogion.* Gwelir mai cyfuniad o gwpled Cyhydedd Fer ynghyd â Thoddaid Byr sy'n gwneud Byr-a-Thoddaid. Cwpled Nawban ynghyd â Thoddaid sy'n gwneud Gwawdodyn. Dau gwpled Naw Ban a Thoddaid sy'n gwneud Gwawdodyn Hir. Ac nid yw Hir-a-Thoddaid namyn canu Gwawdodyn Hir gyda phob llinell yn ddegban wrth gydlynu i adeiladu pennill. Dilynir yr un egwyddorion o gyfuno ag a geid eisoes wrth adeiladu llinell: sef ailadroddir neu ynteu cyferbynnir; a chyplysir llinell naill ai'n grŵp deuol neu'n grŵp triol.

Dyna, yn gryno, yr egwyddorion canolog y seiliwyd y mesurau (a'r llinellau) arnynt. Ac o aros gyda mesurau, ac os dymunir arbrofi o fewn anian a hanfod y mesurau, fe dybiwn i fod yna ennill i'w gael o fyfyrio uwchben yr hyn sy'n rhin ac yn drefn o'u mewn. Y drefn ydyw'r rhin.

411

A gaf felly ychwanegu Ôl-nodyn 'haerllug'?

Yr wyf yn amau'n fawr a oes eisiau cadw'r mesurau traddodiadol yn amodol o fewn cystadleuaeth y Gadair bellach yn y Genedlaethol. Gwastraff ar gystadleuaeth dda yw. Ymddengys i mi mai priodol ddigon yw amod y Gynghanedd gyflawn. Ond bron yn ddieithriad, siom yw'r Awdl yng nghyd-destun gweddill gwaith y cystadleuydd, os yw'n fardd o ddifri, a hynny oherwydd anaddasrwydd mesurol.

Lluniwyd mesurau'r Awdl a ffurf yr Awdl glasurol yn Gynghanedd yng nghyfnod y Gogynfeirdd. Fe'i mabwysiadwyd gan y Cywyddwyr. Yn wir, am gyfnod gellid cael un o feirdd y trawsnewid fel Llywelyn Goch ap Meurig Hen, fel y dangosodd yr Athro Dafydd Johnston, yn defnydd-io'r Awdl draddodiadol mewn arddull braidd yn drwm ogynfarddol, yn gyfredol â'r Cywydd, ond i raddau hefyd yn dechrau ymddiwygio yn yr Awdl ac ysgafnhau o dan ddylanwad y Cywydd.

At ei gilydd, tybiaf – gydag Euros – mai anaddas mwyach yw'r cyfyng-iad i'r mesurau arbennig hyn. Bu gennym dair haenen o feirdd a thri dosbarth o fesurau gynt: y prydydd, y bardd teulu, a'r clerwr; ac ar eu cyfer Awdl, Englyn, a Chywydd. Trodd Traethgan amrywiol y Cynfeirdd yn Awdl gan y Gogynfeirdd. Bellach, crair yw o ran ei lle mewn canu normal. Felly, disodlwyd yr Awdl gan yr Englyn a'r Cywydd, cyn darfod maes o law o'r bardd teulu. A'r clerwr a etifeddodd y cwbl. Y tlodion sy'n etifeddu'r ddaear. Rhyddid i'r proletariad! Bellach, ysywaeth cil-iodd y Cywydd a'r Englyn o'u gorsedd feddiannol mewn barddoniaeth. Ac yr ydym oll yn glerwyr bellach.

Ond ciliodd y Gynghanedd hithau ychydig, am dro, erbyn canol yr ugeinfed ganrif. Eithr ust! Mae hi ar ein trywydd drachefn.

(iii) Y TRADDODIAD YN ARBROFI

Yr ydym wedi ceisio ystyried y ffaith y gallai tuedd neu ddatblygiad new-ydd yn y Traddodiad llenyddol ddigwydd yn ddiarwybod. O bryd i'w gilydd yn hanes yr iaith hithau digwyddai rhywbeth o'r fath yn fynych. Gallai hithau ddatblygu mewn rhyw gyfeiriad fel pe bai'r isymwybod yn arbrofi. Gallai hi ogwyddo i ryw ffurf (er enghraifft, yn achos ymgais y Gymraeg i ddatblygu bannod amhendant); ac yna byddai'n ymatal. Ceisiai'r Traddodiad llenyddol hefyd newid fel yna; cwympai efallai am y tro ac yna rhoddid cynnig arall arni drachefn mewn ffordd wahanol.

A'r cwbl yn isymwybodol.

Ceisiwn yn yr adran hon gyferbynnu o'r newydd yr arbrofi isymwybodol â'r ymwybodol amlwg sy'n digwydd pan fydd bardd yn *penderfynu* gwneud rhywbeth newydd cyffelyb mewn prydyddiaeth i'r arbrofi isymwybodol hwn. Y pryd hynny y mae fel pe bai'r Traddodiad ei hun yn gwneud rhywbeth i'w newid ei hun.

Yn gyntaf, dychwelwn i oedi uwchben y datblygiad isymwybodol ym mydr yr Englyn. Ceisiais eisoes awgrymu mai triol yw sylfaen mydr yr Englyn Unodl Union. Hynny yw, fe geid tair llinell, y gyntaf yn cynnwys 3 churiad + 3 churiad (sef chwech). Dyma'r paladr (enw unigol sylwer). Dyma hefyd y Toddaid Byr (16 sillaf), ac fe'i cysodir yn ddwy linell ar bapur. Cyfleustra yw hynny. Ac yna, yn gyferbyniad, daw'r ail a'r drydedd linell yn cynnwys 3 churiad yr un ar ffurf ailadroddiad mydryddol, sef yr esgyll (enw lluosog sylwer). Dyma'r Cywydd 'Deuair' (dwy linell) Hirion, o'i gyferbynnu â'r Cywydd Deuair Byrion. Ond cafwyd ymosodiad isymwybodol ar y patrwm hwn (yn arbennig yn yr esgyll) o du'r mydrau Awdlog. Roedd yna draddodiad o guriadau 2 + 2 mewn mesurau Awdl yn draddodiadol, a 3 + 3 ym mesurau'r Cywydd a'r Englyn. Roedd hyn yn wahaniaeth cymdeithasol a swyddogaethol, o bosib. Gwahaniaeth rhwng y pencerdd a'r bardd teulu a'u tonau. Ac yna, clywch, dyma hyn yn digwydd (dyfynnaf o'r *Flodeugerdd Englynion* 1978), gan ddryllio'r drefn – yn isymwybodol, dybiwn i, a hynny ar sail yr hen gyferbyniad Indo-Ewropeaidd o linell hir a llinell fer:

Ni tharia yn Lloegr noeth oeryn - o beth byth hwy nag un flwyddyn;
Lle macer yr aderyn,
Llyna fyth y llwyn a fyn.

Yr wyf yn ceisio tynnu sylw eto at doriad ar y traddodiad yn ail hanner y llinell gyntaf. Yn y pennill hwn cewch fydr 3 + 4 (sef 2 + 2); 3, 3. [Sylwer: rhaid cael acen ar 'beth' ac un arall ar 'byth'.] Yn y ddwy ran sy'n adeiladu'r llinell gyntaf, ymwahanwyd. Aeth yr ail ran o'r llinell gyntaf yn ddeuol yn lle aros yn driol yn fydryddol.

Cymerer wedyn enghraifft arall:

Llys Ifor Hael, gwael yw'r gwedd, – yn garnau mewn gwerni mae'n
*   gorwedd;*
Drain ac ysgall mall a'i medd,
Mieri lle bu mawredd.

Dyma eto fydr 4 (sef 2 + 2) + 3; 3, 3.

Gellir hawlio'n bur hyderus nad oedd yr un o'r beirdd hyn wedi bwriadu arbrofi ym myd Cerdd Dafod. Arbrawf anymwybodol oedd. Er mai datblygu go chwyldroadol oedd hyn, fe'i gwnaed o fewn traddodiad. Roedd y gwall yn arbrawf disylw. Rhan oedd o ogwyddiad cyffredinol mawr yn yr Englyn a'r Cywydd, oddi wrth gorfannu triol tuag at gorfannu deuol (sef dull yr Awdl).

Symudwn yn awr oddi wrth yr arbrofi isymwybodol i'r arbrofi ymwybodol, neu led ymwybodol.

Cymerer, felly, yr ail 'arbrofi'. Dyma arbrawf rhamantaidd, hollol ymwybodol gan Euros Bowen. Dyma ddau o groeseiriau ei *Cerddi Rhydd:*

Ynghwrdd â haul belydr o waed undras/yr angerddola blodau'r
   rhododendron

Dyna ddwsin o gytseiniaid cryf yn cyfateb. O'r gorau, deliwch eich anadl.

Er i ddynion lewygu gan ofn a disgwyl am y pethau sydd ar ddyfod
   ar y ddaea/r,
ei ddaioni ni leiha, ac ni fyn o'i dasg lymhau y pethau sydd ar ddi-fai
   drywydd ei awen.

Mae'n debyg ein bod i fod i ymateb yn y fan yma i'r adlais isymwybodol. Pob isymwybod drosto'i hun!

Does gen i ddim yn erbyn isymwybod sy'n gorfod gorweithio. Mae'n briodol i bawb dynnu'i bwysau. Mae'r bardd hwn yn gosod cryn dasg iddo'i hun: gwaith bore cyfan efallai. Gêm ddyrys. Ond sylwer: mae yna fwy na chytseiniaid yn cyfateb cyn cyrraedd calon y sillaf olaf. Yr hyn a wneir gan Euros yw canoli ei sylw ar ateb trefn gytseiniol heb barchu trefn acennol. Mae ef yn arbrofi ym 'mydr y Gynghanedd'. Mewn uned gynganeddol, heblaw cyfatebiaeth rhwng y prif acenion, boed yn uned ddwy-acen neu dair-acen, a heblaw carfanu'r unedau hyn yn ddeuol neu'n driol, gŵyr y bardd (ambell waith yn ymwybodol, ond yn sicr yn isymwybodol) fod modd ('rhaid' weithiau) cael rhagacen yn ogystal â phrif acen mewn uned. Un rhagacen a gyd-dery â phrif acen. Un heb ddim mwy.

Heb gydymddwyn â hynny, chwelir y llinell. Darganfyddiad chwaeth oedd hyn. Yr acen (a'i chwaeth) yw brenhines gyfreithlon Cerdd Dafod.

A bod yn deg ag Euros, a chyda llaw mae'n hen bryd inni oll fod yn deg ag ef gan ei fod droeon ymhlith beirdd mwyaf diddorol a gafaelgar yr ugeinfed ganrif, yr oedd yn ymwybodol ei fod yn ymosod ar y 'llinell' draddodiadol. Rhan o'i genadwri wrth lunio *vers libre* cynganeddol oedd rhyddhau siâp y llinell rhag tyndra acenion. Mae'r theori'n ddiddorol, efallai. Ond y curiadau wedi'r cwbl yw meistri'r llinell. Nhw hefyd yw'r gweision, yn gweini i'r cytseiniaid a'r llafariaid fel ei gilydd. Nid mater o reolau yn unig yw hyn: dyma hanfod yn y berthynas. Cymerer y Draws Fantach:

>   *Y dail a welodd y dyn*
> neu   *Y bwrdd yn ymyl y bad*

Dyna'r lle gorau i ddechrau dysgu cynganeddu yn ddiau – gyda'r Fantach. Ond yn ôl egwyddor Euros, mewn theori, gellid ychwanegu faint fynner o eiriau yn ail ran y llinell, o flaen 'dyn' neu 'bad'. Felly, beth sydd o'i le ar y llinellau canlynol?

>   *Y dail a welodd y ferch, y bachgen, y wraig a'r dyn.*
> neu   *Y bwrdd yn ymyl y tŷ, yr ardd a'r bad.*

Onid y Draws Fantach yw hyn o hyd, beth bynnag yw'r mesur? Nage. Nid yn unig fe gaed yr amlhau cytseiniaid (a ganiatéir). Fe gaed hefyd orglystyru rhagacenion (nas caniatéir). Chwalwyd y berthynas sy'n tanseilio'r brif egwyddor esthetig. Beth sydd o'i le i'r glust? Ystyr colli'r berthynas honno yw colli'r arwyddocâd tynhaol neu'r gynhaliaeth, sef yr undod sy'n coleddu'r amrywiaeth. Aethpwyd yn ôl-fodernaidd, sef theori'n trechu chwaeth a challineb. Wrth i'r patrwm mydryddol cyflawn ddarfod ceir rhyw effaith arwynebol, ond y mae'n gwbl wrthun o safbwynt gafael a chyfoeth yr holl ffenomen gynganeddol. Er y gellir cywreinio'r cytseiniaid, wrth golli'r hanfod yr ydys wedi symud i amgylchfyd lle y mae'n rhaid ymgymhwyso i ymateb ar yr wyneb yn unig yn y pen draw.

Nod Euros oedd ymryddhau rhag gormes 'mesurau' a 'llinell'. Ond yr un pryd – heblaw ymryddhau weithiau (gwae ni) rhag synnwyr effeithiol hefyd – y canlyniad oedd ymryddhau rhag cyfaredd gwir Gynghanedd ei hun.

Dylwn efallai esbonio'n llawnach fy safbwynt ar 'arbrofi' fel ffenomen lenyddol. At ei gilydd, does gen i ddim llawer o hoffter ohono er ei fwyn ei hun, yn fwriadus ymwybodol. Nid aeth Dafydd ap Gwilym na Phantycelyn ddim ati drwy ddweud, 'Gadewch inni arbrofi'. Mewn gweledigaeth *am* gelfyddyd neu'n hytrach *drwy* gelfyddyd y ceir arbrofi effeithiol. A thrwy gelfyddyd am fywyd. Dyna'r math o arbrofi a gafwyd gan Ddostoiefsci ac Ibsen, Conrad a Proust, Kafka a Mann, Manley Hopkins a Waldo yn y cyfnod modern. Pobl mewn oed i gyd. Bydd eraill ar y llaw arall yn arbrofi'n *'avant-garde'*. Hynny yw, newydd-deb er mwyn newydd-deb, nid er mwyn celfyddyd nac er mwyn dweud rhywbeth o bwys, ond er mwyn torri cỳt. At ei gilydd, bydd yr avant-garde yn arbrofi'n ystrydebol – hynny yw, yn arbrofi er mwyn arbrofi, yn arwynebol, yn beiriannol, yn gartwnaidd fel pe na bai dim gwell ganddynt i'w wneud: mor wahanol i wir weledigaeth ac arddeliad Moderniaeth aeddfed. Fel y mae Traddodiad yn fyw, a Thraddodiadaeth yn farw, felly y mae Moderniaeth yn fyw, a'r avant-garde yn gelfyddydol farw.

Bod mewn cyflwr parhaol o wrthryfel meddyliol, bron heb ei wybod, yw'r ffordd gywir i arbrofi, mae'n ymddangos i mi. Yn awr, gwell i mi esbonio hyn gan i mi lawer tro yn yr wythdegau (megis yn SB IV) amddiffyn a mawrygu 'Traddodiad'. Amddiffyniad a gamddeallwyd gan rywrai ar y pryd, wrth gwrs.

Nid Traddodiad yw'r gelyn. Nid gwrthwynebiad yw Arbrawf i Draddodiad. Rhan ohono yw. Datblygir Traddodiad drwy'r cyferbyniadau yn yr ailadrodd. Does dim modd osgoi Traddodiad. Does dim Traddodiad heb arbrawf. Erys y ddau o hyd. Mae fel yr awyr a anadlwn. Traddodiad sy'n caniatáu sgrifennu brawddeg. Traddodiad yw pob gair: fe'i traddodwyd i ni, neu fe draddodwyd ei hanfodion i ni, o'r gorffennol. Breuddwyd gwrach yw codi baner yn erbyn trysor mor fawr.

Traddodiadaeth geidwadol farw yw gelyn beirniaid sydd newydd ddarganfod yr hen fyd yma, nid Traddodiad. Traddodiad yw'r peth glew hwnnw sy'n eu gwneud hwy'n fyw – genynnau a doniau a disgyblaethau sy'n cael eu traddodi o un genhedlaeth i'r llall. Diolch amdanynt. A gwedd ar y Traddodiad hwnnw (sydd hefyd yn ei gadw'n fyw) yw newid. Nid newid er mwyn newid. Ond newid i ddiben arall, i fyw, i gyflawni pwrpas ac i hyrwyddo gwerth y Traddodiad. Heb newid bydd Traddodiad yn darfod. Sylweddolir hynny yn ormodol weithiau. A thybid bod hyn yn fformiwla hwylus. Mae'r *avant-garde*, o'r herwydd, wrthi nerth eu cyhyrau'n ceisio newid celfyddyd, a'r hyn a geir yw undonedd y 'sioclyd' diymennydd disgwyliedig, blinder yr anghelfydd 'arbrofol', gorymdaith o newidiadau ffug-newydd digyfnewid. Yn y bôn dyma ddiffyg newid y 'chwyldro' sydd heb ddweud dim nas dywedwyd lawer tro o'r blaen.

Gwrthryfel arwynebol yw. Gŵyr y Cristion beth yr wyf yn ei feddwl wrth ddweud bod cadwedigaeth yn golygu gwrthryfel meddyliol ac ysbrydol parhaol.

Pam, felly, hawlio bod yn rhaid gwrthryfela o hyd? Oherwydd mai un peth sy'n barhaol ac yn fyw ar hyn o bryd yn hyn o amgylchfyd yw marwolaeth – marwolaeth arddulliau, marwolaeth ffurfiau Mynegiant, marwolaeth ieithyddol, marwolaeth y bywyd naturiol cyfyngedig, marwolaeth moes. Fe'n ganwyd ni oll i wrthryfel yn erbyn hyn. A gwyn ei fyd y sawl a genfydd y modd anffaeledig o'i threchu'n aeddfed. Hwnnw a fydd yn gwrthryfela'n erbyn y chwalfa a'i distryw nad oes gwerth iddynt.

Weithiau, fe gyfeirir at y beirdd cynganeddol fel ceidwadwyr. Carwn ateb y cyhuddiad hwnnw fel hyn. Ni wn am yr un arbrawf ffurfiol gwir drawiadol a brodorol yn y Gymraeg yn yr ugeinfed ganrif ond mewn Cynghanedd. Mae'n wir nad mewn 'arbrofi' ymwybodol o unrhyw fodd y ceir rhagoriaeth llenyddiaeth Gymraeg ers y Ddeddf Uno (a defnyddiaf y gair 'arbrofi' yn ôl yr ystyr arferol ac nid fel y mae pob gwaith gwir greadigol wrth natur yn feddyliol ac yn emosiynol 'arbrofol'). Ac o'r herwydd tuedda'n beirdd 'modern' a'n rhyddieithwyr 'modern' i fod yn ddynwaredol. Dynwared estroniaid y maent. Gallwn oddef hynny, er mai trist israddol yw gweld yr obsesiwn gorunplyg ynghylch Saesneg. Ni chredaf y dylem hidio'n ormodol am hynny – neu fe fyddwn yn colli cwsg am rywbeth eilradd tra bo'r ystyriaeth o'r radd flaenaf yn cael ei hesgeuluso.

At ei gilydd, tybiaf mai'r arbrofion 'iachaf', hynny yw y rhai mwyaf chwaethus ddiogel yw'r rhai fel y rhai a ddisgrifiais yn yr adran ddiwethaf ond un, a'r tro hwn sy'n digwydd yn isymwybodol. Bid siŵr, gellir cael arbrofi ymwybodol fel a gafwyd gyda *vers libre* cynganeddol, pryd y gorynysir yr uned gynganeddol drwy'i hamddifadu o ddolen odl a mydr. Ond ceir tuedd hefyd fel y gwelsom – gan T. Gwynn Jones ac Euros – i golli gafael ar afael draddodiadol yr aceniad rhwng y prif acenion. Ac eto, fe ellir gwneud llawer drwyddo nad oedd mydr y mesurau traddodiadol yn gallu'i gyrraedd. Wedyn, ceid rhagor o arbrofion ymwybodol mewn Mynegiant – y Cynganeddion rhangoll, Sain ddyblyg, Sain gadwynog, Cynganeddion cymysg – Llusg a Sain, – ac yn y blaen. Dichon mai'r arbrawf lletaf mwyaf cyrhaeddbell mewn llenyddiaeth oedd cyplysu rhyddhad y llinell mewn *vers libre* a'i chaethiwo mewn Cynghanedd: sef *vers libre* cynganeddol – peri i'r Gynghanedd lunio'r 'llinell' heb gymorth prifodl. Arbrofi mewn mesur, a chadw'r Gynghanedd.

Credaf mai arbrawf gwir Gymraeg, a'r arbrawf mwyaf gwreiddiol a ddigwyddodd yn ein llenyddiaeth yn ystod yr ugeinfed ganrif oedd priodi Cynghanedd â'r *vers libre*. Ystyriaf yn wir mai dyma'r llwybr mwyaf buddiol inni'i ganlyn bellach am ychydig, o safbwynt 'arbrofi' neu ddatblygu buddiol yn ystod y dyfodol agos. Buddiol yw oherwydd bod arbrofi o fewn Traddodiad, hynny yw o fewn y pedwar mesur ar hugain, wedi methu â gwneud fawr o gynnydd (er bod rhai eithriadau cwbl ddisglair fel nifer o Gywyddau Alan Llwyd a Donald Evans, a rhyfeddod anferth yr Englyn gan nifer helaeth o'n beirdd). Ac nid yw'n amhosibl y gallwn gael adfywiad eto yn y fan, os deellir beth yw'r brics sy'n llunio'r adeilad.

Fwlgariaeth yw'r peryg sy'n rhwym o godi pan geir crefft gywrain ac anodd fel y Gynghanedd sy'n mynd yn rhy ymwybodol, megis wrth gydseinio 24 o gytseiniaid dyweder. Os oes clyfrwch a medr seiniol yn cael gor-amlygrwydd, yna y mae materion mwy difrif megis gweledigaeth aeddfed a dofn o fywyd a chelfyddyd ddychmyglon yn gallu cael eu tanseilio.

Cafwyd cyfnodau yn hanes barddoniaeth pryd y ceid prydyddion yn mawrygu dyweder Cynghanedd groes o gyswllt oherwydd ei thrwch seiniol. Yn y bôn y mae ymagwedd emynwyr y bedwaredd ganrif ar bymtheg neu arwrgerddwr fel Islwyn yn nes ati wrth ystyried mai pwnc i weddi yw barddoni. Roedd yr emynwyr mawr, ac Islwyn, wedi cael eu cynhyrfu gan bethau mawr bywyd yn ddigon fel y trawsffurfiwyd eu hymgynefindra difrif â ffurf. Pan gafwyd y ffidlan ymroddedig gyda Chynghanedd groes o gyswllt, hynny yw ffidlan a oedd yn drech na defnydd dethol, caed perygl hefyd o symudiad tuag at y tila.

Cofier: y mae pob bardd yn feirniad, er nad yw pob beirniad yn fardd. Mantais i fardd yw meithrin ei gynneddf feirniadol i'r radd finiocaf. Credaf fod llawer o'n beirdd mwyaf henffasiwn wedi mynd (yn isymwybodol) braidd yn brudd yn ddiweddar. A pheth o'r rheswm am hynny yw'r diffyg yn eu tyfiant beirniadol. (Ysgogiad arall yw'r meddwl trefedigaethol sy'n mynnu protestio a 'chadw' yn hytrach na 'gweithredu'n bersonol adeiladol i adennill'.) O golli'r tyfiant beirniadol, collir hefyd y medr i fwynhau'r rhychwant mwyaf catholig ac amrywiol mewn barddoniaeth gyfoes. Rhaid i fardd fyw o fewn cyflwr parhaol o adfywiad. Gwn am sawl bardd henffasiwn sy'n colli dirnadaeth am y rhan fwyaf o werth barddoniaeth ryngwladol, a hynny'n syml oherwydd hunanamddiffyn anfeirniadol. Maen nhw'n gallu sawru hen drawiad mewn Cynghanedd o bell, hyd yn oed hen odlau, er eu bod wedi cynefino â'r rheini ychydig – yn arbennig yn acennog. Ond awyrgylch, cywair, tôn, arddull, maen nhw'n methu â meithrin dirnadaeth amdanynt. Allan nhw ddim clywed yr ystrydebaeth yn y tinc na'r awyrgylch.

Beth maen nhw'n ei golli? Dichon eu bod heb allu meddiannu golud yr ugeinfed ganrif heb sôn am yr unfed ar hugain. Methasant â cherdded i ganol eu byd cyfoes fel darllenwyr barddoniaeth feirniadol fyw. Ac maen nhw'n drist yn y bôn. Maen nhw'n teimlo'u bod wedi'u gadael ar ôl. Collasant mewn hunanfeirniadaeth. Ymsafant o hyd yn eu lle bid siŵr am beth amser. Amddiffynnant yr oes a fu sydd i fod am byth. Ond *Vers Libre*? Byth! Meddwl? Byth. Catholigrwydd chwaeth? Byth, byth, byth . . . Dyfal donc . . .

Mae'r Gynghanedd yn unigryw chwyldroadol oherwydd ei bod yn gynllun cyflawn. Rheolir pob sain, pob cytsain a llafariad ac acen boed yn negyddol neu'n gadarnhaol gan Gyfundrefn o gyfundrefnau: yn amrywiad o fewn undod. Dyna pam yr honnir ei bod yn hynny o beth yn debyg iawn i iaith ffonolegol gyfan. O ganlyniad i'r ffaith hon, dywed y dadansoddiad ohoni lawer wrthym am y modd yr adeiledir iaith ac am natur iaith ei hun. Mae ganddi ynddi'i hun Dafod 'cyflawn' sy'n sylfaen i arbrawf, sef Cerdd Dafod. A cheir cyfundrefnau mewn Mynegiant sy'n gysgodion ar ryw olwg (e.e. y mesurau) i adeiladwaith y cyfundrefnau mewn Tafod. Cyfansoddiad rhyfeddol yw'r greadigaeth hon, sy'n cael ei chadw drwy newid, ac sy'n disgwyl o hyd am fyfyrdod maith.

(iv) ARBROFI'R DDWY WEDD

Yn yr adrannau o flaen hon bûm yn ceisio trafod arbrofi mewn Cynghanedd. A cheisiais edrych ar ddwy wedd: arbrofi anymwybodol sy'n peri bod y Gynghanedd yn datblygu fel cyfundrefn neu sefydliad mewn Tafod; ac arbrofi ymwybodol mewn Mynegiant.

Er na ddywedais mo hynny, gallwn fod wedi dod i gasgliad fel hyn ynghylch Mynegiant: *Mae pob llinell lwyddiannus o Gynghanedd yn arbrawf.* Hynny yw, y mae pob llinell o Gynghanedd lwyddiannus yn ymosodiad ar farwolaeth yr awen. Mae'n ymaflyd codwm â llesgedd sŵn a dychymyg. Mae pob un yn wahanol, neu fe ddylai fod yn ei hanfod. Gallwn fynd ymhellach a dweud: mae rhai o'r 'beiau' a nodwyd eisoes wedi dechrau gwreiddio cyn sefydlu cyfundrefn y beiau gwaharddedig (e.e. Collddeuo a Cholldrio), ac felly'n ddi-fai mewn un cyfnod ond yn feius wedyn. Gellid yn deg ddweud hefyd – yn hanesyddol, symudwn yn gyson o gyfnod un gyfundrefn (*gestalt*) i gyfnod un gyfundrefn arall *(gestalt)*. Cyfres o gyfannau yw olyniaeth y cyfundrefnau yn hanes Cerdd Dafod.

Yn wir, cyfres o gyfannau yw traddodiad.

Ond priodol wedyn ychwanegu dyfyniad negyddol gan Thomas Parry, o'r gyfrol *Trafod Cerdd Dafod y Dydd:* 'Y mae mynd ati yn fwriadol i ddyfeisio dulliau newydd o ddefnyddio'r Gynghanedd yn rhywbeth sy'n groes i'r holl draddodiad, oherwydd fel y gwelir o ddarllen gweithiau'r Gogynfeirdd, yn reddfol, ac i raddau helaeth iawn yn anymwybodol, y bu i'r beirdd ddatblygu'r Gynghanedd. Chwaeth y beirdd, yn hytrach na'u dyfeisgarwch, a benderfynodd pa gyfuniadau o gyseinedd ac odl oedd yn gymeradwy. Y mae dyfeisio a chyfnewid yn fwriadus yn tueddu i symud o dir chwaeth i dir ymresymiad, ac y mae'n ymddangos i mi nad ymresymiad yw sail unrhyw gelfyddyd gain.'

Yma y mae Thomas Parry wedi sylwi ar y ddeuoliaeth. Mae'n dweud llawer o wirionedd. Ond fe'i camddealla beth. Mae'n gwir amgyffred ambell wahaniaeth sylfaenol: yr isymwybodol (Tafod), yr ymwybodol i raddau (Mynegiant); chwaeth i raddau (mewn Tafod); ymresymu i raddau (Mynegiant); y greddfau i raddau (Tafod); y dyfeisgarwch i raddau (Mynegiant). Ond mae Syr Thomas yn gadael i'w ragfarnau ceidwadol a rhamantaidd iach ei rwystro rhag deall lleoliad ac angenrheidrwydd y naill lefel a'r llall: rhagdybiau yw'r rhwystr pennaf yn y maes hwn fel mewn meysydd eraill.

Ni ellir ac ni ddylid alltudio ymresymu o'r broses gelfyddydol, na'r un gynneddf arall, am wn i, fel na ddylid esgymuno unrhyw wedd ar eirfa, megis yr haniaethol – sy'n cyfateb yn yr achos hwn o ran natur, – fel yr awydd i'w esgymuno, – i'r gynneddf resymu.

Carwn gynnull nifer o ddyfyniadau go sylweddol gan feirniaid sydd wedi myfyrio am y maes hwn. Ymwnânt yn bennaf â pherthynas llinell a phennill (neu'r cysylltiad rhwng llinellau). A chyfleoedd arbrawf.

Da yw amgyffred yn gyfansawdd y cyfuniad neu'r ddeuoliaeth (sydd heb fod yn ddidoliad). Felly, wrth ymwared â'r mesurau fel y gwnaeth Euros mewn *vers libre* cynganeddol, yr hyn a wnaeth drwy gadw'r Gynghanedd oedd ynysu'r llinell. Ni chaed mwyach gyswllt yr odl rhwng llinell a llinell. Ac un ffordd o ddatrys hyn oedd goferu. Ffordd arall oedd drwy gysodi mwy amrywiol. Hynny yw, drwy beri i gysodiad y llinell fod yn wahanol i Gynghanedd y llinell, fel yr oedd Beirdd yr Uchelwyr wedi peri i Gynghanedd a rhediad brawddeg wrthdaro â'i gilydd. Clywch y llinellau hyn gan T. Gwynn Jones yn 'Cynddylig':

> *Yntau'r mynach wedi tremio ennyd*
> *a gwrando ar lif a grŵn y dŵr a'i lwnc,*
> *disgynnodd o'r gaer yn araf ac yna safodd*
> *wrth y rhyd, ac yno, ar wartha'r rhedyn,*
> *gwelai yn ei ŵydd ddwy gelain oer;*

Clywir y goferu yma o linell i linell. Dyma gymeriad synnwyr. Trewir ar draws ynysigrwydd y Gynghanedd gan rythm brawddegol. Dyma un ffordd o ddatrys y broblem. Drwy'r goferu ceir math o gyswllt synhwyrol rhwng llinellau, sy'n cyfateb i odl mewn pennill.

Pan ymdrown gyda *vers libre*, ymdroi yr ŷm gydag uned y llinell, llinell yw na raid iddi gael ei diffinio gan nac odl na mydr na chyhydedd. Ceir dulliau eraill o'i diffinio – yn gysodol wrth gwrs, ond gyda help y Gynghanedd hefyd. Yn fy marn i, yr unig ffordd hollol ddiffiniol a sefydlog mewn Mynegiant yw cysodi gweledig neu glywedig. Math o ynys sydd o raid; ac y mae'r nodwedd honno'n codi pob math o broblemau neu o gyfleoedd.

Carwn yn awr symud at ail ddiffiniad. John Morris-Jones yn ei *Cerdd Dafod 372* a ddywedodd:

> 'Nid yw canu mesur cynganeddol heb brifodlau'n beth hollol newydd; fe geir enghreifftiau mewn dychangerddi yn y bedwaredd ganrif ar ddeg; gweler tair gan y Mab Cryg a dwy gan yr Ustus Llwyd yn M.A. 365-7 ar fesurau toddaid, gwawdodyn a chyhydedd hir. Fe ymddengys yn anghyson cadw odlau mewnol y sain a'r llusg ac esgeuluso'r brifodl; ond fe ellir dywedyd bod yr odlau mewnol yn dangos y curiadau, ac os cedwir y curiadau ni bydd cymaint o eisiau'r brifodl i ddangos diwedd y llinell.'

Dyma gydnabod y curiadau fel elfen ddigonol i ddisodli'r angen am brifodl. Mae'n ddyfnach mewn Tafod na llinell gysodol.

Wrth gyferbynnu'r ddwy wedd *Tafod* a *Mynegiant*, yr wyf am ddyfynnu eto o *Trafod Cerdd Dafod y Dydd*, y tro hwn gan Alan Llwyd (sy'n theorïwr er ei waethaf):

> Y mae i farddoniaeth fydr yn ogystal â rhithm. Fe gymysgir rhwng mydr a rhithm yn aml, hyd yn oed gan feirniaid profiadol, ac fe ychwanegir at y dryswch. Y mae mydr yn egwyddor bendant, yn egwyddor wyddonol hyd yn oed, ac y mae mydr yn gwbl reolaidd

yn ei symudiad. Mydr yw symudiad sylfaenol y mesur; rhithm yw symudiad yr ystyr. Y mae'r mydr eisoes yn bod, ond nid y rhithm. Y bardd ei hun sy'n gyfrifol am y rhithm; ef sy'n asio'i rithm â'r mydr sydd eisoes mewn bod. Dyna pam y dywedir am ryw fardd neu'i gilydd: 'Y mae ganddo'i rithmau ei hun'. Ni ddywedid byth 'y mae ganddo'i fydr ei hun', gan fod y mydr yn bod eisoes, yn ymhlyg yn y mesur. Y mae'r mydr mewn cerdd dan yr wyneb, neu o leiaf fe ddylai fod dan yr wyneb, yn anamlwg. Os yw'r mydr yn rhy amlwg, hynny yw, os yw'r bardd yn dibynnu'n ormodol ar y symudiad mydraidd sylfaenol, heb orfodi'i rithmau ef ei hun ar y mydr, fe geir undonedd peiriannol yn aml. Y mae mydr, felly, yn hanfodol i'r mesur, tra bo rhithm yn hanfodol i'r ystyr.

Dyna'r ddwy ffordd o fyw. Ac y mae'r hyn a ddywedir am Fydr a Rhythm yn union yr un fath ag a ddwedaf innau am Dafod Llenyddiaeth a Mynegiant Llenyddiaeth yn gyffredinol, gan gynnwys y Gynghanedd.

Euros Bowen yw'r olaf o awduron *Trafod Cerdd Dafod y Dydd* yr wyf am gyfeirio atynt. Mae ei ysgrif ef yn llawn o awgrymiadau gwerthfawr ac yn ffrwyth arbrofi meddylgar ac anturus. Mae yntau hefyd yn ymwybodol o'r ddwy lefel:

'cwbl anaddas yw beirniadu yr hyn rwy i'n ei alw'n Gynghanedd wead o safbwynt safonau sy'n perthyn i Gynghanedd ar fesurau traddodiadol Cerdd Dafod. Os beirniadu, rhaid cael safonau sy'n ymwneud ag egwyddor gweadwaith ac sy'n berthnasol i'r egwyddor honno.'

ac eto:

'Nid addurn yw Cynghanedd, ond elfen mewn perthynas organaidd â hanfod adeileddau barddoniaeth.'

Yr wyf yn cyd-fynd â llawer o'r hyn sydd ganddo i'w ddweud, gan eithrio efallai un peth yn waelodol. Ac y mae a wnelo hyn â'r ffaith fod Cynghanedd bob amser yn perthyn i Gerdd Dafod yn ogystal â Cherdd Fynegiant. Deuoliaeth yw, nid didoliad. Rhaid sicrhau mydr y Gynghanedd neu nid oes Cynghanedd. Felly, pan synia ef am 'lacio ac ystumio mesurau traddodiadol Cerdd Dafod er mwyn gallu cynganeddu'n rhithmig', rhaid ei oleddfu drwy sylwi bod cnewyllyn o fydryddu Cerdd Dafod (heblaw'r rhythmau) yn gorfod aros er mwyn i'r peth fod yn

Gynghanedd. Nid gwrthosod mydr a rhythm yr ydys, ond eu cyfuno. Sylwer er enghraifft ar dair 'llinell' gan Donald Evans:

Y beddau'n
    wewyr o fywyd
        fel hen ymwybyddiaeth.

Yn y fan yma y mae'r llinell gyntaf a'r drydedd yn cynnwys mydr y Gynghanedd (heblaw ei chytseinedd): hynny yw, rheolir y cyfuniad geiriol gan gyd-drawiad acennog. Dyma fydr, nid rhythm yn unig. Lle bynnag y ceir geiriau'n rhedeg yn ystyrlon ceir rhythm, boed mewn rhyddiaith neu mewn prydyddiaeth. Mater arall yw mydr (Tafod): ceir hwnnw lle y bo rhyw batrwm sefydlog rhwng prydyddion, amseroedd, a lleoedd. Gadewch inni wrando ar Euros eto. Pair ef inni ystyried perthynas llinell a mesur pennill:

'Yn y mesurau y datblygodd y gynghanedd ynddyn nhw mae'r gwahanol fathau o gynghanedd yn acennu'n fydraidd. Mae mesur yn golygu mydr. Os mesur, yna mydr. Ond lle nad oes mesur nid oes rhaid wrth fydr. Sut bynnag, gyda datgysylltu cynghanedd oddi wrth fesur a mydr, mae'r cwestiwn yn codi a ellir synio am y cynganeddion mewn dull gwahanol i batrymau'r mydr? Gellir, oherwydd gallant gydweddu â symudiad annibynnol rhithm. Er mai gwir ydyw fod y gynghanedd wedi tyfu oddi mewn i fesurau, eto ffordd o drin yr iaith yw cynghanedd, ac mae'r iaith yn atebol i driniaeth gynganeddol oherwydd ei natur ystumiol, y ffaith, er enghraifft, fod geiriau Cymraeg yn gallu treiglo.'

Mae'n ysgaru mydr Cynghanedd (y 'llinell') oddi wrth berthynas â mesur (y pennill); ond lle y bo cynghanedd y mae mydr yn hanfodol. Mydr a wnaeth gynghanedd.

Yn ei gyfrol gynnar ond ysgogol *Anghenion y Gynghanedd*, sonia Alan Llwyd am amryw arbrofion cynganeddol, megis Gwynne Williams yn cyfuno Cynghanedd Lusg â'r Gynghanedd Sain: Sain Lusg Afrosgo o Gyswllt: 'Dy ddinas i chwerthin yn chwil'. Fel gyda Euros, ceir gan Gwynne Williams Gyfatebiaeth Holltedig:

Yn y gwyll
    wele'r falwen
yn gwau

Yn ddigon tebyg i gyfochredd Euros ond yn fwy gwâr. Dichon fod olynwyr Euros yn well cyfarwyddwyr na'r arloeswr mawr ei hun.

Dadleuai Thomas Parry mai ffenomen orffenedig a digyfnewid oedd Cerdd Dafod. Pe felly, arwydd fyddai o farwolaeth. Credaf fod pob dim ar y ddaear hon, gan gynnwys y Gynghanedd yn graddol (neu'n cyflym) newid. Dirywio, medd rhai; ymddatod, medd eraill. Ond beth bynnag yw golwg yr ochr honno i'r geiniog, yr wyf innau'n grediniol fod yna ochr arall eto i'r un geiniog. Gall un cyfnod gynnig, a'r cyfnod nesaf yn hwyr neu'n hwyrach raddol drawsffurfio.

Pan fydd yna ddatblygiad o'r fath mewn Tafod, mae yna bob amser reswm. Ceisiaf enghreifftio'r cyfnewidiad 'arbrofol' i ddechrau; ac yna, esbonio pam, cyn troi at arbrofion parchus ymwybodol feiddgar y bwriadusrwydd confensiynol, yr 'arbrofion' arferol a defodol go iawn.

Yr wyf eisoes wedi trafod 'ail linell' Englyn, a hawlio mai dwy acen a ganiatéir: un yn yr odl, fel sydd ymhob llinell reolaidd o Gynghanedd mewn mesur traddodiadol ac un yn y rhagacen (sef yn ffurf yr Englyn, y sillaf yn yr ail linell sy'n cyfateb i acen y gair cyrch). Gyda'r gair cyrch, ceir tair acen, sy'n cyfateb i'r tair acen cyn y gair cyrch. Neu, o'i rhoi mewn ffordd arall, mewn paladr cyfan ceir yn draddodiadol o flaen y gair cyrch dair acen, ac yna yn y cyfuniad o'r gair cyrch a'r 'ail linell' dair acen arall. Ond bellach, ceir llu o'n Henglynwyr mwyaf hyddysg yn ychwanegu acen arall yn yr 'ail linell'.

Gyda llaw, yr wyf eisoes wedi dadlau pam yr wyf yn gosod y geiriau 'ail linell' mewn modd mor annifyr ddyfynodol, am nad wyf, yn dawel bach, yn credu ei bod, yn hanfodol ffurfiol, yn ail linell o gwbl, ond yn gysodol. Mewn gwirionedd, yn fy marn i, o ran ffurf ddatblygedig a chynhenid, un llinell hir yw'r paladr oll, sef y ddwy linell gysodol yn ôl y dull confensiynol o'u sgrifennu. Enghraifft yw'r Englyn o fesur lle y ceir cyferbynnu llinellol rhwng yr hir a'r byr – hen gyferbyniad mewn mydryddiaeth Indo-Ewropeaidd.

Dyma yn awr y paladr go iawn, y paladr heb i'r hen arbrofwyr yna darfu arno, yn gadarn fel y mae i fod yn ôl deddfau oesol Cerdd Dafod, y paladr safonol:

> Y Bargod
> Rhy'n ddi-daw, tra bo'n glawio, seiniau mwyn fel sŵn mil yn godro,

A dyma'i esgyll

> Pan geir rhew yn dew ar do
> Daw hynod dethau dano.   (Y Flod. Eng. 271)

Dyna'r 'hen ddull', ys dywed Gramadegau'r Penceirddiaid. Trown wedyn at yr ymestyniad ar y ffurf sy'n digwydd ar hyn o bryd. Digwydd y mae yn isymwybodol. 'Gwall' yw. Ni sylwa'r beirdd. Ac yn hyn o beth y mae'n wahanol i'r ymestyniad ar gyfundrefn Cerdd Dafod a gafwyd pan gydnabuwyd Proest i'r Odl yn fai. Cyn cydnabod Proest i'r Odl, sgrifennai beirdd yn ddi-fai yn y dull yna. Wedi'i alltudio, yr oedd yr alltudiad hwnnw ei hun o hyd yn 'ddi-fai'. Ond dyma 'ddull newydd' o Englyna paladr (er bod ei wreiddiau yn syn o gynnar yn achlysurol):

> *Craith*
> *Lle bu archoll heb orchudd, galwai'r gwaed*
>   *Geulwyr i gamp gelfydd*
> *O smentio, pontio'r pontydd,*
> *A gwyrth fawr o graith a fydd.*   (Y Flod. Eng. 272)

Sylwer ar y rheidrwydd i gael tair acen yn yr ail linell gysodol. Rwyf innau'n synhwyro bod y mesur yn newid. Rhaid newid y 'rheolau' felly – o leiaf cyn bo hir efallai. Y mae'r gwall yn digwydd bellach mor fynych gan ein prifeirdd nes bod yr ymdeimlad o anghywirdeb yn cilio. Ni sylwant ei fod yn fai. Estyniad felly yw ar Gerdd Dafod. A hawdd ei ddeall. Cymerir mai un llinell yn unig yw'r gair cyrch ynghyd â'r ail 'linell', sef yr ail linell gysodol. Ac mewn un llinell, o fewn cyd-destun y Cywydd Deuair Hirion (ac felly o fewn esgyll yr Englyn hefyd), troes yr hen drefn o 3 churiad mewn llinell (sef 1 + 2) yn drefn o 2 + 2. Mewn gwirionedd, yn y paladr dylai 'galwai'r gwaed' gynnwys un acen yn unig – fel y'i gwna; a dylai 'Geulwyr i gamp gelfydd' gynnwys un rhagacen yn unig; gan wneud cyfanswm o 3. Ond *rhaid* cydnabod acen drom yn y gair 'gelfydd' oherwydd mai dyma air yr odl. *Rhaid* cydnabod 'gamp' yn acennog i ateb 'gwaed'. Felly, o'i flaen erys tair sillaf olynol, sy'n anghywir fydryddol ddiacen; ond o dybied ar y llaw arall fod acen yn bresennol yn 'Geulwyr', byddir yn draddodiadol anghywir wedyn oherwydd nifer yr acenion trwm.

Ni raid dweud bod y glust ofalus fel arfer yn dal i'w glywed yn anghywir.

Beth felly sydd gennym yn y fan hon o safbwynt Traddodiad?

Mae hi fel petai dwy ffordd o gorffori datblygiadau neu arbrofion neu estyniadau (sy'n digwydd mewn Mynegiant) o fewn strwythur Tafod:

    (1) Drwy wth egwyddorion Tafod, heb fod y beirdd yn 'anghywir'

o gwbl, ac o fewn amodau sy'n cael eu culhau gan gadw'r fframwaith drwy gydol yr amser.

(2) Drwy ddiffyg gofal a lledu amodau (o bosib drwy anwybodaeth) y ceir yr hyn a gyfrifir yn 'anghywir' gan bwyll yn dod yn arferiad a all droi'n 'ddeddf'. Ond gwylier: wrth symud un fricsen, mae'n sicr y bydd brics eraill yn symud hefyd. Gwylier y to.

Mae yna bob math o symudiadau ymwybodol ac isymwybodol 'cywir' ac 'anghywir' ar waith yn natblygiad ac yn chwyldroadau celfyddyd. Cymerer er enghraifft y chwalfeydd rhyfedd a ddigwyddodd yn niwedd oes Beethoven gyda'i bedwarawdau gwyllt a drylliog. Am wn i, dyma fynegiant o weledigaeth a phrofiad ysigol dwfn. Ond cymharer â hynny y math o weledigaeth lawer mwy ymwybodol a gafwyd yn achos Schoenberg (gydag anhrefn trefn y deuddeg nodyn) mewn cyd-destun digon tebyg o ran gweledigaeth, o bosib, a digon tebyg o ran profiad, eithr yn fwy ymwybodol tan ymuno â llif yr oes o ran dogma mewn ffurf. Ganddo ef ceir yr arbrofi bwriadus ffasiynol: safai Beethoven y tu hwnt i ffasiwn a 'dyfais' ym myd gweledigaeth fwy angerddol.

Sôn yr ŷm am y sigladau pwysig sy'n digwydd ym Mynegiant neu yn Nhafod y traddodiad, a hynny am amryfal resymau. Lle y bydd yr elfen greadigol yn rymus, y mae ffurf yn wynebu atrefniant, hyd yn oed yn yr hen gyferbyniad adnabyddus rhwng gwyddoniaeth a chelfyddyd. Mae gwyddoniaeth (gan gynnwys beirniadaeth lenyddol), beth bynnag am y sythwelediadau isymwybodol sy'n gallu ei harwain, yn ymwybodol theoretig ac yn ymwybodol arbrofol at ei gilydd. Y mae celfyddyd (gan gynnwys iaith a beirniadaeth lenyddol) yn *isymwybodol* theoretig ac arbrofol yn aml, ac yn *ymwybodol* theoretig ac arbrofol hefyd.

Ychydig o bobl yn ystod y can mlynedd diwethaf sydd wedi ceisio trafod arbrofi ym maes y Gynghanedd. Heblaw Euros, yr Alan Llwyd ifanc yn ei lyfr arloesol *Anghenion y Gynghanedd* yw un o'r ychydig feirdd ymarferol a fu'n pendroni yn y maes hwn. Mae ysbryd arbrofi yn Twm Morys yntau. Y mae arbrofi dilys yn faes priodol iawn i'r crefftwr cynganeddol difrif. Mae'n fwy na mater o hwyl. Mae'n dyfnhau'r meddwl am natur celfyddyd. Ac y mae'n gymorth i ddeall beth sydd wedi digwydd yn hanes celfyddyd.

Ar ganol trafferthion hunan-ymwybodol gelfyddydol yr ugeinfed ganrif, bu'n bwnc pur sylfaenol.

Tybir mai ar ffiniau celfyddyd y bydd arbrofi'n gweithio. Mae'n gwrthod disgwyliadau traddodiadol. Ond wrth edrych yn ôl ar arbrofion yr ugeinfed ganrif, ymddengys bellach mai gweddol arwynebol a ffug ymwybodol fu llawer o'r arbrofion tybiedig a gafwyd. Yn y diwedd, er mwyn mwyngloddio hynny o werth arhosol sydd ynddynt, rhaid palu dan yr wyneb at hen werthoedd megis deallusrwydd, dychymyg, aeddfedrwydd moesol, gweledigaeth o fywyd, a meistrolaeth ieithyddol. Oherwydd ein bod yn fwy ymwybodol bellach fod yna ffug ac anaeddfedrwydd mewn llawer o'r *avant garde* nid oes rhaid ymgrymu yn rhy barod o flaen y trendi a'r arwynebol. Y mae angen myfyrio'n ddwysach am broblem fawr yr hen a'r newydd. Heb beidio â chydnabod bod newydd-deb ffurf a chynnwys yn dod â ffrwythlondeb, rhaid ymatal rhag gadael i ffasiynoldeb drechu synnwyr beirniadol.

(v) ARWYDDOCÂD EUROS

Y ddau lyfr pwysicaf am y cynganeddion yn yr ugeinfed ganrif oedd *Cerdd Dafod* J. Morris-Jones 1925 a *Trafod Cerdd Dafod y Dydd* 1984 gol. Alan Llwyd. Mae rhannau 3 a 4 yn *Cerdd Dafod* yn parhau i gael eu hystyried fel y dadansoddiad cadarnaf ar y Gynghanedd. Cam athrylithgar oedd yn ei flaen. Er nad oedd J. Morris-Jones yn hyddysg iawn mewn beirniadaeth lenyddol ryngwladol gyfoes na chwaith yn cydymdeimlo â'r symudiadau llenyddol enfawr ar y pryd yn Ewrob, rhaid ei gyfrif ar sail yr ymdriniaeth hon, yn un o brif feirniaid Cymraeg yr ugeinfed ganrif. Llyfr un dyn yw *Cerdd Dafod*, llyfr gan ysgolhaig mwyaf Cymru erioed, a hwnnw'n edrych yn unplyg tuag at y gorffennol. Man cyfarfod yw cyfrol Alan Llwyd ar y llaw arall i gyfeillion sgyrsio am y dyfodol. Ceir pedwar ar ddeg o gyfranwyr wedi ymgynnull yng nghymdeithas un neuadd ddifyr. Ac yng nghorff y llyfr trafodir llu o arddelwyr cyfeillgar a mentrus y Gynghanedd o'r saithdegau ymlaen hyd ganol yr wythdegau. Er mai Alan Llwyd biau'r ysgrif bwysicaf yn y gyfrol (ac yn wir, dyma'r drafodaeth orau er byrred yw hi am Gerdd Dafod yn gyffredinol a luniwyd er pan gyhoeddodd J. Morris-Jones ei gampwaith), efallai mai'r cymeriad cryfaf ei ddylanwad a phrif thema'r gyfrol ar ryw olwg oedd y prociwr dihafal Euros Bowen. Fe geisiodd ef wneud dau beth yn bennaf, sef yn gyntaf ystyried o'r newydd y dyfodol i Gerdd Dafod yn strwythurol, ac yn ail mynd ati i lunio cerddi a fyddai'n arwain i gyfeiriad cymharol newydd yn sgil arbrofion cymharol newydd gan Gwyndaf Evans a T. Gwynn Jones. Buwyd yn cyfeirio ato'n gyson yn yr adran ddiwethaf wrth drafod arbrofion cynganeddol. Brigodd i'r golwg yma ac acw drwy gydol y gyfrol hon. Mae'n bryd bellach ganolbwyntio a chrynhoi rhai casgliadau am ei gyfraniad.

Credaf ei fod yn llygad ei le wrth ddrwgdybied rhif y pedwar mesur ar hugain. A hefyd yn yr hyn a ddywed am ryddid a chaethiwed. 'Mae pob barddoniaeth mewn gwirionedd yn farddoniaeth gaeth. . . . rhyddid dan amodau trefn yw pob rhyddid. Ac wedi'r cwbwl ffordd o arfer rhyddid dan amodau trefn yw cynganeddu. . . . Yn wir gallai gwrth-wynebwyr y Gynghanedd ddal fod Syr John wedi trosglwyddo'n gywir inni sistem gyflawn o Gynghanedd draddodiadol ar adeg pan nad oedd angen na galw esthetig amdani, ac iddo felly greu cyfnod o glasuriaeth artiffisial. . . . Dyw natur y Gynghanedd ei hun ddim yn galw am odlau terfynol. Nodwedd mesurau Cerdd Dafod yw odlau terfynol, ac nid rhywbeth yn perthyn i hanfod y Gynghanedd ei hun. . . . Yr hyn sydd eisiau, fel y dywedwyd eisoes, yw datgysylltu'r Gynghanedd oddi wrth amodau crefft a'i rheolau, a'i chysylltu yn lle hynny ag amodau celfyddyd. . . . Does dim deddfau na rheolau mewn celfyddyd. Os rhywbeth o gwbwl, egwyddorion a geir. [*Os oes parhad i'r egwyddorion, deddfau ydynt. RMJ*] . . . Swydd y Gynghanedd yw gweini ar gelfyddyd barddoniaeth. . . . Mae Cynghanedd rydd fodern yn dangos mai gweini ar aceniaeth yw unig amod cynganeddu, ac i allu gwneud hyn does dim rhaid wrth sistem o reolau mydr. I weithio Cynghanedd does dim angen symudiad yn ôl patrwm rheoledig o guriadau a chytgord peiriannol rhwng dwy brif acen mewn llinellau. Gellir patrymu llinellau a rhed-iadau Cynghanedd ar egwyddor aceniaeth ystyr yn unig. [*Gwyddor Sain yw Cynghanedd. Ynddi hi ei hun, nid oes ystyr, yn yr ystyr arferol, onid yr ystyr a ddyry pob trefn. RMJ*] Dyna hanfod Cynghanedd rydd fodern – cynganeddu rhithm y meddwl yn lle cynganeddu patrwm o fydr rheol-aidd.'

Dyna'n bras ei raglen. Dyna fyfyrdod teg a deallus ynghylch rhai o briodoleddau dyfnaf y Gynghanedd, a hefyd fwrdd lawnsio Euros ar gyfer arbrofi ystyriol.

Gwyddom fod rhai o feirdd y bedwaredd ganrif ar ddeg eisoes yn gollwng prif odlau yn eu dychanau. Nid peth newydd yw 'arbrofi'.

Heblaw y safiad theoretig a wnâi i'r cyfeiriadau hyn llwyddodd Euros hefyd o dro i dro i lunio cerddi myfyriol pwysig a hyfryd mewn *vers libre* cynganeddol. Er na chyrraedd frig y siartiau, erys ei waith pan fydd hoff bobl y brig wedi colli'u dail. Roedd llawer o'i arbrofion ar sail Cyng-hanedd yn dra gwerthfawr a dylanwadol. At ei gilydd ni wnawn i achwyn am brif faich ei genhadaeth, a chydsyniwn am y 'rhyddid' a'r cyfrifoldeb a bleidiai'r bardd wrth gyfochri grwpiau seiniol Cynghanedd, lluosogi grwpiau seiniol cynganeddol, cyfuno, cyfosod, goferu a sangiadu. *Ond,* ac y mae hyn yn *ond* go fawr, nid arbrawf sy'n dwyn barddoniaeth i'r fei, ond barddoniaeth sy'n dwyn yr arbrawf. Ambell waith y mae Euros yn rhoi'r argraff ei fod yn barddoni ar sail fformiwla. Beth bynnag oedd ei syniadaeth am ffurf, bernir cerdd yn ôl ansawdd y gwaith, nid yn ôl maint yr arbrofi. Dyna wendid yr *avant-garde* gynt. Yr oedd rhai o'i arbrofion yn gampus yn ddiau. Diau iddo gael ei yrru i arbrofi. Ond yr oedd llawer yn straenllyd, yn anghelfydd ac yn undonog, nes eu bod yn amlwg fethu.

Ar ôl cyhoeddi'r gyfrol gyntaf, *Cerddi,* a oedd (heblaw am y cysyniad gwirion artiffisial o ugeinedau) yn gyfrol 'naturiol' o farddoniaeth, aeth Euros Bowen ati yn ôl rhyw fath o raglen neu bolisi o fwriadus gynllunio cyfrolau yn ôl strategaeth. Aeth ati i lunio cyfrol o gerddi 'rhydd oddi wrth bob olion ffurf ar ganu traddodiadol heblaw rhithm'. Nid oedd Euros ysywaeth yn glir yn ei feddwl am y gwahaniaeth rhwng rhythm a mydr. Nid yr un yw mydr y Gynghanedd â mydr y canu rhydd (Saesneg); ond mydr yw er hynny. Mydr y prif acenion a'r rhag-acenion yw mydr y Gynghanedd, mydr a bwyntir ac a bwysleisir gan gyseinedd. Ond mydr yw sy'n sylfaen neu'n amodwr i'r rhythm fel pob Tafod. Nid trefn cytseiniaid yn cael ei hailadrodd yw Cynghanedd Groes na Thraws, ond patrwm a ail-glywir yn bennaf o dan deyrnasiad mydr. Mae'r clyw a rhychwant y clyw – gyda phob dyledus barch i'r isymwybod – yn hanfodol i'r harmoni; a chlymir hynny, hynny yw fe'i trefnir, o gylch y ddwy brif acen gyfatebol.

Dywed Euros 'Mi luniais i gyfrol o gerddi – *Myfyrion* – ar yr egwyddor o lacio ac ystumio mesurau traddodiadol Cerdd Dafod er mwyn gallu cynganeddu'n rhythmig'. Cymhelliad annigonol ar gyfer unrhyw gyfrol, a sarhad i'r awen, ddwedwn i.

Credaf er hynny fod ei drafodaeth ar fydr, sy'n bennaf sylfaen i'w theorïau, yn seiliol wallus oherwydd ei anwybodaeth am natur strwythureg. Ond gwiw dyfynnu ei eiriau er mwyn tegwch llawn iddo. Dechreua drwy sôn am T. Gwynn Jones.

'Mae ganddo yn y gyfrol linellau cynganeddol ag adwy amlwg yn eu canol yn ddigynghanedd, megis, er enghraifft, "Y gŵr (canol oed oedd yn hanner) gorwedd". Pam, tybed, y mae'n gwneud peth fel hyn, ac yntau'n gynganeddwr mor fedrus? Mae'n amlwg mai'r hyn a wna yw osgoi "the metrical accent . . . that necessitates divisions which are

contrary to the speech-rhythm of free verse," fod caniatáu adwy felly'n
gais i osgoi egwyddor gorffwysfa sy'n doriad yng nghanol cynganedd-
iadau traddodiadol. Egwyddor *Y Dwymyn*, gan hynny, yw cynganeddu'n
unol â rhithm llafar y Gymraeg.' . . .

'Pe bai ef [T. Gwynn Jones] wedi gofalu am gadw rheoleidd-dra acen-
ion pwys ni byddai wedi llunio llinell fel "Y gŵr canol oed oedd yn
hanner gorwedd". Yn y llinell hon mae prif acenion y dweud ar y
geiriau "canol oed" a "hanner". Mae "gŵr" a "gorwedd" yn cynganeddu,
ond nid y ddau air hyn sy'n cynnal acenion pwys y llinell. Dydyn nhw
ddim dan drawiad mydr. Mae symudiad y llinell yn rhithm llafar. Rhan
o wead y llinell yw cynganeddiad "gŵr" a "gorwedd", ac nid patrymiad
mydr yn rheoleidd-dra yn symudiad y llinell, hynny oherwydd mae'r
bardd yn fwriadol yn ceisio symudiad sy'n osgoi rhaniadau mydryddol,
ac ni ellir gwell enghraifft o'r bwriad hwnnw na'r llinell hon: "Y gŵr
cánol óed oedd yn hánner gorwedd".' . . . [*Gyda llaw, wrth nodi'r acenion
traws mi ollyngwn yr un ar 'canol'. Hyd yn oed wedyn, mae gormod o ragacen-
ion. RMJ*]

'Yn y mesurau y datblygodd y Gynghanedd ynddyn nhw mae'r gwahanol
fathau o Gynghanedd yn acennu'n fydraidd. Mae mesur yn golygu
mydr. Os mesur, yna mydr. Ond lle nad oes mesur nid oes rhaid wrth
fydr. [*Dyma'i gamgymeriad mawr. Ni sylwodd ar y gwahaniaeth rhwng
mesurau llinellog a mesurau penilliog. Yr un camgymeriad â J.M-J.*] Sut
bynnag, gyda datgysylltu Cynghanedd oddi wrth fesur a mydr, mae'r
cwestiwn yn codi a ellir synio am y cynganeddion mewn dull gwahanol i
batrymau mydr? Gellir, oherwydd gallant gydweddu â symudiad anni-
bynnol rhithm. Er mai gwir ydyw fod y Gynghanedd wedi tyfu oddi
mewn i fesurau, eto ffordd o drin yr iaith yw Cynghanedd, ac mae'r
iaith yn atebol i driniaeth gynganeddol oherwydd ei natur ystumiol, y
ffaith, er enghraifft, fod geiriau Cymraeg yn gallu treiglo.'

Dyna ef wedi gosod maniffesto gerbron. Sut y'i rhoddodd ar waith?

Gawn ni sylwi ar y dywediad 'lle nad oes mesur nid oes rhaid wrth
fydr'. Y mydr (mewn prydyddiaeth) a ddaeth yn gyntaf, wedi'r cwbl.
Dyna guriad calon y Gynghanedd. Y sylfaen. A gweini ar fydr y mae'r
Gynghanedd o hyd. Gallwn gytuno mai anfodlonrwydd a ddylai fod ar
lawer o'r mesurau traddodiadol, ac ar feirniadaeth anghreadigol o
geidwadol sy'n gogwyddo'n ddiangen oddi wrth ryddid. Ond ni all gair
gyfateb i air ond o fewn amodau mydr mewn Cynghanedd. Y prif
acenion sy'n rheoli'r llinell. Strwythurol yw, nid addurniadol. Yn ei ym-
gais i amddiffyn gormodedd y bwlch traws mewn *vers libre* cynganeddol,

mae ei resymeg ysywaeth ar wastad ei wyneb. Felly y mae hefyd wrth amddiffyn llinellau hirion y tu hwnt i allu'r glust i glywed y Gynghanedd ynddynt. Dim ond llinellau mecanyddol gor-ymwybodol a ddôi allan o ddadleuon o'r fath: llinellau anweddus i hunan-barch y Gynghanedd. Mae cryn dipyn o'r ymgais a gafwyd i wahaniaethu rhwng *mydr* a *rhythm* yn y Gynghanedd yn cloffi, oherwydd bod rhythm bob amser yn bresennol lle bo mydr ar waith, a'r naill a'r llall yn gyd-bresennol ym mhob Cynghanedd. Mydr mewn Tafod, rhythm mewn Mynegiant. Rhythm sydd ar waith yn ymarferol, boed mewn rhyddiaith neu bryd-yddiaeth. Ni chyfyd dadl am eu cyd-arwyddocâd er mor ddiddorol yw sylwi ar natur arwyddocâd y naill a'r llall mewn cerddi.

Teg brysio i gydnabod bod rhai cerddi gan Euros er hynny, a luniwyd fel ymarferion yn ôl pob tebyg, yn llwyddiant megis y pennill:

> *Gwelw ddelw meddyliau*
> *Annelwig,*
> *Heb galon, heb y golau'n*
> *Ariannu'r wyneb.*

Drachefn, roedd yn gallu taro deuddeg hefyd wrth ystumio Englyn penfyr, a chynganeddu'n bengoll. Ond cymharer y llinell: '*Ar y maes ynghanol diadelloedd y sêr a'i rym a'i sang yn eilio dyhead ei holl wedd a'i swmp.*'

Dyw'r glust yn ymarferol ddim yn medru ymateb i'r fath gyfatebiaeth. Croesair bore Sadwrn oedd hyn. Mae traddodiad Cerdd Dafod, am ei bod yn ddatblygiad 'naturiol' ac araf, yn diogelu synnwyr cyffredin wrth grynhoi cyfatebiaeth o fewn mydryddiaeth ymarferol. Nid yn unig does dim pwrpas i'r math Eurosaidd o chwarae yn y fan yma, mae'n di-anrhydeddu'r awen. Da gennyf fel arfer yw amddiffyn hawl beirdd i haniaethu, yn erbyn y theorïwyr deddfol, ond nid yn erbyn bywyd iaith yn y fan hon.

Yn yr un modd y mae ei amddiffyniad neu ddull ei amddiffyniad o'r bwlch a ddatblygai yn y traws, nid yn unig yn ei waith ef ond hefyd yng ngwaith T. Gwynn Jones, yn anfoddhaol. Gellir mynd dros ben llestri (ni wnâi T. Gwynn Jones hynny o bosib), a dichon mai anodd cyfiawn-hau bwlch mwy estynedig nag sydd yn y traddodiad hyd at ddau neu dri churiad. Ond, yn sicr, mae ceisio cyfiawnhau 'unrhyw' fath o 'hyd' yn y bwlch yn gwbl groes i athrawiaeth ac anian y Gynghanedd, os yw'n mynd i aros yn Gynghanedd.

Yn hyn o ddadl, fel y'i gwelir yn *Trafod Cerdd Dafod y Dydd*, yng nghefn y llwyfan o hyd saif, mewn cornel, fwgan Banquo (neu Fangor) sef bwgan cochlwyd John Morris-Jones (weithiau ar ffurf Thomas Parry – a oedd yn fwy o hanesydd a thestunwr). Er fy mod yn anghymeradwyo'i geidwadaeth ddigymrodedd yn bur aml, mae ei reddf i glywed 'rhy' yn amheuthun ambell dro. Ond nid yw'r syniad nad oes dim wedi newid yn hanes y Gynghanedd yn ffeithiol gywir. Mae'r beiau gwaharddedig bron i gyd wedi'u sefydlu ar adegau gwahanol. A hyd yn oed yn y cyfnod diweddar, rŷm ni wedi profi bod patrwm yr acen yn 'ail linell' gysodol yr Englyn wedi newid. Nid wyf yn credu bod lledu bwlch y Traws o fewn patrwm 2 + 2 neu 3 + 3, ond inni gadw'r prif acenion o fewn cyrraedd ei gilydd, yn annerbyniol i athrylith y Gynghanedd. (Credaf yn dawel fod y beirdd wedi cyflawni hyn fel bai i ddechrau; a phrif ffynhonnell arbrofi isymwybodol yw beiau efallai). Yr hyn a wrthwynebir yw egwyddor yn 'arbrawf' gwneud ac ymwybodol nad yw'n gweddu i'r gynneddf isym-wybodol. Yr isymwybod a ŵyr orau yn y datblygiad hwn. Yr ŷm yn wynebu dwy sefyllfa, ac y mae lle i'r ddwy – y 'newid' neu'r 'arbrawf' isymwyb-odol ynghyd â'r arbrawf ymwybodol mewn Mynegiant. Yr olaf yw'r un lle y gall y ffug a'r ymhonni ddianrhydeddu'r gynneddf farddonol, oni cheir hydeimledd. Ond gall hefyd greu amrywebau pert.

Pam boddran â'r 'arbrofi' yma felly? Pam yr holl ffwdan ynghylch datblygu rhywbeth sydd eisoes yn 'berffaith' yng ngolwg rhai?

Yn syml, oherwydd mai *bywyd* yw hyn, bywyd ffaeledig wrth gwrs, ond hefyd oherwydd bod pob bardd yn ymhoffi yn y gwaith o lofio geiriau â'i glust. Mae'n eu rhwbio nhw â'i drwyn cytseiniol hefyd. Ni all adael llonydd iddyn nhw. Maen nhw'n bethau mor ddiddorol, yn chwarae gyda'i gilydd yn iard gefn ei ben. Mae ef yn eu dilyn i bob cornel wrth iddyn nhw redeg rhag ei gilydd ac yna wrth iddyn nhw neidio allan a rhoi sioc, y naill i'r llall. Fe all y Gynghanedd gadarnhau drwy negyddu; fe all gryfhau y cadarnhad.

Eto, ni wna honni mai 'melyster yw'r Gynghanedd o'r glust i'r galon' ac yn y blaen, sydd wedi troi'n dipyn o slogan mae arnaf ofn, byth mo'r tro yn ddihysbyddol noeth gan fod yna wedd ymenyddol i Gerdd Dafod. Mae hi'n ymwneud â pherthynas, a dylanwadu ar berthynas syniadau a theimladau â'i gilydd. Fel iaith ei hun, dadansoddiad dosbarthol yw. Mae'n strwythur mewn trefn. Mae iddi wasanaeth wrth weini ar y dych-ymyg. Ni wna'r tro i dybied nad yw'n gweini hefyd ar y rhythm teimladus yn ogystal ag ar y mydr cyflyrol. Yn y gerdd, mewn Mynegiant, mae'r cwbl yn gallu dod at ei gilydd dan wyliadwriaeth Mydr-Rhythm.

Gwawdiai Euros theori (yn ôl yr arfer ramantaidd, sy'n chwaer i anwybodaeth weithiau) er mai theorïwr oedd ef ei hun. Ond os yw iaith yn sylfaen i lenyddiaeth – gorau po fwyaf y gŵyr y beirniad am ei hanochelion. Mewn dadl a chynnen, dôi Euros o'i gornel yn ddifaneg fywiog, heb ddim malais. Cwerylai'n feunyddiol wyllt – â Kate Roberts, Waldo, Alan Llwyd, Gwenallt, Hugh McDiarmid yn agoredig iach ac uchel. Ond bu'n bresenoldeb gwir ffrwythlon yn hanes Cerdd Dafod.

Gwell inni serch hynny, beidio â gwneud gormod o 'arbrofi' ymwybodol. Tebygaf fod Euros a'i waith yn rhybudd ynghylch yr agweddau anhydeiml a all fod i arbrofi. Eto, gwell inni ymatal rhag honni, 'arbrofi yw arbrofi a dyna ni, yr un arwyddocâd sydd i ymyrraeth neu i ymgais i wyro bob tro'. Mae'n amlwg fod yna ddau onid tri math cyffredinol o arbrofi, neu o wyro, yn ymagweddu yn arbrofion Euros. Ceir yn gyntaf y dychweliad at yr hen wreiddiau. Atgyfodwyd estyniadau cynganeddol neu ogynganeddol cynnar a wrthodwyd neu a led-wrthodwyd ynghynt, fel organau annerbyniol gan y prif gorff. Pethau megis y gwreiddgoll a'r pengoll. Adferwyd hefyd hen arferion megis cynnwys llinellau digynghanedd o fewn mesurau a ymddangosai fel pe baent am fyw o fewn cartref Cerdd Dafod yn barchus, gan gydymddwyn â holl foesau a defodau'r tŷ. Felly y gwnâi'r Dafydd ap Gwilym cynnar. Cyffelyb yw'r duedd, a ollyngwyd ar un adeg, o oddef gwyriadau ar yr ymylon, megis goddef yn ddi-ateb y gytsain *f*, ac ambell gytsain arall: nid yw'n annhebyg i'r modd y goddefir o hyd coll 'n'. Mae pethau fel hyn yn dal i anadlu'r un awyr â'r traddodiad, y wedd wan ar y traddodiad hwnnw. Ond gwedd wan eto hynod werthfawr yw Cynghanedd Lusg ymysg cynganeddion trwchus Croes o Gyswllt.

O'r tu arall, ar y wedd gref ar y traddodiad – fel pe bai arbrofi o ran natur yn gorfod gweithio drwy ymestyn ar ymylon un pegwn neu'r llall – fe geir grymuso neu drwchuso drwy gyfuno cynganeddion – Seingroes, Trawsgroes, Seindraws, Croeslusg, Seinlusg, Trawslusg. A gwyddom am Sain Ddyblyg a Sain Gadwynog hwythau. Ceir pennod dda iawn ar yr ymestyniad hwn yn *Anghenion y Gynghanedd,* Alan Llwyd. A nodweddiadol o'r estyniad hwnnw yw Seinlusg Afrosgo Gwynne Williams – 'Yr esgob godododd gloddiau gloyw'.

Mae'r rheini oll ddwedwn i yn glynu'n weddol ffyddlon wrth athrylith y Gynghanedd. Mae dyn yn cael yr argraff y gallent fod wedi digwydd yn anymwybodol. Ond bydd yn rhaid cyferbynnu, â'r rheini, yr arbrofi gwybodol. Gallwn hyd yn oed fentro ystyried hyn ar dro yn allgynganeddol, rywbeth sy'n fwy na dychweliad, nac estyniad anymwybodol o'r traddodiad, ond sydd yn ymosodiad ar grynder y gyfundrefn hon. Nid oes dim o'i le ar hynny, i bob golwg. Ond o safbwynt y beirniaid, mae'n briodol sylwi beth sy'n digwydd. Undod yw'r Gynghanedd yn gyfundrefnus mewn syncroni, fel yr Ogynghanedd: sef cyfundod o egwyddorion cytûn, cyfatebol diffiniedig ar y pryd. Mae yna orfodaeth a ddewisir. Felly yr etholir trefn.

Gellid synied nad yw arbrofi cynganeddol yn gwneud fawr mwy na chreu argraff iachus, megis lluchio drysau'r tŷ yn agored a gwyntoedd miniog awen y Gynghanedd yn cael cyrraedd mannau lle na buont erioed o'r blaen. O fewn cymhelliad felly gellid tybied bod gennym rwydd hynt go helaeth – sy'n wir, bid siŵr. Ond beth yn union sy'n digwydd?

Dychwelwn yn awr i ystyried a chrynhoi pedwar arbrawf penodol. Gellid crynhoi prif arbrofion Euros o dan y pedwar pennawd hyn. Yr ydym bellach ym myd arbrofi gwybodol neu ymwybodol, nid fel o'r blaen gyda'r anymwybodol. Dyma arbrofi nawr fel 'busnes' o ddifri mewn Mynegiant.

(1) Ailgodwn y 'llinell' gynganeddol sy'n dreisiol anghymedrol ei hyd, ond yr ydym wedi dechrau dod yn gyfeillgar â hi bellach, ac ymholi ai gwir Gynghanedd yw hyn, (a chymerwn fod y 'llinell' gynganeddol fel y'i deallwn hyd yn hyn yn cwpla gyda'r drefn acennog yn y gair olaf cyfatebol):

> *'Er i ddynion lewygu gan ofn a disgwyl am y pethau sydd ar ddyfod ar y ddaear, ei ddaioni ni leiha, ac ni fyn o'i dasg lymhau y pethau sydd ar ddi-fai drywydd ei awen.'*

Etyb Euros 24 o gytseiniaid. Gôl! Goli! Gêm hwyliog, rhywbeth i'w wneud yn yr awyren neu'r trên ar siwrnai ddiflas. Ond nid Cynghanedd mohoni. Mae Cynghanedd ddilys wedi tarddu mewn patrymeg fydryddol ac ynghlwm wrth strwythur o brif acen a rhag-acenion. Cwlwm clòs yw. Dyma'r meddwl diffiniol. Yr hyn y mae Euros wedi'i wneud – yn orchestol o bosibl – yw llwyddo drwy amynedd a ffidlan i ateb cytseiniaid a rhoi sylw i egwyddor y brif acen. Mae wedi estyn y llinell heb gydymffurfio â thraddodiad y rhagacen. Nid oes mydr mewnol ystyrlon ganddo. Anwybyddodd un o ddarganfyddiadau mawr Syr John. Ac ystyried y canlyniad, tybiaf *nad* bardd difrif sydd wrthi fan yma. A theifl beth amheuaeth ar gymhelliad cyfansawdd ei ymagwedd oedolyn at arbrofi mewn mannau eraill. Does dim pwynt i'r fath gêm o safbwynt

434

llenyddol, hynny yw o safbwynt clust ac ymennydd, fel nad oes dim pwynt i'r term 'ugeined'. Mae'r bardd yn potsian.

(2) Cymerodd Euros Bowen linell anghywir arall, (gan T. Gwynn Jones) a dreisiai'r Gynghanedd yn gymedrol, yn garn i estyniad cyson cyffelyb ganddo yn y maes 'arbrofi',

'Y gŵr canol oed oedd yn hanner gorwedd'.

Mae'n bryd i'r gŵr hwn godi o'i orwedd, efallai. Ond cyfetyb y cytseiniaid o gylch y brif acen: g – r. Yn lle un rhagacen yn ail ran y llinell, ceir dwy. Nid yw hyn yn rhan o'r gyfundrefn: trais yw neu estyniad tebyg i (1), eithr yn llawer cynilach. Traws ymchwyddedig yw.

A oes elfennau eisoes yn y gyfundrefn sy'n caniatáu i'r glust ymateb yn gadarnhaol a derbyn yr estyniad hwn sydd fel petai o fewn rheswm fel datblygiad organaidd ystyrlon?

Tybiaf fod hynny'n digwydd. Caniatéir i linellau gario dau bâr o acenion, dau uwch-corfan cyferbyniol. Er mai un rhagacen ac un rhagacen sy'n ateb ei gilydd yn ôl Cerdd Dafod, ni thybiaf fod symudiad y glust i ymglywed â phrif acenion yn y cymal cyntaf ac olaf ynghyd â symud o'r acenion sydd dros ben i gael math o ailadrodd rhagacen yn y canol yn weithred sy'n drais annerbyniol i'r ymateb estynedig hydeiml. Hynny yw, gellid estyn y nifer o ragacenion i ddwy o flaen y brif acen fel math o draws yn y canol. Nid yw cyfatebiaeth cytseiniaid y prif acenion yn rhy waharddedig fel y byddont y tu hwnt i ymateb normal. Felly, ymddengys fod y llinell hon – sy'n Gynghanedd 'anghywir' – yn arbrawf teg o bosib ac yn estyniad creadigol hydeiml. Amser a ddengys.

Undod yw'r uned gynganeddol ac ynddi gyferbyniad trafodadwy isymwybodol. Diffinnir y cyferbyniad hwnnw'n ddeuol ac yn driol er mwyn sicrhau'i natur isymwybodol. Pan adeiledir yn fwriadus mewn Mynegiant uned sy'n croesi ffiniau cyferbynnu isymwybodol o'r fath, ymadewir â Thafod. Arbrawf yw efallai, ond nid arbrawf o fewn Cerdd Dafod bresennol. Nid yw yn yr un byd.

Drwy osod gair acennog yn gyntaf, sy'n dechrau â *d* acennog, wrth agor nofel, ac yna osod gair cyffelyb ar ddiwedd eithaf y nofel, megis dyn . . . dail, a ellid honni mai nofel draws fantach yw hi? Dim o'r fath beth. Mae'n ufuddhau i un o ofynion y Gynghanedd, mae'n wir. Ond ni chyflawna natur y Gynghanedd. Math o chwarae yw: chwarae ar wyneb iaith. Ymadawyd ag athrylith Cerdd Dafod.

Fel arfer ni chaniatéir amlhau prif acenion neu ragacenion mewn Cerdd Dafod. Pam? Oherwydd y byddai hynny yn treisio hanfod uned dynn gynganeddol. Ceid rhywbeth arall. Ni waherddir rhywbeth arall; ond arall yw. Gyrrir y Gynghanedd yn ôl hanfod ei natur gan ysfa tuag at gyfanrwydd yr uned, a'r mydr fel y'i diffinnir gan yr isymwybod sy'n trefnu honno.

(3) Yn awr, yr hyn a wnaeth Euros ymhellach, gyda'r llinell gynddel-waidd honno a gynigiai T. Gwynn Jones, oedd cynnig fframwaith o Gynghanedd gywir, ac yna gynganeddu'r ddau gymal gwan, y ddau gymal rhagacennog a sangiadol fel petai, sydd yn y canol. e.e.

> *Nodau trwst*
> *y nef a'r ddaear*
> *yn ferw ddihewyd*
> *yn naid hyd drawstiau.*

Dyna i mi arbrofi neu ymestyn hydeiml a chyfoethog ar sail fframwaith T. Gwynn Jones. Nid gêm yw hyn i'm clyw i. Mae'n gam ymlaen, er mor ymwybodol yw, yng ngallu'r Gynghanedd. Cyfoethoga'r glust.

(4) Felly, hefyd, i'm bryd i, y pentyrru cyfochredd. Gweithia hyn eto o fewn athrylith y Gynghanedd, a chynigia effeithiau gwerthfawr ac ystyr-lon i fardd o'i ddefnyddio'n ddewisol:

> *Nerth yn y ffroenau,*
> *nerth yn ffrwyno,*
> *nerth yn haffio â'r anadl,*
> *nerth yn offer anaf,*
> *nerth yn fferru enaid.*

Dyma ymestyn, o fewn cyfres o gyferbyniadau cyd-effeithiol, sy'n gyfan-gwbl eto o fewn y traddodiad cynganeddol ac yn unol hollol ag athrylith y Gynghanedd, er y gall ymddangos yn rhestru artiffisial. Fe'i ceid gan Ruffudd ap Maredudd ap Dafydd. Ond mae yna ryw anhyd-eimledd yn anian Euros. Cydia mewn techneg fel hyn, ac fe'i try yn ym-arferiad, yn hobi, ac yn jig-so. e.e.

Mae ffenestr siop, sigl a gwefr
Ymhoffi yn ystryw siapus golau a gêr,
Am y ffin â suad a roesai pwyso gwylio a gweld.

Yma y mae fel petai'n gosod pos iddo'i hun: yna, fe'i hetyb, ac wele – wow! – fe'i hetyb eto.

Credaf fod y pedwar arbrawf yn awgrymu'n deg beth o'i orchest a pheth o'i wendid.

Mae arnom oll faich o ddyled i Euros. Corddodd y dyfroedd cynganeddol. Dangosodd fod Cerdd Dafod yn fyw o hyd, hynny yw y gallai newid; a heb newid (megis heb undod) does dim byw. Nid oedd pob llinell ganddo yn gwbl ddilychwin, yn ddiau, ac yn hynny o beth yr oedd yng nghwmni ambell fardd arall. Ond parodd inni ailfeddwl y Gynghanedd, ac i'r Gynghanedd ein hailfeddwl ni, ac wrth iddo ei hailfywio, fe'i rhoddoddd yn ôl inni yn gyfundrefn wefreiddiol, os anghynnil ac enigmatig.

VI.

O DAFOD
I FYNEGIANT

O Dafod i Fynegiant

(i) CYMHELLIAD Y GYNGHANEDD

Bûm o bryd i'w gilydd mewn cyfrolau eraill yn trafod Cymhelliad gweithiau llenyddol unigol. Bûm hefyd yn rhoi sylw i Gymhelliad llenyddiaeth, fel y cyfryw, fel ffenomen gyflawn. Ond sut yr ymagwedda Cymhelliad nid at y gweithiau fel y cyfryw, ond at un gyfundrefn amlwg enfawr mewn Ffurf neu Sain, fel Cerdd Dafod?

Os dymunwn ystyried 'athroniaeth' y Gynghanedd, y mae'n wiw inni ymdroi gyda'i Chymhelliad ryw ychydig. Dywed Cymhelliad bob amser rywbeth am natur y ffenomen a ysgogir, ac ni wiw inni ei anwybyddu.

Yng nghyfrol Einion Offeiriad ceir tair prif adran. Mae'r gyntaf yn trafod Trefn a chyfundrefnau Iaith, yr ail yn trafod Trefn a chyfundrefnau Iaith ar waith yn llenyddiaeth Mawl (sef y Gynghanedd a'r Mesurau), a'r drydedd yn trafod diwinyddiaeth Trefn a chyfundrefnau Mawl. Mae Einion yn disgwyl inni ddarllen y cwbl fel uned, mae'n debyg, am fod y tair adran hyn yn cyd-berthyn ac yn cyd-blethu. Yn ystod ei yrfa fawrhydig, rhagorodd John Morris-Jones wrth drafod Iaith, ac Iaith Gynganeddol Mawl, yn fwy na neb arall yn Gymraeg ynghynt nac wedyn. Ail feirniad mawr yr ugeinfed ganrif oedd Saunders Lewis. Ac efô a roddodd y sylw pennaf i'r drydedd adran. Rhyngddynt ill dau llwyddwyd i gyflwyno inni fyfyrdod dwfn ac eang.

O ran cynllun ei drydedd adran, ymddengys fod Einion yn dwyn meddylfryd Mynegiant i restru trefn 'Pa ffurf y moler pob peth', a meddylfryd Tafod ar y llaw arall wrth ddadansoddi clymau'r Trioedd Cerdd.

I mi, ceir tair prif wedd o synied am feirniadaeth lenyddol, ac felly am lenyddiaeth, sef Deunydd a Ffurf (y ddwy golofn draddodiadol, gymharol gydnabyddedig) a Chymhelliad (yn bont rhyngddynt). Mae'r tair prif wedd yn gyfredol â'r tri prif gyflwr – sef Tafod, Cymhelliad, Mynegiant. Yn y gyfrol hon, Ffurf yn bennaf a gafodd ein sylw. Ffurf yw Tafod, a cheisiais mor ddeheuig ag y gallwn ochrgamu Deunydd a Chymhelliad. Y mae Cymhelliad, sut bynnag, yn ogystal â phontio, yn rhagflaenu pob peth, mae'n cydredeg â phob peth, ac y mae'n dwyn pob peth i gwlwm. Mae'n sylfaenol anochel mewn theori lenyddol fod yna beth sylw'n cael ei roi i'r wedd benderfynus hon.

Dieithr i rywrai yw holi'r 'pam' ynghylch llenyddiaeth. Haws aros gyda'r sut. Ystyriwyd pam yn gynnar, sut bynnag, gan bobl fel Einion Offeiriad a Simwnt Fychan, arloeswyr beirniadaeth lenyddol y Gymraeg, ac nid yw'n briodol yn y trydydd mileniwm i ni sy'n archwilio'u prif weithiau aros yn gwbl fud.

Nid y Cymhelliad mewn Tafod sy'n penderfynu union siâp unrhyw gyfundrefn unigol yn benodol mewn Cerdd Dafod. Eto, y mae'n penderfynu bodolaeth Cerdd Dafod yn gyffredinol gymaint bob dim ag y penderfyna fodolaeth Cerdd Fynegiant. Dyna'r lle y saif – rhwng Tafod a Mynegiant ac odanynt, – rhwng Deunydd a Ffurf ac odanynt – reidrwydd Cymhelliad.

Canlyniad yw'r Gynghanedd i'r ffaith fod y *gyfundrefn* Fawl a'r *traddodiad* Mawl wedi datblygu i'r fath raddau soffistigedig yn y llysoedd Cymraeg fel y gyrrwyd y beirdd i adlewyrchu hyn mewn sain. Un o'r ffasedau ydoedd sain briodol ar yr ysfa wrthrychol i foli. Yr oedd angen y ffurf orau ar gyfer y deunydd gorau mewn sain bur.

Beth yw Mawl, felly? Mawl yw'r ymateb meddyliol, geiriol neu weithredol i ymdeimlad o edmygedd uchel o ryw wrthrych neu o brofiad. Dyna'r canlyniad i bleidio neu i garu rhyw ffaith gadarnhaol seiniol mewn trefn hardd. Pleidia fywyd, a phob dyrchafu cadarnhaol. Mae'n rym yn y greadigaeth. A'r hyn sy'n derbyn teimlad a meddwl boddhaol oherwydd canfyddiad adeiladol, hynny a fynega'r bersonoliaeth yn drefnus fel pe bai am ei gefnogi, ei gynnal neu'i gymeradwyo.

Mae Mawl moesol felly'n methu â gwrthweithio na dinistrio dim sy'n werthfawr. Yn wir, gwrthwyneb yw i hynny. Os oes yna ryw elyniaeth neu ryw duedd adfeiliol neu negyddol, y mae Mawl yn groes. Mae'n chwilio am ragoriaeth, fel y gwna'r awydd creadigol. A dyna'r ysfa sy'n cymell y Gynghanedd i gorffori'r Deunydd hwnnw. Oherwydd cynnau priodoledd yn y natur ddynol sy'n dymuno hyrwyddo ffurf gywrain, gyfan a hardd, y mae'r duedd ymarferol yn codi i gorffori'r hyn sy'n ardderchog mewn ymateb cymen a ffrwythlon synhwyrus. Ffurf y deunydd cadarnhaol hwnnw ei hun yw'r Gynghanedd. Corffora a chynrychiola'r ysbryd cain. Cais ddyrchafu drwy ddiriaethu'n seiniol. Drych synhwyrus yw'r Gynghanedd, fel pe bai, i sgerbwd Mawl ei hun. Dyma fformiwla addoliad, yr apêl at ddaioni trefn. Mae'n sagrafennu mewn cnawd yr harddwch cyffredinol a brofir mewn iaith, ac y rhyfeddwyd ato yn adran gyntaf cyfrol Einion.

Tardda prif wth Cymhelliad y Gynghanedd yn yr ysfa gynhenid gadarnhaol i ddod o hyd i *drefn* yn ein profiad o'r ddaear, a'i mawrygu'n ymarferol. Datblyga'r ysfa hon i bob cyfeiriad. Ac un o'r rhai pwysicaf yw dadansoddi ystyron ynghyd â deall iaith, ac yn arbennig y cyswllt rhwng yr arwydd [sef y sain] a'r arwyddedig [sef yr ystyr]. Parheir yr ysfa hon, wedi'i phriodi â'r synhwyrau, i gyfeiriad perseinedd esthetig a 'chwarae' [yr elfen 'gwerth']. A gwthia ymhellach byth i gyfeiriad patrymwaith seiniol [yr elfen 'diben'], tan ddarostwng y ddaear yn ei harwyddion.

*   *   *

Anghytgord sain hefyd? Debyg iawn. Mae'n bwysig ystyried beth yw perthynas seiniau hyll a gwrthun o fewn cyd-destun yr hyn y meddylir amdano yn nhermau perseinedd y Gynghanedd. Beth yw'r cyswllt rhwng yr ysfa i geisio harmoni a'r ysfa negyddol gynhenid i greu hagrwch? A yw hyn yn drysu'r theori ynghylch symbolaeth sefydliadol Cynghanedd ar gyfer pob celfyddyd? Neu a yw'n rhoi'r cyd-destun rheolaidd ar gyfer sylweddoli gwerth bywyd? Onid yw'n anghenraid realaidd wrth ymestyn at y Gwir?

Awn i ddim ati yn awr i esbonio er lles anghredinwyr beth yw tarddiad y fath beth â'r cysyniad o hagrwch. Nid dyma'r lle priodol. Dŷn ni ddim, medden nhw, beth bynnag, eisiau clywed am y fath ddehongliad, er nad oes ganddyn nhw ddim cymhwysach esboniad iddo. A phe byddid yn ceisio'i esbonio iddyn nhw o fewn cyd-destun tarddiad pob llygredd, go brin y bydden nhw'n aruthrol o fedrus wrth amgyffred nid yn unig ei ddwyster ond natur ysbrydol dreiddgar ffrwythlondeb ar eu cyfer hwy eu hunain yn bersonol.

Dichon sut bynnag mai'r lle gorau i geisio disgrifio natur y berthynas rhwng Cynghanedd ac anghytgord yw dilyn yn gyntaf y llwybr a gymerwyd wrth drafod perthynas Mawl a Dychan fel llenddulliau. Dadleuais fod yna gyferbyniad llenddulliol wrth gyfansoddi a chyferbynnu rhwng dweud yn dda a dweud yn ddrwg. Yn wir, gall Mawl (yn yr ystyr yma) fod yn anfoesol mewn Mynegiant, fel y mae Dychan yntau yn gallu bod yn foesol. Ond dadleuwn hefyd wedyn fod yna weithred sylfaenol i'r naill a'r llall sy'n greadigol mewn Tafod, yn gam cadarnhaol o wneud, ac yn wir fod Dychan bron bob amser yn cael ei gyflawni o fewn fframwaith cydwybodol fel yna oherwydd rhyw fath o ysfa foesol, adeileddol. Ni cheid Dychan heb yr ysfa honno. Ni cheid casineb hyd yn oed heb geisio cefnogaeth gadarnhaol iddo'i hun.

Hyd yn oed o fewn Cynghanedd yn y traddodiad, bydd llawer o

feirdd, megis Eben Fardd dyweder yn 'Dinistr Jerwsalem', yn ceisio effeithiau hagrgras. Ond ni bydd neb yn ceisio cyhuddo Eben o fod yn negyddol yn sylfaenol. A heblaw sŵn, nid anghyffredin o brofiad ganddo fydd taro wrth syniadaeth anghynganeddus. O fewn cyd-destun ar y pryd bydd angen hynny: bydd yn dda. Dyna'r hyn a elwir yn gacoffoni.

Diddorol hefyd yw cymharu'r symudiad Rhamantaidd tuag at yr hyn a elwid yn Realaeth. A mwy diddorol byth yw'r ymgais realaidd ymhlith sgeptigiaid wedyn i ddadlau'i bod yn ymgais i fynegi Gwirionedd. Does neb a gâr y Gwirionedd yn anymwybodol fod ffieidd-dra ysbrydol dwfn yn ganolog i'r byd naturiol bellach. Hynny yw, bod rhywbeth mor rhinweddol â'r Gwirionedd yn cwmpasu'r hyll a'r hardd. Fel y mae'r Gwirionedd yn cwmpasu'r ddwy wedd gyferbyniol hyn, felly y mae'r Gynghanedd hithau yn medru'u cwmpasu ynddi'i hun mewn cywirdeb ac anghywirdeb, ac i mewn i Fynegiant. Hynny yw, fel y mae Mawl o ran egwyddor adeileddol greadigol yn cynnwys y llenddulliau 'Mawl' a 'Dychan', felly y mae Cynghanedd (harmoni neu berseinedd) ac anghytgord yn gyd-gynwysedig o fewn egwyddor gyd-gynhaliol y Gynghanedd.

Anodd, wrth gwrs, yw dweud llawer am Gymhelliad y Gynghanedd gyda sicrwydd manwl o'i gymharu â thraethu'n ddisgrifiadol neu'n esboniol am ei Ffurf. Yr ateb cwta yw na wyddom fawr yn benodol amdano'n gymelliadol, am ryw reswm neu'i gilydd. Fe allwn bid siŵr fwrw amcan. Ac y mae yna rai amgylchiadau a nodweddion mewnol sy'n cadarnhau tybiaethau cryf ynghylch natur ei bodolaeth. Ond diddorol sylwi ar bwyslais ysbrydol Einion Offeiriad a'i olynwyr wrth athronyddu ynghylch cyfeiriad Cerdd Dafod.

Lluniwyd y Gynghanedd oherwydd amgylchfyd o Fawl. Nid Mawl un cyfnod yn y gwraidd ond Mawl pob cyfnod. Y Cadarnhad a oedd yn orfodol i fyw. Y Gynghanedd oedd y gerddoriaeth o fewn geiriau'r gerdd foliant. Golygai Mawl ymwybod o ddethol a dyrchafu gwerthoedd. Cynhwysai hefyd ymagwedd adeiladol at ddiben. Yr oedd yr iaith hefyd, o fewn swydd gymdeithasol a diwinyddol y Mawl, wedi'i threiddio gan drefn. Yn fyr, swyddogaeth anrhydeddu yn anad dim oedd gan Fawl. *Anrhydeddu iaith Fawl oedd rhan o swyddogaeth y Gynghanedd.*

Diau fod yna gytundeb cyffredinol drwy'r gymdeithas benbwygilydd (ar yr adeg y sefydlwyd y Gynghanedd), mai'r hyn a roddai siâp i'r ddealltwriaeth o Fawl oedd yr Absoliwt ei hun, a oedd yn benarglwyddiaethol ganolog ac yn darddiad i bob dim. Nid argyhoeddiad personol a chyfrinachol i gyfrinwyr unigolyddol oedd y fath argyhoeddiad. Dyna farn gyffredinol lydan y gymdeithas, rhagdyb gwerthoedd a bywyd: Sensus divinitatus. Y dyn od y pryd hynny a fuasai'n amau bodolaeth Duw, – a hwnnw oedd yr un druan a fuasai'n gorfod *profi'r* wybodaeth amheus honno yr oedd yn ei choleddu: profi'r absennol. Ychydig yn anodd yw profi'r absennol er nad anodd profi'r anweledig.

Mewn amgylchfyd felly, yr oedd gan y Gynghanedd ei lle o dan rym Cymhelliad cyffredinol o fewn cydwybod gymdeithasol a dueddbennai tuag at harddwch ac anrhydedd, mawrygiad a champ gelfyddydol, o fewn amgylchfyd clodforus brenhinol. Yr oedd hefyd wedi'i hadeiladu o fewn y gwth dynol anochel a diddwli i ddarganfod trefn ac i greu trefn. Nid anodd profi hynny. Yr oedd y gwth hwnnw wrth gwrs yn bur ymarferol (hyd yn oed o fewn amgyffrediad dyneiddiol), ac wedi'i amcanu at ddarostwng y ddaear, at amgyffred yr amgylchfyd, ac at oroesi o fewn cyd-destun ystyrlon. Rhaid oedd darganfod ystyr drwy drefn. Dôi'r drefn fawr honno yn anghenraid, a dod o hyd iddi'n fuddugoliaeth ac yn foddhad. Deuid i ymhoffi ynddi. Ynddi hi ei hun, hynny yw yn ôl ei natur a'i hamodau'i hun, yr oedd y drefn a ganfyddid yn apelio at yr ymwybod esthetig. Wrth ateb problemau a boddhau dyheadau, dôi trefn yn fwy nag offeryn defnyddiol. Dôi'n wrthrych hyfrydwch ac yn wrthrych i'w ddathlu. Nid cyfrwng i'w fawrygu yn unig ydoedd. Fe'i canfyddid, a haeddai'i hedmygu ynddi'i hun, fel y dethlid ei defnyddio er clod iddi'i hun ac i amcan uwch.

Wrth inni sylwi ar y rhinweddau'n cael eu cofrestru yng Ngramadegau'r Penceirddiaid dechreua ddod yn rhwyddach inni ateb y broblem – Pam yr aethpwyd ati o gwbl yn isymwybodol i lunio rhywbeth mor eithriadol o gywrain ac mor orchestol o gymhleth â'r Gynghanedd? Yr oedd yr isymwybod, mae'n ymddangos, wedi'i feddiannu a'i gyflyru'n obsesiynol i symud i gyfeiriad hardd a threfnus benodol. Ac, er bod y profiad hwn ar gael yn anochel hyd yn oed yn ein cyfnod ni, ni cheid ar y pryd y cymhlethau negyddol ffug a geisiai ei wadu.

Yn y cam cyntaf wrth geisio ystyried y cwestiwn hwn rhaid imi droi at ddamcaniaeth Gustave Guillaume ac archwilio pam y darganfuwyd neu y lluniwyd iaith o gwbl. Dadleuai ef nad cyfathrebu, sef yr 'wyneb yn wyneb bach', (dyn â chyd-ddyn), oedd yr ysgogiad sylfaenol. Yn hytrach, rhaid oedd yn gyntaf symud, hynny yw 'gyrrid ni', i ddadansoddi realiti a darostwng cythrwbl y bydysawd yn feddyliol, sef i drefnu. Darganfod trefn profiad a wnâi iaith yn gyntaf. Cyn dweud, rhaid cael y gallu i ddweud. Dyma'r 'wyneb yn wyneb mawr', sef dyn â'r bydysawd. Wedi'r darganfyddiad hwn yr oedd modd cyfathrebu: yr oedd pethau'n ddywedadwy. Felly, yr wyf innau am awgrymu mai'r ysfa gyntaf y tu ôl i adeiladu cyfundrefn mor gywrain, a ffenomen mor gyflawn, â'r Gynghanedd oedd darostwng y peth gogoneddus cynrychioliadol hwn, sef yr iaith, i *drefn* arall ac ychwanegol fewnol a oedd gan y beirdd yn eu cydwybod ac yn eu hysfa i foli'n ieithyddol. Ac nid oedd hynny ddim llai na threfn 'foesol' perseinedd. Llunient ddelweddau 'moesol' persain trafodadwy yn isymwybodol. Fforiad oedd llunio'r Gynghanedd ac ymgais i gyrraedd adeiladwaith trefn berseinedd weddus i'r deall ac i'r da.

Ond wrth droi at berseinedd, a geid mewn adleisio, ac a geid hefyd mewn cyferbynnu, hoffwn danlinellu sylw a rydd Einion i'r paratoad i'r ymarfer corff moesol hwn, ac i'r pwyslais hollol anghymedrol a rydd ar ddarddiad prydyddiaeth. Fe'i rhydd nid yn gymaint ar fedrusrwydd crefft ag ar gynnyrch ac uchafbwynt esgoriad y gydwybod loywedig, sydd a wnelo â safon ymddygiad ac egwyddorion personol o'r radd uchaf:

> '*kyffran o doethineb anianawl yw prydydyaeth, ac o'r Ysbryt Glan y pan henyw, a'r hawen a geffir o ethrylith a cheluydyd aruer. A llyma y nerthoed ysbredolyon a berthynant ar prydyd, nyt amgen, hufyd-dawd, a haelyoni deduawl, a diweirdeb, ac ysprydawl garyat, a chymedrolder bwyd a llyn, a hynnawster, a dilescrwyd dwyvawl, y rei yssyd wrthwyneb y'r seith bechawt marwawl . . .* ' (Gramadegau'r Penceirddiaid 35)

Oes, y mae angen ymarfer corff a meddwl, eithr ymarfer sydd raid mewn fframwaith ysbrydol a moesol sydd yn rhoi'r 'nerthoedd'. Dyma sylweddoliad go heriol.

Pam *perseinedd* felly? Hawdd gweld fod yna ysfa isymwybodol gan brydyddion yn eu swydd i ddyrchafu iaith i gywreinio *trefn* greedig mewn seiniau geiriol, fod Einion yn effro i hynny, a heb yr atalnwyd i beidio â'i addef.

> *Tri bei kyffredin yssyd ar gerd: tor messur, a drycystyr, a cham ymadrawd.*
> *Tri thor messur yssyd: hir a byrr, a thywyll gerd, a gormod odleu.*
> *Tri ryw drycystyr yssyd: kam dechymic, ac amherthynas, ac eisseu eneit.* (ibid)

Diffygion cymeriad oedd y diffygion esthetig hyn. Er mwyn cyflawni'r da, yr hyn a wnâi'r glust gynt oedd clustfeinio am ddau wreiddyn drwg – rhy (sef gormodedd) ac eisiau. Ceisient unionder, moesoldeb cytbwys sŵn, a hynny ar sail cydwybod yn ymateb i drafod iaith.

Ond pam mynd i'r cyfeiriad trefnus esthetig a chadarnhaol ac atyniadol arbennig hwn? Mae'n amlwg drwy gydol gwaith y beirniaid cynnar hyn eu bod yn barnu mai crefyddol mewn rhyw ffordd neu'i gilydd oedd yr ateb. Y gydwybod foesol a oedd yn pennu cywirdeb a chydbwysedd. Nid athroniaeth fabwysiedig oedd hyn. Yr oedd yn ddyfnach na hynny. Er mwyn ateb yr ail gwestiwn hwn, felly, pam y dewiswyd y gydwybod foesol i gymryd lle mor flaenllaw, rhaid inni droi at fater a gafodd gryn sylw yn ystod y chwarter canrif ddiwethaf gan rai o athronwyr crefyddol mwyaf y byd: megis Alvin Plantinga a Cornelius Van Til. Efallai na byddem ni'n hoffi'u hateb hwy, ac yn bur debyg yr aem ein hunain i gyfeiriad cwbl wahanol; ond dyma, os byddwn yn onest, ogwydd y penceirddiaid hwythau gynt. Yr hyn a oedd yn berthnasol ac a drafodid yn y cyd-destun hwn gan y beirdd oedd *Sensus Divinitatis*. Ymwybyddent â byw a gweithio o fewn cyd-destun ysbrydol. Teimlent gysylltiad anochel a chanolog rhwng hyn a'u celfyddyd. Mewn byd a bywyd a oedd yn unol, artiffisial hollol iddynt fuasai rhannu.

Cynneddf gyffredin i bawb yw hon, megis y cof neu reswm. Dyma'r hyn a oedd ar waith ledled y gymdeithas; ac er yn gynnar yn hanes dynoliaeth ym mhobman, fe neilltuid achlysuron a seremonïau ar gyfer dathlu'r ymwybod hwn. Dyma a gyfrifa am 'grefydd gymharol'. Nid ffenomen a berthynai i'r Oesoedd Canol yn unig mohoni.

Dyma bwnc a gafodd ymdriniaeth nodedig iawn gan Forgan Llwyd o Wynedd gynt, a ddefnyddiai'r term 'cydwybod' am ein synnwyr ni o werthoedd da a drwg yn ogystal ag am y synnwyr o Dduw. Pwnc hefyd a drafodwyd yn ddisglair yn ddiweddar gan yr awdurdod ar y Llwyd, sef Goronwy Wyn Owen. Yr hyn sydd mewn golwg yw y synnwyr o Dduwdod elfennaidd sy'n gyffredin i bawb drwy'r byd. Y ddawn a roir yn yr isymwybod i bawb nes eu bod fel y dywedai Paul 'yn ddiesgus'. Fel y gwyddys, y mae mwyafrif llethol o bobl y byd yn arddel ymwybod o 'Dduw'. Ymhlith rhai, wrth gwrs, ceisir tagu'r ymwybod hwn yn fwriadus. Milwrio'n ei erbyn sy'n denu'r dyn naturiol. Ond erys y gred yn ddwfn, er yn aneglur, yn annelwig ac yn glwyfus, gan y rhelyw o ddynoliaeth. Rhaid pwysleisio nad oes a wnelo hyn ddim oll o anghenraid ag unrhyw ddatguddiad Cristnogol nac yn sicr â'r iachawdwriaeth ysgrythurol sydd bellach yn wrthun i lawer o'r Sefydliad crefyddol. Nid oes a wnelo â *pherthynas* â Duw chwaith. Cynneddf gyntefig yw. Ond gellid dadlau'n deg fod yr union synnwyr neu ymwybod hyn o Dduwdod wrth wraidd a bôn pob llenyddiaeth, ac yn wir yn gyrru bodolaeth llenyddiaeth ei hun o'r cychwyn, boed yn fawl prydyddol, yn ddrama seremonïol, neu'n stori fytholegol gynnar. Felly, wrth i feirdd o Gymry geisio dod o hyd i drefn hardd, er mwyn dathlu a chorffori a gogoneddu y *Sensus Divinitatis* hwn taw ble y'i profent, yr oeddent yn cael eu cymell yn rymus i gyflawni'r gwaith hwnnw mor bersain ryfeddol gan gynneddf etifeddol yn eu natur ddynol Dduw-ymwybodol, drwy ddathlu harddwch trefn gadarnhaol a phrydferth. Dyna pam y neilltuwyd trydedd ran Gramadeg y Penceirddiaid i ystyriaethau diwinyddol. Ceisient y perffaith. Felly, un sylw pellach ynghylch y term 'perseinedd'. Nid wyf yn meddwl am y pwyslais hwn yn yr un ffordd â 'la-la-la' Ceiriog. Nid melyster syml i'r glust oedd yr hyn a gyfareddai'r beirdd. Iddynt hwy yn fynych gallai perseinedd fod yn llawer cyfoethocach na phwyslais siwgraidd rhamantiaeth Fictoriaidd. Roedd gan y sain ei hanrhydedd ei hun. Sylwer ar y ffordd yr oedd Simwnt Fychan yn disgrifio'r Odl, a'r ffordd yr oedd hi'n ymateb o gael ei brifo:

> *Kans balch yw yr awdl, ac y hi yw llygad y gerdd, ac am hynny, ni oddef hi ddim y'w brivo:*

> *Y mab rry hydr ymhob brwydr.* (ibid. 126)

Hynny yw, mae gan sŵn ei deimladau a'i hawliau personol. Gwylier. Thâl hi ddim inni fod yn ysgafn ysgafala wrth ymhel â llygad y gerdd.

Eto, os oedd cydweddiad seiniau yn ddiddorol aruchel i'r glust ac yn ysgogiad i'r meddwl ac yn gryf o dan batrwm o wahuniaeth, yna cyfrifid hynny yn berseinedd a feddai ar ddyfnder yn yr ymwybod. Er bod rhai cyfuniadau'n 'hyll', yn arwynebol hyll, gallent fod yn afaelgar i'r glust ac i'r meddwl. Dyna yn fras dybiaf i, oedd y gwth neu'r ffasiwn neu'r ysfa gudd a wthiai drwy holl gymdeithas y beirdd dros rai cannoedd o flynyddoedd i gyd-lunio cyfundrefn orchestol fanwl o drefn seiniol bêr. Da oedd ffurf ei hun. Gwaith ysbrydol oedd. Dathliad oedd y cwbl a wnaent mewn sain o'r hyn a wnaent mewn synnwyr, sef dyrchafu trefn y Crëwr. Blaendiro'r hardd seiniol mewn trefn oedd eu hysfa. Nid oedd y Gynghanedd yn y bôn namyn ffordd o fawrygu trefn Duw. Yn y pen draw, mawrygid Undod, y ceid y tu mewn iddo ddeuoliaeth a thrioliaeth. Dyna, mewn eglwys gadeiriol ieithyddol o drefn, yn isymwybodol bensaernïol, ffordd o adnabod prydferthwch mawredd a chariad y Gair ei hun.

I'r beirdd, gwedd ar foesoldeb felly oedd estheteg. Gwedd oedd hefyd ar addoliad. Fe gynhwysai 'gyfiawnder ar ddychymyg', a 'gwirionedd' yn ogystal â chydbwysedd cymedroldeb, cydgordiad, cyfatebiad, cyflafariad, cymblethiad, cyhydedd, cyd-drawiad, cymeriad, cymhariad, cyfansodd-iad. Atgyfnerthu perthynas ddelfrydol a wnâi'r elfen *cy-* bob tro, fel y gwnâi yn y gwreiddair 'cy(ng)-canedd' ei hun. Os cywir yw synied fod gwreiddiau deunydd llenyddiaeth ar ganol eu Mawl i Dduw, ac os mai swyddogaeth grefyddol oedd i ffurf cerddoriaeth gynnar, diau mai gwisgoedd urddol, seremonïaeth addoliad a chyfeiliant i ddeunydd dwyfol oedd y gogwydd a gymhellai'r Gynghanedd. Nid eu bychanu yw awgrymu mai'r Trioedd Cerdd i'r Penceirddiaid oedd eu Rhodd Mam hwy yng nghyd-destun yr uchelwyr. Go brin y cywilyddiai'r un fam Fethodistaidd o glywed: *'Tri pheth a lwgyr awen kerdawr: med-dawt, a godineb, ac agkanmawl'.* (ibid. 17)

Nid trefn yn unig, yn noeth felly, oedd awydd y beirdd: roedd digon o honno eisoes mewn iaith. Nid perseinedd yn unig chwaith: ceid hwnnw'n achlysurol hefyd, yn ddi-drefn. Ond trefn ddynol o fewn trefn ddwyfol ydoedd i berwyl arbennig. Trefn a chanddi ddiben a oedd yn hardd. Trefn seremonïol aruchel y da. Gweledigaeth gron o drefn isymwybodol a oedd yn gysgod o ddelfryd cymdeithasol aruchel. Ar yr wyneb ymddengys cywreinio sain, yn gyfan-gwbl annibynnol ar ystyr, fel rhywbeth di-bwrpas, anymarferol ac amherthnasol. Ond ymddengys – ac y mae hyn yn wir i feirdd pob oes – fod seiniau i feirdd yn werthfawr ynddynt eu hunain, yn ogystal ag yn eu hystyr a'u cysylltiadau. Sagrafennwyd sain. Meddai Saunders Lewis, '"Gwerth" gair sy'n bwysig mewn barddoniaeth, a dangoswyd bod gwerth gair i'r pencerdd yn dibynnu ar ei sain ac ar ei *aura* yn gystal ag ar ei arwyddocâd.' Aeth y defnyddioldebol yn wrthrych i'w parch. Gwae ni pan dry yn eilunaddoliad, yn addoliad ohono'i hun. Roedd synhwyrau a ymatebai i'r seiniau hyn yn gyneddfau daionus. Gwedd ar fawl cadarnhaol, dyrchafol i'r synhwyrau hynny oedd perseinedd mewn trefn, yn rhinweddol ynddi'i hun tuag at nod a oedd hefyd yn rhinweddol. Y drefn i raddau a ddiogelai'r arwyddocâd.

Wrth sefydlu *cyfundrefn* a gyflawnai'r Cymhelliad cynhwysfawr hwnnw, yr oedd y beirdd yn creu amgylchfyd a chynsail i ffurf iaith o fewn iaith, i ffurf gair o fewn Gair, i ffurf a gorfforai, o ran egwyddor gyson, drefn mewn perseinedd. Perseinedd gwrthrychol oedd trefn ei hun. Felly, yr oedd Cerdd Dafod yn rhyddhau'r bardd rhag gorfod dyfeisio cyfundrefn sylfaenol o drefnusrwydd persain cyffredinol drosto'i hun bob tro. Rhyddhâi Cerdd Dafod ef i ganolbwyntio ar 'berseinedd' a 'diddordeb seiniol' arbennig y llinellau unigol newydd a'u perthynas â'i gilydd mewn Mynegiant ar seiliau cynganeddus Tafod, cyn-fynegiannol.

Gwaith cynhyrchu llinellau unigol, diriaethol, a'u cysylltu, oedd Myneg-iant; roedd adeiladu Cerdd Dafod mewn cymdeithas ddelfrytgar dros gyfnod o ganrifoedd yn ddull o feddwl a ganiatâi amrywiaeth y llinellau aeddfed unigol yn gyffredinol. Ceid harmonïau ar y pryd (Mynegiant) ynghyd â threfn ddiamser (Tafod) yn y cyfuniad hwn. Mae gan drefn dymhorol ran ar ryw ystyr yn nhrefn tragwyddoldeb.

Meddyliai'r beirdd yn arbennig felly yng Nghymru am y ffenomenau rhyfedd hyn, prydu a chynganeddu. Ac nid oedd y dogmâu diweddar rhamantaidd neu fewnblyg ynghylch y gwrthysbrydol yn atal rhyddid eu meddyliau ar y pryd.

Yn gynhenid, rhan o ddaioni tragwyddol yw'r 'cywydd' tymhorol, felly, y 'mesuradwy' o fewn y difesur, y ffaeledig o fewn yr anffaeledig, megis Mynegiant o fewn Tafod. Yr oedd perseinedd Mawl yn wasanaeth cymdeithasol. Ymwaredai â thlodi hyd yn oed. Yn ôl Calfin (*Calvin: Commentaries,* gol. Joseph Harontunan, Philadelphia, 1958, 395), 'Mae cerddoriaeth yn ôl ei natur wedi'i chymhwyso i ysgogi ein defosiwn tuag at Dduw ac i gynorthwyo budd a lles dyn.' Yn ôl Awstin, yr oedd miwsig yn siarad ag ef am Dduw, 'awdur popeth cymwys a chytûn'. (*De Musice,* VI, viii). Tarddai pob harddwch a chymesuredd a brofem ar y ddaear o 'reol uchaf a thragywydd y niferoedd' (Awstin, *De Musice* VI xvii). Y Logos oedd y drefn resymegol *par excellence.* Roedd y drefn rifol dragwyddol, felly, yn symbol o'i Berson Ef. Fel mewn miwsig, felly mewn Cynghanedd, cawn y *llif symudol mewn trefn.* Yn hynny o beth, gwedd ar ystyr y greadigaeth oedd y Gynghanedd. Ac roedd y beirdd craffaf yn sylweddoli hynny. Mi fyddai'r meddylwyr Groegaidd clasurol wedi can-fod cyfatebiaeth rhwng symudiadau'r planedau (yn sicr, Ffiseg) a threfn seiniau a mydryddiaeth y Gynghanedd.

Gwedd ar ystyr ysbrydol y weithred o greadigaeth yw'r Gynghanedd hithau. Meddai Beethoven mewn llythyr at Bettina von Armin ym 1810, 'Datguddiad yw miwsig sy'n uwch nag athroniaeth'.

Ac yn y cyd-destun hwnnw y crybwyllaf derm beiddgar a chraff Alan Llwyd, sef 'Perffeithrwydd'. Yn ei gyfrol bwysig *Y Grefft o Greu* mae ganddo bennod gyfan, 'Gweithio tuag at Berffeithrwydd', lle yr hawlia 'Yn yr ymdrech o gyrraedd perffeithrwydd y crëir pob cerdd o werth'. Bu crechwenu am y gosodiad, ond dyna'r cyd-destun o Gymhelliad eithaf yr wyf wedi ceisio sôn amdano wrth drafod adeiladwaith y Gyng-hanedd. Yr Absoliwt y mae'n rhaid i bawb wrtho. Wrth gwrs, y mae Alan Llwyd mor ymwybodol bob dim o ffaeledigrwydd â'r dyn nesaf (yn fwy felly, ddwedwn i), a chyfaddefa, 'Llunnir pob cerdd yn rhywle rhwng y cyffro annelwig cychwynnol a'r methiant i gyrraedd perffeithrwydd'. Ond llithra'n ôl eto yn y gyfrol (t. 101) i sôn am 'berffeithrwydd' drachefn.

Pam?

Yn gynhenid, mae'n demtasiwn i ddelfryd ymddangos yn rheidrwydd; ac yn ail mae'n hawlio perthynas drwy ddyhead. Ymdeimlwn fod deddfau'r greadigaeth ac ufudd-dod i'r deddfau hynny, byd syrthiedig neu beidio yn ein barn ni, rywfodd yn gynhenid berffaith er ein gwaethaf. Gall yr hyn y mae'r gwyddonydd (neu'r bardd) yn ei wneud ohonynt yn ôl ei falchder, neu'i 'annibyniaeth', neu'i fateroliaeth ei hun, fod yn nam enbyd ar y deddfau hynny ac yn llychwino'r defnydd ohonynt. Ond rywfodd, yn y ddelfryd ei hun sy'n gorwedd ynddynt er ein gwaethaf, ni ellir llai na chyfrif bod yna (oherwydd yr ymestyn) ryw loywder uwchnaturiol ar gerdded o'r amser cyn y Cwymp. Gras cyffredin go loyw os annigonol. Mae'r deddfau eu hunain yn ddelfrydau. Mae argraff Crëwr perffaith yn Ei greadigaeth, er gwaetha'r Cwymp. Carwn gyfeirio at ran o ymdriniaeth ddisglair, ynghylch un o blith hen linach Alan Llwyd sef am Forgan Llwyd, a hynny allan o ymdriniaeth amdano gan brif awdurdod y maes, sef Goronwy Wyn Owen. 'Nod y crediniwr, y mae'n rhaid, oedd ymgyrraedd at berffeithrwydd, ond y mae'n sicr na chredai Morgan Llwyd ei fod yn gwbl berffaith, yr hyn a ddysgid yn agored gan y Crynwyr. Dywed Llwyd: "none can enjoy perfect till he be perfect . . . neither is there true peace in any conscience where earthliness remain".' Canllawiau i'r ysfa hon o fewn cyd-destun Mawl ysbrydol oedd patrymwaith 'perffaith' y Gynghanedd. Dyna yn ddiau a ganfyddai Einion Offeiriad yntau.

Beth felly, yn gryno, oedd Cymhelliad llunio'r Gynghanedd fel cyfundrefn? Dim llai na darganfod a gosod trefn ar dryblith perseinedd; gogoneddu Duw a'i gread mewn perffeithrwydd seiniol; mawrygu trefn ddelfrydol ar iaith.

Sylwer ar y gwahaniaeth rhwng y ddwy linell sgerbydol –

    (i) b p d – g / ll rh s n ng – c

    (ii) b p d – g / b p d – r

Yn (i) ceir tryblith, chwalfa, aneglurder. Ôl-foderniaeth.

Yn (ii) down allan i'r goleuni: meistrolir y gwylltineb drwy ailadrodd ynghyd â gwahaniaethu. Diffoddwyd y danllwyth. Ceir math o gydweithrediad ac o gyd-ddealltwriaeth berseiniol. Ac yn wrthrychol o'r isymwybod felly, y mae Cynghanedd yn derbyn trefn nas *cynlluniwyd* gan ddyn, tebygrwydd ynghyd ag annhebygrwydd. Sef Undod.

Ymddengys i mi fod holl gyfundrefn, meddylfryd ac uchelgais y Gynghanedd wedi'i seilio yng nghryfder ymwybodol rhagdybiau Cyfundrefn Mawl. Gwedd yw ar seremonïaeth adeileddol Mawl ein traddodiad. Ceisiais ddadlau yn *Llên Cymru a Chrefydd, Mawl a'i Gyfeillion, Mawl a Gelynion ei Elynion* ac yn glo arnynt, yn *Beirniadaeth Gyfansawdd* mai'r cyfuniad triol mewn Cymhelliad – sef Gwerth, Ysfa am Drefn, a Diben – yw'r fframwaith rhagdybiol angenrheidiol a gyd-adeiladodd Fawl. Deuthum i'r casgliad gorfodol hwnnw yn syml ar sylfeini ysgrythurol.

Yn wir, awgrymais fod y gyfundrefn driol hon yn adeiladu Cymhelliad Mawl mewn modd digon tebyg i gyfundrefnau iaith. A da oedd gennyf dderbyn gair (ar ôl iddo dderbyn *Beirniadaeth Gyfansawdd*) gan fy nghyfaill annwyl yr Athro Walter Hirtle, Athro Ieithyddiaeth o Brifysgol Laval, Québec i gefnogi'r cynnig: 'I would from the purely linguistic point of view parallel your three necessary parameters in the following terms:

1. intended message = recognition of value, or of something I want to say;
2. appeal to the system = calling on the general system in tongue to track down, or rather activate the most appropriate means for translating the intended message into a representation with a sign;
3. intended sentence, or better, sentence project = what an act of speech aims at (the expression of a 'complete thought' as the grammarians used to describe it), an aim that, like the light at the end of the tunnel, comes gradually into focus as the construction of the sentence proceeds.'

Ond yn ôl y drefn gydymffurfiol a garegwyd yng Nghymru, am resymau crefyddol a gwleidyddol ar ôl 1859, nid yn hawdd y gellir ennill cefnogaeth i'r fath gasgliad:

    (i)   heb ddadleuon unplyg seciwlar (gelwir y rhain yn ddiduedd);
a   (ii) heb fod y tueddfryd ffasiynol eisoes yn dderbyniol yn Saesneg.

Yn awr, mae holl osgo'r ddadl yr wyf wedi'i chyflwyno yn y fan hon yn gwbl groes i'r sefydliad deallol cyfoes Saesneg a seciwlar imperialaidd ar

452

hyn o bryd mewn diwylliant. Mae rhagdybiau chwalfa, nihiliaeth, relatif-rwydd, ac ansicrwydd yn fwy o lawer nag ystrydeb bellach, yn yr awyr-gylch sydd ohoni: y maent yn ormes confensiynol, proffesiynol hyd yn oed.

Felly, hyfryd i'm hysbryd oedd sylwi yn ddiweddar fod yna osgo graff arall eisoes ar gerdded yn Saesneg, a hynny – er bod yr ysbrydoliaeth yn Iddewig-Gristnogol – yn gallu apelio at ragdybiau isymwybodol y meddylfryd seciwlar 'diduedd'.

Rhaid dechrau, yn anthropoleg a seiciatreg gyda Victor E. Frankl, awdur *Ymchwil Dyn am Ystyr* (gw. hefyd *Y Gri Anhyglyw am Ystyr: Seico-therapi a Dyneiddiaeth*, Victor E. Frankl, 1979). Dangosodd Frankl, er bod amheuaeth a sgeptigiaeth yn offer tra hwylus, na ellid 'credu' ynddynt, a'u bod hwy'n iswasanaethgar i'r gwrthwyneb. Hyd yn oed cyn treulio amser yn y gwersylloedd carchar Natsïaidd, yr oedd Frankl wedi dadlau'n erbyn ysgolion mwyaf sefydliadol cynnar seiciatreg Vienna. Credai ef mai'r ewyllys o blaid ystyr oedd y Cymhelliad blaengar mewn ymddygiad dynol. Yn hynny o ymchwil, bu ei brofiad ymarferol yn labordy gwrthun y gwersylloedd carchar yn amheuthun iddo.

Trosglwyddwyd ei ddadansoddiad i fyd llenyddiaeth a ffilm gan bobl fel Christopher Garbowski, i fyd athroniaeth foesol gan Alisdair MacIntyre, *After Virtue*, 1980, ac i theori lenyddol gan Martha Russbaum, *Love's Knowledge: Essays on Philosophy and Literature*, 1990. Dadleuai Russbaum mai un o'r rhesymau y denid pobl mor gyson at lenyddiaeth ar lefel ddofn ac arhosol oedd eu bod hwy'n ymaflyd â'r cwestiwn sut yr oedd byw, pam a beth yw ei werth. Bellach, dychwelid gan eraill yn yr un meysydd i ailgydio yn y broblem odidog hon. Fe'i datblygid yn effeithiol yn *Renegotiating Ethics in Literature, Philosophy and Theory*, gol. Jane Adam-son, Richard Freadman a David Parker, Cambridge University Press, 1998. Dyma a fu'n digwydd ar yr ymylon, felly, lle yr oedd popeth o bwys yn digwydd. A phe gallai'r Cymry drechu y ddwy ragdybiaeth seicolegol a nodais ynghynt, caent sylweddoli o'r newydd y cyfraniad glew a wnaethpwyd eisoes i'r gogwydd iachus hwn, eto ar yr ymylon, yng nghanol yr ugeinfed ganrif gan Saunders Lewis, Gwenallt, Euros, Waldo ac Alan Llwyd. Drwy theori Cymhelliad gellid mewn Cynghanedd syl-weddoli'i bod yn bosibl ceisio ystyr hyd yn oed mewn sain 'bur'. Roedd *gwahuniaeth* yn egwyddor mewn bodolaeth, mewn moes, ac yn Nuw ei hun, y Tri yn Un.

Yn niwedd yr ugeinfed ganrif, mewn cyfnod y gellid tybied ei fod o dan ormes 'damweiniol' ac mewn gwerddon o ystrydebaeth ragdybiol bur gibddall pryd y plygai'r trefedigaethedig rai Cymreig i 'ansicrwydd' ar egwyddor, (a hwythau bellach yn wrthryfelwyr disgwyliedig lludd-edig), cloddiwyd gan athrylith yr iaith a dod allan ohoni'i hun ag adfywiad cynganeddol. Mynnai Mawl – o bopeth! – ffynnu mewn cym-unedau ymddatodol dirywiedig. Cafwyd adfywiad Cerdd Dafod er ein gwaethaf. Sefydlwyd un o gymdeithasau prydyddol mwyaf llewyrchus Ewrob. Meddai Saunders Lewis un tro, 'I arwyddo natur ddiddamwain, gyfundrefnol y byd hwnnw [sef byd cerdd] y lluniwyd holl gelfyddyd Cynghanedd'. Ar yr union amser pryd y cododd damweiniolrwydd ac amhenodolrwydd Ôl-foderniaeth yn y gwledydd mawr Ôl-imperialaidd gorllewinol, yn y saithdegau, yn yr union le yna, mewn gwlad sy'n pwngan o israddoldeb a phrotestiadau seithug, yr adfywiodd yn isym-wybodol o'r newydd egwyddorion megis gwahuniaeth, rhy ac eisiau, perthynas y rhan a'r cyfan, a gwreiddioldeb yr her feirniadol Gymreig yn erbyn marwoldeb.

Yn ein hoes ôl-fodernaidd daeog, codwyd baner gynganeddol enfawr y diddamwain a'r sicr. Chwifiwn hi, hyd yn oed efallai heb fod yn orhyderus. Clustfeiniwn yn hyderus ar ei chlec.

*   *   *

Tra oedd y 'werin' yn cefnu nerth eu sodlau ar y capeli, clywid o hyd ambell lais distaw main fel eiddo Waldo yn awgrymu bod harddwch y byd yn datguddio Duw, a hagrwch y byd yn datguddio llygredd dyn a barn Duw arno: y naill a'r llall yn datguddio Absoliwt. Deuai rhywrai o'r newydd fel Alan Llwyd i ganfod mai gogoniant o fath oedd sylfaen pob estheteg. Mynnai Gwenallt i'r cynnwys a'r ystyr ddiwinyddol fod yn hardd. Fel y tybiai Plato ac Awstin mai harmoni (Cynghanedd) oedd harddwch, felly clywid hyd yn oed yr ugeinfed ganrif leisiau ymylog fel A. M. Allchin, Van Til, Schaeffer, Jeremy S. Begbie, C. S. Lewis, Rook-maaker, Leland Ryken, Calvin Seerveld, Frank B. Brown, Euros, Waldo, Gwenallt a Saunders Lewis, yn canfod harddwch fel rhywbeth mwy o lawer na chystadleuydd amhriodol i ymrwymiad cymdeithasol. Y cymdeithasol, rwy'n ofni oedd tybiaeth ysgolion confensiynol yr 1980au a'r 90au. Tybient mai cyfiawnder a chydraddoldeb a lles allanol oedd yr alwad, ac mai tuedd gweithiau celfyddydol oedd bod yn symbolau o rym. Ac yn wir, o osod canu'r Gogynfeirdd yng nghyd-destun gwleidydd-iaeth ddynastig y 'tair talaith', y mae llawer o rym i'r rhagdybiaeth hon iddynt hwy. Ond yr oedd yn lletach na hynny. Doedd dim amheuaeth ynghylch ymrwymiad cymdeithasol ddi-rym Waldo, bid siŵr. Ond ni chydnabyddai ef y rheidrwydd i ysgaru cymdeithas rhag estheteg. Defnyddio arf harddwch wrth arloesi rhyddid a wnâi gyda'r gwaywffyn o 'eirlysiau' hyd yn oed (er mai gair go waharddedig oedd hynny yn Saesneg bellach). Tebyg oedd i gywreinrwydd ysgafn a thirion y bluen eira fuddugoliaethus a ddisgynnai ar gôt fawr Napoleon wrth iddo droi gyda'i fyddin i ffwrdd wedi 'gorchfygu' Moscow.

Mae'r pwnc hwn yn codi drachefn wrth ystyried ieithwedd ac arddull hefyd. Ni wna arddull yn y pen draw ond anadlu'r ystyr ddyfnaf. Sylwer ar W. J. Gruffydd yn ei gerddi gorau, 'Cerddi Bethel', lle y mae'n efelychu plaendra eithafol Edgar Lee Masters (ond bod Lee Masters yn mynd i'r eithaf efallai o geisio adleisio anllythrenogrwydd ei feirwon ef). Dyna arddull lle yr oedd Gruffydd yn ymwybodol o ddiberfeddu synwyrusrwydd Keatsaidd 'Ymbil ar Hydref', a dod o hyd ar dro i gywair cyffredin, rhyddieithol. A hyn oedd rhan o gryfder ystyr: sef normalrwydd 'diddelwedd' hyd yn oed mewn llafar go iawn a gwydn. Dyna'r lle y concrodd W. J. Gruffydd.

Tynnodd yr Athro Geraint Gruffydd fy sylw at yr hyn a ddwedodd Wiliam Bodwrda ynghylch Marwnad i Robin Clidro (ac yntau'n fyw) gan Siôn Tudur. Yr hyn a oedd yn ddifyr oedd bod Siôn Tudur – am ei fod wedi ceisio cellwair drwy ddynwared arddull anghelfydd orwerinol Robin, ac yn yr ymdrech i fod yn hyll, – wedi cael y dasg yn gryn straen: 'Siôn Tudur ai cant, ar un ffordd y bydde Clidro yn canu, a mwy poen a gowse yn gwneuthyr y co: [cywydd] yma nag un ar a wnaethe er moed.'

Bu ffugio gwerinolrwydd yn wedd ar ramantiaeth Wordsworth yntau, fel yr oedd yn achos Marcsiaid yn ddiweddarach. A diddorol sylwi fel y gallai ddod yn faes i'w ddelfrydogi, yn wir i'w ethol yn ddewisol a'i neilltuo drwy rym 'gulag' hyd yn oed. Byddaf innau yn ymwybodol iawn o gysgod y 'gulag' yng Nghymru ym myd rhai beirniaid o'r blaid dwpeiddio sy'n pleidio rhesymau gwrth-esthetig a ffug werinol o'r fath.

Mae'n werth nodi efallai fod Barthes (a oedd yn gryn strwythurwr ar lefel Mynegiant) yn tueddu i gyfrif yr arwydd realaidd yn gynnyrch afiechyd. Drwy 'adlewyrchu' yr oedd yn gwadu cymeriad creadigol iaith. Ceisiai dagu'r 'ffaith' nad oeddem yn meddu ar fyd ond oherwydd bod gennym iaith i'w arwyddocáu. Mewn gwirionedd, olynydd oedd Barthes i bobl fel Sclofsci a Jakobson a ddymunai ddieithrhau a dadgynefino iaith (heb roi'r pwyslais cydbwysol angenrheidiol i'r gwth unol). Ond priodol cofio fel y caed llafareiddio 'comon' ieithwedd gan rywun fel

Parry-Williams ei hun er ei fod yn ddieithrhau o fath arall erbyn ei amser ef.

Dychwelwn at y ddadl benodol ynghylch Cynghanedd. Ar yr wyneb ymddengys celfyddyd sŵn yn ddiduedd, yn niwtral. Gall gynnwys ac amgylchu perseinedd ac amherseinedd, daioni a drygioni. Ond o dan yr wyneb, cyfundrefn hardd yw, megis odl, sydd yn y cychwyn yn fodd i wneud seiniau'n batrymau trefnus. Rhoddant foddhad. Apeliant yn gorfforol-feddyliol. Ac erys blas y drefn unol.

Da ein hatgoffa ein hunain, wrth ddarllen rhan ddiweddol cyfrol Einion, mai llyfr Gramadeg sydd dan sylw, a llyfr yw hefyd am Gynghanedd. Ond y mae wedi'i seilio (yn rhyfedd iawn i ni heddiw) ar un o'r rhagdybiau pwysicaf – sy'n angenrheidiol i amgyffred seiliau (neu ddechreuad) popeth. Mae'r awdur yn dwyn gramadeg yr iaith, y Gynghanedd a'r holl fesurau, ynghyd â phob pwnc o dan yr haul a drafodir gan feirdd, yn dreiddgar gaeth i Dduw. Mae Einion Offeiriad yn mynnu bod pob meddwl yn weithred o gariad yn Nuw. Nid pregethu y mae, eithr wynebu ffeithiau ysbrydol. Ni wn pam y myn ein beirniaid seciwlar dybied bod pob crybwyll o Dduw yn golygu 'proselytio'. Mae'n cydweddu felly ag egwyddor Paul: (2 Cor. 10:5): 'gan gaethiwo pob meddwl i ufudd-dod Crist'. Ond pa wedd ar Gristnogaeth sydd dan sylw wrth honni'r fath beth? Nid yr Atgyfodiad, mae'n amlwg. Na'r Iawn. Does dim modd deall Einion Offeiriad nac ychwaith yr athrawiaeth y tu ôl i'r holl draddodiad Mawl Cymraeg heb ragdybied ymwybod o drefn gyffredinol gwybodaeth a lewyrchir er clod i Dduw ofnadwyol. Medd y Diarhebion: 1:7: 'Ofn yr Arglwydd yw dechreuad gwybodaeth'. Felly yn y Greadigaeth.

Gwelai Einion, felly, yr angenrheidrwydd i esbonio adeiladwaith a rhesymwaith gwaith y prydydd drwy'r weledigaeth Gristnogol am Ragluniaeth a'r Greadigaeth am mai hynny yn unig a allai ddarparu'r wybodaeth a'r profiad a'r ddealltwriaeth o natur barddoni – y rhagdyb – mewn ffordd na allai dim arall ei wneud. Roedd hyn yn bwnc dadleuol, mi wn. Codai gynddaredd heddiw. Ond un o'r nodweddion mwyaf diddorol yn nisgrifiad ac athrawiaeth Einion, wrth drafod 'Pa ffurf y moler pob peth' a'r 'Trioedd Cerdd', oedd sut y mae pob elfen a drafodid yn rhan organaidd mewn cyfanwaith: 'Rhaid yw gwybod bellach pa ffurf y dylyer moli *pob peth* o'r y pryter iddo'. Roedd ei feddwl o hyd yn ceisio'r Un y tu ôl i'r llawer a'r amlder sydd ynglŷn â'r Un. A dim ond yr Absoliwt Cristnogol, yn ei fryd ef, a allai byth esbonio ffurf felly i'r pen. Dyna'r ffeithiau. Nid wyf am geisio perswadio neb i gyd-fynd â'r

Gynghanedd. Dim ond y Duw Cristnogol a ddatguddiai seiliau eithaf bodolaeth, achos, trefn (deddfau) ystyr (sy'n wedd ar drefn) a phwrpas personol y Gynghanedd, yn gorff ac yn enaid cyflawn – sef gwir sylfeini angenrheidiol Cerdd Dafod. Rhagluniaeth. Dim ond Absoliwt ysbrydol-gorfforol a eglurai fodolaeth a phosibilrwydd cyfundrefnau. Atebai Einion felly yn nhrydedd Ran ei Ramadeg gwestiynau mawr, cyflyrol, amodol, a chydlynol. Ond erbyn cyrraedd y wedd arbennig honno ar Gerdd Dafod, yr oedd Syr John yn dawel bach wedi'i heglu hi nerth ei sodlau. A'r holl ugeinfed ganrif ar ei ôl. Wel, ie, ar wahân i un dyn bychan yn dwyn yr enw Lewis a fynnai fyfyrio am ystyr y pethau hyn, ac a ddwedodd am waith Einion Offeiriad: 'Ni ellid cyfiawnhau barddoniaeth onid oedd iddi werth a budd y gellid eu dangos yn athronyddol'.

(ii) DEUNYDD Y GYNGHANEDD

Er bod Freud a'i gymheiriaid yn y ganrif ddiwethaf yn niwrotig iawn am ein perswadio bod yr isymwybod yn wyllt anarchaidd, fe gafodd yntau weld rhyw fath o batrymau yno hefyd. Ac yn sicr, y mae'r isymwybod o ddisgyrchiant mewn strwythurau iaith yn ddigon i'n darbwyllo bod yna drefn weddol waelodol o'r fath hefyd yn y fan honno.

A'r un pryd, yr ymwybod. Er y Cwymp, disgwyliwn efallai chwalfa led y ddaear – rhyfel, godineb, anghyfiawnderau cymdeithasol ac yn y blaen. Ond ceir hefyd, hyd yn oed yn yr ymwybod byw, drwy Ras Cyffredin, wth pendant tuag at drefn. Ac felly y bu hi yn achos Cerdd Dafod. Yng Nghaerfyrddin tua 1450 cynhaliwyd Eisteddfod ger bron Gruffudd ap Nicolas. Ei gwaith, yn ôl Simwnt Fychan (wedyn tua 1530) oedd y 'conffyrmiad diwethaf a fu ar gynganeddion a mesurau'. Yno, yn ôl pob tebyg y deolwyd y Gynghanedd bengoll a'r Gynghanedd fraidd gyffwrdd ac y cydnabuwyd y ffiniau ar y cynganeddion a'r mesurau gan Ddafydd ab Edmwnd. Ar sail gwaith Dafydd ab Edmwnd tua 1450 mae'n debyg y cafwyd gramadeg Gutun Owain tua 1455.

Gwyddom am ymgais Wiliam Cynwal yn ei ddadl yntau (1580-1587/8) gydag Edmwnd Prys i hawlio bod angen amddiffyn ffiniau'r swyddog-aeth farddonol mewn rhyw fath o Undeb Llafur. A gwelwn y sail i hynny wrth ystyried eisteddfodau Caerwys 1523 a 1567 (yn nhraddodiad Stadud Gruffudd ap Cynan), ac mai eu prif amcan oedd rhoi trefn ar feirdd a chantorion. Neu o leiaf cydnabod ac atgyfnerthu'r drefn draddod-iadol a oedd eisoes arnynt. Wedyn bu Gruffudd Hiraethog yn rhoi trefn 'derfynol' ar Gerdd Dafod; a chopi yn disgrifio'r drefn honno o waith ei ddisgybl yntau, Simwnt Fychan, tua 1570 oedd yr un a gyfrifid yn awdurdod o'r amser hwnnw hyd yn awr.

Sôn yr wyf am drefn anorfod Tafod, y drefn ddelfrydol (deddfau) yn ceisio Mynegiant mewn rheolau – peth peryg. Dyna bwnc i'r Gynghanedd eisoes o fewn y Gynghanedd ei hun.

Ni wyddom faint o drafod cynganeddion a mesurau a gafwyd yn yr eisteddfodau hyn. Ond difyr sylwi bod yna eisteddfod a gynhaliwyd ym Machynlleth ym 1701 'i ddechrau adnewyddu, a gwastadhu (?) Eisteddfod Prydyddion (fel ag yr oeddynt yn yr hen amser) i geryddu cam-gynghanedd, i egluro y pethau tywyll a dyrys, ac i wirio yr hyn sydd gywir mewn celfyddyd Prydyddiaeth yr iaith Gymraeg.'

Weithiau, tueddwn i feddwl mai'r Cynganeddion a'r Mesurau yn unig a oedd dan sylw; nid y Deunydd. Ond wrth efrydu rhan olaf y Gramadegau, sylwn fod y glêr yn ei chael hi, nid yn gymaint am eu blerwch ffurfiol, eithr oherwydd blerwch afluniaidd a gwag eu Deunydd.

Yr oedd yr Ymwybod fel pe bai am wrogi i ddarganfyddiad yr Isym-wybod.

Os trefn oedd y Cymhelliad (a'r Ffurf), y Drefn ei hun oedd y testun hefyd, i fod. Caed uchafbwynt y Drefn honno a ganmolid gan y beirdd, ei hoffi neu beidio, ym Mhenarglwyddiaeth y Duwdod. Defnyddiaf y term Absoliwt amdano, gan mai dyna'r priodoledd addas ym myd Ffurf. Oddi wrtho Ef a'r gwerthoedd a'r pwrpas a argraffai Ef ar Ei greadig-aeth yn yr hierarci o wrthrychau a gâi eu moli yn Ei sgil, y tarddai amlder yr awydd a'r cyfeiriad a'r ymwybod â threfn. Hyd yn oed yn achos Dafydd ap Gwilym, hyd yn oed yn anhrefn ymddangosiadol y goedwig a'r môr a'r adar gwyllt – fel y ceisiais ei ddangos ym *Mawl a'i Gyfeillion* – fe ddeuid o hyd i drefn newydd. Sefydliad y goedwig oedd y fangre i sicrhau hen werthoedd daioni.

Math o iaith gyfrinachol, neu o leiaf neilltuedig, Cynghanedd a gorfforai'r drefn. Ffurf isymwybodol ar iaith a ddyfeisiwyd gan urdd arbennig, wedi'i chyfyngu'n ymwybodol yn yr eisteddfodau gan fath o Undeb Llafur ar gyfer swyddogaeth aruchel arbennig. Tynnwyd cylch tyn o'i hamgylch. A'r tu mewn i'r cylch cyfrin hwnnw, yn y cyfanrwydd, y ceid y statws a'r rhyddid.

Wrth gwrs, mae yna anghredinwyr rif y gwlith, y mwyafrif o'n cyngan-eddwyr erbyn hyn does bosib, nad ydyn nhw'n swyddogol gredu dim o'r Drefn ryfedd sylfaenol honno. Ac eto, er eu gwaethaf, fel y byddan nhw yn ddiarwybod wrthi'n cynnal ystyr a'r egwyddor o bwrpas a'r egwyddor o werth heb fynd yn aruthr o ymwybodol o'r peth, felly y gwnânt lawer iawn o bethau eraill yn isymwybodol.

Ac felly erioed y bu, am y rheswm syml mai'r Gynghanedd oedd y Gynghanedd. Yr oedd ganddi ei Deunydd – ei phynciau, ei thestunau, ei hagwedd amlwg. Ceisiai'i threfn fewnol hi y drefn a gaed yn allanol. Gweddnewidiad neu wrthrychiad o'r Deunydd hwnnw bob dydd (neu weledigaeth ohono) ydoedd y Ffurf. Delfrydiad neu ddiriaethad ydoedd.

Fel yr oedd y Ffurf ei hun (mewn Cynghanedd) yn fath o ddelfrydiad, yn wyrad i gorffori sain mewn patrwm 'perffaith', felly yr oedd yn adlewyrchu'r delfrydiad hefyd a geid yn y Cynnwys ystyrlon neu'r Deunydd beunyddiol hwnnw. Dichon i'r delfrydiad hwnnw etifeddu peth o'r difrifoldeb gan ei ddatblygiad hanesyddol mewn deunydd barddonol oddi wrth Dduw drwy'r Brenin (tywysog, uchelwr) a'i urddas, drwy'r Gariadferch a'i phrydferthwch i'r gwrthrychau naturiol a'r lleoedd yn ôl strwythur syml cadwyn bod. Mawl oedd i drefn gydberthynol. Sofraniaeth o sfferau oedd hyn. Roedd y flaenoriaeth a roddai Cyfraith Hywel i'r gerdd i Dduw, ynghyd â'r ymwybod hanesyddol a geid gan sawl llenyddiaeth fod a wnelo'r llenyddiaethau cynharaf â seremonïaeth grefyddol, oll yn ein tueddbennu i ganfod a dosbarthu deunydd cynhwynol y Gynghanedd hithau mewn delfrydiad crefyddol o ryw fath a ymagorodd yn anochel gynhwysfawr. Diwinyddiaeth strwythuredig oedd hyn oll er ein gwaethaf, hyd yn oed yn y testunau gwylltaf.

Disgwylir i Ddeunydd llenyddiaeth fod yn ysgogiad i Ffurf, ac i'r Ffurf adlewyrchu'r Deunydd. Mynych y bydd y rhamantwyr yn ein hatgoffa mor annatod ydynt. Peth sy'n wir ddigon mewn Mynegiant. Felly, – er mewn modd gwahanol, – megis yr oedd y Deunydd yn ymdroi gyda delfrydiad, felly'r Ffurf hefyd.

Sylwer ar fecanwaith delfrydau. Cynghanedd Groes yn benodol. Gosodir patrwm o gytseiniaid, ac fe'i dyrchefir yn y meddwl i fod yn ddelw. Hynny yw, y nod i'r bardd yw llunio patrwm ar y ddelw honno sydd o'r golwg. Neu o'i chanfod mewn ffordd arall: yn y Mynegiant ceir amrywiaeth achlysurol, ond fe'i cyfansoddir yn ôl delwedd anweledig, ac ryw olwg haniaethol berffaith. Dyna yw'r amgylchiad seiniol i'r delfrydu mynegiannol.

Gan ein cyndad beirniadol cyntaf, Einion Offeiriad, fe geir ambell frawddeg gyrhaeddbell y gellid tybied iddi gael ei bwriadu er iachâd i feirniadaeth arwynebol dechrau'r unfed ganrif ar hugain. Brawddegau megis (a diweddaraf orgraff), *'Rhaid yw bellach gwybod pa ffurf y moler pob peth o'r y mynner prydu iddo'*. Â ati i ymhelaethu ar gynnwys delfryd, megis *'Rhiain a folir o bryd, a thegwch, a chymhendod, a disymlder, ac eglurder modd a defodau, a haelioni, a diweirdeb, a molianrwydd, a bonedd, a lledneisrwydd,*

459

a charedigrwydd, ac iddi y perthyn serch a chariad.' [Ac yna'r troednodyn] *'Ac yn unwedd â hynny y molir mab.'* (*Gramadegau'r Penceirddiaid* 15-16). Dyna ein rhoi ni yn ein lle.

Mae yna gynnwys i ddeunydd, unplygrwydd, a sylwedd delfrydol. A harmoni rhwng yr holl rinweddau.

Craff a disglair, yn ôl ei arfer, oedd yr arweiniad a roddodd Saunders Lewis i'n dealltwriaeth o natur y deunydd a geid mewn Mawl Cymreig (*Braslun*), 'Gwnaeth Taliesin ef (sef Urien) yn batrwm a theip o'r Tywysog Cymreig. Creodd ohono ffigur delfrydol, y ddelfryd arbennig Gymreig o frenin'. Nid cwbl anaddas sylwi yn sgil y gosodiad hwnnw fod y traddodiad isymwybodol barddol wedi gwneud o'r Gynghanedd lun delfrydol, y ddelfryd arbennig Gymreig o lif sain. Fel y ceisid moli trefn Tywysog er mwyn ei chynnal, felly y ceisid Cynghanedd trefn seiniau er mwyn llewyrch i'r iaith. Rhyw fath o fawl i'r iaith oedd llif y Gynghanedd ei hun. Ei delfrydu. Rhwng y Deunydd a'r Ffurf ceid Cymhelliad, ac yr oedd y Cymhelliad yn eu cyd-wthio tuag at fwy na threfn gyffredin: gwthiai tua chyfundrefn, undod cosmig ac, o'i fewn, bob uned yn ôl ei lle priodol, bob perthynas yn unol â'i chydlyniad gloyw. Corfforid y Deunydd mewn Ffurf briodol.

Buom yn sôn am y cynllun anweledig sydd mewn Tafod ar gyfer Mynegiant unigol y Gynghanedd. Felly hefyd gyda Deunydd y beirdd, a dyna sut y gallai Einion yntau fod mor hyderus wrth grynhoi prif nodweddion pob gwrthrych sydd yn haeddu Mawl. A dyfynnu Saunders Lewis eto: 'Patrymau cyffredinol yw'r ideâu, a chanddynt fodolaeth sylweddol.' Nid y pethau unigol, ffenomenau'r byd hwn yw'r sylweddau uchaf. Dyna'r lle y mae theori Cynghanedd (Ffurf seiniol) yn cyfarfod yn hwyliog â theori Deunydd y beirdd: clymir Deunydd cyffredinol mewn Ffurf gyffredinol gan Gymhelliad cyffredinol. Dyma'r ateb Cymraeg cyfoes a thragwyddol i Ôl-foderniaeth.

Nid ynysedig yn hollol, felly, oedd y Gynghanedd, ac nid cyfanrwydd datodedig ydoedd. Nid gwisg am ben y Deunydd. Perthynai'n weddus i'r drioliaeth mewn adeiladwaith llenyddol a'i pherthynas â'r ddwy elfen arall yn y rheng yn annatod. Yr oedd yna undod deinamig yn y gyfundrefn greu, deinameg a chanddi gyfeiriad penodol.

Deunydd ——> Cymhelliad ——> Ffurf

Mewn Mawl, felly, fe chwilid am y gwir a ddylai fod. Ceisid y perffeithrwydd a ddiffiniai'r rhinweddau yr oedd y bardd yn chwilio amdanynt.

Y tu ôl i bob gwenieithu arwynebol allanol, y pwnc i'r prydydd – er gwaethaf pob chwant am dâl a phob defod – oedd yr her i ddehongli delfryd. Ni ddylid ysgaru Mawl y beirdd oddi wrth sain eu gwaith a'r gymdeithas ddelfrydol y ceisient ei dyrchafu.

Oherwydd ei chysylltiad annatod â Mawl am ganrifoedd lawer, ac oherwydd y gwaddol odani o gysylltiad â threfn, y mae Cynghanedd bellach rywsut yn ymosodiad ar Goegi fel dogma (nid fel techneg achlysurol wrth gwrs). Ymosodiad yw o ran ei hanfod ar chwalfa lluosedd, ar ddiffyg gwerthoedd a phwrpas, ac ar relatifrwydd ffyrnig, sef holl feddylfryd confensiynol diwedd y ganrif ddiwethaf. Gyda'r mileniwm newydd daeth yn bryd holi'r cwbl hwnnw. Fe'i derbyniwyd yn rhy ddigwestiwn. Heb ddigon o sylfaen gwrthodwyd posibilrwydd yr ysbrydol a natur y gorfodol wrthrychol. Dengys y Gynghanedd reidrwydd yr ysbrydol neu'r anweledig, yr Absoliwt.

Fel arfer, yn annibynnol ar ffasiynrwydd relatifrwydd a heb drafferth i ymwrthod â'r confensiynau hyn, dyma Fawl drwy'i fodolaeth gadarnhaol ei hun yn rhan gynhenid o Gynghanedd y bydysawd. Y Deunydd yn y Ffurf. Seilir Cymreictod Cynghanedd ar fodolaeth yr anweledig y tu ôl i'r gweledig. Plethir drwyddi'r drefn anwel y mae'n rhaid ei derbyn er mwyn ei deall a'i dathlu'n orchest. Ond y mae yn fwy na hynny. Y mae ynddi mewn Mynegiant elfen o ymdrafferthu, o wisgo'n hardd, o seremonïo, o wneud yn fawr o'r sefyllfa. Sagrafen yw.

Hynny yw, y mae bodolaeth Cynghanedd yn her i adfeiliad dogmatig gwacter ystyr.

Mae'n briodol iawn bod Cynganeddwyr difrif yn meithrin athroniaeth esthetaidd yn sylfaen i'w gwerth (beth bynnag yw ein barn bellach am y seiliau ysbrydol gwreiddiol), athroniaeth sy'n cynnwys llawer mwy na beirniadaeth negyddol ar ddogmâu'r amserau, llawer mwy nag ymgais i fod yn gyfoes drwy sôn am bethau trendi cyfoes a ffasiynau cyfoes, ac sydd yn gweddu i hanfod diamser y Gynghanedd. Cyfoes fythol yw'r byw anweledig. Y cyfoes byw yw'r hyn sy'n ymwrthod â'r dynwared traddodiadol ond yn effro i wahaniaeth geiriol anrhydeddus.

Gall Mawl cynganeddol byw felly fod yn ymwybodol ddigon o dechneg coegi ac o bresenoldeb a swyddogaeth Dychan mewn Mawl, ac eto ymlynu wrth ei anian ei hun a'i athrawiaeth. Yn fath o haen neu drwch deallol sydd y tu ôl i waith beirdd amryddawn, y mae'r ffraethineb cynhenid gan feirdd gwlad, eu cyffyrddiad â'r iaith fyw, eu cysylltiad â'r gymuned, a'r rhuddin gan eu traddodiad anghyffredin o gyfoethog, oll yn caniatáu i lawer o gynganeddu di-nod (o bosib) heddiw gynhyrchu

caneuon modern byw a chain, aeddfetach na'r *avant-garde*, mwy perth-
nasol o ran ieithwedd a rhythm na'r telynegwyr Sioraidd, mwy gafaelgar
na'r fflatrwydd coeg soffistigedig *fin-de-siècle* gan lawer o'n *vers libristes*
canol-Iwerydd. Ceir celfyddyd boblogaidd a seiliwyd er eu gwaethaf ar
athroniaeth gelfyddydol aruchel.

Dichon yn y cyfuniad triol obsesiynol, ac od o Gymraeg, y ceir mwynfa
i'n beirniaid ailfeddwl hanfodion beirniadaeth lenyddol: Deunydd –
Cymdeithas a byd unigryw; Cymhelliad – Mawl Uniongyrchol (a dych-
anol) digwilydd; a Ffurf y Gynghanedd – 'annibynnol' ar ystyr ond yn
dra strwythuredig o fewn cyd-destun absoliwt.

Creadigaeth ym myd moes cymdeithasol ac o fewn gweledigaeth o
ddaioni yw'r Gynghanedd yn y bôn, fel y dadleuwyd ynghynt. Dyma brif
gamp yr isymwybod Cymreig. Dyma un o bennaf gorchestion ein llen-
yddiaeth – onid y pennaf oll. Pan ofynnwyd untro i'r biolegydd Lewis
Thomas beth y byddai ef yn ei ddewis ar gyfer llong ofod i gynrychioli
dynoliaeth, pe bai'n cyrchu i blanedau eraill, dywedodd yn syml, 'Fe
anfonwn i'r cyfan o weithiau Johann Sebastian Bach. Ond . . . *brolio*
fyddai hynny.' Wel, pe gofynnid i minnau pa waith *llenyddol* a anfonwn,
fe ddywedwn yn hyderus, (heblaw'r Beibl) 'Comedi Ddwyfol Dante,
Gwaith Shakespeare, a Rhannau IV a V o *Gerdd Dafod* J. Morris-Jones.
A chan mai Cymro bach taeog o'r unfed ganrif ar hugain wyf i, heb
ddim ond cymhleth israddoldeb anferthol cenedlaethol ar gael i gadw
fy nhraed yn dwym yn y gaeaf, gwell haeru nad brolio fyddai hynny o
gwbl, ond calon orfoleddus y gwirionedd.

Ni ddylid ceisio ysgubo'r materion hyn o dan y carped. Ffurf yn moli
pethau pendant yw'r Gynghanedd. Amdani hi, medden nhw (a meddaf
i) yn 'annibynnol' ar ystyr yr unigolyddol yn y llinellau, ond am ei bod
yn gwbl ddibynnol ar yr un Cymhelliad, 'ni ellir ei hysgaru rhag trefn'.
Dyna'i hystyr a'i thestun.

Fe'i trwythwyd mewn Mawl i'r fath raddau nes ei gwau i mewn ac
allan o Fawl mor dynn fel bod y Ffurf yn cyfranogi o'r testun cyffredinol
mawr o ran naws a natur. Fel beirniaid rhamantaidd fe ddysgasom oll
ers tro i weld yr undod rhwng Deunydd a Ffurf – mewn Mynegiant cymwys
– yn gyflawn drwy gyd-wau cyfoethog. Ond i mi, y mae'r hyn a ddigwydd-
odd i'r Gynghanedd yn achos cwbl arbennig ac unigryw. Yr oedd y
Mawl, yn gynhenid yn ei Ffurf, i fod i ddyrchafu'r idêau tragwyddol, y
delfrydau a'u perffeithrwydd di-dor. A dyna'r Deunydd hwnnw yn cael
ei gorffori a'i gnawdoli gan Ffurf, a'r Ffurf honno gan y Deunydd.
Sagrafennid y Mawl drwy Gynghanedd. Roedd yn ymgnawdoliad.

Un tro mewn llythyr at Syr John Rhys, mewn moment ysbrydoledig, llythyr coll (?) am wn i (y darllenais amdano gan Aneirin Talfan Davies yn *Englynion a Chywyddau*), fe wnaeth Gerard Manley Hopkins awgrym go syfrdanol, un sy'n haeddu gwir ystyriaeth. Lluniodd ef gymhariaeth rhwng y Gynghanedd a'r hyn a elwir yn *Gwlwm Celtaidd*. Dyma ddull Celtaidd, Cymreig-Wyddelig, o lunio patrymau haniaethol sy'n cyd-ddolennu mewn cylchoedd, trionglau a sgwarau o fewn ac allan o'i gilydd, llinellau heb byth orffen, ond yn clymu'n gyfan dragwyddol. Arwydd yw o'r diderfyn ysbrydol, ac yn achos y beirdd yr oedd dolennau'r Gynghanedd fel pe bai pob peth yn cyd-wau drwy'i gilydd yn gyffelyb. A oedd y beirdd drwy'r Gynghanedd yn isymwybodol wedi anelu at gorffori'r diderfyn mewn perffeithrwydd crwn dolennog o'r fath? A oeddent yn isymwybodol yn eu Ffurf eu bod wedi'u meddiannu gan ddelfrydau ysbrydol y parhad tragwyddol o werthoedd?

Nid wyf yn meddwl bid siŵr fod Manley Hopkins, wrth 'gynganeddu' ei hun, wedi ymdroi am un funud gydag anawsterau a rhwymiad yr hyn a elwid yn *gyfundrefn* canu caeth. Yr hyn a'i diddorai ef, fe ymddengys, oedd effeithiau egnïol ac ysbrydol yr adnodd, y modd y gellid cydadeiladu'r darnau'n gyferbyniol gyfun mewn Mynegiant, eu ffurfio'n stacato a'u cysylltu'n gytseinedd, eu taflu'n erbyn ei gilydd a'u tynnu ar wahân. Yn y cyfuniadau bywiog hyn y ceir yr ystyr iddo. Yn ei fryd ef roedd y llyfnder a'r garwder a'r closni yn adeiladwaith ymddangosiadol idiosyncratig y Gymraeg mor dreiddgar o'u cymharu ag elfenoldeb amrwd os esmwyth yr iambig neu hyd yn oed â chyntefigrwydd anniddorol cyflythreniad syml, fel pe ceisid cymharu Bach â Strauss.

Ond dychwelwn at arwyddocâd y gymhariaeth rhwng y Gynghanedd a chwlwm Celtaidd, oherwydd dyma ymwybod dyfnach nag arddull a gafwyd, er gwaethaf ei fethiannau ei hun, gan weledigaeth Hopkins.

Petruswn rhag gor-gyfrinio. Raced anghrediniol fyddai peth felly. Ond wedi darllen sylw Hopkins, fe wawriodd arnaf. Ac fe gaed yr awgrym neu'r prawf gan y beirdd mewn un dechneg nodedig. Trawsganu. Roedd y beirdd yn gwybod yn burion beth oedd yr hyn yr oeddent yn ei wneud – fel y dangosid (ped amheuem) gan fyfyrdod Gramadegau'r Penceirddiaid. Nid patrymu'n isymwybodol a wnaent yn unig. Gallai cydgordio cytseiniaid (yn unig) mewn llinell dyfu'n ddiarwybod. Ond nid felly *trawsganu* (hen batrwm – math o gyrch gymeriad yn ôl Thomas Parry, eithr yr oedd yn llawer dyfnach a chyrhaeddbell na hynny). Fe'i ceid gan Daliesin yn Nhrawsganu Cynan Garwyn Mab Brochfael. Fe'i ceid gan y Gogynfeirdd fel Meilyr. Roedd yn wedd arferol ar awdlau godidog Beirdd yr Uchelwyr. Gan y rhain yr oedd cymal olaf y gerdd yn ailadrodd y cymal dechreuol, fel pe bai'n gerdd gron, ddiderfyn a oedd yn bythol ddechrau. Yr oedd y rhain oll yn ymwybodol fod y diwedd yn y dechrau, fod y Diben yn y Gwerth, a Gwerth yn y Diben. Dyma oedd y drefn. Corfforent eu gweledigaeth gron am y Tragwyddol di-dor o fewn eu Cerdd Dafod, a dyna grefft eu heneidiau mewn Cwlwm Celtaidd.

Mae Mawl ynddo'i hun, wrth gwrs, yn tarddu yn y tragwyddol-ddiderfyn. Ymchwil ac ymateb yw i'r cysyniad o'r perffaith. Diddorol yw olrhain y modd y mae'r gair 'moli' yn gwau ei fôn '– *ol*' drwy beth o eirfa allweddol y byd ysbrydol – *gor-foledd* wrth gwrs, *dadolwch* (bodlon-rwydd iawnol, gweddi) *golwch* (moliant, parch). Ond efallai mai'r gair pwysicaf oll yn achos y beirdd yw *'diolch'* (<*di-olwch*). Gair diddorol yn y Llydaweg, lle y mae'r cysylltiad ysbrydol yn amlycach fel gair yn y ddwy ffordd gyffredin o ddiolch – 'trugarezh' (sef trugaredd, cariad at y tru neu'r truan) a 'bennozh Doue' (bendith Duw). Amdanom ni'r Cymry, ni ddwedwn 'Mawl' yn y cyd-destun hwn yn unig eithr y gair *dy-fawl* 'diolch', llawer o fawl, dyna a ddwedwn ni. 'Diolch yn fawr.' Ond gwyddys beth oedd sylweddoliad a gwrthrych eithaf y Mawl. Erbyn y ganrif ddiwethaf, bid siŵr, wedi dros fil o flynyddoedd benthycwyd term amgen gan rywrai o gyd-destun ac amgylchfyd mwy ôl-fodernaidd, sef 'Cheers!' Newidiodd ambell ganolbwynt disgyrchiant arall yn yr un cyfnod. Ond diolch oedd swyddogaeth y cynganeddwyr.

Yn y *trawsganu*, sut bynnag (peth na allai fod yn 'ddamweiniol', gredaf i) fe ddaeth yr isymwybod i'r ymwybod. Sylwasai Gerallt Gymro yntau fel yr oedd y beirdd Cymraeg yn ymhyfrydu mewn cadwyno cyf-lythreniad, cymeriad, llythrennau neu sillafau cyntaf geiriau, syniadau a rhethreg drwy'i gilydd. Mae'r odli'n cyd-nyddu gan y beirdd. Dargan-fuont wirionedd celfyddyd. Cawsant weledigaeth gyffredin gydlynol: deunydd – cymhelliad – ffurf. Onid swyddogaeth iaith ei hun i'r beirdd oedd cadwyno a dolennu tan glymu'r gymdeithas yn undod, a'r iaith ei hun yn gyfanwaith o rannau? Un o'r pethau mwyaf comiwnyddol gan y bobl yw Tafod yr Iaith (o ran delfrydaeth gyfartal, bob un yn ôl ei angen). Ac felly mewn Mawl hefyd ceid Tafod y Llenor, y peth isym-wybodol cyffredin hwnnw a oedd ynghlwm wrth y gwir angen yn y gym-deithas.

Celfyddyd gymdeithasol oedd y moli hwn o'i hanfod – yn gyntaf, o bosib, yn y gymdeithas rhwng dyn a Duw, ond wedyn rhwng dyn a dyn. Cam allweddol a chyfannol oedd yr osgo a brofasom yn gymdeithasol yn 'Cywydd y Llafurwr'. Dyma, os caf fentro'i ddweud, y sylweddoliad bod y distadlaf yn y gymdeithas, eisoes yn ysbrydol; eisoes yn broffwyd, yn offeiriad ac yn frenin. Math o weledigaeth Galfinaidd-gomiwnyddol-Awstinaidd i bob Cristion. Treiddiodd y Gynghanedd o'r uchaf i'r isaf. A dyma ni, drueiniaid yr unfed ganrif ar hugain, oherwydd dygnwch y Cwlwm Celtaidd parhaol hwn o Gynghanedd, yn cael profi yn Nhalwrn y Beirdd, drwy weithgaredd Barddas a Chymdeithas Cerdd Dafod a holl hwyl ugeiniau lawer o feirdd medrus y dosbarthiadau, y cydwead rhyfeddol hwn mewn celfyddyd uchelwrol a feddiannwyd gan werinwyr sy'n un o'r nodweddion mawr a'n gwna o hyd yn dipyn o genedl.

Fel hyn dwi'n ei gweld hi. Cyfanwaith cydweol oedd traddodiad Cerdd Dafod: Cymhelliad yn ymgnawdoli yn Ddeunydd drwy Ffurf, mewn Tafod yn gynhysgaeth. Yn amod, neu'n fframwaith yr oedd y Mawl cynganeddol, o ran potensial, yn draddodiad iddo'i hun mewn etifeddiaeth orffennol barhaol. Yn Fynegiant, yn gynnyrch newydd felly, estyniad aml ganghennog oedd, neu ffrwyth lle y caed y greadigaeth newydd a gynhyrchid ar y pryd. Gyrrid y naill tua'r llall gan weledigaeth o fywyd perffaith. Ysbrydolid ysfa'r bywyd parhaol gan sylweddoliad o harddwch a daioni bywyd uwch. Llenyddiaeth gyfan enfawr oedd a gynhelid gan feirniadaeth gyfansawdd eithriadol o dreiddgar. Ac yn yr unfed ganrif ar hugain, geilw arnom nid i brotestio'n unig, nid i 'gadw' yn unig, ond i adfywio'n uniongyrchol gyson.

Ond y mae Cerdd Dafod gyfoes yn cael effaith arall go annisgwyl ar y Deunydd.

Diddorol i mi yw sylwi, yn y deffroad cynganeddol a gafwyd yng Ngherdd Dafod y Cymry, mai'r cynganeddwyr yw'r pellaf oddi wrth ddylanwadau cyweiriol Saesneg, ac yn naturiol Gymreiciach eu deunydd a'u hymrwymiad na beirdd mwy rhydd. Yn wir, wrth weld mwyfwy o farddoniaeth Gymraeg yn cael ei chyfieithu, y gwaith cynganeddol yw'r diwethaf i'w drosi, a thueddir i osgoi neu i brinhau cyfieithiadau o waith clodwiw gan rai o'r beirdd medrusaf. Mae safiad Twm Morys yn hyn o beth yn enwog.

Yn y pegwn arall, sut bynnag, mae'r beirdd sy'n adleisio cywair canol Iwerydd; ac yn gyfredol, gyda hynyna ymhlith y beirdd Saesneg yng Nghymru, ceir un ansoddair cynyddol berthnasol. Fe'i defnyddid yn *Planet* Ionawr 2004 am waith Hilary Llewelyn-Thomas: sef 'post-Welsh'. Mae'r llenorion 'post-Welsh' ar gynnydd yn Saesneg. A hawdd cydymdeimlo â'r ymgais i osgoi'r straenio a gafwyd gynt ymhlith rhai llenorion Eingl-Gymreig i amlhau'r cyffyrddiadau 'boyo', ac i arddangos Cymreictod straenllyd cartŵnaidd. Ond gwiw cofio bod y 'post-Welsh' yn ffenomen naturiol ac nid seicolegol anghyffredin ers yr unfed ganrif ar bymtheg. Cyfoesedd yw a ymddangosodd yn fwy penodol yn awr oherwydd eglurder ymrwymedig y Cymreictod Cymraeg.

Ymhlith y Cymry di-Gymraeg, erbyn hyn, tueddaf i uniaethu fwyfwy gyda'r duon yn eu mysg fel Charlotte Williams a Leonora Brito. Ac er nad yw rhai o'n cynganeddwyr hwythau yn ymwybodol o'r peth efallai, y mae'u gwaith cynganeddol hwy hefyd yn ymdebygu'n gyson o ran cynnwys i farddoniaeth sy'n dod o Irác a Phalesteina, dwyrain Ewrob a dwyrain Asia. Mae'r mudiad cynganeddol yn debyg hefyd o ran cymhelliad, yn ymwybodol neu beidio, i'r symudiad yn ôl at yr ieithoedd brodorol ymhlith rhai o lenorion Affrica: gw. Ngûgî wa Thiong'o, *The Politics of Language in African Literature* (1986). Gweithreda'r Gynghanedd nid yn unig fel clawdd i gadw'r dylanwadau amherthnasol allan, ond i rwymo'n beirdd wrth eu gwreiddiau gorffennol a dyfodol, sy'n rhai rhyngwladol. Llithra'r beirdd Cymraeg 'mwy rhydd' ar y llaw arall sut bynnag tuag at yr hyn a ddwedodd un adolygydd Eingl-Gymreig amdanynt – gyda pheth gollyngdod efallai – neu o leiaf am rai ohonynt mewn cyfieithiad: 'There are echoes of Ted Hughes, Wordsworth, Keats, perhaps even of Carol Ann Duffy.' Gall hynny gynorthwyo darllenwyr cyfieithiadau i deimlo'n fwy cartrefol. Gall fod yn gysur rhag y gwir hefyd. Ond gall olygu bod magu arferion darllen taeog yn peri bod rhai o'n beirdd rhydd hwythau yn mynd yn fwyfwy 'post-Welsh' yn y Gymraeg.

O ran cywair, y mae'r Gynghanedd yn sicrhau bod beirdd cyfoes Cymraeg yn teimlo'n ddigon o ran o gyd-destun Tudur Aled a Guto'r Glyn, Dafydd ab Edmwnd a Gruffudd Gryg, fel y gallont 'foli' eu cyfoeswyr gyda Dychan a theyrnged a thrafod testunau modern gwrthun a chadarnhaol o fewn traddodiad Mawl byw sy'n llydan berthnasol ei gyfoesedd. Mae'n feddiannol hefyd o ran gwerthoedd. Dichon o ran bod yng nghanol Cymreictod argyfyngus heddiw fod y Gynghanedd yn gaer o fath, sy'n cadw'r beirdd o fewn byddin effeithiol, heb newid ochr yn rhy barod. A dichon felly, os oes dyfodol, ei bod hefyd yn palmantu'r Deunydd priodol yn ogystal â'r Ffurf. Heb wreiddiau mewn Cerdd Dafod, lled gredaf y gall nifer o'n beirdd rhydd fod braidd yn hygoelus wyneb yn wyneb ag Ôl-foderniaeth: 'gullible' fyddai'u gair hwy efallai.

(iii) Y GYNGHANEDD A LLENDDULL

Wedi trafod Cymhelliad y Gynghanedd a Deunydd y Gynghanedd, mae'n gweddu imi droi sylw'n gryno tuag at Fynegiant y Gynghanedd. Ar yr olwg gyntaf ymddengys hynny'n ddiderfyn ac yn hollgynhwysol. O'r braidd bod angen adran arbennig ar hyn.

Ac ar ryw olwg, wrth gwrs, mae hynny'n wir. Gellir sgrifennu dramâu neu hunangofiant neu nofel ar faterion diderfyn mewn Cynghanedd. Mae'r Gynghanedd yn 'niwtral', fel y dywedai'r rhyddfrydwyr yn eu dyddiau diniwed gynt. Mae'r Gynghanedd yn nwylo un bardd fel Dafydd ap Gwilym yn medru cyflwyno deialog neu stori, pwnc godineb neu Dduw. Ac eto, tybed? Onid oes gan Gerdd Dafod ei thraddodiad ffurfiol mynegiannol ar hyd y canrifoedd; ac o'r tu mewn i'r traddodiad eang a helaeth hwnnw fe gafwyd llawer o'r hyn a ystyriwn bellach yn llenddull-iau (genres)?

Beth yw llenddull neu *genre*?

Dyma derm a ddefnyddir am *ddosbarth o gyfanweithiau llenyddol* sy'n dwyn priodoleddau cyffredin yn ôl eu natur eu hun, ond sy'n cyfer-bynnu â charfanau o gyfanweithiau eraill yn ôl ffurf neu gynnwys neu'r ddau – Awdl Farwnad, Nofel Dditectif, Operâu Sebon, Dramâu sefyllfa am fywyd ysbyty, Stori Fer, fe glywch y term yn cael ei ddefnyddio ffwrdd-â-hi am bob un o'r rheini. Wrth geisio llunio theori, rhaid i feirniad geisio diffinio'i dermau yn benodol yn ôl cydadeiladwaith cyson y theori dan sylw. Ac mae'r gair 'llenddull' neu 'genre' yn bygwth manylrwydd synnwyr oherwydd ei lacrwydd. Defnyddiol a chynhwysol yw llacrwydd weithiau bid siŵr, os defnyddir, gyda'r gair llithrig llac hwnnw, eiriau mwy penodol wedi'u defnyddio i bwrpas arbennig.

Pam codi'r term hwn o gwbl yng nghyd-destun y Gynghanedd? Nid llenddull yw'r Gynghanedd. Na. Ond mae'n llawn o lenddulliau mewn Mynegiant.

Yr wyf eisoes wedi ceisio dadlau mai math o iaith gyfan (ar y wedd seiniol) o fewn yr iaith ei hun yw'r Gynghanedd. Hynny yw, cylch pryd-yddol cyflawn yw y gellir o fewn ei thiriogaeth ddod ar draws nifer hel-aeth ac amrywiol o lenddulliau. Cymerer 'Cywyddau Gofyn a Diolch': dyma faes a drowyd yn drwyadl, yn graff ac yn rhagorol gan Dr Bleddyn Huws. A bu Llefarydd cyntaf y Cynulliad Cenedlaethol, yr Arglwydd Elis Thomas yntau, neb llai, yn ei ffordd ddihafal ei hun, yn astudio mewn modd gwreiddiol 'Farwnadau' Beirdd yr Uchelwyr. Dyna i ni lenddulliau gwahanol mewn Cynghanedd.

Hynny yw, y tu mewn i Gyfundrefn gron, amlochrog a chyflawn sein-
iol y Gynghanedd, ceir nifer amrywiol o fathau o feysydd ac o fesurau –
a'r rheina mewn cywyddau, englynion ac awdlau. Mae'r Gynghanedd yn
fyd lle y ffynna tri dosbarth o fesurau fel petaent yn wledydd pwysig ar
gyfandir prydyddiaeth, ac yn y gwledydd hynny fe geir cartrefi bychain
penodol (megis yng ngwlad yr Englyn – yr englyn beddargraff, yr
englyn digrif, yr englyn mawl i berson, a'r englyn natur a.y.b.) Fe geir
dosbarthiadau y gellir yn deg eu hawlio oll yn is-lenddulliau bychain.
Felly, mae'n dra phriodol, os ydym yn ceisio disgrifio athrylith y
Gynghanedd, – yr iaith ryfedd a syndod o 'gyflawn' hon o safbwynt sain,
– ein bod yn sylwi ar ffenomen y llendull, sy'n un o'r ffurfiau mwyaf ar
lenyddiaeth ac sydd mor holl-bresennol mewn gwahanol lenyddiaethau
ledled y ddaear. Os Tafod seiniol cyfan yw Cerdd Dafod, disgwyliwn
lenddulliau unigol o fathau amrywiol o'i fewn, a hynny yn ôl cyfan-
weithiau dosbarthedig.

Ond caniatewch i mi roi awgrym go ansyfrdanol.

Mae termau unigol (fel 'llenddull') yn cael eu penderfynu mewn
dwy ffordd:

1. Iws gwlad, defnydd llafar beunyddiol, ffwrdd â hi. Dosbarthu
   synnwyr bawd. Gall hyn newid o gyfnod i gyfnod ac o wlad i
   wlad. Does dim llawer o beryg i 'lenddull' yn ôl y criteria yna.
2. Diffinia'r theorïwr yn ôl y defnydd mwy penodol sydd ganddo
   ar y pryd. Gall hyn newid o theorïwr i theorïwr, ac yng ngyrfa
   un theorïwr fe all ddatblygu o gyfnod i gyfnod. Fe all hefyd
   newid o wlad i wlad ac o gyfnod i gyfnod. Ond gorau po
   fanylaf y bo, gorau po fwyaf diffiniol.

Yr wyf am gadarnhau fy namcaniaeth mai gwedd ar Dafod cyflawn
cyfansawdd seiniol, i raddau, yw Cerdd Dafod hyd yn oed wrth gyf-
eirio'n benodol at theori llenddull. Ond symudaf ymlaen o'r fan yna
hefyd gan bwyll ond yr un pryd at Gerdd Fynegiant, gan fod bodolaeth
'llenddull' yn y naill a'r llall yn gwahaniaethu'n ddirfawr. Mae Myneg-
iant yn ymagor, mewn llenddulliau, i helaethrwydd o amrywiaeth, tra bo
Tafod fel petai'n gogwyddo at bwyslais ar undod ffurf. Eto, cyn ymgolli
yn y rhestri o lenddulliau mewn Mynegiant, yr wyf am ddadlau hefyd
fod y ffurf lenyddol *unigol* fwyaf neu eithaf hithau yn ffurfiant gweithiau
unigol llenyddiaeth, sef y 'llenddull' – hynny yw, y dosbarthiad llydan
o'r cyfanweithiau llenyddol unigol – hwnnw hefyd yn gorfforedig mewn

ffordd wahanol i'r beirdd yn eu cysyniad o Gerdd Dafod. Hynny yw, credaf fod yna lenddulliau mewn Tafod, sy'n weddol sefydlog dros y canrifoedd ac sy'n weddol wasgaredig dros y gwledydd. Gellir dosbarthu'r rheina'n gynnil unol yn ôl llenfathau (delweddu gofod) a llenfoddau (delweddu amser). A chredaf hefyd fod yna lenddulliau mewn Mynegiant lleoledig, sy'n dra amrywiol o gyfnod i gyfnod ac o ddiwylliant i ddiwylliant.

Tafod hefyd yw'r term a ddefnyddir am gynllun yr holl broses. Tafod yn fwy penodol yw'r ddau gyflwr ynghyd o fewn cynllunwaith llên. Dyna'r holl adeiledd terfynol, yn wir hyd yn oed i'r broses ymbarél 'Tafod – Cymhelliad – Mynegiant'. I Guto'r Glyn, er enghraifft, cyfundrefn ddihysbyddol gyfyngedig oedd Cerdd Dafod o ffurfiau o fewn ffurfiau o fewn ffurfiau a ymestynnai o'r leiaf hyd y fwyaf yn ei feddwl. Ond yr oedd hefyd ar waith ymhellach yn esgor ar weithiau unigol mewn Mynegiant. Y ddwy wedd hyn, Tafod a Mynegiant oedd fframwaith ei lenyddiaeth oll. Yr oedd i'r fframwaith cyflawn adeiledd cwmpasol. I lenor unigol fel Guto, y man cyffredinol cychwynnol a'r ffurf lydan eithaf i hyn oll oedd y llenddull. Dyma felly brif dermau mwyaf cynhwysol Ffurf – oni chyfrifwn ddau fan cyffredinol eithaf arall. A'r rheina yw y Traddodiad ar y naill law, a pherthynas Ffurf a Deunydd ar y llall. Hynny yw, dyna'r Tafod a Mynegiant mewn Diacroni hwythau'n ffurfiau llenyddol cyfan a chymdeithasol a ymestynnai dros ganrifoedd, yn hollbresennol braidd, ond yn gweithio uwchlaw gweithiau unigol. Rhaid i Dafod, yn y pen draw, roi cyfrif am y rhan a'r cyfan.

Datblygodd Cerdd Dafod yn amlochrog, er nad ymddengys fod a wnelo hi â fawr ddim heblaw sain yn sgil ei monopoli a'i phenarglwyddiaeth i'r beirdd a'i llenddulliau traddodiadol ei hun.

Ceisiais sawl tro o'r blaen gyflwyno fy theori betrus o lenddulliau. A bu'n datblygu'n gyson yr un pryd. Ni wn a fydd yr ategiad neu'r diwygiad a gyflwynaf yn y disgrifiad hwn yn awr yn ddigon i roi ychydig o sefydlogrwydd i galon y theori honno.

Bûm yn reit anesmwyth ynghylch peth o'r drafodaeth ddiweddar ym maes llenddulliau oherwydd y duedd restrol i ymgyfyngu i Fynegiant. A thueddwn innau o'r herwydd ar y naill law i ogwyddo'n ôl at ddosbarthiadau mwyaf cyffredinol ffurfiol y Cyfnod Clasurol a'r Dadeni er mwyn cael cnewyllyn y gyfundrefn – megis telyneg, drama, stori; trasiedi, comedi. Ac ar y llaw arall tueddwn i gyfuno hwnnw â'r angenrheidrwydd a ganfu Saussure a Guillaume ill dau mewn iaith i gymryd y cyferbyniad Tafod a Mynegiant o ddifri, yn fwy cynhwysfawr; ac i ganfod hefyd yr anghenraid i Ffurf llenddull ymlunio mewn Mythau Tafod a Mynegiant ynglŷn â Maes neu Ddeunydd. Dyma'r ffrâm angenrheidiol isymwybodol ac elfennaidd, ymddengys i mi, i bob gweithred ieithyddol. Symudwn yn ôl felly o fyd y rhestr drwy'r ffrâm yma, i fyd y gyfundrefn. Ceisiwn wahaniaethu'n llenddulliol ystyrlon rhwng natur clymu'r cyferbyniol caeedig yn gyfundrefnau sydd mewn Tafod ar y naill law a natur agored restrol y ffenomen hon mewn Mynegiant ar y llall.

O ganlyniad, rhag gorbwysleisio statws tra strwythuredig Tafod yn unig, dymunwn, yr un pryd, barchu natur ffrwythlon ac annherfynol Mynegiant ac felly sylweddoli drwyddo swyddogaeth hollol barchus y 'rhestr', o fewn dimensiwn traddodiad Cerdd Fynegiant.

Yn fyr, gwahanol yw natur llenddulliau mewn Tafod a llenddulliau Mynegiant.

Dowch imi atgoffa'r cyfarwydd am y ffordd y ceisiwyd o'r blaen ddosbarthu llenddull mewn Tafod yn ôl gofod ac amser: delwedd yn canolbwyntio ar yr enw, delwedd yn canolbwyntio ar y ferf:

Llenddull

Math	*Modd*
(Enw)	(Berf)
Gofod	Amser
(tri dimensiwn)	(dau gyfeiriad)
telyneg, drama, stori	comedi, trasiedi/mawl, dychan

Mae tri dimensiwn gofod, – sy'n rhoi telyneg, drama, stori, ynghyd â dau gyfeiriad amser sy'n rhoi comedi, trasiedi, – mewn gwirionedd yn dynodi ffurfiau meddyliol cynddelwaidd. Dyma'r pegynau sy'n darparu fframwaith ffurf. Gellir cymysgu'r rhain i gyd â'i gilydd, wrth gwrs, blith draphlith, mewn Mynegiant.

Eto cyfaddefaf: heblaw canfod prinderau gan ddeongliadau eraill, o'r tu allan i ddulliau meddwl Mynegiant, teimlwn o hyd awydd i finiogi cynildeb y theori hon o fewn Ffurf.

Yn natblygiad fy syniadaeth, yn sgil trafodaethau mewn cyhoeddiadau amryfal am ffenomen 'llenddull', yr elfen newydd yr wyf yn ei hychwanegu y tro hwn yw 'ffwythiant' (function), yn neilltuol yng nghyd-destun y Ferf (Modd). Mewn Cerdd Dafod, sef cyn sylwi ar amlder Mynegiant, *y ffaith o ffwythiant* sy'n cael ei chydnabod. Y mae wedi'i lleoli'n benodol yn y dosbarth *Modd* (Amser llenddull): 'Berf, gweithred'. Mae yn cael ei

470

gyferbynnu o'r herwydd â'r dosbarth o lenddulliau mewn Tafod sy'n tarddu o'r ymwybod â chyferbyniadau Gofod llenddull, yr Enw, y peth, gyda *Math.*

Un dimensiwn (er bod hwnnw'n gweithio mewn dau gyfeiriad) mewn Amser yw *Modd* (fel gyda'r Ferf). Ond y mae yma wedd arall ar yr elfen ferfol hon sydd yn perthyn yn fwy i'r defnydd sydd gan amser nag i'w gyfeiriad. Ac fe awgrymaf yn awr yr enw 'ffwythiant' ar gyfer yr elfen honno (y mae ei *ffaith* yn digwydd mewn Tafod), sy'n dod i'r fei yn fwyaf arbennig drwy *restr* mewn Mynegiant.

Mewn *Tafod,* ei hun, y mae'r dosbarth *'ffaith o Ffwythiant'* yn elfen botensial mewn gofod ac amser a wrthgyferbynnir â 'Math' a 'Modd' o dan y dadansoddiad enwol o Ofod a berfol o Amser. Ffactor cyffredinol yw dosbarth Ffwythiant mewn Tafod. Mewn *Mynegiant,* ar y llaw arall, fe ymgasgla myrdd o weddau, neu o ffwythiannau unigol – y *'weithred o Ffwythiant'* ar waith, sy'n amrywio'n ymarferol ac yn cyfuno mewn lle yn ôl yr amseroedd a'r amgylchiadau. Rhai yn pwyso'n bennaf ar yr Enw (gwrthrych ynghyd â'i Ferf), rhai yn bennaf ar y Ferf (gweithred), rhai wedyn ar y naill a'r llall, bron 'ad infinitum'. Yn achos yr Enw – cywydd natur, cywydd mawl i ŵr, cywydd mawl i ferch; y Ferf – cywydd brud, cywydd diolch, cywydd gofyn, cywydd gofyn cymod, cywydd llatai, cywydd ymryson. Ac yn y blaen. Hynny yw, mae'r ffwythiannau'n troi'n arferiadau 'diderfyn'. Dyna'r gweithredu o'r Ffwythiant: Mynegiant.

Bid siŵr, yn y dosbarthiad rhestrol hwn megis yn sgil Tafod ei hun, un o nodweddion seiliol llenddulliau yw *cymysgu* – nid yn unig ers amser y mudiad rhamantaidd, ond ers y cyfnod cynharaf oll. Ers y cyfnod cynharaf oll mewn llenfathau, caed cyfeiriad anochel i gyfuno neu gymysgu'r tri safle safbwyntiol i'r person rhagenwol yng nghyfundrefn Math. Felly, gan Ddafydd ap Gwilym y delynegfath (person cyntaf) a'r storifath (trydydd person) gyda'i gilydd; felly, hefyd, dialog y ddramafath (ail berson) a'r storifath. Mewn Modd, fel ffug farwnadau, ceid trasiedifodd (amser disgynnol) a chomedifodd (amser esgynnol). Ac felly hefyd fe gaed Math a Modd o hyd yn cyfuno oherwydd cydbresenoldeb Gofod ac Amser ym mhob dim – un llenyddwaith yn Stori o ran Math ac yn Drasiedi o ran Modd, arall yn Delyneg o ran Math ac yn Fawl o ran Modd. Ond yn yr holl gymysgu hwn mewn Mynegiant, ceir cysondeb yn ôl adeiladwaith pegynau. Y tu ôl i gymysgu Mynegiant, erys sefydliad potensial strwythur Tafod.

A'r un fel, felly, dyna gymysgu ar sail Tafod, Ffwythiant mewn Mynegiant. Cymerer y ddau gyfuniad:

Enw	*Berf*
(Pwnc)	(Ffwythiant)
Cywydd Merch	Cywydd Gofyn
Cywydd Merch	Cywydd Llateio

Dyna'r pwyslais cyntaf newydd ac ychwanegol y dymunwn ei gorffori felly yn fy nisgrifiad cynyddol o ddosbarthiad llenddulliau: o fewn Modd, ychwanegaf y *ffaith* o Ffwythiant mewn Tafod, a'r rhestr ei hun o weithredoedd Ffwythiant ar waith mewn Mynegiant.

Dyna awgrymu bod a wnelo llenddull â Deunydd neu Gynnwys neu Ogwydd Ystyrol, yn ogystal ag â Ffurf, â'i bodolaeth mewn Tafod a'u penodolrwydd mewn Mynegiant.

Ond mae yna ail ddatblygiad y deuthum yn fwyfwy ymwybodol ohono wrth drafod theori llenddulliau. Mae'r theorïwr yn bur ymwybodol, wrth gwrs, wrth drafod ffurfiau llenddulliau, fod y rhai a ddargenfydd neu a ddosbartha ym maes *Tafod* yn gallu digwydd mewn llawer o lenyddiaethau eraill gwahanol, efallai hyd yn oed ym mhob llenyddiaeth yn gyd-debyg ac yn sefydlog. Mae hyn, yn sicr, yn ogwydd go amlwg yn Nhafod llenddulliau rhyngwladol. Ond pan droir at gyfundrefnau ffurfiau *Mynegiant*, gwelwn fwy o lawer iawn o amrywiaeth o gyfnod i gyfnod, o wlad i wlad, ac o lenyddiaeth i lenyddiaeth. Gall rhai mewn un llenyddiaeth fod yn wahanol, efallai, i'r hyn a geir ym mhob llenyddiaeth arall. Felly, nid amhriodol yw sôn am lenddulliau Mynegiant sy'n unigryw Gymraeg, neu sydd o fewn ein traddodiad ni yn Gymreig o ran lliw llenddulliol cenedlaethol. Felly hefyd, mae'n wir y ceir llenddulliau sy'n unigryw nodweddiadol o'r ugeinfed ganrif hithau.

Gadewch i mi roi enghraifft. Cymerer y term 'rhamant'.

Ewch i mewn i'ch siop lyfrau lleol. Yno, fe ddosberthir yn ôl 'llenddulliau'. Gofynnwch, 'ble mae'r rhamantau?'

'Draw wrth y drws. Mae Mills a Boon rif y gwlith gyda ni, er mai dim ond yn y Gymraeg y maen nhw. Mae 'na rai bach neis yn y gornel. Amboiti meddygon.'

'O! nid y math yna o ramantau sy gen i mewn golwg.'

'Beth arall sy?'

'Iarlles y Ffynnon?'

Dewch yn ôl at y theorïwyr parchus. Fe gytunai Janice A. Redway, *Reading the Romance: Women, Patriarchy and Popular Literature,* 1991 mai priodol yw cydnabod llais theori ar natur y rhamant. A chymerwch un o'r rhai mwyaf gwreiddiol a chreadigol a nodedig ym maes llenddull yn yr ugeinfed ganrif. Sef Northrop Frye, awdur *Anatomy of Criticism,* 1957, llyfr arloesol, un o lyfrau mwyaf theori llenyddiaeth yn yr ugeinfed ganrif cyn y saithdegau, efallai'r mwyaf yn Saesneg. Fe wêl ef bedwar prif llenddull yn llunio cyfundrefn: sef rhamant, trasiedi, comedi, a choegi. Er ei fod yn ymwadu â Jungiaeth, y mae ei ddamcaniaeth yn swnio'n od o debyg wrth iddo grybwyll Mythau'n cael eu sylfaenu ar y tymhorau neu ar adegau ar y dydd. Cylch ar ryw olwg sy'n cynnal y dosbarthiad hwn: ar ei anterth, cyrraedd hanner-dydd, haf a mebyd; ac ar ei waelod nos, gaeaf a marwolaeth. O fewn y fframwaith hwnnw y gwêl ef yn eu tro gomedi – gwanwyn; rhamant – haf; trasiedi – hydref; coegi – gaeaf.

Mae holl adeiladwaith beirniadaeth Frye mor ddifyr ac mor gyfoethog fel na allwn geisio hyd yn oed ei drafod yn ysgafn yma. Ni thâl ond i mi ddatgan yn gryno syml fy mod yn ei ystyried yn sylfaenol anghywir yn ôl ei raniad pedwarol ym maes llenddull. I mi, ac yn wir i lawer o wledydd a hinsoddau'r byd, onid i bawb, dau dymor sylfaenol sydd yn isymwybodol effeithiol. Dau gyfeiriad i'r haul. Mae'r isymwybod yn cynnal cyferbyniadau deuol neu driol. Cyfleustra amaethyddol a goddrychol yw rhaniad blynyddol mwy amlweddol. Nid yw'n ddigon gwaelodol i'r isymwybod. Felly, deuoliaeth trasiedi/comedi; dychan/mawl; negyddol/cadarnhaol. A haf a gaeaf os mynnir.

A gaf yn awr grybwyll y ffordd y byddaf yn defnyddio term Cymraeg fel 'rhamant', er enghraifft yn y cyfrolau *Y Tair Rhamant* a *Tair Rhamant Arthuraidd?* Byddaf yn dilyn yn wylaidd bencampwraig yn y maes fel Glenys Goetinck. Ceisiais ei diffinio'n gryno yn *Tair Rhamant Arthuraidd.* Yn y fan yna yr oeddwn yn ymwybodol iawn o'r newid rhwng diffiniad *genre* rhwng gwlad a gwlad, rhwng cyfnod a chyfnod, ac yn wir o feirniad i feirniad. Felly, o fewn defnydd fy theori, mynnwn ymatal rhag y feddylwedd sy'n ceisio dadlau'n Gymreigaidd iawn, os nad yw 'rhamant' y Gymraeg yn ffitio 'romance' y Saesneg neu'r Ffrangeg, ni all fod yn rhamant. Arafer. Nid Ffrangeg sy'n penodi ystyr y rhamant Gymraeg, beth bynnag yw tyb rhai ysgolheigion Cymraeg. Gorau po leiaf a ddwedaf am y feddylwedd seicolegol honno sy'n dadlau fel arall. I mi, y mae defnyddio 'rhamant' mewn Mynegiant, yn yr ystyr briodol i rai storïau Cymraeg rhyddiaith a oroesodd o'r oesoedd canol, yn ein gosod yng nghyd-destun marchogion Arthur (yn wir yn y tair enghraifft enwocaf, yn blwmp yng Nghaerllion ar Wysg). Y mae mab a merch ymhlith y prif gymeriadau ac elfen o serch; ymddadlenna'r arwyr ger ein bron ar lun cyfres o gampau brwydrol; ac y mae 'Sofraniaeth' yn ymddangos yn thema sylfaenol i'r cwbl. Felly'r llenddull Cymreig, efallai, mewn Mynegiant.

Gwell i mi bellach grynhoi beth a ystyriaf yw'r theori lenddulliau fwyaf addas o fewn y theori gyfansawdd a amlinellais ar gyfer llenyddiaeth i gyd, cyn brysio'n ôl at y Gynghanedd. Fe'i seiliaf ar ragdybiaeth bod llenyddiaeth oll yn ceisio cyflwyno delwedd o fywyd neu ddehongliad ynghylch ei ystyr o fewn gofod ac amser. Dyma'r sylfaen ffurfiol mewn Tafod (cyn eu cymysgu):

Llenddull mewn Tafod

Gofod (Math)			*Amser* (Modd)	
Cynnwys Enw (Peth)			Cynnwys Berf	
			(Gweithred: Ffwythiant)	
Safle'r	Safle'r	Safle'r		
Person Cyntaf	Ail Berson	Trydydd Person	Esgynedig	Disgynedig
Telynegfath	Dramafath	Storifath	Comedifodd	Trasiedifodd
			Mawlfodd	Dychanfodd

Dyna'r ffurfiau crai fel petai, y fframwaith ffurfiol cyferbyniol cychwynnol. (Byddwn yn ychwanegu pedwerydd dosbarth mewn Math, yn ôl y trydydd person cyffredinol [fel 'gwelir'] sef Trafodfath; ac yng nghwt Modd ychwanegwn Adferf [Amgylchfyd].)

Fe wêl y cyfarwydd fy mod wedi datblygu ychydig ar y *stema* a gyflwynais ynghynt. Ar yr ochr Ferfol (amser), tybiaf ei bod yn ddigon priodol, er mwyn anelu (efallai'n ofer) at fod yn fwy dihysbyddol i mi ychwanegu'r categori neu'r ffaith o Ffwythiant. Mae'n gategori digon cynhwysfawr ac yn ddull priodol o ddosbarthu meddyliol.

Dyna, dybiaf i, gyflyrau *Llenddull mewn Tafod* sy'n amodwr ar gyfer holl amrywiaeth Mynegiant. Ac wrth gwrs, cyfundrefn ystyrlon yw. Adeiladwaith cyferbyniol yw sy'n ffurfio undod ar sail egwyddor arwyddocaol. Nid rhestr, ond cydlyniad mewn gofod ac amser.

Pan symudwn at gyflyrau ffwythiannol *Llenddull mewn Mynegiant*, sut bynnag, y mae'r sefyllfa yn bur wahanol. Rhown gnawd am y ffaith. Dyma yn awr fyd agored y rhestr, o leiaf lle y bydd wedi'i chyflyru gan y safle mathol rhagenwol a'r cyferbyniad moddol dibynnol (subjunctive) i'r ferf – mawl/dychan. Y clymau ffurfiol a sefyllfaol hyn a fydd yn digwydd braidd yn achlysurol, gan amrywio'n helaeth o wlad i wlad ac o gyfnod i gyfnod. Dibynna'r wedd ferfol nid yn unig ar gyfeiriad y modd, ond ar ei natur weithredol mewn diwylliant penodol: beth yw swyddogaeth y ferf? Beth yw swyddogaeth yr enw? Eu ffwythiant.

Mae'r cysyniad (ffwythiant) yn ddigon tebyg i gysyniad ym maes *theori ail iaith* yn ystod saithdegau'r ugeinfed ganrif. Ac yn y fan yna, fe fu'n dipyn o faldod ac yn dipyn o dramgwydd, mae arnaf ofn, nid oherwydd dim pwnc ynddo'i hun, ond oherwydd yr ymgais i weithio ar lefel arwynebau sefyllfaol yn unig, gan anwybyddu arwyddocâd sylfaenol Tafod a'i rym a'i strwythur er enghraifft wrth adeiladu cyrsiau ail iaith ar gyfer pob sefyllfa. Dyma'r math o ffwythiannau (heb strwythur) a gymeradwyid ysywaeth gan yr awdurdodau ail iaith o'r saithdegau ymlaen: cyfarch, dweud enw, dysgu sut i ofyn am rywbeth, sut i holi am rywbeth, sut i ddiolch a.y.b. a'r cwbl yn amddifad o strwythuro a graddio. Ceir dosbarthiad nid anghyffelyb gan Wittgenstein. Heb strwythur. Fel yn theori llenddull, fe ellid amlhau'r rhain bron yn ddiderfyn onid yn gwbl ddiderfyn wrth chwilio am ragor i'r rhestr. Yn wir, ychwanegir rhai newydd bob dydd.

Trafoda Dr Bleddyn Huws lenddulliau'r Cywydd (*Dwned*, Hyd. 1995), heb honni bod yn ddihysbyddol: mawl, marwnad, gofyn, diolch, crefyddol, serch, brud, cymod, ymryson, dychan, iacháu, natur, maswedd, i lys uchelwr, a'r cywydd ar achlysur arbennig (megis priodas). Ffwythiannau i gyd. Sylwer mai llenddulliau Mynegiant yw'r rhain. A buasai'u rhagflaenu hwy â dosbarthiad llenfath (Tafod), sef telyneg, drama, a stori, yn strwythuro'r dosbarthiad yn fwy dadansoddol byth.

Mae ffwythiannau'n briodol mewn Mynegiant. Peth datblygol yw Llenddull mewn Mynegiant, megis Ffwythiant mewn ail iaith, yn ôl *Maes a Mesur* (Deunydd a Ffurf). Ond yn fframwaith sylfaenol a theori gyfansawdd llenddull ni ddylid anwybyddu'r cynllunwaith cynhenid. Faint bynnag o ffwythiannau unigol sydd, y mae i ffenomen Ffwythiant swyddogaeth sefydlog mewn Tafod. Perthyn y *ffaith* o Ffwythiant yn gyfundrefnus o fewn elfennau cyferbyniol Tafod. Megis yn gymdeithasol ac yn bersonol y ceid Cadwyn Bod. Mewn Mynegiant wedyn manylir ar amrywiaeth y *weithred* o ffwythiannau o ran dosbarthiad meddyliol cyfnewidiol. Hwylustod ar y pryd, dros dro efallai, yw'r rhan fwyaf o ffwythiannau llenddulliol hyn sydd ar waith.

O ran sylweddoliad aeddfed o natur a mecanwaith meddyliol llenddull, fy marn i yw mai drwy adnabyddiaeth gyfansawdd – drwy gyfuniad o holl strwythur cynnil Tafod ynghyd â holl strwythur amrywiol Mynegiant yr ydys debycaf o amgyffred y ffenomen o ymlenddullio orau. Ond rhaid bod yn bur garcus rhag ystyried ffwythiannau Mynegiant mor arwyddocaol â ffaith ffwythiant Tafod. (Megis yn yr un modd ym myd didacteg ail iaith, crewyd tipyn o hafog yn ddiweddar wrth orddyrchafu Mynegiant ffwythiannau ar draul Tafod. Gall y datblygiad hwn o ffwythiannau di-Dafod arwain i chwalfa ddysgu a gall fod yn dyngedfennol drychinebus i ddyfodol yr iaith. Pryd bynnag y gwyrir oddi ar y sylweddoliad *cyfansawdd* o ddidacteg ail iaith, nid amgen drwy beidio â'i drafod yn gyfansawdd, Tafod ynghyd â Mynegiant, i'r graddau hynny y bydd cyrsiau cynlluniedig effeithiol yn beryglus o ddiffygiol.)

Nid yw hynny'n rhwystro ffwythiant dros dro mewn Mynegiant rhag datblygu cryn dipyn o strwythur sylweddol iddo'i hun, wrth gwrs. Y realiti yn y pen draw yw'r Mynegiant.

Wrth ddosbarthu Llenfodd mewn Tafod yr wyf wedi cyferbynnu Math (enw) a Modd (berf): sef Llenfath a Llenfodd. Mae Llenfath yn cynnwys y triawd, Person Cyntaf, Ail (sef y person cyntaf a'r ail), a Thrydydd (sef y person cyntaf, ail a thrydydd). Fe'u ceir mewn Telyneg (y mynegiant presennol gan y person cyntaf o flaen profiad, heb fod yna ateb), Drama (y mynegiant presennol yn y person cyntaf ynghyd ag ateb), Stori (lle y ceir y posibilrwydd o gynnwys person cyntaf ac ail mewn dialog, a'u presenoldeb ynghyd ag adroddiad storïol yn y trydydd person neu amdano mewn sefyllfa sylfaenol absennol/orffennol). Mae cywyddau Beirdd yr Uchelwyr yn cynnwys pob un o'r llenfathau Tafod hyn, a chymysgedd ohonynt, tan ddarparu enghreifftiau o'r chwyldro a gafwyd gan Ddafydd ap Gwilym. Mae Llenfodd ar y llaw arall yn cynnwys y ddeuawd, Mawl a Dychan, yr esgynnol a'r disgynnol. [Gwahaniaethir rhwng Mawl (1), sef y Mawl sy'n gyffredinol i bob llenyddiaeth, y datganiad sy'n hyrwyddo ystyr a gwerth a phwrpas er gwaethaf pob gogwydd a gobaith yn wir i'r gwrthwyneb, a Mawl (2) sy'n llenfodd mwy penodol ac sy'n cyferbynnu â Dychan, a seilir fel arfer ar ymagwedd gymdeithasol, rywiol, neu foesol.]

Mewn Mynegiant ceir isfathau ac isfoddau (a'u cymysgedd). A ffwythiannau yw un yn unig o'r dulliau o bennu natur neu swyddogaeth y rhain. Ceir hefyd mewn Mynegiant isfoddau arddull. Hynny yw, credaf mai gwedd ar isfodd mawr mewn arddull yw prydyddiaeth/rhyddiaith. A diddorol sylwi fel y troes Chrétien de Troyes y defnydd a gafodd (yn anuniongyrchol efallai) gan ryw gyfarwydd Llydaweg o Drefnwy (o bosib) o ryddiaith draddodiadol y Chwedlau Cymraeg (o fewn cyd-destun rhamant) yn chwedlau Ffrangeg mewn prydyddiaeth. Yn ôl diffiniad felly, *gwedd ar isfodd mewn Mynegiant* yw'r Gynghanedd ei hun.

Yr hyn sy'n gyffredin i'r holl lenddulliau hyn yw eu bod oll yn fodd i apelio at yr ymwybod o drefn, ac yn ail yn corffori symudiad meddyliol cadarnhaol.

Trefn sy'n eu hanadlu nhw. Trefn biau'u bodolaeth.

Diddorol i mi wrth sylwi ar y priodoledd adeileddol o *ffwythiant* mewn llenfodd (h.y. berfol/amser) ar lefel Tafod, fod adeiledd pob ffwythiant unigol mewn Mynegiant yn dilyn patrwm go gywrain o is-ffwythiannau. Fel y noda Dr Bleddyn Huws yn ddeheuig ar gyfer ffwythiant y cywydd gofyn, dyma ddatblygiad yr is-ffwythiannau, a'u hymroliad cronolegol o fewn y cyfanwaith unigol –

(a) annerch a moli'r darpar roddwr;
(b) cyflwyno'r eirchiad a'r cais gan nodi'r rhodd a ddisgwylid;
(c) disgrifio'r rhodd trwy ddyfalu;
(ch) diweddglo.

Cymhara ef y cywydd llatai sy'n cynnwys yr is-ffwythiannau adeileddol –

(a) annerch y negesydd;
(b) moli trwy ddisgrifio'r negesydd;
(c) cyflwyno cais i gludo'r neges;
(ch) diweddglo.

Mae'r holl ymwybod hwn o gwlwm dynol ffwythiannau datblygol a chysylltiol mewn llenddull yn dilyn yn bur agos y math o ffwythiannau a fabwysiadwyd ar gyfer didacteg ail iaith a heb fod yn annhebyg i'r camre a gymeradwyodd François Gouin gynt yn ei 'gylch' dysgu. Arwydd yw o'r gwth cyson tuag at drefn a strwythur, ac o'r awydd isymwybodol sydd ar Fynegiant yntau i dyfu'n Dafod. Peth y mae ei fawr angen yn y gwaith arwrol o adfywio'r iaith heddiw.

(iv) SEICO-FECANEG CYNGHANEDD

A gaf yn gynnil geisio crynhoi nodweddion canolog Seico-Fecaneg iaith fel y maent yn berthnasol i Gerdd Dafod? Ceisiaf symud wedyn i ystyried sut y mae'r fframwaith ffurfiol hwn yn esgor ar y Gynghanedd. Yn sylfaenol, adlewyrcha hi'r awydd gorthrechol am drefn, nad oes dim modd ei osgoi. Mae hi hefyd yn arddangos siâp hanfodol y gwth meddyliol tuag at Gynghanedd ddatblygedig o fewn traddodiad Cerdd Dafod.

1. Dechreua yn syml yn y cyferbyniad a ddisgrifiwyd gan Saussure, sef

Langue/Parole, hynny yw Tafod/Mynegiant. Mae'r Gynghanedd yn bodoli pan geir cyfundrefn anweledig yn ogystal â'r ffurfiau achlysurol clywadwy a synwyradwy sy'n ganlyniad iddi. Pryd bynnag y camddeellir theori lenyddol, yr hyn a gamddeellir yw'r berthynas rhwng y ddau gyflwr hyn, eu dibyniaeth y naill ar y llall, a thueddir i ganfod strwythurau mewn Mynegiant fel petaent o anghenraid yn gyfundrefnau mewn Tafod.

2. Helaethwyd a miniogwyd yr amgyffrediad o natur Tafod gan Gustave Guillaume, a fabwysiadodd y termau cyferbyniol *Langue/Discours.* Nid yn unig y mae'i ddisgrifiad yn llawnach ac yn gywirach nag eiddo Saussure. Y mae wedi manylu'n gyfoethog ac yn amlochrog ar ansawdd y cyferbwyntiau hyn – eu cyntefigrwydd elfennaidd er mwyn eu darparu'n sythwlediadol; ac y mae wedi pwysleisio'r *ddeinameg a chyfeiriad a chynnwys y ddelwedd gyferbyniol* rhwng y naill a'r llall. Dyna fy mwriad innau gyda Cherdd Dafod. Ond tarddodd hyn oll yn theori Gustave Guillaume, sef theorïwr ieithyddol mwyaf cynhyrchiol yr ugeinfed ganrif.

3. Dyry ef bwyslais ar gyfundrefnau deuol a thriol sy'n cydlynu'n fanwl gyferbyniol o ran eu hadeiladwaith cryno, ynddynt eu hun, ond yn allanol â'i gilydd.

4. Mae'r 'pwyntiau cyferbynnu' hyn oll yn elfennaidd isymwybodol o ran egwyddor ac wedi'u gwreiddio mewn delweddau y gall y plentyn ifanc eu meistroli'n anfwriadus sythwelediadol, megis y cyferbyniad cyntefig absenoldeb/presenoldeb, amod/canlyniad, cynhwysydd/cynwysedig, parhaol/dibarhad, mawr/bach, un/llawer, tebyg/annhebyg, distawrwydd/sŵn, cynnal/dibynnu, a.y.b. Dangoswyd gan Seico-fecaneg fod yr holl gyfundrefnau ieithyddol mawr yn gorfod dibynnu ar gyferbyniadau anieithyddol o'r fath. Ac ymddengys i mi mai cynheiliaid cyffelyb sy'n trefnu cyferbyniadau gwaelodol y Gynghanedd. Dyma sythwelediadau perthynas, sy'n ddwfn yn yr ymwybod dynol, a gymerwn yn ganiataol yn ein bywyd beunyddiol. Dyma anocheledd y meddwl cyffredin.

Mae hyn oll yn bwysig i ddilyn Meddwl y Gynghanedd. *Sylwer yn gyntaf, nad er mwyn cyfathrebu y mae iaith yn bod yn gyntaf. Cyn cyfathrebu, rhaid dadansoddi'r deunydd a'r drefn – y bydysawd.* Dyna yw'r cyferbyniadau cyntefig anieithyddol yr wyf newydd eu henwi. Yn ail, ar sail y rheini yr adeiledir iaith (Tafod yn y gwraidd) ar gyfer Mynegiant. Felly y darganfuwyd neu y mabwysiadwyd, ar gyfer y Gynghanedd, y dadansoddiad egwyddorol hwn o'r byd. *Sylfaenwyd Meddwl y Gynghanedd ar gyferbyniadau elfennaidd isymwybodol o'r un fath. Y rhain a amodai ac a ddarparai'r fframwaith meddyliol.* Y rhain sy'n ffurfio'r cyfundrefnau i gyd mewn Tafod. Bu Chomsky yn sôn am gyferbyniadau sythwelediadol cynhenid yn nyfnder iaith. Ond ni wnaeth eu hadnabod. Dyna un o'r camau mawr ymlaen a wnaeth Guillaume: ymatal rhag siarad yn niwlog amdanynt, eithr eu penodoli a'u disgrifio a'u diriaethu rywfaint.

5. Wrth archwilio'r cyferbyniadau hyn, canfyddir bod y pwyntiau allweddol, y pegynau, a'r echelion sy'n eu cysylltu yn dilyn olyniaeth amseryddol yn y ddelwedd feddyliol ym mhob cwlwm. Hynny yw, y mae'r iaith (a llenyddiaeth) yn broses ddeinamig berthynol o gyfundrefnau o'r Tafod i'r Mynegiant, a rhyngddynt â'i gilydd. Dadansoddi a disgrifio hynny yw gwaith y theorïwr.

6. Gellir dynodi'r ddau brif symudiad meddyliol elfennaidd, sy'n llunio cyfundrefn, fel arbenigoli (particularisation) a chyffredinoli (généralisation). Y termau a'r cysyniadau a ddatblygais ac a ddefnyddiais i gyfleu hyn oedd *gwahanu* ac *uniaeth,* sef 'gwahuniaeth' ynghyd. Ceir y didoli ynghyd â'r ailadrodd (neu gyfuno); ond yn y diwedd, canfyddir y cydlyniad terfynol.

7. Yn gymdeithasol, y mae'r Tafod a adeiledir ym meddwl un siaradwr yn cyfateb fwy neu lai'n union i'r Tafod sydd ar waith ym meddwl person arall. Heb hynny ni ddeellent ei gilydd . . . 'Ie, ie,' gallaf eich clywed yn gwrthdystio. 'Dwi'n gallu cydnabod bod yn rhaid adeiladu gramadeg Person I yr un fath (fwy neu lai) â gramadeg Person II. Ond ffonolegol yw holl gyfundrefnwaith y Gynghanedd. Mi all Person I lunio'r Gynghanedd, a Pherson II ymateb yn burion i'r sain heb fedru llunio'r Gynghanedd o gwbl.' A dyma ni'n gorfod wynebu gwedd gymdeithasol neu gyffredinol y Gynghanedd o safbwynt ymateb a gwerthfawrogi. Yr hyn sydd gan Berson I a II yn gyffredin yw hanfodion neu ffurfiau cyffredinol Tafod. Mae'r naill a'r llall yn medru ac yn gorfod gwahuno. Adeiladasant ar sail hynny Gyfundrefnwaith o gyferbyniadau, sythwelediadau megis absennol/presennol; sŵn/distawrwydd; tebyg/annhebyg; cynhaliol/dibynnol; agos/pell; mwy/llai; un/lluosog; ataliol/rhyddhaol. Oherwydd hynny gall Person II mewn modd dwfn ymateb a mwynhau Mynegiant Person I. Dyna'r hyn y byddir yn cydio ynddo er mwyn ymateb o gwbl.

Gyrrir y cwbl gan yr hiraeth am drefn amrywiaeth o fewn undod, undod ac undod yn rhannau, nes gwneud Undod cyfansawdd cyflawn.

Dyna yn fras rai o brif benawdau sylfaenol Seico-fecaneg. Mae Guillaume a'i ddilynwyr wedi ymroi i gymhwyso'r rhain i ieithoedd unigol, i gyfundrefnau ieithyddol pur, i hanes iaith, i iaith plant, i ddidacteg, ac i ieitheg gymharol.

479

Beth sydd gan Seico-fecaneg felly i'w ddweud am Gynghanedd?

Nid rhestru rheolau yw ei nod. Cais ddarlunio'n hytrach Gyfundrefn o gyfundrefnau elfennaidd: y grwpiau deuol a thriol ar waith. Disgrifia'i ffurf sythwelediadol drwy ddadlennu'i natur a'i hegwyddorion cydgysylltiol. Archwilia hefyd y rhesymau dyfnaf pam y mae pethau fel y maent. Ymgysyllta â sylfeini celfyddyd.

Felly, wrth drafod y Mesurau unigol mewn Mynegiant, er enghraifft, – sef byd y rheolau, y mae disgrifiad John Morris-Jones at ei gilydd yn safadwy safonol. Rhestra'r holl nodweddion yn gywir. Ond y mae ei ddisgrifiad o wreiddyn i gyfundrefn y Mesurau, sut y maent oll yn perthyn i'w gilydd, beth yw hanfod eu ffurfiau cydberthynol, yn gyfeiliornus ac yn annigonol. Nid oedd wedi dod o hyd i natur y strwythur a oedd yn eu hesbonio. Ni threiddiodd at yr egwyddor. Felly hefyd gyda'r Beiau Gwaharddedig a'r Goddefiadau. Felly hefyd gyda'r cynganeddion unigol, hyd yn oed. Dyna'r hyn a ddisgrifir ac a esbonnir drwy Seico-Fecaneg.

Pan ddechreuais innau'r myfyrdodau hyn, fe'u dechreuais gydag astudiaeth o iaith baban. Daeth y baban i'r byd ac wynebu tryblith o brofiadau synhwyrus. Trawai'r byd, yn seiniau a golygfeydd o lawer math ar ei glustiau, ei lygaid, ei groen, a'i holl synhwyrau. A thrwy wahanu ac ailadrodd delweddau, dysgodd ef ddirnad a darganfod neu roi trefn. Dysgodd adnabod drwy gyferbynnu a gweld tebygrwydd. Apeliodd at ei gynneddf barod i wahuno. A chafwyd Cynghanedd yn yr ystyr amhrydyddol ym mywyd y baban, hynny yw drwy uno, drwy gytgord perthynas ystyrlon, – hanfod yr iaith.

Er mwyn cyrraedd y Gynghanedd honno yn y pen draw, cafodd y plentyn siwrnai o gam i gam, gyda'r camre blaenorol bob amser yn arwain yn drefnus at y camre wedyn. Yr oedd pob rhan o fewn y cyfan yn dilyn llwybr olynol 'rhesymegol' (h.y. cyferbynnu isymwybodol delweddol o brofiad elfennol o fewn amser). O na bai ein hathrawon ail iaith yn gwybod am hyn: ni ddysgent mor ddistrwythur. Onid ail iaith yw'r Gynghanedd hithau?

Gwnaeth y plentyn fath o ddadansoddiad o'i brofiad o fodolaeth. Fe'i cafodd yn gyferbyniol ac ailadroddol mewn unedau. Adeiladodd gyfanwaith cynhyrchiol o unedau cyfan, cyfanwaith ac iddo drefn: presennol/absennol; bach/mawr; dibynnol/ cynhaliol a.y.b.. Trefn oedd ei nod er mwyn meistroli'r amgylchfyd. Hebddi ni ddeallai ddim. Dyma ddefnyddiau deall a siarad. Adeiladai fricsen ar fricsen, fel y gwna'r cynganeddwr.

A sain a synnwyr oedd yr offer a ddarganfu.

Ar ryw olwg, y sialens i ni yn y gyfrol hon oedd dechrau heb 'ddim', a gorffen gyda llawnder y Gynghanedd, tan ofyn sut y cyrhaeddwyd y fan yma yn isymwybodol, a beth oedd y camre ar y ffordd. Beth y mae'r darllen yn ymateb iddynt?

Dichon, yng ngolau'r pwyslais diweddar ar egwyddorion Ôl-Foderniaeth mewn beirniadaeth lenyddol (megis ym maes ail iaith), y dylid sylwi ar y tyndra ffrwythlon hwn sydd rhwng Tafod /Cerdd Dafod ar y naill law, y cyfanwaith yn y meddwl a Mynegiant/Cerdd Fynegiant, y cyfanweithiau yn rhediad y lleferydd ar y llall. Mewn Mynegiant y ceir diddordeb Ôl-Foderniaeth yn bennaf. O'r herwydd, tueddir ysywaeth i ddogmateiddio ynghylch amhenderfyniaeth/chwalfa/amhenodolrwydd/ negyddiaeth/ac ansicrwydd. Propaganda teimladol i gyd. Ymddengys felly mewn fframwaith unochrog, sy'n anwybyddu'r ffeithiau o undod a'r amodau mwy sefydlog, a heb sylweddoli na all Mynegiant dyfu yn agored ddiamod yn unig byth. Hanner-pob yw. Mae'n amlwg nad dyna lle y bydd y beirniad cyfansawdd na'r seico-fecanydd yn crynhoi'i feirniadaeth, er mai dyna yw'r perygl cyson. Does dim deall nac iaith heb y ddeuoliaeth. Nid oes dim gweledig ar wahân i gynllun anweledig. Yr hyn a wada'r seico-fecanydd yw'r ymgyfyngu unochrog. Hawlia fod y *ddwy* ochr yn gydlyniad ffeithiol, yn gyferbyniol neu'n dyndra effeithiol, ac yn anochel. Yr ymwybod o gyd-fodolaeth yw'r hyn sy'n ei fwydo. Wrth geisio esbonio'r cymhlethdod fel arfer, dyna lle y ceir y beirniaid Ôl-Fodernaidd yn cloffi, os ydynt yn ymwybodol o gwbl o fodolaeth trefn. Anwybyddant y ffeithiau. Yn y bôn, eu rhagdybiau diwinyddol unllygeidiog yw canolbwynt y cloffi hwnnw. Nid methu esbonio Cerdd Dafod yn unig a wnânt: methant ag esbonio Cerdd Fynegiant. O fewn rhagdybiau Ôl-fodernaidd, nid esboniant ddim.

Y ddwy ochr yn undod yw diddordeb meddiannol Seico-Fecaneg.

Mae yna saith gyfundrefn feddyliol a chwmpasog gynhwysol mewn Cynghanedd y gellid eu hail grybwyll ac oedi i esbonio'u hadeiladwaith seico-fecanaidd ychydig yn bwysleisiol, sef:

1. Rhy ac Eisiau (ym maes Beiau Gwaharddedig);
2. Perthynas Sŵn ac Ystyr;
3. Perthynas y rhannau i wneud undod mewn llinell gynganeddol (y mydr a'r odlau a'r cytseiniaid mewn ffyrdd gwahanol, yn rhannu ac yn uno);
4. Deunydd a Ffurf (Dyma gyfundrefn sydd bob amser yn bresennol mewn iaith ar waith: ni all y naill fodoli'n ymarferol heb y llall.) Fel y ceir Ffurf ar sain yn ogystal â Ffurf ar

481

synnwyr, felly y ceir hefyd Ddeunydd sy'n sain (sef gwrthrych y Gynghanedd) yn ogystal â Deunydd sy'n synnwyr.

5. Arferiadau a Deddfau (Mae arferiadau Mynegiant – o'u cyfer-bynnu â'r rhai sydd eisoes wedi derbyn trefn Tafod – yn amlwg ddi-orfodaeth ac yn gallu bod yn llai cryno'n adeil-eddol na deddfau, gan fod deddfau Tafod bob amser yn ymffurfio'n ddeuol neu'n driol);

6. Wrth olrhain traddodiad neu ddiacroni Cerdd Dafod sy'n datblygu, symudir bob amser o gyfundrefn orfodol i gyfun-drefn orfodol. Fel arfer, bydd y gyfundrefn ddilynol yn ym-ffurfio yn yr un cynt, cyn i'r gyntaf ildio'i llywodraeth. Hynny yw, corfforir yr ail eisoes yn y gyntaf cyn i honno 'grino' o ran ffurfiant gorfodol.

7. Mynegiant wedyn sy'n adeiladu Tafod wrth i arferiadau ym-sefydlu'n gynhwysfawr fel deddfau.

Yr wyf am ddefnyddio diagram i glymu delwedd o'r holl gyfundrefnu hwn. Diagram yw a ddefnyddiais droeon o'r blaen. A phriodol yw i mi esbonio pam diagram. Diagram yw sy'n ceisio cyfleu symudiad medd-yliol a delweddol ddeinamig go gyson mewn iaith. Yr wyf yn ceisio felly gyfleu'r ffaith fod yna symudiad o fath arbennig yn y meddwl sy'n sylfaen o hyd ac o hyd i weithred ieithyddol, megis llunio'r Gyng-hanedd. Mae'r meddwl yn gweithio ar sail delweddu syml a chyntefig o'r llydan i'r cul ac o'r cul i'r llydan.

Ond pam diagram?

Y mae Guillaume yn credu – ac yr wyf yn derbyn ei ddadl – fod yna gyferbyniad unedol anieithyddol y tu ôl i bob gweithred ieithyddol. Mae yna ddelweddu diriaethol cyferbyniol yn y meddwl. Cyferbyniad cyn-ieithyddol cyntefig yw rhwng ffactorau pendant. Sythwelediad egwyddorol. Ar hwnnw y gellir 'hongian' y gyfundrefn ieithyddol wedyn. Corfforir y cyferbyniad anieithyddol hwn o fewn yr iaith.

Gan ein bod yn delweddu cyferbyniad yn y meddwl, y ffordd weledig orau i arddangos hynny yw drwy ddiagram deinamig. Diagram yw a glymir yn bennaf wrth begynau arbenigoli/cyffredinoli. A cheir cyfeir-iaid yn y gwibio meddyliol ar hyd yr echelau cysylltiol. Ond bob amser, cyffelyb yw llwybrau egnïon y cyferbyniol.

Y tu ôl i bob cyferbyniad o'r fath, ceir egwyddor elfennaidd isymwyb-odol seml. Ceir mathau gwahanol o ddelweddu yn y meddwl – maint, absenoldeb, cyfeiriad, pwyso, a.y.b. Er enghraifft, o ran cymhariaeth ym myd iaith, sylwer ar y ferf. Cyfleu amser a wna. Fe'i clymir wrth ddelwedd o linell symudol, o dyndra i dyndra. Ar y llinell hon y gellir delweddu pwyntiau yng nghyfundrefn tymp y ferf. Gwyddom ymhle y mae pwynt y 'presennol' Cymraeg – yn y canol. 'Yr wyf yn mynd' – hynny yw, eisoes y mae peth mynd o ran potensial y tu ôl i mi, a pheth o'm blaen, ac yr wyf i yng nghanol y busnes. '*Yr wyf yma ers tro*' – yma yr ydw-i o hyd, yn y canol, ond mae golygon fy meddwl yn synied am yr hyn sydd y tu ôl yn bennaf, hyd at y fan yma. Saif peth o'r presennol ar ei ôl felly. Dyna un ffordd o ddelweddu iaith.

Nid felly y mae'r Saesneg yn ymddwyn gyda'r golwg tuag yn ôl: rhaid ychwanegu rhangymeriad gorffennol '*I have been* here for a while.' Nid yw cyfeiriad morffem y presennol 'have' ond yn cyfeirio mewn *un* cyfeiriad yn Saesneg. Mae'r ddelwedd fewnol yn pwyntio ymlaen.

Gall y Gymraeg hefyd ddweud: '*Yr wyf yma tan yfory*'. Yn ogystal ag edrych yn ôl, y mae'r 'presennol' yn ymestyn ymlaen.

Felly, y mae diagram yn ceisio adlewyrchu ar bapur y safleoedd a'r cyfeiriadau a ddilynir gan y meddwl sy'n delweddu'n ddeinamig. Ymgartrefa'r meddwl delweddol mewn pwynt cychwynnol, ac o'r fan yna cychwynna'r meddwl i ateb yn sythwelediadol i gyd-bwyntiau mewn cyfundrefn.

Trof yn awr at ddiagram mwyaf cyson Seico-Fecaneg iaith.

Fe'i defnyddiais o'r blaen lawer tro: *Tafod y Llenor*, 237, 240; *Seiliau Beirniadaeth*, 297, 524, 535; *Beirniadaeth Gyfansawdd*, 283; *Dysgu Cyfansawdd*, 88. Rhaid i mi oedi y tro hwn i'w ddehongli'n llawnach.

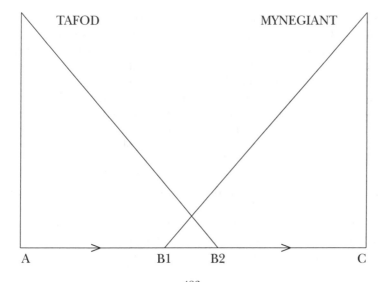

Mae'r diagram yn ceisio delweddu symudiad meddyliol pwysicaf iaith a llenyddiaeth o A i C, o Dafod i Fynegiant. O fewn fframwaith felly y mae iaith yn ymgynganeddu. Fel y gwelir, ceir ynddo ddau symudiad cyferbyniol, y cyntaf yn mynd o'r llydan i'r cul, a'r ail o'r cul i'r llydan, ynghyd â throthwy yn y canol. Y term yr wyf yn ei ddefnyddio ar gyfer y symudiad cyntaf ynddo yw gwahanu; ac am yr ail, uno. Yn ôl Gustave Guillaume yn fwy cynhwysfawr – *particularisation* a *généralisation*. Er mwyn 'deall' o gwbl, er mwyn llunio gair, neu gyfundrefn ieithyddol neu lenyddol, y peth cyntaf y mae'r meddwl dynol yn ei wneud yw unigoli neu'n arbenigoli, ac yna y mae'n cyffredinoli neu'n ailadrodd (gan ei roi mewn cyd-destun); y dadansoddi a'r cymharu (neu'r cyfansoddi).

Dechreua'r weithred o gynganeddu yn yr amodau neu'r deddfau cyffredinol A sydd eisoes i'w cael o ran potensial yng nghyfanrwydd Tafod sŵn. A'r hyn a geisir yw'r enghraifft unigol, yr achlysur cyfyng-edig: Mynegiant. Proses neu symudiad ymgyfyngol yw A – B2, y gwaith o ddod o hyd i'r unigolyn o ddefnydd cynganeddol.

Gwahanu yw nod y rhan gyntaf, felly. Deuir o hyd i'r arbennig yng nghanol cyffredinedd y cyfan. Uno yw nod yr ail ran. Dod o hyd i gyfan newydd o adeiladu'r rhannau. Cyfan fu A, a chyfan newydd fydd C. Mae'r potensial yn gyflawnder A, a'r effaith yn gyflawnder C. Yn y symudiad cyntaf ar y daith rhwng A ac C deuir o hyd i'r ffactorau ffonolegol unigol yn y sillaf, yr acen, y gytsain, a'r llafariad. Yn yr ail symudiad hwn deuir o hyd i'r cyswllt cyffredinol ac i'r llinell: y cyfan terfynol.

Yn A cafwyd y defnyddiau cyfan y mae'n rhaid eu didoli (eu dadansoddi): yn C ceir y cynnyrch cyfan y mae'n rhaid ei gyfansoddi.

Yn A – B1 ceisir y moddion i gynrychioli profiad. Yn B2 – C ceisir y moddion i weithredu'r mynegiant drwy gysylltu. Mae'r triawd acen – llafariad – cytsain yn adeiladu *ffurf y sillaf* ynghyd â'r awydd i'w cyd-drefnu yn A – B1: mae'r cyfansoddiad unigol mewn cyfuniad uwch-geiriol yn adeiladu *ffurf y llinell*. Cyfyngedig yw'r adnoddau a geir yn B1 – B2: mae'r nifer o linellau sy'n bosibl yn C yn ddiderfyn.

Mae yna symud o hyd, ac mae yna gyfeiriad. Mae'r diagram yn corffori ffaith gorfforol yn yr ymennydd.

Dyna'r patrwm egwyddorol sylfaenol. (Gwelir angen cywiriad o gambrintiadau anffodus a gaed t. 283 yn *Beirniadaeth Gyfansawdd*: yn y testun yn lle 'II i III' dylid darllen 'I i II'. Ac ar y diagram yn fertigol, darllener A o flaen 'I Duw II Hunan . . .', a B o flaen 'Bydysawd Ffurfiol'.) Dyna'r patrwm sy'n her i'r darllenydd.

Trown yn awr at y Gynghanedd.

1. *Rhy ac Eisiau o ran Ffurf ym maes Beiau Gwaharddedig*

Mae'r patrwm meddyliol yr ŷm ni newydd ei ddisgrifio yn dod yn gynhysgaeth ymarferol, wedi'i amodi neu'i gyflyru. Hynny yw, y mae'r ffordd hon o feddwl ac o lunio cyfundrefnau yn dod yn sefydliad yn yr ymennydd, yn isymwybodol anochel, yn fecanwaith seicolegol. Dyma a fabwysiedir yn ddifeddwl wrth i ffurfiau llenyddol ymsefydlu rhwng A ac C. Rhaid i'r meddwl esgor ar ffurf drwy'i gyrru ar hyd y dramwyfa hon. Ar y cledrau.

Felly y mae'r Chwaeth gynganeddol yn ymffurfio drwy apelio at drefn. Gellir teimlo 'yn reddfol' fod y ffurf a'r ffurf yn *ormod*. Rhaid ymatal ar orsaf hyd y ffordd. Teimlir bod yna ormod o ailadrodd. Mae'r undonedd neu'r undod yn mynd yn ormes. Er mwyn bodloni'r ymwybod o ffurf, y mae'r awen neu'r iaith neu'r ymdeimlad o ffurf sydd gan y bardd yn cael ei amodi i ymatal. Ar y pryd ymddengys nad oes dim 'rheol'. Daw'r rheol *ar ôl* i'r ffurf neu'r drefn ymsefydlu. Sylwir ar y digwyddiad ar ôl iddo ddigwydd sawl tro; ac yna bob tro, ac o'r herwydd, fe'i corfforir yn rheol ac yna'n ddeddf.

Felly yr adeiledir ar sail y fframwaith seico-fecanaidd y duedd sythweledol i gulhau neu i brinhau ffurf, i benodoli a diffinio'n gyfyngedig. Ymwaredir â'r gwastraff. Ceir gwahaniaeth fel y caiff y ffurf arbennig fod yn wahanol i bopeth arall.

Ond heblaw hyn, yn yr un maes, neu o fewn yr un cylch chwaeth a ffurf, gellir cael ymdeimlad gwrthwyneb – yr ymdeimlad o eisiau neu o *annigonedd*. Mae'r sain y ceisir ei ailadrodd yn syrthio'n fyr. Nid yw'n llawn. Mae'r meddwl ffurfiol yn adweithio'n ei erbyn oherwydd ei fod yn anorffen mewn rhyw ffordd. Disgwylir o fewn holl wth y sefydliad meddyliol neu'r gyfundrefn i'r tebygrwydd gael ei foddhau. Dyw'r ddolen ddim wedi'i chyflawni. Felly y mae'r chwaeth yn gwrthryfela.

O ganlyniad, ceir dau ddosbarth o feiau gwaharddedig. Dyma'r modd i esbonio pam. Dyma'r ysgogiad ffurfiol deinamig.

2. *Ystyr a Sŵn*

Yr wyf wedi dadlau mai cyfundrefn seiniol 'bur' yw'r Gynghanedd mewn Cerdd Dafod. Mae'n bodoli beth bynnag yw'r testun, beth bynnag yw'r teimlad. Dyma'i chyflwr mewn potensial.

Ond nid yw byth yn effeithiol heb ystyr er nad yr ystyr yw'r Gynghanedd. Fe'i gyrrir gan gais am ystyr o ran egwyddor. Fe'i mynegir mewn geiriau cynhwysol. Hynny yw, yn ymarferol nid yw seiniau iaith yn bodoli heb fod eu deunydd ystyrol yn bresennol. Blaendirir y seiniau wrth eu cyfundrefnu wedyn; ac o'u blaendiro hwy, bywiogir yr ystyr unigol. Tynnir sylw atynt, pwysleisir hwy. Ond mewn Mynegiant nid yw'r naill yn bodoli heb y llall: diffiniant ei gilydd. Ac y mae hynny'n golygu fod y seiniau'n cenhedlu ystyr wrth gael eu defnyddio. Yn wir, y mae cyplysiad cynganeddol y seiniau yn cenhedlu ystyr. Mae'u trefn yn cenhedlu ystyr – y drefn yw'r ystyr. Dywed Derek Attridge, *Peculiar Language: Literature as difference from the Renaissance to James Joyce*, Ithaca, NY, 1988, tt. 152-3: 'The mind in responding to the semantic content of the verbal sequence, is sensitized to certain physical properties of speech; simultaneously, in responding to the foregrounding of the physical proportion of speech achieved by the unusual patterning of phonemes, it is sensitized to certain features of the semantic content.'

A. arwyddedig potensial —> B1. arwydd B2 — > C. arwyddedig effaith

Y Gynghanedd, sef cyfundrefn y sain, yw'r gogor y gweithia'r arwydd-edig drwyddo.

3. *Rhannau ac Undod*
Mae yna elfennau gwahanol mewn sŵn (A – B) sy'n uno â'i gilydd (B – C) i ffurfio unedau cyfun newydd, unedau cyferbyniol neu unedau ailadroddol.

Felly odlau. Mae yna eiriau neu sillafau gwahanol sy'n meddu ar yr un llafariad a chytsain (neu sero) ddilynol, sydd wrth eu cyplysu yn ffurfio odlau. Felly hefyd, drwy gyferbynnu un neu ddwy sillaf ddiacen ynghyd ag un acennog, ac yna drwy ailadrodd yr un pwyslais acennol mewn gair neu eiriau gwahanol, gellir ffurfio patrwm rheolaidd o acen-ion. Nid annhebyg o ran egwyddor yw'r Gynghanedd. Gellir ailadrodd llinell olynol o gytseiniaid o flaen prif acen dyweder, ac oherwydd bod y cytseiniaid o bosib yn llinyn o wahaniaeth ailadroddol sy'n cael adleisio'n debyg yn ail hanner y llinell, yna clywir undod. Hynny yw, defnyddir y gwahanol i gyrraedd y tebyg. Gwahaniaethir ac yna unir. Daw'r gwahân at ei gilydd. Gyrrir y gwth gan y gynneddf ddynol feddiannol i ddod o hyd i undod yn yr amrywiaeth. Heb hynny nid oes na deall nac iaith – na Chynghanedd.

4. *Deunydd a Ffurf*
Ceir perthynas ddeinamig yn y gweddau 'Deunydd' a 'Ffurf' drwy'r broses o gynganeddu: adeiledir cyfundrefn ganolog y Gynghanedd.

Bydd rhai'n synnu o bosib wrth imi grybwyll 'Deunydd' pan soniaf

am y Gynghanedd. Onid ystyr a chynnwys semantaidd yw Deunydd?
Onid sŵn noeth yn unig yw'r Gynghanedd ei hun? Onid y gwrthrychau
gweledig allanol yw'r Deunydd bob amser?

Nage, nid ym mhob dim. Gall y sŵn ei hun yn y meddwl fod yn
Ddeunydd dan sylw. Synhwyrus yw. Peth i'r teimlad. Gall y sŵn fod yn
wrthrych neu'n ddefnydd i'w drafod. Dechreuir wrth reswm mewn iaith
yn y profiad cyffredinol o ddefnydd neu o gynnwys: penodolir y defn-
ydd, a cheisir ffurf er mwyn ymsefydlogi A – B. Er mwyn angori'r ffurf
sefydlir seiniau i'w hynganu. Sŵn neu drefn sŵn yw'r *egwyddor* mewn
Tafod. Sŵn ei hun yw'r Deunydd erbyn Mynegiant, er nad Deunydd
ystyrol mohono i ddechrau. Er mwyn gwneud yr adnodd hwn yn
drafodadwy, y mae'r meddwl yn symud yn gyntaf tuag at unigoli, gwahanu,
arbenigoli. Ceisir Ffurf eto. A cheir gogwyddo tuag at y Seiniau unigol:
llafariad, acen (traw, pwys), cytsain. Proses o gyfyngu yw. Dyma'r Deun-
ydd sylfaenol, yr arwydd, yn cael ei gyfundrefnu.

Yn ail symudiad y meddwl, symudir (B – C) oddi wrth yr unigoli
hwnnw at y patrymau cyffredinol (yn wir, i ieithydd y mae'r seiniau eis-
oes yn gyffredinoliad, nid ffonau neu allffonau ond ffonemau). Cysylltir
mewn Ffurf. Dyma'r cydlynu. A phroses gyffredinol o uno pellach yw –
Odl, Mydr, Cynghanedd; fel y symudir Deunydd yntau drwy Ffurf megis
Rhif, Cenedl, Tymp ac yn y blaen at y Rhan Ymadrodd. Esgorir ar berth-
nasoedd ac ymehengir.

Dyna adeiladwaith cyflawn deuol Deunydd a Ffurf: sef gwahuno.
Cychwynnir mewn symudiad o wahanu a chyrhaeddir mewn symudiad o
uno. Dyna'r cyferbyniad cyson o fewn undod. Yn y fframwaith deinamig
cyflawn a chyflym hwnnw, ceir cyfundrefn gyflawn ganolog y Gynghan-
edd: dau symudiad meddyliol felly. Y naill oddi wrth y cyffredinol at yr
arbennig, a'r llall oddi wrth yr arbennig at y cyffredinol mewn cyflawn-
der cytbwys a sythwelediad isymwybodol trefnus.

5. *Arferiadau a Deddfau.*

Adeiledir Tafod gan Fynegiant drwy fath o broses *wrthwyneb*. Dech-
reuir yn awr yn y defnydd neu'r cynnyrch (y diwedd fel petai), a llunnir
y cynhyrchydd. Drwy wirfoddoli o fath arbennig o ymarfer, a'i gael yn
dderbyniol, felly y daeth y drefn ar ein gwarthaf heb inni wybod. Drwy
archwilio, myfyrio, a sythweled, gellir dod i wybod natur yr achos yn y
canlyniad ei hun.

Dylid gwahaniaethu rhwng deddfau a ddarganfyddir yn y cudd a
rheolau a wneir yn y golwg *en route*. Nodais ynghynt: gwneler arferiad-

au'n ddigon aml, hyd at 100%, ac os yw'r amodau'n ddigon elfennaidd, fe geir deddf yn ddiarwybod. Math o reolaeth ganoledig yw'r hyn yr oedd y rhamantwyr yn gwrthryfela'n ei erbyn, ond nid oes canol 'gwleid-yddol' neu 'gymdeithasol' i Gynghanedd. Cynnyrch meddwl ffurfiol cyffredin prydyddion yw. Gwasgaredig ac isymwybodol 'boblogaidd' yw'r lluniau drwy drwch y beirdd. Yn y llawer y clywir yr un. Cytundeb yw nas bwriedir. Disgrifiad *wedi'r* digwyddiad oedd Gramadegau'r Penceirdd-iaid gan mwyaf. Nid canlyniad cynllunio ymlaen llaw oedd. Gwirfoddoli a wnâi'r beirdd i fyw o fewn y drefn. Ac nis bwriedid i gaethiwo beirdd rhag datblygu ymhellach. Ceid cydbwysedd rhwng awdurdod mewnol a rhyddid allanol. Nid cyfrif eu ffurfiau fel gormes oedd meddylfryd y beirdd: perseinedd a geisient, yn fwy hyd yn oed na chynnal eu dos-barth cymdeithasol. Yn y symudiad felly rhwng y bedwaredd ganrif ar ddeg a'r bymthegfed ganrif, ceisiai'r beirdd o fewn y strwythurau hyn eu trwchuso a'u dyfnhau ymhellach. Gyrrid hwy at fwy o Wahuno.

Yn y feirniadaeth ar 'gaethiwed' y Gynghanedd, arwyddocaol oedd twf y cysyniad rhamantaidd seciwlaraidd o ryddid. Collwyd felly wreiddyn y cysyniad mewnol o awdurdod fel rhywbeth a allai fod yn ddymunol neu'n angenrheidiol o fewn y cyd-destun iawn. Yr oedd yna ddirywiad ysbrydol wrth ddwyfoli unigolyddiaeth ac wrth fydoli cymuned.

6. O gestalt i gestalt: traddodiad

Llinynnu unedau cyferbyniol a wneir o ddatblygiad i ddatblygiad ar hyd diacroni Cerdd Dafod. Cyrhaeddir gorsafoedd bob hyn a hyn. Fe'u canfyddir yn arbennig wrth sylwi fel y mae'r ysfa i gyflawni *gestalt* wedi *gestalt* yn ufuddhau i ysfa isymwybodol etifeddol i ddod o hyd i gyfan bob tro yng nghanol cyferbyniad. Gwelir hyn yn neilltuol yn natblygiad cyfundrefn y Beiau Gwaharddedig ac wrth symud o Ogynghanedd i Gynghanedd.

7. O Dafod i Fynegiant/O Fynegiant i Dafod

Cyfundrefn y meddwl a fydd yn darparu ar gyfer amgyffred achlysuron. Arferiadau yn y golwg sy'n adeiladu arfogaeth y gyfundrefn honno o'r golwg. Dibynnant oll ar reoleidd-dra.

Yr hyn y rhydd 'theori dderbyniol' ramantaidd ei bwyslais arno'n bennaf yw dibendrawdod lluosog y Mynegiant, yn fwy braidd nag ar y gestalt. Yr hyn a bwysleisia Beirniadaeth Gyfansawdd ar y llaw arall yw'r dwyochredd, y cyfuniad. Ni ellir esbonio gwerth y lluosrwydd heb bresen-oldeb undodau. Y rhain sy'n amodi, yn cyflyru, ac yn darparu sylfaen.

Clefyd Ôl-Foderniaeth oedd colli'r cyfanrwydd a'r rheoleidd-dra. Rhaid ymatal rhag gorbwysleisio'r Tafod neu'r undodau wrth eu hateb, bid siŵr. Eto, yn y diwedd, os yr amrywiaeth a ddyry'r ffrwythlondeb, yr undod a ddyry'r synnwyr a'r pwrpas. Fe'u rhoddir nid yn unig i'r awdur, ond i'r darllenydd hefyd.

*   *   *

Rhaid i mi, er hynny, droi a cheisio cymorth y 'gelyn', er mwyn delweddu'r ffordd y gwelaf ddatblygiad traddodiad yn gyfundrefn, a chyfundrefn yn draddodiad.

Wel, nid y 'gelyn' yn hollol. Ond hoffwn ddweud gair da am un o is-ysgolion parchus 'Ôl-foderniaeth' – sef 'theori dderbyniad'. Pwyslais yw hyn a gafwyd yn gyntaf yn yr Almaen. Gwyddom oll am y sôn am 'ddi-enyddio'r awdur'. Dyna gysyniad go ffrwythlon ei ymhlygiadau. Ond o safbwynt 'theori dderbyniad', rhaid cysylltu'r awgrym hwnnw â'r ffaith fod pawb yn dechrau adnabod llenyddiaeth o safbwynt y gynulleidfa, hyd yn oed y llenorion eu hunain. Ac y mae yna gynifer o ymatebion posibl i lenwaith yn y gynulleidfa ag sydd o aelodau yn y gynulleidfa honno. Dyna'r prif wth yng ngwaith Wolfgang Iser [*The Implied Reader*, 1974; *The Art of Reading*, London, 1978]. A chan fy mod wedi sôn am Gynghanedd fel cynnyrch meddwl cyffredin y beirdd, nid amhriodol yw troi cefn am foment ar yr awdur unigol. Tuag at y darllenydd.

Y tu ôl i'r chwalfa honno, yr amlder o ddeongliadau, y gwamalrwydd ansicr, y mae Iser wedi'i wreiddio mewn seicoleg *Gestalt*. Cydnebydd fod y darllenydd, yn reddfol fel petai, yn bwrw iddi i sylweddoli neu i adeil-eddu'r testun yn ôl cysondeb delfryd, yn farn gysurol. Hynny yw, y mae'r darllenydd, yn ôl ymateb normal, yn ceisio cyfuno'r canfyddiadau a gaiff gan destun yn gyfanwaith dealladwy. Ceisir integreiddio'r nifer uchaf posibl o elfennau yn y gwaith.

Hynny yw, y tu ôl i'r amlder darlleniadau (dull Mynegiant o fodoli) ceir clymu mewn cyfanrwydd cryno (dull Tafod o fodoli). Sôn y mae Iser am y *darllenydd* yntau wrthi'n gwneud ei waith. Ond y mae'r un gwth hefyd (neu wth cyfatebol tebyg) y tu ôl i'r cyd-lenor o ddarllenydd ag i'r *llenor* ei hun. Yn wir, yn fwy na hynny fe geir gwth tuag at gyd-lyniad a 'chyfundrefnau' (gair dychryn i ramantwyr Ôl-fodernaidd) gan y naill ochr a'r llall. A dyna'r sefyllfa hanesyddol hefyd.

Ceir cydlyniad a Thafod cyfun dros dro mewn Gogynghanedd, hynny yw cyfundrefn gyflawn ar y pryd, sy'n cael ei holynu gan gydlyniad a

Thafod cyfan y Gynghanedd. Enghraifft arall o *gestalt,* hynny yw cyfan-rwydd cyfundrefn ar y pryd, yw'r gyfres o gyflyrau y bu'r Beiau Gwahardd-edig ynddi. Enghraifft arall yw'r olyniaeth rhwng *gestalt* y Canu Rhydd Cynnar yn cadw'r un mesur mewn datblygiad wrth fabwysiadu *gestalt* y Canu Rhydd Cyfacen. Hynny yw, sôn yr ŷm am bob cenhedlaeth yn ceisio cyfres o ymwybodau *gestalt,* ac am awydd cyson i feddiannu cyfan-rwydd ar y pryd, cadwyn o gyflyrau cyfundrefnedig. Dyma ffenomen hollol an-ôl-fodernaidd, wrth gwrs.

Bob amser gyda'r sylweddoliad o'r llawer, ceid y gwth tuag at yr un.

Fel mewn cymdeithas, felly yn y Gynghanedd, un o brif egwyddorion strwythur yw dod o hyd i gydbwysedd rhwng *awdurdod* a *rhyddid* bob syncroni. Yr hyn a geisir yn y symudiad meddyliol bob tro yw trefn ar y deunydd drwy'r ffurf. Hynny yw, fel y cais y baban heddwch bob munud ar dryblith y meddwl wrth feistroli iaith, felly yn y weithred ieithyddol/lenyddol y mae'r prydydd yn ceisio trefn/sefydlogrwydd/Cynghanedd ar ei ysgogiad. Fe'i gwna yng nghyd-destun meddwl cyffredin cymdeithas y beirdd.

Ymddengys y gair *Cynghanedd* yn derm sy'n sôn yn gerddorol am gytgord, am gyfuniad, am hyd yn oed gwrthdrawiad rhwng dau neu fwy o rymoedd seiniol lle y ceir datrysiad. Dyma derfyn y broses o gynganeddu. Mae Mynegiant bob amser wedi gosod problemau y mae Tafod yn ymlafnio i'w datrys.

Pwy a allai fod yn euog o gydosod y gwahanol amodau? Pwy a allai fod yn gyfrifol y tro cyntaf am gyfuno'r un pryd y gwahanol elfennau cyd-ofynnol?

Gwiw cofio bod crëwyr deallus ar y cyd wedi bod wrthi ymlaen llaw yn datblygu'r Gynghanedd ei hun, ac eisoes (yn anymwybodol i ddechrau, ond yn ymwybodol wedyn) wedi darganfod gramadeg yr iaith, cyfun-drefnau ffonoleg; ac yna'r cam drosodd i briodi ffurfioldeb seiniol hollol 'ddiangen' o ran synnwyr â chyfundrefn gwbl angenrheidiol y dadan-soddiad ieithyddol o realiti; ac wedyn eto, yn drydydd, y cam ymlaen at ystyr ysbrydol y cwbl. Darganfuwyd yr iaith ar sail ymwybod â threfn a sefydlogrwydd a oedd eisoes yn rhagdybiaeth. Hynny yw, yn y cam ieithyddol cyntaf, ceid hedyn y lleill. Rhagdybiwyd cydlyniad rhwng popeth. Rhagdybiwyd y gellid dibynnu ar ddisgyrchiant a'r holl gyfer-byniadau beunyddiol eraill. Hynny yw, yr ydym mewn byd o drefn hyfryd sy'n gallu darparu ymwybod o ansefydlogrwydd o fewn sefydlog-rwydd.

Beth yw'r cynhwysion ar y bont rhwng Gogynghanedd a'r Gynghanedd – y ddolen goll y mae eisiau'i darparu? Ar sail cynneddf 'gwahuno', fe geir:

1. Darparu'r llinell gyfan fel ffiniau digonol a rheidiol patrwm y Gynghanedd.

2. Darganfod acen yr orffwysfa ac acen y brifodl fel rheolwyr mewn perthynas arbennig â'i gilydd sy'n llywodraethu patrwm y llinell. Yn lle ailadrodd o fewn llinell (cyseinedd), ceir acen yn trefnu perthynas cyseinedd.

3. Darganfod cyfundrefn driol ddigonol, gyferbyniol yn ôl dwy egwyddor –

   Y Groes/Draws (Patrwm Cytseinedd);
   Y Lusg (Patrwm Odl);
   Y Sain (Patrwm Odl a Chytseinedd);

   yn gyd-adeiladwaith llawn ac awdurdodol i gynganeddu.

4. Darganfod cnewyllyn o gyfundrefn awdurdodol o feiau gwaharddedig a goddefiadau.

Pwy, gofynnwn eto, a wnaeth hyn oll a'i roi at ei gilydd yr un pryd yn y diwedd, ein cynganeddwr cyntaf. Pwy ond y Meddwl Cyffredin? Y Meddwl Cyffredin a wnaeth y cwbl oherwydd yr ysfa i drefnu ac i ymhoffi yn y ffurfiol gain. Ond diriaethol yw meddwl o'r fath yn nhermau cymwysterau rhyw un unigolyn. Pwy yw hwnnw tybed? Pa amodau a oedd yn angenrheidiol i hwnnw?

(a) Bod yn rhaid iddo feddu ar ysfa greadigol annibynnol a gwreiddiol?

(b) Bod yn fanteisiol iddo gael ei wreiddio mewn Gogynghanedd, ac yn gallu enghreifftio hynny? Roedd yn 'ddarllenydd' hefyd.

(c) Bod gan ei fedr cerddorol a'i delynegrwydd cân wreiddiau hefyd mewn canu gwerin, yn neilltuol y traethodl ac yn gallu enghreifftio hynny?

(ch) Bod yn ddigon o fardd atyniadol a'i grwydradau'n helaeth drwy'r wlad benbwygilydd, ac yn hysbys boblogaidd?

(d) Bod yn rhaid nad oes neb y gwyddom amdano sy'n canu'r un fath o'i flaen ef: 'yn newydd ei gywydd gynt'? Fe gorfforodd wyrth y gynghanedd ym mhoblogrwydd y cywydd. Ef a ddarganfu ('n isymwybodol) orfodaeth y cam olaf.

491

Tybed onid yw Dafydd ap Gwilym yn cyd-ateb y gofynion? Ai ef oedd y Meddwl Cyffredin? Mae'n fath o bosibilrwydd gogleisiol o ran cymwysterau. Gallai'r Gynghanedd fod yn un arall o'i gampau. Ond dwi'n gwrthod yr awgrym. Daeth i'r corff a'r meddwl iawn yn raddol fel lleidr yn y nos i gorffori'r ateb ar yr amser iawn o flaen Dafydd. Ni allaf ollwng yr ymdeimlad mai'n isymwybodol y digwyddodd y cwbl. Nid oedd yna gynllunio bwriadus. Doedd dim angen chwilio am unigolyn. Dichon mai rhyw Ogynfardd diweddar X yn ddiarwybod iddo'i hun a oedd yn gyfrifol am y cam olaf oll, un yr oedd ei isymwybod a'i sgrifennu 'naturiol' yn sythwelediadol ac yn rhugl yn wedd amlwg ar ei gelfyddyd. Ac felly, gellid mentro awgrymu mai isymwybod rhyw gyn-Ddafydd ap Gwilym cymdeithasol (cymdeithas o unigolyn) a wnaeth hyn oll yn sydynrwydd ei ddarganfyddiad. Ond ei wneud a ddarfu o fewn cyd-destun cyfoethog cymdeithas y Gogynfeirdd diweddar, a chydag ef ei genhedlaeth 'reddfol' i gyd. Y Meddwl Cyffredin Gogynfarddol. Corff y gwrandawyr neu'r 'darllenwyr'.

Mae'n amlwg i mi mai'n raddol drwy gyfnod y Gogynfeirdd y datblygodd ac yr ymsefydlodd y Gynghanedd. Ond gyda Dafydd ap Gwilym a dyrnaid o arloeswyr eraill y daeth rhyw fath o weddnewidiad yn hanes y gyfundrefn. Tri pheth, gredaf i, sy'n amlygu'r cyfnod newydd hwn; ie a chyfuniad o'r tri pheth:

1. Rhoi awdurdod canologrwydd i fesur y Cywydd. Sefydlu mesur ysgafn yng nghanol y gyfundrefn farddol. Dyma brif gyfraniad Dafydd (fel yr awgryma marwnad Iolo Goch iddo). Amwys yw 'ysgafn' oherwydd – Cynghanedd oedd hyn.

2. Sefydlu arddull newydd, a ffordd arall o drin geiriau o fewn hen fframwaith afrwydd y cyplysu seiniol, fesul gair neu ymadrodd a gafwyd gan y Gogynfeirdd. Gogwyddir at y naratif a'r dramatig a rhediad brawddegol neu gystrawennol mwy 'rhyddieithol', gan ymryddhau o'r Areithiau Pros. Diddorol sylwi ar gysylltiad posibl rhwng y cysyniad o 'gymeriad synhwyrol' a'r datblygiad o rediad esmwythach. Ac yr oedd yna duedd i gefnu ar drwch y cyfansoddeiriau, a chan bwyll i gefnu – er yn llai pendant am ychydig – ar y sengi. Gwnaeth Dafydd hyn eto, a chydag ef nifer o'i gyfoeswyr.

3. Cafwyd thema serch yn flaenllaw, yn y fath fodd nes iddi fynd yn rymus boblogaidd. Y poblogeiddiwch hwn a orfu. Fe sefydlwyd y Gynghanedd mewn cawod o gusanau ac o Fawl.

Sylwer: y mae Gruffudd ap Maredudd, y mwyaf o'r Gogynfeirdd diweddar (un o feirdd yr ôl-dywysogion neu un o Ogynfeirdd yr uchelwyr), yn cynganeddu'n 'naturiol'. Yr oedd yr awdl eisoes, cyn teyrnasiad mawr y cywydd, wedi ymrwyddhau rywfaint. Mae arddull Gruffudd wedi datblygu tuag at rwyddineb rhediad. Sylwer hefyd fod 'serch' eisoes yn dechrau brigo i'r golwg gan y Gogynfeirdd o'i amgylch fel thema fwyfwy grymus: Yr Arglwydd, yr Arglwyddes, y Gariadferch, yn y drefn yna. Rhan o duedd gyffredinol gyfyngedig ar y dechrau oedd ei gyfoeswr Dafydd ap Gwilym, tuedd a gynhwysai feirdd megis Llywelyn Goch, Sypyn Cyfeiliog, Madog Benfras, Gruffudd ab Adda, Dafydd Ddu o Hiraddug ac un neu ddau arall o bosib, a hyrwyddodd yr arddull seml fwy gwerinol hon, yn yr ystyr ei bod yn llai pentyrrog, yn fwy llac esmwyth. Mae yna elfen o 'restr' gan arddull ymadroddol y Gogynfeirdd sy'n cael ei disodli gan yr uned frawddegol.

O bob un, os un o gwbl, efallai mai'r hen gyfaill cynhyrchiol Anhysbys oedd yr union fardd y buom yn chwilio amdano. Y darllenydd anhysbys a'r bardd anhysbys.

Y cyfuniad hwn o dair agwedd a wnaeth y Gynghanedd yn ffurf ddefnyddiedig a nerthol addas ganddo i barhau ymlaen yn anhysbys i mewn i'r unfed ganrif ar hugain. Gyda chorffori'r Gynghanedd yn y mesurau penilliog rhydd, fe gafwyd datblygiad na fanteisiwyd arno'n llawn hyd heddiw. Gyda'r *vers libre* cynganeddol symudwyd o'r Oesoedd Canol yn fesurol i'r cyfnod modern, a hynny'n weddol sydyn erbyn y diwedd. Ond wrth ollwng mesurau, ynyswyd llinellau.

Yn baradocsaidd bu'r ffordd ychydig yn 'afrwydd' a Gogynfarddol o drin y Cywydd ambell waith, gan fardd megis Iolo Goch, yn fodd i barchuso a rhoi bri ar fesur y cywydd. Gallai hyn felly hyrwyddo'r rhwyddineb derbyniol. A'r Gynghanedd ei hun a felysodd ac a lyfnhaodd y datblygiad. Ni allwn roi bys ar bob unigolyn a gyfrannodd at y gwth mawr.

Gair hyfryd iawn wrth gwrs yw 'Cynghanedd'. Mae'n felys i'r glust ynddo'i hun. Mae'n emosiynol dderbyniol. Einion Offeiriad a adawodd y defnydd cyntaf o'r gair mewn cyd-destun sy'n ymdebygu i'n dealltwriaeth ohono. Pam y'i cafwyd?

Carwn grwydro am foment, yn ymddangosiadol amherthnasol, i sôn am dair problem hynafol yng Nghymru. Ond fe'u ceir bob amser mewn cyd-destun hanesyddol. Fe'u crybwyllais o'r blaen ambell dro wrth sôn am feirdd canonaidd hanner cyntaf yr ugeinfed ganrif. Sef stiltiau (Longinus a'r 'Sublime': y rhodio penuchel gorurddasol), triagl (y melyster synhwyrus), a'r plentynnaidd (y naïfder gor-syml 'diog').

493

Am ddau reswm yn bennaf yn yr ugeinfed ganrif y caem berygl a llwyddiant y 'stiltiau'. Fe'u clywid ar dro, nid bob amser bid siŵr, gan T. Gwynn Jones pan geisiai ef (am resymau seicolegol) lunio barddoniaeth ddysgedig, oruwch-draddodiadol. Fe'u clywid ar dro, eto nid bob amser o bell ffordd, gan Parry-Williams pan geisiai hwnnw lunio prydyddiaeth led-syniadol a lled-sylweddol unplyg uwchlaw lefel y rhigwm. Yr oedd i'r cymhelliad hwn amodi difrif a digrif.

Caem y 'triagl' wedyn gan R. Williams Parry ar dro (eto nid bob amser) pan geisiai ef fod yn Keats. Melyster oedd yr hyn a gyfatebai ym mryd yr oesoedd canol. Roedd hyn hefyd yn achlysur difrif yng nghyd-destun synhwyrus o gorfforol y rhamantwyr.

Am y 'plentyn', codai hwnnw yn ddelfryd ac yn elfen atyniadol i feirdd nid yn unig oherwydd delfryd poblogrwydd (neu 'ddemocrat-iaeth') a diogi emosiynol a deallol ar y naill law, delfryd y gellid ei chyf-rif yn nawddogol braidd. Ond gellid ar y llaw arall gymeradwyo'r ddel-wedd o fod yn 'syml' megis y plentyn oherwydd ei fod yn 'bert' ac yn lân ddiniwed fel *Émile* Rousseau. Dyma 'ddelwedd' annwyl gan Eifion Wyn yn fynych, onid yn wir bob amser, er nad bob amser er drwg. Ond y mae gan symldra hanfodol swyddogaeth greiddiol briodol yng nghynhal-iaeth deall, iaith, a gwyddoniaeth. Perthyn y plentyn i faes darganfod ac i fyd y sythwelediadol cyn-ymwybodol.

Tair problem oesol i feirdd oedd y rhain: y stiltiau, y triagl, a'r plentyn. Ac fe hoffwn eu hailystyried yn awr yn wyneb y Gogynfeirdd. Mae'r gyntaf yn ymwneud â statws, a seicoleg safle a difrifoldeb – yr uwchradd a'r isradd. Roedd hynny'n bwysig wrth sefydlu'r Gynghanedd. Mae a wnelo'r ail â'r pum synnwyr. Roedd gan hynny ei apêl yn bendant wrth gyfundrefnu un o'r synhwyrau. A'r drydedd â gallu neu aeddfed-rwydd meddyliol neu'r symldra a geir mewn cywirdeb ac undod. Problem fythol.

Pobl stiltiog oedd y Gogynfeirdd i gyd bron. Ymdeimlent ag urddas eu swydd. Swyddogol oeddent. Er bod yna eithriadau yn y cyfnod hwnnw megis Hywel ab Owain Gwynedd, Peryf ap Cedifor a Madog ap Gwallter, pobl yr ymylon oedd y rheini o safbwynt y traddodiad canolog.

Bu farw Llywelyn ap Gruffudd ym 1282. Blodeuodd yr uchelwyr o'r herwydd. Bellach, newidiodd cymdeithas, datblygodd y Gynghanedd o'r Ogynghanedd. Datblygodd y cywydd, a'r cywyddwyr gyda'r uchelwyr. Blodeuodd Cerdd Dafod. Bellach, yng nghyfnod nawdd yr uchelwyr rhwng diwedd Gwrthryfel Glyndŵr yn nechrau'r bymthegfed ganrif a diwedd nerth y traddodiad mawl yn yr ail ganrif ar bymtheg, cafwyd er enghraifft rhwng Abertawe ac Afon Wysg, yn unig, fel y dangosodd Eirian E. Edwards, 64 o gartrefi i noddwyr. Ac nid dyna brif ganolfan y beirdd o bell ffordd yn y cyfnod hwnnw.

Hynny yw, ymledodd y mawl traddodiadol i glyw cynulleidfa fwy niferus nag a gaed ynghynt. Lledodd yr un pryd o ran poblogrwydd testunol gan gynyddu mewn meysydd megis serch a byd natur. Tueddwyd i golli'r ymgais Ogynfarddol ddysgedig o ran ieithwedd a geirfa. Aethpwyd i ddiddanu fwyfwy ac i beidio â dathlu awdurdod allanol gymaint ag y gwnaethpwyd ynghynt. Daeth yr iaith yn fwy llafar ei naws, ei rhychwant a'i rhythmau. O fewn ychydig dros ddeng mlynedd ar hugain siglwyd y ffasiwn. Ac yn bwysicach, newidiwyd yr isymwybod prydyddol.

Daeth y beirdd, i raddau ac yn raddol, i lawr oddi ar eu stiltiau, i lawr i ganol y triagl, a'r gwin croyw, ffres, syml, ac i raddau i blith y plant.

Isymwybod y Gogynfeirdd diweddar, sef meddwl cyffredin y beirdd wedi cwymp Llywelyn, nid unrhyw un yn benodol, dyna a esgorodd ar berseinedd a chywair a grym y Gynghanedd yn lle gor-urddas awdurdodol y Tywysogion, drwy agor yr amodau a grybwyllais.

Gan bwy yn benodol? Ai 'neb'? Ynteu pawb? Pwy a adeiladodd gyfundrefn tympau'r ferf yn y Gymraeg? Pwy a ddadansoddodd amser yn forffolegol (nid yn gystrawennol) fel y caem yn y Modd Mynegol Cymraeg, yn wahanol i'r Saesneg ac i'r Ffrangeg, ond yn debyg braidd i'r Lladin, chwe thymp neu ofodiad o amser? Yr ateb yn syml yw meddwl y bobl – isymwybod cyffredin y siaradwyr – yn ddiarwybod, yn annibynnol ar ddigwyddiadau cymdeithasol amlwg. X.

A dyna'r ateb yn achos y Gynghanedd hithau: isymwybod cyffredin meddwl y Gogynfeirdd diweddar. Fe'i tyfwyd yn eu Mynegiant bron yn anfwriadus. Ac o ran arddull, fe'i gwthid, ymhlith pethau eraill, gan fframwaith y tair problem a delfryd – stiltiau, triagl, a'r plentyn. Fe geid elfen o symlder rhediad ynghyd ag awydd i hyrwyddo melyster sŵn. Ac i raddau, er gwaetha'r gwth tuag at symlder, ceid diogelu'r elfen o urddas o hyd y tu mewn i draddodiad cadarn o fawl mawreddog a chyfrifol. Treiddiai safonau ymwybodol mewn ymddygiad i'r ffurf isymwybodol. O blith y triawd hwn o ddelfrydau, dichon mai melyster oedd y fwyaf llywodraethol bellach. Dyna'r awgrym a guddir yn y gair Cynghanedd ei hun – ynghyd â'r ysfa anorthrech am drefn, a'r awydd yr un mor deyrnasol o undod.

Mesur glân a chynghanedd
A synnwyr wiw, sain aur wedd

495

(Llywelyn ab y Moel yn argraffiad Canolfan Uwchefrydiau Cymreig a
Cheltaidd, 1998, 115)

*nid yw Cynghanedd ddim amgen, no chynghordiad, ne gyssondeb, tech-
nennig. s. celfyddus rhwng, amrafael sillafau, ne lythrennau.*

(*Gramadeg Cymraeg*, Gruffydd Robert, 224)

Eto da cofio bod Cynghanedd Beirdd yr Uchelwyr yn fwy caeth, yn
fwy nyddedig gadarn, (ac eto'n symlach) yn fwy sefydlog yn wir, na
Gogynghanedd Gogynfeirdd. A phriodol yn wyneb y math hwnnw o
ffurf mewn argyfwng yw cofio geiriau syfrdanol a gwrth-ôl-fodernaidd
Saunders Lewis: 'I arwyddo natur ddiddamwain, gyfundrefnol y byd
hwnnw y lluniwyd holl gelfyddyd Cynghanedd'. Eisoes, canfuwyd Ôl-
foderniaeth o bell. Yn ddiarwybod, gweithred gymdeithasol oedd cyng-
aneddiad i glymu'r genedl ynghyd yn y triagl cysurlon ynghyd â hawlio
trefn a chyfraith Gymreig gan feirdd a oedd yn ymwybodol o'r bygyth-
ion anhrefnus o'u hamgylch. Fel yn yr unfed ganrif ar hugain, yr oedd
ac y mae'r Gynghanedd yn fynegiant o obaith melys ynghanol chwalfa,
ac o sefydlogrwydd cain yn nannedd yr amhenodolrwydd confensiynol.
Megis gyda chwalfa neu 'Fragmentation' Derridaidd y Gogynfeirdd ar
ôl Llywelyn, felly yn argyfwng yr iaith heddiw, y mae cynganeddusrwydd
heddiw yn ein galw ninnau'n ôl at geinder diddamwain o'r un dras.

Yn y gyfrol hon, ni cheisiais lunio dadansoddiad dihysbyddol o
Gerdd Dafod bid siŵr, nac ychwaith hyd yn oed ddisgrifiad cymharol
gyflawn ohoni. Rhaid troi at *Gerdd Dafod* J. Morris-Jones o hyd am
rywbeth felly. Ac nid terfynol mo honno chwaith hyd yn oed, fel y
ceisiais ei awgrymu yma ac acw yn y gyfrol hon, ac fel nad oes dim yn
'derfynol' yn yr astudiaeth o'r gwyddorau dynol. Fy nod yn hytrach
oedd agor rhai ystyriaethau petrus newydd, tan agor trafodaeth mi
obeithiaf. Myfyrio, er enghraifft, ar y modd y mae'r cyferbyniad rhwng
Mynegiant a Thafod yn arwyddocaol. Archwilio beth yw rhai o'r egwydd-
orion sy'n adeiladu arbenigrwydd y Gynghanedd. Amlygu'r fframwaith
deallol: esbonio'i bodolaeth. Ac wrth wneud hynny, archwilio yr un
pryd sut y mae rhai o briodoleddau llenyddiaeth a chelfyddyd yn gyff-
redinol ar waith yng ngwareiddiad y byd.

Mae rhai ysgolheigion Cymraeg yn cael cryn anhawster i feddwl am
Dafod gyferbyn neu ochr yn ochr â Mynegiant. A hawdd cydymdeimlo
â'r dryswch. Drwy gydol yr ugeinfed ganrif yn yr adrannau Cymraeg,
heblaw darllen clòs, buwyd yn ymdrin yn bennaf â chysylltiad hanes

cymdeithasol â llenyddiaeth, mater arall sy'n ymwneud â Mynegiant gan mwyaf. Cwestiwn hynod bwysig mewn efrydiau llên. Ond nid yr unig gwestiwn.

Mae yna rai gweddau ar astudio llenyddiaeth lle nad yw hanes yn ganolog o gwbl. Fel gramadeg iaith (o'i gyferbynnu â geirfa), y mae Tafod yn arbennig fwy neu lai yn annibynnol ar drai a llanw cymdeithas. A'u bodolaeth sy'n rhagflaenu pob cynnyrch. Ffurfiau 'sefydlog' ydynt. Mae'r fath syniad yn ddychryn i feirniaid Marcsaidd cyn-ddilywaidd; ac mae'n hala ychydig bach o ofn hefyd ar feirniaid ceidwadol eraill.

Does dim angen. Fe erys Mynegiant yn ddiogel byth fel y peth allanol cyntaf i mewn i feirniadaeth lenyddol. Mae ganddi hithau hefyd ei chyfundrefnau, ie rhai sy'n 'hanesyddol'. Gellid hwylio ymlaen yn hwylus ddibryder felly yn y fan, heb siglo'r bad. Yn y fan yna fe geir hefyd y pynciau achlysurol (yr eirfa). Fan yna y mae'r arddull (y brawddegau oll) er enghraifft. Mae Mynegiant yn bwysig. Ond sylfaenol gynieithyddol yw cynheiliaid Tafod. Dechreuir er ein gwaethaf mewn cynneddf lywodraethol orfodol: sef gwahuno. Ymgyhyra'n ddiriaethol ymarferol wrth gyferbyniadau-mewn-undod amryfal yn ein sythwelediad o ddadansoddi bodolaeth: cyferbyniadau isymwybodol elfennaidd megis dibynnu/cynnal; absennol/presennol; ac yn y blaen. Dyna'r fframwaith ffrwythlon. Ond ymglyma hyn mewn Tafod wrth iaith, a cheir cyferbyniadau-mewn-undod, sef cyfundrefnau ieithyddol/llenyddol cyffelyb. Ffurfiau yw hanfod Tafod, ffurfiau sy'n ddadansoddiad o ffactorau sylfaenol deall. Mae'n fan cychwyn priodol i ystyried hanfodion llenyddiaeth, yn ei photensial.

Yna, fe'u defnyddir, fe'u canfyddir, y gweledig allan o'r anweledig hwn: Mynegiant! Yr ydym o'r diwedd gartref.

(v) CLO

Drwy gydol yr ymdriniaeth hon, bu un bwgan penodol a negyddol yn hofran uwch ein pennau. Sef yr un a ymwisgai yn nogmâu, rhagfarnau, neu ragdybiau anhunanfeirniadol mewn beirniadaeth neu theori lenyddol gyfoes. Dyma yn arbennig ddogma ansicrwydd ac ymchwalu, ynghyd â rhagdybiau anhunanfeirniadol drylliadaeth, lluosedd, dadadeiladu, relatifrwydd, amhenodolrwydd, ac absenoldeb yr Absoliwt. Yn y cefndir o hyd, buwyd yn ymwybodol iawn o ddelwedd benderfynol ffasiynol o'r fath yn y rhagdybiau poblogaidd am ddynolrwydd. Gelynion trefn.

Adlewyrchiad yw hyn o lawer o ddatblygiadau syniadol gwledydd eraill yn y ganrif ddiwethaf. Gwedd yw ar yr adfeiliad ysbrydol a moesol ddeallol a hyrwyddwyd gan gyfalafiaeth fuddugoliaethus. Digwyddodd rhywbeth nid yn unig i ddiwinyddiaeth y ganrif. Fe effeithiwyd yn fewnol ar seicoleg trigolion y cyfnod hefyd. Gwyrwyd yn y sylweddoliad o norm sylfaenol ac adeiladwaith cynhenid, os tra ffaeledig, y bersonol-iaeth ddynol.

Dichon ei bod yn anochel fod ystyried adfywiad y Gynghanedd yn saithdegau'r ugeinfed ganrif yn ein harwain i roi peth sylw i'r Ôl-foderniaeth a gaed mor llewyrchus tua'r un cyfnod yn rhyngwladol. Ac y mae'n bur anochel fod ystyried Ôl-foderniaeth yn mynd i'n hysgogi i ymdroi gydag egwyddorion absoliwt y rhagdybiau ynghylch relatifrwydd dogmatig a lluosedd diymholiad (*pluralism;* nid lluosrwydd *plurality*). Hynny yw, fe'n denir i osod Cerdd Dafod o fewn cyd-destun mwy tros-gynnol nag sy'n arferol; ac yn ogystal yng nghyd-destun natur gynhenid dyn a gwneuthuriad strwythurol y Greadigaeth.

Fy mwgan personol i, a gyfetyb i'r bwgan hwnnw yn yr amgylch-fyd hwnnw, oedd, ac yw, Seico-fecaneg: sef *trefn* yr isymwybod. Yn sgil rhamantiaeth y sefydliad, rhoddwyd llawer gormod o sylw i Freud, a Seico-ddadansoddiad, i anhrefn yr isymwybod. A chan fod ysgol Seico-ddadansoddiad Lacan wedyn ac eraill yn wedd bwysig ar Ôl-foderni-iaeth, gweddus wrth gloi yw cyferbynnu'r ddau safbwynt hyn: Seico-fecaneg a Seico-ddadansoddiad.

Gan fod cymaint o'r disgrifiad hwn o wreiddiau'r Gynghanedd yn dibynnu ar ymwybod â'r isymwybod, priodol fyddai dweud ychydig ychwaneg am yr isymwybod hwnnw fel y'i disgrifir hwnt ac yma gan Gustave Guillaume. Mae fy ngolwg i ar ffurf a chynnwys yr isymwybod yn bur wahanol i'r hyn a geid gan sefydliad Freud, a hyd yn oed gan Neo-Ffreudiaeth. Er nad Freud (1856-1939) a 'ddarganfu'r' isymwybod, efô yn anad neb a briodolodd i hwnnw y fath le blaenllaw yn ein bywydau. Bu ei ddehongliad ef ohono yn sialens eithriadol o ddylanwadol ac amserol yn yr ugeinfed ganrif i'r uniaethu a gafwyd gan Descartes o'r Meddwl â'r Ymwybod. Gan fod dehongliad Freud mor dreiddgar annigonol, i'm bryd i, a chan fod Lacan (1901-81) ar ei ôl wedi estyn yr ymwybod a'r isymwybod i gyfeiriad strwythurol, priodol imi nodi sut a pham yr wyf o hyd yn cael y dehongliad seico-ddadansoddol hwnnw hefyd yn anfoddhaol. Bellach, i'm bryd i, y mae rheitiach arweiniad Gustave Guillaume, sy'n agor cyfeiriad hollol newydd, cyfeiriad mwy trefnus a sylweddol a manwl, wedi'i seilio yng ngwyddor ddatblygedig ieithyddiaeth. Mae'r dystiolaeth yn y fan yna yn llai goddrychol.

Daeth Freud i astudio'r meddwl dynol o safbwynt cyfyngedig afiechyd. Yr hyn y ceisiai'i amgyffred yn bennaf oedd ei deimladau a'i ysfeydd anifeilaidd. Fe gâi bethau felly, o raid, mewn isymwybod, ar ffurf breuddwydion dyweder, ac mewn gweithredoedd ac amgylchiadau a amlygwyd gan Freud yn adnabyddus lachar. Canfyddai arwyddocâd penderfyniadol yr isymwybod. Ond nid dyna'r stori i gyd, na hyd yn oed y brif stori. Mae'n llawer iawn rhy unochrog. Oherwydd bod yr 'id' yn ddiffiniol isymwybodol, tan lercian o'r golwg o dan yr ymwybod, awgrymai ei safle ei fod yn rhwystredig ac wedi'i atal rhag bod yn ymwybod taclus go iawn. Ni lwyddodd Freud erioed yn y cydlyniad, oherwydd anwybyddu'r ysfa unol a llwyddiannus wrthwyneb i amgyffred trefn a chynnwys strwythurol y meddwl isymwybodol. Gosodai lawer gormod o bwyslaid ar rywioldeb.

Ni fu'n 'gyfansawdd'.

Nid oes angen synied o gwbl fel hyn fod yr isymwybod oll, fel y myn rhywrai yn sgil Rhamantiaeth, fel pe bai'n rhwystredig, ac yn wyllt, ac yn dihoeni'n gyson o'r herwydd. Dengys gramadeg ei hun drefn sy'n symud yn isymwybodol effeithiol er ein gwaethaf, o'r anweledig i'r gweledig. Mewn cyfundrefnau, sef cydlyniadau perthynas, ceir cyfeiriad bob amser yn y cyswllt deinamig hwn; cyfeiriad sefydliadol yw a yrrir gan y gorchymyn mewnol i ddarostwng y ddaear yn drefnus. I mi, a gogwyddodd Lacan a Lévi-Strauss hwythau i'r cyfeiriad hwn hefyd, Ieithyddiaeth yw mam gwyddorau dynol eraill megis Seicoleg a Chymdeithaseg; a hyhi a ddarpara iddynt ganllawiau i'r dyfodol – er nad yr unig ganllawiau, bid siŵr. Dymunaf innau alw ar Dafod iaith ac ar Gerdd Dafod i roi ychydig o drefn ar y seico-ddadansoddwyr hyn.

Oddi ar ddyddiau Freud, cafwyd llawer o feirniadu ar ei ddamcaniaethau, wrth gwrs. Yr wyf innau'n dod ato o gyfeiriad adeileddeg iaith plant, ac at ei olynwyr, – yn arbennig at Lacan, ei olynydd enwocaf ym maes theori lenyddol, – o safbwynt seico-fecaneg lenyddol, diwinyddiaeth, a gwaith ieithyddol Guillaume.

Cadarnhau'r isymwybod fel ffenomen a wnâi Guillaume. Yr wyf innau hefyd yn barod iawn, wrth reswm, i dderbyn y lle pwysig sydd i 'ryw' ym maes Deunydd a Chymhelliad o fewn Beirniadaeth Gyfansawdd. O ran Ffurf, y mae negyddu neu atal *(regression)* a chadarnhau neu ddyrchafu *(sublimation)* yn ffactorau cyferbyniol gweithredol. Ochr yn ochr â'r rhain y mae 'gwahuno' yn cynnwys prosesau seicig fel trosglwyddo *(transference)*, taflunio *(projection)*, mecanwaith amddiffyn, a'r llithrad Ffreudaidd, yn ogystal â delweddu breuddwyd drwy ddisodli a chymhwyso. Mynegir pethau o'r fath yn fynych drwy drosiad a symbol mewn llenyddiaeth, drwy alegori a myth, a thrwy onomatopoeia mewn ffurfiau seiniol. Ond ni chanfu Freud natur y *drefn* sylfaenol, fel y gwnaeth Guillaume.

Cafwyd dau ddatblygiad arwyddocaol o safbwynt beirniadaeth mewn seico-ddadansoddiad wedi'r Ail Ryfel Byd, heblaw syniadaeth Guillaume (ynghynt ac wedyn).

Yn gyntaf, theori uniaethu neu theori perthnaseddau gwrthrychol ym Mhrydain ac yn America. Rhoddai hyn fwy o bwyslais ar berthynas gym-deithasol deimladol nag ar ysfeydd deallol. Eithr nid yw'n llai diddorol oherwydd hynny. Ymhlith y gwrthrychau hyn roedd perthynas â'r fam yn fwy sylfaenol na dim, o leiaf yn y cyfnod cynharaf. Yn ôl pwysau neu ddiffyg pwysau personoliaeth y fam (neu'i chynrychiolydd), ffurfid yn gyffredin uniaethu hunaniaethol. Cafwyd canolbwynt disgyrchiant. Peth hollol angenrheidiol.

O blith yr ysgol Brydeinig/Americanaidd hon, y cynrychiolydd mwyaf adeiladol, i'm bryd i, oedd Margaret Mahler, yn arbennig yn ei chyfrol *The Psychological Birth of the Human Infant,* 1975. A charwn gyfeirio at yr hyn a ddywed yn y fan yna am y ddwy gynneddf yr wyf innau wedi'u henwi fel y grymoedd arweiniol yn y broses o *wahuno* mewn deall.

Dyfynnaf yn gyntaf yr hyn a ddywed am wreiddyn *gwahanu:* 'The effect of his mother's ministrations in reducing the pangs of need-hunger cannot be isolated, nor can the young infant *differentiate* them from tension-reducing attempts of his own, such as urinating, defecat-ing, coughing, sneezing, spitting, regurgitating, vomiting – all the ways by which the infant tries to rid himself of unpleasurable tension. The effect of these expulsive phenomena, as well as the gratification gained from his mother's ministrations, helps the infant in time to *differentiate* between a 'pleasurable'/'good' quality and a 'painful'/'bad' quality of experience. (This seems to be the first quasiontogenetic basis of the later *splitting mechanism*).' Fi a italeiddiodd yr ymadrodd 'splitting mechanism' a'r gair 'differentiate'.

Mwy treiddgar fel y gobeithiaf ei ddangos, o leiaf o safbwynt y theori ddiwinyddol y ceisiais ei chysylltu â'm dadansoddiad beirniadol o uniad o fewn proses gwahuno, yw'r sylw a wna hi am ail wedd y broses honno, yr hyn a alwaf yn *uno* (neu uniaethu yn yr achos hwn):

'Primary identification took place under a positive valence of love . . . Separation and individuation derive from and are dependent upon the symbiotic origin of the human condition, upon that very symbiosis with another human being, the mother. This creates an everlasting longing for the actual or coenesthetically fantasized, wish-fulfilled, and absolutely protected state of primal *identification* [fi a italeiddiodd] (Ferenczi's absolutes primal omnipotence), for which deep down in the original primal unconscious, in the so-called primarily repressed realm, every human being strives.'

Dyma ddatblygiad deublyg yn emosiynol sy'n ddrych i'r mecanwaith deublyg a grybwyllais i yn natblygiad deall, sef dirnad ac amgyffred, neu wahanu (rhannu) ac uno (cyfannu).

Dof yn ôl at y ddau sylw ar wahanu ac uno, wrth geisio'u cysylltu â ffurf Cynghanedd. Ond yn ail i'r Ysgol Saesneg-Americanaidd, ceid neo-Ffreudiaeth yn Ffrainc. Lacan yn y wlad honno a fynnodd fod modd darganfod, yn yr isymwybod, holl strwythur iaith. Saussure, yn ddiau, oedd ei ragflaenydd yn hyn o syniadaeth. Ond ers 1919, *Le problème de l'article,* yr oedd Gustave Guillaume yntau eisoes yn gyfredol wedi dechrau mynd llawer ymhellach drwy fanylu ar natur a gweithrediad y cyfundrefnau isymwybodol a gaed mewn iaith. Ni chafodd y sylw priodol am wahanol resymau – holl wth dogma drylliadol y ganrif, ynghyd â'r her ddeallol mewn gwaith a fynnai gryn fyfyrdod. Byth oddi ar hynny (ac o hyd ymhellach am ryw bymtheg i ugain mlynedd arall o heddiw ymlaen), cafodd gyrfa ddeallol ryfeddol Guillaume ei dadlennu inni mewn cyhoeddiadau rheolaidd na welwyd mo'u tebyg.

Lle yr oedd Lacan yn dadlau mai ieithyddol oedd yr isymwybod, dadleuai seico-fecaneg Guillaume mai cyn-ieithyddol oedd Tafod yn y bôn; a'r cyfundrefnau (y cyferbynnu unol) cyn-ieithyddol hyn yw'r isymwybod strwythurol i iaith. Dylwn er hynny roi teyrnged i Jacques Lacan. O'r pedwardegau ymlaen drwy'r saithdegau yn yr ugeinfed ganrif, fe fynnodd ddadlau bod yr isymwybod yn llawer mwy na gorsedd i'r greddfau. Yn yr isymwybod ceir holl strwythur isymwybodol iaith a'r deall. Y lle'r wyf yn gwahaniaethu oddi wrth safbwynt Lacan yw yn natur y ffactorau cyn-ieithyddol. Nid yw ei ddadansoddiad yn ddigon manwl. Ni lwyddodd ef i ganfod ac i adnabod – fel y gwnaeth Guillaume – yn union yr hyn a ddarparai egwyddorion strwythurau ieithyddol. Daliai Lacan hefyd i fod yn rhy Ôl-fodernaidd ddrylliadol ei ragdybiau. Daethai ysywaeth at iaith o safbwynt rhamantaidd seico-ddadansoddiad a ddaliai ati i fod yn rhy ddyledus i ragfarnau Freud. Ymwrthodwyd bellach â llawer o ddamcaniaethau mwyaf lliwgar Freud, megis 'y cymhleth ysbaddu'. Eto, erys gormod o argraff gyffredinol ac o barch at rai o'i bwysleisiau ffantasïol a negyddol eraill.

Dôi Guillaume, sut bynnag, o gyfeiriad arall, ac at wedd amgen ar yr isymwybod. O safbwynt cyn-ieithyddol Seico-fecaneg, canfu'r ysfa angen-

rheidiol i ganfod Cyfundrefn o gyfundrefnau drwy sythweled cyferbyn-
iadau strwythurol tra elfennaidd. Canfu ogwydd mawr yn yr isymwybod
– er mwyn bodoli – i ganfod unedau neu glymau meddyliol elfennaidd
a oedd yn fodd i 'ddarostwng' yn ddeallol y bydysawd. Cydlyniad ydoedd
o unedau hierarcaidd mewn-olynol na fyddai'n bosibl byw hebddynt.

Ni ellir deall dim na dweud dim nes i'r meddwl ei ddarostwng yn ôl
egwyddor gytûn a thechneg ddeublyg gwahuno. Yr hyn a wna seico-
fecaneg iaith yw archwilio'r pegynau isymwybodol, y fframwaith medd-
yliol cyn-ieithyddol, a ganfyddir gan y plentyn fel y gall adeiladu 'gram-
adeg', a thrwy hynny fynegiant. Wedi sylwi pa ffactorau cyferbyniol sydd
ar waith yn yr isymwybod, sylwir fel y patrymir y rhain yn ddeinamig,
hynny yw, ym mha ffyrdd y cyfundrefnir elfennau'r meddwl cyn-ieith-
yddol er mwyn i gyferbyniadau gramadeg fod yn effeithiol, ar ba
begynau yr hongir arwyddion i'w troi'n gyfundrefnau.

Bodlonai Lacan ar ddadlau mai ieithyddol oedd yr isymwybod a arch-
wiliai ef. Dadleuwn innau lle bynnag y ceir yr ieithyddol, mai cyn-
ieithyddol ydyw Tafod yn y bôn, a'r cyfundrefnau syml (cyferbyniadau
unol) cyn-ieithyddol yno yw'r wedd ddeallol ar yr isymwybod. Gwedd yw
a esgeuluswyd gan ysgol Freud a llawer o'r seico-ddadansoddwyr a'u
cyfyngai eu hun i'r teimladau. Y cyferbyniadau cyn-ieithyddol anochel
hyn yw sylfeini trefn feddyliol.

Ond carwn gyfeirio, gyda chryn bwyslais, at y ddolen rhwng teimlad-
aeth a'r ffurfiau cyn-ieithyddol a threfnus hyn.

Yn fy marn i, gwahuno yw'r allwedd. Undod yw'r nod anochel i'r
rhannau. Undod obsesiynol. Nod aruthr ac ysol yw. Ond beth yw
hanfod yr undod hwn? Pam y mae'n bod? Beth sy'n ei yrru?

Yn y fan yna rhaid imi ddychwelyd at Margaret Mahler a'r pwyslais a
roddai hi ar ganologrwydd y berthynas rhwng y plentyn a'r 'fam', y
ffigur gynhaliol a dibynnol gyntaf a'r angor bywyd cyntaf. Canolbwynt
disgyrchiant corff a meddwl cyntaf y ddaear hon. I mi, cariad yw gwreiddyn
seicolegol pob undod, eithafbwynt yr elfen lywodraethol gyntefus
gadarnhaol. Dechreuir, ar lefel ddynol, o fewn y fam, yn ei chroth, yn
ddiddewis mewn undod; ac yna gyda'r fam wedi'r geni yn ei hanwes, ac
yn ei phresenoldeb, yn agosrwydd amddiffyniad hunaniaeth gyntefig i'r
plentyn.

Dibyniaeth gan yr hunaniaeth yw cariad yn hyn o ymdrech. Cyn-
hunaniaeth yw'r hyn yr ysir ac yr ymdrechir amdani o'r dyfnderoedd.
Gwrthweithio, colli'r ddibyniaeth drwy bellter, drwy absenoldeb, sy'n
rhoi – yn drawmatig yn wir – y profiad cyntaf o wahanu, o amddifadu

sy'n drawmatig. Chwenychir absenoldeb –> presenoldeb, gwahanu –> uno. 'Mam wedi mynd'.

Wrth fagu'r plentyn, fe'i cynhelir. Dyma ddechrau'r ymwybod o ddisgyrchiant ac o uno. Ond nis sylweddolir yn effro, mae'n wir, eithr yn gyntaf yn yr isymwybod pan ddiffygir. Mae'n amlwg fod yr ymgais i sefyll, a chwympo, yn brofiad sy'n bwrw'r isymwybod yn llythrennol gorfforol. Un o sylfeini'r isymwybod deallol i'r baban yw dibynolrwydd. Gwedd ar yr uno yw. Dyna pam y'i cefais yn sylfaen isymwybodol a chyn-ieithyddol i'r frawddeg. Profiad arall a ddaw i'w ran yn gynnar yw ailadroddrwydd. Ac y mae a wnelo dibynolrwydd ac ailadroddrwydd (fel y profiad cyfredol o bresenoldeb) â'r osgo aruthr o uno.

Fel y gŵyr fy narllenwyr amyneddgar, dibynolrwydd yw nid yn unig y ffactor llywodraethol gan Guillaume wrth drafod y rhannau ymadrodd traethiadol, ond gennyf innau hefyd wrth ddadansoddi tri phrop angenrheidiol y frawddeg aeddfed a thri phrop cyd-ddibynnol olynol-yn-feddyliol y stori. Mewn Cynghanedd tybiaf hefyd fod elfen ganolog y *sillaf*, hithau hefyd, yn dod o hyd i'w ffurf driol yn yr ymwybod o dawelwch/sŵn ac o gyd-ddibyniaeth, gyda gwth y llafariad yn darparu'r sŵn canolog, y gytsain yn pwyso arni; ac wedi iddynt ymsefydlu, yr acen yn pwyso o'u mewn – tri cham olynol meddwl y sillaf. Gwreiddir yr acen yn y profiad isymwybodol o ddisgyrchiant.

Ar sail hyn oll, yn wir, y gweithredir yn ddeallus gydlynol ac y siaredir o gwbl.

Down o hyd felly i'r rhannau mewn Cynghanedd sy'n cydadeiladu undod.

Yn y Gynghanedd, y mae canfod tebygrwydd/gwahaniaeth ynghlwm wrth yr uno a geir mewn odli, cytseinio, a ffurfio mydr. Dyma'r cyfer-byniad a geir i'r dychymyg yn y cyferbyniad rhwng darfelydd (ailadrodd-rwydd, dyweder) a chrebwyll (profi'r gwahanol). Unant yn y dychymyg. Fe'i gwelir yn drawiadol elfennaidd yn nhriawd rhannau Cynghanedd Sain, gyda'r prop sylfaenol hunan-ddibynnol yn rhan y brifodl; dibyn-iaeth ar hunan-ddibyniaeth yn y rhan sy'n cytseinio; a dibyniaeth ar ddibyniaeth yn y rhan flaen sy'n odli. Fe'i profir drachefn yn yr unedau deuol a thriol a geir yn unedau mydr.

Ond pam trefn o'r fath? Ar sail y drefn hon y gweithredir meddwl. Ond beth cyn hynny, sy'n ysgogi'r gweithredu oll ar y sail ddeallol drefnus hon? Dim llai nag ysfa angenrheidiol i 'ddarostwng' y ddaear yn feddyliol yn ei hamrywiaeth da. Ni fegir na deall nac iaith, na bywyd, heb hynny. Er mwyn ei 'darostwng' i'r deall, rhaid gwahaniaethu rhwng pethau. Ni all baban ddirnad beth sydd o flaen ei olwg heb hynny. Ond pe na wnâi ond gwahanu (fel y myn Ôl-fodernwyr) a gwahanu a gwahanu hyd at amhenodolrwydd, ni châi byth ddeall. Byddai'n ôl-fodernaidd-chwilio, o bosib, ac yn faban bach trendi, efallai. Ond byddai bywyd yn anymarferol ac yn anarchaidd, ac yntau fel pe bai'n 'dysgu' o'r newydd gyda phob gwrthrych, a chyda chyfeiriad ei olwg ar bob gwrthrych. Er mwyn iawn ddeall, sut bynnag, rhaid iddo droi at gynneddf arall gytûn, sef adnabod ailadroddrwydd neu gyffredinolrwydd, boed mewn amser neu mewn gofod, neu mewn deunydd. Drwy gyfuno tebyg-rwydd â chyferbyniad y ceir modd i ddiffinio – i ddirnad ac i amgyffred. Dyma'r medrau isymwybodol a gymerir yn ganiataol (yn yr isymwybod) i feithrin ymwybod. Doniau sythwelediadol angenrheidiol ydynt. Cyng-hanedd bywyd baban.

Dyma hefyd iechyd meddwl. A norm.

Po fwyaf y byddaf yn ystyried bodolaeth ffurf pethau, a'r ffurf yn bresenoldeb yn y byd i gyd, – yr iaith wrth gwrs a llenyddiaeth, y Gyng-hanedd, a hefyd holl ddeddfau natur, – mwyaf y byddaf yn cael fy ngor-fodi i ganfod fod hyn oll yn Gyfundrefn o gyfundrefnau, yn amrywiaeth trefnus o glymau o fewn Undod sylfaenol gyson. Byddaf yn ceisio meddwl fwyfwy hefyd beth yn union yw cydlyniad yr Undod hwnnw. Mae'n fwy na ffurf farw. Yn y pen draw, ar ei lun uchaf ac yn yr ymwybod dynol, personol yw. Cariad seicolegol a throsgynnol yw'r Undod, y cyswllt cynhwysol, cariad ysol wrthrychol yn y groth, yn y côl. Hyd yn oed yn y Gynghanedd, y mae yna deimlad yn ogystal â deall yn y cwlwm a brofir ynddi, o undod synwyrusrwydd a threfn, fel yr awgryma'i henw. Undod o eithafbwyntiau llywodraethol yw lle y cawn fudd a boddhad o ufudd-hau i'w deddfau. Ac Absoliwt.

Estyniad neu atodiad yw'r Gynghanedd i holl broses gwahuno'r Greadigaeth.

Yn fy marn i, er mor ddiddorol yw awgrym Mahler ynghylch gwreiddyn gwahanu, tybiaf fod y rhestr honno ('urinating' ac yn y blaen), a nodais uchod, o fân weithredoedd achlysurol yn rhy ansylfaenol o lawer, ac yn 'rhestr'. Nis corfforwyd yn sylfeini'r iaith yn gydlyniad. Ac ni allaf ond ystyried bod ffurf ddelweddol neu brofiad fel 'presennol/absennol', cyferbyniad gorfodol a gofodol a gorfforwyd o fewn cyfundrefn wahan-iaethol tri pherson y rhagenw a chyfundrefn amserau'r ferf, yn llawer mwy sylfaenol a chynhwysfawr i ddeall 'gwahanu/uno'. Mae rhywbeth bob amser yn absennol neu'n bresennol. Syniaf, felly, fod y symudiad meddyliol arbenigol (gwahanu) a chyffredinoli (ceisio *gestalt*, ailadrodd) yn perthyn i'r un cwlwm meddwl neu'r un cydlyniad cyfundrefnus deallol:

mam | mam wedi mynd (cyferbyniad trawmatig)
golau | golau wedi mynd

Perthyn y gweithredoedd pwysig a grybwyllai Mahler i fyd achlysurol arwyddocaol Mynegiant a'r profiadau a geir ar y lefel yna. Perthyn presennol/absennol; agosrwydd/pellter ar y llaw arall, i fyd cyn-ieithyddol Tafod. Gwahuno presennol/absennol yw sylfaen adeiladu strwythur amser y ferf, a strwythur person yng nghyfundrefn y rhagenw.

Mwy treiddgar o lawer yn fy mryd i, na'i hesboniad o'r cyferbyniad neu'r gwahanu, yw dadansoddiad Mahler o'r gynneddf o uno, hynny yw canfod tebygrwydd a llunio cyfan, hyd yn oed mewn *gestalt* na welir ond ei rannau. Dôi hi, wrth gwrs, o gyfeiriad teimlad yn hytrach nag o gyfeiriad deall. Ond y mae cysylltu'r fam a chariad y fam â'r Uno yn cadarnhau f'awgrym mai absenoldeb y fam yw'r cysylltiad cywir ar gyfer gwahanu yn y symudiad deallol cyntaf. Mae cyfundrefn gyferbyniol yn ymgysylltu â'r un egwyddor. Tyn gwahuno fel cyfundrefn ar yr un ffactor, fel canolbwnc, â'r cyferbyniad unol cosmig.

Dyma osodiad tra gwerthfawr gan Mahler yr wyf am ei gario trosodd i faes cyfundrefnau deallol: 'The infant takes shape in harmony and counterpoint to the mother's ways and styles.' Collir yr un ffenomen honno, a gwreiddir amddifadrwydd yn yr un ffactor meddyliol â'r cynganeddu hwn â'r fam (neu'i chynrychiolydd). Mae'r profi undod a'i golli yn caniatáu llunio cyfundrefn feddyliol gydlynol gynieithyddol a ymlyna wrth holl gyfundrefn iaith a bod.

I rywun fel Einion Offeiriad, wrth gwrs, cariad fyddai ffynhonnell ddiwinyddol undod y greadigaeth. Yr Absoliwt, cariad yw. O fewn cariad y fam, fel arfer, y profir yr estyniad cyntaf o'r diben hwn o undod yn y groth. Diau wrth i fywyd ymrolio ymlaen, fod y cariad cyntefus hwn yn cael ei 'fylchu' neu'i 'rwystro'n ofodol'. Ac allan o'r rhwystrau hyn y profir yr ysfa ddeinamig i ddarostwng y profiad i'r meddwl, i ddeall, ac i weithredu. Ond nid rhwystr sydd yno yn y bôn. Yn y bôn, yr hyn a geir yw'r gyd-hunaniaeth; yr undod cynganeddus ei hun.

Dyma un ffordd o ddehongli undod a gwahanu personol, felly. O'm rhan i, yn ogystal â'r pwyslais teimladol o Gariad, byddwn i'n troi'n ôl hefyd at yr undod ynghyd â'r gwahanu, y gwahuno, a geir yn anochel yn y broses o ddeall. Y personol mewn trefn. A Chyfiawnder cysylltiedig.

Materion dwfn iawn a chwbl ganolog a chyn-ieithyddol yn y norm dynol. Heb wadu arwyddocâd Cariad a chysylltiadau'r fam, ni byddai neb wrth gwrs yn dibynnu'n rhy hir arni hi (yn benodol unigol) wedi diwedd yr ugeinfed ganrif. Rheitiach fyddai sylw cadarnhaol mwy cyffredinol ar y rheidrwydd ei hun, yn y *psyche* dynol, i geisio unionder yn y broses o ddeall. Yn gyntaf, dirnedir/canfyddir gwahaniaethau. Ac oherwydd hynny, a hefyd oherwydd canfod ailadrodd neu debygrwydd, amgyffredir undod. Dyma gysylltiad mwy uniongyrchol a delweddol na hyd yn oed iaith a meddwl ymwybodol, a hyd yn oed na dilyn bwhwman a gwamalu perthnasoedd dynol teimladol.

Dyma hefyd y lle sydd i gariad mewn celfyddyd. Yn wir, i mi cryn gyfran o 'harddwch' yw cariad mewn trefn gyn-ieithyddol. Llun a geir yw'r hardd, y cyfiawnder yr ymsercha'r galon ynddo. Neu fel y dywedodd Paul (Rhuf. 13: 10): 'Y mae cariad, felly, yn gyflawniad o holl ofynion y Gyfraith.'

Tri Maes y Dadansoddiad

Tynnais sylw ynghynt at y ffaith fod Einion Offeiriad yn cyflwyno'i ddadansoddiad o Gerdd Dafod yn ôl tri maes neu dair disgyblaeth – iaith, llenyddiaeth, a diwinyddiaeth. Mae fy nyled innau'n driol yn y gwaith hwn o ddehongli'r Gynghanedd i'r un tri maes ag y gosododd ef, ac yn wir wrth lunio theori yn gyffredinol. Tardda o'r un tair ffynhonnell fawr.

Yn ddiwinyddol, gan Galfin a chan Ysgol Iseldiraidd o ddiwinyddion y cefais yr olwg fwyaf catholig ar ddiwinyddiaeth. Ymgryfhaodd yr ysgol honno'n ddiweddar o dan ddylanwad gwaith Abraham Kuyper, a disgynyddion Prifysgol Rydd Amsterdam – Dooyeweerd, y ddau Van Til, Rushdoony ac eraill. Ni byddaf yn derbyn popeth a glywaf yn yr ysgol honno, mae'n wir: er enghraifft, rhai o syniadau cymdeithasegol Kuyper, gan fod f'agweddau i'n gogwyddo ymhellach i'r hyn a elwid gynt yn 'chwith'. Ond credaf ei fod ef yn weledydd grymus ac yn feddyliwr gwreiddiol creadigol (yn enwedig ynghylch 'Gras Cyffredin'), a bod yr holl osgo Calfinaidd ganddo yn llygad ei le. Bu syniadaeth Van Til yntau ynghylch rhagdybioldeb, a syniadau Dooyeweerd am drefn yr un a'r llawer, hefyd yn bwysig i mi. Ar ryw olwg, 'rhagdyb' yw Tafod ei hun. 'Warant' yw term Alvin Plantinga amdano: rhyfedd fel y mae'n adleisio felly Simwnt Fychan.

Yn ieithyddol, yr wyf yn fawr fy nyled i Gustave Guillaume ac i Ysgol Ieithyddol o Brifysgol Laval, Québec, yn arbennig i Walter Hirtle a

Roch Valin. Dylwn nodi i mi fy hun geisio datblygu'r theori honno o ran potensial mewn pum ffordd: yn gyntaf, drwy asio morffoleg wrth gystrawen mewn ieithyddiaeth gyffredinol (hynny yw, oddi wrth y rhannau ymadrodd i gyfundrefn y frawddeg); drwy estyn y theori i mewn i iaith plant; ynghyd â thri estyniad pellach, (i) i mewn i feirniadaeth lenyddol; a (ii) i ddidacteg iaith (yn arbennig yn SCL a *Dysgu Cyfansawdd*); ac yn awr yn y bennod hon (iii) i seicoleg. Gwerthfawr, ynghanol y manylu technegol mewn iaith, oedd y gydnabyddiaeth o'r ysfa isymwybodol i ddod o hyd i drefn.

Gellir cymhwyso'r theori i sawl maes. Fe geisiais innau yn *Studia Celtica* a *Bwletin y Bwrdd Gwybodau Celtaidd* ei roi ar waith yn gonfensiynol wrth astudio'r Ferf Gymraeg a'r Fannod. Dyna ynghyd â'r Gair y cartref cynhenid a chyntaf i'r theori.

Yn llenyddol, da gennyf wrogi i John Morris-Jones. Wrth geisio ymbalfalu dros yr un diriogaeth ag ef, wrth geisio ailfeddwl ei broblemau ef drosto o fewn cyfnod gwahanol a chyda rhagdybiau gwahanol, yr wyf wedi tyfu yn fy mharch at anferthedd a manylder ei ysgolheictod. Bu Cymru'n anhraethol ei braint wrth gael beirniad o'i faintioli ef (er mor ecsentrig) i arwain hanner cyntaf yr ugeinfed ganrif mewn cynifer o ffyrdd. Nid bychan ychwaith felly fy nyled lenyddol i ddau Offeiriad o Gymru, Einion a Dafydd Ddu o Hiraddug; y ddau cyntaf o feirniaid mawr llenyddiaeth Gymraeg, dau a ddilynodd y weledigaeth ryfedd gatholig o ganfod y Gynghanedd mewn cyd-destun trosgynnol. Nid wyf i felly ond yn ddilynwr digon anffyddlon yn sgil yr holl gyfeillion hyn.

Ysbrydolwyd y gyfrol hon, yn bennaf er hynny, gan theori Gustave Guillaume, Seico-fecaneg Iaith. Gwêl y darllenydd bellach beth yw calon y theori honno. Synia fod iaith yn Gyfundrefn o gyfundrefnau. Felly finnau gyda'r Gynghanedd. Yn y cyfundrefnau amrywiol sydd o fewn yr undod hwnnw, ceir bob cynnig glwstwr cyferbyniol ddeuol neu driol o elfennau cyn-ieithyddol. Elfennau cyntefig, isymwybodol ac anieithyddol ydynt, yn y bôn. Gyda'i gilydd ffurfiant bob un yn y meddwl uned wedi'i strwythuro, uned y gellir ei dal yn ddelweddol heb feddwl amdani. Dyna'r mecanwaith. Ond rhwng yr elfennau hyn ym mhob strwythur, nid perthynas lonydd sydd. Mae yna strwythur cymharol sefydlog, egwyddorion fel petai. Ond oherwydd eu bod yn cyferbynnu y mae yna symudiad neu ddeinameg yn cyrchu o'r naill elfen i'r llall yn olynol. Diffiniant ei gilydd. Dyna pam y'i gelwir yn Seico-fecaneg. Teithia'r meddwl – mewn cyfran o filfed o eiliad efallai – i gydlynu hyn oll yn gyferbyniol. Ceir dechrau, canol a diwedd i'r symudiad –

fel y soniai Aristoteles ers talwm am bob stori, – a gellid ei ddisgrifio ar hyd echel.

Credaf fod *Meddwl y Gynghanedd* yn enghraifft o faes delfrydol i gymhwyso'r offer dadansoddol hyn ym maes Sain. Cyfundrefn benodol a chyflawn ac unigryw gynhwysfawr o gyfundrefnau ffonolegol yw. Mae'n amlwg fod yna gyflwr Tafod, mewn Cerdd Dafod, sef y deddfau cyd-berthynol mewn clystyrau arwyddocaol, a bod y meddwl ar eu sail yn cyrchu tuag at Fynegiant, sef y cyfansoddiadau unigol. Ond mae yna gyrchu cyferbyniol arall ar waith o'r tu mewn i'r unedau bychain potensial hyn, bob un yn meddu ar fan cychwyn a diben, bob elfen ym mhob uned yn meddu ar swyddogaeth neu gymeriad perthynol neill-tuol. Olrhain hynny, ac arddangos cydadeiladwaith deinamig Cerdd Dafod, yw gwaith y sawl sy'n ei hefrydu o ddifri bellach. Hynny, felly, yw sylfaen y disgrifiad fframweithiol 'gyflawn' o Gerdd Dafod yn y traddod-iad Cymraeg.

Un mater penodol amlwg na rois sylw uniongyrchol ddigonol iddo yn yr ymdriniaeth hon yw'r fecaneg yn y bwlch neu'r daith neu'r broses rhwng Cerdd Dafod a Cherdd Fynegiant. Y Trothwy, yn ôl terminoleg Guillaume. Ni thynnais y sylw haeddiannol at yr hyn a oedd yn digwydd yn fanwl wrth symud o'r naill gyflwr i'r llall: y gyriant. Dadleuais mewn mannau eraill yn weddol helaeth am Gymhelliad, sef hanfod neu gynnwys sefydlog y Trothwy; ond, er manylu ar natur egwyddorol Cymhelliad, esgeulusais ymhelaethu ar y modd y gweithredai hyn yn ymarferol, ffurfiol. Y mecanwaith esgorol. Mae'n amlwg fod yr hyn a oedd yn gyff-redinol gynhwysfawr yn y naill sefyllfa yn troi'n arbennig unigolyddol yn y llall. Mae'n amlwg fod y cyferbynnu'n gyfeiriol. Dyma'r echel a ddisgrifir gan Gustave Guillaume fel 'Amser Gweithredol', sydd wrth reswm yn gallu bod yn eithriadol fân. Gan y byddai archwilio hynny'n gofyn cryn drafodaeth dechnegol, (a chan fod rhywrai'n achwyn bod f'ymdriniaeth braidd yn ddyrys eisoes) mentrais ei adael o'r neilltu er mwyn symleiddio'r ystyriaethau. Ond os oes efrydwyr yn awyddus i bendroni ar bwnc sy'n amlwg ganolog wrth ystyried cyflawnder gwaith Cerdd Dafod, carwn gymeradwyo dechrau ar y gwaith drwy ddarllen llyfr detholion cryno o weithiau Guillaume, *Principes de linguistique théorique*, 1973, a gyfieithiwyd i'r Saesneg *Foundations for a Science of Language*, 1984.

Nid dyma'r lle chwaith i agor trafodaeth ar y pwnc *'Diwinyddiaeth y Gynghanedd'*. Ni wnaf ond nodi'r pwyntiau creiddiol, gan awgrymu cyf-eiriad fy meddwl am y pwnc, a'i adael yn y fan yna. Pwnc anghredadwy yw, wrth gwrs, i'r meddwl tybiedig ddiduedd, meddwl sydd hefyd yn rhagdyb ddiwinyddol. Ond mae swydd offeiriadol y bobl a sylfaenodd yr astudiaeth o Gerdd Dafod yn caniatáu odrwydd ac anogaeth i ystyried eu rhagdybiau o'n blaen ni.

A derbyn mai 'mesur' yw ystyr 'cywydd', teg cydnabod mai tra-*gywydd* yw Duw (Y Tra*gywydd*, nid yn unig o ran maint a ffurf wrth gwrs, ond yn ei fawredd yn ansoddol du hwnt i fesur), tragywydd yw a ddaeth yn 'gywydd' ymgnawdoliad. Ef yw'r Absoliwt digyfnewid sy'n egluro pam yr Undod. A dyna Yntau, er yn 'gywydd' felly, a drodd adeg Ei eni'n berson newydd dragywydd. Ef hefyd yw'r ymwybod o Absoliwt sy'n gwneud yn bosibl y broses o gyfundrefnu'n unedau am ben unedau.

Anweledig yw Cerdd Dafod a dry mewn Cerdd Fynegiant yn weledig. Cofiwn air Euros: 'Yn y gweledig y mae'r anweledig yn weladwy'.

Yr hyn a geisir gan y creadur naturiol yw Cynghanedd bywyd diriaethol, gwrthrychol, gweladwy: delfryd realaidd. Ond ffaeledig yw. Oherwydd (a defnyddio'r termau technegol) y Cwymp, a'r llygru gwreiddiol, rhaid seilio'r Gynghanedd, megis yr Efengyl ei hun, ar ffaith y beiau gwaharddedig. Oherwydd beiau gwaharddedig bywydol mewn Cerdd Dafod/Chwaeth/Dychymyg/ac Ymadrodd bywiol, tramgwyddir y Gynghanedd honno yn feunyddiol. Hwy, er hynny, sy'n diffinio peth ar natur cywirdeb. Diddorol yw awgrymusrwydd ansoddol adnabod y beiau yn ôl dosbarthiad rhy ac eisiau: y gorgyflawni ymhongar a'r esgeuluso ynghylch cyfiawnder.

Yn fy theori o lenyddiaeth (*Beirniadaeth Gyfansawdd*), yr wyf wedi enwi trindod seciwlar, tair gwedd: Cerdd Dafod, Cymhelliad, Cerdd Fynegiant. Cerdd Dafod yw'r wedd anweledig; Cerdd Fynegiant yw'r wedd weledig; a Chymhelliad yw'r ysbryd sy'n gyrru'r troi ac yn cnawdoli. Beth, felly, yw'r Gynghanedd ei hun?

Yn anad dim, gweledigaeth yw o'r anweledig sylfaenol ragluniaethol. Cydnabyddiaeth o'r annamweiniol.

Diau, gan fod y traddodiad beirniadol Cymraeg wedi cychwyn mewn diwinyddiaeth, mai buddiol fyddai ystyried ymhellach sut y mae hynny wedi dylanwadu ar natur ein llên oll.

Mae'r hyn a ddigwyddodd ym myd beirniadaeth lenyddol ddiweddar yn y Gymraeg yn f'atgoffa am yr hyn a ddigwyddodd gynt ym maes diwinyddiaeth, ganrif a mwy yn ôl. Cenedl wedi'i gorchfygu'n allanol oeddem ac ydym, ac yn rhy barod i fod yn orchfygedig yn fewnol. Beiir ni gan y cydymffurfwyr os nad ydym yn dilyn beirniadaeth Saesneg neu ddiwinyddiaeth Saesneg. Eto holwn onid oes gan y traddodiad Cymraeg ei feirniadaeth a'i ddiwinyddiaeth ei hun? Onid oes lle aruthr ganolog i Gynghanedd yn nhraddodiad unigryw Cymru? Ac i feddylwyr Cynghanedd hwythau?

Gwir mai yn isymwybodol y tyfodd gwreiddioldeb beirniadaeth Cerdd Dafod. Diolch am yr isymwybod. Eto, gall y cyflwr llechwraidd hwnnw fod yn fantais pan fo'n bryd seicolegol ni mor ddihyder. Ynddo y ceir yr unigrywiaeth sy'n botensial o safbwynt darparu sail i'r oes bresennol. Ynddo y ceir y drefn nad oes rheolaeth ymwybodol drosti. Gwir mai idiosyncratig yw'r Traddodiad Mawl tra meddiannol ym mryd beirniaid a lethwyd gan Ôl-foderniaeth. Ond ynddo ef y cafodd J. Morris-Jones a Saunders Lewis fodd i'w rhyddhau'u hunain rhag canlyn y dulliau rhamantaidd Saesneg o feirniadu a'u harwain i ystyried athrylith arbennig ein llenyddiaeth. Ni chafwyd yn ddiweddarach ysywaeth y budd o ddarganfyddiadau J. Morris-Jones a Saunders Lewis a fuasai'n rhyddhad i'n beirniadaeth. Aethom yn ôl at daeogrwydd gyda'r '-aethau' adnabyddus ôl-fodernaidd. Ac er i Euros yntau synhwyro posibiliadau anferth beirniadaeth a myfyrdod a darddai yng Nghyfundrefn o gyfundrefnau'r Gynghanedd, ni chafodd ef y cyfle i weithio'n ddigon caled yn ymenyddol i agor y maes hwnnw yn iawn. Diau y perthyn hynny oll i'r dyfodol.

Erys i'r oes bresennol o hyd ac i feirniaid deallus ifainc sy'n codi nawr y cyfle i feithrin y Cymreigrwydd rhyfeddol sydd yn ein beirniadaeth. Cyfle yw i daflu'r llyffetheiriau treuliedig a'r dynwared anghyfiaith, ac i esgor ar radicaliaeth Gymraeg wedi'i gwreiddio yn ein cynhysgaeth ryfeddol ac unigryw ysbrydol ein hun. Purion, wrth gwrs, yw'r cyd-destun cydwladol. Ond purionach am resymau rhagluniaethol a chyfrifol ein gwreiddiau rhyfedd a dieithr frodorol. Fe'i gwelir nid mewn rhestr o ysgolion datodedig, eithr yn y cwlwm cyfansawdd diwnïad a ganfu Einion.

Gwreiddiwyd ni mewn trefn. Ceisiwyd dryllio'r drefn honno. Ac y mae ôl y dryllio hwnnw arnom byth. Chwenychir yr hyn a elwir yn 'rhyddid'. Dymunir credu, gydag eithafrwydd y caethwas, mewn amhenodolrwydd ac anhrefn, yn erbyn traddodiad, yn erbyn patrymau, yn erbyn yr iaith. Ond o'r dechrau ceid y ddolen ddeuol a'r ddolen driol.

Cawn gipolwg ar yr orymdaith fawrhydig hon o drefn sy'n fwy amlochrog a chyrhaeddgar na Rheswm ym mhatrymau persain Cerdd Dafod.

Diddorol sylwi ar natur y ddwy leng sy'n cymryd eu lle yn yr orymdaith honno.

Yr wyf am gyfeirio at ddwy hen duedd gyfredol a chyfoes, y cyfarfyddiad rhwng dau hen draddodiad ffurfiol. Dwy duedd gynhenid iawn a phersonol iawn yn ein natur. Bras iawn yw'r tueddu hwnnw. Dichon fod yna raniad cymdeithasol hanesyddol dwfn ac amlochrog wedi bod rywbryd: y gwerinol a'r uchelwrol. Os felly, â'n ôl y tu hwnt i'r Cynfeirdd a'r beirdd Cymraeg cynharaf y gwyddom ni amdanynt. A hynny cyn y Gymraeg. Ond arhosaf gyda'r gair 'tuedd': yn annelwig braidd y byddaf yn synhwyro'r cyferbyniad efallai, fel pe bai'r hyn sy'n ymddangos yn y golwg yn sibrwd am sefyllfa danddaearol o'r golwg. Yn y cyfnod hanes-yddol a wyddom ni, y mae'r cymysgu hwnnw rhwng y ddau draddodiad eisoes wedi digwydd, ond ni ddigwyddodd y cymysgu yn gyfan gwbl heb adael heddiw ôl yr hyn a oedd eisoes yn duedd ynddo. Esgorodd ar batrwm personol a chymdeithasol y soniais amdano o'r blaen wrth drafod y Ddau Draddodiad yn *I'r Arch*.

Pencerdd	Bardd Teulu
Mawl i'r Pen	Diddanwch i'r aelodau

Gall y rhaniad hwn fod yn swyddogaeth yn unig: gall adlewyrchu dwy haenen gymdeithasol.

Cadair	Di-gadair
Y Brwydro (Dewrder)	Y Gwledda (Haelioni)

Rhennir seiniau'r sillaf hefyd, yr adnoddau seiniol yn gyferbyniad:

Llafariad	Cytsain
Dechrau sillaf	
(o ran esgor ar y sillaf)	Diwedd sillaf
Odli	Cytseinedd

Y drydedd elfen seiniol yw'r acen, sy'n esgor ar fydr, trefnydd y ddwy elfen arall:

Deuol	Triol
Awdl	Englyn

Dyna'r corfannu, neu'r grwpio mydryddol. Wedyn, ceid gwahaniaeth llenddull cyfatebol yn gyfeiliant.

Telyneg Fawl	Drama

| Atebol i'r Wlad | Atebol i'r Llys |
| Cenedlaethol | Lleol |

Ymddengys mai tenau yw'r traddodiad dramatig cynnar yn y Gymraeg.

Ond mae'r dramâu Llydaweg a Chernyweg yn eglur yn adlewyrchu'r pwyslais gan draddodiad y ddrama ar Lusg a lled-Sain: diau mai felly y'u caed yn y Gymraeg.

Iaith Safonol (Lenyddol)	Tafodiaith (Lafar)
Undod y genedl	Rhanbarthau
Traws, Lled-Groes	Llusg, Lled-Sain

Mae gofyn inni efallai feddwl yn seiniol, yn destunol, ac yn gymdeithasol o'r herwydd.

Cyfundrefn seiniol a phersonol yw'r Gynghanedd o fewn rhagdybiau Mawl. Pe gofynnid i mi beth a aeth o'i le ar theori llenyddiaeth a seiliau beirniadaeth ar ddiwedd yr ugeinfed ganrif, a sut y bu beirniaid mor hygoelus erbyn y diwedd wrth lyncu ffasiynoldeb, a meddwl dadansoddol a ymgyfyngai'n theoretig i'r gwahanu, a hefyd ym mha ffordd y cafwyd Cerdd Dafod weithredol o greadigol yn ateb Cymraeg i hynny oll, mi ddywedwn i – mewn dwy ffordd.

Yn gyntaf oll, dirywiwyd yn ddiwinyddol. Derbyniwyd, gan feirniaid Cymraeg ôl-Gristnogol, ragdybiau diwinyddol byrbwyll ac arwynebol yr Ymoleuo oherwydd y gwrthryfel cynhenid sydd yn natur dyn. Disodlwyd Rheswm gan Resymoliaeth. Ymrwymwyd mewn dogmâu ansicrwydd ac unochredd dadadeiladol a materolaidd yn rhy ddifeddwl yn ôl gwth imperialaidd yr amseroedd. Suddwyd mewn gwahanrwydd parod, chwalfa chwantus, ac amhenodolrwydd, a hynny drwy ymgais i anwybyddu a dianc rhag ymrwymo Cymreig uniongred, a mawl nas deallwyd am resymau diwinyddol gwag. Gorseddwyd relatifrwydd. Collwyd disgyrchiant meddyliol. Bu'n rhaid ateb y fath adfeiliad; ac fe'i hatebwyd. Dirywiwyd yn enbyd o ran safon ddeallol beirniadaeth y celfyddydau gweledol.

Yn ail, yn ieithyddol, yn wir yn ramadegol. Collwyd trefn aeddfed Meddwl y Gynghanedd. Collwyd y parch angenrheidiol at hyfrydwch trefn. Mae'r drefn honno'n berthnasol wrth ailorseddu gwerth, cyfundrefn, a diben.

Ymgais yw'r gyfrol hon, mewn modd ffurfiol ond yn sgil cyfres o gyfrolau ar ragdybiau cymelliadol Cerdd Dafod ar y naill law – *Llên Cymru a Chrefydd, Cyfriniaeth Gymraeg, Mawl a'i Gyfeillion*, a *Mawl a Gelyn-*

ion ei Elynion ynghyd â *Beirniadaeth Gyfansawdd,* i archwilio ateb y traddodiad Mawl Cymraeg i hynny oll. Ac wedyn, ar y llaw arall, ymgais yw, yn sgil cyfres gyfredol o gyfrolau ar ragdybiau gramadegol a ffurfiau Cerdd Dafod – *Tafod y Llenor,* a phedair cyfrol *Seiliau Beirniadaeth,* eto ynghyd â *Beirniadaeth Gyfansawdd, Tair Rhamant Arthuraidd* a *Dysgu Cyfansawdd,* – i archwilio ateb y Gynghanedd i hynny drwy hanfodion ieithyddol. Hynny yw, ymgais yw i ennyn trafodaeth ystyriol a deallus ymhlith caredigion a meddylwyr y traddodiad barddol Cymraeg i ddod o hyd i theori ac ymagwedd sylfaenol sy'n wrthateb digonol i'r adfeiliad Ôl-foderaidd. Safbwynt yw a all fod yn fodd i'w diogelu mewn dyddiau dreng. Credaf fod y Gynghanedd y dyddiau hyn, yn arbennig ers adfywiad y 70au yn fodd Cymraeg i ateb y tueddiadau ôl-foderaidd hunanladdol, ac yn fodd o feddwl sy'n hawlio'i barchu a'i fawrygu.

Patrymau Rheidiol

Bydd ambell un sydd wedi bod yn amyneddgar ddilyn yr ymchwil feddwl hon ar hyd y blynyddoedd, wrth iddi olrhain adeiladwaith llenyddiaeth, wedi cael rhyw adlais achlysurol (braidd) erbyn hyn o'r term 'gwahuno'. Ac yn rhyfedd iawn, os rhyfedd hefyd, dichon mai dyna'r ffordd orau i ddiffinio Cynghanedd ei hun. Dyfod at ei gilydd yw Cynghanedd, datrysiad seiniol, cydbwysedd: y mae yna wahanu, fe geir y dadansoddiad yn rhannau, yr elfennau crai yn ymwrthod hefyd, ac eto y mae yna uno cyson ac obsesiynol yn yr un broses, y cyfanwaith craidd. Yng nghyfundrefn ryfeddol y beiau gwaharddedig cafwyd mai drwy wahuno y llwyddid i ganfod hanfod eu bodolaeth gelfydd. Nid yw'r Gynghanedd yn ymfodloni nes iddi gyrraedd cytgord. Ceir ynddi wth fel petai tuag at gydwead o amrywiaeth mewn undod. A chynganeddus yw'r pen draw hwnnw.

Bydd y sawl sydd wedi dilyn rhai o'r efrydiau hyn hefyd yn gyfarwydd â'r symudiad deublyg unol hwnnw a wêl Gustave Guillaume yn galon i bob gweithred ieithyddol, sef 'particularisation' a 'généralisation'. Wrth imi astudio hyn yn iaith plant, fe'i canfyddwn gynt yn y ffordd y dysgai'r plentyn ddeall, drwy wahaniaethu rhwng profiadau a thrwy ganfod ailadrodd neu uno. Drwy'r broses ddeublyg hon, a oedd yn dod i gytundeb, y ceid holl systemau iaith ar waith. Heb y deublygrwydd hwn, doedd dim ystyr na dim iaith yn bosibl.

Y mae hyn oll i mi, felly, yn gam neu'n gymwys, yn ymddangos yn wth pur sylfaenol yng ngwneuthuriad y bydysawd, yn duedd gynhenid fel petai, yn wth hanfodol mewn bodolaeth. Digwydd popeth y soniais amdano yn y gyfrol hon wrth gwrs yn gyfan gwbl ar lefel yr hyn a elwir yn 'seciwlar'. Nid oes bid siŵr a wnelo â'r hyn a eilw Cristnogion yn 'Ras Arbennig'. 'Gras Cyffredin' yn unig yw – ffenomen a berthyn i bawb beth bynnag a gredant. Y Meddwl Cyffredin. Ac eto, math o gysgod yw yr un pryd o ffenomen lawer dyfnach, a llawer lletach, ffenomen sy'n bresenoldeb yn ein gwlad oll, yn ein meddwl, ac yn wir yn ein bodolaeth, ac sy'n fath o ddelfryd ysbrydol, er gwaethaf pob gwyrad a chwymp. Nid dyna yw pwnc y gyfrol hon, brysiaf i'w ddweud. Mewn maes 'seciwlar' y bûm yn oedi, fel petai. Eto, y mae athrylith cyfeiriad rhyfedd anian y Gynghanedd, er ein gwaethaf, oherwydd ei hanweledigrwydd yn codi cwestiynau ac atebion dwfn ac eang gyffredin. Nid damwain oedd galwedigaeth yr ysgolhaig cyntaf a astudiodd y Gynghanedd yn hanes y Gymraeg, sef Einion Offeiriad. Nid damwain chwaith yr ail, sef Dafydd Ddu, yr offeiriad o Hiraddug. Ac nid damwain mohonom ninnau chwaith oll, eu holynwyr offeiriadol drwy drugaredd.

Eto, nid math o esboniad pietistaidd na moesoli sychdduwiol na phroselytio propor yw'r adran ddiwinyddol gan y ddau yna yng Ngramadegau'r Penceirddiaid. Nid atodiad ymwthiol amherthnasol chwaith. Bid siŵr, syniaf na buasai'r Gynghanedd wedi digwydd heb y cyd-destun diwinyddol cyfundrefnol hwnnw. Bu'r angen i ymwybod ag Absoliwt anweledig ac â rhagluniaeth yn rhagdybiau cyffredin gwreiddiedig i'r beirdd. Ymdeimlent ag ymwybod o ddeuoliaeth ac o drioliaeth ysbrydol gyfundrefnus, a chyda hynny ymwybod cydlynol o Undod cosmig. Tyfodd y Gynghanedd o fewn amgylchfyd crediniol sefydledig, ac o fewn deddfwriaeth ddofn. Nid distadl, felly, yn fy marn i yw'r berthynas rhwng y delfrydau seiniol a'r ddelfrydaeth ddyfnach. Beth bynnag y bo 'doethineb' yr unfed ganrif ar hugain yn ei feddwl am amrydedd tair adran Gramadeg y Penceirddiaid, yr oedd canfod cydberthynas angenrheidiol iaith, cynghanedd a diwinyddiaeth yn gryn weledigaeth. Gweledigaeth o fawredd. Ymwnâi â ffeithiau cyn ymwneud ag argyhoeddiad.

Gwrthwyneb i ddamwain yw sicrwydd. Ac ni bu ffetus yr ugeinfed ganrif ynghylch 'ansicrwydd' a 'drylliadaeth' fawr o gyfraniad i amgyffred pethau real fel y Gynghanedd. Y gwir yw bod fframwaith o sicrwydd bob amser yn amgau pob maldod ansicr. Nid yw ansicrwydd yn amddifad. Gŵyr pob dyn cyffredin fod marwolaeth yno, o'i flaen, yn orfodol, ei fod wedi'i eni i rieni, mewn lle ac amser, fod ei fywyd yn dibynnu ar barhau i anadlu, fod disgyrchiant o raid dan ei draed, fod achos yn esgor ar effaith, ac yn y blaen. Mae yna lond plât o sicrwydd yn y fan yna. Heb y sicrwydd hwnnw ni ddatblygai nac iaith na deall. Math o chwiw newyddiadurol yw ansicrwydd amddifad fel sefydliad; aeth yn 'soffistigedig' faldodus fel ffasiwn lliwio gwallt neu wisgo modrwyau mewn bogeiliau, soffistigeiddrwydd y sawl a hiraethai am dorri cŷt drwy osgoi gwirioneddau mawr bodolaeth: clwyf sy'n mynd yn ôl i Eden.

A gaf gydio'r hyn y ceisiais ei ddweud am Gynghanedd, felly, wrth theori Beirniadaeth Gyfansawdd yn gyffredinol?

Credaf mai dimensiwn meddyliol arbennig ac unigryw yw llenydd-iaeth. Cwmpasa'r bersonoliaeth i gyd. Ac o'r tu mewn i lenyddiaeth, barddoniaeth. Dimensiwn unol yw. Yn wir, uno yw ei phrif swyddogaeth, uno profiad amryfal – teimlad, meddwl ac ewyllys, o ran ffurf a deun-ydd, o ran sŵn a synnwyr. Delweddu'r Greadigaeth.

Term Waldo ar ei gyfer yw 'Awen'. Sonia amdano'n cydio yn y cwbl. Gŵyr beirdd eraill yn burion amdani hyd yn oed yn yr unfed ganrif ar hugain. Er ei bod yn cynnwys crefft, y mae tu hwnt i grefft, ac yn ddimensiwn isymwybodol.

Fe'i gwelir hefyd ar waith mewn troadau, lle – drwy fath o gymharu – y mae'n cydlynu cylchoedd ystyrol. Mewn Cynghanedd, adeiledir cydlyniad seiniol. Undodau ffonolegol. Wrth wneud hynny tyfodd hi yn symbol ac yn gyfundrefn gyflawn y tu mewn i lenyddiaeth, yn undod diwnïad rhyfeddol. Ffordd o ganfod undod drwy seiniau yw. Nid annhebyg i'r modd y digwydd troadau hwythau mewn ystyr.

Y mae i'r profiad dynol sawl dimensiwn. Un arall a enwir gan Waldo yw Brawdgarwch. Mae i hwnnw hefyd amryfal agweddau sy'n gydlynol ac yn gydadeiladol. Mae'n well na 'Rhyddid' na 'Chydraddoldeb', beth bynnag a ddywed plant y Chwyldro Ffrengig. Wrth gwrs, y mae Brawd-garwch, fel yr Awen, yn syrthiedig. Ond dimensiwn mawr iawn yw, fel yr awen ym mhrofiadaeth dynolryw, a rhydd destun i'r beirdd: dimensiwn gwefreiddiol unol a goludog ryfeddol. Testun Mawl yn y llys. Ac y mae Mawl Waldo iddo yn llys Cymru yn dreiddgar ac yn hardd.

Mae'n dra arwyddocaol bod Einion Offeiriad wedi gosod y Gyng-hanedd – yn od iawn ym mryd John Morris-Jones, – o fewn cyd-destun Mawl ysbrydol dadansoddedig a mesurol. Dyna'i amgylchfyd sylfaenol angenrheidiol. Bellach, y mae ffisegwyr hwythau o'r diwedd, wrth ddilyn Theori Linynnau (String Theori) yn sôn am ddimensiynau eraill ar fodolaeth heblaw tri dimensiwn gofod ac 'un' dimensiwn amser. A chredaf i hefyd fod yna, y tu allan i'r dimensiynau naturiol hyn oll, ddimensiwn arall sy'n esbonio *bodolaeth, deddfau a bywyd;* dyna wrth gwrs sy'n Achos eithaf ac yn Greadigol; sy'n Fawl personol-dragwyddol, yn wrthrychol ac yn oddrychol. Ond gwell ymatal. Diddorol sylwi fel y geill

rhywun dderbyn pob math o ddimensiynau digon rhyfedd yn ddamcan-
iaethol, ond fe ystyfniga'n erbyn yr un cwbl resymol hwn sy'n esboniad
cydlynol, ac nad oes a'u hesbonia oll yn well nag ef. Mae a wnelo Mawl
hefyd â pherthynas yn anad dim. Gellir cyfarfod ag ef ym mhob man,
hyd yn oed yn y Gynghanedd.

Hawliodd Saunders Lewis un tro yn ei gyfrol fawr gyntaf, *Williams
Pantycelyn*, 1927, (llyfr a gollodd, fel y dangosodd Alan Llwyd, i *Piwritan-
iaeth a Pholitics*, Thomas Richards am gydnabyddiaeth Llyfr y Flwyddyn):
'Y corff damcaniaethau hyn yw prif gyfraniad Cymru i feddwl esthetig
yn Ewrop' (sef *Gramadegau'r Penceirddiaid*). Mae'r theori a arloeswyd gan
Einion yn agor inni lenyddiaeth oll. 'Y mae'n rhaid synio'n gywir am
feddwl Dafydd ab Edmwnd cyn y gellir o gwbl ddeall llenyddiaeth
Gymraeg'. Mae tudalen 19, ymlaen i ddiwedd y frawddeg gyntaf ar dud.
21, gan Saunders Lewis ar hyn yn eithriadol o graff o du gŵr ifanc. Nid
yw mor sicr ei gyffredinoliad wedyn ynghylch Protestaniaeth, gan ei fod
yn mynd drwy holl lif ei gyffro darganfyddol o'r gwelediad Catholig.
Ond gwiw sylwi ar a ddywed: 'Mater oedd eu deunydd. [sef pensaernïaeth,
cerflunïaeth, a phaentio] Ond cynhyrchion pur ysbryd dyn oedd cerdd
dafod a cherdd dant, symbolau o gytgord a chred. Cytgord yn wir oedd
am hanfod: perffeithrwydd oedd eu defnydd . . . Gosod trefn lwyr a
chytgord ar air a sain, eu troi'n symbolau cyfundrefn athronyddol gyfan
a diddamwain, ac felly'n gerdd ddisgybledig a ddiddanai a bodloni cym-
deithas.' Mae'r holl ymdriniaeth gryno ar y tudalennau hynny yn un o
ddatganiadau mwyaf pwerus beirniadaeth lenyddol yn y Gymraeg yn yr
ugeinfed ganrif. Mae'n cydio yng nghanol meddwl y farddoniaeth yn
ein cyfnod clasurol gynt, ac felly ym Meddwl y Gynghanedd. Mae'n dda
tynnu'r gyfrol honyma tua'r terfyn felly drwy gydnabod, ochr yn ochr â
Syr John, yr ail feirniad mawr hwnnw sy'n dad inni oll a gais o hyd
feirniadu'n Gymreigaidd yn yr unfed ganrif ar hugain.

Er na ellid cymharu sylwadau achlysurol ond treiddgar Saunders
Lewis ar Gynghanedd â gwaith aruthr Syr John ar Gerdd Dafod, mi
dybiwn i fod Saunders wedi llwyddo i ganfod y gelfyddyd glasurol Gym-
reig o fewn cyd-destun ysbrydol mawr. Llwyddodd Syr John, mae'n wir, i
ddidoli'r elfennau seiniol yn gyfan gwbl oddi wrth y fframwaith cymell-
iadol ac ysbrydol (onid 'diduedd' oedd?); ond ar ryw olwg, fe ystyriwn i
nad oedd o'r herwydd, cyn belled â hynny o leiaf, wedi canfod difrifol-
deb a llawnder arwyddocaol yr hyn a ddigwyddasai. Ni phrofodd efallai
mo'r parchedig ofn a oedd ynglŷn â'r gelfyddyd hon, yr ymdeimlad
rhyfedd ac ofnadwy a barai i feirdd fel Gruffudd Llwyd, Rhys Goch, Siôn

516

Cent, Wiliam Cynwal ac Edmwnd Prys yn gytûn, a llawer o rai eraill onid pawb ar y pryd, ystyried o ddifri mai'r Ysbryd Glân ei hun a'u hysgogai.

Seiliwyd gramadeg pob iaith ar ddibynolrwydd math o raid. Y rhaid hwnnw a'i ddibynolrwydd a ganiatâi i'r iaith weithio rhwng dyn a dyn, a rhwng canrif a chanrif. A'r un rhaid hwnnw a ddarparodd sail ar gyfer *Cerdd Dafod*. Y rhaid hwnnw fu prif thema'r gyfrol hon. Yn wir, 'rhaid' oedd un o hoff eiriau'r beirniad a'r theorïwr cyntaf o sylwedd yn hanes ein llenyddiaeth, sef Einion Offeiriad. Gair a fu'n tanseilio Ôl-foderniaeth ac yn wir ragdybiau sgeptig, coeg-adeileddol, ac amhenodol llawer iawn o ddiwedd trendi yr ugeinfed ganrif gynt. Heddiw y mae Einion o hyd yn ateb ei feirniaid gyda hen ffraethineb angenrheidiol. A gwiw oedd ceisio archwilio peth o'r rhaid y soniai ef amdano.

Rhaid hydeiml oedd hynny. Rhaid oedd ac yw sy'n cydnabod ac yn rheidiol barchu'r ddwy ochr – yr agored a'r caeedig, y sefydlog a'r ansefydlog, y cyffredinol a'r arbennig, y gwyro a'r unioni, yr amhenodol a'r penodol, y gwahanu a'r uno. Gallwn ei ganmol ychwaneg, efallai ei foli yn wir; a mynd ymlaen yn ddiderfyn; ond rhaid gorffen.

Peidio â Sticio'r Tafod allan wrth Ffarwelio

Wrth gloi (ac dwi'n gwneud fy ngorau i gyflawni hynny), mae'n ofynnol imi ychwanegu o leiaf un sylw arall ynghylch y gyfrol honyma ei hun. Gan mai am Gerdd Dafod y sonia, y mae'n anochel bod a wnelo hi â'r hyn a alwyd yn Dafod. Dyna'r term a fabwysiadais bellach lawer tro, i esbonio'r Gyfundrefn gudd o gyfundrefnau, sydd yn y meddwl, ac a ddefnyddir i gynhyrchu Mynegiant. Bydd y cyfarwydd yn gwybod fy mod wedi cyfeirio fy meirniadaeth ers degawdau tuag at ddehongli adeiladwaith llenddull beirniadaeth lenyddol drwy gychwyn o ran ffurf mewn Tafod. Ceisiais hawlio bod yna dair prif wedd ar feirniadaeth – y ddau gyflwr a grybwyllais, sef Cerdd Dafod a Cherdd Fynegiant, ynghyd â'r bont neu'r ysgogiad deinamig rhyngddynt, sef Cymhelliad: bob un yn anrhydeddus gyd-angenrheidiol.

Dyna'r adeiladwaith. Ond yn awr, yr wyf am bwysleisio nad yw pob un o'r triawd hwn yn gyfwerth o ran astudio llenyddiaeth yn ymarferol fel arfer. Maent yn *gyd-angenrheidiol*, mae'n wir, ac yn hynny o beth y maent yn gyfwerth yn eu cyfraniad, yn wir yn anochel bob un, o fewn adeiladwaith beirniadaeth lenyddol. Maent yn gyfwerth o safbwynt y sawl sydd am efrydu natur llenyddiaeth. Ond *Cerdd Fynegiant yw llenyddiaeth fel y'i profwn*. Yn y fan yna y crynhoir yr adnabyddiaeth uniongyrchol a mwyaf pleserus fuddiol o lenyddiaeth. Dyna galon a phen draw beirniadaeth lenyddol hefyd: y darllen clòs, beirniadaeth ymarferol. Gelwir arnom i angori yn y fan yna, yn y llenyddiaeth ei hun. Uwchlaw 'theori'.

Ond mae'n werth ychwanegu hefyd rybudd arall mewn cyfnod pryd y ffynnodd theori, yn ymwybodol ac yn isymwybodol mewn beirniadaeth lenyddol, ac mewn llenyddiaeth hithau (sy'n cynnwys beirniadaeth bob cam o'r ffordd): mae'n rhwydd ac yn anorfod i chwiwiau beri inni anghofio grym gwerthusol llenyddiaeth. Perygl ynghanol rhagdybiau mwyaf ffansiol 'theori' yw i chwiwiau diwinyddol negyddol ac arwynebol ynghylch gwerth, trefn a phwrpas, ein gwthio tuag at wacter a chwalfa. Felly, y mae'r efrydiaeth ddofn o Gymhelliad (ac Ieithyddiaeth) yn gallu bod, mewn beirniadaeth lenyddol, yn fuddiol i ddiogelu safon ac egni a cheinder, a'r rhuddin o ddiben iach. Ac i fod yn gyfiawn.

Wedyn, y mae Cerdd Dafod dechnegol hithau, er mor gudd, yn dweud rhywbeth wrthym am gyfanrwydd y broses lenyddol. Datgela inni yr egnïon a'r ffurfiau llywodraethol, diogel: y sylfeini hynny sy'n treiddio nid yn unig drwy lenyddiaeth, eithr drwy'r gwyddorau i gyd. Pwysleisia'r drefn mewn cyfnod sy'n para'n rhamantaidd.

Gellir, felly, yn briodol sylwi ar y Gyfundrefn o gyfundrefnau ffonolegol mewn modd sy'n cynnwys y tair golwg gydweol ar lenyddiaeth; heb anghofio pen-draw'r cwbl mewn llenyddwaith unigol. Gellir yn arbennig o fuddiol hefyd yng Nghymru astudio theori'r wedd ffurfiol a elwir yn Gynghanedd mewn modd sy'n cyffwrdd ag amlochredd llenyddiaeth. A gellir gwneud hynny oll gan gydystyried lleoliad a chyfraniad pob gwedd, ond i ni yr un pryd hefyd gofio'r pen-draw a thrwy fyfyrdod gydnabod y cyfeiriad ac ymhle yn union y ceir yr hyn sy'n arwain at bob darlleniad cytbwys – sef at y gwaith llenyddol ei hun: ffrwyth geiriol pennaf yr alwad i ffrwythloni.

Mae'r Gynghanedd yn ymofyn math arbennig o ddarllen, felly. Rhaid i arddull y darllen ei hun fod yn Gymreig, ac yn nes at natur celfyddyd. Golyga hynny ddarllen yn fwy pwyllog, gyda'r sain gyfwerth â'r synnwyr, gan ymdeimlo'n wir fod y sain yn trawsffurfio'r synnwyr er eu 'hannibyniaeth' ar ei gilydd mewn Tafod, a'r synnwyr yn trawsffurfio'r sain. Nid yw darllen Cymreig wedi'i wreiddio yn yr union un lle â'r darllen sy'n cogio nad yw'r sain ddim yno. Imperialaeth fyddai ceisio cael gan y Cymro dderbyn yr agwedd at ddarllen sy'n ei amddifadu o gig a sudd y testun. Does dim rhaid inni dderbyn bod yr un teneurwydd clywed a'r un aeddfedrwydd synhwyrus, sy'n rhan gynhenid a pharchus o ddarllen gan ryw ddiwylliant imperialaidd, yn briodol ar gyfer traddodiad llwythog o rinwedd arall. Mabwysiadu urdd o werthoedd a ddatblygwyd y tu mewn i ddosbarth diwylliannol anghyfiaith fyddai hynny, nid un i'w ddirmygu, wrth gwrs, ond un i'w gyfrif yn arall. Disgwylia'r Gynghanedd (math arbennig o Gerddoriaeth) fath arbennig o ganfod, o fyfyrdod, ac o fwynhad: ymateb i bopeth sy'n digwydd yn y llinellau, gan gynnwys y cyfuniad rhyfedd o synwyrusrwydd a threfn. Darllen trefn yr ydys: trefn yw rhan fawr o'r ystyr. Nid edrychir drwy'r Sain fel pe baem yn syllu drwy olau ar y gwrthrych sydd y tu ôl, eithr edrychir ar y goleuni *ac* ar y gwrthrych. Wrth ddarllen awn i mewn i fyd neilltuol, lle y mae'r golyg-feydd wedi'u hordeinio i feddu ar harddwch newydd, harddwch syn-wyrusrwydd wedi'i gyfundrefnu, sy'n esboniad gweledigaethus o'n byd bob dydd, eto lle y gwneir rhywbeth unigryw y mae'n rhaid meithrin y medr i'w anrhydeddu. Dichon fod rhaid mynnu ein bod yn darllen fel oedolion Cymraeg.

Byddaf yn synied bellach mai un o gampau pendant llenyddiaeth ryngwladol yw'r Gynghanedd. Yn wahanol i un campwaith unigol, neu i un llenor unigol mewn llenyddiaeth, y mae'r gamp gynganeddol yn parhau o unigolyn i unigolyn ac o ganrif i ganrif. Cynnyrch y genedl yw. Yr hyn a rydd bleser creadigol i'r darllenydd yw sylwi, yn ofalus araf ac yn synhwyrus ddeallol, ar yr hyn a lunia amlochredd unol Cyfundrefn fawr y Gynghanedd o fewn amgylchfyd deunydd, ac ar y greadigaeth rythmig a gafwyd dros gyfnod o chwe chanrif a mwy drwy'r cydlyniad organaidd. Ni byddai'n gwbl wirion inni honni ei bod yn ffenomen unigryw sy'n gallu sefyll yn gyfysgwydd ag ambell lenor unigol enfawr, yn un o ddigwyddiadau mawr y meddwl creadigol. Clywch y Deunydd yn Ffurf:

> Mae arch yn Ystrad Marchell . . .
> Mae Now'r Allt yn dallt y dŵr . . .
> Llwyn neu ddau i'r llan a ddoeth,
>   [Oni chlywch hi'r rhodianna swrealaidd?]
> Llwyn banadl, Llio'n bennoeth . . .
> Eryr gwyllt ar war gelltydd
> Nid ymgêl pan ddêl ei ddydd . . .
> Caled oedd fel clwydi og
> A mwyn fel gofer mawnog . . .
> Uchelwr, gwerinwr oedd,
> A phereiddiwr y ffriddoedd . . .
> Ac einioes nid oes i dŷ
> Na bodolaeth heb deulu.

Ymestynna'r ffenomen hon y tu hwnt i fywyd un llenor. Rhan o ddi-
ddanwch y Cymro diwylliedig ym mhob cenhedlaeth yw olrhain, mewn
rhyfeddod, yr hyn a wnaeth cywreinder gorwych goruchel hon i'w iaith,
mewn amser a goruwch amser.

Cafwyd dau ddarganfyddiad sythwelediadol mawr yng nghyfnod chwyl-
dro'r Gogynfeirdd diweddar.

Yn gyntaf, yr hyn a gorfforai'r Gynghanedd yng nghyseinedd (llafar-
iad, cytsain) y Gogynfeirdd oedd yr acen. Roedd y cyferbyniad llafar-
iad/cytsain eisoes yn corffori sŵn/tawelwch mewn cyfundrefn yn canoli
ar *fodolaeth* y llafariad. Aeth yr acen bellach i ganiatáu cyferbyniad amgen
a ganolid ar *rym* y llafariad. Felly, yn ôl cyd-ddigwydd bodolaeth/grym,
cyferbyniai'r ddwy gyfundrefn neu'r ddau syncroni hyn mewn Cerdd
Dafod i feithrin Beiau Gwaharddedig. Drwy'r grym hwn bu'r cytseinio'n
egluro'r llafariaid, a'r llafariaid yn egluro'r cytseinio.

Ond yn ail, dyma olwg newydd ar yr olyniaeth neu'r patrwm cytsein-
iol hefyd a ddaeth drwy'r acennu hwn. Aeth yr ailadrodd moel yn amryw-
iaeth ailadroddol; y gwahanu yn uno, yr arbenigoli yn gyffredinoli. Aeth
unoli lluosog syml (amrwd, diniwed) y Gogynfeirdd i gyfeiriad lluosogi
unol. Aeth y tair annibynnol, – llafariad, cytsain, ac acen – yn un.

Aeth y ddau ddarganfyddiad soffistigedig hyn gyda'i gilydd yn un-
plygrwydd cymhlethus celfydd. Cafwyd sgaffaldwaith newydd-hen sgleiniog
drwy fethod gwahuno.

Beth, felly, a gasglwn yw Meddwl y Gynghanedd? Meddwl a wna fod
celfyddyd yn undod. Y tu mewn i'r undod yna ceir undodau eraill. Dyna
wreiddyn deall, iaith, a phopeth creadigol a chreedig. Y mae holl
ddogmâu dadadeiladol Ôl-foderniaeth yn greiddiol anghywir. Nid yn
unig anghytunwn â hi am ei bod yn cyflym fynd yn henffasiwn (a'n
gwaredo rhag dilyn y safon yna), ond am ei bod yn dreiddgar gyfeil-
iornus. Taeogrwydd yw. Mae drylliadaeth amddifad, fel ansicrwydd a
negyddiaeth amddifad, yn hanner-pob. Gofyn y Gynghanedd i ni, gofyn
Iaith i ni, i lenyddiaeth, ac i fywyd, ymhyfrydu yn rhyddid eu deddfau.
Drwy garu'r Ddeddf, yn wir drwy gariad y Ddeddf, y ffrwythlonir Dawn.

Ni ddylid ceisio mwyach esbonio syndod y Gynghanedd heb ardd-
angos yn gyntaf iddi ddatblygu'n *isymwybodol* (ac enghraifft drawiadol o
hynny yw Ceseilio, sy'n symbol o natur datblygiad yr holl gyfundrefn);
wedyn yn ail iddi ddod yn *gyfundrefn* gyflawn ddiwnïad ym mhob rhan
o'r golwg; ac yn drydydd, fel y cymerodd y cam dirgel, o gyseinedd odl a
chytseinedd y Gogynfeirdd cynnar, sef cyfundrefn debyg i gyfundrefnau
cerdd dafod ieithoedd eraill, ymlaen i gyfundrefn unigryw lle y daeth yr

acen i ymuno â hwy i'w rheoli a'u patrymu hwy, yn greadigaeth ryfeddol a chyrhaeddgar newydd; ac yn bedwerydd, iddi guddio ynddi'i hun yr egwyddorion tan lywodraeth acen yng nghyfundrefn *chwaeth* 'rhy' ac 'eisiau' y Beiau Gwaharddedig. Efallai mai'r wers a ddarganfuwyd drwy'r cwbl, sy'n sylfaenol iddi hi (ond yn sylfaenol wahanol i bob iaith arall), – gwers a all ddatblygu o bosib o glustfeinio'n gywrain mewn iaith sy'n meddu ar arferion arbennig, tan ynganu eglur o'r herwydd, ynghyd â threigladau, oedd bod *Undod yn gorfod llywodraethu ar Amrywiaeth y seiniau mewn Meddwl trosgynnol* sy'n cynnwys y nodweddion hyn. Safwn yn ôl, felly, a rhyfeddwn.

Mae gan Borges, y llenor Sbaeneg o'r Ariannin, osodiad gogleisiol fod llenydda dychmyglon yn golygu cyfuniad o 'algebra a thân'. Fel hyn y cyfieithaf hynny yn fwy rhyddieithol:

Algebra	Tân	Llenydda dychmyglon
Tafod	Cymhelliad	Mynegiant

O fewn fframwaith macro-gyfundrefn o'r fath y fforiwyd – ar drywydd darganfod yn fewnol – adeiladwaith y meddwl a fyddai'n dathlu harmoni berffaith.

Pan ddyfynnai J. Morris-Jones, felly linellau o Gynghanedd yn *Cerdd Dafod*, nis gwnâi odid byth er mwyn amlygu eu camp a'u hansawdd a'u llenydda dychmyglon. Bob tro, ond odid, ceisio'u defnyddio hwy a wnâi i enghreifftio egwyddor ffurfiol gyffredinol y tu ôl. Felly finnau i raddau llai yn y gyfrol hon neu yn *Seiliau Beirniadaeth*. Yn ei ymdriniaeth ar 'Cymhellion Llenyddol', nod T. J. Morgan yntau oedd nid trafod rhagoriaeth y darn o lenyddiaeth na'r egwyddor o ffurf, eithr archwilio, y tu ôl i'r darn unigol, y cymhelliad cyffredinol. Felly finnau i raddau llai yn *Ysbryd y Cwlwm* (cymhelliad cymdeithasol) a *Mawl a'i Gyfeillion* (cymhelliad trosgynnol). Ym maes Mynegiant, byddai beirniad ymarferol fel Hugh Bevan yn benderfynol o gadw'i lygaid ar arbenigrwydd y darn unigol beth bynnag fyddai'r cymhelliad ar y pryd na'r egwyddor ffurfiol a oedd iddo. Felly finnau i raddau llai yn y ddwy gyfrol ar lenyddiaeth yr ugeinfed ganrif. Nid oedd tiriogaeth na hyd yn oed methodoleg yr un o'r rhain yn well na'i gilydd, na Thafod, na Chymhelliad, na Mynegiant, ac yn sicr nid Beirniadaeth Gyfansawdd (sy'n anelu at olrhain map syml o'r paramedrau beirniadol i gyd). Ond gweithient oll o'r tu mewn i ffiniau'r ddisgyblaeth a elwid yn Feirniadaeth Lenyddol. Er hynny, nid dyna'r cwbl a ganfyddwn o fewn tiriogaeth y ddisgyblaeth hon. Nid cyfanswm o'r rhannau yw Beirniadaeth Gyfansawdd chwaith gan ei bod yn ceisio persbectif annamweiniol a chydberthynas newydd lle y mae'r Gynghanedd hithau yn ei thro yn meddu ar gadair a choron. Ei rhyfeddod yw mai miwsig yw a all gyfleu mwy na theimladau, eithr syniadau hefyd, mwy na pherseinedd, eithr ffeithiau a gweledigaethau hefyd, gan gwmpasu mwy na manylion bywyd pob dydd, eithr yn ogystal, – yn rhyfeddol iawn – holl gynnwys ein gwybodaeth am y tragwyddol.

Mynegai

(Braidd yn wirion fu cynnwys J. Morris-Jones yn y Mynegai hwn gan mai ef yw arwr y gyfrol i gyd, a dichon y dylid bod wedi nodi ar ei gyfer 1-522. Ond wrth ei gynnwys fel y gwneuthum, a *Cerdd Dafod* hefyd, y mae'n ffordd o dalu teyrnged, a dangos ein dyled ni oll iddo.)

I. Pobl a'u Gweithiau

Aaron, Jane, 23, 37, 92
Abrams, M. H., 203
Adamson, Jane, 453
After Virtue, 453
Angharad, Gwraig Ieuan ab Ieuan Llwyd, 281-282
Anghenion y Gynghanedd, 403, 423, 426, 433
Aled o Fôn, 318
Allchin, A. M., 454
Andrews, Rhian, 70, 242, 268, 380, 404
'Anthem for Doomed Youth', 190, 324
ap Dafydd, Myrddin, 22
'Ar Dro o Delffi', 397
Aristoteles, 91, 345
Armes Prydein, 150,
Astudiaethau ar yr Hengerdd, 261, 274
Attali, Jacques, 72
Attridge, Derek, 486
Auden, W. H., 37, 323, 324
Awstin, 450, 454

Bach, Johann Sebastian, 237, 462
Barddas, 136, 321
Barn, 174
Barnes, 37, 40
Barthes, 455
Baudelaire, 18, 122, 125
Beethoven, 426, 450
Begbie, Jeremy S., 454

Beirdd a Thywysogion, 259, 264, 268, 411
Beirniadaeth Gyfansawdd, 35, 452, 483, 484, 509, 513
Belyj, Andrej, 192
Bevan, Hugh, 521
Bleddyn Ddu, 287
Blodeugerdd Barddas o'r Bedwaredd Ganrif ar Ddeg, 224, 262
Borges, 521
Bowen, D. J., 70, 206, 228
Bowen, Euros, 28, 37, 42, 43, 111, 121, 123, 194, 359, 387, 388-389, 397-399, 402, 404, 412, 414, 417, 422-424, 426-437, 453, 454, 510
Braslun o Hanes Llenyddiaeth Gymraeg, 460
'Breintiau Gwŷr Powys', 255
Brik, Osïp, 120
Brito, Leonora, 466
Bromwich, Rachel, 261, 274
Brown, Frank B., 454
Brut y Tywysogion, 288
Bryant-Quinn, Paul, 70, 206, 302
Buchedd Garmon, 43
Bwletin y Bwrdd Gwybodau Celtaidd, 507

Calfin, 450, 506
Calvin: Commentaries, 450
Canu Aneirin, 150-151, 327, 383
Canu Llywarch Hen, 411
Casnodyn, 281
Castelvetro, 305

llinell, 42, 52-53, 59, 61, 64, 65, 66, 70,
113, 150, 154, 156-157, 172, 177-179,
184, 185, 200-201, 207-208, 213-250,
274, 288, 347, 372, 398-399, 405, 406-
410, 415, 423, 425, 434-436, 484, 491
lluosedd (pluralism), 90, 498
lluosrwydd (plurality), 90, 498
Llydaweg, 158, 185, 381, 476, 512

Marwnad, 467
Mawl (dadolwch, diolch, golwch,
gorfoledd), 47, 441-457, 464, 470,
473
mawlfodd, 474
meddwl cyffredin, 18
melyster, 307, 432
mesurau, 42, 48, 149, 220, 242, 248,
251-277, 404, 415, 430, 458, 509: gw.
cymysgu mesurau
mesurau Dafydd ab Edmwnd, 383
mesurau deuol, 374-376, 382
mesurau Einion Offeiriad, 383
mesurau llinellog, 374-382, 405, 409
mesurau penilliog, 382-384, 405, 410
mesurau toddeidiol, 379-382
mesurau triol, 376-379, 383-384
gw. hefyd: Awdl-gywydd, Byr-a-
Thoddaid, Cadwynfyr, Clogyrnach,
Cyhydedd Fer, Cyhydedd Hir,
Cyhydedd Naw Ban, Cyhydedd
Naw Ban Drichur, Cyrch-a-chwta,
Cywydd Deuair Byrion, Cywydd
Deuair Hirion, Englyn Cyrch,
Englyn Milwr, Englyn Penfyr,
Englyn Unodl Crwca, Englyn
Unodl Union, Gorchest y Beirdd,
Gwawdodyn, Gwawdodyn Hir, Hir-
a-Thoddaid, Rhupunt, Rhupunt
Hir, Tawddgyrch Cadwynog, Todd-
aid, Toddaid Byr, Traeanog,
Traethodl, Tri Thrawiad
method gwyddonol, 50
moeseg, 453
morffoleg, 392
mydr, 187, 192, 216, 220, 232-234, 241,
248, 414, 421-422, 429-431: gw. acen

Mynegiant, 57, 68, 80, 99-113, 126, 146-
154, 161, 179, 180-187, 207, 221, 232-
234, 245, 248-250, 251, 271, 290, 309,
327, 367, 372, 395, 421, 425, 426,
441, 450, 478-481, 482, 488, 497, 505,
508, 509, 517, 521

Nofel Dditectif, 467

Odl, 150-151, 159, 160, 161, 165-168,
169-173, 176, 180-185, 187, 195, 241,
249, 309-310, 312, 327, 401, 448, 511
odl enerig (odl Wyddelig), 150, 159,
323-325, 327, 333, 334, 338-346,
401
odl gyfansawdd (Odl a Phroest;
Prodl), 332, 337
odl gyrch, 150
Ôl-foderniaeth, 19, 72-73, 84-98, 139-
140, 202, 291, 305, 346, 352, 369,
389, 395, 415, 451-454, 455, 460, 481,
489, 501-506, 510
Opera Sebon, 467

paladr, 262-263, 370, 385, 413, 424
paraolion (cytseiniaid parhaol), 207-
208, 341
Parnasiaid, 124-125
particularisation, 306
patrwm, 55, 59, 98, 155, 199, 214, 276,
290, 443, 460, 491, 511, 513: gw.
cyfundrefn, deuol, triol, undod
pencerdd, 153, 247, 255, 273, 511
pengoll, 201, 209
pennill, 42, 82, 154, 251-277, 288, 372,
405, 423
perfeddgoll, 206, 208
perffeithrwydd, 450-451, 459
perseinedd, 445-449
person (rhagenw), 158, 230-231
perthynas deunydd a ffurf, sŵn ac ystyr,
35, 137, 140-141, 216
'post-Welsh', 465-466
presenoldeb (cyn-batrwm), 199 gw.
patrwm
prifodl, 150, 207, 266, 313

proest, 150, 159, 161, 166-169, 170, 171, 322-330, 340, 343, 344-345, 401, 402
Proest i'r Odl, 128, 292, 293, 296, 303, 307, 310, 314, 330-338, 396, 425
proses, 191
prydu, 285
prydydd, 284-285
pwys (acen bwys), 53, 154, 157, 172, 177, 179, 185, 253

rhagacen, 110, 111, 115, 117, 174, 176, 217, 218, 237, 301, 347-359, 410, 414-415, 429-430, 434-436
rhagenw (gramadeg), 401, 474
rhagenw dangosol, 186, 326
rhamant, 472-473
rhamantiaeth, 499
rhan, 16, 37, 202, 486
rhannau ymadrodd storïol, 392
rhannau ymadrodd traethiadol, 122, 182, 213, 503 gw. brawddeg
rheol, 119
rhif (gramadeg), 58, 69, 107, 108, 220, 230
Rhupunt, 149, 242, 256, 268, 376, 383, 388, 405
Rhupunt Hir, 242, 383
Rhupunt Hir Cwta, 383
rhy, 25, 32, 209, 292, 293, 304, 306, 307, 308, 349, 352, 481, 485
Rhy Debyg, 292, 293, 297, 303, 307, 310, 312, 314, 315-317, 331, 333
rhythm, 216, 232-234, 421-422, 432

s (ffritholyn di-lais), 134
Saesneg a'r Gynghanedd, 23, 37-41, 54-55, 190-191, 249, 276, 323-325, 463, 465-466
Safbwynt Storïol, 391-392
sangiad, 436
sangiad cynganeddol, 397-398
sain gynganeddol, 100
sefydliad, 96, 197
seiciatreg, 453
Seico-ddadansoddiad, 498-506

Seico-fecaneg iaith, 203, 477-497, 498-506, 507-508 gw. Guillaume, Hirtle, Valin
semantoleg, 193
Sensus Divinitatis, 447-448
sillaf, 51, 59, 181, 308, 484, 503 gw. cyhydedd
sillaf ddiacen, 66
sillaf olaf, 151
Sofraniaeth, 473
Stori, 471
Storifath, 471
Stori Fer, 467
strwythur, 305, 410
sŵn, 41, 44, 49-75, 121-141, 428, 443-445, 481, 485, 487, 508, 519
syncroni, 80, 105, 147, 434
sythwelediad, 251, 305, 408, 479, 482

taflunio (Seic. projection), 499
Tafod, 57, 68, 80, 88, 99, 113, 119, 126, 146-154, 158, 180-187, 215-218, 231-232, 245, 251, 271, 290, 293, 309, 372, 395, 408, 421, 425, 426, 441, 450, 478-481, 488-489, 497, 505, 508, 509, 517-522
Tawddgyrch Cadwynog, 288, 383
tebygrwydd, 145, gw. uno
telyneg, 470, 511
telynegfath, 474
Tin Ab, 293, 312
Toddaid, 149, 173, 242, 256, 360, 379-381, 382, 388, 409, 411
Toddaid Byr, 149, 172, 174, 206, 209, 242, 256, 265-268, 273-274, 277, 371, 373, 379, 380, 382, 383, 385, 405, 411, 413
toddeidio, 154, 379-382, 405
Tor Cynghanedd, 385
Tor Cymeriad, 312
Tor Mesur, 311, 369-371, 382, 384-392, 395, 446
traddodiad, 20, 25, 81, 94, 198, 271, 272, 273, 314, 372, 386, 389, 396, 412-419, 425-426, 442, 488, 510-511
traddodiadaeth, 416
traddodiad llafar, 156-157